Zupitza, Julius

Alt- und mittelenglisches Übungsbuch

Zupitza, Julius

Alt- und mittelenglisches Übungsbuch

Inktank publishing, 2018

www.inktank-publishing.com

ISBN/EAN: 9783747761656

ALT- UND MITTELENGLISCHES
ÜBUNGSBUCH

ZUM GEBRAUCHE

BEI

UNIVERSITÄTS-VORLESUNGEN UND SEMINAR-ÜBUNGEN

MIT EINEM WÖRTERBUCHE

VON

JULIUS ZUPITZA

ELFTE UNTER MITWIRKUNG VON R. BROTANEK
UND A. EICHLER VERBESSERTE AUFLAGE

HERAUSGEGEBEN VON

J. SCHIPPER

WIEN UND LEIPZIG
WILHELM BRAUMÜLLER
K. U. K. HOF- UND UNIVERSITÄTS-BUCHHÄNDLER
1915

4

Vorwort zur vierten auflage.

In der vierten auflage*) dieses buches sind alle stücke der dritten wiederholt worden: neu hinzugekommen sind vier, nämlich I, IX (XIII), XV (XX) und XXXVIII (LXVIII). frisch verglichen habe ich die hss. C, O, U für nr. XIII (XIX) und XIV (XVII der fünften, fehlt in der sechsten bis elften auflage), die einzige hs. für nr. XXII (XXXVII) und die Edinburgher für nr. XXVII (XLII). zu nr. II und XI (XVI) trage ich hier nach, daß inzwischen Napier in den Modern Language Notes IV (1889), 5 (May), sp. 277, eine weitere aufzeichnung des cædmonschen hymnus aus der hs. Hatton 43 veröffentlicht hat, deren interessanteste lesart ylda v. 5, wie in der nh. fassung, ist.

Die anordnung des glossars ist dieselbe geblieben wie bisher: ea oder êa steht vor eb; eo oder êo hinter en; æ (ae, ǽ) unter a; œ (oe, œ̂) unter o; ȝ unter g, ð im in- und auslaut unter d, im anlaut aber unter þ, dem der letzte platz angewiesen ist; in- und auslautendes þ im ae. aber unter d. bei der benutzung des wörterbuches bitte ich daran zu denken, daß der raumersparnis wegen verweisungen manchmal etwas vor, manchmal etwas nach der alphabetischen stelle stehen; daß verweisungen für einfache wörter auch für composita gelten können, deren ersten teil jene bilden; daß man ferner in vielen fällen, um eine verweisung zu erhalten, auf den ersten oder die ersten buchstaben zurückgehen

---

*) Aus dem vorwort zur ersten auflage seien hier mit den notwendigen änderungen die stellen aus dem buche wiederholt, an denen die sprache Englands von der ältesten zeit an als „englisch" bezeichnet wird; on englisc X (XIV) 16. 17. 66. 67. 91; onn ennglissh XXI (XXXVI) A 67: englisc gewrit X (XIV) 60. 64; in engliscgereorde XI (XVI) 7: onn ennglisshe spæche XXI (XXXVI) A 14; þiss ennglisshe boc ebenda 93; ðesne englissce lai XXII (XXXVII) 167. neu hinzu kam in der zweiten on englisc s. 50 (wieder ausgeschieden). (die eingeklammerten zahlen beziehen sich hier und oben auf die vorliegende elfte auflage.)

A*

muß; endlich, daß verdoppelte vokale im ae. wie einfache be-
handelt sind. die angabe des geschlechts und der deklinations-
und konjugationsklassen (vgl. dazu s. V unten) bezieht sich in
der regel nur aufs ae., ja zum teil nur aufs westsächsische ae.
die vorsetzung eines k. (kent.), merc. oder nh. vor eine ae. form
soll diese nicht immer ausschließlich dem kentischen, mercischen
oder nordhumbrischen dialekte zuweisen, sondern öfters nur an-
zeigen, daß dieselbe in dem übungsbuch nur in einem kentischen,
mercischen oder nordhumbrischen stücke vorkommt. durch ein
vorgesetztes Ep. sind altertümliche formen des Epinaler glossars
bezeichnet worden.

Ich empfehle mein büchlein auch dem ferneren wohlwollen
von lehrenden und lernenden.

Berlin, 2. juni 1889.

J. Z.

Vorwort zur fünften auflage.

Nach dem so beklagenswert frühzeitigen tode Zupitzas ist
mir mit zustimmung seiner hinterbliebenen die bearbeitung der
fünften auflage seines Alt- und mittelenglischen übungsbuches
von der verlagsbuchhandlung übertragen worden. es konnte sich
dabei nur um zweierlei handeln: entweder das vortreffliche buch,
welches seit seinem ersten erscheinen so viele in das studium der
älteren englischen sprachperioden eingeführt hat, unverändert
herauszugeben oder es mit solchen zusätzen zu versehen, wie sie
mir, wenn es auch anderen als rein sprachlichen zwecken dienen
sollte, ratsam erschienen. daß dies aber wünschenswert sei, ist
mir von verschiedenen fachgenossen, mit denen ich mich vorher
über die veranstaltung einer neuen auflage des buches besprechen
konnte, nahegelegt worden. dabei schien es mir jedoch sowohl aus
rücksichten der pietät gegen den urheber desselben, wie auch der
kollegialität gegen diejenigen universitätslehrer, denen es in seiner
bisherigen gestalt zum gebrauche bei vorlesungen oder seminar-
übungen lieb und wert geworden war, geboten zu sein, den inhalt

*der vierten auflage unangetastet zu lassen. zu zusätzen hielt ich
mich aber um so eher berechtigt und verpflichtet, als keine der
früheren auflagen des übungsbuches ohne solche erschienen ist,
wenn sie auch nur gering an umfang waren und stets in erster
linie die vermehrung des sprachlichen materiales bezweckten. bei
den von mir vorgenommenen erweiterungen ist namentlich die
rücksicht maßgebend gewesen, das buch auch nach der literar-
historischen seite hin reichhaltiger zu gestalten, und ferner, es
durch vorführung der wichtigsten vers- und strophenarten auch
als hilfsmittel für vorlesungen über englische metrik geeignet zu
machen. in den meisten fällen sind die stücke so ausgewählt
worden, daß beide zwecke vereint erreicht werden konnten.*

*Hoffentlich werden die zusätze lehrern wie schülern um so
erwünschter sein, als trotz des nicht unerheblichen umfanges
derselben der bisherige preis des buches von der verlagsbuch-
handlung nur unwesentlich erhöht worden ist. um aber dies zu
ermöglichen, war es andererseits notwendig, der naheliegenden
versuchung, noch weitere texte aufzunehmen, zu widerstehen und
sich einstweilen damit zufrieden zu geben, daß infolge der ver-
mehrung von 38 textnummern der zärten auf 64 der vorliegenden
fünften auflage nun doch u. a. Cynewulf neben Cædmon, Lazamon
neben Orm, King Horn neben Havelok, Robert Mannyng neben
Richard Rolle von Hampole, die lyrik und die anfänge des
dramas neben der prosaischen und poetischen mittelenglischen
didaktik, Chaucer, Henry the Minstrel, King James I. und
Dunbar neben Barbour haben berücksichtigung finden und die
wichtigsten von ihnen und anderen gepflegten vers- und strophen-
arten den nicht sehr mannigfachen metrischen proben, die das buch
in seiner früheren gestalt bot, haben hinzugefügt werden können.*

*Daß die neu aufgenommenen texte im glossar die nötige
beachtung gefunden haben, ist selbstverständlich. die einzige
prinzipielle änderung, die ich mir mit diesem erlaubt habe,
besteht darin, daß ich die in den früheren auflagen durchgeführte
klassifikation der starken verba, die nicht von allen gelehrten
geteilt wird, und dementsprechend auch diejenige der schwachen
verba, gestrichen habe.*

*Möge es dem buche auch in der vorliegenden erweiterten
gestalt beschieden sein, zu den vielen freunden, die es sich früher*

erworben hat, neue hinzuzugewinnen und möge es auch ferner
mit dazu beitragen, das andenken an einen um die wissenschaft
der englischen philologie hochverdienten forscher dauernd wach
zu erhalten!

Wien, im februar 1897.

J. Schipper.

Vorwort zur sechsten auflage.

Die vorliegende, unerwartet schnell erforderlich gewordene
sechste auflage des *Alt- und mittelenglischen übungsbuches* ist
wieder um einige lesestücke erweitert worden. zunächst wurden
einige längere, zusammenhängende abschnitte aus des herausgebers
ausgabe von 'König Alfreds übersetzung von Bedas kirchen-
geschichte', nämlich nr. XIV (XV) 'die eroberung Britanniens
durch die Angelsachsen und die bekehrung der Kenter zum
christentume', sodann nr. XVI (XVII) aus 'König Alfreds
Orosius', die 'beschreibung Europas' nebst den 'reiseberichten
von Ohthere und Wulfstan' enthaltend, neu aufgenommen. dem
vorgange der früheren auflagen folgend (vgl. nr. XVII (XVIII)
und nr. XXV (XXVII) == nr. XII und nr. XVIII der vierten
auflage) sind diese texte ohne die theoretische akzentuierung,
genau nach der überlieferung der handschriften, gedruckt worden.
betreffs des letzteren lesestückes wurde es als zweckmäßig erachtet,
dasselbe nicht nach der hier allein vollständigen hs. C mitzu-
teilen, sondern den anfang nach L, den schluß nach C, wie bei
Sweet, um so von beiden handschriften eine probe zu geben.
damit für diese stücke platz gewonnen und das buch doch nicht
zu sehr verteuert werde, ist das umfangreiche stück Johannes XXI.
der früheren auflagen (nr. XVII der fünften) mit zustimmung
verschiedener fachgenossen, deren meinung in dieser hinsicht
vorher eingeholt wurde, fortgelassen worden, da das vorangehende
stück nr. XVI (XIX), *Matthäus XXVIII.*, als eine aus-
reichende probe der in den beiden lesestücken mitgeteilten ver-
schiedenen texte angesehen werden konnte. die varianten des

hymnus Cædmons in Bedas bericht über ihn in nr. XV (XVI) *sind
aus der oben zitierten ausgabe (s. 731) als zu unwichtig nicht
besonders verzeichnet worden. die lesebücher, auf die in den noten
gelegentlich verwiesen worden ist, sind nur in nr.* XXII (XXXIII)
*unter dem titel angegeben worden. bezüglich des lesestückes
nr.* XXX (XXXVI) *(Ormulum) ist die rechtzeitige herstellung
der betreffenden typen nach den von Napier (EETS 103, s. 71)
gemachten angaben leider versäumt worden, weshalb auf diese
lediglich verwiesen werden konnte.*

*Hinsichtlich des mittelenglischen erschien es ratsam, eine
probe des wichtigen arthursagenkreises mitzuteilen. es wurde dazu
die erzählung von dem wunderkinde Merlin, nr.* XLI (XLVII), *aus
Kölbings ausgabe der romanze von 'Arthur und Merlin' gewählt.
die erzählung von der 'frau Siriß' wurde namentlich deswegen auf-
genommen, um eine der ersten proben der in der englischen literatur
so bedeutsamen und schon in so früher zeit zur geltung gelangten
humoristischen dichtung, damit zugleich aber auch der nicht
minder wichtigen strophenform der einfachen schweifreimstrophe,
und zwar verschiedener variationen derselben, vorzuführen.*

*Für wertvolle berichtigungen der vorangegangenen fünften
auflage bin ich verschiedenen kollegen, so namentlich den herren
professoren dr. Holthausen, dr. Kaluza, dr. Luick, zu lebhaftem
danke verpflichtet, dem letzteren außerdem noch für seine stets
bereitwillige mitwirkung bei der korrektur des buches.*

*So möge es denn wiederum dem ferneren wohlwollen von
lehrenden und lernenden empfohlen sein.*

Wien, oktober 15, 1901.

J. Schipper.

Vorwort zur siebenten auflage.

*In der über erwarten rasch wieder nötig gewordenen
siebenten auflage dieses buches sind alle stücke der sechsten
wiederholt worden und mit ausnahme des kurzen poetischen
stückes auf s. 36, welches bei zweckmäßiger ausnutzung des*

raumes auf besonderen wunsch eines kollegen aufnahme finden konnte, ist kein neues lesestück hinzugekommen. diese zurückhaltung erschien aus dem grunde geboten, um die erst vor einigen jahren erschienene sechste auflage noch neben der siebenten brauchbar zu erhalten, mit der sie hinsichtlich der zahl und des inhaltes der textseiten im wesentlichen übereinstimmt. um dies zu ermöglichen, war auch zur vermeidung des anschwellens der lesarten eine gewisse reserve in bezug auf die von verschiedenen fachgenossen teils in rezensionen, teils brieflich in vorschlag gebrachten emendationen notwendig. gleichwohl wird es dem aufmerksamen leser nicht entgehen, daß die neue auflage sich in dieser beziehung sowohl hinsichtlich der texte wie auch namentlich des sorgfältig durchgesehenen und zweckmäßiger angeordneten wörterbuches nicht unerheblich und hoffentlich nicht unvorteilhaft von der vorangegangenen unterscheidet. für manche wertvolle berichtigungen bin ich wiederum verschiedenen fachgenossen, so namentlich den herren professoren dr. Binz, dr. Bülbring, dr. Max Förster, dr. Holthausen, dr. Kaluza, dr. Luick und anderen zu großem danke verpflichtet und bedaure nur, daß ich aus den angegebenen gründen diesmal nicht allen ihren änderungsvorschlägen rechnung tragen konnte, sowie daß ein schon in der VI. auflage beobachteter druckfehler, s. 27, lesestück XI (XII), z. 13, wo geuueoðiae statt geuueoðiae zu lesen ist, sich trotz der dankenswerten und sorgfältigen mitwirkung bei der korrektur des buches, die mir auch diesmal wieder seitens des herrn kollegen dr. Luick und eines jüngeren fachgenossen, des herrn dr. A. Eichler, zuteil geworden ist, neuerdings eingeschlichen hat. sollte es mir beschieden sein, eine achte auflage des „übungsbuches", welches ich dem ferneren wohlwollen von lehrern und lernenden empfehle, zu veranstalten, so wird alsdann den wünschen und vorschlägen der geehrten herren fachgenossen in größerem umfange rechnung getragen werden.

Wien, juli 1, 1904.

J. Schipper.

Vorwort zur achten auflage.

Zwingende gründe, zumeist privater natur, haben mich verhindert, änderungen mit dem inhalte dieser auflage vorzunehmen, wie sie mir selber vorschwebten oder auch aus dem kreise der verehrten fachgenossen nahegelegt worden waren. gleichwohl liegt durchaus nicht etwa ein unveränderter abdruck der siebenten auflage vor. vielmehr hat sowohl der text wie auch namentlich das Glossar zahlreiche verbesserungen vor und während der durchsicht der korrekturbogen erfahren, wobei ich mich der bereitwilligen und sorgfältigen mitwirkung zweier junger fachgenossen, des herrn privatdozenten dr. Rudolf Brotanek und des realschullehrers in Wien dr. Albert Eichler, zu erfreuen hatte, denen ich hiefür den wärmsten dank ausspreche. zu einigen mittelenglischen gedichten hatte herr professor dr. H. Logeman die güte, mir eine anzahl von besserungsvorschlägen und anmerkungen zu senden, von denen einige noch während des druckes im glossar berücksichtigt werden konnten, andere im nachtrag erscheinen. auch ihm sei für dieses dem werke in so freundlicher weise betätigte interesse der verbindlichste dank abgestattet.

Wien, juli 2, 1907.

J. Schipper.

Vorwort zur neunten auflage.

Auch die vorliegende neunte auflage dieses buches ist rascher nötig geworden als erwartet wurde. gleichwohl konnten die kurzen lesestücke V, XXVIII, XXIX, XXX, XXXI sowie die ergänzung der lesarten zu II, III, XVI, XXXV auf anregung des herrn prof. dr. Max Förster, der schon öfters dem buche sein freundliches interesse betätigt hat und den berechtigten wunsch nach einer reicheren vertretung der übergangszeit geäußert hatte, in die neue auflage aufgenommen werden. die hinzufügung des stückes nr. XXIV erschien dem herausgeber selber aus metrischen rück-

sichten ratsam. eine sehr wertvolle verbesserung aber hat das
buch durch die neubearbeitung des lesestückes nr. IV erfahren, die
zu übernehmen herr prof. dr. Viëtor die große und von allen
fachgenossen, die das buch benutzen, gewiß ebenso dankbar wie
von dem herausgeber desselben anerkannte güte hatte. die gesichts-
punkte, die herrn kollegen Viëtor dabei geleitet haben, mögen
hier mit seinen eigenen worten aus seinem am 23. oktober 1909
an mich gerichteten briefe wiedergegeben werden:

„Doch etwas später, als ich wollte, kommt anbei die be-
arbeitung der Ruthweller inschrift. ich habe mir erlaubt, zu den
quellen für die lesung (in der vorbemerkung) Stuart und mich
selbst hinzuzufügen — letzteres wegen der doch kaum zu um-
gehenden verweise in den anmerkungen — dagegen habe ich Haigh
nur unter der nebenbei angezogenen literatur genannt. auch er
hat zwar nicht nur nach gedruckten vorlagen gearbeitet, er ist
aber zu unverlässig, als daß seine lesungen ernste berücksichti-
gung verdienten. auch sind seine abweichungen ja bei Wülker
und in ergänzung zu diesem bei mir zu finden. ich habe nun
auch die photographien des Londoner abgusses in dem gewaltigen
format von ein fünftel der wirklichen länge nochmals genau ver-
glichen, mir aber bei der feststellung des lesebuchtextes gesagt,
daß nicht sowohl die jetzige lesung, so wie sie erscheint, als viel-
mehr ein auf dem ganzen, auch historischen material beruhender
text zu geben ist, so daß ich — nach einigem schwanken — zu
den formen darstæ für dorstæ und bismæradu für bismærædu
zurückgekehrt bin. eine ganz sichere entscheidung ist ja hier
wie in manchen anderen punkten unmöglich, weil das denkmal
nicht nur jetzt, sondern schon im 17. jahrhundert zu übel von der
zeit mitgenommen ist. andererseits kann man doch behaupten,
daß der text mit genügender begründung in der hier im
Zupitza-Schipper dargebotenen form als übungstext verwertet
werden darf.“

„Zu der transliteration s. 6 möchte ich noch folgendes be-
merken: sie mußte meines erachtens vor allem mit dem runen-
text s. 3ff. übereinstimmen und auch die verschiedenheit der runen-
zeichen für palatales und velares g, das vorhandensein einfacher
zeichen für ea u. s. w. erkennen lassen, andererseits aber sich dem
späteren altenglischen schreibgebrauch anschließen, soweit dies

unter der erwähnten voraussetzung möglich war. ich habe in ersterer hinsicht durch das verlangen von kursivdruck*) auf nebenformen von g und c sowie auf die ea-rune hingewiesen und es für richtig gehalten, auch das ch für die betreffende rune in almehttig lieber durch kursiv-h und das geschwänzte n für den velaren nasal in kynine und unket durch kursiv-n zu ersetzen, weil das ch und das geschwänzte n dem zweiten grundsatz wiedersprachen und auf jeden fall eine inkonsequenz waren. ich hatte zuerst daran gedacht, die in der lesung bestehenden zweifel in der transliteration noch etwas deutlicher anzuführen (z. b. durch eingeklammertes dorstᴔ? hinter darstᴔ), habe darauf jedoch wieder verzichtet, um den text nicht zu belasten; das nötige ist ja in den anmerkungen zu den runenstellen angeführt. — um endlich den für meine zusätze verbrauchten raum wieder einzusparen, habe ich vorgeschlagen, daß die transliterierten stellen zweispaltig gesetzt werden."

Zu weiteren zusätzen oder änderungen sah ich mich, namentlich um die veröffentlichung des buches, welches übrigens diesmal in einer um die hälfte verstärkten auflage erscheint, nicht noch weiter zu verzögern, nicht veranlaßt.

Für gütige mitwirkung bei der korrektur und für verschiedene berichtigungen im text und im glossar bin ich auch diesmal wieder meinem kollegen prof. dr. Karl Luick, wie schon öfters, zu besonderem danke verpflichtet. diesen dank fühle ich mich mit gleicher herzlichkeit auch allen denjenigen fachgenossen abzustatten veranlaßt, die sich bei der besprechung des „übungsbuches" durch verbesserungen und besserungsvorschläge um die zunehmende brauchbarkeit desselben verdient gemacht haben.

Wien, März 17, 1910.

J. Schipper.

---

*) Zur verhütung eines mißverständnisses sei hiezu bemerkt, daß kursivdruck in nr. XXXVI A, v. 55, die von prof. dr. Napier in Orms handschrift gefundene bezeichnung des palatalen g anzeigt. — der herausgeber.

13

Vorwort zur zehnten auflage.

Die vorliegende zehnte auflage ist inhaltlich im wesentlichen unverändert geblieben. doch haben die texte wie auch das wörterbuch mehrfache verbesserungen erfahren, wozu sowohl die besprechungen der neunten auflage als auch briefliche mitteilungen zu derselben seitens wertgeschätzter fachgenossen den erwünschten anlaß boten. für das wörterbuch war diesmal eine neubearbeitung mit angabe der wichtigeren belegstellen in aussicht genommen; doch reichte leider die zeit bis zum erscheinen der sehr rasch wieder nötig gewordenen, in gleicher stärke wie die letzte erscheinenden neuen auflage nicht aus, um das schon dafür gesammelte material zu verarbeiten. die ausführung dieses planes muß daher der zukunft vorbehalten bleiben.

Für freundliche mitwirkung bei der korrektur bin ich auch diesmal wieder den kollegen prof. dr. Brotanek, prof. dr. Eichler und prof. dr. Viëtor, diesem letzteren für die nochmalige durchsicht des lesestückes nr. IV, zu besonderem danke verpflichtet. herzlichsten dank spreche ich aber auch allen denjenigen verehrten fachgenossen aus, die bisher durch gedruckte und briefliche besserungen oder besserungsvorschläge sich um das „übungsbuch" verdient gemacht haben, dessen zunehmende brauchbarkeit zu fördern mein eifriges bestreben sein wird. möge ihm die gunst der lehrenden und lernenden auch ferner erhalten bleiben!

Wien, märz 30, 1912.

J. Schipper.

Vorwort zur elften auflage.

Auch diese auflage ist in bezug auf die texte, abgesehen von zusätzlichen literaturangaben und sonstigen verbesserungen, inhaltlich unverändert geblieben. dies erschien deshalb ratsam, weil die bereits für die zehnte ausgabe geplante und vorbereitete neubearbeitung des wörterbuches mit anführung der wichtigsten *belegstellen*) erst in der vorliegenden auflage durchgeführt werden konnte.*

Diese mühevolle arbeit ist, da es mir während der beiden letzten jahre leider an der nötigen gesundheit fehlte, auf grund früherer exzerpte und mit hilfe der herren dr. Hron und dr. Kosser in Graz, des herrn dr. Karpf, namentlich aber des herrn dr. Hüttenbrenner (beide in Bruck a. d. Mur) von prof. dr. Albert Eichler in Graz, dem im verlaufe der arbeit prof. dr. Rudolf Brotanek in Prag an die seite trat, ausgeführt worden. auch haben die beiden letztgenannten mich wieder bei der lesung der korrekturen des textes, besonders aber bei der schwierigen und zum teil infolge des krieges langwierigen druckleyung des wörterbuches wesentlich unterstützt. allen diesen mitarbeitern und auch den ungenannten sowie der druckerei „Styria" sage ich für ihre sorgsame mühewaltung meinen wärmsten dank, ferner auch allen fachgenossen, die sich, wie bisher, durch mündliche, briefliche oder gedruckte besserungsvorschläge um das „übungsbuch" verdient gemacht haben. ihnen sowie allen denjenigen, die sich als lehrer oder lernende mit der alt- und mittelenglischen literatur und sprache beschäftigen, sei das buch auch ferner wärmstens empfohlen.

Wien, mitte jänner 1915.

J. Schipper.

Wenige tage nachdem der langjährige herausgeber dieses übungsbuches brieflich die fassung des titelblattes genehmigt und sachlichen zusätzen zum obigen vorworte grundsätzlich zugestimmt hatte, schloß ein sanfter tod für immer seine augen, die, wie stets auf diesem buche, so besonders auf der für ihn letzten auflage mit vieler hingabe, wenn auch oft schon mit erheblicher anstrengung, geruht hatten. seine mitarbeiter hoffen im sinne ihres verehrten lehrers namentlich den bedürfnissen der anfänger im anglistischen studium rechnung getragen zu haben. **R. Brotanek, A. Eichler.**

---

*) Soweit das durch nachkollationierungen vielfach erweiterte exzerptenmaterial reichte, sind alle formen, mindestens nach ihrem ersten vorkommen im texte, belegt worden; die zählung der stücke nr. 65 und 69 erfolgte nach strophen, u und r sowie ð und þ bilden nun bloß je einen glossarartikel, was hiemit zur bemerkung auf s. 208 nachgetragen sei. um gütige mitteilung von ergänzungen fehlender belege an prof. dr. Albert Eichler, Graz, Universität, wird jeder benutzer des buches freundlich gebeten.

Berichtigungen und Nachträge während des Druckes.

8,582 *lies (hs.!)* ofeslice *statt* ofestlice.

9,372 *lies* gobreadad *statt* gebrēadad.

9,592 *lies* gebredade *statt* gebrēdade.

14,16, 49, 61, 63, 66, 96 *lies* læden(-) *statt* hēden(-).

14,*schl.-ged.*16 *lies* wǣl *statt* wæl.

15,222 *lies* iu geara *statt* in geara.

19c,14 *lies (hs.!)* sohrlease *statt* sorhlease.

21,24 *lies* swûran *statt* swurau.

22,80, 81 *lies* swêrum *statt* swerum.

22,82 *lies* swêras *statt* sweras.

26,17 *lies* wrǣclâstum *statt* wrǣclâstum.

32,88 *lesarten lies* 88 eiðer *statt* 89 eiðer.

39,1292 *lies* him *statt* tim.

50,64 *lies* zayþ *statt* zayp.

58,143 *tilge komma hinter* fysches.

59,30 *lies* it *statt* id.

72,15 *lies* through *statt* throug.

Seite 208 *unter* iê *ergänze:* me, iê 28,5 *gesetz.*

Seite 208 *unter* a c *ergänze:* me, oc 39,1323.

Seite 211 *hinter* ælde ðe, *ergänze:* alder s. eall.

Seite 212 *unter* alifo *lies* aliue *statt* alive.

Seite 213 *ergänze:* andlyfne s. andleofen.

Seite 223 *unter* bilevynge *ergänze:* 40,9.

Seite 227 *tilge:* brêdon, *schw. v. (s. dafür* gebreadian).

Seite 231 *unter* eennan(1) *ergänze:* 46,264 *(hinter* kenne).

Seite 251 *unter* fealowian *lies:* naluwen *(statt* valuwen).

Seite 256 *lies* ferebysn *statt* forebysn.

Seite 258 *lies:* forðêode; *pl.* forðeodan 15,93 *gingen hervor.*

Seite 260 *unter* fullfyllan *ergänze: p. p.* uelueld 50,34.

Seite 266 *stelle* gelnðian *hinter* gelǣstan.

Seite 266 *unter* golic *ergänze:* lyk(e) 49,42.

Seite 270 *unter* gewiht *ergänze:* wiht(e) 32,212.

Seite 272 *unter* giefan *lies: prät. pl.* gêafan 15,46 *(statt* geafan).

Seite 279 *unter* hê *lies:* scho 48,95 *(statt* 49,1).

Seite 281 *unter* heofonlic *ergänze:* heofonlecan 16,78.

Seite 287 *unter* hwǣr *stelle* quaron *vor* quor on 39,1310 *und ergänze dahinter:* worauf.

Seite 288 *unter* hwîl *ergänze:* wile 46,70.

Seite 304 *ergänze:* moter s. met.

INHALT.

1.

AUS DEM EPINALER GLOSSAR.

The Epinal Glossary, Latin and English, of the 8th Century, Photo-lithographed . .by W. Griggs, and edited...by Henry Sweet (London 1883). The Oldest English Texts, ed. II. Sweet (London 1885), s. 36ff. (auf diese ausgabe beziehen sich die zahlen); Kluge, Ags. lesebuch³, s. 1; Das Epinaler und Erfurter glossar, hgg. von O. B. Schlutter. Hamburg 1912 (Bibl. der ags. prosa VIII); Förster, Ae. lesebuch, Heidelberg 1913, S. 1—2.

3 *argillus* thohae. 8˙*axedones* lynisas. 11 *amites* reftras. 16 *alium* garlęc. 22 *aesculus* boecae. 30 *areoli* sceabas. 34 *aerifolus* holegn. 35 *ahius* alaer. 39 *auriculum* dros. 45 *auriola* stigu. 51 *altrinsecus* an ba halbae. 52 *addictus* faerscribaen. 66 *absintjum* uuermod. 5 111 *antempna* segilgaerd. 129 *bobellum* falaed. 130 *bratium* malt. 137 *basterna* beer. 140 *battuitum* gibeataen. 157 *bona* scaet. 213 *crebrat* siftit. 217 *cocleae* lytlae sneglas. 234 *cyatus* bolla. 236 *corylus* haesil. 239 *capitium* hood. 398 *facitiae* gliu. 399 *fiber* bebr. 420 *filix* fearn. 464 *gramen* quiquae (*das erste* q *über* c). 469 *grallus* hrooc. 474 *gracilis* 10 smael. 483 *giluus* falu. 494 *horno* thys geri. 498 *hirundo* sualuuae. 500 *inhians* gredig. 525 *inpendebatur* gibaen uuaes. 529 *inpendebat* saldae. 560 *ibices* firgingaett. 573 *lumbare* gyrdils *uel* brocc. 585 *lutrus* otr. 590 *lendina* hnitu. 599 *lolium* atae. 625 *modioli* nabae. 631 *manica* (i *über* r) gloob. 665 *merula* oslae. 674 *nocticorax* naechthraebn 15 (*zweites* h *ü. d. z.*). 686 *nanus uel pumilio* duerg. 706 *obtenuit* bigaet. 724 *promulgarunt* scribun. 732 *pudor* scamu. 771 *papula* uueartae. 796 *pictus acu* mið naeðlae (na *aus* m) asiuuid (a *ü. d. z.*). 802 *platisa* flooc. 806 *parrula* masae. 811 *porcellus* faerh. 813 *pulix* (i *über* u) fleah. 817 *papilo* buturfliogae. 821 *pollux* thuma. 822 *prunus* plumae. 20 824 *popauer* popaeg. 825 *pecten* camb. 848 *quinquefolium* hraebnęs foot. 857 *roscinia* (*zweites* i *ü. d. z.*) nectaegalae. 858 *resina* teru. 869 *relatu* spelli. 872 *reserat* andleac. 884 *scrobibus* furhum. 892 *salix* salch. 910 *sardinas* heringas. 918 *sicalia* rygi. 947 *spina* bodęi. 949 *sardas* smeltas. 954 *stiria* gecilae. 973 *seru* huaeg. 986 *tonsa* rothor. 25 1007 *thymus* haeth. 1010 *terrebellus* nabfogar. 1012 *tilaris* lauuercae. 1022 *trulla* scofl. 1057 *uicatum* libr. 1062 *uitelli* suehoras. 1086 *uaricat* stridit. 1087 *uangas* spadan. 1088 *uirecta* quicae (q *über* c). 1094 *[ues]ica* blegnae.

2.

CÆDMONS HYMNUS.

Zs. für d. alt. 22, 214; Facsimiles of Ancient MSS, part IX, ed. by E. A. Bond and E. M. Thompson (London 1879 für die Palæogr. Soc.), plate 140, und Wülker, Gesch. d. engl. lit.², s. 33; Baedae Opera, cd. Plummer (Oxford 1896), II, p. 251f.; König Alfreds übersetzung von Bedas kirchengeschichte, herausgegeben von J. Schipper (Leipzig 1897—1899), s. 731; Sweet, O. E. T., s. 149; Kluge, Ags. lesebuch³, s. 103; Förster, Ae. lesebuch, 1913, s. 2—4; hs. in der Cambridger universitätsbibl. Kk 5, 16, fol. 128 v. vgl. Wuest, zwei neue handschriften von Caedmons hymnus, in Zs. für d. alt. 48, 205—226, wo dieselben (MS 574 [334] der bibliothèque municipale zu Dijon und cod. lat. 5237 der bibliothèque nationale zu Paris) mitgeteilt und besprochen sind.

Nu scylun hergan	hefaenricaes uard,
metudæs maecti	end his modgidanc,
uerc nuldurfadur,	sue he uundra gihuaes,
eci dryctin,	or astelidæ.

5 he aerist scop   aelda barnum
   heben til hrofe,   haleg scepen:
   tha middungeard   moncynnæs uard,
   eci dryctin,   æfter tiadæ
   firum foldun,   frea allmectig.
primo cantauit Caedmon istud carmen.

3.

BEDAS STERBEGESANG.

Denkmahle des mittelalters, gesammelt und herausgegeben von H. Hattemer, I (St. Gallen 1844), 3; Symeonis Monachi opera omnia, ed. Th. Arnold, vol. I (London 1882), p. 44; Venerabilis Bedae Historiae eccl. libri III, IV, edd John E. B. Mayor and J. R. Lumby (Cambridge 1893), s. 177; Baedae Opera historica, ed. Plummer, I, p. CLXI; Sweet, O. E. T., s. 149; Kluge, Ags. lesebuch³, s. 103; vgl. Brotanek, Texte und untersuchungen zur ae. literatur und kirchengeschichte, Halle 1913, s. 150—194 (mit faksimile), und Förster, Ae. lesebuch, 1913, s. 7—8.

Fore there neidfaerae   naenig uuiurtbit   ⁿ
thoncsnottura,   than him tharf sie

---

1 hergêan *Pl(ummer)* ‖ hebaen ricaes *Pl.* — 3 uuldur fadur *Pl.* — 4 drictin *Pl. The scribe at first wrote* n *for* c, dryctin *M¹ Pl.* — 7 middun geard. *Pl. The scribe at first wrote* min. — 10 *fehlt bei Pl.*

1 then *Pl.* ‖ For ðam *S(mith)*, *C(onybeare)*, *W(right)* ‖ neodfere *SC*, ned- *W* ‖ nenig *S*, nænig *C*, neni *W* ‖ wyrðeð *SC*, wirðeð *W.* — 2 thonc snotturra *(getrennt) Pl.* ‖ ðances *SW*, ðonces *C* ‖ snottra *SC*, snotera *W* ‖ ðonne *SCW* ‖ ðearf *SW*, ðearfe *C* ‖ sy *SCW* si *Ett.*

to ymbhycggannae   aer his hiniongac,

huaet his gástae   godaes aeththa yflaes

5 aefter deothdaege   doemid nueorthae.

4.

VERSE VOM KREUZE VON RUTHWELL.

Nach Hickes' Thesaurus (isl. gr., s. 4, tafel IV) = H, Gordons Itinerarium septentrionale (London 1726), tafel 57 = G, der auf einer zeichnung Cardonnells beruhenden tafel L in Vetusta monumenta quae ad rerum britannicarum memoriam conservandam societas antiquariorum Londini sumptu suo edenda curavit, vol. II (London 1789) = C; Duncans bericht in der Archæologia scotica (Edinburgh 1833) IV, 313 = D; J. Stuarts Sculptured Stones of Scotland II (1867, die zeichnung 1859), tafel 19/20 = Stu; G. Stephens' The Old Northern Runic Monuments of Scandinavia and England I (1866/67), 405 = Ste; W. Viëtor, Die northumbrischen runensteine (Marburg 1894), s. 2, und tafel I/II (dazu photographien des londoner und des edinburger abgusses) = V. — vgl. Kemble in der Archæologia britannica (London 1840) XXVIII, 327; XXX, 31; Haigh in der Archæologia Æliana n. s. I (1857), s. 170, und The Conquest of Britain (1861), tafel II; Dietrich, De cruce ruthwellensi (Marburg 1865); Wülker in Greins Bibliothek der ags. poesie II, 111ff. Sweet, O. E. T., s. 125; Kluge, Ags. lesebuch³, s. 112. — mit ausnahme der anfänge 1. 1—5 und 3. 1—11 ist die inschrift in reihen von 2 bis 4 runen abgefaßt. die verse gehören zu dem gedicht vom heiligen kreuz, bei Grein-Wülker II, 116ff.; The Dream of the Rood, ed. A. Cook, Oxford 1905.

1.

ᛉᛗᚱᛗᚼᚠ ᚻᛁᛏᚠ ᚷᚾᛖᚻ ᚠᛏᛗᛗᛋᛏᛏᛁᚷ

ᛈᚠ ᚼᛗ ᛈᚠᚱᚼᛗ ᛖᛏ ᚷᛖᚱᚾᚾ ᚷᛁᛀᛏᛁᚷᛖ

ᛗᛈᛀᛁᚷ ᚠᚱᚱᛗ (ᚠᚠᚠᚠ) ᛗᛗᛏ

ᛒᚾᚷ

¹ ᛚ *GV.* — ⁴ *mit schramme V.* — ⁶ ᛈ *H.* — ¹² ᛈ *HStu.* — ¹⁸ ᚠ *GD.* — ²¹ ᛉ *DV,* ᛉ *Stu,* ᛉ *Ste.* — ³¹ ᚠ *DSt.* — ³² ᛈ *HD,* ᛡ *G.* — ³⁶ ᛈ *GC.* —

3 ymb hycggannae *Pl.*, gehiggene *SC*, gehiegenne *W*, gehycganne *Ett* ‖ er *W* ⎰ hin iongae *Pl.*, hionen gange *S*, heonan-gange *C*, heonongange *W.* — 4 hwet *SW* ‖ gaste *SW*, gasta *C* ⎰ godes *SCW* ‖ aeththa *Pl.*, odðe *S*, other *C*, oðe *W* ‖ yveles *SW*, yrdes *C.* — 5 efter *W* ⎰ deaðe *SCW* ‖ heonen *S*, heonan *C*, beonon *W* ⎰ demed *SCW* ⎰ wurðe *SC*, weorðe *W.*

1*

2.

CÆDMONS HYMNUS.

Zs. für d. alt. 22, 214; Facsimiles of Ancient MSS, part IX, ed. by E. A. Bond and E. M. Thompson (London 1879 für die Palæogr. Soc.), plate 140, und Wülker, Gesch. d. engl. lit.², s. 33; Baedae Opera, ed. Plummer (Oxford 1896), II, p. 251f.; König Alfreds übersetzung von Bedas kirchengeschichte, herausgegeben von J. Schipper (Leipzig 1897—1899), s. 731; Sweet, O. E. T., s. 149; Kluge, Ags. lesebuch³, s. 103; Förster, Ae. lesebuch, 1913, s. 2—4; hs. in der Cambridger universitätsbibl. Kk 5, 16, fol. 128 v. vgl. Wuest, zwei neue handschriften von Caedmons hymnus, in Zs. für d. alt. 48, 205—226, wo dieselben (MS 574 [334] der bibliothèque municipale zu Dijon und cod. lat. 5237 der bibliothèque nationale zu Paris) mitgeteilt und besprochen sind.

    Nu scylun hergan   hefaenricaes uard,
    metudæs maecti   end his modgidanc,
    uerc uuldurfadur,   sue he uundra gihuaes,
    eci dryctin,   or astelidæ.
5 he aerist scop   aelda barnum
    heben til hrofe,   haleg scepen:
    tha middungeard   moncynnæs uard,
    eci dryctin,   æfter tiadæ
    firum foldun,   frea allmectig.
primo cantauit Caedmon istud carmen.

3.

BEDAS STERBEGESANG.

Denkmahle des mittelalters, gesammelt und herausgegeben von H. Hattemer, I (St. Gallen 1844), 3; Symeonis Monachi opera omnia, ed. Th. Arnold, vol. I (London 1882), p. 44; Venerabilis Bedae Historiae eccl. libri III, IV, edd John E. B. Mayor and J. R. Lumby (Cambridge 1893), s. 177; Baedae Opera historica, ed. Plummer, I, p. CLXI; Sweet, O. E. T., s. 149; Kluge, Ags. lesebuch³, s. 103; vgl. Brotanek, Texte und untersuchungen zur ae. literatur und kirchengeschichte, Halle 1913, s. 150—194 (mit faksimile), und Förster, Ae. lesebuch, 1913, s. 7—8.

    Fore there neidfaerae   naenig uuiurthit ⌐
    thoncsnottura,   than him tharf sie

---

1 hergêan Pl(ummer) || hebaen ricaes Pl. — 3 uuldur fadur Pl. — 4 drictin Pl. The scribe at first wrote n for c, dryctin M¹ Pl. — 7 middun geard. Pl. The scribe at first wrote min. — 10 fehlt bei Pl.

1 then Pl. || For ðam S(mith), C(onybeare), W(right) || neodfere SC, ned- W || nenig S, nænig C, neni W || wyrðeð SC, wirðeð W. — 2 thonc snotturra (getrennt) Pl. || ðances S W, ðonces C || suottra SC, snotera W || ðonne SCW || ðearf SW, ðearfe C || sy SCW si Ett.

to ymbhycggannae   aer his hiniongae,
huaet his gastae   godaes aeththa yflaes
5 aefter deothdaege   doemid nueorthac.

4.

VERSE VOM KREUZE VON RUTHWELL.

Nach Hickes' Thesaurus (isl. gr., s. 4, tafel IV) = H, Gordons Itinerarium septentrionale (London 1726), tafel 57 = G, der auf einer zeichnung Cardonnells beruhenden tafel L in Vetusta monumenta quae ad rerum britannicarum memoriam conservandam societas antiquariorum Londini sumptu suo edenda curavit, vol. II (London 1789) = C; Duncans bericht in der Archaeologia scotica (Edinburgh 1833) IV, 313 = D; J. Stuarts Sculptured Stones of Scotland II (1867, die zeichnung 1859), tafel 19/20 = Stu; G. Stephens' The Old Northern Runic Monuments of Scandinavia and England I (1866/67), 405 = Ste; W. Viëtor, Die northumbrischen runensteine (Marburg 1894), s. 2, und tafel I/II (dazu photographien des londoner und des edinburger abgusses) = V. — vgl. Kemble in der Archaeologia britannica (London 1840) XXVIII, 327; XXX, 31; Haigh in der Archaeologia Æliana n. s. I (1857), s. 170, und The Conquest of Britain (1861), tafel II; Dietrich, De cruce ruthwellensi (Marburg 1865); Wülker in Greins Bibliothek der ags. poesie II, 111 ff. Sweet, O. E. T., s. 125; Kluge, Ags. lesebuch[3], s. 112. — mit ausnahme der anfänge 1. 1—5 und 3. 1—11 ist die inschrift in reihen von 2 bis 4 runen abgefaßt. die verse gehören zu dem gedicht vom heiligen kreuz, bei Grein-Wülker II, 116 ff.; The Dream of the Rood, ed. A. Cook, Oxford 1905.

1.

ᚷᛗᚱᛗᚻᚠ ᚾᛁᛏᚠ ᚷᛈᚻ ᚠᛏᛗᛗᛋᛏᛏᛁᚷ
ᛒᚠ ᚻᛗ ᛈᚠᚱᚻᛗ ᚠᛏ ᚷᚠᛏᚷᚾ ᚷᛁᛋᛏᛁᚷᚠ
ᛗᚠᚻᛁᚷ ᚠᛗᚱᛗ (ᚠᛏᛏᚠ) ᛗᚻᛏ
ᛒᚾᚷ

¹ ᛉ GV. — ⁴ mit schramme V. — ⁶ ᚠ H. — ¹² � H Stu. — ¹⁸ �f GD. — ²² ᚷ DV, ᛞ Stu, ᛞ Ste. — ³¹ ᚏ D St. — ³³ ᚠ HD, ᛝ G. — ³⁶ ᚠ GC. —

3 ymb hycggannae Pl., gehiggene SC, gehiegenne W, gehycganne Ett ‖ er W ‖ hin iongae Pl., hionen gange S, heonan-gange C, heonongange W. — 4 hwet SW ‖ gaste SW, gasta C ‖ godes SCW ‖ aeththa Pl., oððe S, other C, oðe W [yveles SW, yrdes C. — 5 efter W ‖ deaðe SCW ‖ heonen S, heonan C, heonon W ‖ demed SCW ‖ wurðe SC, weorðe W.

1*

[39] *henkel angedeutet Stu,* ✕ *Ste,* ✕? *(wohl doch nur* ✕*) V.* — [47] ᚠ *H,*
ᚨ *D.* — [48] ᛗ *C, kreuzstriche angedeutet Stu.* — [50] *wie 39 StuV,* ✕ *Ste.* —
[52-54] *f. Stu, unleserlich (bruchstelle) V.* — [53] ᚨ *H,* ↑ *D.* — [54] ᚨ *D,*
ᛗ *Ste, damit brechen ab GH.* — [55-58] ᛁ *C, senkrechte striche von ab-*
nehmender größe, u. zw. fünf Stu, vier Ste, enden von drei (vier?) solcher
striche V, eine unleserliche reihe statt hier hinter 61 D. — [61] ᛁ *C.* — [62] *f. C.*
ᛟ *D,* ᚱ *Ste.* — [63] *unvollständiges* ᚱ *Stu.* — [63] ᚼ *D.* — [64] ᛌ *D,* ✕ *C,*
wie 39 Stu V; hiemit schließen DStuSte, während in C noch zwei unles-
bare reihen folgen und darauf ᛝᛗ, *vier unlesbare reihen, dann* ᚠᚠ?,
weiterhin zwei unlesbare reihen V.

2.

vor [1] *undeutliche spuren GV,* ᛁ ᛗ *C,* ᚠᚼᚠᚠ *undeutlich Ste (?).* —
[7] ᛣ *G,* ᛣ *C.* — [8] ᚠ *Stu.* — [10] ᚱ *HD,* ᚼ *GC.* — [11] ᚠ *C,* ᚠ *D.* —
[16] ↑ *H,* ᚥ *C,* ᛁ *G,* ᛁ *D.* — [23] ᛌ *D,* ᚱ *Ste.* — [24] ᚠ *HC,* ᚠ *D.* —
[26] ᚠ *HC,* ᚠ *D.* — [28] ᛗ *C.* — [29] ᚾ *Ste.* — [30] ᚠ *H.* — [32] ᛗ *C.* —
[36] ᛁ *GCSte,* ᚠ *D.* — [38] ᛗ *C.* — [39] ᚴ *C, auch jetzt cher* ᚴ, *besonders nach*
den photographien der abgüsse, aber wohl aus ᚠ *V.* — [40] ᛉ *Ste.* —
[43] ᚠ *D.* — [44] *f. D,* ᛉ *StuSte.* — [45] *f. D.* — [46] ᛁ *D.* — [49] ᚠ *H.* —
[50, 51] *undeutliche spuren D.* — [50] ᚠ *StuSte, jetzt* ᚠ, *aber wohl aus* ᚠ *V.* —
[51] ᛁᛁ *GC.* — [52-54] *f. H.* — [52] *apparently mishewn* ᛗ, *and then by a deep*
down-stroke corrected into ᚼ *SteV,* ᚾ *G,* ᛗ *D.* — [55] ✕ *Stu.* — [58-60] *nicht*
ganz deutlich D. — [61] ᛉ *Ste.* — [62] ᛁ *GC.* — [63] ᚠ *H,* ᛁ *GC.* — [64] ᛁ *GC,*
ᚠ *D, dahinter eine unleserliche reihe H (vgl. zu 42—54).* — [65] ᛍ *GC, un-*

leserlich H, f. D. ✳ *Stu,* ⟨ *Ste.* — ⁶⁸⁻⁷¹ |ᛜᚺ *Stu.* — ⁶⁸ *f. HGCDSteV.* —
⁶⁰ ᛏ *GC,* ᛁ *D,* ᛗ *Ste.* — ⁷¹ *hiemit brechen ab HG.* — ⁷²⁻⁷⁴ *eine un-
leserliche reihe Ste, keine solche angegeben CD, f. (bruchstelle) V.* — ⁷⁵ | *C,*
ᛁ *D.* — ⁷⁶ ᛁ *D.* — ⁷⁹ *f. D,* ᚲ *C.* — ⁸⁰ ᚠ *D.* — ⁸² | *CD.* — ⁸³ *f. C.* —
⁸⁷ | *CD.* — ⁹⁰ *f. CD,* ᛁ *Stu,* | *Ste.* — ⁹¹ ᚠ *C,* ᚺ *D.* — ⁹² *hiemit bricht
ab D.* — ⁹¹ *f. CSteV.* — ⁹⁴·⁹⁵ *unsicher V.* — ⁹⁴ *f. C.* — ⁹⁵ *hiemit bricht
ab C.* — ⁹⁶⁻⁹⁹ ᛁᚺᚠᚠ *Stu (schließt hiemit).* — ⁹⁶·⁹⁷ *unsichere Spuren
Ste.* — ⁹⁶ *f. V.* — ⁹⁷⁻⁹⁹ *sehr unsicher V.* — ⁹⁹ *unsichere spur Ste.*

3.

¹ ᚣ *GC,* | *D, undeutlich Ste.* — ² *der teil links vom senkrechten strich
undeutlich DSte.* — ⁶ *der obere teil undeutlich D.* — ¹³ ᚠ *H.* — ¹⁵ ᚠ *? Ste.* —
²⁸ ᚠ *H.* — ²⁹ ᚠ *GC.* — ⁴⁰ ᚠ *D.* — ⁴³ *f. C.* — ⁵⁰ | *GC.* — ⁵⁶ ᚠ *D.* —
⁵⁷ | *H.* — ⁵⁸ ᚠ *GC.* — ⁵⁹ ᚠ *GC,* ᛏ *D.* — ⁶¹·⁶² |ᛁ *D.* — ⁶² | *GC,*
|ᛁ *Ste, damit brechen ab HG.* — ⁶³⁻⁶⁵ *unerkennbar D.* — ⁶³ (⁶³·⁶⁴?) *spuren
zweier striche (bruchstelle) V.* — ⁶³ ᛁ *C, unerkennbar Ste.* — ⁶⁴ ᚠ *C.* —
⁶⁵ *unerkennbar CSte.* — ⁶⁶ ᛁ *C.* — ⁶⁷ ᚠ *DStu,* ᛁ *C,* ᚺ *Ste.* — ⁶⁸ ᚺ *Ste,*
ᛁ *Stu, f. CD.* — ⁶⁹ *f. CDStuSteV.* — ⁷³ *f. CD.* — ⁷⁵·⁷⁶ *unvollständig Stu.* —
⁷⁶ ᛁ *DSte.* — ⁷⁷ *f. CDSte.* — ⁷⁹ ᚠ *D.* — ⁸⁰ ᚺ *C,* | *D,* ᚴ *Ste.* — ⁸³ ᚦ *C,*
ᚠ *D,* | *StuSte.* — ⁸⁴ ᚷ *Ste.* — ⁸⁶ ᚺ *CStu,* |ᛁ *D,* ᛁ *Ste.* — ⁸⁹ | *C,* ᛁ *StuSte,
f. D.* — ⁹⁰ *f. CD,* ᛁ *StuSte.* — ⁹¹ ᚻ *C.* — ⁹⁰ *f. CDSte.* — ⁹⁴ ᚠ *C.* —
⁹⁵ *unvollständiges* ᚷ *Stu, f. D, lücke, dann* ∴ *V.*

4.

ᛗᛁᚦ ᛋᛏᚱᛖᛗᚾᚢᛗ ᚷᛁᚹᚢᚾᛞᚪᛞ
ᚪᚪᛗᚷᚹᚪᚾᛞ ᚾᛁᚠ ᚾᛁᛏᚠ ᛚᛁᛗᛈᚱᚱᛁᛇᛏᚠ
ᚷᛁᛋᛏᚪᛞᛞᚪᛞ ᚾᛁᛗ ᚠᛏ ᚾᛁᛋ ᛚᛁᚻᚠᛋ ᚾᛏᚠᚻᚢᛗ
ᛒᛁᚾᛏᚠᛞᚾᛏ ᚾᛁᚠ ᚦᛗᚱ ᚾᛏᚠᚾᛏ

1 |◁ *Stu Ste.* — 5 |*HGCD, schwaches* ↑ *V.* — 8 ʰ *DStuV,* ꜩ *Ste.* — 9 ᚻ *D.* — 10 *unvollständig oben links Stu.* — 11 ⋋ *H, henkel angedeutet Stu,* ✕ *Ste,* ✕? *V.* — 17 ᚠ *GC.* — 19 ᚠ *H.* — 22 ✗ *Stu,* ✗ *Ste, in der mitte ausgesprungen V.* — 25 ↓*D.* — 26 ᚠ*H.* — 29 ᚾ *DStuSteV.* — 31 ↓*D.* — 32 ᚠ*H.* — 33 ᚠ*H,* ᚠ*D, fast wie* ᚠ *V.* — 37 ✗*H,* ✗*mit oben eingefügtem* ᚪ *G, mit kleinen strichen oben links und rechts Stu.* — 41 |*HD.* — 42 ᚠ*H.* — 51 I *DStuSteV.* — 52 ᚾ *DStuSteV.* — 53 |*D.* — 54 *hiemit schließen HG.* — 55–59 *unlesbar (bruchstelle) V.* — 55–57 *eine reihe unleserlich Ste, nicht angegeben D, nur die letzte rune lesbar C.* — 58–61 ᛁᛁᛁᛁ *Ste,* ᛁᛁ *D, die ganze reihe nicht angegeben C.* — 60. 61 *nur untere stücke StuV.* — 63 ᛁ *D,* ᚻ *Ste, nur teil rechts StuV.* — 65 *f. CDSte.* — 66 ꜩ *C,* ᚻ *D,* ᛏ *StuSteV.* — 68. 69 *f. CDSte.* — 71. 72 *f. CDSte.* — 73 *links weggebrochen StuSteV,* | *CD.* — 74 ↑ *D.* — 75 *f. CDSte.* — 76 ⋈ *StuSteV,* ↓ *D.* — 77 ᚦ *D.* — 78 *f. CDSte.* — 79 ᛉ *C,* | *D, wie 73 StuV.* — 81 *f. CDSte.* — 82 ⟩ *DV, fuß f. Stu.* — 83 *hiemit schließt D,* ᛗ *C.* — 83 *e. lücke (bruchstelle), dann eine reihe spuren V.* — 84 *f. CStu.* — 85 ᚻ *Ste, f. C,* ᚱ *Stu.* — 86 ᚠ *C, das hiemit schließt,* ᚾ *ohne grundstrich links Stu.* — 87–89 ᛚᚠᛁ *Ste.*

1.

a)   geredæ hinæ god ahnehttig   modig fore (allæ) men
      þa he walde on galgu   bug
              gistiga

b) v. 39 ongyrede hine þā geong hæleð, þæt wæs god ælmihtig,
      strang ond stiðmôd: gestâh hê on gealgan hêanne
      môdig on manigra gesyhðc, þâ hê wolde mancyn lȳsan.
      bifode ic, þâ mê se beorn ymbclypte: ne dorste ic hwœðre
                              hûgan tô eorðan.

2.

a)   ic riionæ kyninc   hismæradn unket men ba æt gadre
      heafunæs hlafard   ic (wæs) miþ blodæ histemid
      hælda ic ni darstœ   bi(goten of)

26

*b) v.*44　rôd wæs ic ârêred, âhôf ic rîcne cyning,
　　　heofona hlâford: hyldan mê ne dorste.

48　bysmeredon hîe unc bûtû æt gædere. eall ic wæs mid blôde
　　　　　　　　　　　　　　　　　　bestêmed,
　　begoten of þæs guman sîdan.

3.

a)　† Crist wæs on rodi　　　　ic þæt al bi(heald)
　　hweþræ þer fusæ　　　　sar(e)ic wæs miþ sorgum gidrœfid
　　fearran cwomu　　　　　hnag
　　æþþilæ til anum

*b) v.*56　　　　　Crist wæs on rôde.
　　hwæðere þær fûse feorran cwôman
　　tô þâm æðelinge: ic þæt call behêold.
　　sâre ic wæs mid (sorgum) gedrêfed, hnâg ic hwæðre þâm
　　　　　　　　　　　　　　　　secgum tô handa.

4.

a)　miþ strelum giwundad　　gistoddun him (æt his) licæs
　　alegdun hiæ hinæ lim-　　　　heafdum
　　　　wœrignæ　　　　bihealdun hiæ þer heafun

*b) v.*62　　　　　eall ic wæs mid strêlum forwundod.
　　âlêdon hîe ðær limwêrigne, gestôdon him æt his lîces hêafdum,
　　behêoldon hîe ðær heofenes dryhten.

5.

VERSE VOM KREUZE ZU BRÜSSEL.

Logeman und Zupitza in Herrigs Archiv 87, 462; Kluge, Ags.lesebuch³, s.115.

　Rôd is mîn nama;　geô ic rîcne cyning
　bær hyfigynde,　blôde bestêmed.

6.

EIN RÄTSEL.

*Nr. 16 im Codex Exoniensis, ed. by B. Thorpe, London 1842, s. 396, 397;
Grein, Bibl. II, 376; Grein-Wülker III, 193; hs. Codex Exoniensis in
der kathedrale zu Exeter; vgl. Schipper, Germania 19, 334; The Riddles
of the Exeter Book, ed. by Frederick Tupper Jr., Boston, New York, Chicago,
London 1910, s. 12, 13.*

　　Hals is mîn hwît　ond hêafod fealo,
　　sîdan swâ some;　swift ic eom on fêþe,
　　beadowæpen bere;　mê on bæce standað
　　hêr swylce swê on hlêorum;　hlîfiað tû
　　5 êaran ofer êagum;　ordum ic steppe

　　1 ond *immer abgekürzt (ebenso in ur. 7 bis 10).* – 4 swê on]
swîne on *E(ttmüller),* swyne *Th(orpe),* sûe; on *G(rei)n,* sweon *hs.* ‖
hlêorum *E*] leorum *hs.*

        in grêne græs.   mê bið gyrn witod,
    gif mec onhǽle   ân onfindeð
    wælgrim wiga,   þǽr ic wîc bûge,
    bold mid bearnum,   ond ic bîde þǽr
10 mid geoguðcnôsle,   hwonne gǽst cume
    tô durum mînum: him biþ dêað witod.
    forþon ic sceal of êðle   enforan mîne
    forhtmôd fergan,   flêame nergan,
    gif hê mê æfterweard   ealles weorþeð:
15 hine brêost berað,   ic his bîdan ne dear
    rêþes on gerûman   (nele þæt rǽd teale),
    ac ic sceal fromlîce   fêþemundum
    þurh stêapne beorg   strǽte wyrcan.
    êaþe ic mæg frêora   feorh genergan,
20 gif ic mǽgburge môt   mîne gelǽdan
    on dêgolne weg   þurh dûne þyrel
    swǽse ond gesibbe: ic mê siþþan ne þearf
    wælhwelpes wîg   wiht onsittan.
    gif se nîðsceaþa   nearwe stîge
25 mê on swaþe sêceþ,   ne tôsǽleþ him
    on þâm gegnpaþe   gûþgemôtes,
    siþþan ic þurh hylles   hrôf gerǽce
    ond þurh hêst hrîno hildepîlum
    lâðgewinnum,   þâm þe ic longe flêah.

7.

AUS CYNEWULFS 'CHRIST'.

Ausgaben: Codex Exoniensis, ed. by B. Thorpe, s. 11—14; Grein I, 153 ff.; Cynewulfs Christ, ed. by J. Gollancz, London 1892, s. 16; The Exeter Book (EETS, Orig. Ser. 104), ed. by J. Gollancz, London 1895, s. 12—14; Grein-Wülker III, 7—8; The Christ of Cynewulf, ed. by Albert S. Cook, Boston 1900, s. 7—9; hs. wie bei 6; vgl. Schipper, Germania 19, 329; Cosijn in den Beiträgen von Paul und Braune 23, 109.

       Êalâ Jôseph mîn,   Jâcôbes bearn,
165 mǽg Dâuîdes   mǽran cyninges!
    nû þû frêode scealt   fæste gedǽlan,
    âlǽtan lufan mîne?   ic lungre eam
    dêope gedrêfed,   dôme berêafod,

---

6 grêne E] grenne. — 9 bold Th] blod. — 15 berað breost hs.,
Edd., außer T(upper), hi ne bereð? Th, breost berað Herzfeld, T ‖ biddan,
verb. Th. — 21 dûne Gn, dim Th, dum hs. — 24 gif se Th] gifre. —
28 hæst E, hrine Th. — 29 -nan?
166 hû þu? Gn¹. — 167 Ic.

forðon ic worn forþy worda hæbbe
170 sîdra sorga ond sârcwida
hearmes gehŷred ond mê hosp sprecað
tornworda fela, ic têaras sceal
gêotan geómormôd: god êaþe mæg
gehælan hygesorge heortan mînre,
175 âfrêfran fêasceafte!' 'Êalâ fǽmne geong,
mægð Mârîa! hwæt bemurnest ðû,
cleopast cearigende? ne ic culpan in þê
incan ǽnigne ǽfre onfunde,
womma geworhtra, ond þû þâ word spricest,
180 swâ þû sylfa sîe synna gehwylcre
firena gefylled! ic tô fela hæbbe
þæs byrdscypes bealwa onfongen!
hû mæg ic lâdigan lâþan sprǽce
oþþe ondsware ǽnge findan
185 wrâþum tôwiþere? is þæt wîdc cûð,
þæt ic of þâm torhtan temple dryhtnes
onfêng frêolîcc fǽmnan clǽne,
womma lêase, ond nû gehwyrfed is
þurh nâthwylces! mê nâwþer dêag,
190 secge ne swîge: gif ic sôð sprece,
þonne sceal Dâuîdes dohtor sweltan
stânum âstyrfed: gên strengre is,
þæt ic morþor hele, scyle mânswara
lâþ lêoda gehwâm lifgan siþþan
195 fracoð in folcum!' — þâ sêo fǽmne onwrâh
ryht gerŷno ond þus reordadc:
'sôð ic secge þurh sunu meotudes,
gǽsta gêocend, þæt ic gên ne conn
þurh gemæcscipe monnes ôwer
200 ǽnges on eorðan: ac mê êaden wearð,
geongre in geardum, þæt mê Gabrihêl
heofones hêagengel hǽlo gebodadc,
sægde sôðlîce, þæt mê swegles gǽst
lêoman onlŷhte: sceolde ic lîfes þrym
205 geberan, beorhtne sunu, bearn êacen godes,
torhtes tîrfruma[n]. nû ic his tempcl eam
gefremed bûtan fâcne: in mê frôfre gǽst

169 for þe hs.‖ wordo hs., Gn², Go(llancz), worda Th, Gn¹, C(ook),
(wordê? Gn¹). — 171 hosp-sprecað Th. — 175 feasceaftne hs. —
184 ænige hs., Edd., ænge C. — 188 gewyrped hs., Th. — 189 text ver-
derbt; nâthwylces [searo] Gn¹, nathwylene K(örner). — 196 roordode C. —
197 Soð hs. — 199 þurh [mán] Gn¹. — 202 heah- Gn¹. — 204 scolde
Gn¹. — 206 tirfruma hs., tirfrumau Th.

geeardode.   nû þû ealle forlæt
sâre sorgceare!   saga êcne þonc
210   mærum meotodes sunu,   þæt ic his môdor gewearð,
fæmne forð sê-þêah,   ond þû fæder cweden
woruldcund bi wêne!   sceolde wîtedôm
in him sylfum bêon   sôðe gefylled.'

8.

AUS CYNEWULFS 'JULIANA'.

Grein II, 67; Ettmüller, Scopas etc., s. 175—178; Codex Exoniensis, ed. by
B. Thorpe, s. 276—286; The Exeter Book, ed. by J. Gollancz, s. 276—284;
Grein-Wülker III, 134—139; hs. wie bei 6; vgl. Schipper, Germania 19, 332.

       þæt þâm weligan wæs   weorc tô þolian,
570   þær hê hit for worulde   wendan meahte;
sôhte synnum fâh,   hû hê sârlîcast
þurh þâ wyrrestan   wîtu meahte
feorhcwale findan.   næs se fêond tô læt,
sê hine gelærde,   þæt hê læmen fæt
575   biwyrcan hêt   wundorcræfte
wiges wômum   ond wudubêamum,
holte bihlænan.   ðâ se [hearda] bibêad,
þæt mon þæt lâmfæt   lêades gefylde,
ond þâ onbærnan hêt   bælfîra mæst,
580   âd onælan: sê wæs æghwonan
ymbboren mid brondum;   bæð hâte wêol.
hêt þâ ofestlîce   yrre gebolgen
leahtra lêase   in þæs lêades wylm
scûfan bûtan scyldum.   þâ tôscâden wearð
585   lîg tôlŷsed: lêad wîde sprong
hât heorogîfre,   hælcð wurdon âcle
ârâsad for þŷ ræse;   þær on rîme forborn
þurh þæs fîres fnæst   fîf ond hundseofontig
hæðnes herges.   ðâ gên sîo hâlge stôd
590   ungewemde wlite: næs hyre wlôh ne hrægl,

---

210 suna *Th, Gn.* — 211 se þeah *hs., Th und Edd., außer C,*
der sê-þêah *liest.*
    569 þolianne *hs., Edd.,* þolian *S(ievers).* — 570 *nicht* wenden *hs.*
(Th, Gn¹, Go), wênan? *Th,* wendan [ne] meahte *Ettm, Go* || þæt? *Gn.* —
573 Næs *hs.,* wæs *Th,* næs *Ettm.* — 574 þe hine *Ettm.* — 577 bihlênan
hs., ihlænan *Ettm,* bilecgan? *Th* || [hearda] *Th;* H(olt)h(ausen) *schlägt*
hæle *vor.* — 586 æleð *hs.* — 589, 614 Ð *hs.*

ne feax ne fel   fŷre gemǽled,
ne lîc ne leoþu.   hêo in lîge stod
ǽghwæs onsund,   sægde ealles þone
dryhtna dryhtne.   þâ se dêma wearð
595 hrêoh' ond hygegrim,   ongon his hrægl teran;
swylce hê grennade   ond gristbitade,
wêdde on gewitte   swâ wilde dêor,
grymetade gealgmôd   ond his godu tælde,
þæs þe hŷ ne meahtun   mægne wiþstondan
600 wîfes willan.   wæs sêo wuldres mǽg
ânrǽd ond unforht   eafoða gemyndig,
dryhtnes willan.   þâ se dêma hêt
âswebban sorgcearig   þurh sweordbito
on hyge hâlge,   hêafde binêotan
605 Criste gecorene: hine se cwealm ne þêah,
siþþan hê þone fintan   furþor cûþe!
Dâ wearð þære hâlgan   hyht genîwad
ond þæs mægdnes môd   miclum geblissad,
siþþan hêo gehŷrde   hæleð cahtian
610 inwit-rûne,   þæt hyre endestæf
of gewindagum   weorþan sceolde,
lîf âlŷsed.   hêt þâ leahtra ful
clǽne ond gecorene —tô cwale lǽdan
synna lêase.   ðâ cwôm semninga
615 hêan helle-gǽst;   hearmlêoð âgôl
earm ond unlǽd,   þone hêo ǽr gebond
âwyrgedne   ond mid wîtum swong;
cleopade þâ for corþre   ceargealdra full:
'gyldað nû mid gyrne,   þæt hêo goda ûssa
620 meaht forhogde   ond mec swîþast
geminsade,   þæt ic tô meldan wearð!
lǽtað hŷ lâþra   lêana hlêotan
þurh wǽpnes spor!   wrecað ealdne nîð
synne gesôhte!   ic þâ sorge gemon,
625 hû ic bendum fæst   hisga unrîm
on âure niht   earfoða drêag,
yfel ormǽtu.'   þâ sêo êadge biseah
ongêan gramum   Jûliânna:
gehŷrde hêo hearm galan   helle dêofol.
630 fêond moncynnes   ongon þâ on flêam sceacan
wîta nêosan   ond þæt word âcwæð:
'wâ me forworhtum!   nû is wên micel,

599 hyne meahtum Th. — 605 þeah hs., þâh Th, Ettm. —
620 forhogd hs. — 628 iulianan hs. — 630 flean hs., Go, fleam Gn¹. ²,
Th, Ettm.

þæt hêo mec eft wille   earmne gehŷnan
yflum yrmþum,   swâ hêo mec ǽr dyde!'
635 ðâ wæs gelǽded   londmearce nêah
ond tô þǽre stôwe,   þǽr hî stearcferþe
þurh cumbolhete   cwellan þôhtun.
ongon hêo þâ lǽran   ond tô lofe trymman
folc of firenum   ond him frôfre gehêt
640 weg tô wuldre,   ond þæt word âcwæð:
'gemunað wigena wyn   ond wuldres þrym,
hâligra hyht,   heofonengla god!
hê is þæs wyrðe,   þæt hine werþêode
ond eal engla cynn   up on roderum
645 hergen, hêahmægen,   þǽr is help gelong
êce tô ealdre,   þâm þê âgan sceal.
forþon ic lêof weorud   lǽran wille
ǽ-fremmende,   þæt gê ðower hûs
gefæstnige,   þŷ lǽs hit fêrblǽdum
650 windas tôweorpan: weal sceal þŷ trumra
strong wiþstondan   storma scûrum,
leahtra gehygdum!   gê mid lufan sibbe
lêohte gelêafan   tô þâm lifgendan
stâne stîðhygde   staþol fæstniað,
655 sôðe trêowe   ond sibbe mid êow
healdað æt heortan,   hâlge rûne
þurh môdes myne!   þonne êow miltse giefeð
fæder ælmihtig,   þǽr gê [frôfre] âgun
æt mægna gode   mǽste þearfe
660 æfter sorgstafum: forþon gê sylfe neton
ûtgong heonan,   ende lifes.
wærlîc mê þinceð,   þæt gê wæccende
wið hettendra   hildewôman
wearde healden,   þŷ lǽs êow wiþerfeohtend
665 weges forwyrnen   tô wuldres byrig.
biddað bearn godes,   þæt mê brego engla
meotud moncynnes   milde geweorþe,
sigora sellend!   sibb sŷ mid êowic,
symle sôþ lufu!'   Ðâ hyre sâwul wearð
670 âlǽded of lîce   tô þâm langan gefêan
þurh sweordslege. —   þâ se synscaþa
tô scipe sceôhmôd   sceaþena þrêate
Hêliséus   êh-strêam sôhte,

635, 669 Ða hs. — 641 þry (mit querstrich über y) hs., þrym Th,
Gu.², þrymm Go. — 649 gefæstnian Th, -nigean Ettm. — 654 stið
hydge hs. — 658 gê âgun hs., gê [frôfre] âguu Gn; Hh. empfiehlt
statt frofre zu lesen: friðes oder freme (Trautmann). — 660 neton hs.,
nyton Th. — 669 sâwul] sâwol Kaluza, sâwl hs. vgl. v. 700.

leolc ofer laguflôd   longe hwîle
675 on swonrâde. swylt ealle fornôm
    secga hlôþe ond hine sylfne mid,
    ǽr þon hŷ tô lande geliden hæfdon,
    þurh þearlîc þrêa. þǽr XXX wæs
    ond fêowere êac fêores onsôhte
680 þurh wǽges wylm wigena cynnes,
    hêane mid hlâford: brôþra bidǽled
    hyhta lêase helle sôhton.
    ne þorftan þâ þegnas in þâm þŷstran hâm
    sêo genêatscolu in þâm nêolan scræfe
685 tô þâm frumgâre feohgestcalda
    witedra wênan, þæt hŷ in wînsele
    ofer bêorsetle bêagas þêgon,
    æpplede gold! — ungelîce wæs
    lǽded lofsongum lîc hâligre
690 micle mægne tô moldgræfe,
    þæt hŷ hit gebrôhton burgum in innan,
    sîdfolc micel: þǽr siððan wæs
    gêara gongum godes lof hafen
    þrymme micle oþ þisne dæg
695 mid þêodscipe. — is mê þearf micel,
    þæt sêo hâlge mê helpe gefremme,
    þonne mê 'godǽlað dêorast ealra
    sibbe tôslîtað sinhîwan tû,
    micle môdlufan; mîn sceal of lîce
700 sâwul on sîðfæt, nât ic sylfa hwider,
    eardes uncŷðþu: of sceal ic þissum,
    sêcan ôþerne ǽrgewyrhtum,
    gongan iû-dǽdum; geômor hweorfeð
    ᚻ ᚠ ond ᛏ, cyning biþ rêþe

---

685 -gestealde hs., -gestealda Th. — 687 beorsetle Th, beorsele hs. — 692 sið-folc? Gn. — 695 Is hs. „der hier beginnende epilog ist eigentum des dichters, der sich durch die in v. 704—708 eingestreuten sechs (sic!) runen als Cynewulf zu erkennen gibt. diese runen haben hier nur die geltung bloßer buchstaben, jedoch so, daß jede der drei gruppen für sich (CY und N; EW und U; LF) als stellvertreter des ganzen namens erscheint." Gn; doch vgl. Trautmann, Bonner beiträge 1, 47ff. — 698 sinhʷan hs. (das übergeschriebene i von anderer hand). — 699—708 „(quum) anima mea (ire) debet e corpore in viam, nescio ipse quo, (iguoro) sedem ignotam: ex hac (sede) debeo (ire), ut quæram aliam pro facinoribus antea commissis, pro juvenis facinoribus olim commissis." Gn. — 701 nach dem i in þissum, nicht nach dem i in ic (vgl. Germ. 19, 332), ist eine kleine rasur; vielleicht ursprünglich þyssum? — 703 gongan hs., Edd., goongan Gn¹, gnorn (?) Hh.

705 sigora syllend,   þonne synnum fâh
ᛗ ᛈ ond ᚾ   âcle bîdað,
hwæt him æfter dædum   dêman wille
lifes tô lêane;   ᚠ ᚹ beofað,
seomað sorgcearig,   sâr eal gemon,
710 synna wunde,   þê ic sîþ oþþe ær
geworhte in worulde: þæt ic wôpig sceal
têarum mænan;   wæs an tîd tô læt,
þæt ic yfeldæda   ær gescomede,
þenden gæst ond lîc   geador sîþedan
715 onsund on earde,   þonne ârna biþearf,
þæt mê sêo hâlge   wið þonc hŷhstan cyning
geþingige: mec þæs þearf monaþ,
micel môdes sorg;   bidde ic monna gehwone
gumena cynnes,   þê þis gied wræce,
720 þæt hê mec nêodful   bi noman mînum
gemyne môdig   ond meotud bidde,
þæt mê heofona helm   helpe gefremme
meahta waldend   on þâm miclan dæge,
fæder frôfre gæst,   in þâ frêcnan tîd,
725 dæda dêmend   ond he dêora sunu,
þonne sêo þrŷnis   þrymsittende
in ânnesse   ælda cynne
þurh þâ scîran gesceaft   scrîfeð bi gewyrhtum
meorde monna gehwâm.   forgif ûs, mægna god,
730 þæt wê þine onsŷn,   æþelinga wyn,
milde gemêton   on þâ mæran tîd! Amen.

9.

AUS DEM 'PHÖNIX'.

Codex Exoniensis, ed. by B. Thorpe, s. 197 ff.; Grundtvig's Phenix Fuglen, Kopenhagen 1840; Grein I, 215 ff.; The Exeter Book, ed. by J. Gollancz (EETS 104), s. 200; Grein-Wülker III, 95; hs. wie bei 6; vgl. Schipper, Germania 19, 331.

I.

Hæbbe ic gefrugnen,   þætte is feor heonan
êastdælum on   æþelast londa
fîrum gefræge.   nis se foldan scêat
ofer middangeard   mongun gefêre

---

712 ân Th, Ettm. — 719 wræce hs., Th, sprece Ettm, ræde Gu¹. —
726 þrŷ hs., þrym Th, þrymm Go. — 730 onsyne hs., onsŷn Hh.
2 in æðelest Grdt.

5 folc-âgendra,   ac hê âfyrred is
þurh meotudes meaht   mân-fremmendum.
wlitig is se wong eall   wynnum geblissad
mid þâm fægrestum   foldan stencum:
ænlîc is þæt îglond,   æþele se wyrhta,
10 môdig, meahtum spêdig,   sê þâ moldan gesette.
ðær bið oft open   êadgum tôgêanes
onhliden hlêoþra wyn,   heofonrîces duru.
þæt is wynsum wong,   wealdas grêne
rûme under roderum.   ne mæg þær rên ne snâw,
15 ne forstes fnæst   ne fŷres blæst,
ne hægles hryre   ne hrîmes dryre,
ne sunnan hætu   ne sincaldu,
ne wearm weder   ne winterscûr
wihte gewyrdan,   ac se wong seomað
20 êadig ond onsund: is þæt æþele lond
blôstmum geblôwen.   beorgas þær ne muntas
stêape ne stondað;   ne stânclifu
hêah hlîfiað,   swâ hêr mid ûs,
ne dene ne dalu   ne dûnscrafu,
25 hlæwas ne hlincas,   ne þær blêonað oo
unsmêþes wiht: ac se æþela feld
wrîdað under wolcnum,   wynnum geblôwen.

— — — — — — — — —

— — — — — — — — —

on þâm græswonge   grêne stondaþ
gehroden hyhtlîce   hâliges meahtum
80 beorhtast bearwa.   nô gebrocen weorþeð
holt on hîwe,   þær se hâlga stenc
wunaþ geond wynlond: þæt onwended ne bið
æfre tô caldre,   ær þon endige
frôd fyrngeweorc,   sê hit on frymþe gescôp.

II.

85   Ðone wudu weardaþ   wundrum fæger
fugel feþrum strong,   sê is Fenix hâten.
þær se ânhaga   eard bihealdeþ,
dêormôd drohtað;   næfre him dêaþ sceþeð
on þâm willwonge,   þenden woruld stondeþ.

— — — — — — — — —

— — — — — — — — —

5 fold-âgendra *Sw(eet)*, *K(örne)r*. — 6 Meotodes *Grdt*. — 8 fægristum *Grdt*. — 12 wynn *Sw*. — 15 fnæft *hs.*, fræst *(gelu) Con(ybeare)*, fnæst *Th*, *Grdt*. — 17 sincald *Sw*. — 24 dælu *Grdt*. — 25 óo *hs.*, fehlt bei *Grdt*, ó *Gn¹*. — 26 æðele fold *Con*, *Grdt*. — 80 ne *Grdt*. — 82 wynnlond *Sw*. — 86, 218, 340, 597, 646 Fênix *Pogatscher (Q. F. 64, s. 35)*. — 87 -að *Grdt*.

III.

Ðonne wind ligeð,   weder bið fǽger,
hlûttor heofones gim   hâlig scineð,
bêoð wolcen tôwegen,   wǽtra þrýþe
185 stille stondað,   biþ storma gehwylc
âswefed under swegle,   sûþan blîceð
wedercondel wearm,   weorodum lýhteð:
þonne on þâm telgum   timbran onginneð,
nest gearwian,   bið him nêod micel,
190 þæt hê þâ yldu   ofestum môte
þurh gewittes wylm   wendan tô lîfe,
feorg geong onfôn.   þonne feor ond nêah
þâ swêtestan   somnað ond gædrað
wyrta wynsume   ond wudublêda
195 tô þâm eardstede,   æþelstenca gehwone
wyrta wynsumra,   þê wuldorcyning
fæder frymða gehwæs   ofer foldan gescôp
tô indryhtum   ælda cynne
swêtes under swegle.   þǽr hê sylf biereð
200 in þæt trêow innan   torhte frætwe;
þér se wilda fugel   in þâm wêstenne
ofer hêanne bêam   hûs getimbreð
wlitig ond wynsum   ond gewîcað þǽr
sylf in þâm solere   ond ymbseteð ûtan
205 in þâm lêafsceade   lîc ond feþre
on healfa gehwâm   hâlgum stencum
ond þâm æþelestum   eorþan blêdum.
siteð sîþes fûs,   þonne swegles gim
on sumeres tîd   sunne hâtost
210 ofer sceadu scineð   ond gesceapu drêogeð,
woruld geondwlîteð: þonne weorðeð his
hûs onhǽted   þurh hâdor swegl,
wyrta wearmiað,   willsele stýmeð
swêtum swæccum,   þonne on swole byrneð
215 þurh fýres feng   fugel mid neste:
bǽl bið onǽled;   þonne brond þeceð
heoredrêorges hûs,   hrêoh ônetteð,
fealo lîg feormað   ond Fenix byrneð
fyrngêarum frôd.   þonne fýr þigeð

---

192 feorh *Gn.* — 197 gewæs *hs. (übergeschriebenes* h *wegradiert?).* —
199 swetes[t] *Go.* — 202 heahne *Gn.* — 206 healfe *Gn* ‖ gehware *hs.*
gehwære *Grdt,* gehwâm *Siev.* — 207 æðelstum *Grdt.* — 209 sunna
Grdt. — 212 swegel *Th, Gn, Ettm.* — 213 wyrtu *Grdt.* — 217 heoro- *Th,*
heoro-dreorig *Ettm,* heoro-dreorges *Grdt, Gn* ⁚ hreo *Grdt.*

220 hènne lîchoman,   lîf bið on sîðe,
fûges feorhhord,   þonne flǽsc ond bân
ädlêg ǽleð.   hwæðre him eft cymeð
æfter fyrstmearcc   feorh edníwe.
siþþan þâ yslan   eft onginnað

225 æfter lîgþrǽce   lûcan tôgædre
geclungne tô clêowne,   þonne clǽne bið
beorhtast nesta   bǽle forgrunden,
heaþorôfes hof;   hrâ bið âcôlad,
bânfæt gebrocen   and se bryne sweþrað.

230 þonne of þâm âde   æples gelîcnes
on þǽre ascau bið   eft gemêtod,
of þâm weaxeð wyrm   wundrum fǽger,
swylce hê of ǽgerum   ût âlǽde
scîr of scylle;   þonne on sceade weaxeð,

235 þæt hê ǽrest bið   swylce earnes brid,
fǽger fugeltimber;   ðonne furþor gîn
wrîdað on wynnum,   þæt hê bið wæstmum gelîc
ealdum earne,   ond æfter þon
feþrum gefrætwad,   swylc hê æt frymðe wæs,

240 beorht geblôwen: þonne brǽd weorþeð
eal edníwe   eft âcenned,
synnum âsundrad   sumes onlice,
swâ mon tô ondleofne   eorðan wæstmas
on hærfeste   hâm gelǽdeð,

245 wiste wynsume,   ǽr wintres cyme
on rýpes tîman,   þý lǽs hî rênes scûr
âwyrde under wolcnum,   þǽr hî wraðe mêtað,
fôdorþege gefêan,   þonne forst ond snâw
mid ofermægne   eorþan þeccað

250 wintergewǽdum;   of þâm wæstmum sceal
eorla êadwela   eft âlǽdan
þurh cornes gecynd,   þe ǽr clǽne bið
sǽd onsâwen,   þonne sunnan glǽm
on lenctenne   lîfes tâcen

255 weceð woruldgestrêon,   þæt þâ wæstmas bêoð
þurh âgne gecynd   eft âcende,

---

224 onginneð Grdt. — 225 togædere Th, Ettm, Gn, Go. —
226 cleowenne hs., clêowne oder clêone Siev. — 228 hûs statt hof
Ettm, Gn. — 231 þam Grdt. — 233 so die hs.; of ǽge wǽre ût
âlǽded Th, âlude Ettm. — 234 in Grdt. — 236 in hs., gên Ettm, Gn. —
242 sumes onlice hs., Grdt, sumeres on lîce Th. — 243 wæsmas hs. —
244 hǽrfǽste Grdt. — 248 gefeou hs., Th, Grdt, Ettm, Gn, gefean?
Grdt, Ettm, Go, gefeóð? Gn. — 251 eorla eádwelan hs., Grdt, eorl
eádwelan Th, Ettm. — 255 weceð Th, weceð Grdt.

foldan frætwe: swâ se fugel weorþeð
gomel æfter gêarum   geong edniwe
flǽsce bifongen,   nô hê fôddor þigeð
260 mete on moldan,   nemne meledêawes
dǽl gebyrge,   se drêoseð oft
æt middre nihte: bi þon se môdga his
feorh âfêdeð,   oþþæt fyrngesetu
âgeune eard   eft gesêceð.

IV.

320 þonne hê gewîteð   wongas sêcan
his ealdne eard   of þisse êþeltyrf,
swâ se fugel flêogeð,   folcum oð-êaweð
mongum monna   geond middangeard,
þonne somniað   sûþan ond norþau
325 êastan ond westan   êoredciestum,
farað feorran ond nêan   folca þrýþum,
þǽr hî scêawiaþ   scyppendes giefe
fǽgre on þâm fugle,   swâ him æt fruman sette
sigora sôðcyning   sellicran gecynd,
330 frætwe fǽgran   ofer fugla cyn.
ðonne wundriað   weras ofer corþan
wlite ond wæstma   ond gewritum cýþað,
mundum mearciað   on mearmstâne
hwonne se dæg ond sêo tîd   dryhtum geðawe
335 frætwe flyhthwates.   ðonne fugla cynn
on healfa gehwone   hêapum þringað,
sîgað sîdwegum,   songe lofiað,
mǽrað môdigne   mêaglum reordum
ond swâ þone hâlgan   hringe beteldað
340 flyhte on lyfte: Fenix biþ on middum
þrêatum biþrungen.   þêoda wlîtað,
wundrum wâfiað,   hû sêo wilgedryht
wildne weorþiað,   worn æfter ôþrum,
cræftum cýþað   ond for cyning mǽrað
345 lêofne lêodfruman,   lǽdað mid wynnum
æþelne tô earde,   oþþæt se ânhoga

322 oðeaweð hs., -od Th. — 324 somniað Kaluza, somnað hs. —
330 fægran hs., -erran? Th, fægerran Gn. — 332 gewritu hs. —
333 mearm- hs. (das r radiert, aber noch sichtbar), marm- Th. —
335 Ðonne hs. — 336 gehwore hs., gehwone Th, gehwære. Ettm,
gehware Grdt. — 342 wefiað hs., Grdt, wâfiað Th. — 346 anhaga Grdt.

oðflèogeð feþrum snel,   þæt him gefylgan ne mæg
drŷmendra gedryht,   þonno duguða wyn
of þisse eorþan tyrf   êþel sêceð.

V.

350   Swâ se gesǽliga   æfter swylthwîle
his ealdcŷðþe   eft genêosað
fǽgre foldan: fugelas cyrrað
from þâm gûðfrecan   geômormôde
eft tô earde,   þonno so æþeling bið
355   giong in geardum.   god âna wât,
cyning ælmihtig,   hû his gecynde bið,
wîfhâdes þe weres: þæt ne wât ǽnig
monna cynnes   bûtan meotod âna,
hû þâ wîsan sind   wundorlîce
360   fǽger fyrngesceap   ymh þæs fugles gebyrd!
þǽr so êadga môt   eardes nêotan,
wyllestrêama   wuduholtum in,
wunian in wonge,   oþþæt wintra bið
þûsend urnen: þonne him weorþeð
365   ende lifes;   hine âd þeceð
þurh ǽled-fŷr: hwæþre eft cymeð
âweaht wrǽtlîce   wundrum tô lîfe.
forþon hê drûsende   dêað ne bisorgað,
sâre swyltcwale,   þe him symle wât
370   æfter lîgþræce   lîf ednîwe,
feorh æfter fylle,   þonne fromlîce
þurh briddes hâd   gebrêadad weorðeð
eft of ascan,   edgeong weseð
under swegles hlêo.   bið him self gehwæðer
375   sunu ond swǽs fæder   ond symle êac
eft yrfeweard   ealdre lâfe.
forgeaf him se meahta   moncynnes fruma,
þæt hê swâ wrǽtlîce   weorþan sceolde
eft þæt ilce,   þæt hê ǽr þon wæs,
380   feþrum bifongen,   þêah hine fŷr nime.

VIII.

swâ nû æfter dêaðe   þurh dryhtnes miht
somod sîþiaþ   sâwla mid lîce,

355 geong *Grdt.* — 362 wylle streama *Th*, wylla-streáma *Grdt.* — 368 dreosende? *Grdt.* — 371 fillo *hs.*, aber über dem i ein y von anderer hand. — 373 wexeð? *Grdt.* — 375 suna *Grdt.* — 377 meahtiga *Ettm.*

2*

585 fǽgre gefrætwad   fugle gelícast
    in êadwelum   æþelum stoncum,
    þǽr sêo sôþfæste   sunne lihteð
    wlitig ofer weoredum   in wuldres byrig.

                    X.

    Ðonne sôðfæstum   sâwlum scíneð
590 hêah ofer hrôfas   hǽlende Crîst,
    him folgiað   fuglas scŷne
    beorhte gebrêdade   blissum hrêmge
    in þâm gladan hâm,   gǽstas gecorene,
    êce tô ealdre,   þǽr him yfle ne mæg
595 fâh fêond gemâh   fâcne sceþþan:
    ac þǽr lifgað â   lêohte werede
    swâ se fugel Fenix   in freoþu dryhtnes
    wlítige in wuldre.   weorc ânra gehwæs
    beorhte blíceð   in þâm bliþan hâm
600 fore onsŷne   êcan dryhtnes
    symle in sibbe   sunnan gelîce,
    þǽr se beorhta bêag   brogden wundrum
    eorcnanstânum   êadigra gehwâm
    hlîfaþ ofer hêafde,   beafelan lixað
605 þrymme biþeahte;   þêodnes cynegold
    sôðfæstra gehwone   sellîc glengeð
    lêohte in lîfe,   þǽr se longa gefêa
    êce ond edgeong   ǽfre ne sweþrað,
    ac hŷ in wlite wuniað   wuldre bitolden
610 fægrum frætwum   mid fæder engla.
    ne bið him on þâm wîcum   wiht tô sorge
    wrôht ne wêþel   ne gewindagas,
    hungor se hâta   ne se hearda þurst,
    yrmþu ne yldo: him se æþela cyning
615 forgifeð gôda gehwylc,   þǽr gǽsta gedryht
    hǽlend hergað   ond heofoncyninges
    meahte mǽrsiað,   singað metude lof.
    swinsað sibgedryht   swêga mǽste
    hǽdre ymb þæt hâlge   hêahseld godes;
620 blîþe blêtsiað   bregu sêlestan
    êadge mid englum   efenhlêoþre þus:
    'sib sî þê, sôð god,   ond snyttru-cræft
    ond þê þonc sŷ   þrymsittendum
    geongra gyfena,   gôda gehwylces,
625 micel unmǽte   mægnes strengðu

---

586 ead-welan *Grdt.* — 588 weorudum *Grdt.* — 592 hremige *hs.* —
599 bliþam *hs.* — 613 hearde *hs., Th, Go.* — 625 strenðu *hs.*

héah ond hâlig!   heofonas sindon
fǽgre gefylled,   fœder ælmihtig,
ealra þrymma þrym,   þínes wuldres
uppe mid englum   ond on corðan somod!
630   gefreoþa úsic, frymþa scyppend!   þû eart fœder ælmihtig
in héannesse   heofuna waldend!'
Dus reordiað   ryhtfremmende
mânes âmerede   in þǽre mǽran byrig,   .
cyneþrym cýþað;   câseres lof
635   singað on swegle   sôðfǽstra gedryht:
'þâm ânum is   êce weorðmynd
forð bûtan ende;   næs his frymð ǽfre,
êadcs ongyn;   þêah hê on eorþan hêr
þurh cildes hâd   cenned wǽre
640   in middangeard,   hwæþre his mœahta spêd
héah ofer heofonum   hâlig wunade,
dôm unbryce!   þêah hê dêaþes cwealm
on rôde treowe   ræfnan sceolde,
þearlíc wíte,   hê þý þriddan dæge
645   æfter lícos hryre   líf eft onfêng
þurh fœder fultum.   swâ Fenix bêacnað
geong in geardum   godbearnes mcaht,
þonno hê of ascan   eft onwæcneð
in lífes líf   leomum geþungen.
650   swâ se hǽlend ûs   helpe gefremede
þurh his lícos gedâl,   líf bûtan ende,
swâ se fugel swêtum   his fiþru tû
ond wynsumum   wyrtum gefylloð,
fǽgrum foldwæstmum,   þonne âfýsed bið.'
655   þæt sindon þâ word,   swâ ûs gewritu secgað,
hlêoþor hâligra,   þe him tô heofonum bið
tô þâm mildan gode   môd âfýsed
in drêama drêam,   þǽr hî dryhtne tô giefe
worda ond weorca   wynsumne stenc
660   in þâ mǽran gesceaft   meotude bringað
in þæt lêohte líf.   sý him lof symle
þurh woruld worulda   ond wuldres blǽd,
âr ond onwald   in þâm uplîcan
rodera rîce!   Hê is on ryht cyning
665   middangeardes   ond mægenþrymmes
wuldre biwunden   in þǽre wlitigan byrig.

—

631 heahnesse *Gn.* — 635 singad *hs.* — 643 rôde treow *hs.,* rode-
treowe *Gn¹,* rode treowe *Gn³.* — 648 onwæcned *hs.,* onwæcneð? *Grdt.* —
650 swa *Th,* Swa *hs. (punkt vorher),* elpe *hs.,* helpe? *Grdt.*

Hafað ûs âlŷfed   *lucis auctor*
þæt wê môtun hêr   *meritare*
gôddædum begietan   *gaudia in celo,*
670 þær wê môtun   *maxima regna*
sêcan ond gesittan,   *sedibus altis*
lifgan in lisse   *lucis et pacis,*
âgan eardinga   *almæ letitiæ*
brûcan blæddaga,   *blandcm et mitcm*
675 gesêon sigora frêan   *sine fine*
ond him lof singan   *laude perenne*
êadge mid englum.   *alleluia!*

10.

AUS DER GENESIS.

Cædmon's Metrical Paraphrase of Parts of the Holy Scriptures, in Anglo-Saxon etc., ed. by Benjamin Thorpe, London 1832, s. 172—177; Bouterwek, Cæd. I, 108ff.; Grein, Bibl. I, 74; Grein - Wülker II, 440—444; Förster, Ae. lesebuch, s. 4—7; hs. zu Oxford, Bodlciana, Jun. 11, fol. 137.

2845 þâ þæs rinces   se rîca ongan
cyning costigan,   cunnode georne,
hwilc þæs æðelinges   ellen wære,
stîðum wordum   spræc him stefne tô:
'gewît þû ofestlîce,   Abraham, fêran,
2850 lâstas lecgan   ond þê læde mid
þîn âgen bearn: þû scealt Îsââc mê
onsecgan, sunu ðînne,   sylf tô tibre.
siððan þû gestîgest   stêape dûne,
hrieg þæs hêan landes,   þê ic þê heonon getæce,
2855 up þînum âgnum fôtum: þær þû scealt âd gegærwan,
bælfŷr, bearne þînum   ond blôtan sylf
sunu mid sweordes ecge   ond þonne sweartan lige
lêofes lîc forbærnan   ond mê lâc bebêodan.'

---

667 actor (u *von anderer hand übcrgeschrieben) hs. — 668 *merueri
hs. In der hs. steht zwar nicht hier, wohl aber nach Go's angabe in v. 670
ein punkt hinter *môtun. mereri *Gn*[1.2]. *Kaluza liest:* þæt wê môtun ‖ hic
mereri. *Holthausen schlägt vor in Herrigs Archiv, CXII, s. 133:* mer [i &]
ueri. *Trautmann:* meritare. — 670 motum *hs.* — 673 alma *hs., Con,
Th, Go,* almæ *Ettm, Gn*[1.2]. — 674 mittem *hs., Con,* mitem *Grdt, Edd.* —
676 perenni *Con, Ettm.*
2851 isââc *hs. immer; vgl. 21.* — 2852 onsægan *Kluge.* — 2854 hrycg
B(outerwek)] hrincg *hs.* ‖ *ursprünglich* hêa(h)an.

Ne forsæt hê þŷ siðe,   ac sôna ongann
2860 fŷsan tô fôre: him wæs frêan eugla
word ondrysne   ond his waldend lêof.
þâ se êadga   Abraham sîne
nihtreste ofgeaf: nalles nergendes
hûse wiðhogode,   ac hine se hâlga wer
2865 gyrde grægan sweorde,   cŷðde, þæt him gâsta weardes
egesa on hrêostum wunode,   ongan þâ his esolas bêtan
gamolferhð goldes brytta,   hcht hine geonge twêgen
men mid siðian;   mæg wæs his âgen þridda
ond hê fêorða sylf.   þâ hê fûs gewât
2870 from his âgenum hofe   Îsââc lædan,
bearn unweaxen,   swâ him bebêad metod.
efste þâ swiðe   ond ônette
forð foldwege,   swâ him frêa tæhte
wegas ofer wêsten,   oð þæt wuldortorht
2875 dæges þriddan up   ofer dêop wæter
ord âræmde.   þâ se êadega wer
geseah hlifigan   hêa dûne,
swâ him sægde ær   swegles aldor.
ðâ Abraham spræc   tô his ombihtum:
2880 'rincas mîne,   restað incit
hêr on þissum wîcum;   wit eft cumað,
siððan wit ærende   uncer twêga
gâstcyninge   âgifen habbað.'
Gewât him þâ se æðeling   ond his âgen sunu
2885 tô þæs gemearces,   þê him metod tæhte,
wadan ofer wealdas: wudu bær sunu,
fæder fŷr ond sweord.   ðâ þæs fricgean onganu
wer wintrum geong   wordum Abraham:
'wit hêr fŷr ond sweord,   frêa mîn, habbað:
2890 hwær is þæt tîber,   þæt þû torht gode
tô þâm brynegielde   bringan þencest?'
Abraham maðelode   (hæfde on ân gehogod,
þæt hê gedæde,   swâ hine drihten hêt):
'him þæt sôðcyning   sylfa findeð,
2895 moncynnes weard,   swâ him gemet þinceð.'
Gestâh þâ stiðhŷdig   stêape dûne
up mid his eaforan,   swâ him se êca bebêad,
þæt hê on hrôfe gestôd   hêan landes,
on þære stôwe,   þê him se stranga tô,

2860 frean Th(orpe), frea hs. — 2861 þæs waldendes B || wa¹dende,
verb. Th. — 2877 ursprünglich hêa(h)e. — 2390 torhtum? — 2898 ur-
sprünglich hêa(h)an. — 2899 stôwe B; f. in der hs.

2900 wǽrfæst metod,   wordum tǽhte.
    ongan þâ âd hladan,   ǽled weccan,
    ond geféterode   fêt ond honda
    bearne sînum   ond þâ on bǽl âhôf
    Îsââc geongne   ond þâ ǽdre gegrâp
2905 sweord be gehiltum: wolde his sunu cwellan
    folmum sînum,   fŷre sencan
    mǽges drêore.   þâ metodes ðegn
    ufan, engla sum,   Abraham hlûde
    stefne cŷgde.   hê stille gebâd
2910 âres sprǽce   ond þâm engle oncwæð.
    him þâ ofstum tô   ufan of roderum
    wuldorgâst godes   wordum mǽlde:
    'Abraham lêofa,   ne sleah þîn âgen bearn,
    ac þu cwicne âbregd   cniht of âdc,
2915 eaforan þînne: him an wuldres god.
    mago Êbrêa,   þû mêdum scealt
    þurh þæs hâlgan hand   heofoncyninges,
    sôðum sigorlêanum,   selfa onfôn,
    ginfæstum gifum: þê wile gâsta weard
2920 lissum gyldan,   þæt þô wæs lêofre his
    sibb ond hyldo,   þonne þîn sylfes bearn.'
    Âd stôd onǽled.   hæfde Abrahame
    metod moncynnes,   mǽge Lôthes,
    brêost geblissad,   þâ hê him his bearn forgeaf
2925 Îsââc cwicne.   ðâ se êadega bewlât
    rinc ofer exle   ond him þǽr rom geseah
    unfeor þanon   ǽnne standan,
    brôðor Arones,   brêmbrum fæstne.
    þone Abraham genam   ond hine on âd âhôf
2930 ofestum miclum   for his âgen bearn:
    âbrægd þâ mid þŷ bille,   brynegield onhrêad,
    reccendne wêg,   rommes blôde,
    onhlêot þæt lâc gode,   sægde lêana þanc
    ond ealra þâra sǽlða,   þê hê him sîð ond ǽr,
2935 gifena drihten,   forgifen hæfde.

2906 fŷr gesencan (oder âsencan) B, fŷre sengan G(rei)n, on
fŷre s. K(ölbin)g, fŷre swolgan oder sellan K(örne)r, fŷr besprengan?
Zup(itza). doch vgl. auch Zs. für d. alt. 13, 131; Jovy, Bonner beiträge V,
s. 31, 32, liest: fŷre swencan mǽg his dêorne. — 2907 drêor Gn, Kg,
Kr. — 2913 nicht sleah þu hs., Zup. — 2918 anfangs onfô(h)an Zup;
onfô[a]n Hh. — 2920 leofra, verb. Gn. — 2931 onhrêað Ettmüller, Lex. 505,
on || rêad Dietrich Zs. 10, 337, onread Kr. — 2932 rêcendne Gn. —
2934 sǽlða Gn, fehlt in der hs.

11.

AUS DER JUDITH.

Grein, Bibl. I, 123; Grein-Wülker II, 301ff.; A. S. Cook, Boston 1904;
A. S. Cook, First Book in Old English, Boston 1900, s. 202; Kluge,
Ags. lesebuch³, s. 103ff.; hs. im Brit. Mus., Vitell., A, XV, fol. 202r.

    Hæfde ðá gefohten   foremærne blǽd
    Iúdith æt gúðe,   swá hyre god úðe,
    swegles ealdor,   þé hyre sigores onléah.
125 þá séo snotere mægð snúde gebróhte
    þæs herewéðan héafod swá blódig
    on ðám fǽtelse, þé hyre foregenga,
    bláchléor ides, hyra bégea nest ⌒
    ðéawum geðungen þyder on lǽdde,
130 ond hit ðá swá heolfrig hyre on hond ágeaf,
    higeþoncolre, hám tó berenne
    Iúdith, gingran sínre. éodon ðá gegnum þanonne
    þá idesa bá ellenþríste,
    oð þæt híe becómon, collenferhðe
135 éadhréðige mægð, út of ðám herige,
    þæt híe sweotollíce geséon mihten
    'þǽre wlitegan byrig weallas blícan
    Béthúliam. híe ðá béahhrodene
    féðelásto forð ónettan,
140 oð híe glædmóde gegán hæfdon
    tó ðám wealgate. wíggend sǽton,
    weras, wæccende: wearde héoldon
    in ðám fæstenne, swá ðám folce ǽr
    geómormódum Iúdith bebéad,
145 searoðoncol mægð, þá héo on síð gewát.
    ides ellenróf wæs ðá eft cumen
    léof tó léodum ond ðá lungre hét,
    gléawhýdig wíf, gumena sumne
    of ðǽre ginnan byrig hyre tógéanes gán
150 ond hí ofostlíce in forlǽtan
    þurh ðæs wealles geat ond þæt word ácwæð

---

127 foregenge *Leo*. — 130 *buchstaben, die im texte in kursiver schrift*
stehen, fehlen jetzt in der hs. ganz oder zum größten teile. — 134 hie hie
hs. — 141 weal *über der zeile in der hs.* — 142 heordon *ursprünglich,*
dann aber der zweite strich von r zu l, *doch der erste nicht getilgt.* --
144 Iudithe *hs., Zup, Kluge,* Iudith *Gn¹·².* — 146 ellenrof. Wæs *Gn².* —
149 gán] faran? *Rieger stellt die beiden vershälften um, doch fragt er:*
„*oder ist* gán *an die stelle eines synonymen wortes getreten?"* — 150 for-
lęton *aus* forlęton, *verb. Thorpe.*

tô ðâm sigefolce: 'ic êow secgan mæg
þoncwyrðc þing,   þæt gê ne þyrfen leng
murnan on môde: êow ys metod blîðe,
155 cyninga wuldor.   þæt gecýðed wearð
geond woruld wide,   þæt êow ys wuldorblǽd
torhtlic tôweard   ond tîr gifeðe
þâra lǽðða tô lêane,   þê gê lange drugon.'
þâ wurdon blîðe   burhsittende,
160 syððan hî gehŷrdon,   hû sêo hâlige spræc
ofer hêannc weall: here wæs on lustum.
wið þæs fæstengeates   folc ônette,
weras, wîf somod,   wornum ond hêapum,
ðrêatum ond ðrymmum   þrungon ond urnon
165 ongêan ðâ þêodnes mægð   þûsendmǽlum,
ealde gê geonge: æghwylcum wearð
men on ðǽre medobyrig   môd ârêted,
syððan hie ongêaton,   þæt wæs Iûdith cumen
eft tô êðle,   ond ðâ ofostlîce.
170 hîe mid êaðmêdum   in forlêton.
þâ sêo glêawe hêt   golde gefrætewod
hyre ðînenne   þancolmôde
ðæs herewǽðan   hêafod onwrîðan
ond hyt tô bêhðe   blôdig ætŷwan
175 þâm burhlêodum,   hû hyre æt beaduwe gespêow.
spræc ðâ sêo æðele   tô callum þâm folce:
'hêr gê magon sweotole,   sigerôfe hæleð,
lêoda ræswan,   on ðæs lâðestan,
hǽðenes heaðorinces,   hêafod starian,
180 Hôlofernus   unlyfigendes,
þê ûs monna mǽst   morðra gefremede,
sârra sorga,   ond þæt swŷðor gýt
ýcan wolde: ac him ne ûðe god
lengran lifes,   þæt hê mid lǽððum ûs
185 eglan môste.   ic him ealdor oðþrong
þurh godes fultum.   nû ic gumena gehwæne
þyssa burglêoda   hiddan wylle,
randwiggendra,   þæt gê recene êow
fýsan tô gefeohte: syððan frymða god,

---

154 *die oberen enden einiger buchstaben weg.* — 158 tô lêane *fehlt*
in der hs., tô bôte *Rieger; Gn ergänzt* on lâst *vor* þâra. — 160 halge
Cook. — 161 hêahne *Gn.* — 163 weras ond wîf *Thw(aites).* — 165 þeoðnes,
verb. Thw. — 176. 7. 8 *und* 222. 3. 4 *die oberen enden einiger buchstaben*
überklebt. — 179 stariað *hs., verb. Thw.* — 180 Olofernus *Leo, Rieger,*
Sweet. — 182 þæt *fehlt bei* Th, I, Ettm, Gn[1], Rie. — 189 fysen *Sw.*

190 ârfæst cyning,   êastan sende
    lêohtne lêoman,   berað linde forð,
    bord for brêostum   ond byrnhomas,
    scîre helmas   in sceaðena gemong,
    fyllan folctogan   fâgum sweordum,
195 fǽge frumgâras.   fŷnd syndon êowęre
    gedêmed tô dêaðe,   ond gê dôm âgon,
    tîr æt tohtan,   swâ êow getâcnod hafað
    mihtig dryhten   þurh mîne hand.'
        þâ wearð snelra werod   snûde gegearewod,
200 cênra, tô campe: stôpon cynerôfe
    secgas ond gesîðas,   bǽron sigeþûfas,
    fôron tô gefeohte   forð on gerihte
    hæleð under helmum   of ðǽre hâligan byrig
    on ðæt dægred sylf: dynedan scildas,
205 hlûde hlummon.   þœs se hlanca gefeah
    wulf in walde   ond se wanna hrefn,
    wælgîfre fugel   (westan bêgen,
    þæt him ðâ þêodguman   þôhton tilian
    fylle on fǽgum),   ac him flêah on lâst
210 earn ǽtes georn   ûrigfeðera,
    salowigpâda,   sang hildelêoð
    hyrnednebba.   stôpon heaðorincas,
    beornas, tô beadowe   bordum beðeahte,
    hwealfum lindum,   þâ ðe hwîle ǽr
215 elðêodigra   edwît þoledon,
    hǽðenra hosp: him þæt hearde wearð
    æt ðâm æscplegan   eallum forgolden,
    Assŷrium,   syððan Êbrêas
    under gûðfanum   gegân hæfdon
220 tô ðâm fyrdwîcum.   hîe ðâ fromlîce
    lêton forð flêogan   flâna scûras,
    hildenǽdran   of hornbogan,
    strǽlas stedehearde: styrmdon hlûde
    grame gûðfrecan,   gâras sendon
225 in heardra gemang.   hæleð wǽron yrre
    landbûende   lâðum cynne.
    stôpon styrnmôde   stercedferhðe,
    wrehton unsôfte   ealdgenîðlan
    medowêrige: mundum brugdon
230 scealcas of scêaðum   scîrmǽled swyrd
    ecgum gecoste,   slôgon eornoste

---

190 ûrfæst Th, L, Ettm, Gn¹, Rie, Körner. — 201 sige f., von
Ettm ergänzt. — 207 wiston Sw, wistan Cook. — 209 ac] êac? Gn¹ ‖
lâste Gn¹. — 222 hornbogum Sweet. — 228 weahton Leo.

  Assîria ôretmæcgas
  niðhycgende, nânne ne sparedon
  þæs herefolces, hêanne nê ricne,
235 cwicera manna, þe hîe ofercuman mihton.

12.

URKUNDE AUS DEN JAHREN 805—810 (806?).

*Bond, Facsimiles of Ancient Charters in the British Museum (1873) I, 10;
original Cotton MS Augustus II, 79; Sweet, O. E. T., s. 443; Kluge,
Ags. lesebuch³, s. 16; Keller, Ags. Palaeographie, Berlin 1906 (Palaestra
XLIII), tafel I.*

† Ic Osuulf, aldormonn mid godes gæfe, ond Beornðryð, min
gemecca, sellað to Cantuarabyrg to Cristescirican ðæt loud æt
Stanhamstede .XX. swuluncga gode allmehtgum *ond* ðere halgon
gesomnuncgæ fore hyhte *ond* fore aedicane ðæs aecan *ond* ðaes
5 towardon lifes *ond* fore uncerra saula hela *ond* uncerra bearna
ond mid micelre eaðmodnisse biddað, ðæt wit moten bion on ðem
gemanon, ðe ðaer godes ðiowas siondan *ond* ða menn, ða ðaer
hlafordas wæron, *ond* ðara monna, ðe hiora lond to ðaere cirican
saldon, ond ðættæ mon unce tide ymb tuælfmonað mon geuueorðiae
10 on godcundum godum *ond* æc on ælmessan, suæ mon hiora doeð.

  Ic ðonne Uulfred, mid godes gaefe arc epis, ðas forecuae-
denan uuord fulliae *ond* bebeode, ðæt mon ymb tuælfmonað hiora
tid boega ðus geuueorðiae to anes daeges to Osuulfes tide ge mid
godcundum godum ge mid aelmessan ge aec mid higna suesendum.
15 ðonne bebeode ic, ðaet mon ðas ðing selle ymb tuaelfmonað of
Liminum, ðe ðis forecuaedene lond to limpeð, of ðaem ilcan lónde
æt Stanhamstede: .CXX. huâetenra hlafa *ond* .XXX. clenra *ond*
án hriðer dugunde *ond* .IIII. scęp *ond* tua flicca *ond* .V. goes *ond*
.X. hennfuglas *ond* .X. pund caeses, gif hit fuguldaeg sie; gif hit
20 ðonne festendæg sie, selle mon uuęge cæsa *ond* fisces *ond* butran
ond aegera, ðaet mon begeotan maege: *ond* .XXX. ombra godes
uuelesces aloð, ðet limpeð to .XV. mittum, *ond* mittan fulne huniges
oðða tuęgen uuines, suę hwaeder suae mon ðonne begeotan maege.

---

234 rice *hs., verb. Gn¹.*
 12. *nach Kemble, Codex Diplomaticus (I, no. 226) aus den jahren
805—831.*
 9 *ein* mon *zu streichen.* — 16 -cuaede(ne). — 17 clenra *die hs.
auch nach dem faksimile, nicht* denra. — 20 *ein buchstabe radiert hinter*
ðonne. — 22 ðet, *nicht* ðæt, *faks. und hs.* ·

ond of higna gemęnum godum ðaer aet ham mon geselle .CXX.
25 gesufira hlafa to aelmessan for hiora saula, suae mon aet hlaforda
tidnm doeð. ond ðas forecuędenan suęsenda all agefe mon ðęm
reogolwarde, ond he brytnię, swæ higum maest red sie ond ðaem
sawlum soelest. aec mon ðaet weax ágæfe to ciricican ond hiora
sawlum nytt gedoc, ðe hit man fore doeð. aec ic bebeode minum
30 aefterfylgendum, ðe ðaet lond hębben aet Burnan, ðaet hiae
simle ymb .XII. monað foran to ðære tide gegeorwien tenhund
hlafa ond swae feola sufla, ond ðęt mon gedele to aelmessan
aet ðere tide fore mine sawle ond Osuulfes ond Beornðryðe aet
Cristescirican, ond him se reogolweord on byrg gebeode foran
35 to, hwonne sio tid sie. aec ic bidde higon, ðette hie ðas god-
cundan god gedon aet ðere tide fore hiora sawlum, ðaet ęghwilc
messepriost gesinge fore Osuulfes sawle twa messan, twa fore
Beornðryðe sawle, ond aeghwilc diacon arede twa passione fore
his sawle, twa fore hire, ond ęghwilc godes ðiow gesinge twa
40 fiftig fore his sawle, twa fore hire, ðaette ge fore uueorolde
sien geblitsade mid ðem weoroldcundum godum ond hiora saula
mid ðem godcundum godum. aec ic biddo, higon, ðaet ge me
gemynen aet ðere tide mid suilce godcunde gode, suilce iow
cynlic ðynce, ic ðe ðas gesettnesse sette gehueder ge for higna
45 lufon ge ðeara saula, ðe haer beforan hiora namon auuritene
siondon. *VALETE IN DOMINO.*

13.

PSALM 68 AUS DER HS. VESP. A. 1.

*Anglo-Saxon and Early English Psalter (ed. Stevenson), s. 214 ff.; The Oldest
English Texts, ed. Sweet, s. 280 ff.; vgl. Förster, Ae. lesebuch, s. 9—11.*

halue   mec doa god   forðon   in eodun   weter oð   sawle
²*Salvum me   fac, deus, quoniam introierunt aquae usque ad animam*
mine gefęstnad ic eam in lam   grundes 7 nis   spoed   cym in
meam.³infixus   sum   in limum profundi, et non est substantia: veni in
heanisse   saes   7 storm   bisencte mec ic won cleopiende hase
altitudinem maris, et tempestas demersit me. ⁴laboravi clamans: raucae
gewòrdne werun goman mine asprungun egan mine ðonne ic gehyhtu
faetae   sunt   fauces mea: defecerunt oculi mei, dum spero

---

28 l. cirican. — 32 ðęt aus ðot. — 33 r. h. tide. - 34 (aet cristes
cirican). — 43 y in gemynen auf r.

5 in god   minne   gemonigfaldade   sindun ofer loccas heafdes mines
in deum meum.   [5]*multiplicati*   *sunt*   *super capillos capitis mei,*

ða fiodun mec bi ungewyrhtum gestrongade sind ofer mec ða mec
qui oderunt me gratis: *confortati   sunt super me, qui me*

ochtað   feond mine unrehtwislice[1]   ða   ic ne reafade ða
persequuntur, inimici mei iniusti: *quę[2] non   rapui, tune*

ic onlesde god ðu wast unwisdom minne 7 scylde mine from
exsolvebam. [6]*deus, tu   scis   insipientiam meam, et delicta mea   a*

ðe ne sind ahydde   ne scomiað   in mec ða ðe ðec bidað
te non sunt abscondita. [7]*non erubeseant in me,   qui   te   expectant,*

10 dryhten[3] god megna   ne onscunien ofer mec ða ðe soecað   ðec
domine, deus virtutum: non revereantur super me, qui   requirunt te,

god   forðon fore ·   ðe ic aber   edwit   oferwrah
deus Israhel; [8]*quoniam propter te supportavi improperium, operuit*

mid scome onsiene mine   fremðe geworden ic eam broðrum minum
reverentia faciem meam. [9]*exter   factus   sum   fratribus meis*

7 cuma bearnum moeder minre   forðon hatheortnisse huses ðines
et hospis filiis   matris meae; [10]*quoniam zelus   domus tuae*

iteð   mec 7 edwit   edwitendra   ðe gefeollun ofer mec 7
comedit me, et opprobria exprobrantium tibi ceciderunt super me. [11]*et*

15 oferwrah iu festenne sawle   mine 7 geworden is me in edwit
operui   in ieiunio   animam meam, et factum   est mihi in opprobrium.

7 ic sette hregl   min heran   7 geworden ic eam him in
[12]*et   posui vestimentum meum cilicium, et factus   sum   illis in*

bispel   wið   mec bieodum   ða ðe setun   in gete 7 in
parabolam. [13]*adversum me exercebantur, qui   sedebant in porta, et in*

mec sungun   ða ðe druncun win   ic soðlice gebed[4]   min to
me psallebant, qui   bibebant vinum. [14]*ego vero   orationem meam ad*

ðe dryhten tid   wel gelicade god in mengu   mildheortnisse
te, domine: tempus beneplaciti   deus. in multitudine misericordiae

20 ðinre geher me in soðfestnisse haelu ðinre genere[5] mec of lame ðæt
tuae exaudi me in veritate   salutis tuae. [15]*eripe   me   de luto, ut*

ic in ne fele gefrea mec of ðæm figendum mec 7 of grunde wetra
non inheream: libera me   ex odientibus   me et de profundo aquarum.

nales mec bisence storm   wetres ne   forswelge mec grund
[16]*non   me demergat tempestas aquae, neque absorbeat   me profundum,*

ne   ðrege ofer mec seað muð his   geher mec dryhten forðon
neque urgeat super me   puteus os   suum. [17]*exaudi me, domine, quoniam*

---

[1] *hinter* s *unterpunktiertes* e. — [2] quę *Stevenson,* qui *Sweet.* —
[3] dryhtne *bei* Sweet *wohl druckfehler.* — [4] gebeded. — [5] gere.

freamsum is mildheortnis ðin efter mengu mildsa
benigna est misericordia tua: secundum multitudinem miserationum
25 ðinra geloca in mec ne aber ðu onsiene ðine from cnehte ðinum
tuarum respice in me. [18]*ne avertas faciem tuam a puero tuo:*
forðon ic bio geswenced hreðlice geher mec bihald to sawle
quoniam tribulor, velociter exaudi me. [19]*intende animae*
minre 7 gefrea hie fore fiondum minum genere mec dryhten ðu
meae et libera eam: propter inimicos meos eripe me, domine. [20]*tu*
soðlice wast edwit min gedroefnisse 7 scome[1] mine in
enim scis improperium meum, confusionem et verecundiam meam. [21]*in*
gesihðe ðinre sind alle geswencende mec edwit bad
conspectu tuo sunt omnes tribulantes me: improperium expectavit
30 heorte min 7 ermðu 7 ic arefnde ða somud mid mec were geunrotsad
cor meum et miseriam, et sustinui, qui simul mecum contristaretur,
7 ne wes 7 froefrende mec ic sohte 7 ic ne gemoette 7 saldun
et non fuit, et consolantem me quesiri[2] et non inveni. [22]*et dederunt*
in mete minne gallan 7 in ðurste minum drynctun mec mid ecede
in escam meam fel et in siti mea potaverunt me aceto.
sie biod heara biforan him in girene 7 in edlean 7 in
[23]*fiat mensa eorum coram ipsis in laqueum et in retributionem et in*
eswic sien aðiostrade egan heara ðaet hie ne gesen 7 bec
scandalum. [24]*obscurentur oculi eorum, ne videant, et dorsum*
35 heara aa gebeged ageot ofer hie corre ðin 7 ebylgðu[3]
illorum semper incurva. [25]*effunde super eos iram tuam, et indignatio*
corres ðines gegripe[4] hie sie eardung heara woestu 7 in
irae tuae adpraehendat eos. [26]*fiat habitatio eorum deserta et in*
geteldum heara ne sie se in cardie forðon ðone ðu
tabernaculis eorum non sit, qui inhabitet. [28]*quoniam, quem tu*
sloge hie oehtende werun 7 ofer sar wunda minra
percussisti, ipsi persecuti sunt et super dolorem vulnerum meorum
otectun to sete unrehtwisnisse ofer unrehtwisnisse heara 7 in
addiderunt, [28]*adpone iniquitatem super iniquitatem ipsorum, et non*
40 ne gað in ðinre rehtwisnisse sien hie adilgade of boec lifgendra 7
intrent in tua institia. [29] *deleantur de libro viventium et*
mið ðæm rehtwisum ne bioð awriten ðearfa 7 sargiende ic eam
cum iustis non scribantur. [30]*pauper et dolens ego sum,*
7 haelu ondwlitan ðines god onfeng mec ic hergu noman godes
et salus vultus tui, deus, suscepit me. [31]*laudabo nomen dei*
mines mid songe 7 ic micliu hine in lofe licað gode ofer
mei cum cantico et magnificabo eum in laude; [32]*placebit deo super*

---

[1] s(c)ome. — [2] quisivi *Sweet*. — [3] y über u. — [4] ge(g)ripe.

caelf   niowe   hornas forð lędende 7 clea   gesen   ðearfan
vitulum novellum   cornua producentem et ungulas. ³³*rideant pauperes*
45 7 blissien   soecað dryhten 7 liofað sawul eower   forðon
et laetentur: quaerite dominum, et vivet   anima vestra. ³⁴*quoniam*
geherde ðearfan dryhten 7 gebundne his ne forhogde hergað
exaudivit pauperes dominus et vinctos   suos non sprevit. ³⁵*laudent*
hine heofenas 7 eorðe sae 7 all   ða ðe in him sind forðon god
eum caeli   et terra, mare et omnia, quae in eis sunt. ³⁶*quoniam deus*
halne doð Sion 7 hioð timbrede cęstre   7 in eardiað
salvam faciet Sion, et aedificabuntur civitates Iudae,   et inhabitabunt
ðer 7 erfeworðnisse bigeotað hie   7 sed ðiowa his gesittað
ibi et hereditate   adquirunt eam. ³⁷*et semen servorum eius possidebit*
50 hie   7 ða ðe lufiað   noman his in eardiað   in hire.
eam, et, qui   diligunt nomen eius, inhabitabunt in ea.

14.

ÆLFREDS VORREDE ZU GREGORS 'CURA PASTORALIS' NEBST DEM SCHLUSSGEDICHTE DES WERKES.

I. VORREDE.

King Alfred's West-Saxon Version of Gregory's Pastoral Care, ed. by Henry Sweet, London 1871, s. 3. unser text folgt meist H (= Hatton MS 20, früher 88, in der Bodleiana zu Oxford). aus anderen hss. (C = Corpus Chr. C. Cambr. 12, J = Junius' abschrift in Oxford des fast ganz verbrannten Cott. Tib. B XI, T = Trinity Coll. C., R.5. 22 [erst von z. 81 an], U = University Libr. Cambr. Ii 2. 4) werden graphische und lautliche varianten nur dann angeführt, wenn sie ältere formen zeigen als H oder sonst merkwürdig sind. Kluge, Ags. lesebuch³, s. 31.

† ÐEOS BOC SCEAL TO WIOGORACEASTRE.

Ælfred kyning hâteð grêtan Wærferð biscep his wordum luflîce ond frêondlîce ond ðê cŷðan hâte, ðæt mê côm swîðe oft on gemynd, hwelce wiotan iû wæron giond Angelcynn ægðer ge godcundra hâda ge woruldcundra, ond hû gesæliglîca tîda ðâ
5 wæron giond Angelcynn, ond hû ðâ kyningas, ðe ðone onwald

---

† ð. b. sc. to w.] ðis is seo forespræc hu sanctus gregorius ðas boc gedihte þe man pastoralem nemnað *JU, f. C.* — 1 W. b. *mit etwas kleineren buchstaben nachträglich ds. hd. H*] Wulfsige bisceop *U, lücke J, f. ohne lücke C.* — 4 worul(d)cundra *H.*

hæfdon ðæs folces, gode ond his ærendwrecum hiersumedon, ond
hîe ægðer ge hiora sibbe ge hiora siodo ge hiora onweald
innanbordes gehîoldon ond êac ût hiora êðel rŷmdon, ond hû
him ðâ spêow ægðer ge mid wîge ge mid wîsdôme; ond êac ðâ
10 godcundan hâdas, hû giorne hîe wǣron ægðer ge ymb lâre ge
ymb liornunga ge ymb ealle ðâ ðîowotdômas, ðe hîe gode
scoldon, ond hû man ûtanbordes wîsdôm ond lâre hieder on lond
sôhte, ond hû wê hîe nû sceoldon ûte begietan, gif wê hîe habban
sceoldon. swǣ clǣne hîo wæs oðfeallenu on Angelcynne, ðæt
15 swîðe fêawa wǣron behionan Humbre, ðe hiora ðêninga cûðen
understondan on englisc oððe furðum ân ærendgewrit of lǣdene
on englisc âreccean; ond ic wêne, ðætte nôht monige begiondan
Humbre nǣren. swǣ fêawa hiora wǣron, ðæt ic furðum ânne
ânlêpne ne mæg geðencean besûðan Temese, ðâ ðâ ic tô rîce
20 fêng. gode ælmihtegum sîe ðonc, ðætte wê nû ænigne onstal
habbað lârêowa; ond forðon ic ðê bebîode, ðæt ðû dô, swǣ ic
gelîefe, ðæt ðû wille, ðæt ðû ðê ðissa woruldðinga tô ðǣm
geǣmetige, swǣ ðû oftost mæge, ðæt ðû ðone wîsdôm, ðe ðê
god sealde, ðǣr ðǣr ðû hiene befæstan mæge, befæste. geðenc,
25 hwelc wîtu ûs ðâ becômon for ðisse worulde, ðâ ðâ wê hit
nôhwæðer ne selfe ne lufodon ne êac ôðrum monnum ne lêfdon:
ðone naman ânne wê hæfdon, ðætte wê cristne wǣren, ond swîðe
fêawe ðâ ðêawas. ðâ ic ðâ ðis eall gemunde, ðâ gemunde ic êac,
hû ic geseah, ǣrðǣmðe hit eall forhergod wǣre ond forbærned,
30 hû ðâ ciricean giond eall Angelcynn stôdon mâðma ond bôca
gefyldæ, ond êac micel menigeo godes ðîowa, ond ðâ swîðe lŷtle

---

6 on ðam dagum *hinter* folces a. hd. H ‖ æryndwrytum U ‖ hiersu-
medon C, her- *Sweet*, hyr- (y hd. 11. jhds. auf r.) H. — 7 hu hie CJ. —
8 innanborde U ‖ (wel) gehio. a. hd.? H ‖ oeðel J ‖ rymdon *zu* gerymdon
a. hd. H. — 11 ge] ond *abgekürzt* CJU ‖ þeowdomas U. — 12 don *vor*
sc. CJ, ü. d. z. a. hd.? H, f. U ‖ mon CJU ‖ utonborde U. — 13 hie *Sweet*,
hy (y hd. 11. jhds. auf r.) H. — 14 swæ *zu* swa (*ebenso* 18. 49. 53. 56. 72
und je zweimal 44. 68. 71. 77) H ‖ oðfeallen U ‖ ðætte CJ. — 15 feawe
CJ ‖ ðenunga J, ðenunge C, þenunge U. — 17 ðætte *zu* ðæt r. H, þæt
U (*ebenso* 20. 27. 57. 78). — 18 feawe CJ ‖ ðætte CJ. — 20 ælmiehte-
gum J. — 21 ond f. CJU ‖ beode U. —24 georne *vor* befæste *spät.* hd. H. —
25 hwelc *zu* hwelce sp. hd. H, hwilce U. — 27 anne *zu* ænne sp. hd. H ‖
hæfdon CJ] lufodon H, lufdon U. — 28 feawe *zu* feawa sp. hd. H,
feawa U ‖ *zweites* ðâ f. U. — 31 gefyldæ *zu* -de sp. hd. H, -da CJ,
gefylled U ‖ men(i)geo H.

fiorme ðâra bôca wiston, forðǽmðe hîe hiora nân wuht ongiotan
ne meahton, forðǽmðe hîe nǽron on hiora âgen geðîode âwritene;
swelce hîe cwǽden: 'ûre ieldran, ðâ ðe ðâs stôwa ǽr hîoldon,
35 hîe lufodon wîsdôm, ond ðurh ðone hîe begêaton welan ond ûs
lǽfdon. hêr mon mæg gîet gesîon hiora swæð, ac wê him ne
cunnon æfterspyrigean:' ond forðǽm wê habbað nû ǽgðer forlǽten
ge ðone welan ge ðone wîsdôm, forðǽmðe wê noldon tô ðǽm
spore mid ûre môde onlûtan. ðâ ic ðâ ðis eall gemunde, ðâ
40 wundrade ic swîðe swîðe ðâra gôdena wiotena, ðe giû wǽron
giond Angelcynn ond ðâ bêc eallæ befullan geliornod hæfdon,
ðæt hîe hiora ðâ nânne dǽl noldon on hiora âgen geðîode wendan.
ac ic ðâ sôna eft mê selfum andwyrde ond cwæð: hîe ne wêndon,
ðætte ǽfre menn sceolden swǽ recceléase weorðan ond sio lâr swǽ
45 oðfeallan. for ðǽre wilnunga hîe hit forlêton ond woldon, ðæt hêr
ð̂y̆ mâra wîsdôm on londe wǽre, ðȳ̂ wê mâ geðêoda cûðon. ðâ
gemunde ic, hû sio ǽ wæs ǽrest on ebriscgeðîode funden, ond eft,
ðâ hîe Crêacas geliornodon, ðâ wendon hîe hîe on hiora âgen
geðîode ealle ond êac ealle ôðre bêc: ond eft Lǽdenware swǽ
50 same, siððan hîe hîe geliornodon, hîe hîe wendon ealla ðurh wîse
wealhstodas on hiora âgen geðîode. ond êac ealla ôðræ cristnæ
ðîoda sumne dǽl hiora on hiora âgen geðîode wendon. forðȳ̂ mê
ðyncð betre, gif îow swǽ ðyncð, ðæt wê êac sumæ bêc, ðâ ðe
niedbeðearfosta sîen eallum monnum tô wiotonne, ðæt wê ðâ on
55 ðæt geðîode wenden, ðe wê ealle gecnâwan mægen (ond gedôn
swǽ wê swîðe êaðe magon mid godes fultume, gif wê ðâ stilnesse
habbað), ðætte eal sio gioguð, ðe nû is on Angelcynne, frîora

---

32 wuht] þing U ‖ ongietan CJ. — 33 hy (wie 13) H. — 34 cwæden
zu cwædon sp. hd. H‖ yldran (y hd. 11. jhds. auf r.) H, ieldran J. —
37 ond f. CJU ‖ nû f. U. — 38 wela U. — 40 godæra U. — 41 æ in
eallæ auf r. H, ealla (ealle U) hinter befullan CJU. — 42 hîe f. U ‖ nanne
später zu nænne H. — 44 ðætt: (e r.) H, þæt U ‖ rec: elease H ' swyðe h.
swæ nachtr. a. hd. H. — 46 geðîoda CJ. — 47 ebrisc- zu ebreisc- sp.
hd. H, ebreisc- JU. — 48 ða ða C, þa þa J ‖ erstes hîe f. U ' creacas sp.
hd. zu greccas H ‖ agen zu agene sp. hd. H. — 49 zweites ealle durch-
strichen und darüber l mænige von sp. hd. H ‖ oðra U ‖ -wære C. —
50 some U ‖ zweites hie] hic U ‖ viertes hie f. U ‖ eall: durchstrichen (a r.) H,
ealle U. — 51 ealle U ‖ oðræ zu oðre r. H, oðra CJU ‖ cristnǽ zu
cristna r. H, cristena CJ, cristene U. — 53 eac sp. hd. vor gif H ‖ îow]
geow U ‖ sumæ zu sume r. H, suma J, sume CU. — 55 gedon CU, ge
don HJ.

monna, ðâra ðe ðâ spêda hæbben, ðæt hîe ðæm befêolan mægen,
sien tô liornunga oðfæste, dâ hwîle ðe hîe tô nânre ôðerre note
60 ne mægen, oð ðone first, ðe hîe wel cunnen englisc gewrit
ârædan: lære mon siððan furður on lædengeðîode, ðâ ðe mon
furðor læran wille ond tô hieran hâde dôn wille. ðâ ic ðâ gemunde,
hû sîo lâr lædengeðîodes ær ðissum âfeallen wæs giond Angel-
cynn, ond ðêah monige cûðon englisc gewrit ârædan, ðâ ongan
65 ic ongemang ôðrum mislîcum ond manigfealdum bisgum ðisses
kynerîces ðâ boc wendan on englisc, ðe is genemned on læden
Pastoralis ond on englisc Hierdebôc, hwîlum word be worde,
hwîlum andgit of andgiete, swæ swæ ic hîe geliornode æt Pleg-
munde, mînum ærcebiscepe, ond æt Assere, mînum biscepe, ond
70 æt Grîmbolde, mînum mæsseprîoste, ond æt Iôhanne, mînum mæsse-
prêoste. siððan ic hîe ðâ geliornod hæfde, swæ swæ ic hîe for-
stôd, ond swæ ic hîe andgitfullîcost âreccean meahte, ic hîe on
englisc âwende; ond to ælcum biscepstôle on mînum rîce wille âne
onsendan, ond on ælcre bið ân æstel, sê bið on fîftegum mancessa.
75 ond ic bebîode on godes naman, ðæt nân mon ðone æstel from
ðære bêc ne dô nê ðâ bôc from ðæm mynstre: uncûð, hû longe
ðær swæ gelærede biscepas sîen, swæ swæ nû (gode ðonc!) wel
hwær siendon, forðý ic wolde, ðætte hîe ealneg æt ðære stôwe
wæren, bûton se biscep hîe mid him habban wille oððe hîo
80 hwær tô læne sîe oððe hwâ ôðre bî write.

þis ærendgewrit   Âgustînus
ofer sealtne sæ   sûðan brôhte
îegbûendum,   swæ hit ærfore
âdihtode   dryhtnes cempa,
85 Rôme pâpa.   ryhtspell monig
Grêgôrius   glêawmôd gindwôd

---

59 zweites tô f. U. — 60 ðone f. U ‖ fierst C. — 62 hierran CJ, herran
U [, zweites ðâ f. U. — 63 oðfeallen CJ. — 64 manega U. — 65 gemong
(on f.) U [, missenlicum C ‖ monigfaldum J, monigfealdum U. — 68 ond-
giet C, ondgit J andgi(e)te ds. hd. H, ondgiete C. — 69 Asserie J. —
70 mæsse(preoste) moderne hd. C. — 71—72 forstod durchstrichen und
darüber l betst understandon cuðe sp. hd. H. — 72 ond f. U ‖ andgiet-
fullicost C, andgitlicost U. — 74 indicatorium æstel festuca hd. 12. jhds.
am rande C ‖ moncessa CJ, zu mancessan sp. hd. H. — 75 noman CJ ‖
nân f. U. — 76 doe J. — 77 ge ü. d. z. vor wel sp. hd. H. — 78 ealne
weg U. — 83 eorðbugendum T ‖ swæ J. — 84 adihtmode T und durch
korrektur van mod. hd. U. — 85 Gregorius f. U.

3*

ðurh sefan snyttro,   searoðonca hord;
forðǽm hê monncynnes   mǽst gestríende
rodra wearde,   Rômwara betest,
90 monna môdwelegost,   mǽrðum gefrǽgost.
siððan mîn on englisc   Ælfred kyning
âwende worda gehwelc   ond mê his writerum
sende sûð ond norð,   heht him swelcra mâ
brengan bî ðǽre bisene,   ðæt hê his biscepum
95 sendan meahte,   forðǽm hî his sume ðorfton,
ðâ ðe lǽdensprǽce   lǽste cûðon.

II. SCHLUSSGEDICHT.

Gedruckt in metrischer form von F. Holthausen in Herrig's Archiv,
bd. 106, s. 346.

Ðis is nû sê wæterscipe,   ðe ûs wereda god
tô frôfre gehêt,   foldbûendum.
Hê cwæð ðæt hê wolde   ðæt on worulde forð
of ðǽm innoðum   â libbendu
5 wætru flêowen,   ðe wel on hine
gelîfden under lyfte.   Is hit lŷtel twêo
ðæt ðæs wæterscipes   welsprynge is
on hefonrice;   ðæt is hâlig gâst.
Ðonan hine hlôdan   hâlge ond gecorene,
10 siððan hine gierdon   ðâ ðe gode hêrdon,
ðurh hâlgan bêc   hider on eorðan
geond manna môd   missenlîce.
Sume hine werinð   on gewitlocan,
wîsdômes strêam,   welerum gehæftað,
15 ðæt hê on unnyt   ût ne tôflôweð.
Ac se wæl wunað   on weres brêostum
ðurh dryhtnes giefe   dîop ond stille.
Sume hine lǽtað   ofer landscare
rîðum tôrinnan.   Nis ðæt rǽdlic ðing,
20 gif swâ hlûtor wæter   hlûd ond undîop
tôflôweð æfter feldum   oð hit tô fenne werð.
Ac hladað îow nû drincan,   nû îow dryhten geaf
ðæt îow Grêgôrius   gegierod hafað
tô durum îowrum   dryhtnes wolle!
25 Fylle nû his fǽtels,   sê ðe fæstne hider

83 forðon *CJ,* forþæm þe *T.* — 89 romwarena *TU.* — 90 mærða
U. — 91 mîn] me *TU.* — 93 for þam he *hinter* norð *U* ‖ het *TU.* —
94 bringan *T* ‖ bysene *JT,* bysyne *U.* — 95 myahte *T* ‖ hie *CJ* ‖
beþorftan *TU.* — 96 læsðe *J.*

23 *statt* gegiered hafað *vermutet Holthausen* gegierwed hæfð.

```
        kylle brôhte!   Cumo eft hrædo.
    gif hôr ðegna hwelc    ðyrelne kylle
    brôhte tô ðẏs burnan,    bête hine georne,
    ðẏlǽs hê forsceâdo    scîrost wætra,
30  oððo him lîfes drync    forloren weorðe!
```

15.

DIE EROBERUNG BRITANNIENS DURCH DIE ANGEL-SACHSEN UND DIE BEKEHRUNG DER KENTER ZUM CHRISTENTUM.

Nach Bedas bericht in könig Ælfreds übersetzung (buch I,
kap. XIV—XVI, XXIII—XXVI).

Historiae ecclesiasticae gentis Anglorum libri quinque a venerabili Beda
presbytero scripti, ab augustissimo veterum Anglosaxonum rege Alvredo
examinati eiusque paraphrasi saxonica eleganter explicati, ed. A. Wheloc,
Cantabr. 1643, p. 327. — Historiae ecclesiasticae gentis Anglorum libri
quinque etc. cura et studio Johannis Smith, Cantabr. 1722, p. 596. —
The Old-English Version of Bede's Ecclesiastical History of the English
People, edited etc. by Thomas Miller, M. A., Ph. D., etc. (Early English
Text Society, vols. 95, 96, 110), London 1890, 1891, 1898. — König Alfreds
übersetzung von Bedas kirchengeschichte, herausgegeben von Jakob Schipper
(Bibliothek der angelsächsischen prosa, begründet von Ch. W. M. Grein, fort-
gesetzt von R. P. Wülker, IV. band, in drei teilen), Leipzig 1897—99, p. 37.
die übereinstimmenden hs.-bezeichnungen aller bisherigen herausgeber (nicht
mehr die davon abweichenden der älteren auflagen dieses übungsbuches) sind
auch hier beibehalten worden, nämlich T = MS Tanner 10 der Oxforder
Bodleiana, O = MS 279 des Corpus Christi College zu Oxford (diese beiden
hss. unvollständig, namentlich zu anfang und zu ende), C = MS Cotton,
Otho B XI des Brit. Mus. zu London, durch brand stark beschädigt, nur noch
in bruchstücken erhalten), Ca = MS Kk 3, 18 der universitäts-bibliothek
zu Cambridge, B = MS 41 des Corpus Christi (früher Bennet) College zu
Cambridge. nur diese beiden letzteren handschriften sind im wesentlichen voll-
ständig und in ihnen ist der vorliegende abschnitt des werkes hauptsächlich
erhalten. unser text folgt anfangs der hs. Ca, später deren vorlage O. die
zuerst unbezeichneten varianten sind diejenigen der hs. B; wo T und O an-
fangen, sind die varianten aller handschriften bezeichnet worden. graphische
und lautliche varianten sind in der regel nicht angegeben worden.

Com se foresprecena hungur eac swylce hider on Brittas,
and[1] hi to ðon swyðe wæcte[2], þæt heora monige heora feondum on
hand eodan; and gyt ma wæs þe[3] þæt dôn ne wolde[4]. ac þa[5] him[5]

---
[1] and *fast immer abgekürzt; wenn ausgeschrieben, steht* and, *nicht*
ond *in dieser hs.* — [2] wæhcto Ca. — [3] þætte. — [4] woldon. — [5] him þa.

ælc mennisc fultum blonn, þæt hi[1] ma on godcundne fultum
5 getreowodan; and[2] þa ongunnan ærest wið heora fynd feohtan, þa
ðe monige[3] gear ǽr hi[4] onhergedon and hleoðedon; and hi him ða
micel wæl ongeslogan[5], and hi ham bedrifan, and sige ahton. æfter
þyssum com gôd gear, and swa eac micel genihtsumnys wæstma
on Breotone lond, swa nænig æfteryldo syððan gemunan mæg;
10 mid þy[6] ða ongon[7] firenlust weaxan[8]; and sona wôl ealra monna[9]
somod gehradode, þæt wæs wællhreownysse, and soðfæstnysse
feoung and seo lufu lîges and leasunge. and nalæs þæt[10] ân þæt ðas
þing dyden weoruldmen[10], ac eac swylce þæt drihtnes eowde, and
his hyrdas; and hi[11] druncennesse and oferhydo[12] and[13] gecygde
15 and[14] geflite and æfeste and oðrum mannum þysses gemetes wæron
heora swiran underþeoddende[15], onweg aworpenum Cristes geoce
þam leohtan and ðam swetan. betwih[16] ðas þing[16] þa com semninga
mycel wôl and grim[17] ofer ða gehwyrfdon[18] modes menn[18]; and se
on[19] hræduesse swa mycele menigo heora fornôm and gefylde,
20 þætte[20] ða cwican no genihtsumedon þæt hi ða deadan bebyrigdan;
ac hwæðere þa ðe lifigende wæron, for ðam ege þæs deaðes noht[21] þon
sêl[21] woldan, ne fram heora sawle deaðe acigde[22] beon ne mihton[22].
forðon[23] nalæs æfter myclum fæce grimre[24] wræc[25] ða þære[26] fyren-
fullan þeode þæs grimman mânes[27] wæs æfterfyligende. þa gesom-
25 nedon hi gemot, and þeahtedon and ræddon, hwæt him to donne
wære, and[28] hwær him wære fultum[29] to secanne[30] to gewearnienne[31]
and to wiðscufanne[32] swa reðre[33] hergunge and swa gelomlicre[34]
þara norðþeoda; and þæt þa[35] gelicode him eallum mid heora cyninge,
Wyrtgeorn[36] wæs haten, þæt hi[37] Seaxna þeode ofer[38] þam[39] sælicum
30 dælum him on fultum gecygdon[40] and gelaðedon. þæt cuð is þæt þæt

---

1 heora. — 2 an. — 8 monig C. — 4 him. — 5 onslogon. — 6 þam. —
7 ongânn. — 8 weox. — 9 mâna. — 10 þæt ân ðing þætte woruld menn
dydan. — 11 heora. — 12 heora oferhigd. — 13 fehlt in Ca. — 14 on Ca. —
15 underþeodde. — 16 neah þam ðingum. — 17 grimnes. — 18 gehweorfdan
menn modes. — 19 in. — 20 þæt. — 21 na ðe sel. — 22 acennede beon
mihton. — 23 forðam. — 24 grimmre C, grimre B, grim Ca. — 25 wrace. —
26 þære übergeschrieben von derselben hand; fehlt bei Smith und in B. —
27 grimman mannes Ca, grim mânes B. — 28 fehlt in B. — 29 fultumes. —
30 biddane. — 31 warienne. — 32 wiðscuenne. — 33 reðum. — 34 gelomlicre. —
35 ða übergeschrieben in Ca; ausgelassen in B, ebenso wie das vorhergehende
þæt. — 36 wirðgeorn. — 37 he Ca. — 38 und 39 fehlen in B. — 40 gecerdon C,
bædon B.

mid drihtnes mihte gestihtad wæs, þæt yfell wræc come ofer ða
wiðcorenan[1], swa on[2] þam ende þara wisena sweotolice ætywed is.
Da wæs ymb feower hund wintra and nigon and feowertig[3]
fram ures drihtnes menniscnysse, þæt Martianus casere rice onfeng
35 and VII gear hæfde; se wæs syxta eac feowertigum fram Agusto
þam casere. ða Angel þeod and Seaxna wæs gelaðod fram þam
foresprecenan cyninge, and on Breotone[3a] com[3a] on þrim myclum[4]
scypum, and on eastdæle þyses[5] ealondes[5] eardungstowe onfeng[6]
þurh ðæs ylcan cyninges bebod, þe hi hider gelaðode[7], þæt hi
40 sceoldan for heora eðle[8] compian and feohtan; and hi sona com-
pedon wið heora[8] gewinnan, þe hi oft ær norðan onhergedon[9];
and Seaxan[10] þa sige geslogan. þa sendan hi ham ærenddracan[11],
and heton secgan þysses landes wæstmbærnysse[12] and Brytta
yrgðo; and hi þa sona hider sendon maran sciphere strengran[13]
45 wihgena; and wæs unoferswiþendlic weorud[13], þa hi togædere
geþeodde wæron. and him Bryttas sealdan and geafan eardung-
stowe betwih him, þæt hi[14] for sibbe and haelo heora eðles cam-
podon and wunnon wið heora feondum, and hi him andlyfne and
are forgeafen[15] for heora gewinne. comon hi of þrim folcum ðam
50 strangestan[16] Germanie[16], þæt is[17] of Seaxum and of Angle and of
Geatum. of Geata fruman syndon Cantware and Wihtsætan; þæt is
seo ðeod þe Wiht[18] þæt ealond oneardað[18]. of Seaxum, þæt is of
ðam lande þe mon hateð Ealdseaxan, coman Eastseaxan and Suð-
seaxan and Westseaxan. and[19] of Engle[20] coman Eastengle and
55 Middelengle and Myrce and eall Norðhembra cynn; is þæt land[21]
ðe Angulus[22] is nemned, betwyh[23] Geatum and Seaxum; and[24]
is sæd of ðære tide þe hi ðanon gewiton oð to dæge, þæt hit
weste[25] wunige. wæron[26] ærest[26] heora latteowas[27] and heretogan

---

[1] wiþercorenan (er übergeschr. v. a. hd.) B. — [2] in. — [3] feorwertig Ca. —
[3a] brytene comon. — [4] fehlt in B. — [5] þisses ealandes. — [6] onfengon. —
[7] gelaðde. — [8] eðle bis heora fehlt in B. — [9] onheregedon. — [10] saxan. —
[11] ærendracan. — [12] wæstmberennesse. — [13] strangra wigena ond þæt
wæs ûnoferswiðedlic werod. — [14] he for sibbe and forhælo Ca (das
zweite for fehlt in B; es fehlte nach Smith auch in C). — [15] forgeafon. —
[16] strengstan germani. — [17] is fehlt in den hss. — [18] wihtland eardað. —
[19] and fehlt in B und C. — [20] angle. — [21] ealand. — [22] anglus, urspräng-
lich angullus, aber ul ausradiert in B. — [23] betwyx. — [24] and fehlt in
Ca. — [25] wæstme. — [26] wæron ða ærest Ca (ða fehlt in C und B). —
[27] latwowas.

twegen[1] gebroðra[1] Hengest and Horsa. hi wæron Wihtgylses
60 suna, þæs[2] fæder wæs Witta haten[2], þæs fæder wæs Wihta haten,
and[3] þæs Wihta fæder wæs Woden nemned, of ðæs strynde[3]
monigra mægða cyningcynn fruman lædde[4], ne wæs ða ylding
to þon[5] þæt hi heapmælum coman maran[6] weorod[6] of þam
ðeodum, þe we[7] ær gemynegodon; and þæt folc, ðe hider côm,
65 ongan[8] weaxan and myclian to þan[9] swiðe, þæt hi wæron on
myclum ege þam sylfan landbigengan[10] ðe hi ær hider[8] laðedon
and cygdon[11].

Æfter[12] ðissum hi ða geweredon to sumre tide wið Pehtum,
þa hi ær ðurh gefeoht feor adrifan; and þa wæron Seaxan secende
70 intingan and towyrde[13] heora gedales wið Brittas; cyðdon him
openlice and sædon, butan[14] hi him maran andlyfne sealdon, þæt hi
woldan him sylfe niman and hergian, þær hi hit findan mihton; and
sona ða[15] beotunge[15] dædum gefyldon[16]: bærndon and hergedon
and slogan fram eastsæ oð westsæ, and him[17] nænig wiðstod. ne
75 wæs ungelic wræce[18] þam ðe iû Chaldeas bærndon Hierusaleme
weallas, and ða cynelican getimbro mid[19] fyre fornaman for ðæs
godes folces synnum. swa þonne her fram þære arleasan ðeode,
hwæðere rihte[20] godes dome, neh[21] ceastra gehwylce[22] and land
wæs[23] forhergiende[23]. hruran[24] and feollan cynelico[25] getimbro and
80 anlipie[25], and gehwær[26] sacerdas and[27] mæssepreostas betwih[28]
wibedum wæron slægene[28] and cwylmde; biscopas mid folcum
buton ænigre are sceawunge ætgædere mid iserne[29] and lige for-
numene wæron; and ne wæs ænig[30] se ðe bebyrignysse[31] sealde
þam ðe swa[32] hreowlice[32] acwealde wæron; and monige ðære
85 earman lafe on westenum fanggene wæron, and heapmælum sticode.

1 II gebroðor. — 2 þæs bis haten fehlt in Ca. — 3 and fehlt in B. —
4 cynne côm manigra mægða cining þe cinfruman (ursprünglich cing-
fruman, aber g mit anderer tinte) lædde. — 5 þam. — 6 mare weord. —
7 wæ Ca. — 8 ongann (sic!) bis hider ist in B wiederholt, das zweitemal:
ôngân. — 9 þam. — 10 landagendum. — 11 ciîden. — 12 ond æfter C. —
13 toweardne. — 14 nemne (darüber butan) Ca. — 15 ðam gebeote. —
16 læstan C, gelæston B. — 17 him song. — 18 wracu. — 19 mid fehlt
in B. — 20 ů. d. z. in Ca. — 21 for neah. — 22 gehwylc. — 23 forheregeode
wæron. — 24 hrusan afeollan Ca; ond hruran ond feollon B. — 25 cinelicu
getimbru somod ond ænlipie. — 26 wær. — 27 [somed] and Smith (somed
vielleicht aus C ergänzt). — 28 betwyx weofodum (so auch C) slegene
wæron. — 29 irene. — 30 ænig fehlt in C und B. — 31 begirgennesse. —
32 swa wæl hreowlice.

sume for hungre[1] heora feondum on hand eodan and ecne þeowdom
geheton, wiððon þe him mon andlyfne forgeaf[2]; sume ofer sǽ
sorgiende[3] gewiton, sume forhtiende[4] on eðle gebidan, and þear-
fendum[5] life[5] on[6] wnda and on[7] westene[8] and on[9] hean[10] clifum
90 sorgiende[11] mode symle[12] wunedon[13].

And þa æfter ðon[14] ðe se here wæs ham hweorfende and hi
hæfdon ûtámærde[15] and[15] tostencte[16] þa bigengan þysses ealondes[17],
ða ongunnon hi sticcemælum mod and mægen niman[18], and forð-
eodan of þam diglum[19] stowum, þe hi ær on[20] behydde[21] wæron
95 and ealre[22] ânmodre geðafunge heofonrices[23] fultumes him wæron
biddende, þæt hi oð fórwyrd æghwær fordiligade[24] ne wæron. wæs
on[25] ða tid heora heretoga[25] and latteow[26] Ambrosius haten, oðre
naman Aurelianus; wæs[27] god man and gemetfæst, Romanisces[28]
cynnes man. on[29] þyses mannes tîd môd and mægen Bryttas
100 onfengon, and he hi to gefeohte forð gecygde and him sige gehêt;
and hi eac on þam gefeohte þurh Godes fultum sige onfengon;
and þa of ðære tide hwilum Bryttas, hwilum eft Seaxan[30] sige
geslogan, oððæt ger ymbsetes þære Beadonescan dune, þa hi
mycel wæll on Angelcynne geslogan, ymb feower and feowertig
105 wintra Angelcynnes cyme[31] on[32] Breotone.

Ða wæs æfter forðyrnendre tide ymb fif hund wintra and
tu[33] and hundnigontig[34] fram Cristes hidercyme, Mauricius casere
feng to rîce and þæt hæfde ân and twentig wintra; so wæs feorða
eac fiftigum fram Augusto[35]. þæs caseres rices þy teoðan geare
110 Gregorius se halga wêr, se[36] wæs[36] on lare and on dæde se
hyhsta, feng to biscophade þære Romaniscan cyrican and þæs
apostolican setles, and þæt heold[37] and rihte[37] ðreottyne gear
and syx monað and tyn dagas. se wæs mid godcundre onbryrd-

---

[1] mit diesem worte beginnt hs. T. — [2] forgeofe T, forgeafe B. —
[3] sarigende T, sorhgende B. — [4] forhtgende B. — [5] þearfende lif TB. —
[6] und [7] in T. — [8] westenum TB. — [9] in T. — [10] hean fehlt in B. —
[11] sorhgende B. — [12] fehlt in B. — [13] dydon T, gebidon B. — [14] ðam
B. — [15] ûtafærde BC. — [16] and tostencte fehlt in T. — [17] iglandes B. —
[18] monian T. — [19] deaglum T. — [20] in T. — [21] gehidde B. — [22] ealra T,
calle B. — [23] heofonlices B. — [24] fordilgode T, adilgode B. — [25] in
TB. — [26] lâtteow ond heretoga B. — [27] se wæs Ca. — [28] wæs roma-
nisces CB. — [29] in T. — [30] seaxena Ca. — [31] cymes B. — [32] in T. —
[33] twa B. — [34] hundnigontig wintra T. — [35] augusto T, agusto CaB. —
[36] se wæs fehlt in B. — [37] rihte heold B.

nysse[1] monad þy feowerteogeðan geare þæs ylcan caseres,
115 ymb fiftig wintra and hundteontig Angelcynnes hidercymes[2]
on Breotone, þæt he sende godes[3] þeow[3] Agustinum[4] and
oðre monige munecas and[5] preostas[5] mid hine[6], drihten on-
drædende[7], bodian[8] godes word[9] Angelþeode. þa hyrsumedon
hig þæs biscopes bebodum to þam gemyngedon weorce, and[10]
120 feran ongunnon and[11] sumne dæl ðæs weges gefaren hæfdon, ða
ongunnon[11] hi forhtigan and ondræddon him þonc siðfæt, and
þohtan þæt him wîslicre and[12] gehyldre[12] wære, þæt hi ma[13] ham
cyrdan, þonne hi þa eallreordan þeode[14] and ða reðan[15] and þa[15]
ungeleafsuman, þara ðe hi furðon gereorde[16] ne cuðan, gesecan
125 sceoldan; and þis gemænelice him to ræde gecuron[17]. and þa sona
sendon Agustinum[18] to ðam papan, þone ðe hi[19] him to biscope
gecoren hæfdon[20], gif heora lare[21] onfangene[22] wære, þæt he
sceolde eadmodlice[23] for hi ðingian, þæt hi ne ðorftan in swa
fræcne siðfætt and on[24] swa gewinfullicne[25] and[26] on swa uncuðe
130 ællðeodignysse feran. ða sende Scs̄ Gregorius ærendgewrit him
to, and hi trymede and lærde on[27] þam gewrite, þæt hi ead-
modlice[28] ferdon on[29] þæt geweorc[30] þæs[31] godes wordes, and[32]
getreowoden on[33] godes fultum; and[34] þæt hi ne[35] afyrhten[36] þæt[37]
gewin[38] ðæs[39] siðfætes[39], ne wyrigcwydolra manna[40] tungan ne
135 bregden[41], ac þæt hi mid ealre geornfulnysse and mid godes lufan
ða gôd gefremeden[42], þe hi ðurh godes fultum don ongunnon; and
þæt hi wiston þæt ðæt micle gewin mare[43] wuldur êces edleanes
æfterfyligde[44]; and he ælmihtigne god bæd, þæt he hi[45] mid his

---

[1] inbryrdnesse *T B.* — [2] hidercyme *B.* — [3] godes þeow *fehlt in
T.* — [4] agustinus *B.* — [5] and preostas *fehlt in T B.* — [6] him *B.* —
[7] adrædende *B.* — [8] beodan *Ca.* — [9] godes word bodian *B.* — [10] and *fehlt
in Ca.* — [11] and *bis* ongunnon *fehlt in B.* — [12] ond gehyldre *ist in C aus-
gestrichen; T liest* gehæledra. — [13] ma *fehlt in B.* — [14] þeode geferdan *B.* —
[15] reðan and þa *fehlt in B.* — [16] gereorda *C,* þa gereorde *Ca.* — [17] curon *B.* —
[18] agustinus *B.* — [19] he *B, fehlt in T.* — [20] hæfde *T B.* — [21] lar *T B.* — [22] on-
fangen *T B.* — [23] eaðmodlice *T B.* — [24] on *(übergeschrieben) Ca,* in *T.* —
[25] gewinfulne *T,* gewinnes *B.* — [26] and *fehlt in B.* — [27] in *T.* — [28] eað-
modlice *T B.* — [29] in *T B.* — [30] weorc *T B.* — [31] þæs *fehlt in B.* — [32] ond
þæt hi *B.* — [33] in *T.* — [34] and *fehlt in Ca.* — [35] no *Ca.* — [36] fyrhte *T,*
forhtgean. — [37] ðæs *B.* — [38] gewiin *T,* gewinnes *B.* — [39] ðæs siðfætes
fehlt in T. — [40] mit diesem worte bricht T zunächst wieder ab. — [41] bregde *Ca,*
brosniende *C.* — [42] gefremede *Ca.* — [43] wære mâre *B.* — [44] æfter-
fylgende *B.* — [45] hine *B.*

gife gescylde, and þæt he him sylfum forgeafe þæt[1] he moste
140 ðone wæstm heora gewinnes on[2] heofona[3] rices wuldre[3] geseon,
forðon he gearo wære on[4] þam ylcan gewinne mid him beon,
gif him léfnys[5] seald wære.

Ða wæs gestrangod Agustinus mid trymnysse þæs eadigan
fæder Gregorius mid ðam Cristes þeowum, ða þe mid him wæron,
145 and[6] hwearf eft[6] on[7] þæt weorc godes word to læranne, and
côm on[7] Breotone.

Ða wæs on[8] þa tîd Æðelbyrht cyning haten[9] on Centrîce
and[10] mihtig, se hæfde rîce oð gemæro Humbre streames[11], se
tosceadeð suðfolc Angelþeode and norðfolc. þonne is on easte-
150 weardre Cent mycel ealand[12] Tenet[13], þæt[14] is[14] syx hund hida
micel[15] æfter Angelcynnes æhte; þæt ealond[16] tosceadeð Wantsumo
stream fram þam togeþeoddan lande, se is þreora furlanga brad,
and on twam stowum is oferférnes, and æghwæðer ende lið on[17]
sæ̂. on þyssum eâlande[18] com upp se godes þeow Agustinus and
155 his geferan; wæs he feowertiga sum. nôman[19] hie[20] eac swylce[20]
him wealhstodas of Franclande mid[20], swa him Scs Gregorius
bebead; and he þa sende[21] to[21] Æþelbyrhte ærenddracan, and
ônbead[22] þæt he ôf Rome come and þæt betste ærende lædde;
and se ðe him hyrsum beon wolde, buton tweon he gehet[23]
160 ecne gefean on[24] heofonum, and toweard rice butan ende mid
þone soðan god and þone[25] lifigendan. ða he þa se cyning þas
word gehyrde, þa het he hi bidan on þam ealande, þe hi upp
comon, and him[26] þider hiora þearfe forgyfan[27], and[28] þæt he
gesawe hwæt he him don wolde. swylce eac[29] ær þan becom
165 hlisa to him[30] þære cristenan æfastnesse, forðon he cristen wif
hæfde, him[31] gegyfen[31] of Francena cyning-cynne[32], Berhte wæs
haten; þæt wif he onfeng fram hyre yldrum þære arédnesse, þæt

---

[1] ond þæt B. — [2] on fehlt in B. — [3] heofonrices wuldor B. —
[4] in B. — [5] lif C. — [6] and und eft fehlen in B. — [7] in B. — [8] in B. — [9] haten
fehlt in B. — [10] ond se wæs B. — [11] streame Ca. — [12] mit diesem worte
(igland B, ealond O) beginnt die hs. O, der unser text nun folgt. — [13] tenent O,
Ca (zweites t übergeschrieben in Ca), þæt is nemned tenet B. — [14] ðær
synt B. — [15] micel fehlt in B. — [16] igland B. — [17] to Ca. — [18] iglande B. —
[19] nam he C. — [20] fehlt in B. — [21] sende þa B. — [22] auch onbead in Ca, aber
über bead steht sæde von anderer hand; cyðde B. — [23] gehet him B. —
[24] in B. — [25] þam B. — [26] he B. — [27] forgeaf B. — [28] oð B. — [29] fehlt
in Ca. — [30] fehlt in B. — [31] seo wæs him forgifen Ca. — [33] cyne cynne Ca.

hio his leafnesse[1] hæfde þæt heo þone þeaw þæs cristenan ge-
leafan and hyre æfæstnesse ungewemmedne healdan[2] moste, mid
170 þy[3] biscope, þone þe hi hyre to fultome[3*] þæs[4] geleafan sealdon[4],
þæs nama wæs Leodheard.

Da wæs æfter mônegum dagum, þæt se cyning com to
þam ealonde[5], and het him ute setl[6] gewyrcean, and het
Agustinum[7] mid his geferum þider to his spræce cuman. war-
175 node he him[8] þy læs hie on[9] hwylc hus to him ineodan; breac[10]
ealdre healsunge, gif hie hwylcne drycræft hæfdon, þæt hi hine
oferswiþan and beswican sceolden. ac hi nalæs mid[11] deoful-
cræfte[12], ac mid godcunde mægene gewelgade coman. Bæron
Cristes rode tacen, sylfrene Cristes mæl mid him[13], and anlicnesse[14]
180 drihtnes[15] hælendes on brêde afægde and awritene[15], and wæron
haligra[16] naman rimende, and gebedo singende, somod for hiora
sylfra[17] ecre hælo and þara þe hi to comon to drihtne þingodon.
þa het se cyning hie sittan, and hie swa dydon; and hi sona
him lifes word ætgædere mid eallum[18] his geferum, þe þær æt
185 wæron, bodedon and lærdon[19]. þa andswarade se cyning and þus
cwæð: fægere word þis syndon and gehat þa ge brohton and us
secgað; ac forðon hi niwe syndon and uncuðe, ne magon we nu
gen[20] þæt þafigean, þæt we forlætan þa wisan þe we langre[21] tide
mid ealle[22] Angelþeode heoldon. ac forðon þe ge hider feorran
190 ellðeodige[22*] coman, and þæs þe me geðuht and[23] gesawen is þa
þing þa þe ge geseoð and betest gelyfdon þæt ge eac swylce
willan don us þa gemænsumian, ne wyllað we forðam eow[23]
hefige beon; ac we willað eowic[24] fremsumlice on[25] gestlið-
nesse[26] onfon, and eow andlyfene[27] syllan, and eowre[28] þearfe

---

[1] leue B. — [2] gehealdan B. — [3] þam B. — [3*] fultume CaB. —
[4] scaldon and to geleafan B. — [5] iglande B. — [6] sealdan B. — [7] agu-
stinus B. — [8] hine B. — [9] in B. — [10] über breac steht wende in B. —
[11] mid übergeschrieben in O, fehlt in CB. — [12] deofles cræfte B. —
[13] him hæfdon B. — [14] ondlicnesse B. — [15] on brêde hælendes cristes
awritene B. — [16] haligra manna B. — [17] sylfra fehlt in B. — [18] him
eallum B. — [19] mit diesem worte beginnt der zusammenhängende text in T
wieder. — [20] gŷt BCa. — [21] lange B. — [22] ealre B. — [22*] el- T, æl- Ca. —
[23] ond gesewen þa þing ða ðe soð ond betst gelcfdon þæt eac swilce
willaðon ûs þa gemænsuman nellað we forðon eow T; ond ic gesewen
hæbbe þa ðing þe ge beseoð ond betst on gelyfað þæt ge eac swilce
wilniað ûs þa þing gemænsumian nu ne willað we eow B. — [24] eow
CaTB. — [25] in TB. — [26] gæstliðnesse Ca, gastliðnesse B. — [27] ond-
lifan TB. — [28] eow (fehlt in T) eowre B.

195 forgyfan. ne we eow bewcriað þæt ge ealle þa þe ge magan
þurh eowre lare to eowres geleafan æfestnesse geðeode and
gecyrre. þa sealde se cyninc him wununesse[1] and stowe on[2]
Cantwara byrig, seo[3] wæs ealles his rices ealdorburh, and swa
swa he gehet, him andlifene[4] and heora woruld-þearfe[4] for-
200 geaf[5], and eac swylce lyfnesse[6] sealde, þæt hie mostan Cristes
geleafan bodian and læran. is þæt sæd, þæt hi ferdon and nea-
lecton[7] to þære ceastre, swa swa heora þeau wæs, mid þy halgan
Cristes mæle, and mid andlicnesse þæs miclan cyninges ures
drihtnes hælendes Cristes, þæt[8] hi þysne letanian[9] and antefn[10]
205 gehleoðre stefne sungan: deprecamur te, d[omi]ne, in omni miseri-
cordia tua, ut auferatur furor tuus et ira tua a ciuitate ista et
domo s[an]c[t]a tua[11], quo[niam][10] peccavimus[11]. alleluia.[12]

þa wæs sona þæs þe hi eodan[13] on þa eardungstowe þe him
alyfed wæs on þære cynelican byrig, þa ongunnan hi þæt apostolice
210 lif þære frymþelican[14] cyricean onhyrigean, þæt is on singalum
gebedum and on[15] wæccum and on[15] fæstenum drihtne þeoudon[16],
and lifes word þam þe[17] hi mihton bodedon and lærdon, and
eall þing þysses middangeardes swa[17] swa[18] fremde[19] forhogedon;
þa[20] þing[20] âân þa þe hiora andlyfene needþearflico gesawen
215 wæron hie onfengon[21] fram þam þe hi lærdon; æfter[22] þon ðe
hi[23] lærdon hi[24] sylfe þurh eall lifdon, and hi hæfdon gearo
mod þa wiðerweardan ge eac swylce deað sylfne to þrowienne[25]
for þære soðfæstnesse þe hi bodedon and lærdon. ne wæs þa
ylding þæt monige gelyfdon, and gefulwade wæron. wæron[26]
220 wundriende þa[26] bylwytnesse þæs unsceððændan lifes and swet-
nesse hiora[27] ðære heofonlican lare. wæs be eastan ðære ceastre
wel neh sume cyrice on are Sc̄i' Martini in ḡeara geworht, mid

---

[1] gewunesse B. — [2] in T. — [3] se B. — [4] ondlifen forgeaf ond
weoruld þearfe T. — [5] so T, forgyfan O, forgifan CaB. — [6] leafe B. —
[7] nealehton T, nealæhtan Ca, neletton ða fôre to B. — [8] ond B. —
[9] letaniam TB. — [10] ontemn T, untefn B. — [11] fehlen in B. — [12] fehlt
in TB. — [13] inneodon T, ineodon B. — [14] þrym[::]lican (rasur) O,
ðrymþelican Ca, frymþelican TB, Smith. -- [15] in TB. — [16] þeowdon Ca,
þeodon T, þeowedon B. — [17] fehlt in T. — [18] ða B. — [19] fremdan B. —
[20] butan þa Ca, nymðe þa B. — [21] ðe ondlyfene heora nydþearflice
gesewen hæfdon ond hi onfengon B. — [22] ac æfter C. — [23] hi hi B. —
[24] ond hi B. — [25] þrowiendne O. — [26] wæron hi eac Ca, hi wæron B. —
[27] ðære bylywytnesse heora B.

þy Romane þa gyt Breotone beeodon; on[1] þære cyricean seo cwen
gewunade hyre[2] gebiddan, þe we ær cwædon þæt hio cristen
225 wære. on þysse cyricean ærest þa halgan lareowas ongunnan hi
somnian and singan and gebiddan and mæssesong[3] don and men
læran[3] and fullian, oðöæt se cyning to geleafan gecyrred wæs,
and hie[4] maran lefnesse[5] onfengon ofer eall to læranne and
cyricean to timbrianne and to bétanne.

230   þa gelamp[6] þurh godes gyfe, þæt se cyning eac swylce
betweoh oþre ongan lustfullian þæt clæneste lif haligra[7] and[8]
hiora þam swetestan gehatum; and hi eac getrymedon þæt
þa soð[9] wæron mid monigra heofonlicra wundra ætywnessum[10],
and he þa[11] gefeonde wæs[11] gefullad. þa ongunnan monige dæg-
235 hwamlice efestan and[12] scyndan[12] to gehyranne godes word, and
hæðennesse þeau[13] forlætan[14], and to þære annesse hi geþyddan[15]
þurh geleafan þære halgan[16] Cristes cyricean. þara geleafan and
gehwyrfednesse is sæd þætte se cyning swa[17] wære[17] efen-
blissiende, þæt he nænigne hwæðere nydde to cristenum[18]
240 þeawe, ac þa þe to geleafan and to fulwihte cyrdon[19] þæt he
þa inweardlicor lufade, swa swa hi wæron him[20] efenceaster-
waran þæs heofonlican rices. forðon he geleornade fram his
lareowum and fram þam ordfruman his hælo, þæt Cristes þeow-
dom sceolde beon wilsumlic, nalæs genededlic. and he þa se
245 cyning geaf and sealde his lareowum gerisene stowe and eðel[21]
heora hade on his aldorbyrig, and þær to sealde heora nydðearfe
on missenlicum æhtum.

---

[1] on *bis* wære *fehlt in Ca.* — [2] hi *B.* — [3] mæssian ond læran
men *B.* — [4] hi *fehlt in T.* — [5] leafe *B.* — [6] gelamp hit *O, Ca* (hit
fehlt in CTB). — [7] haligra þinga *Ca.* — [8] mid *TB.* — [9] soðe *CaB.* —
[10] æteownesse *T,* ætywed *B.* — [11] mid gife wæs *B.* — [12] *über* and
scyndan *steht* and higian *in Ca.* — [13] þeaw *TCa, fehlt in B.* — [14] for-
leton *T.* — [15] gewenedon *B.* — [16] *fehlt in B.* — [17] wære swa *B.* —
[18] cristes geleafan *T.* — [19] gecirdon *B.* — [20] *fehlt in B.* — [21] setl *CTB.*

16.

BEDAS BERICHT ÜBER CÆDMON IN KÖNIG ALFREDS ÜBERSETZUNG.

(buch IV, kap. 24.)

Ausgaben und handschriften wie in 15. — Auch Förster, Ae. lesebuch, s. 16; Kluge, Ags. leseb.³, s. 29. — unser text folgt hier im allgemeinen der hs. T. graphische und lautliche varianten der übrigen hss. sind, außer beim hymnus, in der regel nur dann angeführt worden, wenn die lesart von T verlassen wurde. die varianten von C sind den ausgaben von Wheloc und Smith entnommen und daher nur ab und zu gegeben. ein fragezeichen hinter einer solchen zeigt an, daß auf dieselbe nur zu schließen ist. der hymnus Cædmons ist uns außer in den in nr. 2 und nr. 15 erwähnten hss. noch erhalten in dem MS 3 der kathedrale zu Winchester = W, dem MS Hatton 43 (fol. 129) der Bodleiana zu Oxford = O₁, dem MS Laud 243 (fol. 82b) ebendaselbst = O₂, dem MS 31 des Lincoln College zu Oxford = O₁₁, dem MS 105 des Magdalen College daselbst = O₁₂ und verstümmelt in dem MS 163 der Bodleiana zu Oxford = O₂.

In ðysse abbudissan mynstre wæs sum bróðor synderlíce mid godcundre gife gemæred ond geweorðad, forþon hê gewunade gerisenlíce.léoð wyrcan þá ðe tô æfæstnisse ond tô árfæstnisse belumpon, swá ðætte, swá hwæt swá hê of godcundum stafum
5 þurh bôceras geleornode, þæt hê æfter medmiclum fæce in scopgereorde mid þá mæstan swêtnisse ond inbryrdnisse geglengde ond in engliscgereorde wel geworht forþ brôhte; ond for his léoþsongum monigra monna môd oft tô worulde forhogdnisse ond tô geþêodnisse þæs heofonlícan lífes onbærnde wæron. ond êac swelce monige
10 ôðre æfter him in Ongelþêode ongunnon æfæste léoð wyrcan, ac nænig hwæðre him þæt gelíce dôn meahte, forþon hê nales from monnum nê þurh mon geláered wæs, þæt hâ þone léoðcræft leor-

---

1 In] n B, On OCa ‖ ðeosse T, þysse BOCa ‖ syndriglice T, y *auf rasur O. —* 1—2 mid godc. *fehlt in B. —* 2 godcunde Ca ⌈ gife *auf rasur O ‖* g(e)mæred O, gemærsad BCa. —* 3 ond tô árf. *fehlt in B. —* 4 belumpen T, on *auf rasur O ‖* swâ hwæt swâ *fehlt in B. —* 5 on B ‖ scop- *aus* sceop- Ca. — 6 þære B ‖ inbrydnesse OCa, onbrydnesse B ‖ geglængde T, geglengende B, geglen(c)de O, geglencde Ca. — 7 on englisce reorde B ‖ geworht] gehwær OCa ⌈ forþ brôhte *fehlt in B. —* 8 forhogodnesse B, forhohnesse O, forhogenesse Ca. — 9 ęrn *in* onb. *auf rasur O. —* 10 ôðre *fehlt in* B ⌈ on *B. —* 11 ne mihte Ca ‖ forðam B ‖ hê *fehlt in* B ‖ nalæs þæt ân from Ca (þæt ân *fehlt auch in C). —* 12 ne þurh mon] he B ‖ næs B.

nade, ac hê wæs godcundlîce gefultumod ond þurh godes gife
þone songcræft onfêng, ond hê forðon nǽfre nôht lêasunge nê
15 îdles lêoþes wyrcan meahte, ac efne þâ ân, þâ ðe tô ǽfestnesse
belumpon ond his þâ ǽfæstan tungan gedafenade singan. ͜

Wæs hê, se mon, in weoruldhâde geseted oð þâ tîde, þê hê
wæs gelŷfedre yldo, ond hê nǽfre nǽnig lêoð geleornade. ond hê
forþon oft in gebêorscipe, þonne þǽr wæs blisse intinga gedêmed,
20 þæt hêo ealle sceolden þurh endebyrdnesse be hearpan singan,
þonne hê geseah þâ hearpan him nêalêcan, þonne ârâs hê for
scome from þǽm symble ond hâm êode tô his hûse. þâ hê þæt
þâ sumre tîde dyde, þæt hê forlêt þæt hûs þæs gebêorscipes ond
ût wæs gongende tô nêata scypene, þâra heord him wæs þǽre
25 neahte beboden, þâ hê ðâ þǽr in gelimplîce tîde his leomu on
reste gesette ond onslǽpte, þâ stôd him sum mon æt þurh swefn
ond hine hâlette ond grêtte ond hine be his noman nemde: 'Cedmon,
sing mê hwæthwugu.' þâ ondswarode hê ond cwæð: 'ne con ic
nôht singan, ond ic forþon of þyssum gebêorscipe ût êode ond
30 hider gewât, forþon ic nâht singan ne cûðe.' eft hê cwæð, sê ðe
mid him sprecende wæs: 'hwæðre þû mê meaht singan.' cwæð hê:
'hwæt sceal ic singan?' cwæð hê: 'sing mê frumsceaft.'

12–13 -ode *B,* geleornade (-o- *Ca*) *OCa.* — 13 gefultumed *T,*
-mad *Ca,* o *in* mod *auf rasur O.* — 14 þo : ne (n *rasur*) *O* ‖ lcasunga *Ca.* —
15 lêoþes *fehlt in Ca* ‖ meahte] ne mihte *Ca,* wolde ne ne mihte *B* ‖ þâ
ân *fehlt in B* ‖ (to) *O.* — 16 on *in* belumpon *auf rasur O* ⸢ gedafenode
OCa, gedeofanade *T* ‖ ingan *von* singan *auf rasur O.* — 17 on *B.* —
18 gelyfdre *T,* y *auf rasur O* ‖ ylde *T,* y *auf rasur O* ‖ *erstes* hê *fehlt
in T* ‖ ænig *OCa* ‖ ne leornode *B.* — 19 gebeo(r)scipe *O* ‖ intingan *B.* —
20 sceolde(n) *O,* sceoldon *B,* sceoldan *Ca,* sealde *T,* scalde *M(üller).* —
21 genealæcan be þonne aras *B* ⸢ for for *T.* — 22 symlum *B* ‖ hê] þe *B.* —
23 dyde *fehlt in B* ‖ forlet :: (rt *radiert;* t *auf rasur von* o?) *O* ‖ þa
(ða *Ca*) hus *OCa (ebenso C?).* — 24 to ðara *B* ⸢ scipene *T* ‖ ðære heorde
Ca. — 25 on gelimplicre *Ca* ⸢ limu bigde ond on *B.* — 26 e gesette
auf rasur O ‖ onslæp(t)e *O,* onslepte *T,* slep *B* ‖ æt foran *B.* —
27 nemnde *T* ⸢ Ceadmann ond *(abgekürzt)* cwæð *B.* — 28 hwæthweg *B,*
æthwegu *OCa* ‖ -swarede *TCa.* — 29 naht *C,* nan wiht *B,* nan þing
Ca ⸢ -þam *B* ‖ þeossum *T,* ðam *B.* — 30 -þam *B* ‖ naht *fehlt in T* ‖
singan ne *fehlt in OCa (stand in C?)* ‖ u *in* cuðe *auf rasur O.* —
31 mid *BCO,* wið *TCa* ‖ him] hine *T* ‖ mê *fehlt in T, hinter* meaht *OCa;
Klaeber und Kaluza emendieren:* þû mê âht singan ‖ þa cwæð *T,* þa
andswarode he ond *(abgekürzt)* cwæð *B* (þa *fehlt auch C?).* — 32 ða
cwæð *B.*

þâ hê ðâ þâs andsware onfêng, þâ ongon hê sôna singan in
herenesse godes scyppendes þâ fers ond þâ word, þê hê næfre ne
35 gehŷrde, þæra endebyrdnes þis is:

    nû sculan herigean   heofonrices weard,
    meotodes meahte   ond his môdgeþanc,
    weorc wuldorfæder,   swâ hê wundra gehwæs,
    êce drihten,   ôr onstealde.
40   hê ærest sccôp   corðan bearnum
    heofon tô hrôfe,   hâlig scyppend:
    þâ middangeard   moncynnes weard,
    êce drihten,   æfter têode
    firum foldan,   frêa ælmihtig.

33 ða *fehlt in B.* — 33—4 on herunge *B.* — 34 godes ond *(ab-
gekürzt)* sc. *Ca* || uers *B* || word godes *B* || næfre ær *B* || ne *fehlt in T.* —
35 þære *T,* þara *OCa,* ne heora *B* || endebyrd(n)es *O,* -nesse *TBCa* ||
þis is *fehlt in B.* — 36 nu *TC;* nu (we) *O,* nu we *BCa* || sculon *T',*
sceolan *Ca* ' herigan ror sculon *B,* herian *O.* — 37 metodes mihte
BOCa ; ond *abgekürzt hss.* || -geþonc *O.* — 38 weorc *TB,* weorc? *C,*
wera *aus* wero *O,* wera *Ca* || wuldor godes *B* || wundra] wuldres *Ca* ||
gehwæs] fela *B.* — 39 éce *B* || dryhten *O* || or *T,* ôor(d) *O,* ord *BCa* ||
astealde *B.* — 40 æres *Ca* || gesceop *O,* gescôp *Ca* || m *in* bearnum *auf
rasur dreier buchstaben O.* — 41 rofe *Ca.* — 42 ða *O,* þe *B* || middon-
geard *O* '' manncynnes *B.* — 43 éce *TB* || dryhten *O* '' teo: de *O.* —
44 fyrum *B* || folda(n) *O.*

aus *Plummers ausgabe der Historia Ecclesiastica II, p. 252, lassen
wir hier noch eine andere, auf dem rande der hs. W überlieferte west-
sächsische version nebst den von ihm mitgeteilten varianten aus sonstigen
lateinischen hss. folgen:*

    Nu we[1] sculon[2] herian[3]   heofonrices we[ard][4]
    metoddes[5] mihte[6]   7 h[is] modgeþanc
    weorc[7] wu[l]dor[8] fæder   swa he wu[n]dra gehwilc[9]
    ece[10] drih[ten]   word[11] astealde
    he[12] [æ]rest[13] gescop[14]   ylda[15] [bear]num
    heofen[15a] to rofe[16]   [halig] scippend[17]
    middan ear[de][18]   mann cynnes[19] weard
    ece[10] drihten   æfter tid[a][20]
    fyrum[21] on[22] foldum[23]   frea ealmihti.[24]

[1] we *fehlt in den ags. hss. C, T.* — [2] sceolon *O₂,* sculun *O₁₄.* —
[3] heri- *wiederholt und unterstrichen in W;* herian *desgleichen in O₂.* —
[4] *W hier und an anderen stellen lückenhaft.* — [5] *in W ein punkt unter
dem ersten* d; metudes *O₁, O₂, O₁₄, O₁₇.* — [6] myhte *O₁,* michte *O₁₄.* —

45   þâ ârâs hê from þæm slæpe ond eal, þâ þe hê slêpende
song, fæste in gemynde hæfde ond þæm wordum sôna monig word
in þæt ilce gemet gode wyrðes songes tô geþôodde. þâ côm hê on
morgenne tô þæm tûngerêfan, sê þe his caldormon wæs, sægde him,
hwylce gife hê onfêng, ond hê hine sôna tô þære abbudissan ge-
50 lædde ond hire þæt cŷðde ond sægde. þâ heht hêo gesomnian ealle
þa gelæredestan men ond þâ leorneras ond him andweardum bêt
secgan þæt swefn ond þæt lêoð singan, þætte ealra heora dôme
gecoren wære, hwæt oððe hwonon þæt cumen wære. þâ wæs him
eallum gesegen, swâ swâ hit wæs, þæt him wære from drihtne
55 sylfum heofonlîc gifu forgifen. þâ rehton hêo him ond sægdon sum
hâlig spell ond godcundre lâre word, bebudon him þâ, gif hê meahte,
þæt hê in swinsunge lêoþsonges þæt gehwyrfde. ðâ hê ðâ hæfde
þâ wîsan onfongne, þâ êode hê hâm tô his hûse ond cwôm eft
on morgen ond þŷ betstan lêoðe geglenged him âsong ond âgeaf,
60 þæt him beboden wæs.

---

[7] wurc O_1, O_{17}. — [8] wulder O_3. — [9] gehwæs O_3, gehwylc O_{14}. —
[10] eche O_{14}. — [11] ord O_1, O_{14}, O_{17}; word astcalde fehlt in O_3; astalde
O_{17}. — [12] þa he O_3. — [13] ærust O_{14}. — [14] gesceop O_1, sceop O_3. —
[15] corðe O_3. — [15a] o über zweitem e in W. — [16] hrofe O_1, O_3, O_{14}. —
[17] scyppend O_1, O_3, O_{14}, O_{17}; halig scippend fehlt hier in O_3; vgl. 24. —
[18] gearde O_{17}; þa middangeard O_3. — [19] man- O_1, O_{17}; mon- O_3;
-kynnes O_{14}. — [20] teode O_3. — [21] firum O_1, O_{14}, O_{17}. — [22] on fehlt in
den ags. hss. — [23] folden O_3. — [24] ælmihtig O_1, O_{14}, O_{17}; ælmihtig
halig scyppend O_3. — reste der fassung in O_3: beginnt mit nu we
sceolan, liest woorc oder wurc (nur c deutlich) und gehwilc (? nur ilc
sichtbar) in v. 3, corðe in v. 5 wie T, O, Ca, tida in v. 8, firum on
foldan in v. 9 und schließt mit halig scyppend.

45 þa þe TO, þæt ðe C, ðæt B, þæt Ca. — 46 he hyt fæste B ‖
on BCa ‖ mo(n)ig O. — 47 godes wordes songes T ‖ þær to B ‖ ge
þeod(d)e O ‖ côm BCa. — 48 morgene Ca, marne O, morgen B ‖ sê
fehlt in T ‖ (h)is O ‖ wæs ond (abgekürzt) him sæde Ca (ond fehlt auch
in C) ‖ sæde aus sædon O. -- 49 onfangen hæfde B. — 49, 50 lædde
Ca. — 50 þæt] þa T ‖ cydde Ca ‖ het BOCa. — 51 andwyrdom B, erstes
d und um auf rasur und zweites a aus o O. — 52 þætte] þæt T. —
53 zweites on in hwonon auf rasur O ‖ cymen B. — 54 gesewen B ‖
him] hit T. — 55 sylfum fehlt in B. — 56 halig godes spell B ‖
(h)e O. — 57 in swinsunge TB, in sum sunge C, him (auf rasur) sum
sunge (ond [abgekürzt]) O, him sum asunge ond (abgekürzt) Ca ‖ yrfde
in gehwyrfde auf rasur O. — 58 onfangene O, onfangenne BCa. —
59 morgenne T ‖ agéaf ond (abgekürzt) asong B.

Đa ongan sêo abbudisse clyppan ond lufigean þâ godes gife
in þǽm men, ond hêo hine þâ monade ond lǽrde, þæt hê woruld-
hâd forlête ond munuchâde onfênge. ond hê þæt wel þafode, ond
hêo hine in þæt mynster onfêng mid his gôdum ond hine geþêodde
65 tô gesomnunge þâra godes þêowa ond heht hine lǽran þæt getæl
þæs hâlgan stǽres ond spelles. ond hê eal, þâ hê in gehŷrnesse
geleornian meahte, mid hine gemyndgade ond, swâ swâ clǽne nêten,
eodorcende in þæt swêteste lêoð gehwerfde. ond his song ond his
lêoð wǽron swâ wynsumu tô gehŷranne, þætte þâ seolfan his
70 lârêowas æt his mûðe writon ond leornodon. song hê ǽrest be
middangeardes gesceape ond bî fruman moncynnes o ıd eal þæt
stǽr Genesis (þæt is sêo ǽreste Moyses bôc), ond eft bî ûtgonge
Israhela folces of Ægypta londe ond bî ingonge þæs gehâtlandes
ond bî ôðrum monegum spellum þæs hâlgan gewrites canones
75 bôca ond bî Cristes menniscnesse ond bî his þrôwunge ond bî his
upâstîgnesse in heofonas ond bî þæs hâlgan gâstes cyme ond þâra
apostola lâre ond eft bî þǽm ege þæs tôweardan dômes ond bî
fyrhtu þæs tintreglîcan wîtes ond bî swêtnesse þæs heofonlecan
rîces hê monig lêoð geworhte, ond swelce êac ôðer monig be þǽm
80 godcundum fremsumnessum ond dômum hê geworhte. on eallum
þǽm hê geornlîce gêmde, þæt hê men âtuge from synna lufan ond
mândǽda ond tô lufan ond tô geornfulnesse âwehte gôdra dǽda.
forþon hê wæs, se mon, swîþe ǽfæst ond regollecum þêodscipum

61 clyp(p)an (p *über rasur* i) O, clipian B. — 62 on B. — 63 ân-
forlete T, forlæte Ca ‖ munuchad T ‖ geþafode B. — 64 ond heo
hine B. — 65 þêowa] o *auf rasur* O, w *aus* r T ‖ het BOCa. — 66 ær
in stæres *auf rasur* O ‖ ealle þa þe he B ‖ (ge)hérnesse *verb. sp.
hd.* Ca. — 67 him B ‖ gemyngade O, gemynegode Ca. — 68 oðercende
BCa ‖ gehw(y)rfde (y *über rasur*) O, gehwyrfde Ca, gefremede B ‖ *erstes*
ond] ac B. — 69 wynsume BCa, wynsum O ‖ (ge)byrenne O ‖ ðæt O,
þæt Ca ‖ þâ *fehlt in* T ‖ his *fehlt in* B. — 70 æt] æfter B ‖ wreoton T. —
71 ond *(abgekürzt)* ge eall B ‖ ca(l) O. — 72 ær *in* stær *auf rasur* O ‖
booc T ‖ eft TBCO] *fehlt in* Ca. — 73 Israhela *bis* ingonge *fehlt in* B ‖
egyp *auf rasur* O ‖ þæ(s) O. — 74 cano: es (s *rasur*) O, canoses Ca. —
75 bôc Ca. — 76 on OCa ‖ cyme] gyfe B. — 78 tintreg(lic)an O,
tintreganlican B ‖ wiites T ‖ sw.] wæstmnesse B ‖ heofonlican BOCa. —
79 ric *in* rices *auf rasur* O ‖ geweorhte O. — 80 godcundan TB ‖
fremsumnesse B ‖ in T. — 81 gymde (y *auf rasur* O) BOCa ‖ fram: O. —
82 mândædum BCa. — 83 -þam B ‖ wæs *fehlt in* B ‖ regollicum BO,
reogollicum Ca.

4*

êaðmôdlíce underþêoded, ond wið þǽm, þâ ðe on ôðre wîsan dôn
85 woldon, hê wæs mid welme mícelre ellenwôdnisse onbærned; ond
hê forðon fægre ende his lîf betŷnde ond geendade.

— ....

17.

AUS KÖNIG ALFREDS 'OROSIUS':
BESCHREIBUNG EUROPAS. — DIE REISEBERICHTE VON
OHTHERE UND WULFSTÂN.

*The Anglo-Saxon Version from the Historian Orosius, by Alfred the Great, etc.
By Daines Barrington, London 1773. 8°. — R. Pauli's Life of Alfred the
Great, etc. To which is appended Alfred's Anglo-Saxon Version of Oro-
sius, etc. By B. Thorpe, London, Henry G. Bohn, 1853. 8°. Second Edition,
1878. — A Description of Europe and the Voyages of Ohthere and Wulf-
stan, etc., by King Alfred the Great, etc., containing a Facsimile Copy of
the whole Anglo-Saxon Text, etc., by Jos. Bosworth, London, Longman
and Co., 1855. 2°. — King Alfred's Anglo-Saxon Version of the History
of the World by Orosius. By Jos. Bosworth, London 1859. 8°. — King
Alfred's Orosius, ed. by Henry Sweet, Part I. London, Early English Text
Society Nr. 79, 1883. 8°. — M. Rieger, Alt- u. angelsächs. lesebuch, s. 146. —
Kluge, Angelsächs. lesebuch[3], s. 33. — Extracts from Alfred's Orosius
(H. Sweet's OE. Reading Primers II). — Brenner, Ags. sprachproben,
1879, s. 30. — Bright, AS. Reader, 1892, s. 38 ff. — Förster, Ae. lesebuch,
s. 13. — handschriften: das Lauderdale MS in Helmingham Hall, Suffolk
(L), das Cotton MS Tiberius B I in London, Brit. Museum (C); eine
abschrift davon: Junius 15 in der Bodleiana zu Oxford. — unser text folgt
anfangs der von Sweet edierten hs. L, später, von zeile 81 an, der hs. C.
graphische und lautliche varianten sind in der regel nicht angegeben worden.*

Nu hæbbe we scortlíce gesæd ymbe Asia londgemæro; nu
wille we ymbe Europe londgemǽre areccean swa micel swa we
hit fyrmest witon. from þǽre ïe Danais west oþ Rín þa ea, seo
wilð of þǽm beorge þe mon Alpis hǽtt, 7 irnð þonne norþ ryhte
5 on þæs garsecges earm þe þæt lond uton ymblið þe mon Bryttania

---

84 -lice *aus* -licum *O* ‖ þâ *fehlt in B* ‖ on] in *T*, hi on *B*. —
85 welme *TC*, wylme (y *auf rasur O*) *BOCa* ‖ micelre *fehlt in B*. —
86 -þam *B* ‖ fægerne *B* ‖ ænde *T*, ende hæfde þa he *B* ‖ betynde ond
fehlt in B.
  2 londgemære; *das letzte* e *zu* o *geändert L* ‖ reccan *C*. —
4 7 *ist hier (in hs. L) mit* ond *aufzulösen, von zeile 85 an aber (in hs. C)
mit* and.

hætt; 7 eft suþ eð Donua þa ea, þære æwielme is neah Rines
ofre þære ie, 7 is siþþan east irnende wið norþan Creca lond ut
on þone Wendelsæ; 7 norþ oþ þone garsecg þe mon Cwensæ hæt:
binnan þæm sindon monega þeoda, ac hit mon hæt eall Germania.

10   þonne wið norþan Donua æwielme 7 be eastan Rine sindon
Eastfrancan; 7 be suþan him sindon Swæfas, on oþre healfe
þære ie Donua. 7 be suþan him 7 be eastan sindon Bægware,
se dæl þe mon Regnesburg hætt. 7 ryhte be eastan him sindon
Bæme, 7 eastnorþ sindon þyringa(s). 7 be norþan him sindon
15 Ealdseaxan, 7 be norþanwestan him sindon Frisan. be westan
Ealdseaxum is Ælfe muþa þære ie, 7 Frisland. 7 þonan west-
norð is þæt lond þe mon Ongle hæt, 7 Sillende 7 sumne dæl
Dene. 7 be norþan him is Afdrede 7 eastnorþ Wilte, þe mon
Hæfeldan hætt. 7 be eastan him is Wineda lond, þe mon hætt
20 Sysyle, 7 eastsuþ, ofer sum dæl, Maroara. 7 hie Maroara habbað
be westan him þyringas, 7 Behemas, 7 Begware healfe; 7 be
suþan him on oþre healfe Donua þære ie is þæt land Carondre
suþ oþ þa beorgas þe mon Alpis hæt. to þæm ilcan beorgan
licgað Begwara landgemæro 7 Swæfa. þonne be eastan Carendran
25 londe, begeondan þæm westenne, is Pulgara land. 7 be eastan
þæm is Creca land. 7 be eastan Maroara londe is Wisle lond.
7 be eastan þæm sint Datia, þa þe iu wæron Gotan. be norþan-
eastan Maroara sindon Dalamentsan 7 be eastan Dalamentsan
sindon Horigti. 7 be norþan Dalamentsan sindon Surpe; 7 be
30 westan him Sysyle. be norþan Horoti is Maegþa land; 7 be norþan
Mægþa londe Sermende oþ þa beorgas Riffen. be westan Suþdenum
is þæs garsecges earm þe liþ ymbutan þæt land Brettania; 7 be
norþan him is þæs sæs earm þe mon hæt Ostsæ; 7 be eastan
him 7 be norþan sindon Norðdene, ægþer ge on þæm maran landum
35 ge on þæm iglandum; 7 be eastan him sindon Afdrede; 7 be
suþan him is Ælfe muþa þære ie 7 Ealdseaxna sum dæl. Norð-
dene habbað be norþan him þone ilcan sæs earm þe mon hæt

6, 7 neah þære ea rines C. — 7 norþan *fehlt in* C. — 11 east-
francan C; eastfrancna L. — 14 þyringas C; þyringa L | 7 be C. —
20 summe C. — 23 hæt alpis C. — 24 þonne L; 7 þonne C. —
25 begeondan C; hegeondam L. — 28, 29 eastan norþan C. — 29 horigti
L; horithi C. — 30 sindon sysyle C || horoti L; horiti C. — 34 norþan
him C. — 37 him benorþan C. — 37, 38 ostsæ hæt C.

Ostsæ, 7 be eastan him sindon Osti þa leode; 7 Afdrede be suþan.
Osti habbað be norþan him þone ilcan sæs earm, 7 Winedas, 7
40 Burgendan; 7 be suþan him sindon Hæfeldan. Burgendau habbað
þone (ilcan) sæs earm be westan him; 7 Sweon be norþan; 7 be
eastan him sint Sermende, 7 be suþan him Surfe. Sweon habbað
be suþan him þone sæs earm Osti; 7 be eastan him Sermende;
7 be norþan him ofer þa westenne is Cwenland; 7 be westan-
45 norþan him sindon Scridefinnas; 7 be westan Norþmenn.

Ohthere sæde his hlaforde, Ælfrede cyninge, þæt he ealra
Norðmonna norþmest bude. he cwæð þæt he bude on þæm lande
norþweardum wiþ þa Westsæ. he sæde þeah (þæt) þæt land sie
swiþe lang norþ þonan; ac hit is eal weste, buton on feawum
50 stowum styccemælum wiciað Finnas, on huntoðe on wintra, 7 on
sumera on fiscaþe be þære sæ.

He sæde þæt he æt sumum cirre wolde fandian hu longe
þæt land norþryhte læge, oþþe hwæðer ænig mon be norðan þæm
westenne bude. þa for he norþryhte be þæm lande: let him ealne
55 weg þæt weste land on ðæt steorbord, 7 þa widsæ on ðæt bæc-
bord þrie dagas. þa wæs he swa feor norþ swa þa hwælhuntan
firrest faraþ. þa for he þagiet norþryhte swa feor swa he meahte
on þæm oþrum þrim dagum gesiglan. þa beag þæt land þær
eastryhte, oþþe seo sæ in on ðæt lond, he nysse hwæðer; buton he
60 wisse ðæt he þær bád westanwindes 7 hwon norþan, 7 siglde ða
east be lande swa swa he meahte on feower dagum gesiglan.
þa sceolde he ðær bidan ryhtnorþanwindes, for ðæm þæt land
beag þær suþryhte, oþþe seo sæ in on ðæt land, he nysse hwæþer.
þa siglde he þonan suðryhte be lande swa swa he mehte on fif
65 dagum gesiglan. ða læg þær an micel ea up in on þæt land. þa
cirdon hie up in on ða ea, for þæm hie ne dorston forþ bi þære
ea siglan for unfriþe; for þæm ðæt land wæs eall gebun on oþre
healfe þære eas. ne mette he ær nán gebun land, siþþan he from
his agnum hâme fôr. ac him wæs ealne weg weste land on þæt
70 steorbord, butan fiscerum 7 fugelerum 7 huntum, 7 þæt wæron

---

38 afrede L; afdræde C. — 41 ilcan fehlt in L; aus C (y). —
44 him fehlt in C. — 45 scridefinnas C; scridefinne L. — 48 (þæt)
aus C. — 57 feor swa fehlt in C. — 60 oððe hwôn C ‖ ða L; þanon C. —
62 ðær fehlt in C. — 65 on fehlt in C. — 66 ða; rasur nach a (= ðam?) L. —
68 ða C ‖ fram C. — 69 hame C; hâm L.

eall Finnas; 7 him wæs â widsǽ on ðæt bæcbord. þa Beormas hæfdon swiþe wel gebûd hira land; ac hie ne dorston þær on cuman. ac þara Terfinna land wæs eal weste buton (ðær) huntan gewicodon, oþþe fisceras, oþþe fugel(er)as.

75 Fela spella him sædon þa Beormas ægþer ge of hiera agnum lande ge of þæm landum þe ymb hie utan wæron; ac he nyste hwæt þæs soþes wæs, for þæm he hit self ne geseah. þa Finnas, him þuhte, 7 þa Beormas spræcon neah an geþeode. swiþost he for ðider, toeacan þæs landes sceawunge, for þæm horschwælum,
80 for ðæm hie habbað swiþe æþele bân on hiora toþum — þa teð hie brohton sumo þæm cyninge —, 7 hiora hyd bið swiðe gôd to sciprapum.

Se hwǽl bið micle læssa þonne oðre hwalas: ne bið hê lengra ðonne syfan elna lang. ac on his agnum lande is se betsta
85 hwælhuntað: þa beoð eahta and feowertiges elna lange, 7 þa mæstan fiftiges elna lange, þara hê sæde þæt he syxa sum ofsloge syxtig on twam dagum.

Hê wæs swyðe spedig man on þæm æhtum þe heora speda on beoð, þæt is, on wildrum. he hæfde þa gyt, ða hê þone cyninge
90 sohte, tamra deora unbebohtra syx hund. þa deor hî hâtað 'hranas'; þara wæron syx stælhranas; ða beoð swyðe dŷre mid Finnum, for ðæm hy foð þa wildan hranas mid. he wæs mid þæm fyrstum mannum on þæm lande. Næfde he þeah ma ðonne twentig hry- ðera, 7 twentig sceapa, 7 twentig swyna; 7 þæt lytle þæt he
95 erede he erede mid horsan. ac hyra âr is mæst on þæm gafole þe ða Finnas hym gyldað. þæt gafol bið on deora fellum, 7 on fugela feðerum, 7 hwales bane, 7 on þæm sciprapum, þe beoð of hwæles hyde geworht, 7 of seoles. æghwilc gylt be hys gebyr- dum. se byrdesta sceall gyldan fiftyne mearðes fell, 7 fif hranes,
100 7 an beran fel, 7 tyn ambra feðra, 7 berenne kyrtel oððe yterenne, 7 twegen sciprapas; ægþer sŷ syxtig elna lang, oþer sy of hwæles hŷde geworht, oþer of sioles.

71 und 78 Beormas; der erste strich des m ausradiert L. — 73 þær C, fehlt in L, wo ðar ? nach Bosworth, Facs. Copy, übergeschrieben. — 74 er in fugeleras übergeschrieben in L. — 75 Beormas; der letzte strich des m ausradiert L (nicht in Facs. Copy von Bosw.). — 81 hyd; hier beginnt eine größere lücke in L; der text folgt nun C, u. zw. nicht nach Sweet, sondern nach Bosworth, Facsimile Copy, auch bezüglich der akzente. — 86 in der hs. ein interpunktionszeichen (.) hinter ofsloge. — 100 beren Sw(eet).

He sæde ðæt Norðmanna land wære swyþe lang 7 swyðe
smæl. eal þæt hîs man aþer oððe ettan oððe erian mæg þæt lið
105 wið ða sæ; 7 þæt is þeah on sumum stowum swyðe cludig;
7 licgað wilde moras wið eastan 7 wið upp on emnlange þæm
bynum lande. on þæm morum eardiað Finnas. 7 þæt byne land is
eastoweard bradost, 7 symle swa norðor swa smælre. eastewerd
hit mæg bion syxtig mila brad, oþþe hwene bradre; 7 midde-
110 weard þritig oððe bradre; 7 norðeweard he cwæð, þær hit smalost
wære, þæt hit mihte beon þreora mila brad to þæm more; 7 se
môr syðþan, on sumum stowum, swa brad swa man mæg on twam
wucum oferferan; 7 on sumum stowum swa brad swa man mæg
on syx dagum ofer feran.

115   Ðonne is toemnes þæm lande suðeweardum, on oðre healfe
þæs mores, Sweoland, oþ þæt land norðeweard; 7 toemnes þæm
lande norðeweardum Cwena land. þa Cwenas hergiað hwilum on
ða Norðmen ofer ðone mor, hwilum þa Norðmen on hy. 7 þær
sint swiðe micle meras fersce geond þa moras; 7 berað þa Cwenas
120 hyra scypu ofer land on ða meras, 7 þanon hergiað on ða Norð-
men; hy habbað swyðe lytle scypa 7 swyðe leohte.

       Ohthere sæde þæt sio scîr hatte Halgoland þe hê on bude.
he cwæð þæt nân man ne bude be norðan him. þonne is ân port
on suðeweardum þæm lande, þone man hæt Sciringes heal. þyder
125 he cwæð þæt man ne mihte geseglian on anum monðe, gyf man
on niht wicode, 7 ælce dæge hæfde âmbyrne wind; 7 ealle ða
hwîle he sceal seglian be lande. 7 on þæt steorbord hîm bîð
ærest Iraland, 7 þonne ða igland þe synd betux Iralande 7 þissum
lande. þonne is þis land oð he cymð to Sciringes heale, 7 ealne
130 weg on þæt bæchord Norðweg. wið suðan þone Sciringes heal
fylð swyðe mycel sæ up in on ðæt land; seo is bradre þonne
ænig man oferseon mæge. 7 is Gôtland on oðre healfe ongean,
7 siðða(n) Sillende. seo sæ lið mænig hund mila up in on
þæt land.

135   7 of Sciringes heale hê cwæð þæt he sêglode on fif dagan
to þæm porte þe mon hæt æt Hæþum: sê stent betuh Winedum,
7 Seaxum, 7 Angle, 7 hyrð în on Dene. ða hê þiderweard sêglode
fram Sciringes heale, þa wæs him on þæt bæcbord Dênamearc,

---

109 brædre C. – 124 þonne C. – 125 ne in C (faksimile) und Bosw., fehlt
in Sw. – 128 [Isal.] zweimal Bosw. im gedruckten text. – 132 ofer seon Sw.

7 on þæt steorbord widsæ þry dagas; 7 þâ, twegen dagas ær he
140 to Hæþum come, him wæs on þæt steorbord Gotland, 7 Sillende,
7 iglanda fela. on þæm landum eardodon Engle, ær hî hîder on
land coman. 7 hym wæs ðâ twegen dagas on ðæt bæcbord þa
igland þe in Denemearce hyrað.

Wulfstan sæde þæt hê gefôre of Hæðum, þæt hê wære on
145 Truso on syfan dagum 7 nihtum, þæt þæt scip wæs ealne weg
yrnende under segle. Weonoðland him wæs on steorbord, 7 on
bæcbord him wæs Langaland, 7 Lælland, 7 Falster, 7 Scôneg;
7 þas land eall hŷrað to Denemearcan. 7 þonne Burgenda land
wæs us on bæcbord, 7 þâ habbað him sylf cyning. þonne æfter
150 Burgenda lande wæron ûs þas land, þa synd hatene ærest Blecin-
gaêg, 7 Meore, 7 Eowland, 7 Gotland on bæcbord; 7 þas land
hyrað to Swêon. 7 Weonodland wæs ûs ealne weg on steorbord
oð Wislemûðan. seo Wisle is swyðe mycel êa, 7 hio tolið Wit-
land 7 Weonodland; 7 þæt Witland belimpeð to Êstum; 7 seo
155 Wisle lið ût of Weonodlande, 7 lið in Êstmere; 7 se Estmere
is huru fiftene mila brâd. þonne cymeð Ilfing eastan in Estmere
of ðæm mere ðe Truso standeð in staðe, 7 cumað ût samod in
Êstmere, Ilfing eastan of Estlande, 7 Wisle sûðan of Winodlande.
7 þonne benimð Wisle Ilfing hire naman, 7 ligeð of þæm mere
160 west 7 norð on sæ; forðŷ hît man hæt Wislemûða.

þæt Estland is swyðe mycel, 7 þær bið swyðe manig burh,
7 on ælcere byrig bið cyningc. 7 þær bið swyðe mycel hunig 7
fisc[n]að; 7 se cyning 7 þa ricostan men drincað myran meolc,
7 þa ûnspedigan 7 þa þeowan drincað medo. þær bið swyðe mycel
165 gewinn betweonan him. 7 ne bið ðær nænig ealo gebrowen mid
Êstum, ac þær bið mêdo genôh. 7 þær is mid Êstum ðeaw, þonne
þær bið man dead, þæt hê lið inne unforbærned mid hîs magum
7 freondum monað, ge hwilum twegen; 7 þa kyningas, 7 þa oðre
heahðungene men, swa micle leneg swa hî maran speda habbað,
170 hwilum healf gêar þæt hi beoð unforbærned, 7 licgað bufan eorðan
on hyra husum. 7 ealle þa hwîle þe þæt lic bið inne, þær sceal
beon gedrync 7 plega, oð ðone dæg þe hî hine forbærnað. þonne
þy ylcan dæg(e) (þe) hî hine to þæm âde beran wyllað, þonne
todælað hî his feoh, þæt þær to lafe bið æfter þæm gedrynce

158 und 161 Eastl. C. — 163 fiscað C. — 173 dæg (e); das e
von anderer (?) hand; þe fehlt in C.

175 7 þæm plégan, on fíf oððe syx, hwylum on ma, swa swa þæs
feos ândefn bið. alecgað hit ðonne forhwaga on anre mile þone
mæstan dǽl fram þæm tune, þonne oðerne, ðonne þæne þriddan,
oþ þe hyt eall aled bið on þære anre mile; 7 sceal beon se
læsta dæl nyhst þæm tune ðe se deada man on lið. ðonne sceolon
180 beon gesamnode ealle ðâ menn ðe swyftoste hors habbað on þæm
lande, for hwæga on fíf milum oððe on syx milum fram þæm feo.
þonne ærnað hý ealle toweard þæm feo; ðonne cymeð sê man
se þæt swiftoste hors hafað to þæm ærestan dæle 7 to þæm
mæstan, 7 swa ælc æfter oðrum, oþ hit bið eall genumen; 7 se
185 nimð þone læstan dæl se nyhst þæm tune þæt feoh geærneð.
7 þonne rideð ælc hys weges mid ðan feo, 7 hyt motan habban
eall; 7 for ðý þær beoð þa swiftan hors ungefoge dyre. 7 þonne
hýs gestreon beoð þus eall aspended, þonne byrð man hine ût
7 forbærneð mid his wæpnum 7 hrægle. 7 swiðost ealle hys speda
190 hý forspendað mid þan langan legere þæs deadan mannes inne,
7 þæs þe hý be þæm wegum alecgað, þe ða fremdan to ærnað,
7 nimað. 7 þæt is mid Êstum þeaw þæt þær sceal ælces geðeodes
man beon forbærned; 7 gyf þar man ân ban findeð unforbærned,
hî hit sceolan miclum gebetan. 7 þær is mid Êstum ân mægð
195 þæt hi magon cyle gewyrcan; 7 þy þær licgað þa deadan men
swa lange 7 ne fuliað, þæt hy wyrcað þone cyle him on. 7 þeah
man asette twegen fætels full ealoð oððe wæteres, hy gedoð þæt
ægþer bið oferfroren, sam hit sy sumor sam winter.

183 swifte hors C. — 194 êastum C. — 196 hine on C. —
198 oþer bið C.

18.

ÆTHELSTAN (AUS DER SACHSENCHRONIK).

*Thorpe, Anglo-Saxon Chronicle (London 1861) I, 200. — John Earle, Two
of the Saxon Chronicles (Oxford 1865); ed. by Charles Plummer (Oxford
1892), s. 106. — Grein, Bibl. der ags. poesie, ed. Wülker (Kassel 1883),
I, 374. — Maldon and Brunanburh, ed. C. L. Crow, Boston 1897. —
Maldon and Short Poems from the Saxon Chronicles, ed. W. J. Sedgefield,
Boston 1904. — Kluge, Ags. leseb.³, s. 130.*

An. DCCCC.XXXVII. Her æþelstan cyning. eorla dryhten.
beorna beahgifa. 7 his broþor eâc. ⁵eadmund æþeling. ealdorlangne
tir. geslogon æt sæcce. sweorda êcgum. ymbe brunanburh.⁎ ¹⁰bord-
weal clufan. heowan heaþolinde. hamora lafan. afaran êadweardes.
swa him geæþele wæs. ¹⁵from cneomægum. þ hi æt campe oft, wiþ
laþra gehwæne. land ealgodon. hord 7 hámas.⁎ ²⁰hettend crungun.
sceotta leoda. 7 scipflotan. fæge feollan⁎ feld dænnede. ²⁵secgas
hwate. siðþan sunne úp. on morgen tid. mære tungol. glad ofer
grundas. ³⁰godes condel beorht. eces drihtnes. oð sio æþele gesceaft.⁎
sah to setle. þær læg secg mænig. ³⁵garum ageted. guma norþerna.
ofer scild scoten. swilce ẟcittisc eâc. werig wiges sæd.⁎⁴⁰wesseaxe
fórð. ondlongne dæg. eorod cistum. on last legdun. laþum þeodum.

XVIII. *oben nach* A = *Corpus Christi College (Cambridge) MS
CLXXIII. die zirkumflexe rühren von derselben, die akute von anderer
hand her. hier die lesarten von drei hss. im Britischen Museum: Cott. Tib.
A VI = B, Cott. Tib. B I = C, Cott. Tib. B IV = D. verschiedenheit im
gebrauche von akzenten und þ und ẟ werden nicht angeführt.*

nach VII *noch* I *rad.* A, VII CD, VIII B. — ¹ æþestan B ‖ cing BC. —
² drihten BCD. — ³ beag- B, -gyfa C. — ⁶ ealdorlagne C ‖ tyr D. —
⁷ geslôgan B ‖ sake B, secce D. — ⁸ swurda C ‖ ecggum B. — ⁹ embe BC ‖
brunnanburh BC *und von* a. hd. A. — ¹⁰ bordweall BC, heordweall D ‖
clufon C. — ¹¹ heowon C ‖ lina B, -linda *(aus* -linga D) CD. — ¹² hamera D,
o *zum teil durch wurmstich weg* B ‖ lafum BCD. — ¹³ eaforan B,
aforan C, eoforan D ‖ eadweardæs D. — ¹⁵ fram BCD ‖ -magum B. —
¹⁶ hic B. — ¹⁷ gehwane B. — ¹⁸ ealgodan B, gealgodon C. — ²⁰ heted D ‖
crungon BCD. — ²¹ scotta leode BCD. — ²² scyp- C. — ²³ feollon D. —
²⁴ dænnede *aus* dænede a. hd.? A, dennade BC, dennode D. — ²⁵ secga
swate BCD. — ²⁶ upp BC. — ³⁰ candel BCD. — ³¹ þ sco B, oþ sco C,
oð se D. — ³³ setle D. — ³⁴ manig B, monig CD. — ³⁵ garum for-
grunden B. — ³⁶ guman BCD ‖ norðerne BC, norþærne D. — ³⁷ scyld
BCD. sceoton BD. — ³⁸ swylce BD ‖ scyttisc BCD. — ³⁹ wigges BC ‖
ræd D. — ⁴⁰ westsexe B, 7 wessexe C. — ⁴¹ andlangne BC, 7 langne D. —
⁴² eored cystum BCD. — ⁴³ legdon BC, lægdon D. — ⁴⁴ ðeodon C.

[45]heowan here fleman. hindan þearle. mecum mylen scearpan.
myrce ne wyrndon. he eardes hondplegan. [50]hæleþa nanum. þæ
mid anlafe. ofer æra gebland. on lides bosme. land gesohtun. *
[55]fæge to gefeohte. fife lægun. ôn þam campstede. cyninges giunge.
sweordum aswefede. [60]swilce seofene eâc. eorlas anlafes. *unrim
heriges. flotan 7 sceotta. þær geflemed wearð. *[65]norðmanna
bregu. nede gebeded. to lides stefne. litle weorode. cread cnea-
ren flot. [70]cyning ut gewat. ôn fealene flod. feorh generede.*
swilce þær eâc se froda. mid fleame com. [75]on his cyþþe norð.
costontinus. hár hilde ring. hreman ne þorfte. mæcan gemanan. *
[80]he wæs his mæga sceard. freonda gefylled. ôn folcstede. beslagen
æt sæcce. 7 his sunu forlet. [85]ôn wælstowe. wundun fergrunden.
giungne æt guðe. *gelpan ne þorfte. beorn blanden feax. [90]bil
geslehtes. eald inwidda. ne anlaf þy ma. mid heora herelafum.
hlehhan ne þorftun. [95]þ heo beadu weorca. beteran wurdun. ôn
campstede. culbod gehnades. gar mittinge. [100]gumena gemotes.
wæpen gewrixles. þæs hi ôn wælfelda. wiþ eadweardes. afaran
plegodan.*[105]gewitan him þa norþmen. nægled cnearrum. dreorig

---

[45] heowon C ‖ heora D ‖ flyman BD, flymon C. — [47] mylen]
mycel D ‖ scearpum BCD. — [49] he eardes] heardes BCD ‖ hand- BCD. —
[50] nanum aus namum C. — [51] þæ] þara ðe BC, þæra þe D. — [52] æra]
ear BCD. — [53] liþes C. — [54] gesohtan B, gesohton CD. — [55] fage D ‖
feohte D. — [56] lagon BCD. — [57] ðæm B. — [58] ciningas B, cingas C,
cyningas D ‖ geonge BC, iunga D. — [59] aswefde C. — [60] swylce D ‖
seofone B, VII C. — [62] 7 ûnrim C ‖ herges BCD. — [63] scotta BCD. —
[64] geflymed BCD. — [65] brego BCD. — [66] neade CD ‖ gebæded BCD. —
[67] stæfne D. — [68] lytle BCD ‖ werode C. — [69] creat D ‖ cnear on BCD. —
[69-71] flot bis fealene übersprungen in D. — [70] cing B, cining C. — [71] fealone
BC. — [72] generode CD. — [73] swylce BD. — [75] constantinus BCD. — [77] hal
hylde D ‖ rinc BCD. — [78] hryman D. — [79] mecea B, meca C, mecga D. —
[80] he] her BC ‖ maga BC. — [82] on his folcstede C. — [83] forslegen B,
beslegen C, beslægen D ‖ sace B, sęcge D. — [84] forlæt D. — [85] wundum
forgrunden BCD. — [87] geongne BCD. — [88] gylpan BCD. — [89] fex BC. —
[90] bill BCD ‖ geslyhtes B, geslihtes CD. — [91] inwitta BC, inwuda D. —
[92] þe BD. — [93] hyra CD ‖ -leafum D. — [94] hlihhan BC, hlybban D ‖
þorftan BD. — [95] hie B, hi CD ‖ beado BCD. — [96] wurdan B, wurdon
CD. — [98] über culbod v. a. hd.? l cumbel A, dafür cumbol BCD ‖
gehnastes BCD. — [99] mittunge D. — [102] hie B, þe hi D. — [104] eaforan B,
aforan C ‖ plegodon CD. — [105] gewiton CD ‖ hym C ‖ þ in norþmen
ü. d. z. v. a. hd.? A, norðmenn BC. — [106] negled cnearrum C, dæg gled
ongarum D ‖ nægled aus negled a. hd. A.

daraða laf. ôn dinges mere. ofer deop wæter. [110]difelin secan.
7 eft hira land. æwisc mode.* swilce þa gebroþer. begen ætsamne.
[115]cyning 7 æþeling. cyþþe sohton. wesseaxena land, wiges hre-
mige. letan him behindan. [120]hræ bryttian. saluwig padan. þone
sweartan hræfn. hyrned nebban. 7 þane hasewan padan. [125]earn
æftan hwit. æses brucan. grædigne guðhafôc. 7 þæt græge deor.
wulf ôn wealde. [130]ne wearð wæl mare. ôn þis eiglande. æfer
gieta. folces gefylled. beforan þissum. [135]sweordes êcgum. þæs
þe us secgað bêc. ealde uðwitan. siþþan eastan hider. engle
7 seaxe. [140]up becoman. ofer brad brimu. brytene sohtan. wlance
wigsmiþas. weealles ofercoman. [145]eorlas arhwate. eard begeatan.

---

[107] dreori C‖daroða B, dareþa CD. — [108] dynges B, dyniges D. —
[109] ofe(r) deopne D. — [110] dyflen B, dyflin C, dyflig D ǀ secean B. —
[111] 7 ú. d. z. v. a. hd. A, f. BCD ‖ íra B, yra CD. — [113] swylce BD ‖
gebroðor BD, hroðor C. — [114] bege D. ‖ ætsomne BC, æt runne D. —
[115] cing: B, cing C [eaðeling D. — [116] sohtan B. — [117] westseaxna BD,
wessexena C. — [118] wigges BC ‖ erstes e in hremige über getilgtem a A. —
[119] leton C, læton D ‖ hym behindon C. — [120] hræ a. hd. zu hræw A, hraw B,
hra CD ‖ bryttigean B, brittigan C, brittinga D. — [121] salowig BCD. —
[122] hrefn C. — [123] hyrnet D. — [124] þone BCD ǀ haso B, hasu CD‖wadan D. —
[126] æses aus æres D. — [127] cuð heafôc D. — [128] grege D. — [131] þys BC,
þisne D ‖ eglande B, iglande CD. — [132] æfre BCD [gyta BC, gitâ D. —
[133] afylled B. — [134] þyssum BCD. — [135] swurdes C. — [136] secggeaþ B. —
[138] syþþan B. — [139] sexan B, sexe C. — [140] upp BC ‖ becomon CD. —
[141] brade BCD. — [142] bretene C, britene D [sohton CD. — [144] wealas BCD ǀ
ofercomon CD. — [145] arhwæte D. — [146] begeaton BCD.

*The Gospel according to Saint Matthew in Anglo-Saxon and Northumbrian
ausg. v. Skeat 1887). The Holy Bible in the Earliest English Versions made
and Madden, Oxford 1850, IV, 83. Vgl. auch The
Nero D IV*

efern uut.*   ðiu l ða gelihteð in forma doeg   cuom
[1]*Vespere autem sabbati, quae   lucescit   in prima   sabbati, uenit*
   ðiu magdalenesca 7 oðero   to geseanne þ byrgenn 7 heonu
maria magdalenæ   et altera maria uiderc   sepulchrum. [2]*ecce*
eorð hroernisse geworden wæs micil   engel forðon drihtnes âstag
terrae motus   factus   est   magnus; angelus enim   domini descendit
of heofnum 7 geneolecde eft awælte ðone stan 7 gesætt ofer
de caelo   et accedens   reuoluit   lapidem   et sedebat super
hia   wæs forðon megwlit his suæ leht 7
eum (zu *eam* vom gl.) [3]*erat enim   aspectus eius, sicut fulgor, et*
wêde   his sua snâ fore ego l fyrihto uut. his alcgd weron
uestimentum eius, sicut nix. [4]*præ timore   autem eius exteriti sunt*
ða haldendo 7 aworden weron suolce for deado ondswarede uut.
custodes   et facti   sunt, uelut mortui. [5]*respondens   autem*
ðe engel cuoeð ðæm wifum nallas gie ondrêde iuh ic wat forðon þte
angelus dixit mulieribus: 'nolite timere   uos; scio   enim, quod

---

* *ein punkt hinter dem letzten buchstaben steht hier als abkürzungs-
zeichen statt des striches in hss.*

Rushworth.

Latein: [1] luciescit ‖ magdalene. — [2] discendit. — [3] enim] autem ‖
uestimenta eius candita *(so!).* — [4] exterriti ‖ uelud.

Glossen: [1]on efenne þa þæs reste dagas þæm þe in lihte in forma
dæg æfter reste dæg cwom maria magdalenisca 7 oþer maria to scea-
wenne þa byrgenne [2]7 henu eorþ styrennis gewarð micelu ængel forþon
dryhtnes astag of heofunum 7 to gangende awælcde þone (*aus* þoñ) stan
7 gesett on þæm [3]wæs þa his onseone swa leget 7 wæda l rægl his hwit
swa snau [4]for his ægsa þonne afirde werun þa weardas 7 geworden swa
deade [5]andswarade þa se engel cwæþ to þæm wifum ue forhtige eow
ic wat forþon þ

Wycliffe.

[1] Forsothe in the cuenyng of the saboth (*or* haliday), that schyneth
in the firste day of the woke, Marie Mawdeleyn cam and another Marie
for to se the sepulcre. [2]and, lo, ther was maad a groet erthe mouyng;
forsoth the aungel of the lord cam doun fro heuene and comynge to
turnide awey the stoon and sat theron. [3]sothli his lokyng was, as
leyt, and his clothis, as snow. [4]forsothe for drede of him the keperis
ben afferid, and thei ben maad, as deede men. [5]forsothe the aungel
answeringe seide to the wymmen: 'nyle ʒe drede; for i woot, that

---

[1] Fors.] But ‖ cuentid ‖ or h. *f.* ‖ bigynneth to schyne ‖ for *f.* —
[2] schakyng ‖ forsoth] for ‖ com. to] neiʒede and. — [3]. sothli] and.—
[4] forsothe] and ‖ ben] weren *beide male.* — [5] fors.] but. ‖ answeride and.

XXVIII. **19.**

Versions, edd. Kemble and Hardwick, Cambridge 1858, p. 226—231 (neue from the Latin Vulgate by John Wycliffe and his Followers, edd. Forshall Gospel of St. Matthew, ed. J. W. Bright, Boston 1904.

Bodl. 441.

[1] Soðlice þam restedæges æfene, se þe onlyhte on þam forman restedæge, com seo magdalenisce Maria and seo oþer Maria, þæt hig woldon geseon þa byrgene. [2] and þær wearþ geworden micel eorþbifung; witodlice dryhtnes engel astah of heofonan and genealæhte and awylte þone stan and sæt þær onuppan. [3] hys ansyn wæs, swylce ligit, and hys reaf swa hwite, swa snaw. [4] witodlice þa weardas wæron afyrhte and wæron gewordene, swylce hig deade wæron. [5] ða andswarode se engel and sæde þam wifon: 'ne ondræde ge eow; ic wat witodlice, þæt

Hatton 38.

[1] Sodlice þam restesdaiges efene, se þe onlihte on þam forme restedayge, com syo magdalenissca Marie 7 syo oðer Marie, þæt hyo wolden gesyen þa byrigenne. [2] 7 þær warð geworðen mychel eordbefiunge; witodlice drihtenes ængel ástah of heofene 7 geneahlacte ænd awelte þanne stan 7 sæt þær onuppon. [3] hys ansiene wæs, swylce leyt, 7 hys reaf swa hwit, swa snaw. [4] witodlice þa weardes wæren afyrhte 7 wæron geworðene, swylce hyo deade wæren. [5] þa andswerede se ængel 7 sayde þam wifon: 'ne ondræde ge eow: ic wat witodlice, þæt

---

Collation von C(orpus Christi College, Cambridge, 140) und U (= Ii 2, 11 der universitätsbibliothek zu Cambridge) mit B, abgesehen von rein graphischen varianten.

[1] onlyhte *aus* onlihte *B*, onlihte *C* || byrgenne *U*. — [2] þar *U* || drihtenes *C* || heofenum *U* || awylede *U* || on weg *hinter* stan *U* || þar *U*. — [3] ligyt *C*, lyget *U*. — [5] andswarede *U* || wifū *U*.

Collation von R(egius 1 A XIV) mit H (g hat in H die fränkische form nur [1] magda-, [7], [13] seggeð, [7] segge, *immer* gali-, *immer* leorning- *und* þing, [19] gastes; *in R in diesem stück immer die altenglische gestalt).*

[1] Soðlice || reste daiges || se ðe || forman reste daige || seo magdalenisca maria || oðer maria || geseon. — [2] wearð geworden micel eorð befunge || astah || heofonan || 7 awelte. — [3] his *beide male* || ansyne || legt *an* f *in* reaf *radiert* || wit. — [4] wæron *alle drei male*. — [5] engel || 7 *bis* wifon *auf rasur*. || sægde.

ðe hælend se ðe ahongen wæs gie soecas ne is hêr arâs   forðon
Iesum,   qui   crucifixus est,   quaeritis. [6]*non est hic; surrexit enim,*
suæ cueð cymmas geseað þ styd l ðiu stou ðer asctted wæs drihten
sicut dixit. uenite,   uidete   locum,   ubi positus erat dominus.
[7] hraeðe eode cuoðas ðegnum his þte he arâs   [7] heonu foreliorað
[7]*et cito   eunte dicite   discipulis eius, quia   surrexit."et ecce   praecedit*
iwih in galilea   ðer hine gê geseað *(dahinter etwa vier buchstaben radiert)*
uos in galilaeam: ibi eum uidebitis."
l gesea magon heonu fore ic cueð l ær ic sægde iuh   [7] eodun
       ecce   praedixi   uobis.' [8]*et exierunt*
breconlice from byrgenne mið ege   [7] mið miclo glædnise iornende
cito   de   monumento cum timore et magno   gaudio   currentes
beada l sægca ðegnum his   [7] heonu hælend togægnes arn ðæm
nuntiare   discipulis eius. [9]*et ecce   iesus   occurrit   illis*
cueð   wosað gie hal ða uut. geneolecdon [7] gehealdon foet his [7]
dicens: 'hauete.'   illæ autem accesserunt et tenuerunt pedes eius et
werðadun hine ða   cueð to ðæm ðe hælend nallað gie ondreda gaað
adorauerunt eum. [10]*tunc ait   illis   iesus: 'nolite   timere . ite,*
sæcgas broðrum minum þte hea gæ in gæliornise ðer mec hia geseað.
nuntiate fratribus meis,   ut eant   in galilaeam: ibi me   uidebunt.'

Rushworth.

Latein: [6]uenite et uidete ‖ possitus. — [7] euntes ‖ surrexit a
mortuis ‖ praecidit ‖ galileam ‖ et *vor* ecce *getilgt* ‖ dixi *zu* þdixi *gl.* —
[8]gaudio magno ‖ auete ‖ illo. — [10]sed ite ‖ galileam.

Glossen: git hælend þone þe hongen wæs gesoecaþ [6]nis he ber
forþon þe he aras swa he cwæþ cumaþ [7] geseoþ þa stowe þær aseted wæs
dryhten [7] [7] hræþe gangaþ sæcgaþ discipulas his þ he aras from deade [7]
henu beforan gæþ eow in galilea ðær ge hine geseoþ henu swa ic fore-
sægde [8] [7] hiæ eodun hraþe of byrgenne mið egsa [7] mið gefea micel
eornende secgan discpl. his [9] [7] henu hælend quom heom ongægn
cwæþende beoþ hale hiæ þa stopen forþ [7] genomen his foet [7] gebedun
to him [10] þa cwæþ heom to se hælend ne ondredeþ inc ah gæþ sæcgaþ
broþrum minum þ hiæ gangan in galilea þær hic *(so!)* me geseoþ

Wycliffe.

ȝe seken Ihesu, that is crucified [6]he is not here; sothli he roos, as
he seide. come ȝe and seeth the place, where the lord was putt. [7]and
ȝe goynge sone seie to his disciplis and to Petre, for he hath risun,
"and, lo, he schal go bifore ȝou in to Galilee: there ȝe schulen se him".
lo, i haue bifore seid to ȝou.' [8] and Marie Mawdeleyn and another Marie
wenten out soone fro the buryel with drede and greet ioye renuynge
for to telle his disciplis. [9]and, lo, Ihesus ran aȝens hem seyinge:
'heil ȝe'. forsothe thei camen to and heelden his feet and worschipiden
him. [10]thanne Ihesus seith to hem: 'nyle ȝe drede. go ȝe, telle ȝe to
my britheren, that thei go in to Galilee: there thei schulen se me.'

---

[5]was. — [6]sothli] for, ‖ is risun ‖ se ȝe ‖ leid. — [7]go ȝe ‖ and seie ȝe ‖ and
to P. *f.* ‖ for ‖ that ‖ hath ‖ is. — [8]Mar. — Mar.] thei ‖ biriels ‖ for *f.* ‖ to hise. —
[9]ran—seyinge] mette hem and seide ‖ fors.] and ‖ c. to] neiȝeden. — [10]seide

ge seceað þone hælynd, þone þe on rode ahangen wæs. [6]nys he her; he aras soðlice, swa swa he sæde, cumað and geseoð þa stowe, þe se hælynd wæs on aled. [7]faraþ hrædlice and sæcgeað hys leorningcnyhtum, þæt he aras, "and soðlice he cymð beforan eow on Galileam: þær ge hyne geseoð". nu ic secge eow.' [8]þa ferdon hig hrædlice fram þære byrgene mid ege and mid myclum gefean and urnon and cyðdon hyt hys leorningcnyhton. [9]and efne þa com se hælynd ongean hig and cwæð: 'hale wese ge.' hig genealæhton and genamon hys fet and to hym geeaðmeddon. [10]ða cwæþ se hælynd to him: 'ne ondræde ge eow. farað and cyþað minum gebroþrum, þæt hig faron on Galileam: þær hig gesceð me.'

ge sechcð þanne hælend, þane þe on roden ahangen wæs. [6]nis he her; he aras gewislice, swa swa he sæigde, cumeð 7 geseoð þa stowe, þe se hælend wæs on aleigd. [7]7 fareð rædlice 7 cumeð 7 seggeð hys leorningcnihten, þæt he aras, "7 soðlice he cymð beforan eow on Galileam: þær ge hine geseoð". nu ich segge eow.' [8]þa ferden hyo rædlice fram þare byrigenne mid eige 7 mid mychele gefean 7 urnen ænd kydden hyt hys leorningcnihten. [9]7 efne þa com se hælend ongean hyo 7 cwæð: 'hale wese ge.' hyo geneohlahten 7 genamen hys fét 7 to him geeadmededon. [10]ða cwæð se hælend to heom: 'ne ondræde ge eow . fareð 7 kyðeð mine gebroðre, þæt hyo faran on Galilea: þær hyo geseoð me.'

---

hælend U. — [6] s in nys ü. d. z. B. || and *nachträglich* B || hœlend U. — [7] seecgeað C, seegað U || *zweites* n *in* leorning- *auf rasur* C || þar U. — [8] hrædlice (d *aus angefangenem* r) *hinter* byrigenne U || mycelū U || -cnyhtum U. — [9] hælend U || geeadmeddon U. — [10]hæleud U || heom C || broðrū U || faran U.

secað || þonne *beide male* || rode. — [6] sægde || halend || alegd. — [7] farad ||7 cumcð *fehlt* || seggað his leorningcnihtas || comð. — [8] ða ferdon || byrigene || mycele || urnen *aus* urren || 7 cyddan hit his || -cnihtan.—[9]genehlacton||genamon his fet. — [10]halend || farað 7 cyðað || galileam || geseð.

ða ilco mið ðy eodon   heonu summe of ðæm haldendum cwomun in
[11]*quae   cum   abissent, ecce   quidam de custodibus   uenerunt in*
ða ceastra 7 sægdon   ðæm aldor monnum* sacerda   alle
ciuitatem   et nuntiauerunt   principibus   sacerdotum omnia
ða ðe geworden weron   7 gesomnad mið ældrum ðæhtung,
quae   facta   fuerant. [12]*et congregati cum senioribus consilium*
genumen wæs feh   monigfald saldon ðæm cempum cueðende
accepto   pecuniam copiosam dederunt militibus   [13]*dicentes:*
cuoðað gie þte ðegnas   his on næht cuomun 7 forstelun l stelende
'dicite,   quia "discipuli eius   nocte uenerunt et furati
weron hine ûs slependum**   7 gif ðis gehered bið bið
sunt   eum nobis dormientibus". [14]*et, si hoc auditum   fuerit*
from ðęn groefa we getrewað him 7 sacleaso iwih we gedoeð
a   praeside, — nos suadebimus ei   et securos uos faciemus.'
soð hia gefoen hæfdou feh   dedon suæ weron gelæred 7
[15]*at   illi accepta   pecunia fecerunt, sicut erant doeti,   et*
gemersad wæs word ðis mið iudeum*** oðð ðone longe dæge
diuulgatum est   uerbum istud apud iudaeos   usque   in hodiernum diem.

---

* über monnum *ein wohl zufälliger strich.* — ** *davor zwei buchstaben weggewischt.* — *** *dahinter ungefähr vier buchstaben radiert.*

Rushworth.

Latein: [11] adnuntiauerunt. — [12] consilio. — [14] faciamus. — [15] deuulgatum [iudeos.

Glossen: [11] þa hí þa awæg eodun henu sume þara wearda cwomun
in cæstre 7 sægdun þa aldur sacerdum eall þ þe þær gedöen werun [12] 7
hiæ gesomnade mið ðæm ældrum geþæhtunge in eoden onfengon feoh
genyhtsum (h ü. d. z.) saldun (u *aus* c. a?) þæm kempum [13] cwæþende
sæcgaþ þæt his discipl. on næht cwomun 7 forstælen hinæ us slepende
[14] 7 gef þ gehoered bið from geroefo we getæceþ l scyaþ him 7 orsorge
eow gedonþ (*aus* gedoeþ) [15] 7 hię onfengon þæm feo dydun swa hiæ werun
gelærde 7 gemæred wæs word þis mið iudeum oþ þisne ondwardan dæg

Wycliffe.

[11] the whiche whanne thei hadden gon, loo, summe of the keperis camen
in to the cytee and tolden to the princes of prestis alle thingis, that
weren don. [12] and thei gedrid togidre with the eldre men a counceil
takun ʒaue to the knyʒtis plenteuous money [13] seyinge: 'seie ʒo, for
"his disciplis camen by niʒte and han stolen him vs slepinge". [14] and,
if this be herd of the presedent (or iustise), we schulen conceile him
and make ʒou sikir.' [15] and the money takun thei diden, as thei weren
tauʒt. and this word is pupplissid at the Iewis til in to this day.

---

[11] the wh.] and ‖ weren goon. — [12] and whanne thei weren gaderid ‖
men and hadden take her counseil thei ʒauen ‖ miche. — [13] and seiden ‖
for] that ˈ while ʒe slepten. — [14] pr. or *f.* — [15] and whanne the monei
was takun ‖ among.

¹¹ ða þa hig ferdon, þa comun sume þa weardas on þa cestre and cyþ-dun þæra sacerda ealdrun ealle þa þing, þe þær gewordene wærun. ¹² ða gesamnudun þa ealdras hig and worhtun gemot and sealdun þam þegenun micel feoh and cwædun: ¹³'seegeaþ, þæt "his leor-ningcnihtas comun nihtys and forstælan hyne, þa we slepun". ¹⁴and, gyf so dema þis geaxað, we læreð hyne and gedoð eow sorh-lease.' ¹⁵ða onfengun hig þæs feos and dydun, eallswa hig gelæredo wærun. and þis word wæs gewid-mærsud mid Iudeum oð þisne and-werdan dæg.

¹¹ ða hyo ferdon, þa comen sume þa weardes on þa ceastre 7 kyddan þare sacerda ealdren ealle þa [þa] þing, þe þær geworðene wæren. 5 ¹² þa gesamnode þa ealdres hyo 7 worhten gemot 7 sealden þam þeignen mychel feoh 7 cwæðen: ¹³'seggeð, þæt "his leorningcnihtes coman nyhtas 7 forstælen hyno, 10 þa wē slepen". ¹⁴ænd, gyf se dema þis geaxoð, we læreð hyne 7 godoð cow sorhlease.' ¹⁵ða onfengen hyo þas feos 7 dydon, ealswa hyo gelærde wæren. 7 þis word wæs 15 gewidmærsod mid Iudeam oðð þisne andwearden dayg.

¹¹ comon *CU* || ceastre *CU* || cyðdon *CU* || ealdrum *CU* || ðar *U* || wærum *C*, wæron *U*. — ¹² gesamnudon *C*, -mnodum *U* || worhton *U* || sealdon *('U*||ðegonum *C*, þegnum *U*||micyl *C* || cwædon *CU*. — ¹³comon *CU* || nihtes *C*, nyhtes *U* || forstælon *U* || slepon *U*. — ¹⁴ geascað *U* || and *auf rasur C*. — ¹⁵onfeugon *CU* || dydon *CU*||wæron *CU*||wurd *C*||gewid-mærsod *C*, gewydmærsod *U*||and-weardan *CU*.

¹¹ ða þa hyo || weardas || cyddan þara sacerdan ealdrum || *nur ein* þa || gewordene wæron. — ¹² ða gesamnoden || ealdras || worhton || þeognum mycel feogh (g *in un-gewöhnl. form, vielleicht aus e. a?*).— ¹³ seggað || his || -cnihtas comen || forstalan || sleapan.— ¹⁴7gif||sorh-lease. — ¹⁵ onfeongon || dydon || wæron || wæs gewid *auf rasur* || gewidmærsoð || oð || dæg *radiert hinter* þisne || andwerdan daig.

ællefne ðonne ðegnas feerdon in geliornise iu mór   ðer
16undecim autem discipuli abierunt in galilacam in montem, ubi
gesette ðæm se hælend 7 gesegon hine worðadun sume
constituerat illis iesus, *17et uidentes cum adorauerunt. quidam*
ðonne getwiedon 7 geneolecende ðe hælend spreccend wæs to
autem dubitauerunt. *18et accedens iesus locutus est*
him cuoeðende asâld is me alle mæhto in heofne 7 in eorðo
eis dicens: 'data est mihi omnis potestas in caelo et in terra.

gâað ferðon læread alle cynno l hædno fulwvande* hia in
19euntes ergo docete omnes gentes baptizantes eos in
noma fadores 7 sunu 7 halges gastes lærende hia halda
nomine patris et fili et spiritu sancti *20docentes eos seruare*
alle ða ðe sua huelc ic behead iuh 7 heonu ic iuh mið am
omnia, quaecumque mandaui uobis: et ecce ego uobiscum sum
allum dagum oðð te endunge woruldes sic soð l soðlice
omnibus diebus usque ad consummationem saeculi.' amen.

godspell æfter mathevs** saegde l asægd is.
euangelium secundum mattheum explicit.

---

* fulwande *und* v *ü. d. z.* — **mathes *und* v *ü. d. z.*

Rushworth.

Latein: 16 discipuli eius || galileam. — 19 babtizantes eas || spiritus. —
20 obseruare || amen — explicit] finit amen finit amen finit.

Glossen: 16 þa enlefan (autem disc. *ohne glosse*) his þa codun (in
g. *ohne glosse*) on dune þær gesætte ær heom se hælend 177 gesoende
hine to him bêdun sume þonne tweodun 187 heom to gangende se
hælend spræc to heom cwæþende gesald is me aghwilc mæht on
heofune 7 on eorþe 19 gæþ forþon nu læreþ alle ðeode dyppende hiæ
in noman fæder 7 sunu 7 þæs halgan gastes 29 lærende hiæ to heal-
dene eall swa hwæt swa ic behead eow *(davor* cow *radiert)* 7 henu ic
mid eow eam ealle dagas oð te ende weorulde endeþ soþlice endeþ
soþ endeþ farman (man *durch die rune*) preost *(durch die abkürzung des
lat.* presbyter *gegeben)* þas boc þus gleosede dimittet ei dominus omnia
peccata sua si fieri potest apud deum.

Wycliffe.

16 forsothe enleuene disciplis wenten in to Galilee in te an hil, where
Ihesus hadde ordeyned te hem, 17 and thei seynge him worschipiden:
sothli summe of hem doutiden. 18 and Ihesus comynge to spak to hem
seyinge: 'al power is 30uun to me in heuene and in erthe. 19 therfore
30 goynge teche alle folkis cristenynge hem in the name of the fadir
and of the sone and of the hooly gost 20 techinge hem for to kepe
alle thingis, what euere thingis i haue comaundid te 30u; and, lo, i
am with 30u in alle dayes til the endyng of the werld.'

---

16 fors.] nnd the. — 17 sayn hym and w. || sothli] but. — 18 cam ny3
and || and seide || is — me *hinter* erthe. — 19 go 3e and || baptisynge. —
20 for *f.* || til] in to || ende.

16þa ferdun þa endlufun leorning-
cnihtas on þone munt, þær se
hælynd him dihte, 17 and hine þær
gesawun and hi to him geeað-
meddun: witudlice sume hig tweo-
nedon. 18ða genealæhte se hælynd
and spræc to him þas þing and
þus cwæþ: 'me is geseald ælc an-
weald on heofonan and on eorþan.
19faraþ witudlice and lærað ealle
þeoda and fulligeað hig on naman
fæder and suna and þæs halgan
gastes 20and lærað, þæt hig healdun
ealle þa þing, þe ic eow bebead;
and ic beo mid eow ealle dagas
oþ worulde geendunge.' amen.

16þa ferden þa endlefan leorning-
cnihtes on þanne munt, þær se
hælend heom dihte, 177 hine þær
gesceagen 7 hyo to hym geead-
medoden:* witodlice sume hyo
tweonoden. 18ða geneohlacte se
hælend ænd spræc to heom þas
þing 7 þus cwæð: 'me ys geseald
ælch anweald on heofena 7 on
corðan. 19fareð witodlice 7 læred
calle þeode 7 fullicð hyo on
naman fæder 7 sune 7 þas halgen
gastes 20 7 læreð, þæt hyo healden
calle þa þing, þe ich eow bebead;
7 ich beo mid eow ealle dages
oðða worulde ændenge.' amen.

* *aus* geeadmododen.

16 ferdon *CU* || endleofen *U* || þar *U* |
hælend *U* || heom *C*. — 17 gesawon
U||geaðmeddon *U*||witodlice *CU*.—
18 hælend *U* || heom *C* || heofenan
U. — 19 witodlice *CU*. — 20healdon
CU || bead *U* || weorlde *U* || amen
f. *U*, Finit Amen. Sit sic hoc in-
terim. Ego ælfricus scripsi *(da-
hinter* t *radiert)* hunc librum (i *auf
rasur*) in monasterio baðþonio et
dedi (t *radiert*) brihtwoldo pre-
posito. Qui scripsit uiuat in pace
in hoc mundo et in futuro seculo
et qui legit legator in eternum *C*.

16 da ferdon || endlcofan || -cnihtas ||
þonne || halend. — 17 gesawen ||
him || geadmedoden|| tweonedon.—
18 genehlahte || 7 sprac to eom |'
ealc || heofona. — 19 lærcð || ðeode ||
fulliað || naman *scheint von anderer
hand aus* manan *gebessert* || fader ||
suna||halgan. — 20healdon || ic *beide
male* || dagas || weoruld endunge
(end *ü. d. z.*).

20.

AUS DEN GLOSSEN ZU DEN SPRÜCHEN SALOMONIS
IN DER HS. VESP. D 6.

Zs. f. d. a. 21, 29 ff.; vgl. 22, 224 f. Kluge, Ags. leseb.³, s. 73. — eingeklammerte buchstaben sind in der hs. nachgetragen.

XV ¹*responsio mollis* hnesce andswore. *sermo durus* heard
spec. ²*fatuorum* stunra. *ebullit* wapolað. ³*conteppplantur* besceawiað.
⁴*inmoderata* ungemetegèd. ⁵*inridet* tirhð. *astutior fiet* werra bið.
⁶*et ... conturbatio* and gedrefednes. ⁷*disseminabunt* tosawað.
5 *dissimile* ungelic. ¹⁰*deserenti* forletendum. ¹²*qui ... corripit* ðe
ðreað. *nec ... graditur* ne he ne geð. ¹³*exiraret* gegladað. *in
merore animi* on gnornunga modes. *deicitur* bið aworpen. ¹⁴*et ...
pascitur* and bið föd. *imperitia* of ung(l)eau(ne)sse, ¹⁵*quasi iuge
conuiuium* swa singal gebiorscipe. ¹⁶*et insatiabiles* and unaseðenlic.
10 ¹⁷*uocari* b ... *ad olera* to wertum. *quam ad uitulum saginatum*
ðonne to fettum stiorce. ¹⁸*suscitatas* awehte. ¹⁹*sepis* haga. *absque
offendiculo* buto otspernince. ²⁰*et .. despicit* and forsicð. ²²*dissi-
pantur* sintostente. *confirmantur* sint ... ²³*in sententia* on cwide.
optimus seles(t). ²⁴*super eruditum* ofer geleredne. ²⁵*pulcherrimus*
15 fegerest. ²⁷*qui sectatur* se ðe felð. ³⁰*fama bona* god hlisa. *im-
pinguat* ame(s)t. ³¹*sapientium ... ra . commorabitur* wunað (*aus
wanað). ³²*despicit* forsioð. *qui ... adquiescit* se ðe geðafeð. *posses-
sor* agend. ³³*et ... praecedit* and forð gewit. XVI ²*ponderator*
punderngeo(n). ³*dirigentur* b ... ⁵*omnis arrogans* e(l)c upahafenes.
20 ⁶*redimitur* is alesed . *et ... declinatur* and he bið ... aheld. ⁷*cum
placuerint* þonne liciað. ⁹*disponit* gedihnað. ¹¹*pondus* pund . *iu-
dicia ...* mas. ¹⁰*diuinatio* wilung. *non errabit* ne dwolað.
¹²*impie ...* c. *solium* cynesetl. ¹³*dirigetur* bið ... ¹⁴*et ... placabit*
and geg(l)adað. ¹⁵*imber serotinus* smelt hagol. ¹⁷*semita ...* ta.
25 *declinat ...* ð. ¹⁹*humiliari* b ... ²⁰*eruditus* gelered. *repperiet*
gemet. ²¹*appellabitur* bit genemned. *maiora* mare. *percipiet* onfe(h)ð.
²³*et ... addet* and to geecð. ²⁴*composita* geg(l)engede. *ossuum*
bana. ²⁶*compulit* genet. ²⁷*et ... ardescit* and birð. ²⁸*peruersus*
forhwerfed. *lites* saca. *verbosus* werdi. *et ... separat* and toscereð.
30 ²⁹*laetat* s(e)cet. ³⁰*attonitis* areahtum. *mordens* slitende. *perficit*
fulfremet. ³¹*dignitatis* werðnes. *repperietur* bit gemet. ³²*animo
suo* is mode. *urbium* burga. ³³*mittuntur* b ... *set ... temperantur*

ac hio bioð gemetgode. XVII ¹*bucella sicea* drege bite. *uietimis*
onsegednessum. ⁴*obedit* hersumað . *et* . . . *optemperat* and her-
35 sumað. ⁵*exprobrat* hespð . *letatur* b . . . ⁶*scnum* eldra *(ein buchst. r.)*
⁷*non decet* ne glenget . *composita* glengede . *labium mentiens*
wegende welere. ⁸*gemma* gim. *gratissima* gecwemest . *prestolantis*
anbidineges. ⁹*celat* bediolað . *amicitias* freondscipas . *repetit*
gehyðlęct . *separat* toscereð . *fęderatos* gesibbade. ¹²*expedit* fremet.
40 *urse* byrene . *raptis fetibus* oðbrodenum hwelpum . *confidenti* getrio-
wende. ¹⁴*ct* . . . *deserit* and forlet. ¹⁷*et* . . . *comprobatur* and bið
afandan. ¹⁸*plaudet* hafet. ²⁰*peruersi cordis* ðwerre heortan . *qui*
uertit se ðe cyrð . *et* . . . *incidet* and befelð. ²¹*in ignominia sua*
on his netenesse . *set nec* . . . *letabitur* ac ne blissað. ²²*aetatem*
45 *floridam* blowende ḥelde . *exsiecat* a . . . ²⁶*inferre* on geledan.
ne percutere ne slean. ²⁷*qui moderatur* se ðe gemetegað . *doctus*
gelered. *pretiosi* diores. *spiritus* gast. ²⁸*reputabitur* bið geteald.
si conpresserit gif he gewelt.

21.

JAKOB UND ESAU.

Ælfrics Genesis, c. XXVII (Greins Bibliothek der ags. prosa I, 66); Förster,
Ae. lesebuch, s. 25; der text folgt in der schreibung A (der Oxforder hs.
Laud 509, fol. 18 v.); vgl. kollation von Wilkes, Bonner Beiträge 21, s. 9.
von B (Claud. B IV, fol. 42 v.) werden rein orthographische oder lautliche
abweichungen nicht angeführt.

¹Đâ Îsââc ealdode and his êagan þýstrodon, þæt hê ne mihte
nân þing gesêon, þâ clypode hê Êsau, his yldran sunu, ²and
cwæð tô him: 'þû gesihst, þæt ic ealdige, and ic nât, hwænne
mîne dagas âgâne bêoþ. ³nim þîn gesceot, þînne cocur and þinne
5 bogan and gang ût and, þonne þû ænig þing begite, þæs þe þû
wêne, þæt mê lýcige, ⁴bring mê, þæt ic ete and ic þê blêtsige,
ær þâm þe ic swelte.' ⁵ðâ Rebecca þæt gehîrde and Êsau ût âgân
wæs, ⁶þâ cwæð hêo tô Iâcobe, hire suna: 'ic gehîrde, þæt þîn
fæder cwæð tô Êsauwe, þînum brêþer: ⁷'bring mê of þînum hun-
10 toþe, þæt ic blêtsige þê beforan drihtne, ær ic swelte.' ⁸sunu
mîn, hlyste mînre lâre: ⁹far tô ðære heorde and bring mê twâ

---

1 isâac *immer A; rgl. no. 10.* — 2 cl. he esau *auf r. A.* — 9, 10 hunt-
noðe *B.* — 11 mîn *f. B.*

91

þâ betstan tyccenu, þæt ic macige mete þînum fæder þǽr of, and
hê ytt lustlîce. ¹⁰þonne þû þâ in bringst, hê ytt and blêtsaþ þê, ǽr
hê swelte.' ¹¹ðâ cwæð hê tô hire: 'þû wâst, þæt Êsau, mîn brôður,
15 ys rûh, and ic eom smêþe. ¹²gif mîn fæder mê handlaþ and mê
gecnǽwð, ic ondrǽde, þæt hê wêne, þæt ic hine wylle beswîcan,
and þæt hê wirige mê, næs nâ blêtsige.' ¹³ðâ cwæð sêo môdor
tô him: 'sunu mîn, sîg sêo wirignys ofer mê! dô, swâ ic þê
secge: far and bring þâ þing, þe ic þê bêad.'
20   ¹⁴Hê fêrde þâ and brôhte and sealde hit hys mêder, and
hêo hit gearwode, swâ hêo wiste, þæt his fæder lîcode. ¹⁵and
hêo scrýdde Iâcob mid þâm dêorwurþustan rêafe, þe hêo æt hâm
mid hire hæfde, ¹⁶and befêold his handa mid þǽra tyccena fellum,
and his swuran, þǽr hê nacod wæs, hêo befêold. ¹⁷and hêo sealde
25 him þone mete, þe hêo sêaþ, and hlâf, and hê brôhte þæt his
fæder ¹⁸and cwæð: 'fæder mîn!' hê andswarode and cwæð: 'hwæt
eart þû, sunu mîn?' ¹⁹and Iâcob cwæð: 'ic eom Êsau, þîn frum-
cenneda sunu, ic dyde, swâ þû mê bebude, ârîs upp and site
and et of mînum huntoðe, þæt þû mê blêtsige.' ²⁰eft Îsââc cwæð
30 tô his suna: 'sunu mîn, hû mihtest þû hit swâ hrædlîce findan?'
þâ andswarode hê and cwæð: 'hit wæs godes willa, þæt mê
hrædlîce ongêan côm, þæt ic wolde.' ²¹and Îsââc cwæð: 'gâ hider
nêar, þæt ic æthrîne þîn, sunu mîn, and fandige, hwæðer þû sîg
mîn sunu Êsau þê ne sîg.' ²²hê êode tô þâm fæder, and Îsââc
35 cwæð, þâ þâ hê hyne gegrâpod hæfde: 'witodlîce sêo stemn ys
Iâcobes stefn, and þâ handa synd Êsauwes handa.' ²³and hê ne
gecnêow hine, for þâm þâ rûwan handa wǽron swilce þæs yldran
brôþur. hê hyne blêtsode þâ ²⁴and cwæð: 'eart þû Êsau, mîn
sunu?' and hê cwæð: 'iâ, lêof, ic hit eom.' ²⁵þâ cwæð hê: 'bring
40 mê mete of þînum huntoðe, þæt ic þê blêtsige.' þâ hê þone mete
brôhte, hê brôhte him êac wîn. þâ hê hæfde gedruncen, ²⁶þâ
cwæð hê tô him: 'sunu mîn, gang hider and cysse mê.' ²⁷hê
nêaleahte and cyste hine. sôna swâ hê hyne onget, hê blêtsode
hine and cwæð: 'nû ys mînes suna stenc, swilce þæs landes stenc,
45 þe drihten blêtsode. ²⁸sylle þê god of heofenes dêawe and of eorðan

---

17 and *erst moderne hand B* ‖ nâ] na ne *B*. — 22 ham *aus* þam *r. A*. —
24 hêo befêold *f. B*. — 28 -cennedan *A*. — 29, 40 huntoðe *zu* huþtnoðe
moderne hand B. — 31, 32 þæt hyt me swa hr. *B*. — 34 *Schücking schlägt
brieflich* nê *vor statt* ne. — 41 gedrucen *B*. — 43 hyne onget] him to
on lêat *und am rande von moderner hand al.* ongeat *B*.

fǽtnisse and micelnysse hwǽtes and wînes. ²⁹and þêowion þê eall
folc, and geêadmêdun þê ealle mǽgða. bêo þû þînra brôþra hlâford,
and sîn þînre môdur suna gebîged beforan þê. sê þe þê wirige, sî
hê âwiriged, and, sê þe þê blêtsige, sî hê mid blêtsunge gefylled.'
50   ³⁰Unêaþe Îsââc geendode þâs sprǽce, ðâ Iâcob ût êode, þâ
côm Êsau of huntoþe ³¹and brôhte in gesodenne mete and cwǽð
tô his fæder: 'âris, fæder mîn, and et of þînes suna huntoþe, þæt
þû mê blêtsige.' ³²ða cwǽð Îsââc: 'hwæt eart þû?' hê andwirde
and cwǽð: 'ic eom Êsau.' ³³þâ âforhtede Îsââc micelre ferhtnisse
55 and wundrode ungemetlîce swîþe and cwǽð: 'hwæt wæs, sê þo mê
ǽr brêhte of huntoþe, and ic ǽt þǽr of, ǽr þû côme, and ic hine
blêtsode, and hê byþ geblêtsed?' ³⁴ða Êsau his fæder sprêca
gehîrde, ðâ wearð hê swîþe sârig and geômormôd and cwǽð: 'fæder
mîn, blêtsa êac mê.' ³⁵þâ cwǽð hê: 'þîn brôðor côm fâcenlîce and
60 nam þîne blêtsunga.' ³⁶and hê cwǽð êac: 'rihte ys hê genemned
Iâcob, nû hê beswâc mê: ǽr hê ætbrǽd mê mîne frumcennedan,
and nû ôþre sîþe hê forstæl mîne blêtsunga.' eft hê cwǽð tô þâm
fæder: 'cwist þû, ne hêolde þû mê nâne blêtsunge?' ³⁷ða and-
swarode Îsââc and cwǽð: 'ic gesetto hino þê tô hlâforde, and ealle
65 þîne gebrôþru bêoð under his þêowdême; ic sealde him micelnisse
hwǽtes and wînes: hwæt mæg ic leng dôn?' ³⁸ða cwǽð Êsau tô
him: 'lâ fæder, hæfdest þû gît âne blêtsunga? ic bidde þê, þæt þû mê
blêtsige.' ða hê swîþe wêop. ³⁹þâ wearð Îsââc sârig and cwǽð tô
him: 'blêtsige þê ged of eorþan fǽtnysse and of heofenes dêawe.'
70   ⁴¹Sôþlîce Êsau âscunode Iâcob fore þǽre blêtsunge, þe his
fæder hine blêtsode and þêhte tô ofslêanne Iâcob, his brôþur. ⁴²ða
cŷdde man þæt Rebeccan, heora mêder. þâ hêt hêe feccan hire sunu
and cwǽð tô him: 'Êsau, þîn brôþur, ðê þencþ tô ofslêanne. ⁴³sunu
mîn, hlyste mînra werda: âris and far tô Labane, mînum brêðer,
75 en Aram ⁴⁴and wuna mid him sume hwîlo, oþ þînes brôþur yrre
geswîce, ⁴⁵and oþ þæt hê forgite þâ þing, þe þû him dydest; and
ic sende syþþan æfter þê and hâte þê feccan hider: hwî sceal
ic bêon bedǽled ǽgðer mînra sunena on ânum dæge?'

___

46 fæstnisse A, fæstnysse B, verb. Thwaites. — 51 gesodene B. —
59 brôðor A. — 61 nu von einer modernen hand am rande zu tuwa ge-
ändert A. — 67 blêtsunge G. — 69 of eorþan Björkman] on eorþan hs. ‖
fæstnysse B. — 72 cŷðde G. — 75 oþ mit anderer tinte aus of A. —
77 hidder feccean B.

93

22.

SAMSON.

Aus Ælfrics Buch der richter (kap. 13—16). hs. zu Oxford, Laud 509, fol. 111v.
(Greins Bibliothek der ags. prosa I, 259).   kollation von Wilkes, Bonner
Beiträge 21, s. 27.

XIII [2]Ân man wæs eardigende on Israhela þêode Manue
gehâten of ðêre mægðe Dan; his wîf wæs untŷmende, and hîg
wunedon bûtan cilde. [3]him côm þâ gangende tô godes engel and
cwæð, ðæt hî sceoldon habban sunu him gemæne [5a]'sê bið gode
5 hâlig fram his cildhâde, and man ne môt hine efsian oððe be-
sciran; [4]nê hê ealu ne drince nâfre oþþe wîn nê nâht fûles ne
ðicge; [5b]for þâm þe hê onginð tô âlŷsenne his folc, Israhela
þêode, of Philistêa þêowte'.

[24]Hêo âcende þâ sunu, swâ swâ hyre sæde se engel, and
10 hêt hine Samson, and hê swîðe wêoxs, and god hine blêtsode,
[25]and godes gâst wæs on him. XIV [5]and hê wearð þâ mihtig on
micelre strengðe, swâ þæt hê gelæhte âne lêon be wege, þe hine
âbîtan wolde, [6]and tôbræd hî tô sticcum, swilce hê tôtære sum
êaðelic ticcen. XV [8]hê begann þâ tô winnenne wið ðâ Philistêos
15 and heora fela ofslôh and tô sceame tûcode, þêah þe hîg an-
weald hæfdon ofer his lêode. [9]ðâ fêrdon þâ Philistêi forð æfter
Samsone. [10. 11]and hêton his lêode, þæt hî hine âgêafon tô hira
anwealde, þæt hîg wrecan mihton heora têonræddenne mid tin-
tregum on him. [13]hîg ðâ hine gebundon mid twâm bæstenum
20 râpum and hine gelæddon tô þâm folce. [14]and ðâ Philistêiscan
þæs fægnodon swîðe, urnon him tôgêanes ealle hlŷdende, woldon
hine tintregian for heora têonrædene. ðâ tôbræd Samson bêgen
his earmas, ðæt þâ râpas tôburston, þe hê mid gebunden wæs.
[15]and hê gelæhte ðâ sôna sumes assan cinbân, þe hê ðær funde,
25 and gefeaht wið hîg and ofslôh ân þûsend mid þæs assan cinbâne
[16]and cwæð tô him sylfum: 'ic ofslôh witodlîce ân þûsend wera
mid þæs assan cinbâne.' [18]hê wearð þâ swîðe ofþyrst for ðâm
wundorlîcan slege and bæd þone heofonlîcan god, þæt hê him
âsende drincan; for þâm þe on ðêre nêawiste næs nân wæterscipe.
30 [19]ðâ arn of þâm cimbâne of ânum tôð wæter, and Samson þâ
dranc and his drihtene þancode.

4—7 *Thwaites hat v. 4 vor 5a gestellt.* — 11 *l* mid *über dem ersten*
on *dieselbe hand.*

Nû, gif hwâ wundrie, hû hit gewurðan mihte, þæt Samson
se stranga swâ ofslêan mihte ân þûsend manna mid þæs assan
cimbâne, þonne secge se mann, hû þæt gewurðan mihte, þæt god
35 him sende þâ wæter of þæs assan têð. nis þis nân gedwimor nê
nân dwollic sagu, ac sêo ealde gesetniss ys eall swâ trumlic,
swâ swâ se hælend sæde on his hâlgan godspelle, þæt ân stæf
ne bið nê ân strica âwæged of ðære ealdan gesetnisse, þæt hî
ne bêon gefyllede. gif hwâ ðises ne gelŷfð, hê ys ungelêafulic.
40 XVI [1] Æfter þisum hê fêrde tô Philistêa lande in tô ânre
birig on heora anwealde Gaza gehâten. [2] and hî þæs fægnodon,
besetton þâ þæt hûs, þe hê inne wunude, woldon hine geniman,
mid þâm þe hê ût êode on ærnemergen, and hine ofslêan. [3] hwæt,
ðâ Samson heora syrwunga undergeat and ârâs on midre nihte
45 tô middes his fêondum and genam ðâ burhgatu and gebær on
his hricge mid þâm postum, swâ swâ hî belocene wæron, ûp tô
ânre dûne tô ufeweardum þâm cnolle and êode him swâ orsorh
of heora gesihþum.

[4] Hine beswâc swâ þêah siððan ân wîf Dalila gehâten of
50 þâm hæðenan folce, swâ þæt hê hire sæde þurh hire swicdôm
bepæht, on hwâm his strengð wæs and his wundorlîce miht. [5] ðâ
hæðenan Philistêi behêton hire sceattas, wið þâm þe hêo beswice
Samson þone strangan. [6] ðâ âhsode hêo hine georne mid hire
ôlæcunge, on hwâm his miht wære. [7] and hê hire andwirde: 'gif
55 ic bêo gebunden mid seofon râpum of sinum geworhte, sôna ic
bêo gewyld.' [8] ðæt swicole wîf þâ begeat þâ seofon râpas, and hê
þurh syrwunge swâ wearð gebunden. [9] and him mann cŷdde, þæt
þær cômon his fînd: þâ tôbræc hê sôna þâ râpas, swâ swâ hefel-
þrædas, and þæt wîf nyste, on hwâm his miht wæs. [11] hê wearð
60 eft gebunden mit eallniwum râpum, [12] and hê þâ tôbræc, swâ swâ
þâ ôðre. [16] hêo beswâc hine swâ þêah, [17] þæt hê hire sæde æt
nêxtan: 'ic eom gode gehâlgod fram mînum cildhâde, and ic næs
næfre geefsod nê næfre bescoren, and, gif ic bêo bescoren, þonne
bêo ic unmihtig ôðrum mannum gelîc.' [18] and hêo lêt þâ swâ.

65 [19] Hêo þâ on sumum dæge, þâ þâ hê on slæpe læg, forcearf
his seofan loccas [20] and âwrehte hine siðþan: ðâ wæs hê swâ un-

39 he *auf rasur*. — 52 hira, *verb*. *G*. — 57 cŷðde *G*. — 64 fetian
Philistêa ealdras *ergänzt nach* swâ *G*. — 66 awrehte *zu* awehte
moderne hand.

mihtig, swâ swâ ôðre men. [21]and þâ Philistêi gefêngon hine sôna,
swâ swâ hêo hine belæwde, and gelæddon hine aweg, and hêo
hæfde ðone sceatt, swâ swâ him gewearð. hî þâ hine âblendon
70 and gebundenne læddon on heardum racetêagum hâm tô heora
birig and on cwearterne belucon tô langre firste, hêton hine
grindan æt hira handcwyrne. [22]ðâ wêoxon his loccas and his
miht eft on him. [23]and þâ Philistêi full blîðe wæron, þancodon
heora gode Dagon gehâten, swilce hîg þurh his fultum heora
75 fêond gewildon. [25]ðâ Philistêi þâ micele fyrme geworhton and
gesamnodon hî on sumre upflôra, ealle þâ hêafodmen and êac swilce
wimmen, þrêo þûsend manna, on micelre blisse; and, þâ þâ hîg
blîðust wæron, þâ bædon hîg sume, þæt Samson môste him macian
sum gamen, and hine man sôna gefette mid swîðlicre wâfunge,
80 and hêton hine standan betwux twâm stænenum swerum: [26]on
ðâm twâm swerum stôd þæt hûs eall geworht. [27]and Samson ðâ
plegode swîðe him ætforan [29]and gelæhte þâ sweras mid swîð-
lîcre mihte [30]and slôh hî tôgædere, þæt hî sôna tôburston; and
þæt hûs þâ âfêoll eall þæt folc tô dêaðe and Samson forð mid,
85 swâ þæt hê miccle mâ on his dêaðe âcwealde, ðonne hê ær
cucu dyde.

23.

AUS 'BYRHTNOTHS TOD'.

(Th. Hearne in der chronik des Johannes Glastoniensis, Oxonii 1727, s. 570—577,
nach der 1731 verbrannten hs. Cott. Otho A XII; B. Thorpe's Analecta,
s. 131; L. Ch. Müller, ·Collectanea, s. 52; Ettmüller, Scopas, etc., s. 133;
M. Riegers lesebuch, s. 84; H. Sweet's Reader, 4. aufl., s. 138; K. Körner,
Einleitung in das studium des angelsächsischen, s. 72; Kluge, lesebuch³,
s. 132; J. W. Bright, Anglo-Saxon Reader, s. 149; Maldon and Brunan-
burh, ed. C. L. Crow, Boston 1897; Battle of Maldon, ed. W. J. Sedgefield,
Boston 1904; Grein, Bibl. I, 343; Grein-Wülkers Bibl. I, 358)

* * * brocen wurde.
   hêt þâ hyssa hwæne   hors forlætan,
feor âfŷsan   and forðgangan,
hicgan tô handum   and tô hige gôdum.

---

71 vor heton rasur.
2 hvone Ett(müller), gehvæne Rie(ger). — 4 handum and thige
godum hs., nach H(earne), handum and to hige goðum M(üller), han-
dum to hyge godum Gr(ein), Sw(eet), Kö(rner); to hyge Ettm, Rie;
and ... hige Th(orpe).

5　þā þæt Offan mǣg　ǣrest onfunde,
þæt sē eorl nolde　yrhðo geþolian:
hē lēt him þā of handon　lēofne flēogan
hafoc wið þæs holtes　and tō þǣre hilde stōp;
be þām man mihte oncnāwan,　þæt sē cniht nolde
10　wācian æt þām wīge,　þā hē tō wǣpnum fēng:
ēac him wolde Ēadrīc　his ealdre gelǣstan,
frēan tō gefeohte.　ongan þā forð beran
gār tō gūðe:　hē hæfde gōd geþanc,
þā hwīle þē hē mid handum　healdan mihte
15　bord and brādswurd;　bēot hē gelǣste,
þā hē ætforan his frēan　feohtan sceolde.
　　Đā þǣr Byrhtnōð ongan　beornas trymian,
rād and rǣdde,　rincum tǣhte,
hū hī sceoldon standan　and þone stede healdan,
20　and bæd þæt hyra randas　rihte hēoldon
fæste mid folman　and ne forhtedon nā.
þā hē hæfde þæt folc　fægere getrymmed,
hē lihte þā mid lēodon,　þǣr him lēofost wæs,
þǣr hē his heorð-werod　holdost wiste.
25　þā stōd on stæðe,　stiðlīce clypode
wīcinga ār,　wordum mǣlde,
sē on bēot ābēad　brimliðendra
ǣrende tō þām eorle,　þǣr hē on ōfre stōd:
'mē sendon tō þē　sǣmen snelle,
30　hēton þē secgan,　þæt þū mōst sendan raðe
bēagas wið gebeorge,　and ēow betere is,
þæt gē þisne gārrǣs　mid gafole forgyldon,
þonne wē swā hearde　hilde dǣlon!
ne þurfe wē ūs spillan,　gif gē spēdað tō þām:
35　wē willað wið þām golde　grið fæstnian,
gyf þū þæt gerǣdest,　þē hēr rīcost eart,
þæt þū þīne lēoda　lӯsan wille,
syllan sǣmannum　on hyra sylfra dōm
feoh wið frēode　and niman frið æt ūs,

---

5 þ þ offan *hs.; vor* þæt *bezeichnen* Th *und* M *eine lücke;* þā þæt
Ettm, Rie; þæt *Gr, Sw, Kö.* — 6 yrhðo H *und* M; yrmðo *Th, Ettm, Rie.* —
7 handum *Ettm, Sw;* lēofre W *(ülker);* leofne *Gr, Rie, Kö.* — 10 w ... ge H;
wīge *Th, M, Ettm etc.* — 11 ēac H, *Th, M, Sw, Kö;* ac *Ettm, Rie, Gr.* —
14 þe M, *fehlt bei Th, Ettm.* — 20 randan H, M, *Th, W;* randas *Ettm,
Gr, Rie, Sw, Kö* ‖ and *fehlt bei Ettm und Rie* ⸴ hēolden *Ettm.* — 21 folman M;
-um *Th, Ettm.* — 22 fægere M; fægre *Th, Ettm.* — 23 leodum *Ettm, Sw* ‖
leofest *Ettm.* — 25 stæde *Ettm.* — 28 ǣrænde M, W. — 29 me sendon
sæmen snelle to þe *Rie.* — 30 hraðe *Sw.* — 33 þon H hilde *Ettm;* ... ulde
H, Th, M *etc.* — 36 þat H, M, W. — 39 freoðe *Ettm.*

40   wê willað mid þâm sceattum   ûs tô scype gangan,
     on flot fêran   and êow friðes healdan.'
     Byrhtnôð maðelode,   bord hafenode,
     wand wâcne æsc,   wordum mælde
     yrre and ânrêd,   âgeaf him andsware:
45   'gehŷrst þû, sælida,   hwæt þis folc segeð?
     hî willað êow tô gafole   gâras syllan,
     ættrynne ord   and ealde swurd,
     þâ heregeatu,   þê êow æt hilde ne dêah!
     brim-manna boda,   âbêod eft ongêan,
50   sege þînum lêodum   miccle lâðre spell,
     þæt hêr stynt unforcûð   eorl mid his werode,
     þê wile gealgean   êðel þysne,
     Æðelrêdes eard,   ealdres mînes
     folc and foldan: feallan sceolon [nû]
55   hæðene æt hilde.   tô hêanlîc mê þinceð,
     þæt gê mid ûrum sceattum   tô scype gangon
     unbefóhtène,   nû gê þus feor hider
     on ûrne eard   in-becômon.
     ne sceole gê swâ sôfte   sinc gegangan:
60   ûs sceal ord and ecg   ær gesêman,
     grim gûðplega,   ær wê gafol syllon!'
     hêt þâ bord beran,   beornas gangan,
     þæt hî on þâm êa-stede   calle stôdon.
     ne mihte þær for wætere   werod tô þâm ôðrum:
65   þær côm flôwende   flôd æfter ebban,
     lucon lagustrêamas;   tô lang hit him þûhte,
     hwænne hî tôgædere   gâras bêron.
     hî þær Pantan strêam   mid prasse bestôdon,
     Êastseaxena ord   and sê æschere:
70   ne mihte hyra ænig   ôþrum derian,
     bûton hwâ þurh flânes flyht   fyl genâme,
     se flôd ût gewât: þâ flotan stôdon gearowe,
     wîcinga fela   wîges georne.

---

44 ân- Gr; an- Sievers, Kl(uge). — 45 gehyrt þu H; vgl. Archiv, CI, s. 428; gehyrst þu M und die and. ausg.; gehyre þu W. — 47 ættrynne Th, M, Gr, Rie, Kö; ætrîne Ettm; ætrenne Sw. — 50 micle Ettm, Sw, Kö. — 51 stent Sw. — 52 gealgean M; -ian Th, Ettm, Sw, Kl. — 53 Æþelrædes Mü, Ettm etc.; -redes H, W. — 54 nû ergänzt von Holth. — 56 gangan Ettm. — 58 eard M; earde Th. — 60 ær gesêman M (ohne var.), Ettm und Th in den noten; erge geman Th im text. — 61 þe H, M; we Th, Ettm || syllan Ettm. — 63 eastæðe Sw. — 67 hwænne M, Th; hwanne Ettm | bæron Sw. — 68 plasse (faschinen) Kö. — 70 derian M, Ettm; derien Th. — 71 buton M; butan Th, Ettm.

24.

ORATIO POETICA.

Nach Lumby, EETS 65, p. 36 (hs. in Cambridge, Corp. Christ. Coll. 201), Kluge, Ags. lesebuch³, s. 120.

 Thænne gemiltsað þê, *mundum qui regit,*
 ðêoda þrymcyninge *thronum sedens*
 â bûtan ende,
 sâule wine.
5 Geunne þê on life *auctor pacis*
 sibbe gesǽlða, *salus mundi,*
 metod sê mǽra *magna virtute.*
 and sê sôðfæsta *summi filius*
 fô on fultum, *factor cosmi.*
10 sê of rêðelre wæs *virginis partu*
 clǽne âcenned, *Christus in orbem,*
 metod þurh Mâriau, *mundi redemptor,*
 And þurh þæne hâlgan gâst *voca frequenter,*
 bide helpes hine, *clementem dominum.*
15 sê onsended wæs *summo de throno.*
 and þǽre clǽnan *clara voce*

 þe gebyrdboda *bona voluntate,*
 þæt hêo scolde cennan *Christum regem,*
 calra cyninga cyninge, *casta vivendo,*
20 and þû þâ sôðfæstan *supplex roga,*
 fultumes fricolo *virginem almam.*
 and þǽr æfter tô *omnes sanctos*
 blîðmôd bidde, *beatos et justos,*
 þæt hî ealle þê *unica voce*
25 þingian tô þeodne, *thronum regentem*
 êcum dryhtne, *alta polorum,*
 þæt hê þíne sâule, *summus judex,*
 onfô frêolîce, *factor æternus.*
 and *hîc* gelǽde *in lucem perennem,*
30 þǽr êadige *animae sanctae*
 rîce restað *regnis cælorum.*

---

 10 *nach H(olt)h(ausen) dürfte* frêore *statt* rôðelre *in der vorlage gestanden haben.* — 13 hâlgan *nach Hh. verändert aus* frôfre. — 21 *hs.* bidde fricolo. — 29 *hs.* hê.

25.

AUS DER SACHSENCHRONIK, ANNO 1036.

TOD ÆLFREDS, DES SOHNES ÆTHELREDS.

MSS: Cott. Tiberius B I (= b¹), fol. 156a, und Tiberius B IV (= b⁴).
ausgaben von B. Thorpe I, 292; Grein I, 357; Grein-Wülker I, 384;
Earle-Plummer, s. 158, wonach unser text; vgl. literatur zu no. 18.

Hêr côm Ælfred, se unsceððiga æþeling, Æþelrædes
sunu cinges, hider inn and wolde tô his mêder, þe on Win-
cestre sæt. ac hit him ne geþafode Godwine eorl, nê êc
ôþre men, þê mycel mihton wealdan; forðan hit hlêoðrode þâ
5 swîðe tôward Haralde, þêh hit unriht wære.

    Ac Godwine hine þâ gelette   and hine on hæft sette;
    and his geferan hê tôdrâf   and sume mislîce ofslôh;
    sume hî man wið fêo sealde,   sume hrêowlîce âcwealde;
    sume hî man bende,   sume hî man blende,
10   sume hamelode,   sume hættode.
    ne wearð drêorlîere dæd   gedôn on þisan earde,
    siððan Dene cômon   and hêr frið nânon!
    nû is tô gelŷfenne   tô ðan lêofan gode,
    þæt hî blission   blîðe mid Crîste,
15   þê wæron bûtan scylde   swâ earmlîce âcwealde.
    Sê æðeling lyfode þâ gŷt: ælc yfel man him gehêt,
    oð þæt man gerædde,   þæt man hine lædde
    tô Êlibyrig   eal swâ gebundenne.
    sôna swâ hê lende,   on scype man hine blende
20   and hine swâ blindne   brôhte tô ðâm munecon;
    and hê þær wunode,   ðâ hwîle þê hê lyfode.
    syððan hine man byrigde,   swâ him wel gehyrede,
    þæt wæs full wurðlîce,   swâ hê wyrðe wæs,
    on þâm west-ende   þâm stŷple ful gehende
25   on þâm sûðportice: sêo sâul is mid Crîste!

---

1 æþelredes Cott. b⁴. — 2 modor Cott. b⁴. — 3, 4 ac þæt ne geþa-
fodon þa þe micel weoldon on þisan lande. forþan Cott. b⁴. — 4 hleoþrade
Cott. b⁴. — 5 toward haraldes Cott. b¹; to harolde Cott. b⁴. — 7 he Cott. b¹ ‖
he eac fordraf Cott. b⁴. — 9ᵇ so Cott. b¹; and eác sume blende Cott. b⁴. —
10ᵇ and hêanlîce bættode Cott. b⁴. — 11 dreorilicre Cott. b⁴ ‖þison Cott. b¹. —
12 fryð naman Cott. b¹. — 13 gelyfanne Cott. b⁴. — 15 swâ *fehlt* Cott. b⁴ ‖
âcwylde Grein. — 16 leofode Cott. b⁴ ‖ behot Cott. b⁴. — 18 Eli- Cott. b⁴;
Elig- Cott. b¹ ‖ eal *ausgestr.* Cott. b¹. — 20 munecum Cott. b⁴. — 21 þar
Cott. b¹ ‖ leofode Cott. b⁴. — 23ᵃ þæt wæs full weorðlice Cott. b⁴. —
24 æt þam Cott. b⁴‖ stypele Cott. b⁴. — 25 suðpostice Cott. b¹; suðpor-
tice Cott. b⁴‖ sawul Cott. b⁴.

26.

AUS DER SACHSENCHRONIK, ANNO 1065.
ÊADWEARD.

MSS: Cotton. Tiberius B I (= b¹) und Tiberius B IV (= b⁴). ausgaben von B. Thorpe I, 332; Grein I, 358—359;' Grein-Wülker I, 386—388; Earle-Plummer, s. 192. vgl. die literatur zu no. 18.

Hêr Êadward king,   Engla hlâford, :
sende sôðfæste   sâwle tô Crîste,
on godes wæra   gâst hâligne.
hê on worulda hêr   wunode þrâge
5 on kyneþrymme   cræftig râda:
fêower and twêntig ' frêolic wealdend
wintra gerîmes,   weolan brytnode,
and hê hælo tîd,   hæleða wealdend,
wêold wel geþungen   Walum and Scottum
10 and Bryttum ênc,   byre Æðelrêdes,:
Englum and Sexum,   ôretmæcgum,
swâ ymbclyppað   cealda brymmas,
þæt eall Êadwarde   æðelum kinge
hŷrdon boldlîce   hagestcaldo menn.
15 wæs â bliðemôd   bealulêas kyng,
þêah hê lange ær   lande berêafod
wunode wræclâstum   wide geond eorðan,
syððan Cnût ofercôm   kynn Æðelrêdes
and Dena wêoldon   dêore rîce
20 Engla landes: eahta and 'twêntig
wintra gerîmes   weolan brytnodon.
syððan forð becôm   frêolic in geatwum
kyning, cystum gôd,   clæne and milde,'
Êadward sê æðela   eðel bewerode,
25 land and lêodc,   oð þæt lunger becôm

---

1 kinge *Cott. b¹*; cing *Cott. b⁴* || Englene *Cott. b⁴*. — 2 soðfeste saule to kriste *Cott. b⁴*. — 3 wera *Cott. b⁴*. — 4 weorolda *Cott. b⁴* || wunodæ þrage *Cott. b⁴*. — 5 creftig *Cott. b⁴*. — 6 XXIIII. *hss.* — 7 weolm brytnodon *Cott. b¹*; wintra rimes weolan britnode *Cott. b⁴*. — 8ᵃ *aus Cott. b⁴*; and healfe tid *Cott. b¹*. — 11 sœxum *Cott. b⁴* || oret mægcum *hss.* — 12 ceald *Cott. b¹*; cealdas *Cott. b⁴*. — 13 eadwardœ *Cott. b⁴*. — 14 hyrdan holdelice hagestalde *Cott. b⁴*. — 15 bealcleas king *Cott. b⁴*. — 16 lang *Cott. b¹*; langa *Cott. b⁴* || landes *Cott. b⁴*. — 17 wunoda wrec- *Cott. b⁴*. — 18 sooððan *Cott. b⁴* || knut *Cott. b⁴* || cynn *Cott. b¹*. — 19 deona *Cott. b⁴*. — 20 XXVIII. *hss.* — 21 so *aus Cott. b⁴*; welan brynodan *Cott. b¹*. — 22 freolice *Cott. b¹*. — 23 kyninge *Cott. b¹*; kinige *Cott. b⁴*. — 24 æðele eðel bewarede *Cott. b⁴*. — 25 leodan *Cott. b⁴*.

Zupitza-Schipper, Alt- u. mittelengl. übungsb. 11. aufl.   6

déað sê bitera   and swâ déore genam
æðelne of eorðan: englas feredon
sôðfæste sâwle   innan swegles léoht.
and sê fróda swâ þêah   befæste þæt rice
30 héahþungenum menn,   Harolde sylfum,
æðelum eorle,   sê in ealle tîd
hŷrde holdlîce   hærran sînum
wordum and dædum: wihte ne âgælde
þæs þe þearf wæs   þæs þêodkyninges.

27.

AUS DER SPÄTEREN SACHSENCHRONIK.
ZUM JAHRE 1137.

*(Laud 636, fol. 89a). ausgabe von B. Thorpe I, 382; Earle-Plummer
s. 263f.; Kluge, me. leseb.², s. 1.*

MCXXXVII. Ðis gære for þe k. Steph. ofer sæ to Normandi and
ther wes underfangen, for þi ð hi uuenden, ð he sculde ben alsuic,
alse the eom wes, and for he hadde get his tresor, ac he todeld
it and scatered sotlice. micel hadde Henri k. gadered gold and
5 syluer, and na god ne dide me for his saule thar of. þa þe king
S. to Englal. com, þa macod he his gadering æt Oxeneford, and
þar he nam þe b. Roger of Sereberi and Alex. b. of Lincol and te
canceler Roger, hise neues, and dide ælle in prisun, til hi iafen
up here castles. þa the suikes undergæton, ð he milde man was
10 and softe and god and na iustise ne dide, þa diden hi alle wun-
der. hi hadden him manred maked and athes suoren, ac hi nan
treuthe ne heolden: alle he wæron forsworen and here treothes
forloren; for æuric rice man his castles makede and agænes him
heolden and fylden þe land ful of castles. hi suencten suyðe þe
15 uureccemen of þe land mid castelweorces. þa þe castles uuaren
maked, þa fylden hi mid deoules and yuele men. þa namen hi þa
men, þe hi wenden, ð ani god hefden, bathe be nihtes and be

---

28 sôðfeste *Cott. b⁴* || inne *Cott. b⁴*. — 30 -ðungena *Cott. b⁴*. —
31 ealne *Cott. b⁴*. — 32 herdæ holdelîce herran synum *Cott. b⁴*. —
34 ðearfe || kyngces *Cott. b⁴*.
1 (k). — 5 (þe). — 10 dide(n). — 11 *ein bis zwei buchstaben r. h.*
maked. — 12 he] hi *Thorpe*. — 17 hefde(n) *(a. hd.?)*.

dæies, carlmen and wimmen, and diden heom in prisun and pined
heom efter gold and sylver untellendlice pining; for ne uuæren
20 næure nan martyrs swa pined alse hi wæron. me henged up bi
the fet and smoked heom mid ful smoke. me henged bi the
þumbes, other bi the hefed and hengen bryniges on her fet. me
dide cnotted strenges abuten here hæued and uurythen to ð it
gæde to þe hærnes. hi diden heom in quarterne, þar nadres and
25 snakes and pades wæron inne, and drapen heom swa. sume hi
diden in crucethus, ð is, in an ceste. þat was scort and nareu
and undep, and dide scærpe stanes þer inne and þrengde þe man
þær inne, ð him bræcon alle þe limes. in mani of þe castles wæron
Lof and Grim; ð wæron rachenteges, ð twa oþer thre men hadden
30 onoh to bæron onne. þat was sua maced, ð is, fæstned to an
beom and diden an scærp iren abuton þa mannes þrote and his
hals, ð he ne myhte nowiderwardes ne sitten ne lien ne slepen.
oc bæron al ð iren. mani þusen hi drapen mid hungær. i ne can
ne i ne mai tellen alle þe wunder ne alle þe pines, ð hi diden
35 wrecce me on þis land, and ð lastede þa .XIX. wintre, wile
Stephne was king, and æure it was uuerse and nuerse. hi læiden
gæildes on the tunes, æurenmwile and clepeden it tenserie. þa þe
uurecce men ne hadden nammore to gyuen, þa ræueden hi and
brendon alle the tunes, ð wel þu myhtes faren al a dæis fare,
40 sculdest thu neure finden man in tune sittende ne land tiled. þa
was corn dære and flec and cæse and butere; for nan ne wæs
o þe land. wrecce men sturuen of hungær, sume ieden on ælmes,
þe waren sum wile rice men, sume flugen ut of lande. wes næure
gæt mare wreccehed on land, ne næure bethen men werse ne
45 diden, þan hi diden.

18 (in prisun). — 18, 19 efter gold and sylver *vor* and pined
heom, *doch ist die richtige stellung durch verweisungszeichen angedeutet.* —
20 æ *in* wæron *auf rasur.* — 21 ful: . — 22 *abkürzung für* and *vor* other
radiert ‖ (her). — 23 to ð] it ð *Zupitza.* — 24 (h)ærnes. — 26 cæste
Pt(ummer). — 29 Lof] lað? *Thorpe;* loc? *Morris* ‖ Grim] grī *hs.;* grin
Morris, Pt. — 32 (ne). — 34 i *Pt.* — 37 o(n). — 38 nāmore *hs.;* nan
more *Pt.* — 41 wre(c)cehed.

28.

BRUCHSTÜCK EINES ALTENGLISCHEN ELUCIDARIUM.

Aus der hs. des British Museum Vespasian D. XIV, fol. 163v—165v, herausgegeben von Max Th. W. Förster in An Old English Miscellany presented to Dr. Furnivall, Oxford, Clarendon Press, 1901, s. 90—92.

I. *Discipulus:* Hwy aras ure drihten of deaðe[1] þæs formeste dæꝫes þære wuca? *Magister:* For he wolde þone forwordene middeneard eft aræren on þan ylcan dœiꝫe, þe he ærst ꝫe-timbrod wæs.

II. *D.:* Hware wicode he þa² feowértiꝫ daꝫes æfter his æriste?

5 *M.:* Swa swa we ꝫelefeð, he wunede on þære eorðlicen neorxenewanꝫe mid Helian 7 Enoche 7 þa þa mid him árisen of deaðe.

III. *D.:* Hwylce wlite hæfde he æfter þan æriste? *M.:* Beo seofen fealden brihtere þonne sunne.

IV. *D.:* On hwylcen³ heowe ꝫe-seꝫen hine his leorningenihtes æfter 10 his æriste? *M.:* On þan ylcan, þe heo ær wæren bewune hine to ꝫe-seone.

V. *D.:* Com he to heom ꝫe-scrydd? *M.:* He ꝫe-nam reaf of þan leofte.

VI. *D.:* Hwu oft æteowde⁴ he hine his ꝫingran? *M.:* Twelf 15 siðen; þæs formesten dæiꝫes his æristes he wæs æteowod eahte siðen. Ærest he com to Iosepe, þær þær he wæs on cwarterne for ures drihtenes lichame, þe he hæfde be-byriꝫed, swa swa þa ꝫe-writen us cyðeð, þe Nichodemus us wrohte. Æt þan oðre siðe he com to scinte Marian, his moder, swa swa Sedulie us sæꝫð. Æt þan þridden siðe he com to seinte Marian Magdalene, swa swa Marcus us cuðð. Æt þan 20 feorðan siðe he com to þan twam Marian, þær þær hi ꝫe-cerden fram þan þruwe, swa swa Matheus us sæiꝫð. Æt þan fifte siðe he com to scē Iacobe, swa swa scē Paulus berð ꝫewitnesse; for he hæfde forhaten, þæt he nolde metes abiten fram þan fridæiꝫe, þe he ꝫe-pined wæs, ær þonne he of deaðe arisen wære, þæt he hine ꝫe-seꝫe on life. 25 Æt þan sixten siðe he com to scē Petre, swa swa Lycas wrat⁵ on his godspelle; for he wæs un-rot for þære forsacunge, þæt he hæfde Crist forsacan 7 wæs to-scyled fram þære apostlene ꝫe-ferræddene 7 þurhwunede on wope. Æt þan seofoðen siðe he com to þan twam leorningcnihten, þe eoden to Emmaus, swa swa se sylfe Lycas eft 30 sette on ꝫe-write. Æt þan eahteðe siðe he com to heom ealle be lochene gate, þær þær heo wæren to-gædere on æfen, swa swa Iohannes us cyðð on his ꝫe-write. Æt þan niꝫeðen siðen, þa þa Thomas grapode

---

¹ of deaðe *über der zeile von derselben hand.* — ² þa *über der zeile.* — ³ hs. wylcen, *mit* h *über der zeile.* — ⁴ hs. æteode, *mit* w *über der zeile, ober falsch eingefügt zwischen* e *und* o; *daß der schreiber* æteowde *beabsichtigte und nicht* ætcowode *(welches sich öfters findet, z. b. bei Ælfrie, s. G. Schwerdtfeger, Das schwache Verbum in Ælfrics Homilien, Marburg 1893, s. 50), wird klar durch zeile 37 unseres textes.* — ⁵ *von einer späteren (?) hand geändert zu* uwrat.

his wunden. Æt þan teoðe siðe he com to heom æt þære sæ Tiberiadis.
Æt þan ændleofte siðe on Galilea dunc. Æt þan twelfte siðe he com
35 to þan ændleofonan apostlen, þær þær heo siȩten togædere, þa þa he
tælde heora unȝeleafsumnesse.

VII. *D.*: Hwy sæiȝð se godspellere, þæt he hine ærest ætcowde
Marien Magdalene? *M.*: Ða godspelles wæren mid swyðe mycelen
wisdome 7 scele ȝewritene, 7 heo nolden þær on writen nan þing,
40 bute þæt þæt wæs heom callen cuð.

VIII. *D.*: Steah he ane in to heofone? *M.*: Ealle, þa þa of
deaðe arærɔd wæren, astuȝon mid him.

IX. *D.*: On hwylcen heowe steah he up? *M.*: On þan heowe,
þe he hæfde beforan his þrowunge, he steah up oð þa wolcnen, 7, þa
45 þa he com bufen þan wolcnen, þa ȝe-nam he swyle heow swyle he
hæfde on þan munte Thabor.

X. *D.*: Hwy ne steah he to heofone, sone swa he arisan wæs
of deaðe? *M.*: For þrim þingan: Ðæt æreste þing, for þan þe þa apostles
scolden witen sicerlice, þæt he arisen wæs of deaðe; for heo ȝo-seȝan
50 hine etan 7 drincan mid heom. Ðæt oðer þing wæs, for þan he wolde
æfter feowertiȝ¹ daȝen stiȝen to heofone, þæt he cydde mid þan, þæt
calle, þa þe ȝe-fylleð þa ten bebodan of þære æ beo þære feower god-
spellere lare, þa seulen æfter him to heofene. þæt þridde is þæt, þæt
Cristene fole sceal stiȝen to heofene binnen feowertiȝ daȝen æfter þær
55 pine, þe heo þoliȝeð under Ante-Criste.

29.

WADE.

*Cambridger hs. vgl. Acad. 1896, I, 137, 157, und Athenaeum 1896, nr. 3564;
Kluge, Ags. lesebuch¹, s. 130; Brandl, Geschichte der ags. literatur, s. 145.*

*Humiliatus est primus parens noster qui, cum dominus totius mundi
efficeretur ante peccatum et omnibus quae in mundo erant dominaretur,
post peccatum vero a vili vermiculo scil. a pulice sive pediculo se minime
potuit defendere. Qui similis fuit deo ante peccatum, post peccatum factus
est dissimilis, quia hac duce rosa nunquam vertitur in saliuncam. Adam
autem de homine factus est quasi non-homo; nec tantum Adam, sed omnes
fere fiunt quasi non-homines, ita quod dicere possunt cum Wade:*

summe sende ylves   and summe sende nadderes,
summe sende nikeres,   the biden patez¹ wunien;
nister man nenne   bute Ildebrand onne.

---

¹ *hs.* feorwertiȝ *und* w *korrigiert aus* o.
¹ *Für* biden patez *vermutet Liddell, a. a. o. 137,* bi ðen watere.
*die wahrscheinlich richtige lesung empfahl brieflich Dr. Ch. Macpherson
(Greifswald):* bi den padez (= pades, *vgl. hier nr. 27, 25).*

30.

FRAGMENT EINES LIEDES VON CNUT.

Historia Eliensis II, 27, ed. Gale, s. 505; Kluge, ags. lesebuch³, s. 139;
Brandl, Geschichte der ags. literatur, s. 145.

Merie sungen ðe muneches binnen Ely,
ða Cnut ching reu ðerby;
roweð, cnites, noer the land
and here we ther muneches sæng.

31.

MITTELENGLISCHER REIMSPRUCH.

Aus William von Malmesbury, Gesta Pontificum Anglorum, p. 253. ver-
öffentlicht von Max Förster im Archiv für das studium der neueren sprachen,
bd. 119, s. 433.

Hattest þu Urs,
haue þu Godes kurs.

32.

POEMA MORALE.

Aus Egerton MS 613 (grenze des 12. u. 13. jhds.), fol. 64 (= e), in diesem
übungsb. 1882 zum erstenmal vollständig gedruckt, teilw. auch in Emerson's
ME Reader 1909, s. 176—180. vgl. D (= Digby MS A 4) in Anglia I, 5,
und III, 32; E (= Egerton MS 613, fol. 7) in Furnivall's Early English
Poems (1862), s. 22, und in Morris' Old English Homilies I, 288 und 175;
J (= Jesus College, Oxford, MS 29, jetzt in der Bodleiana) in Morris'
Old English Miscellany, s. 58; L (= Lambeth MS 487) in Morris' Old
English Homilies I, 159, und in Kluges me. lesebuch², s. 46; T (= Trinity
College, Cambridge, MS B. 14. 52) in Morris' Old English Homilies II, 220;
M (= MS Mc Clean 123 im Fitzwilliam Museum, Cambridge), veröffentlicht
von Anna C. Paues in Anglia XXX, s. 217—237; auf diese sehr ab-
weichende, aber leicht zugängliche hs. wurde nur gelegentlich hingewiesen.
einen versuch, den text des gedichtes kritisch herzustellen, hat H. Lewin in
Halle 1881 veröffentlicht. andere hss. (vornehmlich E) sind nur zur ergän-
zung und dann herbeigezogen, wenn e unverständlich oder fehlerhaft ist.

Ich æm elder þen ich wes. á wintre and alore.
Ic wælde more þanne ic dude. mí wit ah to ben more.
Wel lange ic habbe child íbeon. á weorðe end*) ech adede.
þeh ic beo awintre eald. tu ȝyng i com á rede.

---

*) *Kursive buchstaben bezeichnen aufgelöste abkürzungen. — die*
nach den hss. getrennt gedruckten komposita und ableitungen sind im
glossar nur als ganze wörter gebucht.

5 Vn nut lif ic habb iled. end ȝyet me þincð ic léde.
þane ic me bi þenche. wel sore íc me adréde.
Mest al þat ic habbe ydon. ys idelnesse and chilce.
Wel late ic habbe me bi þoht. bute me god do milce.
Fele ydele word ic habbe íqueden. syðð en ic speke cuþe.
10 And fale ȝunge dede ídó. þe me óf þinchet nuþe.
Al to lome ic habbe ágult. a weorche end ec a worde.
Al to muchel ic habbe íspend. to litel yleid an horde
Mest al þet me licede ær. nu hit me mis lichet.
þe mychel folȝeþ hís ywíl. hím sulfne he bi swikeð.
15 Ich mihte habbe bet ídon. hadde ic þo y selþe.
Nu íc wolde ac ic ne mei. for elde ne for unhélþe.
Ylde me ís bi stolen on. ær ic hit á wyste.
Ne mihte íc í seou he fore mé. for sméche ne for misto.
Ærwe wé beoþ to done god. end to yfele al to þriste.
20 more æic stent man óf manne. þaune hym dó of criste.
þe wél ne deþ þe hwile he mei. wél óft hit hym scæl ruwen.
þrenne hy mowen soulen end ripen. þer hi ær seowen.
Don ec to gode wet ȝe muȝe. þa hwile ȝe buð alífe
ne hopie no man to muchel to childe ne to wife.
25 þe him selue for ȝut for wife. oðer for childe.
hé sceal cume án uuele stede bute him god beo milde.
Send æch sum gód hi foren him. þe hwile he mei to heuene.
hetere is án elmesse hi fore. þenne beon æfter seoucne.
Ne heo þe leoure þene þe sulf. þi mæi ne ði maȝe.
30 sót is ðe is oðres mannes freond. betere þene his aȝe.
Ne hopie wíf to hire were. ne wer to his wife.
beo for him sulue æurich man. þe hwile hé heo alíue.
Wís ís þo hím sulfne bi þencð. þe hwile he móte libbe.
for sone wulleð hine for ȝite ðe fremde end þe sibbe.
35 þe wél ne deð þe hwile hé mei. ne sceal hé hwenne he wolde.
manies mannes sare jswinch. habbeð óft un holde.
Ne scolde nanman don áfurst. ne slawen wel to done.
for mauiman bi hateð wél. þe hít for ȝitet sone.
þe man ðe siker wule beon to habbe godes blisse.
40 do wel him sulf þe hwile he mei. ðen haued hé míd iwisse.

---

14 k in swikeð aus þ. — 15 (ic). — 16 þ in unhélþe aus e. a? —
19 end (to) erst nachträglich. — 23 und in dem folgenden die anfangs-
buchstaben der vorgerückten verse vom rufbricator). — 23 wét ru. —
25 oðer auf rasur. — 28 is, án. — 35 sceal (he). — 40 es ist nicht ganz
sicher, daß das, was über dem e des letzten he steht, zwei akute sind.

22 þer] þer þe E, her þat M, þet die übrigen. — 23 Don E,
Doð J, Doþ M, Do die übrigen‖ec E, ech D, al T, he L, ʃ. J‖ȝe] he
LT, hi D beide male. — 40 hế] he hit DEJ, he his L, hes T.

Þes riche men weneð heo siker. þurch walle end þurch diche.
he deð his á sikere stede. þé sent to heueneriche.
For ðer ne ðierf beon óf dréd. of fure ne óf þeoue.
þer ne mei bi níme. ðe laðe ne ðe leoue.

45 þar ne þærf hé habbe kare óf wyfe ne óf childe.
þuder we sendet end sulf bereð. to lite end to sélde.
þider wé scolden draȝan end don. wél oft end wel ȝelome.
For þer ne sceal me us naht bi níme. mid wrancwise dome.
þider wé scolden ȝeorne draȝen. wolde ȝe me iloue.

50 for ðere ne mei hit bi nimen eow þe king ne se íreue.
þet betste þet wé hedde. þuder wé scolde sende.
for þer we hit mihte finde óft. end habbe bute ende.
He ðe hér deð eni gód. for habbe godes are.
eal he hít sceal finde ðer. end hundred fealde mare.

55 þe ðe ehte wile healden wél. þe hwile he mei his wealden.
Ȝiue his for godes lune. þenne deð hé his wél ihealden.
Vre iswinch end ure tilðe. is óft iwuned to swinden.
ac ðet wé doð for godes lune. éft wé hit sculen á finden.
Ne sceal nan uuel beon un bóht. ne nan gód un for ȝolde.

60 uuel we doð eal to michel. end gód lesse þenne we scolde.
þe ðe mest deð nu to gode. end ðe þe lést to laðe.
æiðer to litel end to michel sceal ðinche éft him baðe.
þer me sceal ure weorkes woȝen. be foren heue kinge.
end ȝieuen us ure swinches lion æfter ure earninge.

65 Eure élc man mid þan ðe haueð mei bigge houerichc.
þe ðe mare hefð end ðe þe lesse. haðe mei iliche.
Eal se mid his penie. se ðe oðer mid his punde.
þet his ð wunderlukeste ware. ðe æniman æure funde.
And þe ðe mare ne mei dón. mid his. god i þanke.

70 eal se wel se ðe haueð goldes feale marke.
And óft god kan mare þanc ðan ðe him ȝiuet lesse.
eal hís weorkes end hís weies ís milce end rihtwisnesse.
Lite lác is gode leof. ðe cumeð óf gode iwille.
end eðlete muchel ȝiue ðenne ðe heorte is ille.

75 Heuene end eorðe he oue sihð. his éȝen beoð swo brihte.
Sunne. mone. dei. end fur. bið þustre to ȝeanes his lihte.
Nis him naht for hole. ni húd. swa michel bið his mihte.
nis hit na swá durne idón. né aswa þustre nihte.

---

41 wéneð *ru*. — 44ʹ þ *in* þer *ru*. ‖ meí, hí. — 51 *erstes* wé *auf*
rasur. — 52 f *in* for·*ru*. — 54 hundred, fealde. — 71 (god). — 75 oue: . —
78 dur(n)e.

42 his eitte *E* ‖ þe hi send *E*. — 43 þarf he *E*. — 44 hi] it
hym *E*. — 45 of ȝunge ne of ȝelde *M*, of ȝefe ne of ȝelde *die übrigen*
außer E. — 67 Eal se] He alse *E*, Al suo en *DT*, þe poure *J*. — manke
die übrigen. — 75 ouer *die übrigen*.

Hé wát hwet deð. *end* ðenchet. ealle quike wihte.
80 nis na hlauord swile se ís crist. na king swílch ure drihte.
Heouene *end* eorðe. *end* eal þet is. biloken in his hande.
he deð eal þet his wille ís. á wétere and á lande.
He makede fisces in ðe sé. *end* fuʒeles in ðe lufte.
he wit *end* wealdeð ealle ðing. *end* hé scop ealle ʒe sceafte.
85 He is ord abuten orde. *end* ende abuten eude.
hé ane is æure enelche stede. wende þer þn wende.
He ís buuen us *end* bi neoðeu. bi foren *end* bi hinde.
þe ðe godes wille deð. eiðer he mei hún finde.
Elche rune hé ihurð. *end* he wat ealle dedc.
90 he ðurh sihð ealches mannes ðanc. whet sceal us to rede.
Wéðe brekeð godes hése. *end* gultet swa ilome.
hwet scule wé seggen oðer don. æt ðe muchele dome.
þa ða lnueden unriht. *end* uuel líf ledde.
hwet scule hí segge oðer dón. ðer engles beoð of dredde.
95 Hwet scule wé béren bi foren. mid hwan scule we cweman.
wé þe næure. gód ne duden. þe heuenliche démen.
þer scule beon deofles swa uéle. ðe wulleð us for wreʒen.
nabbeð hí naþing for ʒyte. óf eal þet hí iseʒen.
Eal þet wé mís dude hér. hit wulleð cuðe þære.
100 buten wé habbe hit íbét. ðe hwile wé her wére.
Eal hi habhet an heore iwrite. þet wé mis dude here.
þeh wé hí nuste ne ni séʒen. hi wéren ure ínere.
Hwet sculen horlinges dó. þe swíkene þe for sworeue.
wí swa fele beoð icluped. swa fewe beoð icorene.
105 Wi hwi were hí bi ʒite. to hwan were hí iborene.
þe scule beon to dieðe ídemd. *end* eure ma for lorene.
Elch man sceal him ðer bi clupien. *end* ech sceal him demen.
his aʒe weore *end* his iðanc. to witnesse he sceal temen.
Ne mei him naman eal swa wel demen ne swa rihte.
110 for nán ni cnawað him swa wel bute ane drihte.
Ele man wát him sulf bétst. his weorch *end* his iwille.
hé ðe lest wát he seið ófte mest. ðé ðé hit wát eal. is stille.
Nís nan witnesse eal se muchel. se mannes aʒe heorte.
hwá se segge þet hé beo hál. him sélf wát betst hís smeorte.
115 Ele man sceal him sulf demen. to dieðe. oðer to líue.
þe witnesse óf his weorc. to oðer ðis. him sceal driþe.
Eal ðet eure ele man hafð idó. suððe he com to manne.
swile hít si abóc jwriten. he sceal iðenche ðenne.
Ac drihte ne demð nanne man. æfter his bi ginninge.
120 ac al his líf sceal beo swich. se buð hís eudinge.

79 (hwet). — 120 (beo).

79 He wot and walt what doþ and queþeþ *M*, wet þenkeð and hwet
doð *die übrigen außer E.* — 81 erþe god almiʒti halt al in *M*, biloken
is *die übrigen außer E.* — 89 eiðer] aihwar *DJLT.* — 103 swikele *E.*

Ac ʒif þe ende ís uuel. eal hit ís uuel. *end* gód ʒif gód ís þenne.
god ʒÿue *þet* ure ende beo gód. *end* wít þút hé us lenne.
þe man þe nele dó na god. ne neure gód líf læden.
ær dieð *end* dom cume. æt his dure. he mei sare á dreden.
125 þet hé ne muʒe ðenne bidde áre for hit ítít ílome.
    ði he is wis ðe boot *end* beat. *end* bit be foren dome.
    þenne deað ís æt his dure. wel late he biddeð are.
    wel late he leteð uuel weorc. þe hit ne mei don na mare.
    (Sunn)e l(et) þ(e *end*) þ(u naht) hi þanne þ(u)s ne miht d(on na ma)re.
130 for þi h(e is s)o(t) þe swa abit to habbe go(de)s (a)re.
    þéh wheðer wé hit íleued wel. for drihte sulf hit sede.
    a whilche tíme se eure ðe man óf ðinchet his mís dede.
    Oðer later oðer raðe milce he sceal ímoten.
    ac ðe þe nafð naht íbet. wel muchel he sceal beten.
135 Maniman seið. hwá récþ óf píne. ðo sceal habbe ende.
    ne bidde na bet beo í lusd. a domes dei of bende.
    Lutel wát hé hwét ís píne. *end* litel he ícnaweð.
    hwilc héte ís ðer saule wuneð. hu biter winde þer blaweð.
    Hedde hé ibeon ðer anne dei. oðer twa bare tíde.
140 nolde hé for æl middan eard. ðe ðridde þere abide.
    þet habbet ísed þe come ðanne. þet wiste mid iwisse.
    uuel is pinie seoue ʒer. for seouenihtes blisse.
    End ure blisse þe ende hafð. for endeliese pine.
    betere is wori wter í drunke. þene atter í meng mid wíne.
145 Swunes brede is swuðe swete. swa ís óf wilde deore.
    ac al to dure he hí biʒð. ðe ʒífð þer fore is swéore.
    Ful wambe mei lihtliche speken. óf hunger *end* festen.
    swa mei óf pine þe naht nát. hú píne sceal alesten.
    Hedde hís á fanded sume stunde. he wolde eal segge oðer.
150 eðlete him wére wíf *end* child. suster. *end* feder *end* broðer.

---

121 Ac *aus* Cc. — 122 wít: ‖ et *in* þét *auf rasur*. — 127 þen(ne). —
128 n *in* don *und* na *auf rasur*. — 129, 130 *nachträglich unten am rande
von derselben hand, dann aber ausradiert: was nicht mehr mit einiger
sicherheit zu erkennen ist, wurde in klammern gesetzt*. — 132 (tíme). —
136 of *aus* al.

121 þenne] þe ende *T*, se ende *D*, his ende *M*, ende *die übrigen*. —
122 wíte *DEL*, ʒieue *T*, f. *J* ‖ lende *die übrigen*. — 126 ðe b. a. b.] þe
bit and beʒit *ET*, þe biet and bit *L*, þet bit and bete *(zu bote gebessert)
D*, þat bit ore *J*. — 136 bidde (recche *DM*) ic *die übrigen*. — 141
zweites þét] þit *ET*, þa hit *L*, þet hit *D*, heo hit *J*. — 144 imeng *mit
einem haken am* g *E*, imaingd *D*, imengd *T*, mcind *L*, meynd *J*. — *nach*
150 *fehlen zwei verse, die in E lauten:* Al he wolde oþerluker don
and oþerluker þonchæ ‖ ʒanne he bi þouhte on helle fur þe nowiht
ne mai aquenche.

Eure he wolde inne wá her. *end* inne wawe wunien.
wið ðan þe mihte helle pine bi fleon *end* bi scunien.
Eðlcte him wére eal woruld wéle. *end* eal eordliche blisse.
for to ðe muchele murcðe cume. ðis murhðe mid iwisse.
155 Ich wulle nu cumen éft to ðe dome. þe ich eow óf sede.
on þe deie *end* æt þe dome. us helpe crist *end* rede.
þer we maȝen beon eðe óf dredde. *end* herde us ádrede.
þer elch sceal seon him bi foren. his word *end* ec his dede.
Eal sceal beon ðer ðenne cuð. *þet* man lnȝen hér *end* stelen.
160 eal sceal beon ðer un wriȝen. *þet* men wriȝen her *eud* helen.
We sculen ealre maune lif icnawe. eal swa ure aȝen.
ðer sculen eueninges beon þe heȝe *end* laȝen.
Ne sceal þeh nan scamian ðer. ne ðearf he him ádrede.
ȝif him her óf þincð his gult. *end* bet his mis dede.
165 For heom ne scamet ne gramet. ðe scule beon iboreȝe.
ac þe oðre habbet scame *end* grame *end* oðer fele sorȝe.
þe dom sceal sone beon ídon. ni lest he nawiht lange.
ne sceal him nanme mene ðer óf streucðc ne óf wrange.
þa sculen habbe herdue dóm. þe here were hearde.
170 þe unele heolde wrecche men. *end* unele laȝhe arerde.
End éfter *þet* hé hauet í don. scal ðer beon í demed.
blíðe. mei hé ðenne beon. þe god háfð wel ícwemed.
Eælle ða þe isprungen beoð óf adam *end* óf euc.
ealle hi sculen ðuder cume. for soðe wó hit ileue.
175 þa ðe habbeð wel ídon. éfter heore mihte.
to heuenriche scule faren forð mid ure drihte.
þa ðe nabbeð god ídón. *end* ðer inne beoð ífunde.
hi sculen falle swiðe raðe in to helle grunde.
þer hí wunie sculen á *end* buten ende.
180 ne breoð neure éft crist helle dure. for lése hf óf bende.
Nis na sellich ðeh heom beo wá. *end* heom beo un íeðc.
sceal neure crist ðolie dieð. for lese heom óf dieðe.
Enes drihte helle bréc. his frund hé ut brohte.
him sulf he þolede dieð for heom. wel deore be us bohte.
185 Nolde hit maȝhe do for mei. ne suster for broðer.
nolde hít sune do for feder. ne naman for oðer.
Vre ealre hlauerd for his ðreles. ípíned wés árode.
ure bendes hé un band. *end* bohte us mid his blode.

---

181 Ni *in* Nis *schwarz.* — 183 E *undeutlich.* — 184 h *im ersten*
he *aus* þ?

151 wawe] wane *T,* wene *L,* woþe *D,* pine *E,* godnesse *J.* —
154 ðís] þet is *DEJ,* is *L.* — 159 men *die übrigen außer EM.* — 168 non *D,*
nan man *die übrigen.* — 171 Ac *E,* Ec *L,* Ech *D,* Elch *T (der vers*
f. J). — 177 þo þe nabbeð god *E,* þa þe habbeð doules werc *L in*
wesentlicher übereinstimmung mit den übrigen; M ganz abweichend.

Wé ȝiueð un éðe fo his luue. asticche óf vre briede.
190   ne ðenche we naht þet he sceal deme quike end diede.
Muchele luue he us cudde. Wolde we þet under stande.
þet ure ældrene mis dude. wé habbet uuel en hande.
Dieð com on þis middel eard. ðurh þe ealde deofles ande.
end sunne. end sorȝe. end iswinch. á wétere end alande.
195 Vres formes federes gult. we abigget alle.
eal his óf spring efter him. en hearme is bifealle.
þurst. end hunger chule. end héte. eche. end eal un helðe.
ðurh dieð com in ðis midden eard. end oðer un iselðe.
Nere man .elles died. ne síc. nan un sele.
200   ac mihten libben æure ma. ablisse end on héle.
Lutel iðencð maniman. hu muchel wés þe sunne.
for hwán ealle ðolieð dieð..þe comen óf þe cunne.
Heore sunne end ure aȝen. sare us mei óf ðinche.
for sunne wé libbeð alle hér. ásorȝen end aswinche.
205 Siððe god nam sá michele wréche for ane mis dede.
we þe swa muchel end óft mis doð. muȝen us eaðe á dredo.
Adam end hís óf spring. for ane bare sunne.
wés fele hundred wintre. an helle pine. end á unwunne.
End þa ðe ledeð heore líf. mid un riht end wrange.
210   buten hit godes milce do scule beo ðer wel lange.

Godes wisdom ís wel muchel. end eal swa is his mihte.
end nis his milce nawhiht lesse. ac bi ðes ilke wihte.
Mare he ane mei for ȝiuen. ðenne eal folc gulte cunne.
deofel mihte habbe milce. ȝif hó hit bigunne.
215 þe ðe godes milce séchð. jwis he mei hís finde.
ac helle king ís are líes. wið ða þe he mei binde.
þe ðe deð hís wille most (he) haueð (wurst) m(ede).
his bæð sceal beo weallende pich. his béd. burnende glede.
Wurse hé deð his gode wines. þenne his fulle feonde.
220 god sculde ealle godes frund. á wið swiche freonde.
Neure an helle ic ne com. ne cume ic ðer ne recche.
ðeh ich æches woruld wéle. ðer ínne mihte fecche.
þeh ich wulle seggen eow. þet wíse men us sede.
end aboke hí hít write. þer me mei hit rede.
225 Ich hit wulle segge þam. þe him sulf hit nusten.
end warnie heom wið heora unfreme. ȝif bi me wulle hlusten.

.   205 wrécche *mit punkt unter dem zweiten c.* — 206 (þe). — 217 *von derselben hand am rande nachgetragen; das eingeklammerte ist beim einbinden weggeschnitten worden.* — 224 (me).
. .. 189 for. *die übrigen* (f. J). — 222 elches wurldes ELT, al þes worldes J, alle werlde D.

Under standeð nu to me. ӡedi men end carme.
ich wule telle óf holle pine. end warnie eow wið hearme.
On holle is hunger end ðurst. uuele twa ifere.
230 þas pine ðolieð þa þe were mete niðinges hére.
þer is wanunge end wop. efter éche stréte.
hí fareð fram héte to chele. fram chele to hete.
þenne hi beoð in ðe héte. þe cheleched blisse.
þenne hi cumeð eft to chele. óf hete hi habbeð misse.
235 Æiðer heom dioð wá inoh. nabbet hy naue lisse.
nuten hweðer him deð wurs mid nane jwisse.
Hi walkeð éure end secheð reste. ác hi ne muӡen ímete.
for þi ði nolden hwile hi mihten heore sunne bete.
Hí secheð reste ðer nan nis. þi ne muӡen hi finde.
240 ac walkeð weri up end dun. se weter deð mid winde.
þis beoð þa ðe wére hér. á ðanke unstede feste.
end to gode he héten áht. end nolde hit ileste.
þá þe gód weorc bi gunne. end ful endien hit nolde.
nu weren hér. end nuðe ðer. end nuste hwet hi wolde.
245 þere ís pích ðe ӕure wealð. þer scule baðie ínne.
þa þe ledde uuel líf. in feoht end in íginne.
þér is fur ðe is hundred fealde hattre ðen ure.
ne mei hit cwenche salt weter. nauene stricm ne sture.
þis is þet fur ðe eure burnð. ne mei hít nawhit cwenche.
250 hér inne beoð þe wes to leof. wrecche men to swenche.
þa ðe wére swichele men. end ful óf uuele wrenche.
þa ðe ne mihte uuel don. end leof wes to ðenche.
þe luuede reauing end stale. hordom end drunke.
end á, on ðes deofles weorc. bliðeliche swunche.
255 þa ðe were swa lease. þet me hi ne mihte ileue.
med ӡeorne domes men. end wrancwise íreue.
þe oðres mannes wíf wes lief. his aӡen cðlete.
þé ðe suneӡude muchel adrunken end en éte.
þé wrecche he nam his ehte. end leide hes en horde.
260 þe lute lét óf godes bi bode. end of godes worde.
End to his aӡen nolde ӡíueu. þer he iseh þe neode.
ne nolde ihuren godes sande. þer hé sette his beode.
þá ðe wes oðres mannes ðing. leoure þenne hit scolde.
end weren eal to gredi óf seoluer cud óf golde.
265 End þa ðe untruwnesse dude þam ðe hí ahte beon holde.
end leten ðet hi scólden don. end dude þet hi wolde.

---

232 (héte). — 235 : lisse. — 250 erstes c in wrecche aus e. a. —
257 (wíf). — 265 untruw(n)esse.
233 chele ðinchet E, chele him þunchet die übrigen. — 238 ði]
þe ho L, þe hi M, hi die übrigen. — 262 sette Ee] set at DJT (L weicht ab).

þa ðe witteres óf ðis woruldes ehte.
end dude þet te laðe gast heom tihte end to tehte.
End calle þa ðen eni wíse deoflen hér iquemde.
270 þa beoð nu mid him an helle fordon end fordemde.
Bute þá þe óf ðufte sare hcore mis dede,
end ġunne heore gultes beten end betere líf læde.
þer beoð neddren end snaken, éueto end frute.
þa tereð. end freteð. þe uuele speke. þe nið fulle. end te prute.
275 Neure sunne ðer ne scinð. ne mone ne steorre.
þer is muchel godes hate end muchel godes eorre.
Æure ðer ís uuel sméch. ðusternesse end eie.
nis ðer neure oðer líht, ðene þe swierte leie.
þer ligget ladliche fund, in strange raketeȝe.
280 þet beoð þa ðe wére mid gode on heuene wel heȝe.
þer beoð ateliche fund, end eisliche wibte.
þas scule þa wrecche í fon. þe suneȝede ðurh sihte.
þer is ðe laðe sathanas. end belzebud sé ealde.
eaðe hi muȝen beo óf dréd. þe híne scule bi healde.
285 Ne mei nan heorte hit íðenche. ne tunge ne can telle.
hu muchel píne na hu uele sunden ínne helle.
Wið þa pine ðe þer beoð. nelle ich eow naht leoȝen.
nis hit bute gamen end gléo. eal þet man mei hér dreoȝen.
End ȝut ne deð heom naht sa wá. in ða laðe bende.
290 þet hi witeð þet heore píne sceal neure habbe ende.
þar beoð þa heðcne men. þé wére laȝe liese.
þe nes naht óf godes bi bode. ne óf godes hése.
Uuele cristene men. hí beoð heore ifere.
þa ðe heore crísten dom. uuele heolde hére.
295 ȝut hi beoð á·wurse stede. on ðere helle grunde.
ne sculen hí neure cumen út. for marke ne for pundc.
Ne mei beom naðer helpen þer. íbede ne elmesse.
for nis naðer ínne helle. áre ne for ȝiuenesse.
Sculde him éch man ðe hwile hé muȝe óf ðas helle píne.
300 end werni ech hís freond þer wíð swa ich habbe mine.
þá ðe sculden heom ne cunne. ich heom wulle teche.
ich kan beon ȝief ich sceal. lichame end sawle leche.
Léte wé þet god for but. ealle manne cunne.
end do wé þet hé us hét. end sculde we ús wið sunne.
305 Luuie we god mid nre heorte. end mid al ure mihte.
end ure émcristen eal us sulf, swa us lerde drihte.

---

268 (te). — 269 (hér). 276 : eorre. — 283 is : :. — 290 : ende. —
294 heo(l)de. — 295 : á.

267 ȝysceres weren E. — 282 ison E, iseon DJ, isien T (L schließt
mit 279). — 290 Bute þat E, Swo þet DT, Ase þat J. — 306 eal] alse ET,
as J, swo D.

Eal þet me ræt end eal þet me singð. bi fore godes borde.
Eeal hít hanget end bi halt. bi ðisse twam worde.
alle godes laȝe he fulð. ðe níwe end ða ealde.
310 þe ðe ðas twá lnue háfð. end wel hi wule healde.
Ac hí beoð wunder earneð healde. swá ófte gulteð ealle.
Fór hit is strang to stande lange. end líht ís to fealle.
Aac drihte crist hé ȝíue,us strengðe. stande þet wé mote.
end óf ealle ure gultes unne us cume to bote.

315 **W**é wilnieð éfter woruld wéle. ðe lange ne mei leste.
end legged eal ure iswinch. ón ðinȝe unstede feste.
Swunche wó for godes luue. healf þet wé doð for æhte.
ne béo wé naht swá óf bicherd. ne sa uuele bi kehte.
ȝif wé serueden gode swa wé doð erminges.
320 mare wé hedden en héuene. ðenne eorles hér end kinges.
Né muȝen hi werien heom wið chele. wið þurste ne wið hunger.
ne wið ulde. ne wið deaðe. þe uldre ne ðe ȝeonger.
Ac ðer nis hunger ne ðurst. ne dieð. ne unhelðe ne elde.
of þisse riche wé ðencheð ófte. end of þere to selde.
325 Wé scolden ealle us biðenche ófte. end wél ilome.
hwét wé beoð to whán wé scule. end óf hwán wé come.
Hú litle hwile wé beoð hér. hú lange elles hwáre.
hwét wé muȝe habben hér. end hwét finde þere.
ȝief wó were wise men. ðis wé scolde ðenche.
330 bute wé wurðe us íwer. ðeos woruld wule us for drenche.
Mest ealle men he ȝíueð drinche. óf ane deofles scenche.
hé sceal him cunne sculde wél. ȝif hé híne nele screnche.

Mid ealmihtiȝes godes luue. ute wé us bi werien.
wið ðises wrecches woreldes luue. þet hé maȝe us derien.
335 Mid festen ælmes end ibede. werie wé us wið sunne.
Mid ða wepne ðe god haueð. bi ȝíten man cunne.
Léte wé þe brade strét. end ðene wei bene.
þe let þet niȝeðe dél to helle of manne. end ma ich wéne.
Ga wé ðene nærewne wei. end ðene wei grene.
340 ðer forð fareð litel folc. ac hit is feir end scéne.
þé brade strét is ure íwill. ðe ís us lað to forlǽte.
þa ðe eal folȝeð his íwill. fareð bi ðusse stréte.

308, 309 der ru. hat E falsch gesetzt. — 309 n in niwe aus r. —
314 (unne). — 316 unste(de). — 317 ð in doð zum teil durch wurmstich
weg. — 336 M in Mid schwarz.
318 Ne were E, Nere die übrigen. — 334 he ne E.

Hí mu3eñ lihtliche gán mid ðere under hulde.
durh ane .godliese wude into ane bare felde.
345 þe nœrewei ís godes hése. ðer forð fareð wél fiewe.
    þet beoð. ða ðe heom sculdeð 3eorne wið œche un ðeawe.
    (þ)as gað unicðe 3eanes ðe cliue. a3can þe hea3e hulle.
    ðas leteð eal heore a3en wíll. for godes hése to fulle.
    (G)a. wé alle þene wei. for he us wule bringe.
350 mid te feawe feire men. be foren heuen kinge.
    þer is ealre murhðe mest. mid englene sange.
    ðe ís a þusend wintre ðer. ne ðincð him naht to lange.
    þe ðe lest haueð. hafð swa michel þet hé ne bit namare.
    þe ða blisse for ðas for lét hít him mei reowe sare.
355 Ne mei nan uuel ne na wane beon inne godes riche.
    ðeh þer beoð wununges fele. œch oðer uniliche.
    Sume ðer habbeð. lesse murhðe. end sume habbeð mare.
    æfter ðan þe dude her. efter ðan þet he swane sare.
  . Ne sceal ðer beon ne bried ne wín. ne oðer cunnes éste.
360 god ane sceal beo eche líf. end blisse. end éche reste.
    Né sceal ðer beo fah ne grœi. ne kuning ne ermíne.
    ne aquierne. ne martres cheole. ne beuer né sabelíne.
    Ne sceal ðer beo sciet ne scrud. ne woruld wele nane.
    cal þe murhðe þe me us bi hat. al hít sceal beo god ane.
365 Ne mei na murhðe. beo swa muchel. se is godes sihte.
    (H)e ís soð sunne end briht. end dci á buten nihtè.
    (H)e is œlches godes ful. nis him na wið uten.
    . na god nis him wane þe wunieð him abuten.
    þer is wéle ábute gane. end reste abuten swinche.
370 þe mei end nele ðider cume. sare hit him sceal óf dinche.

    schluß aus E:

    þer is blisse a buten tre3e. and lif a buten deaþe
    þe eure scullen wunien þer. bliþe muwen ben eþe
    þer is 3eo3eðe bute ulde. end hele a buten vn helðe
    nis þer so(re)we ne sor. ne neure nan vn sealþe
375 þer me sceal drihte sulf i seon. swa he is mid iwisse
    he one mai *and* sceal al beo. engle *and* manne blisse.
    And ðeh ne beod heore e3e naht. alle iliche brihte
    ði nabbed hi nouht iliche. alle of godes lihte
    On þisse (liue) hi neren nout. alle of one mihte
380 ne þer ne scullen hi habben god. alle bi one 3ihte

    _____

    344 u *in* wude *loch* ‖ (into). — 347, 349 *die eingeklammerten buch-*
    stahen verlöscht. — 361 (er)mine. — 366, 367 *wie* 347, 349.
    343 nuðer helde *E.* — 345 narewei *E*, narewe wei (wèy *J*, pað *TM*) *die*
    übrigen. — 358 Ech efter *DJT* (Ech *f. auch E*) ‖ hi dude *E*, he dude *DJT*.

þo scullen more of him seon. þe luuede him her more
and more icnawen and iwiten. his mihte and his ore
On him hi scullen finden alþat man mai to lesten
hali boc hi sculle i seon. ai þat hi her nusten
385 Crist scal one beon inou. alle his durlinges
he one is muchele mare and betere. þanne alle oþere þinges
Inoh he haued þe hinc haueð. þe alle þing wealded
of him to sene nis no sed. wel bem is þe bine bi healdeð
God is so mere and swa muchel. in his godcunnesse
390 þat al þat is. and al þat wes is wurse. þenne he and lesse
Ne mai it neure no man oþer segge mid iwisse
hu muchele murhðe habbet þo. þe beod inne godes blisse

T̲o þere blisse us bringe god. þe rixlet abuten ende
þenne he vre soule vn bint. of licames bende
395 Crist ȝyue us leden her swilc lif. and habben her swilc ende
þat we moten þuder come. wanne we henne wende. Amen.

33.

EINE PREDIGT.

*Richard Morris, Old English Homilies. First Series (EETS., vol. 29),
s. 41. hs. in London, Lambeth MS 487, fol. 15 v.*

In diebus dominicis.

Leofemen, ȝef ȝe lusten wuleð and ȝewilleliche hit under-
stonden, we eow wulleð suteliche seggen of þa fredome, þe lim-
peð to þan deie, þe is iclepeð sunedei. sunedei is ihaten þes
lauerdes dei and ec þe dei of blisse and of lisse and of alle
5 irest. on þon deie þa engles of heofene ham iblissieð, forði þe
þa erming saulen habbeð rest of heore pine. gif hwa wule witen,
hwa erest biwon reste þam wrecche saule, to soþe ic eow
segge, þet wes sancte Paul þe apostel and Mihhal þe archangel.
heo tweien eoden et sume time in to helle, alswa heom drihten
10 het, for to lokien, hu hit þer ferde. Mihhal eode biforen and
Paul com efter, and þa scawede Mihhal to sancte Paul þa wreche

---

384 In liue boc hi sullen *D,* And on lyues bec (*aus* beo?) *J,*
On him he sullen ec *T.* — 388 hem *aus* him *E.*

1 eofemen, *verb. M(orris).* — 3 iclepeð su sunedei.

sunfulle, þe þer were wuniende. þer efter he him sceawede
heȝe treon eisliche beorninde etforen helleȝete, and uppon þan
treon he him sceawede þe wrecche saulen ahonge, summe bi
15 þa fet, summe bi þa honden, summe bi þe tunge, summe bi þe
eȝen, summe bi þe hefede, summe bi þer heorte. seodðan he
him sceaude an ouen on berninde fure: he warp ut of him
seofe leies, uwilcan of seolcuðre heowe, þe alle weren eateliche
to bihaldene and muchele strengre, þen eani þing, to þolien; and
20 þer wiðinnen weren swiðe feole saule ahonge. ȝette he him
sceawede ane welle of fure, and alle hire stremes urnen fur
berninde, and þa welle biwisten .XII. meisterdeoflen, swilc ha
weren kinges, to pinen þer wiðinnen þa earming saulen, þe for-
gult weren: and heore aȝene pine neure nere þe lesse, þah heo
25 meistres weren. efter þon he him sceawede þe sea of helle, and
innan þan sea weren .VII. bittere uþe. þe forme wes snaw, þat
oðer is, þet þridde fur, þet feorðe blod, þe fifte neddren, þe siste
smorðer, þe seofeþe ful stunch. heo wes wurse to þolien, þenne
efreni of alle þa oðre pine. innan þan ilke sea weren un-
30 aneomned deor, summe feðerfotetd, summe al bute fet, and heore
eȝen weren al swilc, swa fur, and heore eþem scean, swa deð
þe leit amonge þunre. þas ilke nefre ne swiken ne dei ne niht
to brekene þa erming licome of þa ilca men, þe on þisse liue
her hare scrift enden nalden. summe of þan monne sare wepeð,
35 summe, swa deor, lude remeð, summe þer graninde sikeð, summe
þer reowliche gneȝeð his aȝene tunge, summe þer wepeð, and
alle heore teres beoð berninde gleden glidende ouer heore aȝene
nebbe; and swiðe reowliche ilome ȝeiȝeð and ȝeorne bisecheð,
þat me ham ibureȝe from þam uuele pinan. of þas pinan speked
40 Dauid, þe halie witeȝe, and þus seið: 'miserere nostri, domine,
quia penas inferni sustinere non possumus lauerd, haue merci
of us, forðon þa pinen of helle, we ham ne maȝen iðolien.'

Seoðþan he him sceawede ane stude inne middewarðe
helle, and biforen þam ilke stude weren seofen clusterlokan,
45 þar neh ne mihte nan liniende mon gan for þan ufele breðe,
and þer wiðinna he him sceawede gan on ald mon, þet .IIII.

---

18 uwilan, verb. M. — 19 þing O. Cohn und Stratmann] þurg. —
21 strenies, verb. M. — 26 snaw M] swnan. — 30 feðer-foted M (Notes,
pag. 310). — 36 gnaȝcð heore? — 43 ane M] and ‖ middewarde M.

deoflen ledden abuten. þa escade Paul to Mihhal, hwet þe alde
mon were. þa cweð Mibhal hehangel: 'he wes an biscop on
eoðre liue, þe nefre nalde Cristes laʒen lokien ne halden: ofter
50 he walde anuppon his underlinges mid wohe motien and longe ʒr
dringan, þenne he walde salmes singen oðer eani oðer god don.'
herefter iseh Paul, hwer .III. deoflen ledden an meiden swiðe
unbisorʒeliche, and ʒeorne escade to Mihhal, hwi me heo swa
ledde. þa cweð Mihhal: 'heo wes an meiden on oðer liue, þet
55 wel wiste hire licome in alle clenesse, ah heo nalde nefre nan
oðer god don. elmesʒeorn nes heo nefre, ah prud heo wes swiðe
and modi and liʒere and swikel and wreðful and ontful; and for
ði heo bið wuniende inne þisse pine.'

Nu bigon Paul to wepen wunderliche, and Mihhal hehengel
60 þer weop forð mid him. þa com ure drihten of heueneriche to
heom on þunres sleʒe and þus cweð: 'a, whi wepest þu, Paul?'
Paul him onswerde: 'lauerð, ic biwepe þas monifolde pine, ðe
ic her in helle iseo.' þa cweð ure lauerd: 'a, hwi nalden heo
witen mine laʒe, þe hwile heo weren en eorðe?' þa seide Paul
65 him mildeliche toʒeines: 'loþerd, nu ic bidde þe, ʒef þin wille
is, þet þu heom ʒefe rest, la, hwure þen sunnedei, a þet cume
domes dei.' þa cweð drihten to him: 'Paul, wel ic wat, hwer ic
sceal milcien. ic heom wulle milcien, þe weren efterward mine
milce, þa hwile heo on liue weren.' þa wes sancte Paul swiðe
70 wa and abeh him redliche to his lauerdes fet and onhalsien hine
gon mid þas ilke weord, þe ʒe maʒen iheren. 'lauerd', he cweð þa,
'nu ic þe bidde for þine kinedome and for þine engles and for
þine muchele milce and for alle þine weorkes and for alle þine
haleʒen and ec þine icorene, þat þu heom milcie þes þe redþer,
75 þet ic to heom com, and reste ʒefe þen sunnedei, a þet cume
þin heh domes dei.' þa onswerede him drihten mildere steuene:
'aris nu, Paul; aris. ic ham ʒeue reste, alswa þu ibeden hauest,
from non on saterdei, a þa cume monedeis lihting, þet efre forð
to domes dei.'

80 Nu, leofe breðre, ʒe habbeð iherð, hwa erest biwon reste
þam forgulte saule. nu bicumeð hit þerfore to uwilche cristene

---

49 oðre M. — 51 ðringan M. — 53 and (oder he?) f. — 59 wunres
liche, verb. M. — 62 lauerd M. — 64 en] on M. — 78 a þat M[þet
bið efre M. — 80 iherd M.

7*

monne mucheles þe mare to haliʒen and to wurðien þonne dei,
þe is icleped sunnedei; for of þam deie ure lauerd seolf seið:
dies dominicus est dies leticie et requiei sunnedei is dei of blisse
85 and of alle ireste. *non facietur in ea aliquid, nisi deum orare,
mandueare et bibere eum paee et leticia* ne beo in hire naþing
iwrat bute chirche bisocnie and boode to Criste and eoten and
drinken mid griðe and mid gledscipe.' *sieut dieitur:* '*pax in terra,
pax in eelo, pax inter homines*' for swa is iset: 'grið on eorðe
90 and grið on hefene and grið bitwenen uwilc cristene monne.'
eft ure lauerd seolf seit: '*maledietus homo, qui non custodit
sabatum* amansed beo þe mon, þe sunnedei nulle iloken.' and
for þi, leofemen, uwilc sunnedei is to locan, alswa esterdei, for
heo is muneʒing of his halie ariste from deðe to liue and
95 muneʒeing of þam hali gast, þe he sende in his apostles on þon
dei, þe is icleped witsunnedei. ec we understondeð, þet on sunne-
dei drihten cumeð to demene al mencun.

Wo aʒen þene sunnedei swiþeliche wel to wurþien and on
alle clenesse to locan: for heo hafð mid hire þreo wurdliche
100 mihte, þe ʒe iheren maʒen. ðet forme mihte is, þet heo on eorðe
ʒeueð reste to alle eorðe þrelles, wepmen and wifmen, of heore
þrelweorkes. þet oðer mihte is on heouene; for þi þa engles
heom rested mare þenn on sum oðer dei. þet þridde mihte is,
þet þa erming saule habbeð ireste inne helle of heore muchele
105 pine. hwa efre þenne ilokie wel þene sunnedei oðer þa oðre
halie daʒes, þe mon beot in chirche to lokion, swa þe sunnedei,
beo heo dal neominde of heofeneriches blisse mid þan feder and
mid þan sunne and mid þan halie gast a buten ende. amen.
quod ipse prestare dignetur, qui uiuit et regnat deus per omnia
110 *secula seculorum. amen.*

---

87 iwraht *M.* — 93 *Schücking streicht den punkt nach* locan. —
102, 103 engles hem heom. — 103 resteð *M.* — 105 oðre] *hs.* oðre *oder*
oðer? — 107 ferde, *verb. M* (*zuerst* fedre).

34.

AUS LAȜAMONS 'BRUT'.

Ausgabe: Laȝamon's Brut, or Chronicle of Britain, etc., published by Sir Frederic Madden, London 1847, 3 vols. manuskripte in London, Brit. Museum, Cott. Calig., A IX, und Cott. Otho, C XIII. Mätzner, Altenglische sprachproben, Berlin 1867, I, 19. Specimens of Early English, part I, ed. by Richard Morris; Second edition by A. L. Mayhew and Walter W. Skeat, Oxford, Clarendon Press, 1887, s. 65—75 (neue kollation der hss., wonach unser text, nicht die interpunktion).

MS Cott. Calig., A IX.

13785 Vnder þan comen tiðende
to Vortiger þan kinge
þat ouer sæ weoren icumen
swiðe seleuðe gumon;
inne þere Temese
13790 to londe heo weoren icummen;
þreo scipen gode
comen mid þan flode,
þreo hundred cnihten,
alse hit weoren kinges,
13795 wið-uten þan scipen-monnen
þe weoren þer wið-innen.
þis weoren þa færeste men
þat auere her comen;
ah heo weore hæðene,
13800 þat wes hærm þa mare.
Uortiger heom sende to,
and axede hu heo weoren idon;
ȝif heo grið sohten,
and of his freond-scipe rohten?
13805 Heo wisliche answerden,
swa heo wel euðen,
and seiden þat heo walden
speken wið þan kinge,
and leofliche him heren,
13810 and hælden hine for hærre;
and swa heo gunnen wenden
forð to þan kinge.
þa wes Uortigerne þa king
in Cantuarie-buri,
13815 þer he mid his hirede
hæhliche spilede;
þer þas cnihtes comen
bi-foren þan folc-kinge.

MS Cott. Otho, C XIII.

Vnder þan com tydinge
to Vortiger þan kinge,
þat ouer séé weren icome
swiþe selliche gomes;

þreo sipes gode
i-come were mid þan flode,
þar-on þreo hundred cnihtes,
alse hit were kempes.

þes weren þe faireste men
þat euere come here;
ac hii weren heþene,
þat was har[m] þe more.

Sone swa heo hine imetten,
13820 fæire heo hine igrætten,
and seiden þat heo him wolden
hæren i þisse londe,
3if he heom wolde
mid rihten at-halden.
13825 þa andswerede Vortiger,
of elchen vuele he wes war:
'An alle mine liue
þe ich iluued habbe,
bi dæie no bi nihtes
13830 ne sæh ich nauere ær swulche
cnihtes;
for eouwer cumen ich æm bliðe,
and mid me 3e scullen bilæfuen,
and eouwer wille ich wulle dri3en,
bi mine quicke liuen!
13835 Ah of eou ich wulle iwiten,
þurh soðen eouwer wurðscipen,
whæt cnihten 3e seon,
and whænnenen 3e icumen beon,
and whar 3e wullen beon treowe,
13840 alde and æc neowe?'
þa answerede þe oðer,
þat wes þe aldeste broðer:
'Lust me nu, lauerd king,
and ich þe wullen cuðen
13845 what cnihtes we beoð,
and whanene we icumen seoð.
Ich hatte Henges[t],
Hors is mi broðer;
we beoð of Alemainne,
13850 aðelest alre londe,
of þat ilken ænde
þe Angles is ihaten.
Beoð in ure londe
selcuðe tiðende:
13855 vmbe fiftene 3er
þat folc is isomned,
al ure ileðene folc,

þeos comon to þan kinge,
and faire hine grette,
and seide þat hii wolde
him sarui in his londe,
3if vs þou wolle
mid rihte at-holde.
þo answerede Vortiger,
þat of eche vuele he was war:
'In al mine lifue
þat ich ileued habbe,
bi dai no bi nihte
ne seh ich soche cnihtes;
for 3ou ich ham bliþe,
and mid me 3e solle bi-lefue.

Ac forst ich wolle wite,
for 3oure mochele worsipe,
wat cnihtes beo 3eo,
and wanene 3eo i-comen beo?'

þo answerede þe oþer,
þat was þe elder broþer:

'Ich hatte Hengest,
Hors hatte min broþer;
we beoþ of Alemaine,
of one riche londe,
of þan ilke hende
þat Englis his ihote.
Beoþ in vre londe
wonder þinges gonde:
bi eche fiftene 3er
þat folk his i-somned,
and werpeþ þare hire lotes,

13826 iliue, *liest die erste hs.; verb. von Mätzner.* — 13830 *Holt-hausen (Engl. stud. 31, 267) schlägt vor,* nauere ær *zu streichen.* — 13845 whahæt *hs.* — 13846 seoð *anomal; vgl. Mätzner, anmerkung zu* seon *v.* 13837. — 13851 þenges *hs. in col. 2;* gonde *nach Mätzner druck-fehler für* goude; *doch s. glossar.* — 13856 him *hs.* — 13857 ledene *Mätzner.*

<table>
</table>

and heore loten werpeð;
vppen þan þe hit falleð,
13860 he scal uaren of londe;
bilæuen scullen þa fiue,
þa sexte scal forð liðe
ut of þan leode
to u[n]cuðe londe;
13865 ne beo he na swa leof mon,
uorð he scal liðen.
For þer is folc swiðe muchel,
mære þene heo walden;
þa wif fareð mid childe
13870 swa þe deor wilde;
æueralche ȝere
heo bereð child þere.
þat beoð an us feole
þat we færen scolden;
13875 ne mihte we bilæue,
for liue ne for dæðe,
ne for nauer nane þinge,
for þan folc-kinge.
þus we uerden þere,
13880 and for-þi beoð nu here,
to sechen vnder lufte
lond and godne lauerd.
Nu þu hæfuest ihęrd, lauerd ki[n]g,
soð of us þurh alle þi[n]g.'
13885 þa answærede Vortiger,
of alc an vfele he wes war:
'Ich ilēue þe, cniht,
þat þu me sugge soð riht;
and wulche beoð æoure i-leuen
13890 þat ȝe on ileueð,
and eoure leofue godd
þe ȝe to luteð?'
þa andswarede Hænges[t],
cnihtene alre fæirest,
13895 nis in al þis kine-lond
cniht swa muchel ne swa strong:
'We habbeð godes gode,
þe we luuieð an ure mode,
þa we habbeð hope to,
13900 and heoreð heom mid mihte.

fo[r] to londes seche.
vp wan þat lot falleþ,
he mot neod wende;

ne beo he noht so riche,
he mot lond seche.

For þe wifues goþ þare mid childe
alse þe deor wilde:
bi euereche ȝere
hii goþ mid childe þere.
þat lot on vs ful
þat we faren solde;
ne moste we bi-lefue
for life ne for deaþe.

þus hit fareþ þere,
þar-fore we beoþ nou here.

Nou þou hauest ihord, louerd king
soþ of vs and no lesing.'
þo saide Vortiger,
þat was wis and swiþe war:

'And woche beoþ ȝoure bi-léue
þat ȝeo an bi-léfeþ?' —

'We habbeþ godes gode,
þat we louieð in mode.

13859 faled *hs.* ‖ vt *hs. in col. 2.* — 13869 Forþe *M(orris).* —
13881 luste *hs.* — 13892 luted *hs.* — 13900 mid mid *hs.*

þe an hæhte Phebus;
þe oðer Saturnus;
þe þridde hæhte Woden,
þat is an weoli godd;
13905 þe feorðe hæh[te] Jupiter,
of alle þinge he is war;
þe fifte hæhte Mercurius,
þat is þe hæhste ouer us;
þæ sæxte hæhte Appollin,
13910 þat is a godd wel idon;
þe seoueðe hatte Teruagant,
an hæh godd in ure lon[d].
ȝet we habbeð anne læuedi
þe hæh is and mæhti;
13915 heh heo is and hali,
hired-men heo luuieð for-þi;
heo is ihate Fræa.
wel heo heom dihteð.
Ah for alle ure goden deore
13920 þa we scullen hæren,
Woden hehde þa hæhste laȝe
an ure ælderne dæȝen;
he heom wes leof,
æfne al swa heore lif;
13925 he wes heore walden,
and heom wurðscipe duden;
þene feorðe dæi i þere wike
heo ȝifuen him to wurðscipe.
þa þunre heo ȝiuen þunres dæi,
13930 for-þi þat heo heom helpen mæi;
Freon, heore læfdi,
heo ȝiuen hire fridæi;
Saturnus heo ȝiuen sætterdæi;
þene Sunne heo ȝiuen sonedæi;
13935 Monen heo ȝiuen monedæi:
Tidea heo ȝeuen tisdæi.'
þus seide Hæ[n]gest,
cnihten alre hendest.
þa answerede Vortiger,
13940 of ælchen vfel he wæs wær:
'Cnihtes ȝe beoð me leofue,
ah þas tiðende me beoð laðe;

þe on hatte Phebus;
þe oþer Saturnus;
þe þri[d]de hatte Woden,
þat was a mihti þing;
þe feorþe hatte Jubiter,
of alle þinges he his war;
þe fifþe hatte Merchurius,
þat his þe hehest ouer vs;
þe sixte hatte Appolin,
þat his a god of gret win;
þe soueþe hatte Teruagant,
an heh god in vre lond.
ȝet we habbeþ an leafdi
þat heh his and mihti;

ȝeo his i-hote Frea.
heredmen hire louieþ.
To alle þeos godes
we worsipe wercheþ,
and for hire loue
þeos daȝes we heom ȝefue:
Mone we ȝefue moneday;
Tydea we ȝefue tisdei;

Woden we ȝefue wendesdei:
þane þonre we ȝefue þorisdai;
Frea þane friday;
Saturnus þan sateresdai.'

þus saide Hengest,
cniht alre hendest.
þo answerede Vortiger,
of alle harme he was war:
'Cnihtes ȝeo beoþ me leofue,
ac ȝoure bilefues me beoþ loþe;

13906 whar *hs.* — 13908 þat us þe *hs.* — 13909 *l.* Appollion *wie Apokalypse 9, 11? (Brotanek).* — 13911 scoðueðe *hs.* — 13934 þene *schreibfehler für* þere *nach Bj(örkman), Archiv CXXII, 398 ff.).* — 13935 Monenen *hs.* ‖ gifuenen *hs.*

eouwer ileuen beoð vnwraste,
ȝe ne ileoueð noht an Criste,
13945 ah ȝe ileoueð a þene wurse,
þe godd seolf awariede;
eoure godes ne beoð nohtes,
in helle heo niðer liggeð.

Ah neoðeles ich wulle eou athælde | Ac ich wolle ou at-holde
13950 an mine anwalde, | in min anwolde,
for norð beoð þa Peohtes, | for norþ beoþ ðe Pentes,
swiðe ohte cnihtes, | swiþe ohte cnihtes,
þe ofte ledeð in mine londe
ferde swiðe stronge,
13955 and ofte doð me muchele scome, | þat ofte doþ me same,
and þerfore ich habbe grome. | and þar-vore ich habbe grame.
And ȝif ȝe me wulleð wræken, | And ȝef ȝe wolleþ me wreke
and heore hæfden me biȝeten, | of [hire] wiþere dedes,
ich eou wullen ȝeuen loud, | ich ȝou wolle ȝeue
13960 muchel seoluer and gold.' | ȝeftes swiþe deore.'
þa andswerede Hængest, | þo saide Hengest:
cnihtene alre feirest:
'ȝif hit wulle Saturnus,
al hit scal iwurðe þus, | 'al hit sal iworþe þus.'
13965 and Woden, ure lauerd,
þe we on bi-liueð.'
Hengest nom læue, | Hengest nam lefue,
and to scipen gon liðe; | and to sipe gan wende;
þer wes moni cniht strong; | and al hire godes
13970 heo droȝen heore scipen uppe þe | hii beore to londe.
lond.
Forð wenden dringches | Forþ hii wende alle
to Vortigerne þan kinge: | to Vortiger his halle.
binoren wende Hengest,
and Hors him alre hændest;
13975 seoððen þa Alemainisce men,
þa aðele weoren an deden;
and seoððen heo senden him to
heore Sæxisce cnihtes wel idon,
Hengestes cunnesmen
13980 of his aldene cuððen.
Heo comen in to halle,
hændeliche alle;
bet weoren iscrudde | Bet weren i-scrud,
and bet weoren iuædde | and bet weren ived ·

13944 cristre *hs.* — 13955 doð *hs.* — 13972 kenge *hs.* —
13960 cudðen *hs.* — 13968 bett *hs.*, bed *hs. in col. 2.* — 13984 bed *hs.*

13985 Hængestes swaines
þene Vortigernes þeines.
þa wes Vortigernes hired
for hehne ihalden:
Bruttes weoren særi
13990 for swulchere isihðe.
Nes hit nawiht longe
þat ne comen to þan kinge
cnihtes sunen uiue
þa ifaren hafden biliue;
13995 heo sæiden to þan kinge
neowe tiðenden:
'Nu forð-rihtes
icumen beoð þa Peohtes;
þurh þi lond heo ǣrneð,
14000 and hærȝieð and bērneð,
and al þeue norð ænde
iuæld to þan grunde;
her-of þu most ræden
oðer alle we beoð dæden.'
14005 þe king hine bi-þohte
whæt he don mihte:
he sende to þan innen
after al his monnen.
þer com Hengest, þer com Hors,
14010 þer com mani mon ful oht;
þer comen þa Saxisce men,
Hengestes cunnes-men,
and þa Alemainisce cnihtes,
þe beoð gode to fihte;
14015 þis isæh þo king Vortiger;
bliðe wes he þa þer.
þa Peohtes dudeu heore iwune,
a þas hælf þere Humbre heo
      weoren icume;
and þe king Vortiger
14020 of heore cume wes ful war;
to-gadere heo comen
and feole þer of-sloȝen.
þer wes feht swiðe strong,
comp swiðe sturne.
14025 þe Peohtes weoren ofte iwuned
Vortigerne to ouer-cumen,

Hengestes sweines
þane Vortiger his cnihtes.

Bruttes weren sori
for þan ilke sihte.
Nas noht longe
þat ue come tydiuge,

þat þo forþ-rihtes
icomen were þe Peutes.
'Oueral þin lond hii erneþ,
and sleaþ þin folk and bearneþ,
and alle þane norþ ende
hii falleþ to þan grunde;
her-of þou most reade,
oþer alle we heoþ deade.'
þe king sende his sonde
to þeos cnihtes inne,
þat hii swiþe sone
to him seoluc come.
þar com Hengest and his broþer,
and mani an oþer,

þat þe king Vortiger
bliþe was þo þer.
þe Peutes dude hire wone,
a þis half Vmhre hii were icome.

And þe king Vortiger
of hire come was war;
to-gadere hii comen
and manie þar of-sloȝen.

þe Peutes weren ofte iwoued
Vortiger to ouercome,

13985 Hængest swaine, hs. verb. von Mätzner. — 14006 hinne hs. —
14010 mini hs., manian hs. in col. 2. — 14016 þa þa hs. — 14023 swide hs.

and þa heo þohten a[l]swa,
ah hit ilomp an oðer þa:
for hit wes heom al hele
14030 þat Hængest wes þere,
and þa cnihtes stronge
þe comen of Saxelonde,
and þa ohte Alemanisce
þe þider comen mid Horse.
14035 swiðe monie Peohtes
heo sloȝen i þan fehte;
feondliche heo fuhten,
feollen þa fæie.
þa þe non wes icumen,
14040 þa weoren Peohtes ouer-cumen,
and swuðe heo awæi flōȝen,
an ælche halue heo forð fluȝen,
and alle dai heo fluȝen,
monie and vnnifoȝe.
14045 þo king Vortigerne
wende to herherwe,
and æuere him weoren on uast
Hors and Hængest.
Hængest wes þan kinge leof,
14050 and him Lindesaȝe ȝef,
and he ȝæf Horse
madmes inoȝe,
and alle heore cnihtes
he swiðe wel dihte,
14055 and hit gode stunde
stod a þan ilke.
Ne durste nauore Peohtes
cumen i þan londes,
no ræueres no utlaȝen,
14060 þat heo neoren sone of-slæȝen;
and Hængest swiðe fæire
herede þane king.

and þo iþohten al so,
ac hit hiful oþerweies þo:
for hii hadde mochel care,
for Hengest was þare;

for swiþe manie Peutes
hii sloȝen in þan fihte.

þo þat non was icome,
þo were Peutes ouer-come,
and swiþe hii awey floȝe
on euereche side.

And Vortiger þe king
wonde aȝen to his hiu,

and to Hengest an[d] his cnihtes
he ȝef riche ȝeftes.

Ne dorste neuere Peutes
come in þisse londe,
þat hii nere sone of-slaȝe,
and idon of lifdaȝe;
and Hengest swiþe hendeliche
cwemde þan kinge.

14042 helue *hs.* — 14057 Peohtestes *hs.* — 14058 londe *wird vorgeschlagen von Bj.*

35.

AUS DEN SPRÜCHEN ALFREDS.

Ausgaben: Reliquiae antiquae, ed. by Wright and Halliwell, London 1841—1843, I, 170 ff.; The Dialogue of Salomon and Saturn, ed. by J. M. Kemble, London 1848, s. 226 ff.; Old English Miscellany (EETS 49), ed. by R. Morris, London 1872, s. 103 ff.; The Proverbs of Alfred, reed. by Skeat, Oxford, Clarendon Press, 1907; Morris, Specimens of Early English, s. 148 (nur nr. 4 nach hs. O); handschriften: Jesus Coll. Oxford I, 29 (früher hier = O, mit Skeat jetzt = A-text), und Trin. Coll. Cambridge, B 14, 39 (früher hier = C, mit Skeat jetzt = B-text); (vgl. The Modern Language Quarterly, nr. 1, 31; Skeat, Transact. Philol. Soc. 1897, s. 399 ff.; Wülker, Paul-Braunes Beiträge I, 244, wo noch eine dritte, jetzt verbrannte, aber von Spelman [Ælfredi Magni Vita, Oxonii 1678, p. 93—97] benutzte hs., Cott. Galba, A 19, erwähnt wird; von dieser sind jedoch drei unvollständige abschriften erhalten [vgl. Skeats ausgabe, p. XXII—XXVI], nämlich The James Copy [= J], The Spelman Copy [= S], von Skeat gedruckt als C-text, und The Wanley Copy, nur die ersten 30 zeilen, also hier außer betracht). Kluge, me. leseb.[1], s. 53.

<table>
<tr><td align="center">A.</td><td align="center">B.</td></tr>
</table>

4.

A.	B.
þus queþ Alured:	þus quad Helfred:
'þe eorl and þe eþelyng	'þe herl and þe heþeling,
ibureþ, vnder gódne king,	þo ben vnder þe king,
þat lond to leden	þe lond to leden
77 myd lawelyche deden;	mid lauelichi dedin;
and þe clerck and þe knyht	boþe þe clerc and þe cni[c]t
hi schulle démen euenlyche riht;	demen euenliche rict;
þe poure and þe ryche	— — — — — — — —
démen ilyche.	— — — — — — — —
82 Hwych so þe mon sǫweþ,	For aftir þat mon souiþ,
al swuch he schal mówe;	al suyich sal he mouin;
and eueruyches monnes dom	and eueriches mo*n*nes dom
to his owere dure churreþ.'	to his oȝe dure cherriȝ.'

A: 79 MS: he; *gestrichen von* Sk(eat), *der in zeile 81* hi schulle *vor* demen *ergänzt.* || hs.: eueliche.

B: 73 Alfred Sk. C-text: Dus cwaþ Alvred Engle frofre. — 74 erl Sk, S || eþeling Sk, aþeling S. — 75 cing S. — 77 lagelice J, lagelich S, lavelich idedin W(right), laweliche Sk. — 78 cnit hs., W, K(emble), cni[c]t M(orris), cniht S, Sk. — 79 riht S, Sk. — 80, 81 *fehlen in* B, J, S. — 82 after þat te S || man S, K || souit hs., soweþ S, sowiþ Sk. — 83 al suiyich K, als suyich M(orris), al suipich hs. nach Sk, al suich shal Sk, þerafter he scal mowen S || mowin Sk. — 84 efrilces mannes S. — 85 ogen S || cherried hs., chariȝeth S.

A.

[þus queþ Alured:]
87 'þau knyhte bi-houeþ
kenliche on to fóne
for to werie þat lond
wiþ hunger and wiþ berivnge,
þat þe chireche habbe gryþ,
92 and þe cheorl beo in fryþ
his sedes to sowen,
his medes to mowen;
and his plouh beo i-dryue
to vre alre bihoue;
97 þis is þes knyhtes lawe;
loke he þat hit wel fare!'

B.

5.

þus quad Alfred:
'þe cniht bihouit   87
kenliche to cnouen
for to weriin þe lond
of here and of heregong,
þat þe riche habbe gryt,
and þe cherril be in frit   92
his sedis to souin,
his medis to mowen,
his plouis to driuin
to ure alre bi-lif;
þis is þe cnich|te]s laʒe;   97
loke þat hit wel fare!'

36.

AUS DEM 'ORMULUM'.

The Ormulum with the Notes and Glossary of Dr. R. M. White, ed. by Rev. Robert Holt, Oxford 1878. hs. in Oxford, Jun. 1 (vgl. A. S. Napier, 'Notes on the Orthography of the Ormulum' in seiner ausgabe 'History of the Holy Rood-tree', London 1894 [EETS 103, s. 71—74]; auch selbständig erschienen, Oxford 1893, fol., mit faksimile). Kluge, me. lescb.², s. 62.

A (Preface).

þiss boc iss nemmnedd Orrmulum,
forrþi þatt Orrm itt wrohhte,
annd itt iss wrohht off quaþþrigan,
off goddspellbokess fowwre,
5 off quaþþrigan Amminadab,
off Cristess goddspellbokess;
forr Crist maʒʒ þurrh Amminadab
rihht full wel ben bitacnedd;

forr Crist toc dæþ o rodetre
all wiþþ hiss fulle wille;   10
annd forrþi þatt Amminadab
o latin spæche iss nemmnedd
o latin boc spontaneus
annd onu ennglisshe spæche
þatt weppmann, þatt summ dede doþ 15
wiþþ all his fulle wille,

A: 86 fehlt in der hs. — 91 chirche Sk.

B: 86 cwaþ Alvred S. — 87 cnith biouit hs., bihoueð J, biho-
veth S. — 88 kerliche W, ceneliche S || cnowen J, mowen S. — 89 nor J,
nor S || werie J, werce S. — 90 erstes of fehlt in S || hunger S. — 91 þat te J,
that the S || churche J, Chureche S || halbe gryt hs. — 92 te S, the S, Sk ||
cherl J, Sk, cherle S || frit hs. — 93 sedes S || sowin Sk, sowen S. —
94 medes S. — 95 his plowes S, his hise plowes J || driuen S. —
97 cnichs (mit s über der zeile) hs., W, K, cnich[t]s M, cnihtes S, Sk,
knihtes J. — 98 to locen S || well S, welche abschrift mit fare endet.

A 3: annd in A und B immer abgekürzt, jedoch ausgeschrieben in
anndswere, B 15580, 15593.

forrþi maȝȝ Crist full wel ben þurrh
Amminadab bitacnedd;
forr Crist toc dæþ o rodetre
20 all wiþþ hiss fulle wille.
þatt waȝȝn iss nemmnedd quaþþ-
rigan,
þatt hafeþþ fowwre wheless,
annd goddspell iss þatt waȝȝn,
forrþi
þatt itt iss fowwre bokess,
25 annd goddspell iss Iesusess waȝȝn,
þatt gaþ o fowwre wheless,
forrþi þatt itt iss sett o boc
þurrh fowwre goddspellwrihh-
tess.
annd Iesuss iss Amminadab,
30 swa summ icc hafe shæwedd,
forr þatt he swallt o rodetre
all wiþþ hiss fulle wille.
annd goddspell forr þatt illke þing
iss currus Salomoniss,
35 forr þatt itt i þiss middellærd
þurrh goddspellwrihhtess fowwre
waȝȝneþþ soþ Crist fra land to land,
þurrh Cristess lerninngenihhtess,
þurrh þatt teȝȝ i þiss middellærd
40 flittenn annd farenn wide
fra land to land, fra burrh to burrh
to spellenn to þe lede
off soþ Crist annd off crisstenn-
dom
annd off þe rihhte læfe
45 annd off þatt lif, þatt ledeþþ menn
upp inntill heffness blisse.
þurrh swille þeȝȝ berenn hælennd
Crist,
alls iff þeȝȝ karrte wærenn
off wheless fowwre, forr þatt all
50 goddspelless hallȝhe lare
iss, alls icc hafe shæwedd ȝuw,
o fowwre goddspellbokess;
annd forrþi maȝȝ goddspell full wel
ben Sálemanness karrte,

þiss iss to seggenn opennliȝ,　55
þe laferrd Cristess karrte,
forr Iesu Crist allmahhtiȝ godd,
þatt alle shaffte wrohhte.
iss wiss þatt soþe Salemann,
þatt sette griþþ onn erþe 　　60
bitwenenn godd annd menn, þurrh
þatt
he ȝaff hiss lif o rode
to lesenn mannkinn þurrh hiss
dæþ
üt off þe defless walde;
annd forrþi maȝȝ soþ Crist ben 65
wel
þurrh Salemann bitacnedd,
forr Salomon iss onn ennglissh
þatt mann, þatt soþ sahhtnesse
annd trigg annd trowwe griþþ annd
friþþ
reȝȝseþþ bitwenenn lede 　　70
annd follȝheþþ itt wiþþ all hiss
mahht
þurrh þohht, þurrh word, þurrh
dede.
all þuss iss þatt hallȝhe goddspell,
þatt iss o fowwre bokess,
nemmnedd Amminadabess waȝȝn 75
annd Salemanness karrte,
forr þatt itt waȝȝneþþ Crist till
menn
þurrh fowwre goddspellwrihh-
tess,
rihht alls iff itt wære þatt waȝȝn,
þatt gaþ o fowwre wheless.　80
annd tuss iss Crist Amminadab
þurrh gastliȝ witt ȝehatenn,
forr þatt he toc o rode dæþ
wiþþ all hiss fulle wille;
annd Salomon he nemmnedd iss, 85
swa summ icc hafe shæwedd,
forr þatt he sette griþþ annd
friþþ
bitwenenn heffne annd erþe,

---

61 bitwe: nenn. — 66 be vor bit. rasur. — 82 ursprünglich þurrh
Salemann ȝehatenn.

hitwenenn godd and menn, þurrh
       þatt
90 þatt he toc dæþ o rode
   to lesenn mannkinn þurrh hiss dæþ
   üt off þe defless walde.
   annd all þuss þiss ennglisshe boc
   iss Orrmulum ȝehatenn
95 inn quaþþrigan Amminadab,
   inn currum Salomonis.
   annd off goddspell icc wile ȝuw
   ȝét summ del mare shæwenn:

ȝét wile icc shæwenn ȝuw, forrwhi
   goddspell iss goddspell nemm- 100
       nedd,
annd ec icc wile shæwenn ȝuw,
   hu mikell sawle sellþe
annd sawle berrhless unnderrfoþ
   att goddspell all þatt lede,
þatt follȝhoþþ goddspell þwerrt üt 105
       wel
þurrh þohht, þurrh word, þurrh
       dede.

B (II, 187).

Secundum Johannem XXIIII.

Prope erat pasca Iudeorum, et ascendit Iesus Ierosolimam et invenit in templo vendentes oves et boves et columbas.

Affterr þatt tatt te laferrd Crist
   þe waterr haffde wharrfedd
15540 till win i Cana Galile
   þurrh hiss goddcunnde mahhte,
   þæraffterr, alls uss seȝȝþ goddspell,
   fór he wiþþ hise posstless
   inntill an oþerr tun, þatt wass
15545 Cafarrnaum ȝehatenn,
   annd sannte Marȝe, hiss moderr,
       comm
   wiþþ himm inntill þatt chesstre,
   annd hise breþre comenn ec
   wiþþ himm annd wiþþ hiss
       moderr.
15550 annd tær bilæf þe laferrd ta
   wiþþ hemm, acc nawihht lannge,
   forr þatt Iudisskenn passkedaȝȝ
   þa shollde cumenn newenn,
   annd Crist fór þa till ȝerrsalæm,
15555 swa summ þe goddspell kiþeþþ,
   annd he fand i þe temmple þær
   well fele menn, þatt saldenn

þærinne baþe nowwt annd shep,
   annd ta, þatt saldenn cullfress;
annd menn att bordess sætenn þær 15560
   wiþþ sillferr forr to lenenn.
annd Crist himm wrohhte an swepe
       þær,
all alls itt wære off wiþþess,
   annd draf hemm alle samenn üt
annd nowwt annd sowwþess 15565
       alle,
annd all he warrp üt i þe flor
   þe bordess annd te sillferr,
annd affterr þatt he seȝȝde þuss
   till þa, þatt saldenn cullfress:
'gaþ till and bereþþ heþenn üt 15570
   whattlike þise þingess.
ne birrþ ȝuw nohht min faderr hus
   till chepinngboþe turrnenn.'
annd hise lerninngenihhtes þær
   þohhtenn annd unnderrstodenn, 15575
þatt tær wass filledd ta þurrh himm
   annd inn hiss hallȝhe dede

15538 *erstes* t *von* tatt *auf rasur.* — 15542 goddspell *am rande*
für durchstrichenes þe boc. — 15559 *dahinter getilgt* annd mineteress
sætenn þær to wharrfenn þeȝȝre sillferr. — 15560, 15561 *am rande.* —
15567 þe bordess annd te *auf rasur* || *nach diesem verse getilgt* annd
oferrwarrp þær i þe flor unnriddliȝ þeȝȝre bordess. — 15572 mi(n).

þatt, tatt te sallmewrihhte seȝȝþ
upponn hiss hallȝhe sallme:
15580 'hu̇t lufe towarrd godess hus
  me biteþþ i min herrte.'
annd sume off þa Iudisskenn menn,
. þatt herrdenn, whatt he seȝȝde,
annd sæȝhenn, whatt he dide þær,
15585 himm ȝæfenn sware annd seȝȝ-
     denn:
'whatt tákenn shæwesst tu till uss,
þatt dost tuss þise dedess?'
annd ure laferrd Iesu Crist
hemm ȝaff anndswere annd
    seȝȝde:
15590 'unnbindeþþ all þiss temmple, annd
    icc
itt i þre daȝhess reȝȝse.'
annd ta Iuþewess ȝæfenn himm
anndswere onnȝæn annd seȝȝ-
    denu:
'fowwertiȝ winnterr ȝedenn forþ
15595 annd ȝét tærtekenn sexe, ᷣᴎᴊ꜀
ær þann þiss temmple mihhte ben
fullwrohht annd all fullforþedd,
annd tu darrst ȝellpenn, þatt tu
    mihht
itt i þre daȝhess reȝȝsenn?'
15600 annd Iesu Crist ne seȝȝde nohht
þatt word off þeȝȝre temmple,
acc off hiss bodiȝ temmple he spacc,
. annd teȝȝ itt nohht ne wisstenn.
annd afiterr þatt te laferrd Crist
15605 wass risenn upp off dæþe,

þe posstless þohhtenn off þiss word,
annd ta þeȝȝ unnderrstodenn,
þatt teȝȝre laferrd haffde seȝȝd
þatt word all off himm selifenn.
off þatt he wollde þolenn dæþ   15610
forr all mannkinne nede,
annd tatt he wollde risenn upp
þe þridde daȝȝ off dæþe. .
annd Crist wass o þe passkedaȝȝ
i ȝerrsalæmess chesstre   15615
annd wrohhte þær biforr þe follc
well féle miccle tacness,
annd féle off þa, þatt sæȝhenn þær
þa tacness, þatt he wrohhte,
bigunnenn sone anan onn himm 15620
to lefenn aund to trowwen;
acc Iesu Crist ne lét himm nohht
þohhwheþþre i þeȝȝre walde,
forr þatt he cuew hemm alle wel
annd alle þeȝȝre þohhtess,   15625
annd forr þatt himm nass rihht
    nan ned,
þatt aniȝ mann himm shollde
ohht shæwenn off all þatt, tatt
    wass
all dærne i mannes herrte;
forr all, þatt wass inn iwhillc 15630
    mann,
he sahh annd cnew annd cuþe.
her endeþþ nu þiss goddspell þuss,
annd uss birrþ itt þurrhsekenn
to lokenn, whatt itt læreþþ uss
off ure sawle nede.   15635

37.

O̯N GOD UREISÚN OF URE LEFDI.

Richard Morris, Old English Homilies. First Series (EETS 29, 34), bd. 34,
s. 191. hs. Cotton MS Nero, A XIV, fol. 120b. Vgl. Marufke, Breslauer
               Beiträge 13.

Cristes milde moder, séynte Marie,
mines lines leome, mi leoue lefdi,
to þé jch buŵe and mine knéon ich beie,
and al min heórte blód to ðe ich offrie.

. 15598 ȝ in ȝellpenn *auf rasur.*

5 þu ert mire sôule liht and mine heorte blisse,
    min lif and mî tohope, min heale mid iwisse.
    ich ouh wurðie ðe mid alle mine mihte
    and singe þe lofsong bi daie and bi nihte;
    vor þu me hauest iholpen a ueole kunne wise
10 and ibrouht of helle in to paradise:
    ich bit þonkie ðe, mi leoue lefdi,
    and þonkie wulle, þe hwûle ðet ich liuie.
    Alle cristene men owen don ðe wurschipe
    and singen ðe lofsong mid swûðe muchele gledschipe;
15 vor ðu ham hauest alosed of dooflene honde
    and isend mid blisse to englene londe.
    wel owe we þe luuien, mi swete lefdi,
    wel owen we uor þine luue urç heorte beien:
    þú ert briht and blisful ouer alle wummen,
20 and gód ðu ért and góde leof ouer alle wopmen.
    alle meidene were wurðeð þe one;
    vor þu ert hore blostme biuoren godes trone.
    nis no wummon iboren, þet ðe beo iliche,
    ne non þer nis þiu eming wiðinne heoueriche.
25 heih is þi kinestol onuppe cherubine
    biuôren ðine leoue sune wiðinne seraphine.
    murie dreameð engles biuoren þin onsene,
    pleieð and sweieð and singeð bitweonen.
    swuðe wel ham likeð biuoren þe to beonne;
30 vor heo neuer ne beoð sead þi ueir to iseonne.
    þine blisse ne mei no wiht understondon;
    vor al is godes riche anunder þine honden.
    alle þine urcondes þu makest riche kinges,
    þu ham ziuest kinescrud, beies and gold ringes;
35 þu ziuest eche reste ful of swete blisse,
    þer ðe neûre deað ne com ne herm no sorinesse:
    þer bloweð iune blisse blostmen hwite and reâde,
    þer ham neuer ne mei snou ne uorst iwreden,
    þer ne mei non ualuwen, uor þer is eche sumer,
40 ne non liuiinde þing wôc þer nis ne zeomer.
    þer heo schulen resten, þe her ðe doð wurschipe,
    zif heo zemeð hore lif cleane urom alle queadschipe.
    þer ne schulen heo neuer karien ne swinken
    ne weopen ne mûrnen ne helle stenches stinken.
45 þer me schal ham steoren mid guldene chelle

---

8 singge *hs.* — 10 ibrouht me *M(orris).* — 13 wur(s)chipe. —
16 d *in* isend *aus* t? — 17 owen *M.* — 21 wore *schreibfehler für* wered
nach Bj. — 24 eming *hs., nicht* ofning. — 26 p *in* seraphine *zum teil
abgerieben.* — 28 sw(e)ieð. — 38 iureden. — 43 sw(i)nken.

Zupitza-Schipper, Alt- und mittelengl. übungsb. 11. aufl.   8

and schenchen ham eche lif mid englene wille.
ne mei non heorte þenchen ne no wiht arechen
ne no muð imelen ne no tunge techen,
hu muchel god ðu ȝeirkest wiðinne paradise
50   ham, þet swinkeð dei and niht i ðine seruise.
al þin hird is ischrud mid hwite ciclatune,
and alle heo beoð ikruned mid guldene krune,
beo beoð so read, so rose, so hwit, so þe lilie,
and euer more heo beoð gled and singeð þuruhut murie.
55   mid brihte ȝimstones hore krune is al biset,
and al heo doð, þet ham likeð, so þet no þing ham ne let.
þi leoue sune is hore king, and þu ert hore kwene.
ne beoð heo neuer idreaued mid winde ne mid reine:
mid ham is euer more dei wiðute nihte,
60   song wiðute seoruwe and sib wiðute nihte.
mid ham is muruhðe moniuold wiðute teone and treic,
gleobeames and gome inouh, liues wil and eche pleie.
þereuore, leoue lefdi, long hit þuncheð us wrecchen,
vort þu of þisse erme liue to ðe suluen us fecche:
65   we ne muwen neuer habben fulle gledschipe,
er we to þe suluen kumen to þine heie wurschipe.
     Swete godes moder, softe meiden and wel icoren,
þin iliche neuer nes ne ueuermore ne wurð iboren:
moder þu ert and meiden cleane of alle laste,
70   þuruhtut hei and holi in englene reste.
al englene were and alle holie þing
siggeð and singeð, þet tu ert liues welsprung,
and heo siggeð alle, þet ðe ne wonteð neuer ore,
ne no mon, þet ðe wurðeð, ne mei neuer beon norloren.
75   þu ert mire soule [liht] wiðute leasunge
ofter þine leoue sune leouest alre þinge.
al is þe heouene ful of þine blisse,
and so is al þes middeleard of þine mildheortnesse.
so muchel is þi milce and þin edmodnesse,
80   þet no mon, þet ðe ȝeorne bit, of helpe ne mei missen:
ilch mon, þet to þe bisihð, þu ȝiuest milce and ore,
þauh he ðe habbe swuðe agult and idreaued sore.
þereuore ich ðe bidde, holi heouene kwene,
þet tu, ȝif þi wille is, ihere mine bene.
85   Ich ðe bidde, lefdi, uor þere gretunge,
þet Gabriel ðe brouhte urom ure heouen kinge,
and ek ich ðe biseche uor Iesu Cristes blode,

---

48 techen *M*] tegen. — 75 liht *fehlt hs.*; *vgl. v.* 5; soule leome
Morris nach Zup.; *M übersetzt:* my soul's (light). — 79 *erstes* d *in* edmod.
zum teil abgerieben. — 80 ðe] *der strich durch* d *abgerieben.* — 84 iher.

þet for ure note was isched o ðere rode;
vor ðe muchele seoruwe, ðet was o ðine mode,
90 þo þu et ðe deaðe him biuore stode,
þet tu me makie cleane wiðuten and eke wiðinnen,
so þet me ne schende none kunnes sunne.
þene loðe deouel and alle kunnes dweoluhðe
ahlém urom me ueor awei mid hore fule fulðe.
95 Mi leoue lif, urom þine luue ne schal me no þing todealen,
vor o ðe is al ilong mi lif and eke min healo.
vor þine luue i swinke and sike wel ilome,
vor þine luue ich ham ibrouht in to þeondome,
vor þine luue ich uorsoc al þet me leof was,
100 and ʒef ðe al mi suluen; leoue lif, iþench þu þes.
þet ich ðe wreðede sume siðe, hit me reoweð sore:
vor Cristes fif wunden ðu ʒif me milce and ore.
ʒif þu milce nauest of me, þet ich wot wel ʒeorne,
þet ine helle pine swelten ich schal and beornen.
105 ful wel þu me iseie, þauh þu stille were,
hwar ich was and hwat i dude, þauh þu me uorbere:
ʒif þu beuedest wreche inumen of mine luðernesse,
iwis ich heuede al uorloren paradises blisse.
þu hauest ʒet forboren me uor þine godnesse,
110 and nu ich hopie habben fulle uorʒiuenesse.
ne wene ich neure uallen in to helle pine,
hwon ich am to ðe ikumen and am ðin owune hine:
þin ich am and wule beon nu and euer more:
vor o ðe is al mi lif ilong and o godes ore.
115 Mi leoue swete lefdi, to þe me longeð swuðe;
bute ich habbe þine help, ne beo ich neuer bliðe.
ich þe bidde, þet tu kume to mine uorðsiðe
and nomeliche þeonne þine luue kuðe:
auouh mine soule, hwon ich of þisse liue uare,
120 and ischild me urom seoruwe and from eche deaðes kare.
· ʒif þu wult, ðet ich iðeo, gode ʒeme nim to me;
vor wel ne wurð me neuer, bute hit beo þuruh ðe.
mid swuþe luðere lasten mi soule is þuruhbunden:
ne mei no þing so wel, so þu, healen mine wunden.
125 to þe one is al mi trust efter þine leoue sune:
vor is holie nome of mine liue ʒif me lune.
ne þole þu þene unwine, þet he me arine,
ne þet he me drawe in to helle pine.
nim nu ʒeme to me, so me best a beo, ðe beo;

---

100 leoue hs. — 101 ursprünglich wreðedede, aber das zweite de radiert ‖ nach reoweð ein o r.? — 127 arine auf rasur. — 128 drawe] w über getilgtem i.

8*

130 vor þin is þe wurchipe, ʒif ich wrecche wel iþeo.
þu ne norsakest nenne mon uor his luðernesse,
ʒif he is to hote ʒeruh and bit þe uorʒiuenesse.
þu miht lihtliche, ʒif þu wult, al mi sor aleggen
and muchele bet biseon to me, þen ich kunne siggen.
135 þu miht forʒelden lihtliche mine gretunge,
al mi swinc and mi sor and mine kneouwunge.
Ine me nis no þing feier on to bisconne
ne no þing, þet beo wurðe biuoren þe to beonne:
þercuore ich þe bidde, þet þu me wassche and schrude
140 þuruh þine muchele milce, þet spert so swuðe wide.
nis hit ðe no wurðscipe, þet þe deouel me todrawe:
ʒif þu wult hit iðauien, iwis he wule ðurchut fawe;
vor he nolde neuere, þet þu befedest wurðschipe,
ne no mon, þet þe wurðeð, þet he hedde gledschipe.
145 þu hit wost ful ʒeorne, þet þe deouel hateð me
and nomeliche þereuore, þet ich wurðie þe.
þereuore ich þe bidde, þet þu me wite and werie,
þet þe deouel me ne drecche ne dweolðe me ne derie.
so þu dest and so þu schalt uor ðire mildheortnesse:
150 þu schalt me a ueir dol of heoueriche blisse.
ʒif ich habbe muchel ibroken, muchel ich wulle beten
and do mine schrifte and þe ueire greten.
þe hwule þet ich habbe mi lif and mine héale,
vrom ðire seruise ne schal me no þing deàle:
155 binoren þine uote ich wulle liggen and greden,
vort ich habbe uorʒiuenesse of mine misdeden.
mi lif is þin, mi luue is þin, mine heorte blod is þin,
and, ʒif ich der seggen, mi leoue leafdi, þu ert min.
Alle wurðschipe haue þu on heouene and ec on eorðe,
160 and alle gledschipe haue þu, al so ðu ert wurðe.
nu ich þe biseche ine Cristes cherite,
þet þu þine blescinge and þine luue ʒiue me:
ʒeme mine licame ine clenenesse ...
God almihti unne me vor his mildheortnesse,
165 þet ich mote þe iseo in ðire heie blisse:
and alle mine ureondmen þe bet beo nu to dai,
þet ich habbe isungen þe ðesne englissce lai.

130 wreeche. — 132 (is). — 139 wass(h)ce. — 140 spret? M. —
150 me ʒiue Holthausen, Beiblatt XIX, 143. — 158 se(g)gen. — 163 es
fehlt ein vers, was der schreiber durch ein zeichen zwischen dem anfang
von v. 163 und 164 angedeutet hat. mit demselben zeichen ist der vers oben
am rande nachgetragen, allein dann beim einbinden fast ganz weggeschnitten
worden: nach den erhaltenen spuren zu urteilen, scheinen die letzten beiden
wörter ine cadmodnesse gewesen zu sein.

and nu ich þe bisecho vor ðiro holinesse,
þet þu bringe þene munuch to þire glednesso,
170 þet funde ðesne song bi ðe, mi leoue leafdi,
Cristes mildo moder, seinte Marie. amen.

38.

AUS 'þE WOHUNGE OF URE LAUERD'.

*Old English Homilies, ed. Morris I (EETS 29 und 34), s. 283. hs. im
Brit. Museum, Cotton, Tit. D 18, fol. 132 r.*

A, hu schal i nu liue? for nu deies mi lef for me upo þe
doore rode, henges duu his heaued and sendes his sawle. bote ne
þincho ham nawt ȝet, þat he is fulþinet, ne þat rowfule deade
bodi nulen ha nawt friðie, bringen forð Longis: wið þat brade
5 scharpe spere he þurles his side, cleues tat herto, and cumes
flowinde ut of þat wide wunde þe blod, þat me bohte, þe water,
þat te world wesch of sake and of sunne. a swete Iesu, þu oppnes
me þin herte for te cnawe witerliche and in te reden trewe luue
lettres; for þer i mai openlich seo, hu muchel þu me luuedes. wið
10 wrange schuldi þe min heorte wearnen, siðen þat tu bohtes herte
for herte. lauedi, moder and meiden, þu sted here ful neh and
seh al þis sorhe vpo þi deorewurðe sune, was wiðinne martird i
þi moderliche herte, þat seh teoleue his heorte wið þe speres ord.
bote, lafdi, for þe ioie, þat tu hefdes of his ariste þe þridde dai
15 þer after, leue me vnderstonde þi dol and herteli to felen sum hwat
of þe sorhe, þat tu þa hefdes, and helpe þe te wepe, þat i wið
him and wið þe muhe i min ariste e domes dai gladien and wið
ȝu beon i blisse, þat he me swa bitterliche wið blod bohte.
Iesu, swete Iesu, þus tu faht for me aȝaines mine sawle fan: þu
20 me dereinedes wið like and makedes of me wrecche þi leofmon
and spuse. broht tu haues me fra þe world to bur of þi burðe,
steked me i chaumbre: i mai þer þe swa sweteli kissen and
cluppen and of þi luue haue gastli likinge. a swete Iesu, mi liues

---

169 nu *in* munuch *auf rasur.* — 170 s *in* ðesne *auf rasur?* ||
looue *hs.*
6 b *in* blod *aus* þ || me *fehlt.* — 17 þhī *getilgt nach erstem*
wið. — 18 bohte *aus* bothte. — 20 deren|nedes, *verb. M(orris)* || wið 1.]
wihtliche?

luue, wið þi blod þu haues me boht, and fram þe world þu
25 haues me broht. bote nu mai i seggen wið þe salmewrihte: 'quid
retribuam domino pro omnibus, que retribuit michi? lauerd, hwat
mai i ʒelde þe for al, þat tu haues ʒiuen me?' hwat mai i þôle
for þe for al, þat tu þoledes for me? ah me bihoueð, þat tu beo
eað to paie: a wrecche bodi and a wac bere ich ouer oorðe and
30 tat, swuch as hit is, haue ʒiuen and ʒiue wile to þi seruise: mi
bodi henge wið þi bodi neiled o rode sperred querfaste wiðinne
fowr wahes, and henge i wile wið þe and neauer mare of mi
rode cume, til þat i deie. for þenne schal i lepen fra rode in
to reste, fra wa to wele and to eche blisse.

39.

AUS GENESIS UND EXODUS.

*Ed. R. Morris, London 1865 (EETS 7, s. 37); 2. ausg. 1874. (vgl. Fritsche,
Anglia V, 43—90; Schumann, ibid. VI, anzeiger 1—32; Kölbing, Engl.
stud. III, 273—334.) hs. in Cambridge, Corpus Christi College 444, fol. 25 v.*

Iff Iosephus ne lêgeð me,
ðor quiles he wunede in Bersabe,
so was Ysaaces elde told
XX. and fiwe winter old.
1285 ðo herde Abraham steuene fro gode,
newe tiding and selkuð bode:
'tac ðin sune Ysaac in hond
and far wið him to sihðinges lond
and ðor ðu salt him offren me
1290 on an hil, ðor ic sal taunen ðe.'
fro Bersabe iurnees two
was ðat lond, ðat he bed tim to,
and Morie, men seið, was ðat hil,
ðat god him tawnede in his wil.
1295 men seið, ðat dune siðen on

---

27 zweites i fehlt.

1283 eld[e] H(olt)h[(ausen), nach brieflicher mitteilung]. —
1285 Hh schlägt vor, steuene und das komma hinter gode zu streichen;
nach Brotanek Abraham hier zweisilbig, wie v. 1331. — 1288 sihðinges
Björkman] si[g]ðhinges Fritsche, siðhinges hs. — 1291 jurnees Hh]
iurnes hs. — 1292 Hh schlägt vor, das zweite ðat zu streichen; two hs.
nach Hh., verb. M(orris). — 1294 tawne, verb. M. — 1295 dune is siðen hs.;
dune-is siðen M(orris); is gestrichen von Hh.

was mad temple Salamon,
and ðe auter mad on ðat stede,
ðor Abraham ðe offrande dede.
Abraham was buxum o rigt:
1300 hise weie he tok sone bi nigt.
ðe ðride day he sag ðe stede,
ðo god him witen in herte dede.
ðan he cam te ðo dunes fot,
non of his men forðere ne mot
1305 hut Ysaac, is ðere childe:
he bar ðe wude wið herte milde;
and Abraham ðo fier and ðe swerd bar.
ðo wurð ðe child witter and war,
ðat ðor sal offrende ben don,
1310 oc ne wiste he, quat ne quor on.
'fader', quað he, 'quar sal hen taken
ðe offrende, ðat ðu wilt maken?'
quat Abraham: 'god sal bisen,
quor of ðe ofrende sal hen.
1315 sellik ðu art on werde cumen,
sellic ðu salt ben heðen numen;
wiðuten long ðhrowing and figt
god wile ðe taken of werlde nigt
and of ðe seluen holocaustum hauen.
1320 ðanc it him, ðat he it wulde crauen.'
Ysaac was redi mildelike,
quan ðat he it wiste, witterlike.
oc Abraham it wulde wel:
quat so god bad, ðwerted he it neuer a del.
1325 Ysaac was leid ðat auter on,
so men sulden holocaustum don,
and Abraham ðat swerd ut dróg
and was redi to slon him nugo,
oc an angel it him forbed
1330 and barg ðe child fro ðe dead.
ðo wurð Abraham rigt ifagen,
for Ysaac bileaf unslagen.

1296, 1297 Hh liest ma[ke]d. — 1298 ðe (so auch M²)] he, ðhe M¹. —
1299 Hh streicht o. — 1300 Hh liest [ful] sone. — 1301 ðridde M'' sagt,
verb. M. — 1303 dun to hs.; dun gestrichen von Hh. — 1304 ne
forðere Hh. — 1306 mild hs. — 1315 absatz in hs. | werlde M. — 1318 'for
nigt we should read ligt?' M, s. XL. — 1323 absatz in hs. — 1326 so
verbessert von Hh, hs.: holocaust. — 1328 nog? M, Kaluza. — 1329 an
fehlt in der hs. — 1331 frigti fagen hs.; obige besserung von Hh Arch. 90,295.

       biaften bak, as he nam kep,
       faste in ðornes ho sag a sep,
1335 ðat an angel ðer inne dede;
       it was brent on Ysaac stede.
       and, or Abraham ðcðen for,
       god him ðor bi him seluen swor,
       ðat he sal michil his kinde maken
1340 and ðat loud hem to honde taken:
       good sclðhe sal him eumen on,
       for he ðis dede wulde don.
       he wente bl;ðe and fagen agén,
       to Bersabe he gunne téen.
1345 Sarra was fagen in kindes wune,
       ðat hire bilef ðat dére sune.

40.

INCIPIT DE MULIERE SAMARITANA.

*R. Morris, An Old English Miscellany (EETS 49), London 1872, s. 84.
hs. in Oxford, Jesus College I, Arch. I, 29, fol. 178 (251) v.*

    þo Iesu Crist an eorþe was, mylde weren his dede:
    alle heo beoþ on boke iwryten, þat me may heom rede:
    þo he to monne wes iboren of þare swete Marie
    and wes to ful elde icumen, he venk to prechie.
5 a lutel tefor þe tyme, þat he wolde deþ þolye,
    he neyhleyhte to one burch, þat hatte Samarie.
    Al so he þiderward sumþing neyhleyhte,
    he sende his apostles byvoren and het heom and tauhte,
    heore in and heore biléuynge greyþi þat heo schulde:
10 heo duden heore louerdes hestes, ase þeines heolde.
    al so heo weren agon, þe aposteles everychþne,
    Iesus at ore walle reste him seolf al oub.
    Ase he þer reste, ase weiweri were,
    þar com gon o wymmon al one buten ivére:
15 ase heo wes er iwuned, heo com myd hire sténe,
    and Iesus to þare wymmon bigon his þurst to mene.
    'yef me drynke, wymmon', he séyde myd mylde muþe.
    þeo wymmon him onswerede, al so to mon vnkuþe:
    'hwat artu, þat drynke me byst? þu þinchest of Iudelonde:
20 ne mostu drynke vnderfo none of myne honde.'
    þo séyde Iesu Crist: 'wymmon, if þu vnderstóde,
    hwe hit is, þat drynke byd, þu woldest beon of oþer móde.

    1346. (hire) *spätere hand.*
    6 neylehyte *hs.*, neyleyhte *M.* — 13 ase weri wei were *hs.* —
22 *Max.Förster schlägt vor (brieflich),* were *zu lesen statt* woldest beon.

þu woldest bidde, þat he þe yeue drynke, þat ilast euere:
þo þat ene drynkeþ þer of, ne schal him þurste neucre.'
25 'Louerd', þo seyde þe wymmon, 'yef me þar of to drynke,
þat ich ne þurve more to þisse welle swynke.'
heo nuste, hwat he mende; heo wes of wytte poure:
heo nuste noht, þat he spek of þan holy gostes frouro.
'Séte ádun', queþ Iesu Crist, 'wymmon, þine stenc:
30 go and clepe þine were, and cumeþ hider ymene.'
'i nabbo', heo seyde, 'nenne were: ich am my seolf al one..
nabbo ich of wepmonne nones kunnes ymone.'
'Wel þu seyst', quaþ Iesu Crist, 'wére þat þu nauest nenne:
fyue þu hauest ar þisse iheued, and yet þu hauest enne,
35 and, þo þat þu nuþe hauest and heuedest summe þrówe,
he is an oþer wyues were more, þan þin owe.'
'Louerd', heo seyde, 'hwat art þu? ich wot myd iwisse,
þat þu me hauest soþ iseyd of alle wordes þisse:
þi of one þinge sey me i redynesse.
40 bitwene þis twam volke me þuncheþ a wundernesse.
For alle þeo men, þat wunyeþ in Samaryes tunc,
alle heo biddeþ heom to gode anvppe þisse dune,
and alle þilke, þat beoþ wiþinne Iherusaléme,
nohwere, bute in þe temple, ne weneþ god iquémo.'
45 'Ilef me, wymmon', quaþ Iesu Crist, 'and þar of beo vnderstonde,
þat schal cume þe ilke day, and nv he is neyh honde,
þat, ne beó neuer þe mon in so feorre londe,
if he myd swete þouhtes biþ, þat he ne biþ vnderstonde,
þah he nouþer ne beo anvppe þisse dune,
50 ne in þe héye temple of Icrusalemes tune.
Ye nuten, hwat ye biddeþ, þat of gode nabbeþ imóne;
for al eure bileue is on stokke oþer on stone:
ac þeo, þat god iknoweþ, heo wyten myd iwisse,
þat hele is icume to monne of folke iudaysse.'
55 'Louerd', heo seyde, 'nv quiddeþ men, þat cumen is Messyas,
þe king, þat wurþ and nuþen is and euer yete was.
hwenne he cumeþ, he wyle vs alle ryhtleche;
for ho nule ne he ne con nenne mon bipeche.'
'Ich hit am', quaþ Iesu Crist, 'þat wiþ þe holde speche,
60 þat Messyas am icleped and am þes worldes léche.'
mid þon comen from þe burch þe apostles euervychóne
and wondrede, þat Iesu wolde speke wiþ þare wymmon one.
Ah, þeyh heom þuhte wunder, no þing heo no seyde.
ac þe wymmon anon hire stene adun leyde
65 and orn to þare burch anon and dude heom to vnderstonde
of one mihtye wihte, þat cumen is to londe.

27 heo mende hs. — 28 heo spek hs.

Tó alle, þat heo myhte iseon oþer ymete,
heo gradde and seyde: 'ich habbe iseye þane soþe prophete.
ich wene wel, þat hit beo Crist, of hwam þe prophete sayde
70   * * *
þurh Iesu Cristes milce and þurch his wyssynge
monye þer byleuede on þe heye kinge
and vruen vt of þe bureuh myd wel muchel þrynge
and comen to Iesu, þar he set, and beden his blessynge.
75 þo byléuede þat folk mucheles þe more
for his mylde speche and for his mylde lore,
and þus was þes bureuh ared vt of helle sore
and byléuede on almihty god nuþe and euer more.

41.

EINE PREDIGT.

R. Morris, An Old English Miscellany (EETS 49), London 1872, s. 29.
Kluge, mc. lescb.², s. 14. hs. zu Oxford, Laud 477, s. 130.

Dominica secunda post octavam Epiphanie. sermo euam.

Nuptie facte sunt in Chana Galiléé, et erat mater Iesu ibi.
vocatus est autem Icsus ad nuptias et discipuli eius. þet holi
godspel of to day us telþ, þet a bredale was imaked ine þo londe
of Ierusalem in ane cite, þat was icleped Cane, in þa time, þat
5 godes sune yede in erþe flesliche. at þa bredale was ure leuedi,
seinte Marie, and ure louerd, Iesus Crist, and hise deciples.
so iuel auenture, þet wyn failede at þise bredale. þo seide ure
leuedi, seinte Marie, to here sune: 'hi ne habbet no wyn.' and
ure louerd answerde and sêde to hire: 'wat belongeth hit to me
10 oþer to þe, wyman?' nu ne dorste hi namore sigge, ure lauedi;
hac hye spac to þo serganz, þet seruede of þo wyne, and hem
seyde: 'al, þet he hŏt yu do, so doþ.' and ure louerd clepede þe
serganz and seyde to hem: 'folvellet', ha seyde, 'þos ydres', þet
is to sigge, þos cróós oþer þos faten, 'of watere'; for þer were
15 .VI. ydres of stone, þet ware iclepede baþieres, wer þo Gius hem
wesse for clenesse and for religiun, ase þe custome was ine þo

---

70 *es fehlt wohl nicht bloß ein vers.* — 75 y *in* byléuede *aus* l.
5 at *(nicht* ar) *über ungetilgtem* To; *M(orris) liest* fleschliche ac.
To þa *u. s. w.* — 7 at *auf rasur.*

time. þo serganz uuluelden þo fatcn of watere, and hasteliche was
iwent into wyne bie þo wille of ure louerde. þo seide ure lord
to þo serganz: 'moveth to gidere and bereth to Architriclin', þat
20 was se, þet ferst was iserued. and, al so he hedde idrunke of
þise wyne, þet ure louerd hedde imaked of þe watere (ha niste
nocht þe miracle, ac þo serganz wel hit wiste, þet hedde þet water
ibrocht), þo seide Architriclin to þo bredgume: 'oþer men', seyde
he, 'doþ forþ þet beste wyn, þet hi habbeþ, ferst at here bredale,
25 and þu hest ido þe contrarie, þet þu hest ihialde þet beste wyn
wat nu'. þis was þe commencement of þo miracles of ure louerde,
þet he made flesliche in erþe, and þo beleuede on him his deciples.
i ne sigge nacht, þet hi ne hedden þer before ine him beliaue, ac
fore þe miracle, þet hi séghe, was here beliaue þe more istrengþed.
30   Nu ye habbeþ iherd þe miracle, nu ihereþ þe signefiance.
þet water bitóckned se éuele christeneman. for, al so þet water is
natureliche schald and akélþ alle þo, þet hit drinkeþ, so is se
euele christeman chald of þo luue of gode for þo euele werkes,
þet hi doþ; ase so is lecherie, spusbreche, roberie, manslechtes,
35 husberners, bakbiteres and alle oþre euele deden, þurch wyche
þinkes man ofserueth þet fer of helle, ase godes ǫghe mudh hit
seid. and alle þo signefied þet water, þet þurch yemere werkes
oþer þurch yemer iwil liesed þo blisce of heuene. þet wyn, þat
is naturelliche hot ine him selue and anhet alle þo, þet hit drinked,
40 betokned alle þo, þet bied anhéét of þe luue of ure lorde. nu,
lordinges, ure lord, god almichti, þat hwylem in one stede and
ine one time flesliche makede of watere wyn, yet habbeþ mani
time maked of watere wyn gostliche. wanne he þurch his grace
maked of þo euele manne good man, of þe orgeilus umble, of þe
45 lechur chaste, of þe niþinge large and of alle oþre folies uertues:
so ha maket of þo watere wyn. þis his si signefiance of þe miracle.

Nu loke euerich man toward him seluen, yef he is wyn, þet
is to siggen, yef he is anheet of þo luue of gode, oþer yef he is
water, þet is, yef þu art chold of godes luue. yef þu art euel
50 man, besech ure lorde, þet he do ine þe his uertu, þet ha þe

---

20 he *fehlt.* — 25 *erstes* þ(e)t. — 26 wath *verb. M* ‖ loruerde *hs.* —
27 þo *vom rubrikator über* and. — 29 (þe) *vom rubrikator.* — 42 hadeþ
verb. M. — 43 he *f. am anf. e. z.* — 45 uertues *f. am anf. e. z.* — 47 he
he *hs., verb. M.*

wende of euele into gode, and þet he do þe do swiche werkes,
þet þu mote habbe þo blisce of heuene; *quod nobis prestare
dignetur* . . .

42.

AUS DER SAGE VON GREGORIUS.

*Die englische Gregorlegende nach der Auchinleck hs. herausgegeben von
Fritz Schulz (Königsberg in Pr. 1876), s. 25. die ergänzungen v. 43—45
und 62, 63 aus der hs. Vernon; vgl. Herrig's Archiv, bd. 55, s. 428; Kölbing,
E. St. VII, 179f. hs. fol. 2a.*

Now lete we þis louedi be,   and telle we, hou þe child was founde,
listeneþ now alle to me: y wot, it sanke nouȝt to þe grounde,
al, þat god wil haue, don þan schal be: riȝt as his moder him
                                                        hadde ywounde,
þe winde him drof fer in þe se,   swiþe fer in þilke stounde.
5   To fischers weren out ysent,   þat breþeren were boþe, y wene:
out of an abbay þai weren ysent   wiþ nettes and wiþ ores kene
to lache fische to þat couent: þe monkes þai þouȝt to queme.
þat day was hem no grace ylent   for stormes, þat were so breme.
Erlich in a morning,   er liȝt com of þe day,
10 þai seye a bot cum waiueing   wiþ þe child, þat in þe cradel lay,
to liue god him wald bring   (his wille in lond wrouȝt he ay!):
þe fischers miri gun sing,   and þider þai tok þe riȝt way.
þe tonne anon to hem þai nome,   þat was swiþe wele ywrouȝt:
þai no rouȝt, whider þe bot ycom,   þat þe tonn þider brouȝt.
15 to rist riȝt as ȝede þe mone,   þer risen stormes gret aloft:
'to lache fische hadde þai no tome: to toun to nim was al
                                                        her þouȝt.
Fast þai drowen to þe lond   wiþ ores gode ymade of tre.
for stormes wald þai noþing wond: drenched wende þai wele to be.
þabot com opon þe strond,   þe fischers ȝif he miȝt se:
20 also god sent his sond,   þat child schuld ysaued be.
þe abot, þat was þider sent,   biheld þe tonne, was made of tre:
þer on were his eyȝen ylent.   anon seyd þat abot fre:
'whare haue ȝe þis tonne yhent,   and what may þer in be?
no seyȝe y neuer swiche a present   in fischers bot in þe se.'
25 þe fischers answerd boþe yliche,   to þe abot þai spoken anon:
'bi þe king of heuen riche,   our þinges be þer in ydon.'
þat child þan bigan to scriche   wiþ steuen, as it were a grome:
þe fischers were adrad of wreche: þai nist, what þai miȝt done.
þabot bad wiþouten wouȝ   vndo þe tonne, þat he þer say:
30 þe fischers were radi anouȝ   to don his wille þat ich day.

---

52 nobis.

a cloþ of silk þabot vp drouȝ,   þat on þe childes cradol lay:
þo lai þat litel child and louȝ   opon þabot wiþ eyȝen gray.
    þabot held vp boþe his hond,   wiþ hert godo to Crist ywent,
and seyd: 'lord, y þank þi sond, ·   þat þou me hast ȝouen and lont.'
35 of yuori tables long   þabot fond þer in pressent: · · .
    þer to he gaṇ sone fong   and seyȝe, what þer was writen and dent.
    þabot bad þe fischers boþe   ten mark and þe cradel take
and bad, þai schuld nouȝt be wroþ,   for þat litel childes sake.
    þo was þat siluer allo her owe;   þe tresore to hem þai gun take.
40 anon þai were alle biknoṇwe,   hou þai fónd þat litel knapo.
    þat o fischer was riche of wele   and hadde halle of lim and ston.
    þat oþer was pouer and had children fele: gold no siluer hadde
                                                  he non.
    þabot tóke [him] wiþ him to bere   ten marke, [whon he wente hom,
heore counseil wel forto helo   vndur foote so stille as ston.
45 þat oþur mon he bitauhte   forte ȝeme] þe litel grome
and bad him telle for non auȝt,   in what maner he was ycome,
bot sigge his douhter þat ich nauȝt   to bere þat child for god aboue
and bid þe abot, ȝif he mauȝt,   cristen him for godes loue.
    He tok þat child wiþouten hete .   and bar it hom wiþouten wrake,
50 a wiman bad he sone ygote   him to bere cristen to make.
    when þe fischer yeten hadde,   no wold he no longer late:
to þabot sone he ladde   and fond him redi atte gate.
    þabot wist þer of anouȝ: it no was him noþing lóþ.
    þe fischer þan þe child forþ drouȝ   wiþ salt and wiþ þe crismecloþ.
55 'mi douhter sent ȝou þis child   to cristen it, wiþouten oþ.'
    þabot louȝ, þat was milde,   and wiþ hem to chirche he goþ.
    þabot was cleped Gregorij: þer þe child his name he toke.
    prest and clerk stode þer bi   wiþ tapers liȝt and holy boke.
and þe child feier and sleye   he cristned in þe salt flod,
60 and seþþen baren it vp an heyȝe,   offred it to þe holy rod.
    þabot dede, so he schold,   þe cloþ he tok wele to hóld
[and þe fo]ur mark of gold   and þe tables, þat ich of told.
[þe child was ful milde of] mode,   in cloþe fast þai gun him fold.
[þe fisschere was trewe] and god,   þe child he tok wele to hold.

---

31 v *in* vp *aus einem andern angefangenen buchstaben.* —
43—45 *statt des eingeklammerten hat A nur* and. — *A bezeichnet strophen-*
anfang bei v. 47, 51, 55, 59 (*und wahrscheinlich* 63). — 47 but siþen
his douhter in þe nihte sent hire is þe luytel sone *V*, bote say þi
douȝtere in þat nyȝt sente þe þat lutel sone *C* (*Archiv LVII, 64*). —
48 and preyde þou sscholdest with þi myȝt take hit cristendome *C*. —
60 *erstes* (it). — 62—64 *das eingeklammerte in A bis auf einzelne obere*
oder untere enden weg. — 62 table(s).

43.

AUS DEM LIEDE VON KING HORN.

*Handschriften: Harleian MS 2253 des Brit. Museum, London (= H);
hs. der Cambridger universitäts-bibliothek Gg. 4. 27. 2 (= C); hs. der
Bodleiana zu Oxford, Laud 108 (= O).*

*Ausgaben: von Ritson in den Ancient English Metrical Romances (hs. H),
London 1802, II, 91—155; von Francisque Michel für den Bannatyne
Club 1845 (hs. C); von J. Rawson Lumby, Early Engl. Text Society,
vol. 14, London 1866 (hs. C); von Ed. Mätzner, Altengl. sprachproben,
Berlin 1867, I, 207—231 (hs. C); von Horstmann, Herrig's Archiv 1872,
s. 39—58 (hs. O); von Th. Wissmann (Q.F. XLV), Strassburg 1881 (kritische
ausgabe); von Joseph Hall, Oxford, Clarendon Press, 1901 (enthält die
handschriften H, O, C in parallelen kolumnen); Morris, Specimens of Early
English, 2. ed., Oxford 1887, s. 237—286; Kluge, me. leseb.², s. 67; vgl.
O. Hartenstein, Studien zur Hornsage (Kieler Studien zur engl. Philologie 4).
unser text folgt der handschrift C nach Lumbys, resp. Mätzners text.*

Alle beon he bliþe
þat to my song lyþo!
a sang ihc schal ʒou singe
of Murry þe kinge.
5 king he was bi weste,
so longe so hit laste.
Godhild het his quen,
fairer ne miʒte non ben.

he hadde a sone þat het Horn,
fairer ne miʒte non beo born, 10
ne no rein vpon birine,
ne sunne vpon bischine.
fairer nis non þane he was,
he was briʒt so þe glas,
he was whit so þe flur, 15
rosered was his colur.

*Unrichtige graphische varianten werden in diesem verzeichnis der
lesarten übergangen.*

1 beon he C, ben he O, beo ben H. — 2 to me wilen l. O ‖ my
s. CH ‖ ylyþe H. — 3 song HOW(issmann) ‖ ich wille O, ychulle H ‖
ou H ‖ singe in H auf rasur, das radierte wort begynne. — 4 morye O,
Allof H ‖ þe gode kynge H. — 5 Kyng he wes by H ‖ westen O. —
6 wel þat hise dayes lesten O, þe whiles hit yleste H ‖ leste W. —
7 And (H: Ant) godild (H: -ylt) hise (H: his) gode quene OH. —
8 Feire ne m. non C (W), miste C nach M(orris), miʒte Hall, Feyrer
non micte OW, No feyrore myhte H ‖ bene OH. — 9 Here s. hauede
to name O, Aut huere s. hihte H. — 10 Feyrer (H: -rore) child ne
micte (H: myhte) be b. OH ‖ ne miste C. — 11 Ne reyn ne micte
upon reyno O, For reyn ne myhte by ryne H, no r. ne miʒte bir. W. —
12 Ne no O ‖ sonne OH ‖ myhte shyne H, upon sch. W. — 13 Fairer
child þane (þen H) he was, OH. W ebenso; satzende. — 14 Brict so
euere any O, Bryht so ever eny H. — 15 Whit so any lili O, So whit
so eny lylye H ‖ flour OH. — 16 So rose red OH ‖ wes H ‖ bys O ‖
colour H. nach v. 16 folgen in HOW die verse: he was fayr and eke
bold, and of fiftene winter old (hold O).

in none kingeriche
nas non his iliche.
twelf feren he hadde,
20 þat he alle wiþ him ladde,
alle riche mannes sones,
and alle hi were faire gomes,
wiþ him for to pleie;
and mest he luuede tweie:
25 þat on him het Haþulf child,
and þat oþer Fikenild.
Aþulf was þe beste,
and Fikenyld þe werste.
Hit was upon a someres day,
30 also ihc ȝou telle may:
Murri, þe gode king,
rad on his pleing
bi þe se side,
ase he was woned ride.
35 wiþ him riden boþe two:
al to fewe were þo.

he fond bi þe stronde,
ariued on his londe,
schipes fiftene
wiþ Sarazins kene.   40
he axede what hi soȝte,
oþer to londe broȝte.
a payn hit ofherde
and him wel sone answarede:
'þi londfolk we schulle slon,   45
and alle þat Crist leueþ upon,
and þe selue riȝt anon,
ne schaltu today henne gon.'
þe kyng aliȝte of his stede,
fer þo he hauede nede,   50
and his gode kniȝtes two:
But ywis hem was ful wo.
swerd hi gunne gripe
and togadere smite.
hy smyten under schelde   55
þat sume hit yfelde.

17 *folgt in OH nach* 18. Bi n. *O* ‖ kinges r. *OH.* — 18 .Was *O*,
Nis *H* ‖ noman him *O* ‖ yliche *OH.* — 19 XII *O*, Tueye *H.* — 20 alle wiþ *C*,
he alle wiþ *Hall, der vorschlägt,* alle *zu streichen,* alle he wiþ *M(ätzner)*,
he wiþ *HW* ‖ mid h. *O.* — 21 And a rich kinges s. *O* ‖ menne *H.* —
22 alle suyþe fayre (feyre *H*) *OHW.* — 23 Mid hym *O*, Wyþ h. *H* ‖
forte *H* ‖ pleye *OH.* — 24 But *O*, And *fehlt H* ‖ louede tueye *OH.* —
25 on was (*H:* wes) hoten *OH* ‖ ayol *O*, aþulf *HW.* — 26 fokenild *O*,
Fykenyld *H*, Fikenhild *W.* — 27 Ayol *O.* — 28 fokenild *O*, Fikenylde *C*,
Fykenyld *H*, Fikenhilde *W.* — 29 w. *in* one s. *O.* — 30 ich neu *O*, ich
ou *H* ‖ tellen *O.* — 31 Allof *H*, þat moye *O* ‖ kinge *O.* — 32 upon
ys *H* ‖ pleyhinge *O.* — 33 see *H.* — 34 þer he *OHW* ‖ to ryde *OH.* —
35, 36 *fehlen in C.* — 35 riden *O*, ne ryde *H* ‖ tvo *O*, tue *H.* — 36 ware *O*,
hue were *H.* — 38 on is *H.* — 39 schupes *W* ‖ XV *O.* — 40 ef sara-
zines *OH.* — 41 acsede *O*, askede *H* ‖ wat he sowte *O*, whet hue
sohten *H*, what isoȝte (i soȝte *M*, hi soȝten *W*) *C.* — 42 on is lond *H* ‖
brehten *H*, broucte *O.* — 43 peynym *O*, payen *H* ‖ it *O*, yherde *OH.* —
44 him *fehlt O* ‖ answerede *O*, ensu. *H* ‖ and some him *W.* — 45 wilen *O*,
wolleþ *H.* — 46 þat euer Crist *H* ‖ al þat god *O* ‖ leueþ *H*, leuet *O*, luueþ *C* ‖
on *OHW.* — 47 þe we solen sone a. *O*, þe we welleþ ryht a. *H.* —
48 Sald (*H:* Shalt) þou neuer (*O:* neuere) *OHW* ‖ todai h. *C.* — 49 licte
adoun *O*, lyhte *H* ‖ ef stede *W.* — 51 hise *O* ‖ knictes II *O*, feren tuo *H.* —
52 But ywis hem *O*, Mid y wis huem wes ful wo *H*, Al to fewe he hadde
þo *C*, Al to fewe were þo *W.* — 53 Swerdes þe g. *O* ‖ gonne *OH.* —
54 to gedere *H*, to gydere *O.* — 55 He fouten *O*, Hy smyten *CH* ‖ an
onder *O* ‖ selde *O.* — 56 Some of hem he f. *O*, þat hy somme yfelde *H.*

þo king hadde al to fewe
Toȝenes so vele schrewe:
so fele miȝten yþo
60 bringe hem þro to diþe.
þe pains come to londe,
and nemen hit in her honde.
þat folc hi gunno quelle,
and churchen for to felle.
65 þer ne mosto libbe
þe fremde no þe sibbe,
bute hi here laȝe asoke, ─ᵍᵒˢ·ᵉᵃⁿ
and to here toke. ─
of alle wymmanne
70 wurst was Godhild þanne.
for Murri heo weop sore,
and for Horn ȝute more.
heo wente ut of halle
fram hire maidenes alle

under a roche of stone.　75
þer heo liuede alone,
þer heo seruede gode
aȝenes þe paynes forbode;
þer heo seruede Criste.
þat no payn hit ne wiste:　80
eure heo bad for Horn child,
þat Jesu Crist him beo myld.
Horn was in paynes honde
wiþ his feren of þo londe.
muchel was his fairhede,　85
for Jhesu Crist him makede.
payns him wolde sleu,
oþer al quic flen; ⟨handwritten⟩
ȝef his fairnesse nere,
þe child aslaȝe were.　90
þanne spac on admirald.
of wordes he was swiþe bãld:

---

57 He weren al to O ‖ hade to H. — 58 Ayen OW, Aȝeyn H ‖ so
monie H, so fele W ‖ srewe O. — 59 Sone micten alle þe O ‖ myhten H ‖
eþe HW. — 60 Bringen O, Bring H, bringe þre W ‖ to *felht Q* ‖ deþe OHW. —
61 paynimes O, payns H ‖ comen O. — 62 neme C ‖ hyt al to h. O ‖ and
nomen hit an honde HW. — 63 *folgt in O nach* 64. þe folk by H, And f.
he O ‖ gonne O. — 64 cherchen W ‖ Cherches be gonnen f. O, And Sarazyns
to f. H. — 65 micte O, myhte H. — 66 fremede H. — 67 Bote he h. ley O,
Bote he is lawe H ‖ forsoken O, forsoke H. — 68 huere H ‖ token O. —
69 wymm. HC, wimmenne O. — 70 werst HW ‖ Verst was godyld onne O ‖
wes Godyld H. — 71 moy he wop O, Allof hy wepeþ H. — 72 wel m. O,
ȝet m. HW. *danach folgt in O:* Godild hauede so michel sore Micte ne
wimman habbe more, *in H:* G. hade so muche s. þat habbe myhte hue
na m. — 73 He wenten ut C, þe vente hout O, Huc (heo W) wente out H. —
74 From H ‖ maidnes H, maydenes O. — 75 In to a O. — 76 þar O ‖ he O,
hue H ‖ wonede OH ‖ allone O, al one H. — 77 he O, hue H ‖ god O. —
78 aȝen W ‖ Ayenes þe houndes O, Aȝeyn þe payenes H ‖ forbod O. —
79 he CO, hue H, heo W ‖ crist H. — 80 þat payns hit W ‖ paynimes O,
þat þe payenes H ‖ hit *felht O* ‖ nust H. — 81 And euere bed O, Ant euer
huo bad H. — 82 þat ihu c. h. were O, þat crist h. wrþe H ‖ myld HC. —
83 wes H ‖ peynims O, payeues H ‖ hond H. — 84 Mid OH ‖ is H ‖ lond H. —
85 Miche O, Muche H ‖ wes H ‖ h. fayrhede O, þe feyrhade H. — 86 So
ihu him hauede made O, þat j. c. him made H. — 87 þo hundes wolde
slon O, payenes h. w. slo H. — 88 And some (H: summe) him wolde
flon (H: flo) OH. — 89 ȝif (H: ȝyf) hornes OH ‖ feyrnesse H, fayrede O. —
90 þe children alle C, þe child yslawe (aslaȝe W) ware (were W) OW, Yslawe
þis children were H. — 91 þan (Uan *nach Hall*) bi spek him amyraud O,
þo spec on admyrold H, admirad C. — 92 swiþe baud O, swyþe bold H.

'Horn þu art wel kene,
and þat is wel isene;
95 þu art grét and strong,
fair and cuene long;
þu schalt waxe more
bi fulle seue ʒere;
ʒef þu mote to line go,
100 and þine feren also,
ʒef hit so bifalle,
ʒe scholde slen us alle:
þaruore þu most to stere,
þu and þine ifere.
105 to schupe schulle ʒe fuͦnde,
and sinke to þe gruͦnde.
þe so ʒou schal adrenche,
ne schal hit us noʒt ofþinche.
for if þu were aliue,
110 wiþ swerd oþer wiþ kniue,

we scholden alle deie,
and þi fader deþ aboie.' Ac truy
þe children hi broʒte to stronde
wringinde here honde,
into schupes borde   115
at þe furste worde.
ofte hadde Horn beo wo,
ac neure wurs þan him was þo.
þe se bigan to flówe,
and Horn child to rowe;   120
þe se þat schup so faste drof,
þe children dradde þerof.
hi wenden to wisse
of here lif to misse,
al þe day and al þe niʒt,   125
til hit sprang dailiʒt,
til Horn saʒ on þe stronde
men gon in þe londe.

---

93 swiþe scene *O*, swyþe k. *H.* — 94 And follyche swyþe kene *O*,
bryht of hewe and sheue *H.* — 95 þou art fayr and eke *OH.* — 96 þou
art (and eke *H*) eueneliche 1. *OH.* — 97, 98 *fehlen H.* — 97 þou scald
more wexe *O*, wexe more *W.* — 98 In þis fif yere þe nexte *O.* —
99 to liue Mictest go *O*, to lyve mote g. *HW.* — 100 An *O*, Ant *H* ∥
al so *O.* — 101 þat micte so bif. *O*, þat ymay bif. *H.* — 102 þou
suldes *O*, þat ʒe shule *H.* — 103 þe for þou scald to stron go *O*,
þarefore þou shalt to streme go *H.* — 104 And þine f. also *O*, þou and
þy f. also *H.* — 105 To schip ye schulen stönde *O*, to shipe ʒe shule
founde *H.* — 106 An sinken *O.* — 107 þe se (*H:* see) þe *OH* ∥ sal *O*,
shal *H* ∥ adrinke *O.* — 108 sal *O*, shal *H* ∥ us of þinke *O*, us of
þenche *HW.* — 109 yf þou come to 1. *O.* — 110 suerdes or *O* ∥ cu. *O*,
knyve *H.* — 111 sholde *O*, shulden *H* ∥ deʒe *H.* — 112 and *fehlt in HOW* ∥
faderes det *O* ∥ abeye *O*, to beye *H.* — 113 childro *O* ∥ yede (ʒede) to *OW*,
ede to þe *H.* — 114 Wringende *O*, Wryngynde *H* ∥ huere *H.* — 115, 116
folgen in O nach 118. — 115 Ant into shipes b. *H*, Horn yede in to þe
shipes bord *O.* — 116 ferste *W* ∥ fasste *C.* — 117 haued *O*,
hade *H* ∥ horn child *O* ∥ be *OH.* — 118 Bute ueuere werse þan þo *O*, Ah
never wors þen him wes þo *H* ∥ wers *W. nach* 118 *schiebt O ein:* And alle
hise feren þat ware him lef and dere. — 119 see bygon *H* ∥ flowen *OH.* —
120 And horn faste to rowen *OH.* — 121 And here schip swiþe *O*, And þat
ship wel suyþe *H* ∥ fasste *C.* — 122 þ. ch. adred þer of *O*, Aut Horn wes
þerof *H.* — 123 þei w. alle wel ywis *O*, Huo w. mid y wisse *H*, Hi
wenden wel y-wisse *M.* — 124 1. haued ymis *O*, huere lyue to m. *H.* —
125 niet *O*, nyht *H.* — 126 To him sprong þe day lyt *O*, *O* þat sprong þe d.
lyht *H*, (þe) dai *M* ∥ sprong *W.* — 127 saʒ *fehlt O* ∥ bi þe str. *O* ∥ flotterede
horn by þe *H.* — 128 Seth men gon alonde *O*, ere he seye eny 1. *H.*

Zupitza-Sebipper, Alt- u. mittelengl. übungsb. 11. aufl.   9

'feren', quaþ he, 'ȝynge,
130 ihe telle ȝou tiþinge:
    ihe here foȝeles singe,
    and se þat gras him springe.
    bliþe beo we on lyue,
    ure schup is on ryue.'
125 of schup hi gunne funde,
    and setten fot to grunde.
    bi þe se side
    hi leten þat schup ride.
    þanne spak him child Horn —
140 in Suddene he was iborn —:
    'schup, bi þe se flode

daies haue þu gode.
bi þe se brinke
no water þe nadrinke.
ȝef þu cume to Suddenne,   145
gret þu wel al myne kenne,
gret þu wel my moder,
Godhild quen þe gode.
and scie þe paene kyng,
Jesu Cristes wiþerling.   150
þat ich am hol and fer
on londe ariued her,
and seie þat he schal fonde
þe dent of myne honde.'

129 ȝonge C, ȝinge W, Feren he seyde singe O, feren quoþ Horn þo ȝynge H. — 130 Y t. ȝ. a tidinge O, ytelle ou tydȝnge H. — 131 Ych O, Ich H ‖ foules OH. — 132 þe grases H, so þe gr. O ‖ him *fehlt* H ‖ se *fehlt* C. — 133 be we oliue O ‖ be ȝe alyve H ‖ liue W. — 134 Houre schip hys come O, vr ship is come H ‖ to r. H ‖ riue W. — 135 shipe H ‖ þe gon fonde O, hy gonne founde H. — 136 An O ‖ sette OH ‖ fout C ‖ on gr. O. — 137 sce syde H. — 138 hure ship bigon to ryde H, here schup bigan to ride W, Here schip b. to glide O. — 139 þenne H ‖ spek O, spec H ‖ þe child (*ohne* him) O. — 140 sodenne O, sudenne H ‖ yb. OH. — 141 Go nou schip by fl. O, nou ship by þe fl. H ‖ þe flode W. — 142 And haue dawes g. O, haue dayes g. H. *nach* 142 *folgen in* O, *nach* 144 *in* H: Softe mote þou stirie (H: sterye) No (H: þat) water þe derie (H: ne derye). — 143, 144 *fehlen* O. — 143 By þe see brynke H. — 144 adrynke H. — 145 Suddenne *Morsbach (Herrig's Archiv, bd. 110, s. 166), so nach Hall auch* C, Wanne þou comes to sodenne O, ȝef þou comest to sudenne H. — 146 Gr. wel al mi kinne O, Gr. hem þat me kenne H, Gr. þu wel of myne k. C, gr. þu wel mi kenne W. — 147 And grete wel O, gret wel H ‖ my moder C, þe gode OH. — 148 Quen (H: quene) Godild my (H: mi) moder OH. — 149 sey þat (H: þene) heþene k. OH. — 150 Jhū OH ‖ wiþering C, wyþerlyng H. — 151 ihe C, ich hol and f. H, iche lef and dere O ‖ fere W. — 152 On l. am riued O, in lond aryvede H ‖ On þis lond a. C ‖ here W. — 153 Ant H ‖ say H, sei O ‖ þ. hei C ‖ shal OH ‖ fonge O. — 154 þen H ‖ deth O, deþ H ‖ myne C.

44.

AUS DEM HAVELOK.

*The Lay of Havelok the Dane, ed. by the Rev. Walter W. Skeat, London 1868
(EETS, Extra-Ser. IV), und Oxford, Clarendon Press, 1902 [= S²],
s. 1. Havelok, ed. by F. Holthausen, Heidelberg, Carl Winter, 1901, zweite
auflage (= Hh 2) 1910, s. 1—6. (vgl. die genauen literaturangaben zur
textkritik, grammatik etc. daselbst, s. XI, kollation s. XVI; dazu Holthausen
[= Hh a], Beiblatt zur Anglia XI, 306, 359; XII, 146, und An English
Miscellany, presented to Dr. Furnivall, Oxford 1901, s. 176 ff. [= Hh β]).
Kluge, Me. leseb.², s. 73. hs. zu Oxford, Laud MS 108, fol. 204r.*

Herkneth to me, gode men,
wiues, maydnes and alle men,
of a tale, þat ich you wile telle,
hwo so it wile here and þerto duélle.
5 þe tale is of Hauelok imaked:
bwil he was litel, he yede ful naked.
Hauelok was a ful god gome,
he was ful god in eueri trome,
he was þe wichteste man at nede,
10 þat þurte riden on ani stéde.
þat ye mowen nou yhere, *man.*
and þe tale ye mowen ylere.
at the biginning of vre tale
fil me a cuppe of ful god ale,
15 and wile drinken, er y spelle,
þat Crist vs shilde alle fro helle.
Krist late vs euere so for to do,
þat we moten comen him to;
and, with þat it mote ben so,
20 benedicamus domino!

Here y schal biginnen a rym,
Krist us yeue wel god fyn!
the rym is maked of Hauelok,
a stalworþi man in a flok:
he was þe stalworþeste at nede, 25
þat may riden on ani stede.
It was a king bi aredawes,
that in his time were gode lawes;
he dede [hem] maken and ful wel
holde.
hym louede yung, him louede 30
olde,
erl and barun, dreng and þayn,
knicht, bondemau and swain,
wyues, maydnes, prestes and
clerkes,
and al for hise gode werkes.
he louede god with al his micht 35
and holi kirke and soth and
richt.

---

1 Herknet(h) *H(olt)h(ausen)*] herknet *hs.* — 3 þat ich *hs.*, *Hh und
S(keat)² streichen* þat || telle(n) *Hh.* — 4 H(wo) *Hh S²*] wo *hs.* || dwelle(n)
Hh. — 5 of H. is *S².* — 6 (H)wil *Hh S²*] wil *hs.* — 8 eueri(lk) *Hh.* —
9 wic(h)teste *Hh,* wihtest *S²*] wicteste *hs.* — 11 yhere(n) *Hh.* —
12 ylere(n) *Hh.* — 13 beginnig *hs.,* beginning *M(adden) S,* bi- *Hh S².* —
15 and y *SS²* || her *hs., Hh 2,* þor *Hh.* — 17 *Hh liest* houere, *S²* euere,
beide streichen for. — 19 wite *S,* wit(h) *Hh,* with *S²*] wit *hs.* — 22 yiue
Hh. — 24 þo stalworþeste man *hs. Hh,* þe beste man *Hh 2,* þe wihtest
man *S².* — 27 ore-d. *Hh.* — 28 were *vor* gode *getilgt von St(ratmann) und
Hh* || *kein zeichen hinter* lawes *Hh S².* — 29 he *vor* dede *getilgt von
St und Hh* || hem *ergänzt; fehlt in der hs.* || an(d) *Hh*] an *hs.* || holden
Hh] holden *hs., S².* zu 27—29 *vgl. auch Morsbach, Engl. stud. XXIX,
369 f.* — 30 loueden olde *S²,* louede holde *hs.,* holde *Hh.* — 31 þayn
Z(upitza)] kayn *hs.* — 32 kuic(h)t *Hh,* kniht and *S²*] kuict *hs.* —
33 wydues *hs., Hh 2* || *Hh a streicht* and. — 35 micht *Hh,* miht *S²*]
micth *hs.* — 36 ant richt *Hh 2.*

9*

richtwise men he louede alle
and oueral made hem forto calle.
wreieres and robberes made he falle
40 and hated hem, so man doth galle.
vtlawes and theues made he bynde,
alle, þat he michte fynde,
and heye hengen on galwe tre;
for hem no yede gold ne fe.
45 in þat time a man, þat bore
    * * *
of rede gold upon his bac,
in a male hwit or blac,
ne funde he non, þat him misseyde,
50 ne with iuele on him hond leyde.
þanne michte chapmen fare
þurhut England with here ware
and baldelike beye and sellen,
oueral, þer he wilen dwellen:
55 in gode burwes and þer-fram
ne funden he non, þat dede hem
        sham,
þat he ne weren sone to sorwe
        brouht
and pouere maked and brouht to
        nouht.
þanne was Engelond at ayse:

michel was suich a king to preyse, 60
þat held so Engelond in grith:
Krist of heuene was him with.
he was Engelondes blome.
was non so bold [þe] lond to rome,
þat durste upon his [liþe] bringe 65
hunger, ne, oþere wicke þinghe.
hwan he felede hise foos, *n.- fisk*
he made hem lurken and crepen
        in wros:
þei hidden hem alle and helden
        hem stille
and diden al his herte wille. 70
richt he louede of alle þinge,
to wronge micht him no man
        bringe,
ne for siluer, ne for gold:
so was he his soule hold.
to þe faderles was he rath: 75
hwo so dede hem wrong or lath,
were it clerc, or were it knicht,
he dede hem sone to hauen richt;
and hwo-so dide widuen wrong,
were he neure knicht so strong, 80
þat he ne made him sone keston
in foteres and ful faste festen;

---

36 and richt *Hh*, riht *S²*] ant ricth *hs.* — 37 rirch wise *(Hh 2, kollation)*, verb. v. *S zu* ricthwise, richt- *Hh.* — 38 *Hh 2 streicht* for. — 39 so *Hh S²*] wrobberes *hs.*, *Hh 2.* — 41 bynde(n) *Hh*] bynde *hs.* — 42 michte *Hh*, mihte *S²*] ‖ fynde(n) *Hh*] micthe fynde *hs.* — 46 *ergänzt M* wel fyfty pundes (pund *SS²*), y woth (wot *S²*), or more. *Hh 2 ergänzt:* a hundred pound oþer more. — 47 rede *S Hh 2*, red *hs.*, *Hh* ‖ hijs *hs.*, *Hh.* — 48 (h)with *Hh*, hwit *S²*] with *hs.* — 50 ne *M*] n *hs.* ‖ him *S*] *fehlt.* N(e) hond on (him) with iuele leyde *Hh S²*, N(e) with iuele on (him) hond leyde *Hh 3*, iuele hond on leyde *Hh 2.* — 51 michte *Hh*] micthe *hs.*, mihte *S²*. — 52 þuruth *hs.*, þuruth *Hh.* ‖ Eng(e)lond *Hh S* ‖ wit(h) *Hh*] wit *hs.* — 53 bye *Hh.* — 54, 56 he] þe(i) *Hh.* — 57 were *Hh*] weren *hs.*, *Hh 2* ‖ brouht *Hh*] brouth *hs.* — 58 An(d) *Hh*] an *hs.* ‖ brow(h)t *Hh*] browt *hs.* ‖ nouht *Hh*] nouth *hs.* — 59 ayse *S²*] hayse *Hh*, hayse *hs.* — 60 sui(l)ch *Hh.* — 61 engelond *S Hh S²*] englond *hs.* — 64 *Hh a Hh 2 S²ergänzen* þe *vor* lond ‖ Rome *Z.* — 65 *nach* his *ergänzt S (auch S²)* menie, *Hh* liþe ‖ hringe *S²*] bringhe *hs.*, *Hh.* — 66 oþere *Garnett*] here *hs.* — 67 filede *Hh.* — 69 þe(i) *Hh S²*] þe *hs.* — 71 Richt *Hh*] ricth *hs.*, riht *S²*. — 74 of his soule *SS².* — 75 roth *Hh.* — 76 (H)wo *Hh*] wo *hs.* ‖ loth *Hh.* — 77, 80 knicht *Hh*] knicth *hs.*, kniht *S².* — 78 richt *Hh*] ricth *hs.*, riht *S².* — 79 (h)wo *Hh*] wo *hs.* ‖ -so dide *SS² Hh*] diden *hs.* — 82 and *steht vor* in *hs.*

and, hwo-so dide maydne shame
of hire bodi, or brouht in blame,
85 bute it were bi hire wille,
he made him sone of limes spille.
he was te beste kniht at nede,
þat euere michte riden on stede,
or wepne wagge, or foie vt lede.
90 of kniht ne hauede he neuere drede,
þat he ne sprong forth, so sparke
of glede,
and lete him knawe of hise hand-
dede,
hu he couþe with wepne spede.
and oþer he refte him hors or wede,
95 or made him sone handes sprede,
and: 'louerd, merci!' loude grede.
he was large and nowicht guede:
hauede he non so god brede,
ne on his bord non so god shrede,
100 þat he ne wolde þorwith fede
poure, þat on fote yede,
forto hauen of him þe mede,
þat for vs wolde on rode blede,
Crist, þat al kan wisse and rede,
105 þat euere woneth in ani þede.
þe king was hoten Aþelwold:
of word, of wepne he was bold.

in Engeland was neure knicht,
þat betere held þe lond to richt.
of his bodi ne hauede he eyr,   110
bute a mayden swiþe fayr,
þat was so yung, þat she ne couþe
gon on fote, ne speke with mouþe.
þan him tok an iuel strong,
þat he wel wiste and underfond, 115
þat his deth was comen him on,
and seyde: 'Crist, hwat shal y don?
louerd, hwat shal me to rede?
i wot ful wel, ich haue mi mede.
hu shal nou mi douhter fare?   120
of hire haue ich michel kare:
she is mikel in mi þouht,
of me self is me riht nowht.
no selcouth is, þouh me he wo:
she ne kan speke, ne she kan go. 125
yif sche couþe on horse ride,
and a thousande men bi hire syde,
and she were comen intil elde,
and Engelond she couþe welde,
and don of hem þat hire were   130
queme,
and hire bodi couþe yeme, ~ cuena
ne wolde me neuere iuele like,
þouh ich were in heuenerike.'

83 (h)wo *Hh*] wo *hs.*, who-so *S²*. — 84 brouht *Hh*] brouth *hs.* —
86, 87 he *M*] ke *hs.* — 87, 90 kniht *Hh*] knith *hs.* — 88 þeuere michte
Hh] heuere mietho *hs.* — 91 *Hh a: streiche* forth? — 92 lete] teto *hs.*
(*nicht nach S Hh*) = tehte *St* || knawe *fehlt, ergänzt S*, knowe *Hh.* —
93 hw *hs.* — 97 no wicht *Hh*] nowicht *hs.*, no wiht *S².* — 98 he neure *S².* —
100 þorwit(h) *Hh*] þorwit *hs.* — 108 knicht *Hh*] knieth *hs.*, kniht *S².* —
109 hel(d) *Hh*] hel *hs.* || richt *Hh*] rieth *hs.*, riht *S².* — 112 she *Hh*]
sho *hs.*, *S².* — 113 fo(te) || wit(h) *Hh*] wit *hs.* — 115 wel *M*] we(l) *S Hh*]
we *hs.* || underfond *Hh Hh β S²*] underfong *hs.* — 116 deth *hs.*, *Hh 2
S²*] ded *Hh.* — 117, 118 (h)wat *Hh*] wat *hs.* — 118 *Björkman ergänzt*
ben *nach* me. — 119 woth *Hh S²*] woth *hs.* — 120 (H)w *Hh*] w *hs.* —
122, 125 (*beide male*), 128, 129 sho *hs.*, *S², Hh 2*] she *Hh* || 122 þouht *Hh S²*]
þouth *hs.* — 123 now(h)t *Hh S²*] nowt *hs.* || rith *hs.* — 124 þou(h) *Hh S²*] þou
hs. — 126 sche *Hh*] scho *hs.*, *S² Hh 2.* — 127 *Hh streicht* and || thousende
Hh, thousande *Hh 2*, thousand *S².* — 123 helde *hs.*, helde *Hh.* —
129 *Hh nimmt zwischen* 129 *und* 130 *eine lücke von zwei versen an.* —
130 of hem þat *S² nach Garnett*] hem of *Hh* || þat *Hh 2*] þar *hs.*, *S Hh.* —
131 An(d) *Hh*] an *hs.* — 132 me] hit? *S.* — 133 þou(h) *Hh*] me þou *hs.*, *S*,
ne þouh *S²* || -rike *Hh S²*] -riche *hs.*

Quanne he hauede þis pleinte
maked,   .
135 þer after stronglike quaked,
he sonde writes sone onon
after his erles euereich on,
and after hise baruns, riche and
poure,
fro Rokesburw al into Douere,
140 þat he shulden comen swiþe
til him, þat was ful vnbliþe,
to þat stede, þer he lay
in harde bondes, nicht and day,
he was so faste with yuel fest,
145 þat he ne mouhte hauen no rest.
he ne mouhte no mete ete,
ne he ne mouchte no lyþe gete,
ne non of his iuel þat couþe red:
of him ne was nouht buten ded.
150   Alle þat þe writes herden,
sorful and sori til him ferden:
he wrungen hondes and wepen sore,
and yerne preyden Cristes ore,
þat he wolde turnen him
155 vt of þat yuel þat was so grim.
þanne he weren comen alle
bifor þe king into the halle,
at Winchestre, þer he lay,
'welcome', he seyde, 'be ye ay!

ful michel þank kan y yow,   100
that ye aren comen to me now.'
Quanne he weren alle set,
and þe king haueden igret,
he greten and gouleden and gouen
hem ille,
and he bad hem alle ben stille,   165
and seyde: 'þat greting helpeth
nouht,
for al to dede am ich brouht.
bute nou ye sen, þat i shal deye,
nou ich wille you alle preye
of mi douhter, þat shal be   170
yure leuedi after me:
hwo may yemen hire so longe,
boþen hire and Engelonde,
til þat she be wuman of elde,
and þat she mowe hire yemen 175
and wolde?'
he ansuereden and seyden anon,
bi Jhesu Crist and bi seint Ion,
þat þerl Godrigh of Cornwayle
was trewe man withuten faile;
wis man of red, wis man of dede, 180
and men haueden of him mikel
drede:
'he may hire alþer-beste yeme,
til þat she mowe wel ben quene.'

---

135 MS² ergänzen he vor quaked und setzen nach quaked einen punkt. — 137 euere-i(l)ch Hh. — 140, 152, 156, 162, 164, 176 he hs., S²] þei Hh. — 142 þer S] þe hs. — 143 nicht Hh] nieth hs., niht S². — 144 wit(h) Hh S²] wit hs. — 145, 146 mouhte Hh S²] mouthe hs. — 146 hete(n) Hh] hete hs., ete S², hete Hh 2. — 147 mouhte S² || gete hs., S²] gete(n) Hh, gete Hh 2. — 148 S² streicht þat. — 149 nouht Hh] nouth hs. — 151 sorful and S] Sor(w)ful an(d) Hh, sorful an hs. — 152 g vor wepen getilgt, Hh. — 153 ore S²] hore hs., hore Hh 2. — 154 wolde ergänzt S. — 160 þanke S || y ergänzt M. — 163 (h)aueden Hh S²] aueden hs. — 166 nouht Hh] nouth hs. — 167 brouht Hh] brouth hs. — 168 nov hs. || deye(n) Hh. — 169 preye(n) Hh. — 170 douhter Hh] douther hs. — 172 (H)wo Hh S²] wo hs. — 174 b fehlt in be; dafür (mowe) S, der mit M winan statt wman (hs., Hh) liest; S² wuman be || elde S²] helde hs. — 175 þa hs. || hire fehlt hs., ergänzt von Hh. — 176 anon aus onon oder umgekehrt Hh, an-an Hh 2. — 177 Jhesu fehlt hs., Hh, bi Jhesu Crist? S || Jo(ha)n Hh. — 178 Godrich Hh. — 179 wit(h)uten Hh] wituten hs. — 182 alþer-best hire Hh; best hs., verb. S.

45.

AUS DEM 'CURSOR MUNDI'.

Cursor Mundi, a Northumbrian Poem of the XIVth Century, ed. Morris (London 1874ff.), s. 1122 und 1595. hss. Cotton Vesp. A III (= C), hs. des College of Physicians in Edinburgh (= E), Fairfax 14 in der Bodleinna (= F), MS theol. 107 zu Göttingen (= G), hs. R 3. 8 des Trinity College, Cambridge (= T). unser text folgt in der schreibung TE: wenn CEG übereinstimmen, werden etwaige varianten von FT nicht angegeben.

Saulus soȝte aiquare and þrette
al þe cristin, he wiþ mette.
of prince of prestis gat he leue,
and þareon purchaisid he a breue
5 for to sek baþe up ande dune:
if he moȝte finde in ani tun
cristin man, he suld þaim lede
to Iurselem, to prisun bede.
als he wente þus to seke and aske
10 tilwarde a tune, that hiȝt Damaske,
þe fir of heuin hauis him stund
and hraþeli befte unto þe grunde:
blindfelde he was. als he sua lai,
he herde a steuin þus til him sai:
15 'Saul, Saul, þu sai me nu,
quarfore on me sua werrais tu?'
'ande quat ertu, lauerd sua unsene?'
'bot ic hat Iesus Nazarene,
þat tu werrais al, þat tu mai.
20 bot vndirstande, þat i þe sai:

it es to þe oute ouir miȝte
ogain þi stranger for to fiȝte.'
Saul him quoke, sua was he rad,
forglopnid, in his mode al mad.
'sai me þan, lauerd, quat i sal do. 25
þi wil wil i do redi, loo.'
'rise up and gange, þe tun es nere:
quat tu sal do, þare saltu lere.'
þe folc war ferde, þat wiþ him ferde:
na man þai saȝ, quat sum þai herde. 30
of Saul herde þai wel þe steuin,
bot noȝte of þat, þat com fra heuin.
blinde he ras up, als he moȝte,
þat forwiþ þan was blind in þoȝte.
his eien opin baþe hauid he, 35
and þoȝ a smitte moȝte he noȝt se.
al blind his men to tune him ledde,
and III dais liuid he þare unfed:
nouþer he ne ete þa III dais time,
na he ne iwis moȝt se a stime. 40

2 þat all *G* ‖ þat he *GT*. — 3 of prestis] of preste *E*, of preist *G*, and prestes *F*. — 4 a] þair *G*, þar *C* (geändert *F*). — 5 bisek *E*. — 6 tun] stun *E*. — 9 seke] speke *G*, quere *T*. — 11 heuin] bell *GT* ‖ hauis him] þar has him *C*, had him *G*, come in a *F*, him smot þat *T*. — 12 befte] kest *C*, kest him *GT*, him smitin *F* ‖ to *FGT*. — 14 he] and *G*. — 15 þu *f. ET* (*F* hat geändert). — 16 sua on me *G* ‖ weirais *E* (*T* hat geändert). — 18 hat] am *GT* ‖ iesum *E*. — 20 bo *E*. — 22 þi wranger *G*, þe stranger *C* (*FT* geändert). — 23 Saulus *C* ‖ him *f. T*, þan *C*. — 24 forferde *T*, for gloppning *CF* ‖ al] als *E*, was *F*. — 25 þan] þu *G*, *f. FT*. — 26 i redi do nu lo *G* (*FT* geändert). — 27 and *f. E*. — 28 erstes sal *f. G* ‖ here *FGT*. — 31 saulus *C*. — 32 of þat] þai sau *GT*. — 34 *f.* þan] bifor *FGT*. — 35 bath opin *G*, liddes open *T*. — 36 smitte] stime *G*, blenke *F* (geändert *T*). — 37 his man *C*, has men *G*, men *T*] tor him *FGT*. — 39 nouþer] noght *FGT*. — 39 und 40 ne *f. CFGT*.

wiþin þai III niʒte and þre dalis
mikil he lerd, als sum men sais,
of spelling, þat he siþin spac;
for of preching hauid he na make.

45 In tune of Damaske þat tim was
a cristin, hiʒte Ananias,
to quam ur lauerd saide in siʒte:
'ga til a strete, þat suagat hiʒte.
in þat hus,' saide he, 'saltu finde

50 Saul of Tars þare liggand blinde,
liggand laid his heuid dune
ai iþinlic in orisune.'
Ananias him þan ansuerde:
'lauerd,' he saide, 'ofte haue i herde

55 of prisuning tel and of pine,
þat he hauis wroʒte to santis þine,
and pouste hauis to do þaim scam,
til al, þat calis on þi name.'
'do wai,' he saide, 'it nis noʒte sua;

60 bot, þare i bid þe gauge, þu ga.
þu ga til him: he es me lele,
and of mi chesing he es uessele,
for to knaw mi name and bere
baþe bifore king ande kaiser.

65 baptizing þu sal him bede,
bot of þi lare hauis he na nede;
his maistir of lare i seluo sal be,
and mikil sal he thole for me,

himselue to þole parte of þat pine,
þat he did are to santis mine.' 70
Ananias soʒte soue þat inne,
and forsaide Saul he fand þarein.
and, quen he laide on him his
hende,
'Saul,' he saide, 'he me hauis sende,
Iesu, þat him kid to þe 75
bi wai, to do þe for to se,
wiþin and oute to haue þi siʒte
and haue þe hali gastis miʒte.'
scalis fel fra his eien awai,
and hauid his siʒte forþe fra þat dai. 80
and, quen he hauid his baptim tane,
he ete and dranke and couerid
onane;
to cristin men, als i ʒu tel,
in sinagoge bigan to spel,
and þus sone þan wex he cuþ 85
wiþ godis wordis of his muþ.
al, þat him herde, him wonderit on,
ilkane saide: 'na es noʒt gion
he, þat we saʒ þis ender dai
gain Iesu name sua fast werrai? 90
and þarfore come he to þis tun
at fotte þe cristin to prisune.'
Saul him couerid in an stunde,
þe iuwis fast gan he confunde

42 lered CT, lernid E, segh F ‖ man E. — 43 spellis E, spechis F. —
45 Damnaske E. — 46 þat hight CF, man hight (hett T) GT. —
48 sted C. — 49 he saide E., f. T. — 51 lai E, liþ T. — 52 iþinlic] fast
praiand GT. — 53 þan him G, þen F, him T. — 55 Tel of pr. EF, Of
muchel pr. T. — 56 don CGT ‖ seruandes GT. — 57 þaim] all GT. —
58 to alle þat F, þat euer GT ‖ apone GT, in F. — 59 es CG, is FT. —
61 gange E ‖ he] þu E ‖ me] mi EG. — 62 he f. E. — 67 i sal selue E,
mi self sal F, i shal T. — 69 he self C. — 70 seruandis GT, men
was F. — 72 saulum E, poule T ‖ he f. CE. — 73 hand C, honde (mit
umstellung) T. — 75 him] has G, him haþ T. — 78 þe f. G. ‖ gast C. —
80 þis E. — 81 and f. ET. — 83 men f. CG ‖ als CG, as FT. —
84—86 muþ] sone wa he cuþe | in sinagoge spel biguþe E. — 84 bigan
he T. — 85 and f. T ‖ þan f. F' ‖ wex þei T, wer he G. — 86 word C ‖
all of C, in T; Schücking beanstandet den punkt nach muþ. — 87 wonder C. —
88 ilkan þan C, and ilkan G, and T. — 90 name of iesu E ‖ fast] oft G,
f. EFT. — 91 þarfore] þar C, alsua GT ‖ he vor coom T, f. E ‖ unto E. —
92 fett GT, focche F'‖ cristen men G. — 93 Saulus C‖ him f. EGT. — 94 fast f. E.

95 and bad þaim alle to lete and liste,
  þare was no god, bot Iesu Criste.
  sa faste þe iuwis he wiþstode,
  þat sare he mengit þaim in mode,
  quarefore it was, þai toke þair
    rede
100 dernli sone do him to dede.
  þair redis þarfor gan þai ruu
  wiþ þe kepers of þat tune,
  nichte or dai to waite þe time,
  quen þai moȝte come to murþir
    him.
105 þe mair þan dide þe tune be gett,
  bot Paul it wist, þat he was þrett,
  and in a lepe men lete him dune
  out ouir þe wallis of þe tune:

wiþoutin ani wonde or wemme
  he went him þan to Ierusalem.   110
  to þe apostlis he him bede,
  bot þai sumdel for him war drede
  and wende noȝte giet in þat
    siquare,
  þat sikirlic he cristin ware.
  bot Barnabas tiþand þaim talde   115
  and mad þaim of his hunte balde,
  talde, hu Crist wiþ him gan mete
  and til him spac walcande bi
    strete,
  and hu he ne blenkid for na
    blame
  in Damaske to spel ur lauerdis 120
    nam.

46.

DAME SIRIþ.

Anecdota Literaria, ed. by Th. Wright, London 1844, s. 1—13, danach
Ed. Mätzner, Altenglische sprachproben I, 103—113; G. H. Mac Knight,
Middle English Humorous Tales in Verse. Boston 1913. hs. zu Oxford,
Bodleiana, MS Digby 86, fol. 165ro—168ro; kollationen von E. Stengel,
Codicem manu scriptum Digby 86 descripsit E. St. Halis, 1871, s. 68, und
von E. Kölbing, Engl. stud. V, 378. vgl. auch Anglia 30, 366ff. lesarten
von Wright und Mätzner sind nur in wichtigeren Fällen verzeichnet.

As I com bi an waie,
Hof on ich herde saie,
  Ful modi mon and proud;
  Wis he wes of lore,
5 And gouþlich under gore,
  And cloþed in fair sroud.

To lovien he bigon
On wedded wimmon,
  þerof he hevede wrong;
  His herte hire wes alon,   10
  þat reste nevede he non,
  þe love wes so strong.

99 it was] þat *G, f. T.* — 100 derneli *E*, derfli *F*, ful derfli *G* ‖
sone *f. CET* ‖ to do *CT* ‖ him vor to do *C* ‖ to þe dede *E*. — 102 all þe *G*,
alle þo *T* ‖ þat] þe *E*. — 103 or *GT*, and *CF*, onir *E*. — 105 gett] ge
(das übrige beim einbinden weg) E, keped *C (T geändert)*. — 106 saul *GT* ‖
it *f. FGT* ‖ þrett] þr *(s. zu 105) E*. — 107 man *E*. — 103 þat tune *GT*. —
109 ani erst vor wemme *E*. — 110 him þan *C*] right þan *G*, þo *T*, him *F*,
f. E ‖ into *EF*. — 111 sone he *G*. — 112 war for him *CG*, were of him
vor sumdel *T*. — 113 *Brotanek liest* squaire; *s. Bosworth-Toller s. v.*
wênan (d). — 115 þaim tiþand *E*, hem tiþing *T*. — 119 and *f. G* ‖ he
f. E ‖ for] wiþ *E*. — 120 in *f. CE* ‖ lauerd *C*, goddis *FT*.

Wel ӡerne he him bi-þoutҽ
Hou he hire getҽ mҿnte
15 In ani cunnes wise.
þat he sei on an day,
þe loverd wend away
Hon his marchaundise.

He wente him to þen inne,
20 þer hoe wonede inne,
þat wes riche won;
And com into þen halle,
þer hoe wes srud wiþ palle,
And þus he bigon:

25 'God almiӡtten be her-inne!'
'Welcome, so ich ever bide wenne,'
Quad þis wif;
'His hit þi wille, com and site,
And wat is þi wille let me wite,
30 Mi lefe lif.

Bi houre loverd, hevene king,
If I mai don ani þing
þat þe is lef,
þou miӡtt finden me ful fre,
35 Fol blepeli willi don for þe,
Wiþhouten gréf.'

'Dame, God þe for-ӡelde,
Bote on þat þou me nout bimelde,
Ne make þe wroþ;
40 Min hҏrnde willi to þe béde,
Bote wraþþen þe for ani dede
Were me loþ.'

'Nai, i-wis, Wilekin,
For noþing þat ever is min,
45 þau þou hit ӡirne,
Houncurteis ne willi be,
Ne con I nout on vilté,
Ne nout I nelle lerne.

þou mait saien al þine wille,
And I shal herknen and sitten stille, 50
þat þou have told.
And if þat þou me tellest skil,
I shal don after þi wil,
þat be þou bold;

And þau þou saie me ani same, 55
Ne shal I þe nouӡt blame
For þi sawe.'
'Nou ich have wonne leve,
ӡif þat I me shnlde greve,
Hit were hounlawe. 60

Certes, dame, þou seist as hende;
And I shal setten spel on ende,
And tellen þe al,
Wat ich wolde, and wi ich com.
Ne con ich saien non falsdom, 65
Ne non I ne shal.

Ich habbe i-loved þe moni ӡer,
þau ich nabbe nout ben her
Mi love to schéwe.
Wile þi loverd is in toune, 70
Ne mai no mon wiþ þe holden roune
Wiþ no þewe.

ӡursten-dai Ich herde saie,
As ich wende bi þe waie,
Of oure sire; 75
Me tolde me þat he was gon
To þe feire of Botolfston
In Lincolneschire.

And for ich weste þat he ves houte,
þarfore ich am i-gon aboute 80
To speken wiþ þe.
Him burþ to liken wel his lif,
þat miӡtte wҽlde selc a vif
In privité.

---

16 he sei] befel W(right), M(ätzner). — 22 þem halle hs. nach M. —
27 qvad hs. nach M. — 33 nach þe ist i und ein anderer buchstabe ausradiert
K(ölbing). — 37 Ka(luza) emendiert: hit þe. — 48 H(olt)h(ausen), Beibl.
19, 143, schlägt vor nout als den vers störend zu streichen; vgl. jedoch v. 100
und 102. — 55 Bj(örkman) möchte ne vor saie einfügen. — 61 Hh as þe
hende. — 69 schewe Hh] schowe hs. — 83 selc M] secc hs., sett W.

85 Dame, if hit is þi wille,
  Boþ dérnelike and stille
  Ich wille þe love.'
  'þat woldi don for nou þing,
  Bi houre Loverd, hevene king,
90 þat ous is bove!

  Ich habbe mi loverd þat is mi
        spouse,
  þat maiden broute me to house
  Mid menske i-nou; Ӑᵤᵣᵉᵤₑᵣₜ
  He loveþ me and ich him wel,
95 Oure love is also trewe as stel,
  Wiþhouten wou.

  þau he be from hom on his hernde,
  Ich were ounseli, if ich lernede
  To ben on hore.
100 þat ne shal nevere be,
  þat I shal don selk falseté,
  On bedde ne on flore.

  Never more his lif-wile,
  þau he were on hondred mile
105 Bi-зende Rome,
  For no þing ne shuld I take
  Mon on erþe to ben mi make,
  Ar his hom-come.'

  'Dame, dame, torn þi mod:
110 þi curteisi wes ever god,
  And зet shal be;
  For þe Loverd þat ous haveþ wrout,
  Amend þi mod, and torn þi þout,
  And rew on me.'

115 'We, we! oldest þou me a fol?
  So ich ever mote biden зol,
  þou art ounwis.

Mi þout ne shalt þou newer wende;
Mi loverd is curteis mon and hende,
  And mon of pris;   120
And ich am wif boþe god and
      trowe;
Trewer womon ne mai no mon
      cnówe,
þen ich am.
þilke time ne shal never bi-tide,
þat mon for wouing ne þoru prude 125
  Shal do me scham.'

'Swete leumon, merci!
  Same ne vilani
  Ne bede I þe non;
  Bote derne love I þe bede,   130
  As mon þat wolde of love spede
  And finde won.'

'So bide ich evere mete oþer drinke,
Her þou lésest al þi swinke;
þou miзt gon hom, leve broþer, 135
For nille ich þe love, ne non oþer,
Bote mi weddo houssebonde.
To tellen hit þe ne wille ich wonde.'
'Certes, dame, þat me for-þinkeþ;
And wo is þe mon þat muchel 140
      swinkeþ,
And at þe laste leseþ his sped!
To maken menis his him ned.
Bi me I saie ful i-wis,
þat love þe love þat i shal mis.
And, dame, have nou godne dai! 145
And þilke Loverd, þat al welde
      mai,
Leve þat þi þout so tourne,
þat ihc for þe no leng ne mourne.'

---

91 habbe Hh] habe hs. — 93 das n in menske aus einem andern
buchstaben radiert K. — 97 þan M, verb. Rj. — 102 Ka streicht das
zweite on. — 108 nach hom ein buchstabe radiert K. — 121 trowe Hh]
trewe hs. — 122 en in cnowe auf rasur K; Hh streicht ne. — 127 Hh ergänzt
þi vor merci. — 128, 129 Hh liest same [no] ne vilani bede I þe non. —
132 fide W; M hat finde hergestellt. — 136 hs. wille, Hh nille; vgl. jedoch
Mätzner Gr. 2, 2, 353 γ. — 140 And WM] An hs. ‖ þat Hh] þa hs. —
142 menis] menig (?) St(engel). — 143 Hh ergänzt hit vor ful. — 145,
150 And] an hs. — 148 ihc] ih auf rasur K.

Dreri-mod he wente awai,
150 And þoute boþe niȝt an dai
      Hire al for to wende.
   A frend him radde for to fare,
   And leven· al his muchele kare,
      To dame Siriþ þe hende.

155 þider he wente him anon,
      So suiþe so he miȝtte gon,
      No mon he ne mette.
   Ful he wes of tene and treie;
   Mid wordes milde and eke sleic
160 Faire he hire grette.

   'God þe i-blessi, dame Siriþ!
   Ich am i-com to speken þe wiþ,
      For ful muchele nede.
   And ich mai have help of þe,
165 þou shalt have, þat þou shalt se,
      Ful riche mede.'

   'Welcomen art þou, leve sone;
   And if ich mai oþer cone
      In eni wise for þe do,
170 I shal strengþen me þer-to;
   For-þi, leve sone, tel þou me
   Wat þou woldest I dude for þe.'
   'Bote, leve Nelde, ful evele I fare,
   I lede mi lif wiþ tene and kare;

175 Wiþ muchel hounsele ich lede mi lif,
   And þat is for on suete wif,
      þat heiȝȝte Margeri.
   Ich have i-loved hire moni dai;
   And of hire love hoe seiþ me nai:
180 Hider ich com for-þi.

   Bote if hoe wende hire mod,
   For screwe mon ich wakese wod,

Oþer miselve quelle.
Ich hevede i-þout miself to slo;
For þen radde a frend me go   185
   To þe mi sereve telle.

He saide me, wiþhouten faille,
þat þou me couþest helpe and vaile,
   And bringen me of wo
þoru þine crafftes and þine dedes; 190
And ich wile ȝeve þe riche mede,
   Wiþ þat hit be so.'

'Benedicite be herinne!
Her havest þou, sone, mikel señne.
Loverd, for his suete nome,   195
Lete þe þerfore haven no shome!
þou servest affter Godes grome,
Wen þou seist on me silk blame.
For ich am old, and sek, and lame;
Seknesse haveþ maked me ful tame. 200
Blesse þe, blesse þe, leve knave,
Leste þou mesaventer have
For þis lesing þat is founden
Oppon me, þat am harde i-bonden.
Ich am on holi wimon,   205
On witchecrafft nout I ne con,
Bote wiþ gode men almesdede
Ilke dai mi lif I fede,
And bidde mi pater-noster and mi
      crede,
þat Goed hem helpe at hore nede, 210
þat helpen me mi lif to lede,
And leve þat hem mote wel spede.
His lif and his soule worþe i-shend,
þat þe to me þis hernde haveþ send;
And leve me to hen i-wreken   215
On him þis shome me haveþ
      speken.'

153 Hh streicht das komma nach kare. — 154 Siriz hs. — 157 he
ni hs. — 159 wordes WM, hs.] nicht wondes, wie die hs. nach St angeblich
liest (da die stelle radiert ist, scheint ein n-strich von der andern seite
durch; K). — 161 Siriz hs. — 162 wiþ Hh] wiz hs. — 179 seiȝ hs., St.]
seith WMHh. — 185 radde] ad auf rasvr K. — 191 für mede (vgl. v. 166)
schlägt Hh medes vor wegen des reimes mit dedes. — 212 Hh: „lies he
und setze ausrufzeichen nach spede." vgl. jedoch die anm. bei Mätzner.

'Leve Nelde, bi-lef al þis:
Me þinkeþ þat þou art onwis.
þe mon þat me to þe taute,
220 He woste þat þou hous couþest
        saute.— ᵃ⁻{ ᵢ ᵘ⁻
Help, dame Siriþ, if þou maut,
To make me wiþ þe suetiug saut,
And ich wille geve þe gift ful stark,
Moni a pound and moni a mark,
225 Warme pilche and warme shon,
Wiþ þat mi hernde be wel don.
Of muchel godlec miȝt þou ȝelpe,
If hit be so þat þou me helpe.'
'Liȝ me nout, Wilekin, bi þi leuté,
230 Is hit þin hornest þou tellest me?
Lovest þou wel dame Margeri?'
'ȝe, Nelde, witerli;
Ich hire love, hit mot me spille,
Bote ich gete hire to mi wille.'
235 'Wat, god Wilekin, me reweþ þi
        scaþe,
Houre Loverd sende þe help raþe!

Weste hic hit miȝtte ben for-hŏlen,
Me wolde þunche wel bifolen
þi wille for to fullen.
240 Make me siker wiþ word ond
        honde,
þat þou wolt helen, and I wile
        fonde,
If ich mai hire tellon.

For al þe world ne woldi nout
þat ich were to chapitre i-brout,
245 For none selke werkes.
Mi jugement were sone i-given,
To ben wiþ shome somer driven,
Wiþ prestes and wiþ clerkes.'

'I-wis, Nelde, ne woldi
þat þou hevedest vilani,   250
    No shame for mi good.
Iler I þe mi trouþe pliȝtte,
Ich shal helen bi ini miȝtte,
    Bi þe holi rood!'

'Welcome, Wilekin, hiderward;   255
Her havest i-maked a foreward
    þat þe mai ful wel like.
þou maiȝt blesse þilke siþ,
For þou maiȝt make þe ful bliþ;
    Dar þon namore sike.   /   260

To goder hele ever come þou
        hider,
For sone willi gange þider,
    And maken hire hounderstoude.
I shal kenne hire sulke a lore,
þat hoe shal lovien þe mikel more 265
    þen ani mon in londe.'

'Al so havi Godes griþ,
Wel havest þou said, dame Siriþ,
    And Godes hile shal ben þin.
Haue her twenti shiling,   270
þis ich ȝeve þe to meding,
    To buggen þe sep and swin.'

'So ich evere brouke hous oþer flet,
Noren never penes beter biset,
    þen þes shulen ben.   275
For I shal don a juperti,
And a ferli maistri,
    þat þou shalt ful wel sen. —

Pepir nou shalt þou eten,
þis mustart shal ben þi mete,   280

---

218 þat] þa hs., K. — 230 tellest hs., K] nach W tehest hs., was
M in techest änderte. — 235 Wat hs., St] þat WM. — 238 befolen Hh]
solen M, folen (?) hs., St. — 240 ond] on hs., WM. — 242 if WM]
is hs., St. — 247 shome auf rasur K. — 248 clerkes Hh] clarkes hs. —
258 þilke siþ auf rasur K. — 259 make auf rasur K. — 269 godes Hh]
goder hs. — 274 penes WM] pones hs. nach St. — 279 pepis W]
pepir M.

And gar þin eien to renne:
I shal make a lesing
Of þin hþie renuing,
Ich wot wel wer and wenne.'

285 'Wat! nou const þou no god,
Me þinkeþ þat þou art wod:
3evest þou þe welpe mustard?'
'Be stille, boinard!
I shal mit þis ilke gin
290 Gar hire love to ben al þin.
Ne shal ich never have reste ne ro,
Til ich have told hou þou shalt do.
Abid me her til min hom-come.'
'3us, bi þe somer-blome,
295 Heþen nulli ben bi-nomen,
Til þou be a3ein comen.'
Dame Siriþ bigon to go,
As a wrecche þat is wo,
þat hoe com hire to þen inne,
300 þer þis gode wif wes inne.
þo hoe to þe dore com,
Swiþe reuliche hoe bigon:
'Loverd', hoe seiþ, 'wo is holde
                              wives,
þat in poverte ledeþ ay lives;
305 Not no mon so muchel of pine,
As povre wif þat falleþ in ansine.
þat mai ilke mon bi me wite,
For mai I nouþer gange ne site.
Ded woldi ben ful fain,
310 Hounger and þurst me haveþ nei
                              slain:
Ich ne mai mine limes on-wold,
For mikel hounger and þurst and
                              cold.
War-to liveþ seike a wrecche!
Wi nul Goed mi soule fecche?'

'Seli wif, God þe hounbinde!   315
To dai wille I þe mete finde
For love of Goed.
Ich have reuþe of þi wo,
For evele i-cloþed I se þe go,
And evele i-shoed.   320

Com herin, ich wile þe fede.'
'Goed almi3tten do þe mede,
And se loverd þat wes on rode
        i-don,
And faste fourti dau3 onon,
And hevene and erþe haveþ to 325
                              welde.
As þilke Loverd þe for-3elde.'
'Have her fles and eke bred,
And make þe glad, hit is mi red;
And have her þe coppe wiþ þe
                              drinke;
Goed do þe mede for þi swinke.' 330
þenne spac þat olde wif —
Crist awarie hire lif —:
'Alas! alas! þat ever I live!
Al þe sunne ich wolde for-give
þe mon þat smite off min heved: 335
Ich wolde mi lif me were bi-reved!'
'Seli wif, wat eilleþ þe?'
'Bote eþe mai I sori he:
Ich hevede a douter feir and fre,
Feirer ne mi3tte no mon se;   340
Hoe hevede a curteis hossebónde,
Freour mon mi3tte no mon fónde.
Mi douter lovede him al to wel;
For-þi mak I sori del.
Oppon a dai he was out wend,   345
And þar þoru wes mi douter shend:
He hede on ernde out of toune:
And com a modi clarc wiþ croune,

---

231 renne *Hh*] rene *hs.* — 311 *Hh* ergänzt habbe *(inf.)* vor mine;
doch vgl. die anm. bei *Mätzner.* — 314 fecche] fetche (?) *hs., St. (die
buchstaben* c *und* t *haben, wie er bemerkt, in dieser hs. fast die gleiche
gestalt).* — 324 onon *MHh*] to non *hs.* — 330 Goed do þe mede for
hs., St] Goed mede þe for *WM.* — 334 Al þe *auf rasur K.* — 338 eþe]
das erste e *auf rasur K.* — 346 þar-þoru *hs., St (nach K* r *auf rasur)*]
þarforn *WM.*

To mi douter his love beed,
350 And hoe nolde nout folewe his red.
He ne miȝtte his wille have,
For noþing he miȝtte crave.
þenne bi-gon þe clerc to wiche,
And shop mi douter til a biche.
355 þis is mi douter þat ich of spoke:
For del of hire min herte mot breke.
Loke hou hire heien greten,
On hire cheken þe teres meten.
For-þi, dame, wore hit no wonder,
360 þan min herte burste assunder.
And wose ever is ȝong houssowif,
Hoe loveþ ful luitel hire lif,
And eni clerc of love hire bede,
Bote hoe grante and lete him spede.'
365 'A! Loverd Crist, wat mai I þenne do!
þis enderdai com a clarc me to,
And bed me love on his manere,
And ich him nolde nout i-here.
Ich trouue he wolle me for-sape.
370 Hou troustu, Nelde, ich moue
ascape?'
'God almiȝtten be þin help,
þat þou ne be nouþer bieche ne welp!
Leve dame, if eni clerc
Bedeþ þe þat love were,
375 Ich rede þat þou grante his bone,
And bi-com his lefmon sone.
And if þat þou so ne dost,
A worse red þou ounderfost.'

'Loverd Crist, þat me is wo,
380 þat þe clare me hede fro,
Ar he me hevede bi-wonne!
Me were levere þen ani fe
þat he hevede enes leien bi me,
And efftsones bi-gunne.

Evermore, Nelde, ich wille be þin, 385
Wiþ þat þou feche me Willekin,
þe clarc of wam I telle.
Giftes wili geve þe,
þat þou maiȝt ever þe betere be,
Bi Godes houne belle!' 390

'Soþliche, mi swete dame,
And if I mai wiþboute blame,
Fain ich wille fonde;
And if ich mai wiþ him mete,
Bi eni wei oþer bi strete, 395
Nout ne willi wonde.

Have god dai, dame! forþ willi go.'
'Allegate loke þat þou do so,
As ich þe bad;
Bote þat þou me Wilckin bringe, 400
Ne mai I never lawe ne singe,
Ne be glad.'

'I-wis, dame, if I mai,
Ich wille bringen him ȝet to dai,
Bi mine miȝtte.' 405
Hoe wente hire to hire inne,
þer hoe founde Wilekinne,
Bi houre Driȝtte!

'Swete Wilekin, be þou nout dred, 410
For of þin her(n)de ich have wel
sped;
Swiþe com forþ þider wiþ me,
For hoe haveþ send affter þe.
I-wis nou maiȝt þou ben above,
For þou havest grantise of hire love.'
'God þe for-ȝelde, leve Nelde, 415
þat hevene and erþe haveþ to
welde!'

---

356 mot *fehlt in der hs.*] wil *Hh.* — 360 þan *hs., St*] þah *WM.* —
361 And *WM*] A *hs., K* || hever *WM*] ever *hs., St.* — 362 Hoe *M*] ha
hs., St. — 363 And *hs., K*] An *WM.* — 365, 401 I *M*] *fehlt hs., W.* —
375 graunte *hs. nach M.* — 384 *lies* ben gone „*und dann (seines Weges)
gegangen wäre*"? ben *wie v.* 68. — 388 give *hs. nach M.* — 396 ne *hs.,
St*] me *WM* || wonde *hs., St*] wende *WM.* — 407 Her hoe *hs. nach Hh.* —
411 forþ *M*] for *hs.*

þis modi mon bigon to gon
Wiþ Siriþ to his levemon
In þilke stounde.
420 Dame Siriþ bigon to telle,
And swor bi Godes ouene belle,
Hoe hevede him founde.

'Dame, so have ich Wilekin
sout,
For nou have ich him i-brout.'
425 'Welcome, Wilekin, swete þing,
þou art welcomere þen þe
king.

Wilekin þe swete,
Mi love I þe bi-hete,
To don al þine wille.
430 Turnd ich have mi þout,
For I ne wolde nout
þat þou þe shuldest spille.'

'Dame, so ich evere bide noen,
And ich am redi and i-boen
To don al þat þou saie.   435
Nelde, par ma fai!
þou most gange awai,
Wile ich and hoe shulen plaie.'

'Goddot so I wille:
And loke þat þou mid hire tille,   440
And strek out hire þes.ttk
God jeve þe muchel kare,
Jeif þat þou hire spare,
þe wile þou here bes.

And wose is onwis,   445
Aud for none pris
Ne con geten his levemon,
I shal, for mi mede,
Garen him to spede,
For ful wel I con.'   450

47.

AUS 'ARTHUR AND MERLIN.'

DAS WUNDERKIND MERLIN.

Arthur and Merlin: a metrical romance, now first edited from the Auchinleck-MS, Edinburgh. Printed for the Abbotsford Club, 1838. Arthour and Merlin, nach der Auchinleck-hs. herausgegeben von Eugen Kölbing, Leipzig 1890, s. 31—36, v. 983—1170. hs. in der Advocates' Library, Edinburgh.

Þo þat child was ybore,
Blasi stode þe hole bifore;
985 Bi þe rope þai it doun let,
& he it cristned al so sket.
He clept it Merlin a godes name:
þe fende þer of hadde grame,
For þai lese þer þe mijt,
990 þat þai wende to haue bi rijt.
þo þat child yeristned was,
Blasi turned ojain his pas
& in þe rope anon it knitt;

þe howe wiif anon it fett
& jede & held it bi þe fer,   995
Biheld his face & eke his cher:
'Away', sche seyd, 'þou foule þing,
þat þi moder swiche ending
For þi sake haue schal,
For þou art loþlich ouer al!'   1000
þat child spac wiþ grete den:
'þou lext', he seyd, 'þou elde quen:
Mi moder quelle ne may noman,
While þat ich oliues am!'

418, 420 Siriz *hs.* — 440 mid *fehlt bei M.* — 446 none *Hh]* non *hs.*

985 doun *Hh]* adoun *hs.* — 997 sche seyd *fehlt in der hs.* Hh *ergänzt ein zweites* away *vor* þou. — 1001 grete *Hh]* grete *hs.* — 1002 elde *Hh]* eld *hs.*

1005 þe wif agros of þis answere:
'Haue þou no power, me to dere:
Ich þe hals a godes name!'
On þat maner seyd his dame
& halsed him also þare,
1010 He schuld telle, wat he ware;
Ac þei þai it hadde al yswore,
þai no miзt do him speke no-more;
& y зou telle anon, saunfayl,
þai hadden þer of gret meruail,
1015 & alle men, þat herdeu it,
Wonder hadden in her wit.

þer afterward зete half a зer
His moder held him bi þe fer,
& swiþe bitter teres lete
1020 & seyd: 'Allas, mi sone swete,
For þe misbiзeten stren
Quic y schal now doluen ben!'
þe child seyde: 'Dame, nay,
Ich þe swere par ma fay,
1025 No schal þer neuer no iustise
þe bidelue o non wise
No in erþe þi bodi reke,
þer whiles y may gon & speke!'

His moder wex a bliþe wiman;
1030 Fram þat ich day after þan
He telde hire vnder sonne
Al þat sche wolde conne.

Þo þat child couþe go,
þe iustise com þider þo
1035 & dede feche þat wiman
Bifor þe pople riзt onan

& swore, ded sche schulde ben
Riзt anon, bi heuen quen.

þo bispac Merlin childe
To þe iustise wordes milde: 1040
'Man, wele wot, þat ani gode kan,
Oзain chaunce no may no man;
þurch chaunce & eke þurch gras
In hir, for soþe, pelt y was!'
þe iustise biheld þat childe;   1045
For Merlin he was neiзe wilde
& seyd, ydoluen most sche ben.
þo quaþ Merlin: 'So mot y þen,
For al þat euer kanestow do,
Schaltow it neuer bring þer to,   1050
þat þou mi moder delue mow;
Bi resoun ichil wele avowe:

A fende it was, þat me biзat
& pelt me in an holy fat;
He wende haue hadde an iuel fode,   1055
Ac al icham turned to gode;
þurch kende of hem y can ho,
Telle of þing, þat is ago,
& al þing, þat is now,
Whi it is & what & how;   1060
Of oþer þing, þat is to come,
Telle y can nouзt al, ac some.
Ich wot wele, who mi fader is,
Ac þou no knowest nouзt þine,
                    ywis,
Whar þurch y telle moder þine   1065
Digner, to be ded, þan mine!'

Hou noblelich þat child answerd,
Wonder hadde, þat it herd,

1006 & seyd *vor* Haue *hs., gestrichen von Hh.* — 1009 *Hh liest*
halsede. — 1016 hadden *Hh*] hadde *hs.* — 1019 teres *Hh*] ters *hs.* —
1023 seyde *Hh*] seyd *hs.* — 1030 þat; *danach ein buchstabe ausradiert.* —
1031 telde hire *Hh*] teld hir *hs.* — 1032 wolde *Hh*] wald *hs.* —
1037 schulde *Hh*] schuld *hs.* — 1041 *Hh ergänzt* þat *vor* man, *wonach das*
komma zu tilgen wäre. vielleicht ist man *zu streichen.* — 1043 *Hh ergänzt*
Godes *vor* gras. — 1055 aniuel *hs.* — 1057 Ac þurch *hs. Hh läßt* Ac
stehen und streicht y. — 1059 *Hh ergänzt* of *vor* al. — 1065 telle *Hh*] tel *hs.* —
1066 Dingner; n *unterpunktiert* ‖ þan mine *Hh*] þan moder mine *hs.*

Zupitza-Schipper, Alt- u. mittelengl. übungsb. 11. aufl.   10

165

þat so couþe speke & go
1070 & was bot of ʒeres tvo.
þe iustise seyd: 'þou gabbest,
couioun:
Mi fader was an heiʒe baroun,
Mi moder is a leuedi fre,
Oliue ʒete þou miʒt hir se;
1075 Ich wene, bi þe quen Marie,
Men dede neuer bi hir folie!'

þe child seyd: 'Justise, hold þi
mouþe,
Oþer y schal make it wide couþe,
Of hir folis mani on;
1080 Do hir after som man gon:
Bot ʒif y do hir it ben aknawe,
Wiþ wilde hors do me todrawe!'
þe justise anon raþe & skete ˣˡᵉᵍᵃˣ
His moder þider feche he hete;
1085 Biforen him sche com wel sone.
þe justise seyde mid ydone:
'Say, Merlin, þat þou seydest arst,
Bifor mi moder, ʒif þou darst!'
'Now ich ise, sir iustise,
1090 þine ordinaunce no be nouʒt wise:
ʒif ich telt þis men bifore,
Hou þou were biʒeten & bore,
þi moder most ydoluen he,
& þat were alle [idon] þurch þe!'
1095 þo þe iustise þis vnderstode,
He þouʒte, þat child couþe gode;
In to a chaumber sone anon
Alle þre þai gunne to gon,
& þe iustise seyde þo:
1100 'Child Merlin, forþ þou go:
Telle now bitven ous þre,
What man it was, þat biʒat me!'

þe child swore: 'Bi seyn Symoun,
It was þe persone of her toun,
Haþ ypleyd wiþ þi dame 1105
& biʒat þe al a game!'
þat leuedy seyd: 'þou misbiʒeten
þing,
þou hast ylowe a gret lesing:
His fader was a fair baroun;
Y telle þat man a couioun, 1110
þat to þe ʒiueþ ani listening,
For þou art a cursed þing,
Mishiʒeten oʒaines þe lawe:
þou schuldest wiþ riʒte ben yslawe,
þat þou no leiʒe no lesinges mo, 1115
Wimmen forto wirchen wo!'
þe child seyd: 'Dame, [now] be
stille!
Wiþ riʒt may me no man spille,
For icham a ferly sond,
Born to gode to al þis lond, 1120
Ac þou art digne, doluen to ben:
þi sone schal þe soþe ysen!

þo þi lord com fro Cardoil,
In hert þou haddest grete diol;
Bi niʒte it was, ar þe day, ' 1125
þe persone in þine armes lay:
On þi dore þi lord gan knoke,
& þou stirtest vp in þi smoke,
Wel neiʒe wode for dred & howe.
Vp þou schotest a windowe, 1130
& þe persone þou out lete,
& afterward þou schet it sket;
&, for soþe, þat iche niʒt
He biʒat þis iche kniʒt.
Hou seistow, dame, seystow auʒt?' 1135
& sche no spac oʒain riʒt nauʒt,

1082 wilde *Hh*] wild *hs.* — 1083 Biforen *Hh*] Bifore *hs.* — 1086,
1099 seyde *Hh*] seyd *hs.* — 1094 idon *ergänzt von Hh, Beibl. 19, 143.* —
1096 þouʒte *Hh*] þouʒt *hs.* — 1098 Alle, gunne *Hh*] Al, gun *hs.* — 1102 *Hh*
liest strende statt biʒat. — 1107 statt sche þat leuedy hs.; gestrichen
von Hh, der she liest. — 1114 schuldest, riʒte *Hh*] schust, riʒt *hs.* —
1116 hs. men, Hh wimmen. — 1117 now ergänzt ron Hh; be, vor und
hinter diesem worte ist ein buchstabe ausradiert. — 1124 grete Hh]
gret hs. — 1125 niʒte Hh] niʒt hs. — 1133 þat; danach zwei buchstaben
ausradiert ǁ iche Hh] ich hs. — 1134 iche Hh] ich hs.*

Ac gretliche sche awondred was,
þat hir chaunged blod & fas.
þe justise seyd: 'Dame, what
    seystow?'
1140 'Sir, he seyt soþe, hi Crist Iesu,
þei ȝe me honge bi a cord,
He no leiȝeþ neuer a word!'
þe iustise þo hadde no game,
Ac neiȝe wode he was for schame.
1145 Merlin him cleped to an herne
& to him tolde tales derne:
'Sir,' he seyd, 'listen to me,
For soþe ichil now tellen þe:
Lete þi moder wende hom
1150 & sende þou after a litel grom,
þat hir cunne wele aspie,
For homward gon sche wil an
    hiȝe
& to þe persone sone say,

Hou ichaue hem boþe biwray!
When þe persone haþ herd þis, 1155
Sore he worþ adrad, ywis,
Of schameful deþ to haue of þe;
To a brigge he wil fle,
In to þe water scippe he wille,
& so he schal him seluen spille. 1160
Bot it be soþ, þat y þe telle,
Wiþ þine honden þou me aquelle!'

þe iustise dede, saunfail,
Al bi þat childes conseyl;
He it aspide bi on hewe, 1165
þe childes tale he fond al trewe;
& seþþen he legged hir fore,
þe childes moder nas nouȝt for-
    lore,
& al quite he lete hir go,
Wiþ outen pain, wiþ outen wo. 1170

48.

AUS R. MANNYNGS REIMCHRONIK.

Peter Langtoft's Chronicle, as illustrated and improved by Robert of Brunne etc., ed. by Thomas Hearne, 2 vols., Oxford 1725 (vol. I, s. 212—222); ed. Furnivall, London 1889, 2 vols. (enthält nur den text von teil I). vgl. Mätzner, Altenglische sprachproben I, 296—303. hss. zu London im Inner Temple und in der Lambeth bibliothek nr. 131. (vgl. O. Preussner, Zur textkritik von Robert Mannyngs chronik in Engl. stud. XVII, 300—314.)

At Westmynstere euen   es Jon laid solempnely.
þe Ersbisshop Steuen   corouned his sonne Henry —
A góde man alle his lyue,   of pouer men hád mercie,
Clerkes þat wild þryue,   auanced þam richelie:
5 Kirkes wild he dele   prouendis þat wer worþie,
To clerkes of his chapele,   þat wele couþ syng & hie. —
Henry kyng, our prince,   at Westmynster kirke did wife

1137 Ac so *hs. Hh streicht* sche *statt* so. — 1140 he *hs.*] she *Hh; die obige interpunktion und erklärung folgt Kaluza. Kölbing liest:* 'Sir', he seyt, 'soþe bi' *etc.* — 1141 honge *Hh*] hong *hs.* — 1146 tolde *Hh*] told *hs.* — 1151 cunne *Hh*] cun *hs.* — 1152 gon *fehlt hs.; ergänzt von Hh* ‖ hiȝe *Hh*] heiȝe *hs.* — 1157 to *Hh*] so *hs.* — 1162 *Hh liest* quelle.

7 did wife *fehlt. Pr(eussner) schlägt vor:* at Westmynster tok (*oder* weddid) to wife.

10*

þe erlys douhter of Prouince,   þe fairest may o life,
Hir name is Helianore,   of gentille norture,
10 Biʒond þe se þat wore   was non suilk creature.
In Ingelond is sche   corouned, þat lady gent,
Tuo sonnes, tuo douhteres fre   Jhesus has þam lent,
Edward & Edmunde,   knyght gode in stoure,
Of Laicestre a stounde   was Edmunde erle & floure.
15 Vnto þe Scottis kyng   was married Margarete,
Of Bretayn Beatrice ʒing   þe erle had þat mayden suete.
Faire is þe werk & hie   in London at Westmynster kirke,
þat þe kyng Henrie   of his tresore did wirke.
Grace God gaf him here,   þis lond to kepe long space,
20 Sex & fifty ʒere   withouten werre in grace;
Bot sone afterward   failed him powere,
Bot his sonne Edward   was his conseilere.
Our quene þat was þen   dame Helianore his wife,
þe gode erle of Warenne,   Sir Hugh was þan o life.
25 Sir William of Valence,   Sir Roger Mortimere,
Jon Mauncelle þe clerke,   & an erle Richere,
& oþer knyghtes inowe   of biʒond þe se,
To þe kyng drowe,   auanced wild þei be.
Edward suffred wele   his fadere haf his wille;
30 þe barons neuer a dele,   said þe kyng did ille
Aliens to auaunce   ouþer in lond or rent.
To mak disturbaunce   þei held a parlament,
Of þe aliens ilk taile   þe lond voided clere,
To þe kyng & his consaile   þei sent a messengere.
35 þe kyng sent þam ageyn,   his barons alle he grette,
At Oxenford certeyn   þe day of parlement sette.

At þis parlement   rested þat distaunce,
For þer was it ent   aliens to auaunce.
þe kynges state here paires,   þorgh conseil of baroun,
40 To him & his heyres   grete disheriteson.
Of wardes & relefe   þat barons of him held,
þer he was ore of chefe,   tille him no þing suld ʒeld:
& oþer þat held of þam,   þer þe kyng felle be partie,
Nouht of þat suld claym   of all þat seignorie;
45 Tille ilk a lordyng   suld ward & relefe falle,
Bot tille þe kyng no þing,   he was forbarred alle.

---

8 o lif hs. (vgl. v. 23, 24). — 11 Inglond hs. — durch die emendation
Ingelond ist die von Hh empfohlene umstellung corouned is sche ent-
behrlich und corouned, wie in v. 2, zum zweiten halbverse zu ziehen. —
34 Of þe kyng H(earne), To þe k. M(ätzner). — 35 þei grette H, he
gr. M. — 42 ne was H, he was M. — 43 þaim Hh, Beibl. 21, 292.

þe kyug perceyued nouht   of þat ilk desceit;
þe chartre was forth brouht   with wittnes enscled streit.
Ne no men þat were strange   in courte suld haf no myght,
50 Ne office to do no chance   withouten þe comon sight.
þis þei did him suere,   als he was kyng & knyght,
þat oth suld he were,   & maynten wele þas right.   *maintain*

The kyng was holden hard,   þorgh þat he had suorn.
His frendes afterward,   þo þat were next born,
55 þe com to him & said: 'Sir, we se þin ille,
þi lordschip is doun laid,   & led at oþer wille.
We se þis ilk erroure   nouht þou vnderstode:
It is a dishonoure   to þe & to þi blode,
þou has so bonden þe,   þei lede þe ilk a dele.
60 At þer wille salle þou be,   Sir, we se it wele.
Calle ageyn þin oth,   drede þou no manace,
Nouþer of lefe ne loth,   þi lordschip to purchace;
þou may fulle lightly   haf absolutioun,
For it was a gilery,   þou knew not þer tresoun.
65 þou has frendis inowe   in Inglond & in France,
If þou turne to þe rowe,   þei salle drede þe chance.'
þe kyng listued þe sawe,   at þat consail wild do;
þe barons had grete awe,   whan þei wist he wild so.
þei tok & send þer sond   after Sir Symoun —
70 þe Mountfort out of lond   was, whan þis was don.
A message þei him sent,   þe Mountfort son home cam,
þe barons with on assent   to Sir Symon þei nam.
þei teld him þe processe   of alle þer comon sawe,
& he as folc alle fresse   fulle eth þer to to drawe,   *caste*
75 Withouten his conseile,   or þe kynges wittyng,
To maynten þer tirpeile   he suore ageyn þe kyng,
þe statute for to hold   in werre & in pes,
þe poyntes þat þei him told,   þerfor his life he les.
Hardely dar I say   he did aperte folie,
80 Als wys men þis way   here ferst þe toþer partie.

Sir Symon was hastif,   his sonnes & þe barons
Sone þei reised strif,   brent þe kynges tounes,
& his castels tok,   held þam in þer bandoun,
On his londes þei schok,   & robbed vp & doun.
85 þo þat þer purueiance   of Oxenford not held,
With scheld & with lance   fend him in þe feld.
In alle þis barette   þe kyng & Sir Symon
Tille a lokyng þam sette,   of þe prince suld it be don.
An oth suore þei þare,   to stand to þe ordinance,
90 Ouer þe se to fare   bifor Philip of France,

At his dome suld it be,   withoute refusyng.
þer for went ouer þe se   Sir Henry our kyng.
þe quene wild not duelle,   to þe kyng gan hir hie.
þus my boke gan telle,   scho tok grete vilanie
95 Of þe Londreis alle,   whan scho of London went;
Whi þat it suld falle,   I ne wote what it ment.
Bot whan þe kyng of France   had knowen certeynly,
þat þe purueiance   disherite kyng Henry,
He quassed it ilk dele   þorgh jugement.
100 þe kyng was paied wele,   & home to Inglond went.
Whan Sir Symon wist   þe dome ageyn þam gon,
His felonie forth thrist,   samned his men ilkon,
Displaied his banere,   lift vp his dragoun,
Sone salle 3e here   þe folie of Symoun.

105 The erle did mak a chare   at London þorgh gilery,
Himself þer in suld fare,   & seke be wend to ly.
Sexti þousand of London   armed men fulle stoute
To þe chare were fondon,   to kepe it wele for doute.
þer þe bataile suld be,   to Leaus þai gan þam alie,
110 þe kyng & his meyne   were in þe priorie.
Symoun com to þe feld,   & put vp his banere,
þe kyng schewed forth his scheld,   his dragon fulle austere.
þe kyng said on hie: Symon ieo vous defie.
Edward was hardie,   þe Londreis gan he ascrie.
115 He smote in alle þe route,   & sesid him þe chare,
Disconfited alle aboute   þe Londreis þat þer ware.
Edward wend wele   haf fonden þe erle þer in,
Disceyued ilk a dele   he went & myght not wyn.
To whille Sir Edward was   aboute þe chare to take,
120 þe kynges side, allas!   Symoun did doun schake.
Unto þe kynges partie   Edward turned tite,
þan had þe erle þe maistrie,   þe kyng was disconfite.
þe soth to say & chese,   þe chares gilerie
Did Sir Edward lese   þat day þe maistrie.
125 þe fourtend day of May   þe batail of Leaus was
A þousand & tuo hundreth   sexti & foure in pas.
þe kyng of Almayn   was taken to prisoun,
Of Scotland Jon Comyn   was left in a donjoun.
þe erle of Warenne, I wote,   he scaped ouer þe se,
130 & Sir Hugh Bigote   als with þe erle fled he.
Many faire ladie   lese hir lord þat day,
& many gode bodie   slayn at Leaus lay.

---

106 he wend *H*, be wend *M*. — 114 Londres *H*, Londreis? *M*.]
he gan *M*.

þe numbre non wrote,   for telle þam mot no man,
Bot he þat alle wote,   & alle þing ses & can.

135 Edward, þat was ȝing,   with his owen rede
For his fader þe kyng   himself to prison bede,
For þe kyng of Almayn [þere]   his neuow was ostage.
In prison nere a ȝere   was Edward in cage.
Aboute with Sir Symoun   þe kyng went þat ȝere,

140 Cite, castelle & toun   alle was in þe erles dangere.
It was on a day   Edward þouht a wile,
He said he wild asay   þer hors alle in a mile.
He asayed þam bi & bi,   & retreied þam ilkone,
& stoned þam alle wery,   standand stille as stone.

145 A suyft stede þer was,   a lady þider sent,
Edward knewe his pas,   þe last of alle him hent,
Asaied him vp & doun,   suyftest he was of alle.
þat kept him in prisoun,   Edward did him calle:
'Maister, haf gode day,   soiorne wille I no more,

150 I salle ȝit, if I may,   my soiorne trauaile sore.'
þe stede he had asaied,   & knew þat he was gode,
In to þe watere he straied,   & passed wele þat flode.
Whan Edward was ouere   graciously & wele,
He hoped haf recouere   at Wigemore castele.

155 Edward is wisely   of prison scaped oute,
Felaus he fond redy,   & mad his partie stoute.
– þe erles sonnes wer hauteyn,   did many fole dede,
þat teld a knyght certeyn   to þe erle als þei boþe ȝede.

The erle ȝede on a day,   to play him with a knyght,

160 & asked him on his play: 'What haf I be sight?'
þe knyght ansuerd & said: 'In ȝow a faute men fynde,
& is an ille vpbraid,   þat ȝe ere nere blynde.'
þe erle said: 'Nay perde!   I may se right wele.'
þe knyght said: 'Sir, nay, ȝe   vnneþ ise any dele;

165 For þou has ille sonnes,   foles & vnwise,
þer dedes þou not mones,   ne nouht wille þam chastise.
I rede þou gyue gode tent,   & chastise þam sone,
For þam ȝe may be schent,   for vengeance is granted bone.'
þe erle ansuerd nouht,   he lete þat word ouer go,

170 No þing þer on he þouht,   tille vengeance felle on þo.
Euer were his sonnes hauteyn   & bold for þer partie,
Boþe to knyght & sueyn   did þei vilanie.
For lefe ne for loth   folie wild þei not spare.
Wherfor wex with þam wroth   Sir Gilbert of Clare.

137 þere *ergänzt von Hh* (here *Beibl. 19, 143*). — 146 knewe *Hh]*
knowe *hs.* — 149 I *M] fehlt H.* — 157 fole *M]* folie *H.* — 164 ise *M]*
is *H,* se *Hh.* — 173 folie *M]* folle *H.*

175 Sir Gilbert herd say   of þer dedes ille,
    Of non þe had ay   to stynt ne hold þam stille.
    þer of Edward herd say þat Gilbert turned his wille,
    To Gilbert tok his way, his luf to tak & tille.
    Sone þei were at ono, with wille at on assent,
180 His luf fro Munfort gon, I telle Symon for schent.
    Treuth togidere þei plight Edward & Gilbert,
    Ageyn Symon to fight, for ouht þat mot be herd.
    Mercy suld non haue Symon no his sonnes,
    No raunson suld þam saue for doute of drede eftsones.
185 Schent is ilk baroun, now Gilbert turnes grim,
    þe Mountfort Sir Symoun most affied ou him.
    Allas! Sir Gilbert þou turned þin oth,
    At Stryuelin men it herd, how God þer for was wroth.

    The erle sonnes vp & doun of parties mad þei bost,
190 To whils at Northamptoun þise kynges gadred ost.
    Symon sonnes it left, to Killyngworth þei went,
    & þer þe soiorned eft, þer rioterie þam schent.
    Suilk ribaudie þei lad, þei gaf no tale of wham,
    To whils Sir Edward had seisid alle Euesham.
195 þe fift day it was after Lammesse tide,
    & writen is in þat pas, at Euesham gan þei ride.
    In þe alder next þat þe bataile was of Leaus,
    þe gynnyng of hernest, as þe story scheawes,
    Com Symon to feld, & þat was maugre his,
200 Or euer he lift his scheld, he wist it ȝed amys.
    He was on his stede, displaied his bancre,
    He sauh þat treson ȝede, doun went his powere.
    He sauh Sir Edward ride, batailed him ageyn
    Gloucestre þe toþer side; þan wist þe erle certeyn,
205 His side suld doun falle, tille his he said sone:
    'God haf our saules alle, our dayes ere alle done.'
    Edward first in rode, & perced alle þe pres;
    þo þat him abode þer lyues alle þei les.
    He mad his fader quite of prison þer he lay,
210 Deliuerd him als tite with dynt of suerd þat day.
    Hard was þat bataile, & ouer grete þe folie,
    So scharply gan þai assaile, so mykille folk gan die.
    Stoutly was þat stoure, long lastand þat fight,
    þe day lost his coloure, & mirk was as þe nyght.
215 þe lif of many man þat ilk day was lorn,
    þo þat it first bigan wrotherhaile wer þei born.
    Now is þe bataile smyten, Sir Symon is þer slayn,

---

193 lad *Hh*] led *hs.* — 200 he wist *M*] his wist *H.*

His sonnes, als ȝe witen,   died on þat playn.
His membres of þei schare,   & bare þam to present;
220 Sir Hugh Despenser þare   als he to dede went,
Sir Rauf þe gode Basset   did þer his endyng,
Sir Pers of Mountfort fet   his dede at þat samenyng.
Sir Guy Baliol died þore,   a ȝong knyght & hardy,
He was pleyned more   þan oþer tuenty.
225 þise & many mo   died in þat stoure,
þe kyng may sauely go,   & maynten his honour.
Pris þan has þe sonne,   þe fadere maistrie,
þei went to Northampton,   so wild kyng Henric.

At þe parlement was   flemed barons fele,
230 Of Leicestre þe countas,   hir sonnes wild no man spele.
Oþer lordes inowe   of erles & barouns,
To þe wod som drowe,   & som left in prisouns,
To say longly or schorte,   alle þat armes bare;
Almerik of Mountfort   depriued was þare
235 Of þe trésorie,   þat he had in kepyng,
& gaf þat ilk bailie   to þe Mortimere sonne ȝing.
A legate Ottobon   þe pape hider sent,
To mak þe barons on   þorgh his prechement.
þe quene com out of France, & with hir alle þo,
240 þat for þe purueiance   were exild to go,
Saue Jon þe Maunselle,   he died biȝond þe se,
Als chance for him felle,   þe toþer welcom be.

49.

AUS RICHARD ROLLE DE HAMPOLE.

English Prose Treatises of R. R. de H., ed. by *G. G. Perry, 1866 (EETS 20)*,
s. 8. vgl. *Mätzner, Altenglische sprachproben II, 126; Horstmann, Richard
Rolle and his Followers (Yorkshire Writers, London 1895, vol. I); Emerson,
ME. Reader, s. 143ff.; Kluge, me. lesebuch, s. 34 f. Thornton MS (Lincoln
Cathedral Library A 5. 2), fol. 194 r.*

Moralia Richardi heremite de natura apis, vnde est apis argumentosa.

The bee has thre kyndis. ane es, þat scho es neuer ydill
and scho es noghte with thaym, þat will noghte wyrke. bot
castys thaym owte and puttes thaym awaye. a nothire es, þat,

---

228 to *fehlt H.* — 230 þe countas of Leicestre *H.* — 233 alle
armes *H,* alle þat armes *M.* — 234 Almerik or Mountfort *H,* A. of Mount-
ford *M.* — 235 & þe tresorie *H,* of þe tr. *M.* — 236 tor þe *H,* to þe *M.*
49. *die schnörkel am* m *und* n *und die striche durch* ll *sind nicht
beachtet.*

when scho flyes, scho takes erthe in hyr fette, þat scho be
noghte lyghtly ouerheghede in the ayere of wynde. the thyrde es,
that scho kepes clene and bryghte hire wyngez. thus ryghtwyse
men, þat lufes god, are neuer in ydyllnes; for owthyre þay ere
in trauayle prayand or thynkande or redande or othere gude
doande or withtakand ydill men and schewand thaym worthy to
10 be put fra þe ryste of heuen, for þay will noghte trauayle here.
þay take erþe, þat es, þay halde þam selfe vile and erthely, that
thay be noghte blawen with þe wynde of vanyte and of pryde.
thay kepe thaire wynges clene, that es, þe twa commandementes
of charyte þay fulfill in gud concyens, and thay hafe othyre
15 vertus vnblendyde with þe fylthe of syn and vnclene luste.

    Arestotill sais, þat þe bees are feghtande agaynes hym, þat
will drawe þaire hony fra thaym: swa sulde we do agaynes
deuells, þat afforces tham to reue fra vs þe hony of poure lyfe
and of grace. for many are, þat neuer kane halde þe ordyre
20 of lufe agaynes þaire frendys sybbe or fremede, bot outhire þay
lufe þaym ouer mekill or thay lufe þam ouer lyttill settand thaire
thoghte voryghtwysely on thaym, or þay luf thaym ouer lyttill.
yf þay doo noghte all, as þey wolde till þam. swylke kane noghte
fyghte for thaire hony, for thy þe deuelle turnes it to wormes
25 and makes þeire saules ofte sythes full bitter in angwys and tene
and besynes of vayne thoghtes and oþer wrechidnes; for thay are
so heuy in erthely frenchype, þat þay may noghte floe in till þe
lufe of Iesu Criste, in þe wylke þay moghte wele forgaa þe lufe
of all creaturs lyfande in erthe; whare fore accordandly Ary-
30 stotill sais, þat some fowheles are of gude flyghyng, þat passes
fra a lande to a nothire, some are of ill flyghynge for heuynes
of body and for þaire neste es noghte ferre fra þe erthe. thus
es it of thaym, þat turnes þam to godes seruys. some are of gude
flyeghynge, for thay flye fra erthe to heuen and rystes thaym
35 thare in thoghte and are fedde in delite of goddes lufe and has
thoghte of na lufe of þe worlde. some are, þat kan noghte flyghe
fra þis lande, bot in þe waye late theyre herte ryste and delyttes
þaym in sere lufes of men and women, als þay come and gaa,

---

5 wynge vor wynde *zu* wynde *gebessert und dann getilgt.* —
20 agaynes] ynesche: *Mätzner behält es und ergänzt dahinter* of. —
21 or — lyttill *mit Kölbing zu streichen?*

nowe ane and nowe a nothire; and in Iesu Cristo þay kan fynde
40 na swottnos, or, if þay any tym fele oghte, it es swa lyttill and
swa schorte for othire thoghtes, þat are in thaym, þat it brynges
thaym till na stabylnes; or þay are lyke till a fowle, þat es
callede strueyo or storke, þat has wenges, and it may noghte
flye for charge of body: swa þay hafe vndirstandynge and fastes
45 and wakes and semes haly to mens syghte, bot thay may noghte
flye to lufe and contemplacyone of god: þay are so chargede
wyth othyre affeccyons and othire vanytos. — *Explicit.*

50.

AUS DAN MICHELS 'AYENBITE OF INWYT'.

*Herausgegeben von Richard Morris (EETS 23), London 1866, s. 87,
191 u. 238, hs. im Britischen Museum, Arundel 57, fol. 26 r, 59 v u. 74 r.*

Noblesse.

þe zoþe noblesse comþ of þe gentyle herte. vorzoþe non
herte ne is gentyl, bote he louie god: þanne þer ne is non
noblesse, bote to serui god an louye, ne vyleynye, bote ine þe
contrarie. þet is, god to wreþi and to do zenne. non ne ys ariʒt
5 gentyl ne noble of þe gentilesse of þe bodye; vor ase to þe
bodye alle we byeþ children of one moder, þet is, of erþe and
of wose, huer of we nome alle uless and blod: of þo zide non
ne is ariʒt gentil ne vri. ac oure riʒte uador is kyng of heuene,
þet made þet body of þe erþe and ssop þe zaule to his anlycnesse
10 an to his fourme. an, al ase hit is of þe nador ulesslich, þet mochel
is bliþo, huanne his children him byeþ ylych, al zuo hit is of
oure uader gostlich. þet be wrytinges an be his zondes ne let
naʒt ous to somony and bidde, þet we zette payne to by him
ilich; and þeruore he ous zente his blissede zone Iesu Crist in to
15 erþe uor to brenge ous þe zoþe uorbisne, huer by we byeþ yssape
to his ymage and to his uayrhede, ase byeþ þo, þet wonyeþ ine
his heʒe cite of heuene (þet byeþ þe angles and þe halʒen of
paradis), huer ech is þe more heʒ and þe more noble, þe more
propreliche þet he berþ þe ilke uayre ymage; and þeruore þe holy
20 man ine þise wordle deþ al his herte and al his payne to knawe

13 naʒ(t).

god and louye and of hire herte alle zenne to wayuye. vor. þe
more þet þe herte is clene and þe uayrer, zuo moche he yzy3þ
þe face of Iesu Crist þe more ôpenliche, and, þe more þet he his
yzy3þ openliche, þe more he him loueþ þe stranglaker, þe more he
25 him likneþ propreliche: and þet is þe zoþe noblesse, þet makeþ
ous godes zones. and þeruore zayþ ri3t wel saynd Ion þe apostel,
nor þanne we ssolle by godes children, and we ssolle by him
ylich propreliche, huanne we him ssolle yzy, ase he ys, openliche.
þet ssel by ine his blysse. huanne we ssolle by ine paradys; uor
30 hyer ne zyþ non onwry3e þe uayrhede of god, bote ase hit by ine
ane ssêwere, ase zayþ sainte Pauel; vor þanne we him ssolle yzy
face tô face clyerlyche.

þe zoþe noblesse þanne of man begynþ hyer be grace and
be uertue and is uolueld ine blysse. þise noblesse makeþ þe holy
35 gost ine herte, þet he clenzeþ ine clennesse and aly3t ine zoþ-
nesse and uoluelþ ine charite. þise byeþ þe þri greteste guodes,
þet god yêfþ þe angles, ase zayþ saint Denys, huer by hy byeþ
yliche to hare sseppere. and þus workeþ þe holy gost ine þe herten
of guode men be grace and be uertue, huer by hy byeþ ymad to
40 þe ymage and to þe anlycnesse of god, ase hit may by ine þise
lyue. uor he his arêreþ zuo ine god and his becleþ zuo ine his
loue, þet al hare wyl and al hare onderstondinge is, þet is ....
þet is hare beþenchinge, þet is ywent ine god, þis loue and þis
wylnynge, þet ioyneþ and oneþ zuo þe herte to god, þet he ne may
45 oþer þing wylny, oþer, þanne god wyle (uor hi ne habbeþ betuene
god and ham bote onlepi wyl); and þanne to þe ymage and to þe
anliknesse of god, ase me may habbe in erþe: and þet is þe gratteste
noblesse and þe he3este gentilesse, þet me may to hopye and cliue.

A god, hou hy byeþ uer uram þise he3nesse, þo þet makeþ
50 ham zuo quaynte of þe ilke poure noblesse, þet hi habbeþ of hare
moder, þe erþe, þet berþ and norysseþ azewel þe hogges, ase,
hy deþ þe kinges. and hy ham yelpeþ of hare gentylcte, uor þet
hy weneþ by of gentile woze, and þe ilke kenrede hy conne
ri3t wel telle, and þe opre zyde hy ne lokeþ na3t, huer of ham
55 comþ þe zoþe noblesse and þe gentil kenrede. hy ssolden loki to
hare zoþe. uorbysne Iesu Crist, þet mest louede and worssipede

---

21 to wayny(e), verb. Stratmann, towayuye Varnhagen. — 37 (god). —
42 ond || is þet is auf rasur, dahinter etwa 20 buchstaben radiert. — 56 zoþ(e).

his moder, þanne eure dede eny oþer man, and alneway, huanne
me him zede: 'sire, þi moder and þi cosyn þe akseþ', he ansuer-
ede: 'huo ys my moder, and huo byeþ myne cosynes? huo þet
60 deþ þe wyl of myne uader of heuene, he is my broþer and my
zoster and my moder.' vor þis is þe noble zyde and þo gentyl
kende, þer of comþ and wext ine herte zoþe blisse, ase of þe
oþren ydele noblesse wext prede and ydele blisse.

Of uertue of merci.

Efterward þer wes a poure man, ase me zayp, þet hedde
65 ane cou, and yhyerde zigge of his preste ine his prechinge, þet
god zede ine his spelle, þet god wolde yelde anhendreduald al,
þet me yeaue uor him. þe guode man mid þe rede of his wyue
yeaf his cou to his preste, þet wes riche. þe prest his nom ble-
þeliche and hise zente te þe oþren, þet he hedde. þo hit com
70 to euen, þe guode mannes cou com to his house, ase hi wes
ywoned, and ledde mid hare alle þe prestes ken al to an hon-
dred. þo þe guode man ysez þet, he þozte, þet þet wes þet word
of þe godspelle, þet he hedde yyolde; and him hi weren yloked
benore his bissoppe aye þane prest. þise uorbisne sseweþ wel, þet
75 merci is guod chapuare; uor hi deþ wexe þe timliche guodes.

Hyer lyþ a tale.

Me ret ine liues of holy uaderes, þet an holy man tealde,
hou he com to by monek, and zede, hou þet he hedde yby ane
payenes zone, þet wes a prest to þe momenettes; and, þo he wes
a child, on time he yede into þe temple mid his uader priue-
80 liche. þer he yzez ane gratne dyeuel, þet zet ope ane uyealdinde
stole, and al his mayne aboute him. þer com on of þe princes
and leat to him. þo he him aksede, þe ilke, þet zet ine þe stole,
huannes he com, and he ansuerede, þet he com uram ane londe,
huer he hedde arered and ymad manye werren and manye
85 viztinges, zuo þet moche uolk weren ysslaze and moche blod þer
yssed. þe mayster him acsede, ine hou moche time he hedde þet
ydo, and he ansuerede: 'ine þritti dazes.' he him zede: 'ine zuo
moche time hest zuo lite ydo?' þo he het, þet ha wer rizt wel

---

63 wex(t). — 68 und 70 u in cou auf rasur ‖ hi:. — 74 be(uo)re. —
81 of þe princes auf rasur.

ybeate and euele ydraȝe. eftor þan com anoþer, þet alsuo to him
90 leat, ase þe uerste. þe maystor him acsede, huannes ha com. he
ansuerede, þet he com uram þo ze, huer he hedde ymad manye
tempestes, uelc ssipes tobroke and moche uolk adreynct. þe mai-
ster acsede: 'ine hou long time?' he ansuerede: 'ine tuenti daȝes.'
he zayde: 'ine zuo moche time hest zuo lite ydo?' efterward com
95 þe þridde, þet ansuerede, þet he com uram ane cite, huer he
hedde yby at ane bredale, and þer he hedde arered and ymad
cheastes and strifs, zuo þet moche uolk þer were yslaȝe, and þer
to he hedde yslaȝe þane hosebounde. þe maister him acsede, hou
long time he zette þet uor to done. he ansuerede, þet ine ten
100 daȝes. þo he hot, þet he were wel ybyate, uor þet he hedde zuo
longe abide þet to done wiþoute more. ate lasten com an oþer
touore þe prince, and to him he beaȝ. and he him acsede: 'huannes
comst þou?' he ansuerede, þet he com uram þe ermitage, huer
he hedde yby uourti yer uor to uondi ane monek of fornicacion,
105 þet is þe zenne of lecherie, 'and zuo moche ich habbe ydo, þet
ine þise nyȝt ich hine habbe ouercome and ydo him nalle in to
þe zenne'. þo lhip op þe mayster and him keste and beclepte and
dede þe coroune ope his heued an dede him zitte bezide him,
and to him zede, þet he hedde grat þing ydo and grat prowesse.
110 þo zayde þe guode man, þet, huanne he hedde þet yhyord and
þet yzoȝe, he þoȝte, þet hit were grat þing to by monck; and
be þo encheysoun he becom monck.

51.

KLAGELIED AUF DEN TOD EDUARDS I.

*Th. Wright, Political Songs of England (Camden Society), London 1839,
s. 246; Percy, Reliques of Ancient English Poetry, ed. A. Schröer, I. hälfte,
II. bd., s. 270—274; Böddeker, Altenglische dichtungen des MS Harl. 2253,
Berlin 1878, s. 140; vgl. F. Holthausen, Anglia XV, 189; Mod. Lang.
Rev. VII, 149.*

Alle þat beoþ of huerte trewe, of a knyht, þat wes so strong, 5
a stounde herkneþ to my song of wham God haþ don ys wille;
of duel, þat deþ haþ diht vs newe, me þuncheþ þat deþ haþ don vs
þat makeþ me syke ant sorewe wrong,
among þat he so sone shal ligge stille.

---

92 adreyet, verb. M ‖ ma(i)ster. — 102 he vor beaȝ auf rasur. —
112 (he).

Al Englond ahte forte knowe
10 of wham þat song is, þat y synge,
of Edward kyng, þat liþ so lowe,
  ȝent al þis world is nome con
    springe;
trewest mon of alle þinge,
ant in werre war and wys,
15 for him we ahte oure bouden
    wrynge,
  of cristendome he ber þe pris.

Byfore þat oure kyng wes ded,
  he spek ase mon þat wes in care:
'Clerkes, knyhtes, barouns,' he
    sayde,
20 'y charge ou by oure sware,
þat ȝe to Engelonde be trewe.
  y deȝe, y ne may lyuen namore;
helpeþ mi sone, & crouneþ him newe,
  for he is nest to buen ycore.

25 Ich biqueþe myn herte aryht,
þat hit be write at mi deuys,
ouer þe see þat hue be diht,
  wiþ fourscore knyhtes, al of pris,
In werre þat buen war & wys,
30 aȝein þe heþene forte fyhte,
  to wynne þe croiz þat lowe lys;
my self ycholde ȝef þat y myhte.'

Kyng of Fraunce, þou heuedest
    sinne,
þat þou þe counsail woldest fonde,
35 to latte þe wille of Edward kynge,
to wende to þe holy londe,
þat oure kyng bede take on honde,
  al Engolond to ȝeme & wysse,
to wenden in to þe holy londe,
40 to wynnen vs heueriche blisse.

þe messager to þe pope com,
  & seyde þat oure kyng wes ded;
ys ȝune hond þe lettre he nom,
  ywis, is herte wes ful gret.
þe pope him self þe lettre redde, 45
  ant spec a word of gret honour:
'alas?' he seide, 'is Edward ded?
  of cristendome he ber þe flour.'

þe pope to is chaumbre wende,
  for dêl ne mihte he speke namore, 50
ant after cardinals he sende,
  þat muche couþen of Cristes lore,
boþe þe lasse ant eke þe more,
  bed hem boþe rede & synge:
gret deol me myhte se þore,   55
  mony mon is honde wrynge.

þe pope of Peyters stod at is
    masse,
  wiþ ful gret solempnete,
þer me con þe soule blesse:
  'Kyng Edward, honoured þou be! 60
god leue, þi sone come after þe,
  bringe to ende þat þou hast
    bygonne;
þe holy croiz ymad of tre,
  so fain þou woldest hit ban
    ywonne!

Jerusalem, þou hast ilore   65
  þe flour of al chiualerie;
Nou kyng Edward lieuþ namore:
  alas! þa he ȝet shulde deye!
he wolde ha rered vp ful beyȝe
  oure baners, þat bueþ broht to 70
    grounde;
wel longe we mowe clepe & crie,
  er we a such kyng han yfounde!'

---

33 þou dedest ille H(olt)h(ausen)] þou heuedest sunne hs.,
B(öddeker). — 35 to ... kynge Brandl, Björkman]˙ to latte of kyng
Edward þe wille IIh; to latte þe wille of kyng Edward hs., B. —
43 (wiþ) ys wird vermutet von IIh (Herrigs Archiv 100, 406), doch ys
wohl mit Brandl und Björkman zu fassen als (h)ys. — 49 chaunbre hs.,
chaumbre B.

Nou is Edward of Carnaruan
    kyng of Engelond al aplyht;
75 god léte him nér þe wórse
       man
    þen is fader, ne lasse of
       myht,
to holden is þóremen to ryht,
ant vnderstonde good cónsail,
al Engelond forte wisse ant
       diht;
80   of gode knyhtes darht him nout
       fail.

þah mi tonge were mad of stel,
    ant min herte yȝote of bras,
þe godnesse myht y neuer telle,
    þat wiþ kyng Edward was:
kyng, as þou art clèped conqnerour, 85
    in vch bataille þou hadest pris;
god bringe þi soule to þe honour
    þat ener wes & ener ys,
    þat lesteþ ay wiþ onten ende!
    bidde we God ant oure ledy, 90
to þilke blisse Iesus vs sende.
         Amen.

52.

FRÜHLINGSLIED.

Th.Wright, Specimens of Lyric Poetry (Percy Society, vol. IV), London 1841, s. 25; Ritson Ancient Songs and Ballads, London 1821, I, 63; Morris, Specimens of Early English, Oxford 1867, s. 107; Wülker, Altenglisches lesebuch, Halle a. d. S. 1874, I, 106; Böddeker, Altenglische dichtungen des MS Harl. 2253, s. 164; Kluge, Mittelengl. leseb., s. 95; vgl. E. Kölbing, Engl. stud. II, 517; F. Holthausen, Anglia XV, 189; Archiv 70, 153; 71, 253.

Lenten ys come wiþ loue to tonne,
wiþ blosmen & wiþ briddes ronne,
    þat al þis blisse bryngeþ;
dayes eȝes in þis dales,
5 notes suete of nyhtegales,
    vch foul song singeþ.
þe prestelcoc him preteþ oo;
away is huere wynter woo,
    when woderone springeþ.
10 þis fonles singeþ ferly fele,
ant wlyteþ on huere wynne wele,
    þat al þe wode ryngeþ.

þe rose rayleþ hire rode,
þe lènes on þe lyhte wode
15   waxen al wiþ wille.
þe mone mandeþ hire bleo,
þe lilie is lossom to seo,
    þe fenyl & þe fille;

wowes þis wilde drakes,
miles murgeþ huere makes,   20
    ase strem þat strikeþ stille;
mody meneþ, so doht mo,
Ichot ycham on of þo,
    for loue þat likes ille.

þe mone mandeþ hire lyht,   25
so doþ þe semly sonne bryht,
    when briddes singeþ breme:
deawes donkeþ þise dounes,
deores wiþ huere derne rounes,
    domes forte deme;   30
wormes woweþ vnder clonde,
wymmen waxeþ wounder proude,
    so wel hit wol hem seme.
ȝef me shal wonte wille of on,
þis wunne weole y wole forgon 35
    ant wyht in wode be fleme.

---

80) darht B(öddeker), darh MS.

    11 wynne wele Hh] wynter wele hs., B. — 22 doht B] doh MS. —
28 þise Hh] þe hs., B.

53.

ALYSOUN; EIN LIEBESLIED.

Th. Wright, Specimens of Lyric Poetry, s. 27; Ritson, Ancient Songs and Ballads, s. 56; Morris and Skeat, Specimens of Early English II, 43; Wülker, Altenglisches lesebuch I, 108; Böddeker, Altenglische dichlungen des MS Harl. 2253, s. 147; Kluge, Mittelengl. leseb., s. 96.

Bytuene mersh & aueril,
  when spray biginneþ to springe,
þe lutel foul haþ hire wyl
  on hyre lud to synge.
5 Ich libbe in loue longinge
  for semlokest of alle þinge;
He may me blisse bringe,
icham in hire baundoun.
  An hendy hap ichabbe yhent,
10 ichot, from heuene it is me sent,
from alle wymmen mi loue is lent
& lyht on Alysoun.

On heu hire her is fayr ynoh,
  hire browe brouue, hire eȝe blake,
15 wiþ lossum chere he on me loh,
  wiþ middel smal, & wel ymake.
Bote he me wolle to hire take,
forte buen hire owen make,
longe to lyuen ichulle forsake
20 & feye fallen adoun.
  An hendy hap &c.

Nihtes when y wende & wake,
  (forþi myn wonges waxeþ won,)
Leuedi, al for þine sake
  longinge is ylent me on. · 25
In world nis non so wyter mon,
þat al hire bounte telle con.
Hire swyre is whittore þen þe swon,
& feyrest may in toune.
  An hendi &c. 30

Icham for wowyng al forwake,
  wery so water in wore;
Lest eny reue me my make
  ychabbe yȝyrned ȝore.
Betere is þolien whyle sore, 35
  þen mournen euermore.
Geynest vnder gore,
  herkne to my roun!
An hendi &c.

54.

HEIMLICHE LIEBE.

Th. Wright, Specimens of Lyric Poetry, s. 38; Böddeker, Altenglische dichtungen des MS Harl. 2253, s. 161; vgl. F. Holthausen, Anglia XV, 189.

A wayle whyt ase whalles bon,
a grein in golde þat godly shon,
a tortle þat min herte is on,
  in toune trewe;
5 hire gladshipe nes neuer gon,
  whil y may glewe.

When heo is glad,
of al þis world namore y had,
þen beo wiþ hire myn one bistad,
  wiþ oute strif; 10
þe care þat icham yn ybrad
  y wyte a wyf.

---

54. 2 godly Hh] goldly hs., B. — 4 tounes hs.

A wyf, nis non so worly wroht;   from helle to heuene & sonne 35
when heo ys blyþe to bedde ybroht,   to see
15 wel were him þat wiste hire þoht,   nys non so ȝeep,
    þat þryuen & þro;   ne half so freo:
wel y wot heo nul me noht,   whose wole of loue be trewe,
    myn herte is wo!   do lystne me.

Hou shal þat lefly syng,   Herkneþ me, y ou telle,   40
20 þat þus is marred in mournyng?   in such wondryng for wo y welle,
heo me wol to deþe bryng,   nys no fur so hot in helle
    longe er my day.   al to mon, .
gret hire wel, þat swete þing,   þat loueþ derne ant dar nout telle
    wiþ eȝenen gray.   whet him ys on.   45

25 Hyre heȝe haueþ wounded me   Ich vnne hire wel, ant heo me wo;
    ywisse;   ycham hire frend, ant heo my fo;
bire bende browen, þat bringeþ   me þuncheþ min herte wol breke
    blisse;   atwo
hire comely mouth þat mihte cusse,   for sorewe and syke!
    in muche murþe he were;   in Godes greting mote heo go,   50
y wolde chaunge myn for his,   þat wayle whyte.
30   þat is here fere.

Wolde hyre fere beo so freo,   Ich wolde ich were a þrestelcok,
ant wurþes were þat so myhte beo;   a bountyng oþer a lauerok,
    al for on y wolde ȝeue þreo,   swete bryd!
    wiþ-oute chep.   bituene hire curtel ant hire smok 55
    y wolde ben hyd.

55.

LIED ZUM PREISE JESU UND DER JUNGFRAU MARIA.

Th. Wright, Specimens of Lyric Poetry, s. 61; Böddeker, Altenglische dichtungen des MS Harl. 2253, s. 196; vgl. Zupitza, Herrigs Archiv 86, 408.

When y se blosmes springe,   When y mi selue stonde,
    ant here foules song,   & wiþ min eȝon seo
a suete louelongynge   þurled fot ant honde
    myn herte þourh out stong: wiþ grete nayles þreo —
5 al for a loue newe,   blody wes ys heued,   15
þat is so suete & trewe,   on him nes nout bileued
    þat gladieþ al mi song;   þat wes of peynes freo, —
ich wot al myd iwisse,   wel wel ohte myn herte
my ioie & eke my blisse   for his loue to smerte,
10   on him is al ylong.   ant sike ant sory beo.   20

---

38 wose hs. — 53—54 Hh nimmt den ausfall einer zeile zwischen diesen versen an (vgl. dazu Schipper, Engl. Metrik I, § 143).

Iesu, milde & softe,
  3ef me streynþe ant myht,
Longen sore ant ofte
  to louye þe aryht;
25 pyne to þolie ant dreȝe
  for þi sone, Marye:
  þou art so fre ant bryht;
mayden ant moder mylde,
for loue of þine childe
30 ernde vs heuene lyht.

Alas, þat y ne couþe
  turne to him my þoht, ꞏꞏ ꞏꞏ at oure lyues ende,
ant cheosen him to droupe;
  so duere he vs haþ yboht!
35 wiþ woundes deope ant stronge,
wiþ peynes sore ant longe!

of loue ne conne we noht;
his blod þat fool to grounde
of hise suete wounde,
  of peyne vs haþ yboht.   40

Iesu, milde ant suete,
  y synge þe mi song;
ofte y þe grete,
  ant preye þe among;
let me sunnes lete,   45
ant in þis lyue bete
  þat ich haue do wrong:
at oure lyues ende,
when we shule wende,
iesu, vs vnderfong!   50
  amen.

56.

LIED ZUM PREISE DES ERLÖSERS.

*Th. Wright, Specimens of Lyric Poetry, s. 111; Böddeker, Altenglische
dichtungen des MS Harl. 2253, s. 231.*

Lutel wot hit anymon,
  hou loue hym haueþ ybounde,
þat for vs oþe rode ron,
  ant bohte vs wiþ is wounde.
5   þe loue of hym vs haueþ ymaked sounde,
  ant yeast þe grimly gost to grounde.
Euer & oo, nyht & day, he haueþ vs in is þohte,
He nul nout leose þat he so deore bohte.

He bohte vs wiþ is holy blod,
10   what shulde he don vs more?
  he is so meoke, milde & good,
    he nagulte nout þerfore;
  þat we han ydon, y rede we reowen sore,
  ant crien euer to Iesu: 'Crist, þyn ore!'
15 Euer & oo, niht & day &c.

---

26 þi *B(öddeker)*] þe *hs.* — 33 droupe *Zupitza*] lemmon *hs.*, *B.* —
43 þe *B*] se *hs.* – 49 we *B*] whe *hs.* — 50 vnderfong *B*] vndefong *hs.*
12 nagulte *B(öddeker)*] na gulte *hs.*

11*

He seh his fader so wonder wroht
  wiþ mon þat wes yfalle,
 wiþ herte sor he seide is oht,
  we shulde abuggen alle;
20   his suete sone to hym gon clepe & calle,
   · & preiede he moste deye for vs alle.
· Euer & oo, &c.

He brohte vs alle from þe deþ,
  ·& dude vs frendes dede;
25   suete Iesu of Nazareth,
   . þou do vs heuene mede;
     vpon þe rode why nulle we taken hede?
     His grene wounde so grimly conne blede.
Euer & oo, &c.

30 His deope wounden bledeþ fast,
    of hem we ohte munne!
  He haþ vs out of helle ycast,
    ybroht vs out of sunne;
    ffor loue of vs his wonges waxeþ þunne,
35   His herte blod he ʒef for al mon kunne.
Euer & oo, &c.

57.

SPOTTGEDICHT LAURENCE MINOTS AUF DIE SCHOTTEN.

*Poems written MCCCLII by Laurence Minot, ed. by Joseph Ritson, London
1795, 1825, s. 6; Th. Wright, Political Poems and Songs etc. (Rerum
Britan. Scriptores XII), London 1859, I, 61; Mätzner, Altenglische sprach-
proben I, 323; Wülker, Altenglisches lesebuch I, 77; W. Scholle, Laurence
Minots lieder (QF. LII), Straßburg 1884, s. 5; Jos. Hall, The Poems of
Laurence Minot, Oxford 1882, s. 4; hs. im Brit. Mus., Cotton Galba, E, IX;
Kluge, Mittelengl. leseb., s. 110.*

      *Now for to tell ʒow will I turn
      Of (þe) batayl of Banocburn.*

Skottes out of Berwik   and of Abirdene,
At þe Bannokburn   war ʒe to kene:
þare slogh ʒe many sakles, als it was sene,
And now has king Edward wroken it, I wene:
5 It es wrokin, I wene, wele wurth þe while;
  War ʒit with þe Skottes, for þai er ful of gile.

---

19 we B] whe *hs.* — 32 vs] ous *hs.*
6 ʒit] ʒow S(cholle).

Whare er ʒe, Skottes   of Saint Johnes toune?
þe boste of ʒowre baner   es betin all dounc;
When ʒe bosting will bede,   sir Edward es bonne
10 For to kindel ʒow care,   and crak ʒowre crowne:
    He has crakked ʒowre croune,   wele worth þe while;
    Schame bityde þe Skottes,   for þai er full of gile.

Skottes of Striflin   war steren and stout;
Of God ne of gude men   had þai no dout;
15 Now haue þai, þe pelers,   priked obout,
Bot at þe last sir Edward   rifild þaire rout:
    He has rifild þaire rout,   wele wurth þe while;
    Bot euer er þai vnder   bot gaudes and gile.

Rughfute riueling,   now kindels þi care,
20 Berebag, with þi boste,   þi biging es bare;
Fals wretche and forsworn,   whider wiltou fare?
Busk þe vnto Brug,   and abide þare:
    þare, wretche, saltou won,   and wery þe while;
    þi dwelling in Donde   es done for þi gile.

25 þe Skotte gase in Burghes,   and betes þe stretes,
All þise Inglis men   harmes he hetes;
Fast makes he his mone   to men þat he metes,
Bot fone frendes he findes   þat his bale betes:
    Fune betes his bale   wele wurth þe while;
30   He uses all threting   with gaudes and gile.

Bot many man thretes   and spekes ful ill,
þat sum tyme war better   to be stane-still;
þe Skot in his wordes   has wind for to spill,
For at þe last sir Edward   sall haue al his will:
35   He had his will at Berwik,   wele wurth þe while.
    Skottes broght him þe kayes,   bot get for þaire gile.

---

18 lies both gaudes? *Brotanek*. — 22 Brug *H(all)*] brig *hs*. —
25 Skotte *Ritson*] Skottes *hs*. ‖ Burghes *H*] burghes *hs. und frühere*
herausgg. — 26 All þise] in all wise (?) *H*. — 34 sir *S*] *fehlt in d. hs*.

58.

AUS 'PATIENCE'.

Early English Alliterative Poems (EETS 1), ed. by R. Morris, London 1869, 2d ed., s. 91; Kluge, Mittelengl. leseb., s. 116 f.; Select Early English Poems ed. by I. Gollancz, vol. I, London 1913. hs. im Brit. Museum, Nero A, X, fol. 83 v. vgl. noch Fischer, Bonner Beiträge XI.

Hit bitydde sum tyme   in þe termes of Iude,
Ionas ioyned watz þer inne   ientyle prophete:
goddes glam to hym glod,   þat hym vnglad made,
wyth a roghlych rurd   rowned in his ere.

65 'rys radly,' he says,   'and rayke forth eueu:
nym þe way to Nynyue   wythouten oþer speche
and in þat cete my saȝes   soȝhe alle aboute,
þat in þat place at þe poynt   i put in þi hert;
for iwysse hit arn so wykke,   þat in þat won dowellez,
70 and her malys is so much,   i may not abide,
bot venge me on her vilanye   and venym bilyue.
now sweȝe me þider swyftly   and say me þis arende.'
     When þat steuen watz stynt,   þat stowned his mynde,
al he wrathed in his wyt,   and wyþerly he þoȝt:
75 'if i bowe to his bode   and bryng hem þis tale
and i be nummen in Nuniue,   my nyes begynes.
he telles me, þose traytoures   arn typped schrewes:
if i com wyth þose typynges,   þay ta me bylyue,
pynez me in a prysoun,   put me in stokkes,
80 wryþe me in a warlok,   wrast out myn yȝen.
þis is a meruayl message   a man for to preche
amonge ennyes so mony   and mansed fendes;
bot if my gaynlych god   such gref to me wolde
for desert of sum sake,   þat i slayn were,
85 at alle peryles', quoþ þe prophete,   'i aproche hit no nerre.
i wyl me sum oþer waye,   þat he ne wayte after:
i schal tee in to Tarce   and tary þere a whyle,
and lyȝtly, when i am lest,   he letes me alone.'
     þenne he ryses radly   and raykes bilyue,
90 Ionas, toward port Iaph   ay ianglande for tene,
þat he nolde þole for no þyng   non of þose pynes:
þaȝ þe fader, þat hym formed,   were fale of his hele,
'oure syre syttes', he says,   'on seȝe so hyȝe
in his glowande glorye   and gloumbes ful lyttel,

---

62 watz] M(orris) gibt jedes ȝ der handschrift ebenso wieder, während hier dafür je nach seiner bedeutung ȝ oder z gesetzt ist. — 78 if fehlt. — 84 for M] fol. — 94 glowande] glwande M, g::wande.

95 þaȝ i be nummen in Nuniue   and naked dispoyled,
on rode rwly torent   wyth rybaudes mony'.
þus he passes to þat port   his passage to seche:
fyndes he a fayr schyp   to þe fare redy,
maches hym wyth þe maryneres,   makes her paye
100 for to towe hym in to Tarce,   as tyd as þay myȝt.
then he tron on þo tres,   and þay her tramme ruchen,
cachen vp þe crossayl,   cables þay fasten,
wiȝt at þe wyndas   weȝen her ankres,
sprude spak to þe sprete   þe spare bawe lyne,
105 gederen to þe gyde ropes,   þe grete cloþ falles,
thay layden in on ladde borde   and þe lofe wynnes.
þe blyþe breþe at her bak   þe bosum he fyndes,   !
he swenges me þys swete schip   swefte fro þe hauen.
Watz neuer so ioyful a lue,   as Ionas watz þenne,
110 þat þe daunger of dryȝtyn   so derfly ascaped:
he wende wel, þat þat wyȝ,   þat al þe world planted,
had no maȝt in þat mere   no man for to greue.
lo þe wytles wrechehe,   for he wolde noȝt suffer,
now hatz he put hym in plyt_   of peril wel more.
115 hit watz a wenyng vnwar,   þat welt in his mynde,
þaȝ he were soȝt fro Samarye,   þat god seȝ no fyrre:
ȝise, he blusched ful brode,   þat burde hym, by sure,
þat ofte kyd hym þe carpe,   þat kyng sayde,
dyngne Dauid on des,   þat demed þis speche
120 in a psalme, þat he set   þe sauter withinne:
'o folez in folk,   felez oþer whyle
and vnderstondes vmbe stounde,   þaȝ ȝe be stare fole:
hope ȝe, þat he heres not,   þat eres alle made?
hit may not be, þat he is blynde,   þat bigged vche yȝe.'
125 hot he dredes no dynt,   þat dotes for elde,
for he watz fer in þe flod   foundande to Tarce;
bot i trow, ful tyd   ouertan þat he were,
so þat schomely to schort   he schote of his ame.
for þe welder of wyt,   þat wot alle þynges,
130 þat ay wakes and waytes,   at wylle hatz he slyȝtes.
he calde on þat ilk crafte,   he carf wyth his hondes:
þay wakened wel þe wroþoloker,   for wroþely he cleped:
'Ewrus and Aquiloun,   þat on est sittes,
blowes boþe at my bode   vpon blo watteres.'
135 þenne watz no tom þer bytwene   his tale and her dede:
so bayn wer þay boþe two   his bone for to wyrk.
anon out of þe norþ est   þe noys bigynes:
when boþe breþes con blowe   vpon blo watteres;

---

122 ȝe] he ‖ stare *Fischer*] stape; *Go(llancz) liest* stape in.

        roȝ rakkes þer ros   wyth rudnyng anvnder;
140 þe see souȝed ful sore,   gret selly to here;
        þe wyndes on þe wonne water   so wrastel togeder.
        þat þe wawes ful wode   waltered so hiȝe
        and efte busched to þe abyme,   þat brëȝd fysches,
        durst nowhere for roȝ   arest at þe bothem.
145 when þe breth and þe brok   and þe boȝte metten,
        hit watz a ioyles gyn,   þat Ionas watz inne;
        for hit reled on roun .vpon þe roȝe ypes.
        þe bur ber to hit baft, . þat braste alle her gere.
        þen hurled on a hepe   þe helme and þe sterne,
150 furst tomurte mony rop   and þe mast after.
        þe sayl sweyed on þe see,   þenne suppe bihoued
        þe coge of þe colde water,   and þenne þe cry ryses.
        ȝet coruen þay þe cordes . and kest al þer oute:
        mony ladde þer forth lep   to laue and to kest,
155 scopen out þe scapel water, ·þat fayn scape wolde:
        for be monnes lôde neuer so luþer, . þe lyf is ay swete.

59.

AUS DER 'ZERSTÖRUNG VON TROJA'.

*The 'Gest Hystoriale' of the Destruction of Troy, ed. by the Rev. Geo.
A. Panton and David Donaldson, London 1869 and 1874 (EETS 39, 56),
s. 1. hs. im Hunterian Museum in Glasgow.*

Prologue.

    Maistur in mageste,   maker of alle,
    endles and on,   euer to last,
    now, god, of þi grace   graunt me þi helpe
    and wysshe me with wyt   þis werke for to ende.
 5 off aunters, ben olde,   of annsetris nobill
    and slydyn vppon shlepe   by slomering of age,
    of stithe men in stoure,   strongest in armes
    and wisest in wer   to wale in hor tyme,
    þat ben drepit with deth,   and þere day paste,
10 and most out of mynd   for þere mecull age,
    sothe stories ben stoken vp·   and straught out of mynde
    and swolowet into swym   by swiftenes of yeres
    for new, þat ben now   next at our hond,
    breuyt into bokis   for boldyng of hertis,

    141 wrastelt *Wülker.* — 147 round *M*; *Go.* — 152 clolde, *verb. M.*
156 lote? *M.*

15 on lusti to loke   with lightnes of wille
   chouyt throughe chaunce   and chaungyng of peopull.
sum tru for to traist   triet in þe ende,
   sum feynit o fere   and ay false vnder.
   yche wegh, as he will,   warys his tyme
20 and has lykyng to lerne,   þat hym list after,
   but olde stories of stithe,   þat astate holde,
   may be solas to sum,   þat it segh neuer,
   be writyng of wees,   þat wist it in dede,
   with sight for to serche of hom,   þat suet after,
25 to ken all the crafte,   how þe case felle,
   by lokyng of letturs,   þat lefte were of olde.
   Now of Troy forto telle   is myn enteut euyn,
   of the stoure and þe stryffe,   when it distroyct was.
   þof fele yeres ben faren,   syn þe fight endid,
30 and id meuyt out of mynd,   myn hit i thinke,
   alss wise men haue writen   the wordes before,
   left it in latyn   for lernyng of vs.
   but sum poyetes full prist,   þat put hom þerto,
   with fablis and falshed   fayned þere speche
35 and made more of þat mater,   þan hom maister were:
   sum lokyt ouer litle   and lympit of the sothe.
   amonges þat menye   (to myn hym be nome)
   Homer was holden   haithill of dedis,
   qwiles his dayes enduret,   derrist of other!
40 þat with the Grekys was gret   and of Grice comyn:
   he feynet myche fals,   was neuer before wroght,
   and turnet þe truth: trust ye non other,
   of his trifuls to telle   i haue no tome nowe
   ne of his feynit fare,   þat he fore with,
45 how goddis foght in the filde,   folke as þai were,
   and other errours vnable,   þat after were knowen,
   that poyetis of prise   have prouyt vntrew:
   Ouyde and othir,   þat onest were ay,
   Virgille þe virtuus   verrit for nobill;
50 thes dampned his dedys   and for dull holdyn.
   but þe truth for to telle   and þe text euyn
   of þat fight, how it felle   in a few yeres,
   þat was clanly compilet   with a clerk wise,
   on Gydo, a gome,   þat graidly hade soght,
55 and wist all þe werks   by weghes he hade,
   that bothe were in batell,   while the batell last,
   and euþer sawte and assembly   see with þere een,
   thai wrote all þe werkis   wroght at þat tyme
   in letturs of þere langage,   as þai lernede hade.
60 Dares and Dytes   were duly þere namys:

Dites full dere   was dew to the Grekys,
a lede of þat lond   and logede hom with;
the tother was a tulke   out of Troy selfe,
Dares, þat duly   the dedys beheldc.
65 aither breuyt in a boke   on þere best wise,
that sithen at a site   somyn were founden,
after at Attheues,   as auuter befell;
the whiche bokis barely   bothe, as þei were,
a Romayn ouerraght   and right hom hym seluyn,
70 that Cornelius was cald   to his kynde name.
he translated it into latyn   for likyng to here,
but he shope it so short,   þat no shalke might
haue knowlage, by course   how þe case felle;
for he brought it so breff   and so bare leuyt,
75 þat no lede might have likyng   to loke þerappon,
till þis Gydo it gate,   as hym grace felle,
and declaret it more clere   and on clene wise.
in this shall faithfully be founden   to the fer ende
all þe dedis bydene,   as þai done were.
80 how þe groundis first grew   (and þe grete hate)
bothe of torfer and tene,   þat hom tide aftur.
and here fynde shall ye faire   of þe felle peopull,
what kyngis þere come   of costis aboute,
of dukes full doughty   and of derffe erles,
85 that assemblid to þe citie   þat sawte to defend;
of þe Grekys, þat were gedret,   how gret was þe nowmber,
how mony knightis þere come   and kyngis enarmede,
and what dukis thedur droghe   for dedis of were,
what shippes þere were shene   and shalkis within,
90 bothe of barges and buernes,   þat broght were fro Grese
and all the hatels on bent   þe buernes betwene,
what duke þat was dede   throughe dyntis of hond,
who fallen was in fylde,   and how it fore after,
bothe of truse and trayne   þe truthe shalt þu here
95 and all the ferlies, þat fell   vnto the ferre ende.
fro this prologe i passe   and part me þerwith:
frayne will i fer   and fraist of þere werkis,
meue to my mater   and make here an ende.
       Explicit Prologue.

60.

ANFANG DES V. BUCHES VON BARBOURS 'BRUCE'.

Ausgaben von Skeat, London 1870 (EETS, Extr.-Ser. XI, XXI, XXIX),
XI, s. 105; Edinburgh 1894 (Scot. T. S.), s. 111. handschriften: C = Cam-
bridge MS (St. John's College, vom jahre 1487), fol. 34v, E = Edinburgh
MS (vom jahre 1489); H = Harts ausgabe 1616. þ steht hier für Skeats
kursives th an stelle eines handschriftlichen y.

þis wes in were, quhen vyntir tyde
vith his blastis, hydwiß to byde,
wes ourdriffin, and byrdis smale,
as thristill and þe nychtingale,
5 hegouth rycht meraly to syng
and for to mak in þair synging
syndry notis and soundis sere
and melody plesande to here;
and þe treis begouth to ma
10 burgeonys and brycht blwmys alsua,
to vyn þe heling of þar hevede,
þat vikkit vyntir had þame revede,
and all gressis begouth to spryng:
in to þat tyme þe nobill king
15 vith his flot and a few menȝe
(thre hundir, i trow, þai mycht weill be)
wes to þe se furth of Arane
a litill forrow þe evyn gane.
þai rowit fast with all þar mycht,
20 till þat apon þame fell þe nycht,
þat it wox myrk on gret manere,
swa þat þai wist nocht, quhar þai were;

for þai na nedill had na stane,
bot rowit alwayis in till ane,
stemmand alwayis apon þe fyre, 25
þat þai saw byrnand licht and schire.
it wes bot auentur, þat þame led,
and þai in schort tym swa þame sped,
þat at þe fyre arivit þai.
and went to land but mair delay. 30
and Cuthbert, þat has seyn þe fyre,
wes full of angir and of ire,
for he durst nocht do it avay,
and he wes alsua doutand ay,
þat his lord suld paß þe se: 35
þarfor þair cummyng vatit he
and met þame at þair ariving.
he wes weill soyne brocht to þe king,
þat sperit at hym, how he had done,
and he with sair hert tald him 40 sone,
how þat he fand nane weill willand,
hot all war fais þat euir he fand;

---

1 were] ver *E.* — 4 thristill] turturis *nachträglich E*, turtle *H.* —
5 meraly] sariely *E*, sweetly for *H.* — 6 in — synging] their sola-
cing *H.* — 7 syndry] swete *E.* — 8 melodys *E.* — 11 hevede *S(keat)*]
hede *C*, hewid *E*, head *H.* — 12 revede] made *H.* — 13 grewis *C*,
gressys *E*, gersse *H.* — 14 in that sweet t. *H.* — 16 four *H* || weill
f. EH. — 17, 18 wes ... gane *S*] is ... gan *E*, went ... ar (was *H*)
gane *CH.* — 17 furth] owte *E.* — 18 þe *f. E.* — 21 it *f. EH.* — 24 in
till] foorth in *H.* — 25 stemmand] sterand *E*, steering *H* || all tyme *E.* —
27 þat *f. E* || þame *über getilgtem* him *C.* — 34 he *f. E.* — 35 þe] to *E*,
to the *H.* — 41 willand *CH*] luffand *E.* — 42 euer *H, f. E.*

and at þe lord þe Persy
with neir thre hundreth in cum-
    pany
45 wes in þo castell þar besyde,
fulfillit of dispit and pride;
bot mair þan twa part of his rout
war herbreit in þe toune þarout,
'and dispisis ʒow mair, schir
    · king,
50 þan men may dispiß ony thing.'
þan said þe kyng in full gret ire:
'tratour, quhy maid þou on þe
    fyre?'
'a schir,' he said, 'sa god me se,
þat fyre wes neuir maid on
    for me,
55 na or þis nycht i wist it nocht,
bot, fra i wist it, weill i thocht,
þat ʒhe and haly ʒour menʒhe
in hy suld put ʒow to þe se.
forþi i com to meit ʒow her
60 to tell peralis, þat may aper.'
þe king wes of his spek angry
and askit his preue men in hy,
quhat at þame thoucht wes best
    to do.
schir Eduard ferst answerd þar to,
65 his broþir, þat wes so hardy,
and said: 'i say ʒow sekirly,
þar sall na peralis, þat may be,
dryve me eftsonis to þe se:
myne auenture heir tak will i,
70 quheþir it be eisfull or angry.'
'broþir,' he said, 'sen þou vill sa,
it is gud, þat we sammyn ta
diseß or ese, pyne or play,

eftir as god will vs purvay.
and sen men sais, þat þe Persy 75
myne heritage will occupy,
and his menʒe sa neir vs lyis,
þat vs dispisis mony viß,
ga we wenge sum of þe dispit,
and þat we may haf don als tit: 80
for þai ly trastly but dreding
of vs and of our heir cummyng.
and, þouch we slepand slew thaim
    all,
repreif vs þarof na man sall;
for veriour na fors suld ma, 85
quheþir he mycht ourcum his fa
throu strynth or throu sutelte,
bot at gud fath ay haldin be.'
    Quhen þis wes said, þai went
    þare way,
and till þe toun soyn cumin ar thai 90
sa preuely bot noyß making.
þat nane persauit þair cummyug.
þai scalit throu þe toune in hy
and brak vp duros sturdely
and slew all, þat þai mycht ourtak; 95
and þai, þat na defens mycht mak,
full pitwisly couth rair and cry.
and þai slew þame dispitwisly,
as þai, þat war in to gud will
to wenge þe angir and þe ill 100
þat þai and þairis had to þaim
    vrocht:
þai with so felloun will þaim socht.
þat þai slew þame euirilkane,
outtak Makdowall hym allane.
þat eschapit throu gret slicht 105
and throu þe myrknes of þe nycht.

.   43 at] þat E ‖ þe lord CE] sir Henry H. — 47 partis E. —
48 without E. — 49 despises H, dyspytyt E. — 50 despise H, dispyt E. —
52 on] þan E. — 54 þat] þe E ‖ on f. EH ‖ for] through H. — 55 þis]
þe E. — 61 rycht angry C gegen EH. — 67 perell E. — 68 dryve EH]
draw C. — 71 þat getilgt; dafür sen C ‖ sa H] sua E, say C. — 73 or
auch vor pyne EH. — 78 dispiß C, despises H, dispytis E. — 79 we
and E. — 80 may we E ‖ (haf) C. — 82 and] or E. — 84 vs f. E. —
85 werrayour EH, veriours C. — 88 faith EH. — 97 couth] gan E. —
98 dispitously E. — 99 in to] in full E. — 101 to f. E. — 102 þai f. E.

In þe castell þe lorde Persy
herd weill þe noyis and þe cry;
sa did þe men, þat within wer,
110 and full effraytly gat þair ger:
but off þaim wes nane sa hardy,
þat euir ischyt fourth to þe cry.
in sic afray þai baid þat nycht
till on þe morn, þat day wes licht,

and þan cesit in to party 115
þe noyis, slauchtir and þe cry.
the king gert be departit þen
all haill þe reif amang his men
and duelt all still þair dais thre:
sic hansell to þe folk gaf he 120
richt in þe first begynnyng
newly at his ariwyng.

61.

AUS 'SIR FYRUMBRAS'.

Sir Ferumbras, ed. by Sidney J. Herrtage, London 1879 (EETS, Extra-Ser. XXXIV), s. 42. hs. in Oxford, Ashmole 33, fol. 15r.

Torne we aȝen in tour sawes, and speke we atte frome
1105 of erld Olyuer and his felawes, þat Sarazyns habbeþ ynome.
þe Sarazyns prykyaþ faste away, as harde as þay may hye,
and ledeþ wiþ hymen þat riche pray, þe flour of chyualarye.
by hilles and roches swyþe horrible on hur cors þay wente,
and, er þay come to Mantrible, nenere þay ne astente.
1110 ouer þe brigge þay gunne ride, þat was ful huge of lengthe,
in þe cite þat nyȝt to abyde, to kep hem þer in strengthe.
wiþ hure prisouns þay comen in, þat were ytake be chaunce:
þe draȝtbrigge was drawe vp after hem for drede of þe host of Fraunce.
soue þay ryse vpon þe morwe, and to Egremoygne þay toke þe way;
1115 god kepe þe prisouns out of sorwe, for carful þay were þat day!
wanne þay come to þe castel ȝate, hure hornes þay blewe faste:
þe porter alredi was þer ate and let hym in an haste.
þe heghe amerel, sir Balan, þat was on his halle an heȝ,
faste þyder þanne he ran, wanne he hymen come yseȝ.
1120 and wiþ hem al so sir Lamazour, a kyng of heþene londe,
and, wan þay comen doun of þe tour, after tydyngges þay gunne to fonde.
Bruillant, þe kyng of Mountmirrce, of is stede him liȝte adoun,
þan amyral þanne salnede hee in þe name of sire Mahoun.

107 þe persi *E.* — 109—112 *EH, f. C.* — 109 and sa *H* ǁ þat within] with him *H.* — 110 effraytly] infrainly *H.* — 112 an durst ishe foorth to cry *H.* — 113 effray *E.* — 116 þe slawchtyr *E.* — 118 reff *E,* spraith *H.* — 120 þe] þat *E.* — 122 newlingis *E.*

1113 *zweites of fehlt.*

þe amyral of hym axeth sone,   wat tydynge þay had ybroȝt:
1125 'tel þou hem me riȝt anone,   and for no þyng hele þon noȝt.
haue ȝe taken duk Roland   and Olyuer, his felawe,
and wyþ Charlis foȝt wyþ hand   and hys doþþepers aslawe?'
'Nay,' seyþ he, 'by seynt Mahoun,   it is noȝt, as ȝo sayn.
we buþ discomfyt and sleyn adoun   wiþ þe kyng Charlemayn,
1130 and þy sone, sir Fyrumbras,   þat fauȝt with a knyȝt of Fraunce,
be name ne know y noȝt, wat he was,   ac þar is betid a chaunce,
þat Fyrumbras by him ys ouercome,   as þay foȝte in felde,
and to cristendom haþ him nome   and to Charlis kyng is ȝelde.'
Wan þe amyral haþ iherd þe kyng,   in sowenyng gan he falle,
1135 ac, wan he awok of his soȝnyng,   londe he gan to calle
and wrong ys hondes and saide: 'alas,   ys my sone ynome?
my ioye ys lost for Fyrumbras: wat man is he bicome?
Alas, what sorwe haþ he don,   þat was so hardy and wiȝt,
þat he was encombred so for on   to yeld him to such a knyȝt?
1140 v. hundred y saw aȝen him gon,   and he slow alle in fiȝt,
and now ys he take among is fon: ylost ys al my miȝt.
and if he is turnd to cristene lay,   alas, þanne is hit wors:
leuere me were, by my fay,   he were todrawe wyþ hors.'
þe amyral saide þanne aȝeyn: 'tel me, what is þe knyȝt,
1145 þat was so miȝty man of mayn   to ouercome my sone in fiȝt?'
Bruyllant saide: 'so mot y þryue,   þes moste man in siȝt,
þat stent ibounde among hem vyue   her byfore ȝow riȝt.'
'Aha,' quaþ he, 'is þes þe þef?   þe deuel him mote forgnaȝe,
þat ouercom my sone, þat was me lef,   and broȝt him to is lawe!
1150 by Mahoun, þat is my god in pref,   ne schal y noȝt be fawe,
er y sen him haue mischef,   anhanged and todrawe.'
Wan þay herd him þrete þus,   þe Frenschemen, þar þay stode,
Olyuer saide: 'help, Iesus,   þat boȝtest ous wiþ þy blode!
and, felawes,' he saide, 'confortiaþ ȝow wel,   and for noȝt, þat may
                                       befalle,
1155 þat non of ous is name ne tel,   auysyeþ ȝow wel with alle.
for, wiste þe ameral sykerly,   of þe doþþepers þat we ware,
for al þe gold in cristenty   non of ous wolde he spare,
þat we ne scholde to deþe gon,   be hangid and todrawe,
ouþer be demembrid cuerechoun   and broȝt of lyues dawe.'

1136 vgl. Holthausen, beiblatt 19, 143. — 1142 wers. — 1156 were.

62.

AUS 'THE CRAFT OF DEYNG'.

Ratis Raving and Other Moral and Religious Pieces, ed. by J. Rawson Lumby, London 1870 (EETS 43), s. 1. hs. in der universitätsbibliothek zu Cambridge, Kk. 1, 5, fol. 1.

Sen the passage of this vrechit warlde, the quhilk is callit dede, semys harde perelus ande rycht horreble to mony men alanerly for the wnknawlage, at thai have thare of, tharfore this lytill trety, the quhilk is callyt 'The craft of deyng', is to be 5 notyde and scharply consederyt to thaim, that are put in the fechtinge of dede; for to þaim ande to al vthire folk it may awaill rycht mekle till have a gude ende, the quhilk makis a werk perfyte, as the ewill end wndois al gud werk before wrocht. the fyrst chepture of this trety begynnys of the commendacioune 10 of dede. fore ded, as haly wryt sais, is meist terreble of al thing, that may be thocht. ande, in sa mekle as the saull is mare precious and worthy than the body, in sa mekle is the ded of it mare perulus and doutable to be tholyt. ande the ded of synfull man but sufficiant repentans is euer ill, as the dede of gude men, 15 how soding or terreble at euer it be, is gude and precious before gode. for the dede of gude men is nocht ellis, bot the pasing of personis, retwrnynge fra banasynge, offputyng of a full hevy byrdinge, end of all seknes, eschewyng of perellys, the terme of all ill, the brekinge of al bandys, the payment of naturell det. 20 the agan cumynge to the kynde lande ande the entering to perpetuall ioy and welfare. and tharfor the day of ded o neide men is better, than the day of thar byrthe. and sa thai, that ar all weill schrewyne and deis in the faithe ande sacramentis of haly kyrk, how wyolently at euer thai dee, thai suld nocht dreid 25 thare ded. fore he, that valde weill de, suld glaidly dee and conforme his wyll to the wyll of gode; for, sen vs behwys all de o neid and we wat noþer the tyme nor the sted, we suld resaue it glaidly, that god and nature has ordanyt, and gruche nocht thar wyth, sen it may nocht be eschewyt. for god, at ordanyt 30 ded, ordanyt it fore the best, ande he is mare besy fore our gud than we our self can ore may be, sen we ar his creaturys and

6 fechinge, *verb. Lumby.* — 10 sais is mare preciouxe and worthy (*vgl.* 11, 12) is maist. — 14 men? — 26 conferme.

handeworkis. and tharfore al men, that wald weill do, suld leir
to de. the quhilk is nocht ellys, bot to have hart and thocht
euer to god and ay be reddy to resaue the ded but ony. murmwr.
35 as he, that baide the cumyne of· his frend, and this is the craft,
that al kynd of man ·suld be besye to study in, that is to say,
to have his lyf, how velthye or pure that it be, takyne· in paciens
[that gode sendis].

63.

LENVOY DE CHAUCER A BUKTON.

The counseil of Chaucer touching Mariage, which was sent to Bukton.

*A critical edition of some of Chaucer's Minor Poems by John Koch,
Berlin 1883, s. 18; The Globe Edition: The Works of Geoffrey Chaucer, ed.
by A. W. Pollard, H. F. Heath, M. H. Liddell, W. S. McCormick, London,
Macmillan and Co., 1898, s. 633; The Complete Works of Geoffrey Chaucer,
edited by the Rev. Walter W. Skeat, Litt. D., LL. D. etc., Oxford 1894, vol. 1
(Romaunt of the Rose, Minor Poems), s. 398; Oxford 1901, s. 124. diese aus-
gabe, der unser text folgt, beruht auf F (= MS Fairfax 16), Th (= Thynne's
edition 1532) und Ju (= Druck von Julian Notary 1499—1502); vgl. Skeat,
s. 398. vgl. noch Chaucer Society, ser. I., no. 58, s. 423; no. 61, s. 303.*

My maister Bukton, whan of Criste our kinge
  Was axed, what is trouthe or sothfastnesse,
  He nat a word answerd to that axinge,
    As who saith: 'No man is al trewe', I gesse.
5   And therfore, thogh I highte to expresse
  The sorwe and wo that is in mariage,
  I dar not wryte of hit no wikkednesse,
    Lest I my-self falle eft in swich dotage.

I wol nat seyn, how that it is the cheyne
10 Of Sathanas, on which he gnaweth euer,
  But I dar seyn, were he out of his peyne,
    As by his wille he wolde be bounde neuer.
  But thilke doted fool that eft hath leuer
  Y-cheyned be·than out of prisoun crepe,
15   God lete him neuer from his wo disseuer,
  Ne no man him bewayle, though he wepe.

---

63. *Der erste titel von F, der zweite von Ju.*
  2 ys *F* ‖ sothefastnesse *F*. — 3 worde *F*. — 4 noo *F* ‖ trew *F*. —
5 therfore though *F* ‖ hight *F*, hyghte you *Ju*. — 6 woo *F*. —
7 writen *F* ‖ hyt noo *F*. — 8 Lest *Ju*‖ Leste *F*. — 9 hyt *F*. —
10 euere *F*. — 11 oute *F*. — 12 neuere *F*. — 13 foole *F* ‖ efte *Th*‖
ofte *F*, oft *Ju* ‖ leuere *F*. — 15 woo disseuere *F*. — 16 noo *F*.

But yit, lest thou do worse, tak a wyf;
Bet is to wedde, than brenne in worse wise.
But thou shalt have sorwe on thy flesh, thy lif,
20   And been thy wyfes thral, as seyn these wyse;
And if that holy writ may nat suffyse,
Experience shal thee teche, so may happe,
That thee wer leuer to be take in Fryse,
Than eft to falle of wedding in the trappe.

Envoy.

25   This litel writ, prouerbes, or figure
I sende you, tak kepe of it, I rede:
Vnwys is he þat can no wele endure;
If thou be siker, put thee nat in drede.
The Wyf of Bathe I pray you that ye rede
30   Of this matere that we haue on honde.
God graunte you your lif frely to lede
In fredom; for ful hard is to be bonde.

Explicit.

64.

'LACK OF STEDFASTNESSE' VON CHAUCER.

Ausgaben wie bei 63: Koch, s. 17; Globe Ed., s. 630: Skeat I, 394; ausgabe von 1901, s. 123 (wonach unser text); hss: H (= Harl. 7333); T (= Trinity College, Cambridge, R. 3. 20); C (= Cott. Cleop. D. 7); F (= Fairfax 16); A (= Addit. 22. 139); B (= Bannatyne). — Th = Thynnes ausgabe von 1532; Skeats ausgabe folgt hauptsächlich C. vgl. noch Chaucer Society, ser. I, no. 58, s. 433; no. 59, s. 163; no. 61, s. 311; no. 77, s. 31.

Som time this world was so stedfast and stable,
That mannes-word was obligacioun,
And now hit is so fals and deceiuable,
That word and deed, as in conclusioun,

---

17 yet *F* ‖ thow do *F* ‖ take *F* ‖ wyfe *F*. — 19 thow *F* ‖ flessh *F* ‖ lyfe *F*. — 20 ben *F* ‖ wifes *F*, wyues *JuTh*. — 21 yf *F* ‖ hooly writte *F*. — 22 the *F*. — 23 the *F*. — 24 to *Th*] fehlt in *FJu*. — 25 writte *F*, writ *Th*, wryt *Ju*. — 26 yow *F* ‖ take *F* ‖ hyt *F*. — 27 Vnwise *F* ‖ kan noo *F*. — 28 thow *F* ‖ the *F*. — 29 wyfe *F* ‖ yow *F*. — 31 yow *F* ‖ lyfe *F*. — 32 fredam *F* ‖ for ful harde it is *F*, for ful hard is *Ju*, for foule is *Th*. — *Explicit*] *FThJu*.

1 Sumtyme *C* ‖ this *HTA*, the *CF* ‖ worlde *C*. — 2 worde *C*. — 3 nowe it *C* ‖ false *C* ‖ deseiuable *C*. — 4 worde *C* ‖ dede *C*.

5   Ben no-þing lyk, for turned up so doun
    Is al this world for mede and wilfulnesse,
    That al is lost for lak of stedfastnesse.

    What maketh this world to be so variable,
    But lust that folk haue in dissensioun?
10 Among us now a man is holde unable,
    But if he can, by som collusioun,
    Don his neighbour wrong or oppressioun.
    What causeth this, but wilful wrecchednesse,
    þat al is lost for lak of stedfastnesse?

15 Trouthe is put doun, resoun is holden fable;
    Vertu hath now no dominacioun,
    Pitee exyled, no man is merciable.
    Through couetyse is blent discrecioun;
    The world hath mad a permutacioun
20 Fro right to wrong, fro trouthe to fikelnesse,
    That al is lost for lak of stedfastnesse.

           Lenvoy to King Richard.
    O prince, desyre to be honourable,
    Cherish thy folk and hate extorcioun!
25 Suffre no thing that may be reprevable
    To thyn estat, don in thi regioun.
    Shew forth thy sword of castigacioun,
    Dred God, do law, loue trouthe and worthinesse,
    And wed thy folk agein to stedfastnesse.

5 Beon *T,* Ar *A,* Is *C,* Ys *F* ‖ lyke *C.* — 6 all *C* ‖ worlde *C.* —
8 worlde *C* ‖ veriable *C.* — 9 folke *C* ‖ discension *C.* — 10 Among us
now *B*] For among vs now *oder* For now a dayes *d. und. hss.* — 11 collu-
sion *BHTTh,* conclusioun *CFA.* — 12 neyghburgh *C.* — 15 Putte *C.* —
17 Pite *C.* — 18 Thorugh *C.* — 19 worlde *C* ‖ ane *B,* a *fehlt C.* —
20 trouthe *F,* trought *C.* — 22 Lenvoy to Kyng Richard *T, blaß*
Lenvoy *FHTh.* — 23 honurable *C.* — 24 Cherice thi *C.* — 26 thine
estaat doen *C* ‖ thi *C.* — 27 Shewe *C* ‖ swerde *C.* — 28 Drede *C* ‖
truthe *C.* — 29 thi *C* ‖ ayen *C.* — *Explicit in CTh.*

65.

AUS JOHN LYDGATES 'GUY OF WARWICK'. -

Sitzungsberichte der phil.-hist. kl. der kais. akademie der wissenschaften in Wien, LXXIV, s. 661; dort aus O (= Laud 683 zu Oxford). hier sind außerdem benutzt H (= Harley 7333), L (= Lansdowne 699) und T (= Trinity College, Cambridge, R. 3. 21). vgl. Robinson, Studies and Notes in Phil. and Lit., Boston 1896, V, 177 ff.

59.

This thyng confermed by promys ful roiall,
  passed the houndys and subbarbys of the toun,
at a cros, that stood feer from the wall,
  ful devoutly the pilgrym knelith doun
5   to sette a syde all suspecyoun:
'mi lord,' quod he, 'of feith withouten blame,
  your lyge man of humble affeccyoun,
Guy of Warwyk trewly is my name.'

60.

The kyng astoned gan chaunge cher and face
  and in maner gan wepyn for gladnesse,
and al attonys he gan hym to enbrace
  in bothe his armes of royall gentylnesse
5   with offte kyssyng of feithfull kyndenesse,
with grete proffres on the tother syde
  of gold, of tresour and of gret rychesse,
withinne his paleys yif he wolde abyde.

61.

Alle thes profres meekly he forsook,
  and to the kynges royall mageste
hym recomaundyng anoon his weie he took.
  at his departyng this avouh maad he
5   with pitous wepyng knelyng on his kne

59, 1 ensurid by promesse and wordis r. *H.* — 2 þei passid *H* ‖ the s. a. b. *O.* — 3 oute at *H* ‖ feer] for *T.* — 4 dev.] konyngly (kon. zweite hd. auf rasur) *H* ‖ knelyd adowne *HT.* — 5 all menis s. *H.* — 8 tr.] sir *H.* — **60,** 1 g. ch.] chaunged *H.* — 2 g. w.] wepte *H* ‖ for grete gl. *H.* — 3 and] þan *H.* — 4 gentylesse *H.* — 5 w. o. k.] with honde in honde *H* ‖ of] and *L.* — 6 with f. *H* ‖ þat othir *H*, the other *T.* — 7 zweites of] and of *H*, and *T* ‖ drittes of f, *T* ‖ miche *H.* — 8 yf þat *H.* — **61,** 1 But al þoo profferys Guy þere clene forsoke *H.* — 2 vnto *H.* — 3 hym] with *H* ‖ recommaundyd *T.* — 4 hinter 5 *H* ‖ his] þat *H.* — 5 with] and *H.*

12*

vn to the kyng in full humble entent:
'duryng my lyf, it may noon other bee,
schall i neuer doon of this garnement.'

62.

At ther departyng was but smal langage:
sweem of ther speche made interupcyoun.
the kyng goth hom, [and] Guy took his vyage
    toward Warwyk, his castell and his toun,
5   no man of hym hauyng suspecyoun,
where day be day Felyce, his trewe wyf,
fedde poore folk of greet devocyoun
to praie for hir and for hir lordys lyf,

63.

Thrittene in noumbre, myn auctour writeth so.
Guy at his comyng forgrowe in his vysage,
thre daies space he was oon of tho,
    that took almesse, with humble and louh corage:
5   thankyng the contesse in haste took his viage,
nat fer fro Warwyk, the cronycle doth expresse,
    of aventure kam to an hermytage,
where he fond on dwellyng in wyldirnesse.

64.

To hym he drouh besechyng hym of grace
for a tyme to holde there soiour:
the same hermyte withinne a lytel space
    by deth is passed the fyn of his labour;
5   affter whos day Guy was his successour

61, 6—8 Duryng Guyes lyf it wil noon oþer be *(bis hieher rot
durchstrichen)* He should neuer were oþer garnamente Til crist ihesu
(so!) of mercye and pytee Here in this eorþe haue for his soule sent *(die
beiden letzten wörter zweite hd. auf rasur)* H. — 6 in] with L. — 8 garle-
ment L. — 62, 1 but] ful L. — 2 sw. of th. s.] þeire heuinesse H ‖ swem
am rande von derselben hand (im text s und dahinter eine lücke) T ‖
þinterrupcioune H. — 3 went T ‖ and ergänzt von Hh ‖ took] to H. —
5 man] weyght H ‖ hauyng vor of T. — 8 lyffe zweite hd. auf rasur H. —
63, 1 my O ‖ tellepe H. — 2 erstes his f. H. — 3 by three H. — 5 in
h. t.] made þane H. — 6 from L, frome H ‖ W.] thens H. — 64, 1 hym]
whome H. — 2 as for H ‖ there] with him H. — 3 same f. H. ‖ a f. H. —
4 ende H ‖ his] thys T. — 5 whos d.] whome H ‖ day] dethe T
his] þer H ‖ socour T.

> space of too yeer by grace of Cryst Iesu
> dauntyng his flessh by penaunce and rigour,
> ay more and more encresyng in vertu.

66.

AUS HENRY THE MINSTREL'S 'Wᴹ WALLACE', BUCH I.

*The actis and dedis of ... Schir William Wallace ... by Henry the Minstrel,
ed. by James Moir, Edinburgh 1889 (Scot. T. S.), s. 13—16. betreffs
früherer ausgaben vgl. dessen einleitung, s. XIV ff. dieser abschnitt auch
in Skeat's Specimens of English Literature a. D. 1394 — a. D. 1579,
Oxford 1871, s. 64—66. hs. in der Advocates' Library, Edinburgh.*

So on a tym he desyrit to play.
In Aperill the thre and twenty day,
Till Erewyn wattir fysche to tak he went:
370 Sic fantasyc fell in his entent.
To leide his net, a child furth with him ȝeid;
But he, or nowne, was in a fellowne dreid.
His suerd he left, so did he neuir agayne;
It dide him gud, suppos he sufferyt payne.
375 Off that labour as than he was nocht sic;
Happy he was, tuk fysche haboundanle.
Or of the day ten houris our couth pass,
Ridand thar come, ner by quhar Wallace wass,
The lorde Persye, was captane than off Ayr;
380 Fra thine he turnde and couth to Glaskow fair.
Part of the court had Wallace labour seyne,
Till him raid fyve, cled in-to ganand greyne;
Ane said sone: 'Scot, Martyns fysche we wald hawe.'
Wallace meklye agayne ansuer him gawe:
385 'It war resone, me think, ȝhe suld haif part:
Waith suld he delt, in all place, with fre hart.'
He bad his child, 'Gyff thaim of our waithyng.'
The sothroun said: 'As now of thi delyng
We will nocht tak, thow wald giff ws our-small.'
390 He lychtyt doun, and fra the child tuk all.
Wallas said than: 'Gentill men gif ȝe be,
Leiff ws sum part, we pray for cheryte.
Ane agyt knycht serwis our lady to-day;
Gud frend, leiff part and tak nocht all away.'
395 'Thow sall haiff leiff to fysche, and tak the ma;
All this forsuth sall in our flyttyng ga.

64, 6 wo *von* two *zweite hand? auf rasur* L || grace *zweite hand
aus* space *T.* — 8 euer *T.*

66, 370 *Hh ergänzt* to *nach* in.

We serff a lord; thir fysche sall till him gaug.'
Wallace ansuerd, said: 'Thow art in the wraug.'
'Quham dowis thow, Scot? in faith thow serwis a blaw.'
400   Till him he ran, and out a suerd can draw.
Willзham was wa he had na wappynis thar,
Bot the poutstaff, the quhilk in haud he bar.
Wallas with it fast on the cheik him tuk
Wyth so gud will, quhill of his feit he schuk.
405   The suerd flaw fra him a furbreid on the land.
Wallas was glaid, and hynt it sone in hand;
And with the swerd awkwart he him gawe
Wndyr the hat, his crago in sondro drawe.
Be that the layff lychtyt about Wallas;
410   He had no helpe, only bot Goddis grace.
On athir side full fast on him thai dange;
Gret perell was giff thai had lestyt lang.
Apone the hede in gret ire he strak ane;
The scherand suerd glaid to the colar-bane.
415   Ane othir on the arme he hitt so hardely,
Quhill haud and suerd bathe on the feld can ly.
The tothir twa fled to thar hors agayne;
He stekit him was last apon the playne.
Thre slew he thar, twa fled with all thair mycht
420   Eftir thar lord; bot he was out off sicht,
Takand the mure, or he and thai couth twyne.
Till him thai raid onon, or thai wald blyne,
And cryit: 'Lord, abide; зour men ar martyrit doun
Rycht cruelly, her in this fals regioun.
425   Fyve of our court her at the wattir baid,
Fysche for to bryng, thocht it na profyt maid.
We ar chapyt, bot in feyld slayne ar thre.'
The lord speryt: 'How mony mycht thai be?'
'We saw bot ane that has discumfyst ws all.'
430   Than lewch he lowde, and said: 'Foule mot зow fall,
Sen ane зow all has putt to confusioun.
Quha menys it maist, the dewyll of hell him droun;
This day for me, in faith, he heis nocht socht.'
Quhen Wallas thus this worthi werk had wrocht,
435   Thar hors he tuk, and ger that lewyt was thar;
Gaif our that crafft, he зeid to fysche no mar,
Went till his eyme, and tauld him of this dede.
And he for wo weyle ner worthit to weide,

407 Hh ergänzt an nach swerd (Beibl. 19, 143: a straik st. he). —
423 Hh streicht And. — 429 Hh streicht that. — 437 dede M(oir)]
drede hs.

And said: 'Sone, thir tythingis syttis me sor;
440 And be it knawin, thow may tak scaith tharfor.'
'Wncle,' he said, 'I will no langar bide;
Thir Southland hors latt se gif I can ride.'
Than bot a child, him seruice for to mak,
Hys ōīnys sonnys he wald nocht with him tak.
445 This gud knycht said: 'Deyr cusyng, pray I the,
Quhen thow wanttis gud, cum foch ynewch fra me.'
Syluir and gold he gert on-to him geyff.
Wallace inclynys, and gudely tuk his leyff.

67.

AUS DEN 'TOWNELEY MYSTERIES'.

*Towneley Mysteries, herausgegeben von der Surtees Society, London 1836;
dies stück auch von Mätzner, Altenglische sprachproben 1, 359, und
J. M. Manly, Specimens of the Pre-Shaksperean Drama, Boston 1897, I, 13.
The Towneley Plays, reed. by G. England, London 1897 (EETS, Extra-
Series 71), s. 23. hs. früher zu Towneley Hall in Lancashire, jetzt im besitz
des Mr. E. F. Coates, Ewell, Surrey. unwichtige abweichungen von der hs.,
die nicht immer große buchstaben zu beginn der verse und gelegentlich
solche zu beginn der halbverse und im inneren derselben hat, sind nicht
angemerkt worden.*

Processus Noe cum Filiis. Wakefeld.

Noe. Myghtfulle God veray,   maker of alle that is,
Thre persons withoutten nay,   oone God in endless blis,
Thou maide both nyght and day,   beest, fowle, and fysh,
Alle creatures that lif may   wroght thou at thi wish,
5   As thou wel myght;
The son, the moyne, verament,
Thou maide; the firmament,
The sternes also fulle feruent,
    To shyne thou maide ful bright.

10 Angels thou maide ful euen,   alle orders that is,
To haue the blis in heuen;   this did thou more and les,
Fulle mervelus to neuen;   yit was ther vnkyndnes,
More bi foldis seuen   then I can welle expres.
    For why?
15 Of alle angels in brightnes
God gaf Lucifer most lightnes,
Yit prowdly he flyt his des,
And set hym euen hym by.

439 tithings stytts *M.* — 446 wantts *M.*

He thoght hymself as worthi   as hym that hym made,
20 In brightnes, in bewty;   therfor he hym degrade,
Put hym in a low degre   soyn after, in a brade,
Hym and alle his menye,   wher he may be vnglad
For euer.
Shalle thay neuer wyn away,
25 Hence vnto domysday,
Bot burne in bayle for ay,
Shalle thay neuer dysseuer.

Soyne after that gracyous lord   to his liknes maide man,
That place to be restord   euen as he began,
30 Of the trinite bi accord,   Adam and Eue that woman,
To multiplie without discord   in paradise put he thaym,
And sithen to both
Gaf in commaundement,
On the tre of life to lay no hend;
35 Bot yit the fals feynd
Made hym with man wroth,

Entysyd man to glotony,   styrd him to syn in pride;
Bot in paradise securly   myght no syn abide,
And therfor man fulle hastely   was put out, in that tyde,
40 In wo and wandreth for to be,   in paynes fulle unrid,
To knawe,
Fyrst in erth, and sythen in helle
With feyndis for to dwelle,
Bot he his mercy melle
45   To those that wille hym trawe.

Oyle of mercy he hus hight,   as I haue hard red,
To euery lifyng wight   that wold luf hym and dred;
Bot now before his sight   euery liffyng leyde,
Most party day and nyght,   syn in word and dede
50 Fulle bold:
Som in pride, ire and enuy,
Som in couetyse and glotyny,
Som in sloth and lechery,
And other wise many fold.

55 Therfor I drede lest god   on vs will take veniance,
For syn is now alod   without any repentance;
Sex hundreth yeris and od   haue I, without distance.
In erth, as any sod,   liffyd with grete grevance

---

41 knowe hs. — 42 and M(ätzner)] in hs. — 52 couetyse M,
E(ngland)] Couetous hs.

Alle way;
60 And now I wax old,
    Seke, sory and cold,
    As muk apon mold   ᚴᚴᚴ
       I widder away;

    Bot yit wille I cry   for mercy and calle,
65 Noe, thi seruant, am I,   lord ouer alle!
    Therfor me and my fry,   shal with me falle,
    Saue from velany,   and bryng to thi halle
       In heuen,
    And kepe me from syn,
70 This warld within;
    Comly kyng of mankyn,
       I pray the, here my stevyn!

    Deus. Syn I haue maide alle thing   that is liffand,
    Duke, emperour, and kyng,   with myne awne hand,
75 For to haue thare likyng,   bi see and bi sand,
    Euery man to my hydying   should be bowand
       · Fulle feruent,
    That maide man sich a creatoure,
    Farest of favoure;
80 Man must luf me paramoure,
       By reson, and repent.

    Me thoght I shewed man luf,   when I made hym to be
    Alle angels ahuf,   like to the trynyte;
    And now in grete reprufe   fulle low ligis he,
85 In erth hymself to stuf   with syn that displeasse me
       Most of alle;
    Veniance wille I take
    In erth for syn sake,
    My grame thus wille I wake
90   Both of grete and smalle.

    I repente fulle sore   that euer maide I man,
    Bi me he settis no store,   and I am his soferan;
    I wille distroy therfor   both beest, man, and woman,
    Alle shalle perish les and more,   that hargan may thay ban,
95   That ille has done.
    In erth I se right noght
    ·· Bot syn that is vnsoght,
    Of those that welle has wroght
       Fynd I hot a fone.

    _____

    80 par amour M] paramoure hs., E.

100 Therfor shalle I fordo   alle this medille-erd
    With floodis that shalle flo   and ryn with hidous rerd;
    I haue good cause therto,   for me no man is ferd,
    As I say shal I do,   of veniance draw my sword
        And make end
105 Of all that beris life,
    Sayf Noe and his wife,
    For thay wold neuer stryfe
        With me ne me offend.

    Hym to mekille wyn   hastly wille I go
110 To Noe my seruand, or I blyn,   to warn hym of his wo.
    In erth I see hot syn   reynand to and fro,
    Emang both more and myn,   ichon other fo
        With alle thare entent;
    Alle shalle I fordo
115 With floodis that shall floo,
    Wirk shalle I thaym wo,
        That wille not repent.

    Noe, my freend, I thee commaund   from cares the to keyle,
    A ship that thou ordand   of nayle and bord full wele;
120 Thou was alway welle wirkand,   to me trew as stele,
    To my bydyng obediand,   frendship shal thou fele
        To mede.
    Of lennthe thi ship be
    Thre hundreth cubettis, warn I the,
125 Of heght euen thirte,
        Of fyfty als in brede.

    Anoynt thi ship with pik and tar   without and als within,
    The water out to spar   this is a noble gyn;
    Look no man the mar,   thre chese chambers begyn.
130 Thou must spend many a spar,   this wark or thou wyn
        To end fully.
    Make in thi ship also
    Parloures oone or two,
    And houses of offyce mo
135   For beestis that ther must be.

    Oone cubite on hight   a wyndo shal thou make,
    On the syde a doore with slyght   be-neyth shal thou take;

---

    108 ne E] then hs. — 121 obediand E] obediance hs. —
125 thrirte hs., E, druckfehler? vgl. v. 260. — 129 chese hs., E] chefe M,
Kaluza.

With the shal no man fyght   nor do the no kyn wrake.
When alle is doyne thus right,   thi wife, that is thy make,
140   Take in to the;
Thi sonnes of good fame,
Sem, Japhet, and Came,
Take in also thayme,
    Thare wifis also thre.

145 For alle shal be fordone   that lif in land bot ye,
With floodis that from abone   shal falle, and that plente;
It shalle begyn fulle sone   to rayn vncessantle,
After dayes seuen be done,   and iuduyr dayes fourty,
    Withoutten faylle.
150 Take to thi ship also
Of ich kynd beestis two,
Maylle and femaylle, bot no mo,
    Or thou pulle up thi saylle.

For thay may the avaylle   when al this thyng is wroght;
155 Stuf thi ship with vitaylle,   for hungre that ye perish noght,
Of beestis, foulle, and cataylle,   for thaym have thou in
                             thoght,
For thaym is my counsaylle   that som socour be soght,
    Iu hast;
Thay must haue corn and hay,
160 And oder mete alway.
Do now as I the say,
    In the name of the holy gast.

Noe. A! benedicite!   what art thou that thus
Tellys afore that shalle be?   thou art fulle mervelus!
165 Telle me, for charite,   thi name so gracius!
Deus. My name is of dignyte,   and also fulle glorius
    To knawe.
I am god most myghty,
Oone god in trynyty,
170 Made the and ich man to be;
    To luf me welle thou awe.

Noe. I thank the, lord so dere,   that wold vowch sayf
Thus low to appere   to a symple knafe;
Blis vs, lord, here,   for charite I hit crafe,
175 The better may we stere   the ship that we shalle hafe,

---

143 thayme] thame M, hame hs. — 167 knowe hs.

Certayn. '
Deus. Noe, to the and to thi fry
My blyssyng graunt I;
Ye shalle wax and multiply,
180   And fille the erth agane,

When alle thise floodis ar past   and fully gone away.
Noe. Lord, homward wille I hast   as fast as that I may,
My wife wille I frast   what she wille say,
And I am agast   that we get som fray
185   Betwixt vs both;
For she is fulle tethde,
For litille oft angre,
If any thyng wraug be,
Soyne is she wroth. *Tunc perget ad vxorem.*

190 God spede, dere wife,   how fayre ye?
Vxor. Now, as euer myght I thryfe,   the wars I thee see;
Do telle me belife   where has thou thus long be?
To dede may we dryfe   or lif for the,
For want.
195 When we swete or swynk,
Thou dos what thou thynk,
Yet of mete and of drynk
Haue we veray skant.

Noe. Wife, we are hard sted   with tythyngis now.
200 *Vxor.* Bot thou were worthi be cled   in Stafford blew,
For thou art alway adred,   be it fals or trew;
Bot God knowes I am led,   and that may I rew,
Fulle ille,
For I dar be thi borow,
205 From euen vnto morow,
Thou spekis euer of sorow,
God send the onys thi fille!

We women may wary   alle ille husbandis!
I have oone, bi Mary!   that lowsyd me of my bandis;
210 If he teyn, I must tary,   how so euer it standis;
With seymland fulle sory,   wryngand both my handis
For drede.
Bot yit other while,
What with gam and with gyle,
215 I shalle smyte and smyle
And qwite hym his mede.

      183 wife *fehlt hs.; ergänzt von S(urtees Soc.).* — 186 tethee *hs., E*]
tethde *M.*

Noe. We! hold thi tong, ram-skyt,   or I shalle the stille.
Vxor. By my thryft, if thou smyte,   I shal turne the vntille.
Noe. We shalle assay as tyte,   haue at the, Gille!
220 Apon the bone shal it byte.
                       Vxor. A, so, mary! thou smytis ille!
    Bot I suppose
    I shal not in thi det
    Flyt of this flett!
    Take the ther a langett
225   To tye up thi hose!

Noe. A! wilt thou so?   mary, that is myne.
Vxor. Thou shal thre for two,   I swere bi godis pyne.
Noe. And I shalle qwyte the tho   in fayth or syne.
Vxor. Out upon the, ho!
                  Noe. Thou can both byte and whyne
230   With a rerd;
    For alle if she stryke,
    Yit fast wille she shryke,
    In fayth I hold none slyke
    In alle medille-erd:

235 Bot I wille kepe charyte,   for I haue at do.
Vxor. Here shal no man tary the,   I pray the go to.
Fulle welle may we mys the,   as euer haue I ro;
To spyn wille I dres me.
                 Noe. We! fare welle, lo;
    Bot wife,
240 Pray for me besele,
    To eft I com vnto the.
Vxor. Euen as thou prays for me,
    As euer myght I thrife.

Noe. I tary fulle lang   fro my warke, I traw;
245 Now my gere wille I fang   and thederward draw.
I may fulle ille gang,   the soth for to knaw,
Bot if god help amang   I may sit downe daw.
    To ken
    Now assay wille I
250 How I can of wrightry,
    In nomine patris et filii,
      Et spiritus sancti, Amen.

To begyn of this tree   my honys wille I bend,
I traw from the trynyte   socoure wille be send:

255 It fayres fulle fayre, thynke me,   this wark to my hend,
Now blissid be he   that this can amend.
     Lo, here the lenght,
Thre hundreth cubettis euenly,
Of breed, lo! is it fyfty,
260 The heght is euen thyrty
     Cubettis fulle strenght.

Now my gowne wille I cast   and wyrk in my cote,
Make wille I the mast   or I flyt oone foote.
A! my bak, I traw, wille brast!   this is a sory note!
265 Hit is wonder that I last,   sich an old dote,
     Alle dold,
To begyn sich a wark!
My bonys are so stark,
No wonder if thay wark,
270   For I am fulle old.

The top and the saylle   both wille I make,
The helme and the castelle   also wille i take,
To drife ich a naylle   wille I not forsake;
This gere may neuer faylle,   that dar I vndertake
275 Onone.
This is a nobulle gyn,
Thise nayles so thay ryn
Thoro more and myn
     Thise bordis ichon.

280 Wyndow and doore,   euen as he saide,
Thre ches chambres (on flore),   thay ar welle maide,
Pyk and tar fulle sure   ther apon laide,
This wille euer endure,   therof am I paide;
     For why?
285 It is better wroght
Then I coude haif thoght,
Hym that maide alle of noght
     I thank oonly.

Now wille I hy me   and no thyng be leder,
290 My wife and my meneye   to bryng euen heder.
Tent hedir tydely,   wife, and consider,
Hens must vs flo   alle sam togeder

In hast.

Vxor. Whi, syr, what alis you?

295 Who is that asalis you?
To fle it avalis you,
And ye be agast.

Noe. Ther is garn on the reylle   other, my dame.
Vxor. Telle me that ich-a-deylle,   els get ye blame.

300 *Noe.* He that cares may keille,   blissid be his name!
He has for oure seylle   to sheld vs fro shame,
And sayd,
Alle this warld aboute
With flood*is* so stoute,

305 That shall*e* ryn on a route,
Shall*e* be ouerlaide.

He saide all*e* shall*e* be slayn   bot oonely wo,
Oure barnes that ar bayn,   and thare wif*is* thro.
A ship he had me ordayn   to safe vs and oure fee,

310 Therfor *with* all*e* oure mayn   thank we that fre
Beytt*er* of baylle;
Hy vs fast, go we thedir.
Vxor. I wote neu*er* whedir.
I dase and I dedir

315   For ferd of that taylle.

Noe. Be not aferd, haue done;   trus, Sam, oure gere,
That we be ther or none   wit*h*out more dere.
Primus filius. It shall*e* be done fulle sone;   brether, help to bere!
Secundus filius. Fulle long shall*e* I not hoyne   to do my devere,

320   Brother Sam.
Tercius filius. Wit*h*out any yelp,
At my myght shall*e* I help.
Vxor. Yit for drede of a skelp
Help welle thi dam.

325 *Noe.* Now ar we there   as we shuld be,
Do get in oure gere,   oure catalle and fe,
In to this vessell*e* here,   my chyld*er* fre.
Vxor. I was neu*er* bard ere,   as *euer* myght I the,
In sich an oostre as this.

330 In fayth, I can not fynd
Which is before, which is behynd;
Bot shall*e* we here be pynd,
Noe, as haue thou blis?

---

301 *M und K vermuten, daß nach* has *ein part. perf. von der be-
deutung „versprochen" ausgefallen sei.* has hight *Hh, Beibl. 19, 143. —*
320 Brother *IIh*] Brether *hs.*

Noe. Dame, as it is skille,   here must vs abide grace;
335 Therfore, wife, *with* good wille   com into this place.
Vxor. Sir, for Jak nor for Gille   wille I turne my face,
Tille I have on this hille   spon a space
    On my rok;
Welle were he, myght get me.
340 Now wille I downe set me,
Yit reede I no man let me,
    For drede of a knok.

Noe. Behold to the heuen,   the cateractes alle,
That ar open fulle euen,   grete and smalle,
345 And the planettis seuen   left has thare stalle.
Thise thoners and levyn   downe gar falle
    Fulle stout
Both halles and bowers,
Castels and towres;
350 Fulle sharp ar thise showers,
    That renys aboute;

Therfor, wife, haue done,   com into ship fast.
Vxor. Yei, Noe, go cloute thi shone,   the better wille thai
                                                last.
Prima mulier. Good moder, com in sone,   for alle is ouercast,
355 Both the son and the mone.
                    Secunda mulier. And many wynd blast
    Fulle sharp;
Thise flodis so thay ryn,
Therfor, moder, come in.
Vxor. In fayth yit wille I spyn,
360   Alle in vayn ye carp.

Tercia mulier. If ye like ye may spyn,   moder, in the ship.
Noe. Now is this twyys, com in,   dame, on my frenship.
Vxor. Wheder I lose or I wyn,   in fayth, thi felowship
Set I not at a pyn;   this spyndille wille I slip
365   Apon this hille,
Or I styr oone fote.
Noe. Peter! I traw we dote!
Without any more note
    Come in, if ye wille.

370 *Vxor.* The water nyghys so nere   that I sit not dry,
Into ship with a byr   therfor wille I hy

---

344 That] Thay *Manly.* — 370 The water *M*] Yei, water *E, hs.*

For drede that I drone here.

                       Noe. Dame, securly,
It bees boght fulle dere   ye abode so long by
    Out of ship.

375 *Vxor.* I wille not, for thi bydyng,
Go from doore to mydyng.
Noe. In fayth, and for youre long taryyng
    Ye shall lik on the whyp.

Vxor. Spare me not, I pray the,   bot euen as thou thynk,
380 Thise grete wordis shalle not flay me.

                      Noe. Abide, dame, and drynk,
For betyn shalle thou be   with this staf to thou stynk;
Ar strokis good? say me.

                    Vxor. What say ye, Wat Wynk?
Noe. Speke,
Cry me mercy, I say!
385 *Vxor.* Therto say I nay.
Noe. Bot thou do, bi this day,
    Thi hede shalle I breke.

Vxor. Lord, I were at ese   and hertely fulle hoylle,
Might I onys have a measse   of wedows coylle;
390 For thi saulle, without lese,   shuld I dele penny doylle,
So wold mo, no frese,   that I se on this sole
    Of wifis that ar here.
For the life that thay leyd,
Wold thare husbandis were dede,
395 For, as euer ete I brede,
    So wold I oure syre were.

Noe. Yee men that has wifis,   whyls they are yong,
If ye luf youre lifis,   chastice thare tong:
Me thynk my hert ryfis,   both levyr and long,
400 To se sich stryfis   wedmen emong;
    Bot I,
As haue I blys,
Shalle chastyse this.
Vxor. Yit may ye mys,
405   Nicholle Nedy!

Noe. I shalle make þe stille as stone,   begynnar of blunder!
I shalle bete the, bak and bone,   and breke alle in sunder.
Vxor. Out, alas, I am gone!   oute apon the, mans wonder!
Noe. Se how she can grone   and I lig vnder;

---

379 bot *hs.; lies:* do?.

Zupitza-Schipper, Alt- u. mittelengl. übungsb. 11. aufl.   13

410   Bot, wife,
       In this hast let vs ho,
       For my bak is nere in two.
       Vxor. And I am bot so blo,
       That I may not thryfe.

415   *Primus filius.* A! whi fare ye thus,   fader and moder both?
       Secundus filius. Ye shuld not be so spitus,   standyng in sich
                                                                a woth.
       *Tercius fili*us. Thise wederes ar so hidus   with many a cold
                                                                coth.
       Noe. We wille do as ye bid vs,   we wille no more be wroth,
       Dere barnes!
420   Now to the helme wille I hent,
       And to my ship tent.
       Vxor. I se on the firmament,
       Me thynk, the seven starnes.

       Noe. This is a grete flood,   wife, take hede.
425   *Vxor.* So me thoght, as I stode,   we ar in grete drede;
       Thise wawghes ar so wode.
                              Noe. Help, god, in this nede!
       As thou art stere-man good   and best, as I rede,
       Of alle,
       Thou rewle vs in this rase,
430   As thou me behete hase.
       Vxor. This is a perlous case,
       Help, god, when we calle!

       Noe. Wife, tent the stere-tre   and I shalle asay
       The depnes of the see   that we bere, if I may.
435   *Vxor.* That shalle I do fulle wysely,   now go thi way.
       For apon this flood haue we   flett many day,
       With pyne.
       Noe. Now the water wille I sownd.
       A! it is far to tho grownd;
440   This travelle I expownd
       Had I to tyne.

       Aboue alle hillys bedeyn   the water is rysen late
       Cubettis fifteyn,   bot in a higher state
       It may not be, I weyn,   for this welle I wate,
445   This forty dayes has rayn beyn,   it wille therfor abate

       ────────────

417 wederes *fehlt hs.; ergänzt von S.* — 443 XV *hs.* ‖ highter *hs.*

Fulle lele.
This water in hast
Eft wille I tast;
Now am I agast,
450   It is wanyd a grete dele.

Now ar the weders cest   and cateractes knyt,
Both the most and the leest.
                  Vxor. Me thynk, bi my wit,
The son shynes in the eest,   lo, is not yond it?
We shuld haue a good feest,   were thise flood*is* flyt
455   So spytus.
Noe. We have been here, alle we,
Three hundreth dayes and fyfty.
Vxor. Yei, now wanys the see,
    Lord, welle is vs!

460 *Noe.* The thryd tyme wille I prufe   what depnes we bore.
Vxor. How long shalle thou hufe?   lay in thy lyne there!
Noe. I may towch with my lufe   the grownd evyn here.
Vxor. Then begynnys to grufe   to vs mery chere;
    Bot, husband,
465   What grownd may this be?
Noe. The hyllys of Armonye.
Vxor. Now blissid be he
    That thus for vs can ordand.

Noe. I see toppys of hyllys he,   many at a syght,
470 No thyng to let me,   the wedir is so bright.
Vxor. Thise ar of mercy   tokyns fulle right.
Noe. Dame, thou counselle me,   what fowlle best myght
    And cowth,
    With flight of wyng
475 Bryng, without taryyng,
Of mercy som tokynyng
    Ayther bi north or southe?

For this is the fyrst day   of the tent moyne.
Vxor. The ravyn, durst I lay,   wille com agane sone;
480 As fast as thou may   cast hym furth, haue done.
He may happyn to day   com agane or none

---

457 Three hundreth *E*] CCC *hs.* — 461 How *Hh*] Now *hs.* —
472 Dame, thou *M*] Dame thi *hs.*, *E.* — 479 *ist statt* lay *etwa* say
zu lesen?

13*

With grath.
Noe. I wille cast out also
Dowfys oone or two.
485 Go youre way, go,
    God send you som wathe!

Now ar thise fowles flone   into seyr countre;
Pray we fast ich-on,   kneland on our kne,
To hym that is alone   worthiest of degre,
490 That he wold send anone   oure fowles som fee
    To glad vs.
Vxor. Thai may not faylle of land,
The water is so wanand.
Noe. Thank we God alle weldand,
495   That lord that made vs.

It is a wonder thyng,   me thynk sothle,
Thai ar so long taryyng,   the fowles that we
Cast out in tho mornyng.
                    Vxor. Syr, it may be
Thai tary to thay bryng.
                    Noe. The ravyn is ahungrye
500 Alle way,
He is without any reson;
And he fynd any caryon,
As peraventure may be fon,
    He wille not away.

505 The dowfe is more gentille,   her trust I vntow,
Like vnto the turtille,   for she is ay trew.
Vxor. Hence bot a litille   she commys, lew, lew!
She bryngys in her bille   som novels new;
    Behald!
510 It is of an olif tre
A branch, thynkys me.
Noe. It is soth, perde,
    Right so is it cald.

Doufe, byrd fulle blist,   fayre myght the befalle!
515 Thou art trew for to trist   as stou in the walle;
Fulle welle I it wist   thou wold com to thi halle.
Vxor. A trew tokyn ist   we shalle be sauyd alle.

---

503 be fon *M*] befon *hs., E.*

For why?
The water, syn she com,
520 Of depnes plom
Is fallen a fathom,
And more hardely.

Primus filius. Thise floodis ar gone,   fader, behold!
Secundus filius. Ther is left right none,   and that be ye bold!
525 *Tercius filius.* As stille as a stone   oure ship is stold.
Noe. Apon land here anone   that we were, fayn I wold,
My childer dere;
Sem, Japhet and Cam,
With gle and with gam,
530 Com go we alle sam,
We wille no longer abide here.

Vxor. Here haue we beyn   now long enogh,
With tray and with teyn,   and dreed mekille wogh.
Noe. Behald, on this greyn   nowder cart ne plogh
535 Is left, as I weyn,   nowder tre then bogh,
Ne other thyng,
Bot alle is away;
Many castels, I say,
Grete townes of aray,
540 Flitt has this flowyng.

Vxor. Thise floodis not afright   alle this warld so wide
Has movid with myght   on se and bi side.
Noe. To dede ar thai dyght,   prowdist of pryde,
Ever-ich a wyght   that ouer was spyde
545 With syn;
Alle ar thai slayn,
And put vnto payn.
Vxor. From thens agayn
May thay neuer wyn?

550 *Noe.* Wyn? no, i-wis,   bot he that myght hase
Wold myn of thare mys   and admytte thaym to grace.
As he in baylle is blis,   I pray hym in this space,
In heven hye with his   to purvaye vs a place,
That we
555 With his santis in sight,
And his angels bright,
May com to his light.
Amen, for charite.

532 now] noy *hs., E; M vermutet* noyed.

68.

EIN LIED JACOB RYMANS.

Hs. Ee. I, 12 der universitätsbibliothek zu Cambridge. vgl. bericht über die sitzung der Berliner gesellschaft für das studium der neueren sprachen vom 29. jan. 1889 (Herrigs Archiv, vgl. bd. 89, 92, 96, 97).

Ortus est sol iusticie
ex illibata virgine.

Thre kingis on the XIIth daye
stella micante prenia
vnto Betheleem they toke theire
　　　　　way
tria ferentes munera.
5 hym worshyp we now borne so fre
ex illibata virgine.

They went alle thre that chielde
　　　　　to se
sequentes lumen syderis,
and hym they founde in raggis
　　　　　wounde
10 *in sinu matris virginis.*
hym worship we now born so fre
ex illibata virgine.

For he was king of mageste,
aurum sibi optulerunt.
15 for he was god and ay shal be,
thus deuote prebuerunt.
hym worship we now born so fre
ex illibata virgine.

For he was man, they gave hym
　　　　　than
20 *mirram, que sibi placuit.*
this infant shone in heven trone,
qui in presepe iacuit.
hym worship we nowe borne so fre
ex illibata virgine.

Warned they were, these kingis, 25
　　　　　tho
in sompnis per altissimum,
that they ayene no wyse shuld go
ad Herodem nequissimum.
hym worship we nowe born so fre
ex illibata virgine. 30

Not by Herode, that wikked
　　　　　knyght,
sed per viam aliam
they be gone home ageyn full
　　　　　right
per dei prouidenciam.
hym worship we now borne so fre 35
ex illibata virgine.

Ioseph fledde thoo, Mary also
in Egiptum cum puero;
where they abode, till king Herode
migrauit ex hoe seculo. 40
hym worship we now born so fre
ex illibata virgine.

That heuenly king to blis vs
　　　　　bringe,
quem genuit puerpera,
that was and is and shall not mys 45
per infinita secula.
hym worship we nowe borne so fre
ex illibata virgine.

---

15 and *bis* be *auf rasur.* — 25 tho] thre (re *auf rasur*).

69.

AUS 'THE KINGIS QUAIR' VON KING JAMES I.

Ausgabe von Rev. Walter W. Skeat, M. A., Edinburgh 1884, 2. aufl. 1911, Scott. Text Soc., vol. I, 39; The Kinge's Quair and The Quare of Jelusy, ed. by Alexander Lawson, St. Andrews 1911. betreffs früherer ausgaben vgl. dessen Introduction § 26; ferner Untersuchungen über das Kingis Quair Jakobs I. von Schottland, Berliner dissertation von W. Wischmann, Wismar 1887. dieser passus findet sich auch in Skeat's Specimens of English Literature, Oxford 1871, s. 43. Hs. in der Bodleiana zu Oxford, Arch. Selden B. 24.

159 And at the last, behalding thus asyde,
A round(e) place (y)wallit haue I found.
In myddis quhare eftsone I haue (a)spide
Fortune, the goddesse, hufing on the ground.
And ryght before hir fete, of compas round,
A quhele, on quhich cleuering I sye
A multitude of folk before myn eye.

160 And ane surcote sche werit long that tyde,
That semyt to me of diuerse hewis;
Quhilum thus, quhen sche walde turne asyde,
Stude this goddesse of fortune & (of glewis).
A chapellet, with mony fresche anewis,
Sche had vpon her hed; and with this hong
A mantill on hir schuldris, large and long.

161 That furrit was with ermyn full quhite,
Degoutit with the self in spottis blake;
And quhilum in hir chiere thus a lyte
Louring sche was; and thus sone it wolde slake,
And sodeynly a maner smylyng make,
And sche were glad; (for) at ane contenance
Sche held noght, bot (was) ay in variance.

162 And vnderneth the quhele sawe I there
Ane vgly pit, depe as ony helle,
That to behald thereon I quoke for fere;
Bot o thing herd I, that quho there-in fell
Come no more vp agane, tidingis to telle;

159, [2] *das hier und an anderen stellen eingeklammerte fehlt in der hs.: von Skeat ergänzt;* A (full) round *H(olt)h(ausen) Anglia, Beibl. VII, 100, Anm.* — 159, [6] (than) cleuering *Sk(eat).* — 160, [2] (vn)to *Sk.* — 160, [3] wald [hir] *Sk.* — 161, [1] That (wel i-)furrit was with ermyn quhite *Hh; doch änderungen unnötig:* ermyn *mit zerdehnung zu lesen:* er(e)myne. — 161, [3] alyte *hs.* — 162, [2] (as) depe *Sp = Skeat's Specimens,* (was) depe *Sk.* — 162, [5] Came *Sp.*

Off quhich, astonait of that ferefull syght,
I ne wist quhat to done, so was I fricht.

163 Bot forto se the sudayn weltering
　　Off that ilk quhele, that sloppare was to hold.
　　It semyt vnto my wit a strange thing,
　　　So mony I sawe that than clymben wold,
　　　And failit foting, and to ground were rold;
　　And othir eke, that sat aboue on hye,
　　Were ouerthrawe in twinklyng of ane eye.

164 And on the quhele was lytill void space.
　　Wele nere oure-straught fro lawe to hye;
　　And they were ware that long(e) sat in place,
　　　So tolter quhilum did sche it to-wrye;
　　　There was bot clymbe(n) and ryght dounward hye;
　　And sum were eke that fallyng had (so) sore,
　　Therefor to clymbe thaire corage was no more.

165 I sawe also that, quhere(as) sum were slungin
　　Be quhirlyng of the quhele vnto the ground,
　　Full sudaynly sche hath (thame) vp ythrungin,
　　　And set thame on agane full sauf and sound;
　　　And euer I sawe a new(e) swarm abound,
　　That thought to clymbe vpward vpon the quhele,
　　In stede of thame that myght no langer rele.

166 And at the last, in presen(c)e of thame all,
　　That stude about, sche clepit me be name;
　　And therewith apon kneis gan I fall,
　　　Full sodaynly hailsing, abaist for schame;
　　　And, smylyng, thus sche said to me in game,
　　'Quhat dois thou here? quho has the hider sent?
　　Say on anon, and tell me thyn entent.

167 I se wele, by thy chere and contenance,
　　There is sum thing that lyis the on hert;　　'
　　It stant noght with the as thou wald, perchance?'
　　　'Madame,' quod I, 'for lufe is all the smert
　　　That euer I fele, endlang and ouer-thwert;
　　Help, of ȝour grace, me wofull wrochit wight,
　　Sen me to cure ȝe powere haue and myght.'

163, ³ a strong hs., Sp. — 164, ² so W(ischmann); oure straught hs. ‖
(vn)to Sk. — 165, ³ (thaim) Sk. — 165, ⁵ new Sp. — 166, ¹ presene hs.,
presens Sp. — 166, ⁵ And smyling, thus Sp, And, smylyng thus, Sk.

168 'Quhat help,' quod sche, 'wold thou that I ordeyne
    To bring(en) the vnto thy hertis desire?'
    'Madame,' quod I, 'bot that ȝour grace dedeyne
      Off ȝour grete myght my wittis to enspire,
      To win the well that slokin may the fyre,
    In quhiche I birn; a, goddesse fortunate!
    Help now my game, that is in poynt to mate.'

169 'Off mate?' quod sche, 'o, verray sely wrech!
    I se wele by thy dedely coloure pale,
    Thou art to feble of thy-self to streche
      Vpon my quhele to clymbe(n) or to hale
      Withoutin help; for thou has fundin stale
    This mony day, withoutin werdis wele,
    And wantis now thy veray hertis hele.

170 Wele maistow be a wrechit man (y)callit,
    That wantis the confort that suld thy hert(e) glade,
    And has all thing within thy hert(e) stallit,
      That may thy ȝouth oppressen or defade;
      Though thy begynnyng hath bene retrograde,
    Be froward, opposyt, quhare till aspert;
    Now sall thai turne, and luke(n) on the dert.

171 And therwith-all vnto the quhele in hye
    Sche hath me led, and bad me lere to clymbe,
    Vpon the quhich I steppit sudaynly.
      'Now hald thy grippis,' quod sche, 'for thy tyme,
      Ane houre and more it rynnis ouer prime;
    To count the hole, the half is nere away;
    Spend wele therefore the remanaut of the day.

172 Ensample,' quod sche, 'tak of this tofore,
    That fro my quhele be rollit as a ball;
    For the nature of it is euermore,
      After ane hicht, to vale and geue a fall,
      Thus, quhen me likith, vp or doune to fall.
    Fare wele', quod sche, and by the ere me toke
    So ernestly, that therewithall I woke.

173 O besy goste! ay flikering to and fro,
    That neuer art in quiet nor in rest,

170, [2] *so in der hs.*; confort sulde thy hert *Sp* (that *fehlt*), confort suld thy hert(ë) *Sk* (that *fehlt*). — 170, [3] hert(ë) *Sk.* — 170, [6] aspert *Sk Sp W.* *dieser letztere leitet es ab von* esperdre, *übersetzt es mit „erstaunt", setzt ein komma hinter* froward *und liest* thare *statt* quhare. — 170, [7] luke *Sp.*

Till thou cum to that place that thou cam fro,
Quhich is thy first and verray proper nest;
From day to day so sore here artow drest,
That with thy flesche ay walking art in trouble,
And sleping eke; of pyne so has thou double.

70.

DIE BALLADE VON KYND KYTTOK
VON WILLIAM DUNBAR (?).

*Überliefert in hs. B (= Bannatyne MS der Advocates' Library, Edinburgh),
fol. 135 b, 136 a, und in Ch M (= erster druck von Chepman und Myllar
vom jahre 1508, ebendaselbst), s. 192, 193. früher herausgegeben von Laing,
The Poems of W. D., Edinburgh 1824, II, 35, 36; The Hunterian Club,
Bannatyne MS, Glasgow 1874—1881, III, 282, 283; Small, The Poems
of W. D., Edinburgh 1884/85, I, 52, 53; Schipper, The Poems of W. D.,
Vienna 1891—1894, s. 69—72.*

My guddame wes ane gay wyfe,   bot scho wes rycht gend,
  Scho dwelt far furth in France   on Falkland fell;
Thay callit hir Kynd Kittok   sa quha weill hir kend.
Scho wes lik a caldrone cruk   cleir vnder kell;
5 Thay threipit scho deid of thrist   and maid a gud end.
  Eftir hir deid scho dreidit nocht   in Hevin to dwell,
And so to Hevin the hie way   dreidles scho wend.
  3it scho wanderit and 3eid by   to ane elrich well;
    And thair scho met, as I wene,
10   Ane ask rydand on ane snaill.
    Sche cryd: 'Ourtane fallow, haill!'
    And raid ane inch behind the taill,
    Quhill it wes neir ene.

Sua scho had hap to be horst   to hir harbry,
15 At ane ailhouss neir Hevin   it nychtit thame thair.
Scho deit for thrist in this warld   that gart hir be so dry,
  Scho eit nevir meit bot drank   our missour and mair;
Scho sleipit quhill the morne   at none and raiss airly,
  And to the 3ettis of Hevin   fast cowd scho fair.

---

70. *lesarten aus ChM, wenn nicht anders angegeben.* — 1 Gudame ‖
a gay. — 2 duelt furth fer in to ‖ on Falkland fellis. — 3 callit her ‖
quhasa hir weill. — 4 cler ‖ kellis. — 5 threpit that scho deit ‖ et
statt and, *hier und überall in dem gedicht.* — 6 Efter ‖ dede ‖ dredit
nought ‖ for to. — 7 sa ‖ hieway. — 9 Scho met thar. — 10 a. —
11 cryit ‖ *B:* haill haill. — 13 Till it ‖ evin. — 14 Sa ‖ horsit ‖ herbry. —
15 Hevin *fehlt* ‖ nyghttit thaim thare. — 16 of thrist ‖ gert. — 17 neuer
eit ‖ meit *fehlt* ‖ mesur. — 18 slepit. — 19 fast can the wif fair.

20) And by Sanct Petir, in at the ȝett   scho stall prevely.
       God lukit and saw hir lattin in   and luch his hairt sair;
       And thair ȝeiris sevin
          Scho levit ane gud lyfe,
          And wes our Leddeis henwyfe,
25   And held Sanct Petir in stryfe,
       Ay quhill scho wes in Hevin.

       Scho lukit owt ou a day   and thocht verry lang,
       To se the ailhouss besyd   in till ane evill hour;
       And out of Hevin the hie gait   cowth the wyfe gang,
30   For to gett ane fresche drink,   the haill of Heviu wes sour.
       Scho come agane to Hevinis ȝet,   quhen that the bell rang;
       Sanct Petir hit hir wit a club,   quhill a grit clour
       Raiss on hir heid behind,   becauss the wyfe ȝeid wraug;
       And than to the ailhouss agane   scho ran the pitscheris to pour.
35   Thair to brew and to baik.
          Freyndis, I pray yow hairtfully,
          Gife ȝe be thristy or dry,
          Drynk wyth my guddame, quhen ye gang by,
       Anis for my saik.

71.

DER BESUCH DES HEILIGEN FRANZISKUS
VON WILLIAM DUNBAR.

Erhalten in B (= Bannatyne MS), M (= Maitland MS im Magdalen Coll.,
Cambridge) und R (= Reidpeth MS der universitätsbibliothek daselbst,
Ll. v. 10). früher herausgegeben von Lord Hailes, s. 29; Sibbald, s. 240—242;
Laing I, 28—30; Paterson, s. 184; The Hunterian Club, Bannatyne MS,
III, 327, 328; Small I, 131—133; Schipper, s. 237—241.

       This (hindir) nycht, befoir the dawing cleir,
       Me thocht Sanct Francis did to me appeir,
          With ane religiouss abbeit in his hand,
          And said: 'In thiss go cleith the, my serwand;
5   Reffuss the warld, for thow mon be a freir.'

---

21 lewch his hert. — 22 thar ȝeris. — 23 lewit a. — 24 Ladyis
hen wif. — 25 at stryfe. — 27 thoght ryght. — 28 an euill. — 29 gait
cought the. — 30 get hir ane || aill. — 31 agane || that *fehlt.* — 32 Sanct
Petir hat hir || grit. — 33 behind *fehlt.* — 34 And *fehlt* || pycharis. —
35 And *fehlt* || and baik. — 36 Frendis || hertfully. — 37 Gif. —
38 as ȝe ga by.
       1 hindir *fehlt in BMR.* — 2 Sant M. — 3 religious habite MR. —
4 to cleith R, go cleithe M. — 5 Refuse M || man be MR.

With him and with his abbeit bayth I skarrit,
Lyk to ane man that with a gaist wes marrit:
   Me thocht on bed he layid it me abone;
   But on the flure delyverly and sone
10 I lap thair-fra, and nevir wald cum nar it.

Quoth he: 'Quhy skarris thow with this holy weid?
Cleith the thairin, for weir it thow most neid.
   Thow, that hes lang done Venus lawis teiche,
   Sall now be freir, and in this abbeit preiche;
15 Delay it nocht, it mon be done, but dreid.'

Quoth I: 'Sanct Francis, loving be the till,
And thankit mot thow be of thy gude will
   To me, that of thy claithis ar so kynd:
   Bot thame to weir it nevir come in my mynd;
20 Sweit confessour, thow tak it nocht in ill.

In haly legendis haif I hard allevin
Ma sanctis of bischoppis, nor frairis, be sic sevin;
   Off full few freiris that hes bene sanctis I reid,
   Quhairfoir ga bring to me ane bischopis weid,
25 Gife evir thow wald my saule zeid unto hevin.'

'My brethir oft hes maid the supplicationis
Be epistillis, sermonis, and relationis,
   To tak this abyte; bot ay thow did postpone.
   But ony process cum on thairfoir annone,
30 All sircumstance put by and excusationis.'

'Gif evir my fortoun wes to be a freir,
The dait thairof is past full mony a zeir.
   For in-to every lusty toun and place
   Off all Yngland, from Berwick to Kalice,
35 I haif in-to thy habeit maid gud cheir.

---

6 habeit (habite R) baythe I skerrit M. — 7 Lyke to a MR ||
ane gaist R || wer M, war R. — 8 laid MR. — 10 never M || narrit MR. —
11 skerris thow at MR. — 12 for thow wer it moist neid MR. — 13 hes
doue lang Venus law teche MR. — 14 habite preche MR. — 15 not
MR || man be MR. — 16—20 fehlen in MR. — 21 halie M || baue I herd
ellevin MR. — 22 Bischops M || sewin M. — 24 Quhairfore M || go R ||
a Bischopis weyd M. — 25 gaid B || zeid vnto bewin MR. — 26 bredir
MR. — 27 seromondis and MR. — 28 the abyte B, this habeit MR ||
ay fehlt in B. — 29 But forder (farder R) proces MR. — 31 was R ||
ane R. — 32 is gone full mony zeir M, hes gane full mony zeir R. —
33 everie lustie M. — 34 england MR || Berweik to Calice MR.

In freiris weid full fairly haif I fleichit,
In it haif I in pulpet gon and preichit
In Derntoun kirk, and eik in Canterberry.
In it I past at Dover oure the ferry
40 Throw Piccardy, and thair the peple teichit.

Als lang as I did heir the freiris style,
In me, God wait, wes mony wrink and wyle;
In me wes falset, with every wicht to flatter,
Quhilk mycht be flemit with na haly watter;
45 I wes ay reddy all men to begyle.'

The freir, that did Sanct Francis thair appeir,
Ane feind he wes, in liknes of ane freir;
He vaneist away with stynk and fyrie smowk:
With him, me thocht, all the house-end he towk,
50 And I awoik, as wy that wes in weir.

72.

ZWEI AN DIE KÖNIGIN MARGARETE VON SCHOTTLAND GERICHTETE SPOTTGEDICHTE DUNBARS AUF JAMES DOIG.

Erhalten in den hss. M, s. 399, 340, und R, fol. 44a, 44b. früher herausgegeben von Pinkerton, I, 90—93; Sibbald I, 278, 279; Laing I, 110—111; Paterson I, 175—177; Small II, 195—198; Schipper, s. 199—202.

I.
Of James Doig, Kepar of the Quenis Wardrop.

The Wardreipper of Wenus boure,
To giff a doublett he is als doure,
As it war off ane futt-syd frog:
  Madame, 3e heff a dangerouss Dog!

5 Quhen that I schawe to him 3our markis,
He turnis to me again, and barkis,
As he war wirriand ane hog:
  Madame, 3e heff a dangerouss Dog!

36 weyd full fairlie haue I flichit *MR.* — 37 haue *MR* || gane *MR* prichit *M.* — 38 Dirntoun *M* || eik *fehlt in MR* || Cantirberry *M.* — 39 in Dover *R* || ferrie *M.* — 40 teychit *M.* — 41 So lang *MR.* — 43 falsat *MR* everie *M* || flattir *M.* — 44 fleymit *M*, flymit *R* || holie wattir *MR.* — 45 Reddie wes (was *R*) I all men for to bakbyte *MR.* — 46 Frances *MR.* — 47 fieind *B*, feynd *M.* — 48 fyrie smwke *MR.* — 49 houshend *B*, housend *M* || tuke *M.* — 50 awuke *MR.*

4, 8, 12, 16, 20, 24 haue ane *R.* — 7 worriand *R.*

Quhen that i schawe to him 30ur wryting,
10 He girnis that I am red for byting;
I wald he had ane hawye clog:
Madame, 3e heff ane dangerouss Dog!

Quhen that I speik till him freindlyk,
He barkis lyk ane midding tyk,
15 War chassand cattell throug a bog:
Madame, 3o heff a dangerouss Dog!

He is ane mastiv, mekle of mycht,
To keip 3our wardroippe ower nycht
Fra the grytt Sowdan Gog-ma-gog:
20 Madame, 3o heff a dangerouss Dog!

He is ower mekle to be 3our messan,
Madame, I red 3ou get a less ane,
His gang garris all 3our chalmeris schog:
Madame, 3e heff a dangerouss Dog!

II.

Of the said James, quhen he had pleisit him.

O gracious Priuces, guid and fair!
Do weill to James 3our Wardraipair;
Quhais faithfull bruder maist freind I am:
He is na Dog; he is a Lam.

5 Thocht I in ballet did with him bourde,
In malice spack I newir ane woord,
Bot all, my Dame, to do 3ou gam:
He is na Dog; he is a Lam.

3our Hienes can nocht gett ane meter,
10 To keip your wardrope, nor discreter,
To rule 3our robbis, and dress the sam:
He is na Dog; he is a Lam.

The wyff, that he had in his innys,
That with the taingis wald brack his schinnis,
15 I wald scho drownit war in a dam:
He is na Dog; he is a Lam.

---

17 mastive mekill *R*. — 18 wairdraipp day and *R*. — 21 mekill *R* |
messoun *oder* messain *R*. — 23 chalmer *R*.

2 Wardrapair *R*. — 3 brother *R*. — 4 ane *R*. — 5 ballate *R*. —
6 spak *R* ‖ wourd *R*. — 10 wairdrop nor discreitter *R*. — 11 rewlle your
robis *R*. — 12 no *R*. — 13 this innys *R*. — 14 tangis *R* ‖ wald black his *M*.

The wyff that wald him kuckald mak,
I wald scho war, bayth syd and back,
Weill batteret with ane barrow-tram:
20 He is na Dog; he is ane Lam.

He hes sa weill doin me oboy
In-till all thing, thairfoir I pray
That newir dolour mak him dram:
He is na Dog; he is a Lam.

73.

'ALLES IST EITEL' VON WILLIAM DUNBAR.

*Nur erhalten in hs. M, s. 195, 196. früher herausgegeben von Laing I,
201, 202; Paterson, s. 62, 63; Small II, 244; Schipper, s. 386, 387.*

O wreche, be war! this warld will wend the fro,
Quhilk hes begylit mony greit estait;
Turne to thy freynd, beleif nocht in thy fo!
Sen thow mon go, be grathing to thy gait!
5 Remeid in tyme, and rew nocht all to lait!
Provyd thy place, for thow away mon pass
Out of this vaill of trubbill and dissait:
Vanitas Vanitatum, et omnia Vanitas.

Walk furth, pilgrame, quhill thow hes dayis lycht!
10 Dress fro desert, draw to thy dwelling-place!
Speid home! forquhy? anone cummis the nicht,
Quhilk dois the follow with ane ythand chaise!
Bend vp thy saill, and win thy port of grace!
For and the deith ourtak the in trespas,
15 Then may thow say thir wourdis with allace:
Vanitas Vanitatum, et omnia Vanitas.

Heir nocht abydis, heir standis no thing stabill,
(For) this fals warld ay flittis to and fro;
Now day vp-bricht, now nycht als blak as sabill,
20 Now eb, now flude, now freynd, now cruell fo;
Now glaid, now said, now weill, now in-to wo;
Now cled in gold, dissoluit now in ass;
So dois this warld (ay) transitorie go:
Vanitas Vanitatum, et omnia Vanitas.

17 cukkald R. — 19 batterrit R. — 23 dollour R || dram R. —
24 ane R.

6 Provyd M, provyde L(aing), Sm(all). — 18 (For) LSm; fehlt
in M. — 23 (ay) L; fehlt in M.

WÖRTERBUCH.

Zitiert wird nach nummer und zeile, mit ausnahme von nr. 18, wo die halbverse, und nr. 19, wo die bibelverse angegeben sind. Im text getrennte zusammensetzungen (besonders in nr. 32) sind nur als ganze wörter gebucht.

A.

a *interj.*, **33**,61, *ach, o; ne.* ah.
â *adv.*, 9,596, aa 13,35, oo 9,25; *me.* a 37,129; á 32,254; o ; oo 52,7; *immer, stets, jemals, irgend.*
a *s.* ân, oð, of, on.
ê, *st. f.*, 14,47, *me.* o *(zeit, sitte, gesetz) testament, bibel.*
aa *s.* a.
aac *s.* ac.
âân *s.* ân.
abaist, *p.p.* 69,166 *niedergedrückt.*
abate, *v.*, 67,445 *nachlassen; nc.* abate.
abbay, *sb.*, 42,6 *abtei; ne.* abbey.
abboit *s.* haboit.
abbudisse, *schw.f.*, 16,61 *äbtissin.*
aboh, *prät., s.* âbûgan.
aboio *s.* âbyogan.
âbêodan, *st. v., imp.* âbêod 23,49; *prät.* âbêad 23,27 *künden, melden.*
âberan, *st. v., merc. prät.* aber 13,11; *me.* aberen *ertragen; ne. vulg.* abear.
abide, *st.v.*, 32,140; abydo 61,1111; *imp. sg.* 57,22; *3. sg. präs.* abydis 73,17; *prät.* abode 67,373 *bleiben; 3.sg.präs.* abit 32,130; *p.p.* abide 50,101 *warten; imp.* abid 46,293; *prät.* abode 48,208 *erwarten; nc.* abide.
abiggen *s.* âbyogan.
Abirdene, *ortsname,* 57,1, *Aberdeen.*
abit *s.* abide.
âbîtan, *st. v.*, 22,13, *me.* abite, abiten 28,23 *essen.*
âblendan, *schw. v., prät. pl.* âblendon 22,69 *blenden.*
abode *s.* abide.

abone *s.* abouo.
abot, *sb.*, 42,21 *abt; ne.* abbot.
abound(e), *v.*, 69,165 *reichlich vorhanden sein.*
abouto *s.* onbûtan.
abouo, *adv.*, 42,47 *oben;* from abono 67,146 *von oben her;* bou abovo 46,413 *obenauf sein; präp.* abono 71,8; abuf 67,83 *über; ne.* above.
âbrogdan, *st. v., imp.* âbregd 10, 2914; *prät.* âbrægd 10,2931 *wegreißen, ausholen.*
absolutioun, *sb.*, 48,63 *lossprechung; ne.* absolution.
abuf *s.* abouo.
âbûgan, *st.v., me.* abuʒe, abouwe, *prät.* aboh 33,70 *sich beugen.*
abuggen *s.* âbyogan.
abuten, abuton *s.* onbûtan.
âbyogan, *schw. v., me. pl. präs.* abiggot 32,195; *inf.* aboie 43,112; abuggen 56,19 *bezahlen, büßen.*
abyde *s.* abido.
abyme, *sb.*, 58,143 *abgrund.*
ac, *konj.*, 6,17 *sondern;* 9,596; *me.* âc 32,237; aac 32,313; acc 36, 15551; ah 33,55; hac 41,11; ach *aber.*
âc, êc *s.* êac.
accord, *sb.*, 67,30 *übereinkunft; ne.* accord.
accordandly, *adv.*, 49,29 *in übereinstimmung damit; nc.* accordingly.
êco *s.* êco.
âcêlan, *schw. v., me. 3. sg. präs.* akelþ 41,32 *abkühlen.*
âcennan, *schw. v., prät.* âcendo 22,9; *p.p.* âcennod 9,241 *erzeugen, gebären.*

228

ácorran, *schw. r.*, *imp.* áeer 13,25 *abneenden.*

æch *s.* éce.

ácígan. *schw. r.*, *p. p.* áeígdo 15,22, *rufen.*

ácol, *adj.*, *pl. nom.* ácle 8,586 *bestürzt, furchtsam.*

ácólian, *schw. r.*, *p. p.* áeóland 9,228 *erkalten.*

acsede, acsen *s.* áscian.

ácweðan, *st. r.*, *prät.* ácwæð 8,631 *aussprechen.*

ácwellan, *schw. r.*, *prät.* ácwealde 22,85; *p. p. pl.* ∼15,84; *me. imp.* aquelle *töten.*

ád. *st. m. (n.)* 8,580; *me.* ad, od *scheiterhaufen.*

adam. *eigenn.*, 32,173, *Adam.*

ædgeadre *s.* geador.

ádihtian, *schw. r.*, *prät.* ádihtode 14,84 *verfassen.*

ádilgian, *schw. r.*, *p. p. pl.* ádilgade 13,40 *tilgen.*

ádlég, *st. m.*, 9,222 *scheiterhaufenflamme.*

admirald *s.* ameral.

admytte, *r.*, 67,551 *zulassen; ne.* admit. •

adoun *s.* dún.

adrad, adred *s.* ondrédau.

ædre, *adv.*, 10,2901 *sogleich.*

adrenche, *schw. r.*, 43,107; *p. p.* adreynet 50,92 *ertränken.* nadrinke, *konj. präs.*, 43,144 *nicht ertränke.*

ádrífan, *st. r.*, 15,69 *vertreiben.*

adrunken 32,258, *s.* druncen.

adun *s.* dún.

aeththa *s.* oððe.

áfǽgde, *p. p. pl.*, 15,180 *gemalt.*

afand(i)an *s.* áfondian.

afaran *s.* eafora.

áfǽran, *schw. r.*, *p. p. merc.* áfírde 19d,4; *me.* afferid 19c,4; aferd 67,316 *erschrecken; ne. (ea.)* afeard.

æfæst, *adj.*, 16,10 *fromm.*

æfæstniss, *st. f.*, *gen.* æfastnesse 15,165; *dat.* æfæstnisse 16,3; æfestmesse 15,196 *frömmigkeit, religion.*

Afdrede, *volksn.*, *m. pl.*, 17,18 *die Obotriten.*

áfeallan, *st. r.*, *prät.* áfeóll 22,84 *zu tode fallen; p. p.* áfeallen 14,63 *verfallen.*

Afédan, *schw. r.*, 9,263 *nähren.*

Afen *und* Afene, *flußname, f., me.* nauene = ne Aveno 32,248; *ne.* Avon.

æfen, *st. n. m.*, 28,31; *nh.* éfern 19a,1; *me.* efen 19c,1; euen 50, 70; evyn 60,18, cue; *ne.* even, eve *abend.*

æfentid, *st. f.*, *me.* eventid *abend- . (zeit); ne.* éventide.

æfer *s.* æfre.

aferd *s.* áfǽran.

æfest, *st. u.*, 15,15 *neid, haß, feindseligkeit.*

affeccyon. *sb.*, 49,47; affeccyoun 65,59,7 *(zu)neigung; ne.* affection.

afferid, áferd *s.* áfǽran.

affien, *schw. r.*, *prät.* affied 48,186 *vertrauen.*

afforee, *r.*, 49,18 *anstrengen.*

affter, affterr *s.* æfter.

áfindan, *st. r.*, *me.* afinden *finden, erhalten.*

afírde *s.* áfǽran.

áflýman, *schw. r.*, *me.* aulem 37,94 *in die flucht schlagen, verjagen.*

æfne *s.* efne.

æfnung. *st. f.*, *me.* euenyng 19e,1 *abend; ne.* evening.

áfón, *st. r.*, *me.* avon; *imp.* auouh 37,119 *empfangen.*

áfondian, áfandian, *schw. r.*, *p. p.* áfandad *(verschrieben* afandan) 20,42; *me.* afanded 32,149 *versuchen, erproben.*

afora *s.* eafora.

afore, *adv.*, 67,164 *im voraus, vorher.*

áforhtian, *schw. r.*, *prät.* áforhtode 21,54 *in furcht geraten, erschrecken.*

afray, *sb.*, 60,113 *schrecken; ne.* (af)fray.

æfre, *adv.*, 7,178 *immer*, 9,83; *æfer* 18,182 *jemals; me.* æure 27,36; eure 32,151; efre 33,78; reuere 34,14047; euere 44,17; ever 46, 116; euer 48,171; eure 50,57; euir 60,42 *immer*: efre 33,78; euere, auere 34,13798; ever 46, 26; euer 48,200 *jemals; euer* 46,261 *einmal; ne.* evor; *zusammensetzungen:* æfre ǽlc, *me.* eure elc 32,65; æueralch. euerech 34,13871; æuric 27,13; æurich 32,32; euoruych, euerich 35,84B, 34,13871; everich 67,544; eueri 44,8; euery 67,47; *ne.* evory; *me.* euere(i)cho(u)n 44,137, 61,1159 ;

everyychone 40,11; euirilkane 60,108 jeder; *ne.* every one; *me.* efreni 33,29 *irgend ein; me.* œureumwile 27,37 *von zeit zu zeit; me.* evrema, evermore 46, 385; enermore 53,36; *ne.* evermore; for evor 67,23 *(für) immer.*

âfrêfran, *schw. v.,* 7,175 *trösten.*

æfremmend, *adj. p. präs., pl.akk.* æfremmende 8,648 *die gesetzesvorschriften erfüllende (= gläubigen).*

afright, *adj.,* 67,541 *erschreckt, zurückgescheucht?*

æftan, *adv.,* 18,125 *(von) hinten.*

æfter, *adv.,* 2,8; *me.* efter 33,11; after 38,15; aftur 59,81; affter 65,64,5 *nachher, später; präp.* 9, 343; *mere.* ofter 13,24; affterr 36, 15538; after 48,195; efter 37,125; eftir 70,6 *nach, hinter;* affter 46, 412; after 48,69 *nach, um;* efter 32,231 *längs, auf;* aftir 35,82B; after 46,53 *gemäß; ne.* after. — æfter Samsone 22,16 *um S. zu fangen;* efter gold 27,19 *um gold zu erpressen;* æfter þon, efter þon 38,25; after þan 47,1030 *hernach;* þer efter 33,12; þer after 38, 15; þæraffterr 36,15542 *darnach;* affterr þatt (tatt) 36,15538 *nachdem;* æfter ðan þe 32,358; efter ðan þet, efter þet *je nachdem;* eftir as god will 60,74 *wie gott will.*

æfterfylgan, *schw. v.,* 15,24 *n.* 138 *nachfolgen; sb. p. präs.* aefterfylgend 12,30 *nachfolger.*

æftersóna, *adv., bald, nachher, wiederum.*

æfterspyrigean, *schw.v.,* 14,37 *auf der spur folgen.*

æfterweard, *adj. u. adv., später, nachher; me.* afterward 47,1017; efterward 50,64; *mit* weorðan *oder* beon 6,14; ben 33,68 *hinter einem her sein; ne.* afterward.

æfteryldo, *st. f.,* 15,9 *spätere zeit.*

aftur *s.* æfter.

aiurst *s.* fierst.

âfyrhtan, *schw.v., konj.,* âfyrhten 15,133; *p. p. pl.* âfyrhte 19b,4; *me.* afyrhte 19,c4 *sich schrecken vor.*

âfyrran, *schw. v., p. p.* âfyrred 9,5 *entfernen, ferngelegen sein.*

âfýsan, *schw. v.,* 9,654 *(be)eilen.*

æg, *st.n.,* 9,233; *gen.pl.* aegera 12, 21; *me.* oi ei *(ne.* egg *= altn.* egg).

æg æf e *s.* âgiefan.

aჳaines *s.* ongegn.

âgalan, *st. v., prät.* âgôl 8,615 *singen, anstimmen.*

âg æl an, *schw. v., prät.* 26,33 *hindern, vernachlässigen.*

âgan, *präteritopräs.,* 8,646; *me.* aჳon, owen, owo *ne.* owe; *präs. sg.* âh, *me.* ah 32,2; ouh 37,7; *2.pers.konj. sg.* awe 67,171; *pl.* âgon 11,196; âgunS,658; *me.* aჳen (*mitto*) 83,98; owen 37,13; owe 37,17; *prät.* âhte, *pl.* âhton 15,7; *me.* ahte 51,9; ohte 55,18; *ne.* ought; *haben, besitzen, mit inf. müssen, sollen; alles p. p. zum adj. geworden* âgen 10,2851; *me.* aჳen32,161; aჳe32,30; owe 40,36; oghe 41,36; owun 87,112; ouen46,421; owen48,135; awne 67,74; *dat. m.* houne 46, 390; *f.* oჳe35,85B; owere35,85A; *akk. m.* awne; oune 51,43 *eigen; ne.* own.

âgân, *defekt.v., vergehen, p. p.* âgân 21,4; *me.* ago 47,1058 *(ne.* ago); ût âgân 21,7 *hinausgehen.*

agan, agane, agænes *s.* ongegn.

agasten, *vb., erschrecken; p. p.* agast 67,297 *in furcht;* 67,184 *bange; ne.* aghast.

agaynes *s.* ongegn.

age, *sb.,* 59,6 *alter; ne.* ago.

aჳe, aჳen *s.* âgan.

aჳean *s.* ongegn.

âgefe *s.* âgiefan.

âgen, *adj., eigen, heimisch, s.* âgan.

agen, aჳen, aჳenes *s.* ongegn.

âgend, *sb. p. präs.,* 20,18 *besitzer.*

âgêotan, *st.v.,* 13,35; *me.* aჳeoten *ergießen, ausgießen.*

æg era *s.* æg.

âgêtan, *schw.v., p.p.* âgêted 18,35 *verletzen.*

ageyn *s.* ongegn.

aჳჳ *s.* ai.

æghwâ, *pron., jeder; gen.u.* æghwæs, *adverbial,* 8,593 *durchaus.*

æghwæðer, *pron.,* 15,153; ægðer 14,3; ægþer 17,198; âþor 17,104; âðor, *me.* æiðer32,62; eiðer 32,88; euþer 59,57; aither 59,65; athir 66,411; ayther 67,477 *jeder von beiden, beide; ne.* either; ægðer

gê ... gê 17,34; *mc.* wiðer (ciðer
32,88; euþer 59,57) ... end (and)
32,62 *sowohl ... als auch;* œgþer
... ôþer 17,101; *me.* ouþer ...
(48,31), ayther ... or 67,477 *ent-*
weder ... oder.
iêghwæ̂r, *adv.,* 15,96; *me.* aihwar,
aiquare 45,1 *überall.*
iêghwæs *s.* æghwå.
iêghwilc, *pron.,* 17,98; iêghwylc
11,166; *kent.* eghwilc 12,36; *merc.*
åghwilc 19d,18 *jeder.*
iêghwonan, *adv.,* 8,580 *von allen*
seiten, auf allen seiten, überall.
àgiefan, *st.v., konj. präs.kent.*ågefe
12,26; ågæfe 12,28; *prät.* ågeaf
11,130; ågêafon 22,17 *(über)geben;*
p. p. ågifen 10,2883 *darbringen;*
me. ajiven.
ago *s.* ågân.
agrisen, *st.v., prät.* agros 47,1005
erschrecken.
œgsa *s.* egesa.
agulten, *p. p.* agult 32,11; na-
gulte (= ne a.) 56,12 *sündigen,*
durch sünde beleidigen.
Agustus, *eigenn., (lat.) dat.* Agusto
15,35; Augusto 15,109 *Augustus.*
àgustînus, *eigenn.,* 14,81 *der heil.*
Augustinus.
agyt 66,393 *adj., bejahrt, ne.* aged.
iêgðer, iêgþer *s.* iêghwæðer.
ah *s.* ac, ågan.
aha, *interj.,* 61,1148 *wie ne. aha!*
åhangen, åhongen *s.* åhôn.
åhebhan, *st. v., prät.* åhôf 4,2b;
p. p. åhafen, *me.* ahebbe *erheben,*
in die höhe heben.
åhieldan, *schw.v., p. p.kent.* åheld
20,20 *ablenken.*
ahne *s.* ac.
åhôn, *st.v., prät.* åhêng, *p.p.* åhan-
gen 19b,5; åhongen 19a,5; *me.*
ahangen 19c,5; ahonge 33,14 *auf-*
hängen, kreuzigen.
àhreddan, *schw. v., me.p.p.* ared
40,77 *erretten.*
àhrînan, *st. v., me.* arine 37,127
berühren.
åhsian *s.* åscian.
aht *s.* åwiht.
æ̂ht, *st. f.,* 15,151 *schätzung.*
æ̂ht, *st.f.,* 15,247 *besitz; me.* æhte,
ehte 32,55 *eigentum;* echte, eitte,
auȝt *eigentum, landbesitz, vermö-*
gen, habe, geld; for non auȝt 42,
46 *um keinen preis.*

åhte, åhton *s.* ågan.
œhtu *s.* eahta.
ahungrye, *adj.,* 67,499 *hungrig;*
ne. hungry.
åhŷdan, *schw. r., p. p. pl.* åhŷdde
13,9 *cerbergen.*
ai, *adv.,* 45,52; ay 44,159 *immer;*
ne. ay(e).
œie *s.* ege.
aihwar, aiquare *s.* æghwæ̂r.
ailhouss, *sb.,* 70,15 *bierhaus; ne.*
alehouse; *vgl.* ealu.
airly, *adv.,* 70,18 *früh; ne.* early.
aise, *sb.,* (h)ayse 44,59 *ruhe;* ese
60,73 *behagen; ne.* ease; to be at
ese 67,388 *zufrieden sein.*
aither, œiðer *s.* æghwæðer.
akelþ *s.* åcélan.
aknawe, *st.v.,* 47,1081 *eingestehen;*
vgl. geenåwan.
aksed(e), askit *s.* åscian.
al, œl *s.* eall.
ålædan, *schw. v., p.* 9,251; *prät.*
alæde 9,233 *erwachsen; p. p.* ålæ-
ded 8,670 *hinwegführen.*
œlan, *schw.v.,* 9,222 *verbrennen.*
alane, alanerly *s.* ån.
alaer, *st. m., Ep.* 1,3 *erle; me. ne.*
alder.
alas, *interj.,* 51,47; allas 47,1020
ach; s. allace 73,15 *weh.*
âlætan, *st. v.,* 7,167 *aufgeben.*
œlc, *pron.,* 14,73; *kent.* elc 20,19;
me. elc 32,111; elch 32,107; ealch
32,90; œch 32,27; ech 32,107; alc
34,13886; ilch 37,81; ilk 48,33;
ich 67,151; vch 51,86; vche 58,
124; yche 59,19 *jeder; ne.* each;
ilkane 45,88; ilkon 48,102; ilcone,
ichon 67,112; ich 67,170 *ein jeder;*
ilc a dele 48,59; ilc dele 48,99;
ich-a-deylle 67,299 *völlig.*
ald *s.* eald.
œlde *s.* ielde.
œlderne, aldeste *s.* eald.
aldor, aldor- *s.* ealdor(-).
œldrene, œldrum *s.* eald.
aldur *s.* ealdor.
ale *s.* ealu, eglan.
ålecgan, *schw. v.,* 17,176; *me.*
aleggen 37,133; *prät. pl.* ålegdun
4,4a; ålêdon 4,4b; *p. p.* åléd 17,
178; *me.* aleigd 19c,6 *hinlegen,*
beilegen.
œled, *st. m.,* 10,2901; *me.* eld *feuer.*
œled-fŷr, *st. n.,* 9,366 *feuersglut.*
ålegd, *p. p.,* 19a,4 *erschreckt.*

14*

aleigd *s.* âleogau.
Alemain(n)e, *eigenn.*, 34,13849;
    Almayn 48,127 *Deutschland.*
Alemainise, *adj.*,   34,14013
    deutsch; sb. Alemanise 34,14033
    die Deutschen.
alese, âlêsed *s.* âlŷsan.
alesten, *v.*, 32,148 *dauern; vgl.*
    lêstan.
Ælf, *flußn.*, *gen.* Ælfe, 17,16 *Elbe.*
Ælfred, *eigenn.*, 14,1; Alured 35,
    73A; Helfred 35,73B *Alfred.*
alio, *v.*, 48,109 *sammeln; ne.* ally.
aliens, *sb.*, *pl.*, 48,31 *fremde.*
alife, alive *s.* lîf.
aliʒte, *v.*, 43,49 *absteigen; ne.* alight.
allace, allas *s.* alas.
all(e), *welle s.* oall.
wllefne *s.* endlufun.
allegate, *adv.*, 46,398 *immer.*
allovin, 71,21; *nach Laing und*
    Jamieson, p. p. von ae. âlêfan, *er-*
    lauben (to allege), *nach Kölbing*
    (Engl. stud. 24) = *me.* allegen,
    anführen (*lat.* allegare); *vielleicht*
    = all even *oder* = ollovin „elf".
alls *s.* ealswâ.
ællðeodignys, *st. f.*, 15,130 *reise*
    durch ein fremdes land, auslands-
    fahrt.
Almayn *s.* Alemain(n)e.
Almerik, *eigenn.*, 48,234.
almesdede, *sb.*, 46,207 *almosen.*
ælmesgeorn, *adj.*, *me.* elmes-
    ʒeorn 33,56 *mildtätig.*
ælmesse, *schw. f.*, 12,10; *me.* el-
    messe 32,28; ælmes 32,335; al-
    messe 65,63,4 *almosen; ne.* alms.
almigtten, almihtig, ælmih-
    tig *s.* ealmeahtig.
alneway *s.* ealneg.
alod *s.* alouen.
aloft 42,15 *in der höh; ne.* aloft.
alone *s.* ân.
alouen, *p. p.* alod 67,56 *zugestehen,*
    erlauben (Mätzner) oder a-lod (lâd,
    weg) = afoot, „*im zuge*" (?).
aloð *s.* ealu.
Alpis, *gebirgsn.*, 17,4 *Alpen.*
alre *s.* eall.
alredi, *adv.*, 61,1117 *bereit; ne.* al-
    ready.
ælreord, *adj.*, elreord, *fremd-*
    sprachig, barbarisch; 15,123 *ver-*
    derbt zu eallreord.
als, alse, also *s.* ealswâ.
alsuic *s.* call *und* swelc.

alswa *s.* calswâ.
Alured *s.* Ælfred.
always *s.* ealneg.·
âlŷfan, *schw. v.*, 9,667 *erlauben.*
âlŷhtan, *schw. v.*, *me.* alyʒte 50,35
    erleuchten; ne. veraltet alight.
âlŷsan, *schw. v.*, 8,612; *gerund*
    22,7; *kent. p. p.* âlêsed 20,20; *me.*
    alesen 37,15 *erlösen, befreien.*
Alysoun, *eigenn.*, 53,12 *Louischen.*
alzuo *s.* ealswâ.
alþat = eall þæt (*s.* eall).
alþer *s.* eall.
alþer-beste, *adv.*, 44,182 *am aller-*
    besten.
am, æm *s.* êom.
amang *s.* gemong.
âmânsumian, *schw. v.*, *me.* aman-
    sen 33,92 *aus der gemeinschaft*
    ausschließen, exkommunizieren:
    manse 58,82 *verfluchen.*
âmæstan, *schw. v.*, *3. sg. präs. ind.*
    kent. âmest 20,16 *mästen.*
ambeht *s.* ombiht.
âmber, -es, *st. m. n.?* 17,100 *schef-*
    fel (getreidemaß = 4 bushels).
ambyr, *adj.*, 17,126 *günstig, gut.*
ame, *sb.*, 58,128 *ziel; ne.* aim.
amen, *sb.*, 32,396 *amen!*
amend, *v.*, 46,113 *ausbessern,* 67,
    256 *besser machen; ne.* amend.
amoral, *sb.*, 61,1156; amorel 61,
    1118; amyral 61,1123; admirald
    43,91 *sultan, oberbefehlshaber; ne.*
    admiral.
âmerian, *schw. v.*, 9,633 *läutern.*
âmest *s.* amæstan.
Amminadab, *eigenn. mystischer*
    bedeutung 36,5 *(vgl. White u. Holt's*
    Ausg. des Ormulum II, 348 ff.).
among(o), -es *s.* gemong.
amoure, *sb.*, *liebe, zärtlichkeit;*
    paramoure 67,80 *aus liebe.*
amys, *adv.*, 48,200 *übel, schlecht;*
    ne. amiss.
ân, *zahlwort,* 12,18; *me.* one 50,6:
    on 54,33 *ein(s), unbest. art.;* ân
    14,16; *me.* an 46,1; on 46,2; a
    48,3; ane 49,39; ane 50,65; oon
    65,63,3; oone 67,263; o 40,14 *ein;*
    adj. ân 9,355; *me.* ane 28,41; onne
    29,3; one 32,376 *allein;* ân 15,12;
    me. an 32,28; on 59,2; oone 67,2
    einzig; ân 4,3a *jener einzige;* on
    48,72 *einhellig;* on Gydo 59,54
    ein gewisser G.; dat. ore 40.12
    = ae. ânre; *akk.* anne 31,13913;

enne 40,34 = ae. ânne, ænne; nc.
one; in till ane 60,24 in einem
fort; at one 48,179 zusammen,
einig; anan, onone u. s. w. sogleich
s. on; alon 46,10; aloue 67,489,
allane 60,104 allein; ne. alone;
duron adr. alauerly 62,3 nur.
an, anan s. on, ond unnan.
anbîdinceges s. onbidan.
ancor, st. m., me. pl. ankres 58,103
anker; ne. anchor.
and, rønd s. ond.
and- s. on-, ond-.
ande s. hond, ond-, a-.
ende s. ende.
andefn, st. n., 17,176 betrag, maß.
rønd enge ε. endian.
andlêac s. onlûcan.
andleofen, dat. ondleofne 9,243;
akk. andlyfne 15,48, st. f., lebens-
unterhalt.
rønd leofon s. endlufun.
rønd leofte s. endleoftn.
andlicnes s. anlicnes.
ane s. ân.
ʒᶦne, adv., me. ene, 40,24; enes 32,
183; onys 67,207; anis 70,39 ein-
mal; ne. once; me. all attonys
65,60 plötzlich; ne. all at once.
anew, sb., pl., anewis 69,160 kleiner
ring, windung.
ʒᶦnge s. ænig.
angel, sb., 39,1329; anngel 19e,2;
pl. angles 50,17 engel; ne. angel;
rgl. engel.
rønng el s. engel.
angir, sb., 60,32 ärger, zorn; ne.
anger.
Angle, volksn., 17,137; me. Angles,
Englis 34,1:852 Angeln, s. Engel.
angry, adj., 60,61; angre 67,187
ärgerlich, zornig; ne. angry.
Angulus, ländern., ursprüngliche
heimat der Angeln, 15,56.
angwys, sb., 49,25 bedrängnis,
angst; ne. anguish.
ânhaga, schw. m., 9,87; anhoga
9,346 einsam wohnender, einsiedler.
anhange, v., p. p. anhangod, 61,
1151 aufhängen.
anhete s. onhætan.
anhoudr- s. hundr-.
ani(ʒ) s. ænig.
ʒᶦnig, pron., 7,178; flekt. ænge 7,
184; me. ani 27,17; eni 32,53;
eani 33,19; aniʒ 36,15627; eny
50,57; ony 60,50; any 67,58

irgend ein, irgend welch; pl. einige;
ænig monn, me. æniman 32,68;
anymon 56,1 irgend jemand; ne.
any.
anis s. æne.
anker s. ancor.
Anlâf, eigenn., 18,51 könig Olaf.
ânlêpe, adj., 14,19; auch ânlêpig;
me. onlepi 50,46 vereinzelt, einzig;
pl. ânliplo 15,80 privat.
ænlîc, adj., 9,9 einzig, ausgezeichnet,
hervorragend, schön.
anlîc, anlik-, anlyk- s. onlîc.
ânlîpie s. ânlêpe.
ânmôd, adj., 15,95 einmütig.
annd, annd- s. ond.
ânnes, st. f., 8,727, 15,236 einig-
keit, einheit; ne. oneness.
anon, an(o)one s. on.
another s. ân und ôðer.
anouʒ s. genôh.
anoynt, v., 67,127 schmieren; ne.
anoint.
anræd, adj., 8,601 standhaft.
ansi(o)ne, ansŷn, ansyne s. on-
sîen.
answer-, answære, answer-
s. ondswarian, ondswaru.
ant, ant- s. ond, ond-.
Ante-Crist, eigenn., 28,55 Anti-
christ.
antefn, f.?, 15,204 wechselchor.
anunder s. under.
anuppe, -on s. on.
anwald, anwoald, anwold s.
onweald.
any ε. ænig.
ʒᶦoure s. gê.
aper, v., 60,60; appere 67,173;
appeir 71,2 erscheinen, sich zeigen;
ne. appear.
Aperill 66,368; aueril 53,1 April;
ne. April.
aperte, adj., 48,79 öffentlich.
æples s. æppel.
aplyht (= on pliht auf bürg-
schaft) 51,74 aufs wort.
apon s. up.
apostol, st. m., flekt. apostles 28,
48; me. apostel 33,8; pl. apostles;
40,8; aposteles 40,11; apostlis
45,111; posstless 36,15543 apostel;
ne. apostle.
apostolic, adj., 15,112 apostolisch.
appeir, appere s. aper.
æppel, gen. æples 9,230 apfel; ne.
apple.

æppled, *adj.*, 8,688; *in apfelform
gebracht, gebuckelt.*
Appol(l)in,*eigenn.*,34,13909 *Apollo.*
aproche, *v.*, 58,85 *sich nähern;
ne.* approach.
aquelle *s.* âcwellan.
aquierne *s.* âcweorna.
ar *s.* ǽr.
ar *s.* eart.
âr, *st. f.*, 9,663; *me.* ore 37,73 *ehre;*
on are 15,222 *zu ehren; gen. pl.*
ârna 8,715; *me.* ore 37,81 *mitleid;*
âr 17,95; *pl.* 15,40 *einkünfte; me.*
are 32,53; ore 32,382 *huld.*
âr, *st. m.*, 10,2910 *bote.*
âr, *st.f.*, *me.* ore 42,6 *ruder; ne.* oar.
ôr, *adv.*, 8,616; *me.* ær 28,10; er
40,15; her 33,34; are 45,70; ere
48,162; or 48,200; ore *eher,
früher, vordem; präp. nh.* aer 3,3;
ar 46,108; er 54,22; or 60,55 *vor;
konj.*, er 37,66; or 39,1337; or 46,
381; ǽr þon 8,677; ǽrðǽmðe
14,29; ǽr þâm þe 21,7; *me.* ær
þonne 28,24 *che, bevor;* or syne
bevor, alsbald, bevor lange.
ǽra *s.* âr.
âræcan, *schw.v., me.* arechen 37,47
erreichen, erfassen.
ârǽdan, *schw.v.*, 14,61; *kent.konj.*
ârêde 12,38; *me.* areden *lesen.*
ǽrageblond *s.* êargeblond.
Aram, *eigenn.*, 21,75 *Aram.*
ârǽman, *schw. v.*, 10,2876 *sich
erheben.*
Arane, *ortsn.*, 60,17 *Arane.*
ârǽran, *schw. v.*, 4,2b *errichten;
me.* arǽren 28,3; arere 50,41 *er-
heben; me.* laʒhe a. 32,170 *geben;*
werren a. 50,84 *anstiften.*
ârâs *s.* ârîsan.
ârâsian, *schw. r., p. p.* ârâsad 8,
587 *ergreifen, überfallen.*
aray, *sb., ausrüstung, schmuck;*
townes of aray, 67,539 *prächtige
städte.*
are *s.* eart.
ǽrcebiscep, *st. m.*, 12,11; *me.*
archebishop; ersbisshop 48,2 *erz-
bisehof; ne.* archbishop.
archangel, *sb.*, 38,8 *erzengel;
ne.* archangel.
ǽrdagas, *st. m. pl., me.* aredawes
44,27 *frühere tage, vorzeit.*
are *s.* eart.
âreccean, *schw. v.*, 14,17 *aus-
einandersetzen, erklären; p. p.*
âreaht 20,30 *erstaunt.*

ared *s.* âhreddan.
aredawes *s.* ǽrdagas.
arede *s.* ârǽdan.
Ârêdnes, *st. f.*, 15,167 *bedingung*
(*vgl.* rǽdan).
ârêfnan, *schw. v., prät. merc.*
ârefnde 13,30 *ertragen.*
arelies *s.* ârlêas.
aren *s.* eart.
ǽrende *st. n.*, 15,158 *botschaft;* 10,
2882, *me.* arende 58,72 *auftrag;
me.* (h)ernde 46,40 *gesehäft;* 46,
214 *anliegen; ne.* errand.
ǽrenddraca *s.* ǽrendwreca.
ǽrendgewrit, *st.n.*, 14,16 *schrift-
liche botschaft, brief.*
ǽrendwreca, *schw. m.*, 14,6:
ǽrenddraca 15,42 *bote, gesandter.*
arere *s.* ârǽran.
arest, *v., hemmen, (an)halten;* 58,
144 *bleiben; ne.* arrest.
ǽrest, *superl. adj.*, 9,235; *nh.* ǽrist
2,5 *der erste; adv.*, ǽrest 15,5;
me. ǽrst 28,3; erest 33,7 *zuerst;
ne.* erst.
Arestotill, *eigenn.*, 49,16 *Aristo-
teles.*
ârêtan, *schw. v.*, 11,167 *erfreuen.*
ârfæst, *adj.*, 11,190 *gnädig.*
ârfæstniss, *st.f.*, 16,3 *frömmig-
keit.*
ǽrfore, *adv.*, 14,83 *vorher, früher.*
ǽrgewyrht, *st. n.*, 8,702 *früher
verübte tat.*
ârhwæt, *adj.*, 18,145 *ehrgierig.*
ariʒt, arîht *s.* riht.
arinen *s.* âhrinan.
ârîsan, *st. v.*, 21,28; *me.* arisen 33.
77; *prät.* ârâs 16,21; *me.* aras
28,1; *p. p.* arisen 28,24, arisan
28,47 *sich erheben, auf(er)stehen;
ne.* arise.
ǽrist, *st.f., me.* ǽrist 28,4; ariste
33,94 *auferstehung.*
ariue, *v.*, 43,38; *prät.* arivit 60,29
ankommen, landen: ne. arrive.
ariving, *sb.*, 60,37; ariwyng 60,
122 *landung, ankunft; ne.* arri-
ving.
ârlêas, *adj.*, 15,77; *me.* arelies 32,
216 *unbarmherzig* (*vgl.* âr).
ǽrlîce, *adv., me.* erlich 42,9 *früh;
ne.* early.
arm *s.* earm.
armed, *adj.*, 48,107 *bewaffnet;
wie ne.*
armes, *sb.*, 48,233 *waffen; ne.* arms.

Armonye, *ländern.*, 67,466 *Armenien.*
arn *s.* eart, eornan.
ærnan, *schw. v.*, 17,182; *me.* ærneþ, ernoþ 34,13999 *laufen, rennen.*
ærnemergen, *st. m.* (on 22,43 *am frühen morgen; me.* on ernemarʒen, on arnemorwe), *wohl aus* ærmorgen, -mergen.
ærnen *s.* eornan.
arode *s.* rôd.
ærst, *adv. superl., zuerst, s.* ærest.
art, artow *s.* eart.
arun *s.* eart.
ærwe *s.* earb.
aryht *s.* riht.
arô *s.* eart.
as *s.* ealswa.
æs, *st. n.*, 18,126; *me.* es, ees *aas, leichen.*
âsægd *s.* âsecgan.
asai, *vb.*, 48,147; asay 48,142; assay 67,219 *erproben, versuchen; ne.* assay.
asakon, *st. v., prät.* asoke 43,67 *aufgeben.*
asald *s.* âsellan.
asale, *v.*, 67,295; assailo 48,212 *angreifen, bedrängen; ne.* assail.
asay *e.* asai.
æsc, *st. m.*, 23,43 *esche, eschenlanze.*
ascapen *s.* escapen.
asce, *schw. f.*, 9,231; *me.* ass 73,22 *asche; ne.* ashes.
æschere, *st. m.*, 23,69 *lanzentragendes heer.*
âscian, *schw. v., me.* aske 45,9; axe 61,1124; *prät.* âhsode 22,53; *me.* escade 33,47; axede 34,13802; aksede 50,82; acsede 50,86; asked4 8,160; askit 60,62 *fragen, suchen; ne.* ask.
æscplega, *schw. m.*, 11,217 *lanzenspiel, kampf.*
ascrie, *v.*, 48,114 *anrufen.*
âscunian, *schw. v., prät.* âscunode 21,70 *verabscheuen.*
ase *s.* ealswâ.
âsecgan, *schw. v., p. p.* âsægd 19a, 20 *vollständig sagen.*
âsellan, *schw. v., p. p. uh.* âsald 19a,18 *übergeben.*
âsendan. *schw. v., prät.* âsende 22,29 *schicken.*
âsettan, *schw. v.*, 17,197; *p. p. merc.* âseted 19d,6; *uh.* âsetted 19a,6 *hinsetzen, hinlegen.*

aside *s.* side.
âsingan, *st. v., prät.* âsong 16,59; *pl.* âsungon *absingen, vortragen.*
âsiwian, *schw. v., p. p. Ep.* âsîuuid 1,17 *nähen.*
ask, *sb.*, 70,10 *eidechse.*
aske *s.* âscian.
aslaʒe *s.* âslêan.
âslêan, *st. v., p. p. me.* aslaʒe 43, 90; aslawe 61,1127 *erschlagen.*
âspendan, *schw. v., p. p.* âspended 17,188 *ausgeben, ganz verteilen.*
aspert, *adj.*, 69,170 *kundig, erfahren; ne.* expert.
aspien, *schw. v.*, 47,1151; *prät.* aspide 47,1165 *beobachten.*
âspringan, *st. v., prät. pl.* âsprungun 13,4 *versagen.*
ass, *sb., s.* asce.
assa, *schw. m.*, 22,24; *me.* asse *esel; ne.* ass.
assaile *s.* asalo.
assay *s.* asai.
assemble, *v., prät.* assemblid 59, 85 *sich versammeln; ne.* assemble.
assembly, *sb.*, 59,57 *versammlung; ne.* assembly.
assent, *sb.*, 48,72 *übereinstimmung, zustimmung, meinung; wie me.*
assunder, *adv.*, 46,360 *auseinander.*
âstâh *s.* âstîgan.
astate *s.* estait.
æstel, *st. m.*, 14,74 *lesezeichen.*
âstellan, *schw. v., prät.* âstalde 16,39 *(lesurt); uh.* âstelidæ 2,4 *hinstellen, gründen.*
astente *s.* âstyntan.
asticche *e.* stycce.
âstîgan, *st. v., me.* astiʒe; *prät.* âstâg 19a,2; âstâh 19b,2; *me.* astah 19c,2; *pl.* astuʒen 28,42 *herabsteigen, aufsteigen.*
astonait *s.* astone.
astone, *v., p. p.* astoned 65,60,1 *erstaunt; astaunt* 69,162 *erschreckt; vgl. ne.* astonish *und* astound.
âstuʒen *s.* âstîgan.
astyntan, *schw. v., me. prät.* astente 61,1109 *halt machen.*
âstyrfan, *schw. v.*, 7,192 *töten.*
âsundrian, *schw. v.*, 9,242 *absondern, befreien.*
aswa *s.* ealswâ.
âswebban, *schw. v.*, 8,603; *p. p.* âswefed 18,59 *(einschläfern), töten;* 9,186 *beschwichtigen.*

æswic, *st.m. oder n.?, merc.* èswic (*oder* -i- ?) 13,34 *ärgernis.*
asyde *s.* side.
æt, *adv.,* 15,184; *me.* ate 61,1117 *dabei, dazu; präpos.* 11,123; *me.* at 60,29 *bei;* æt 21,22; *me.* at 59, 13 *zu; me.* at 55,48 *an;* æt 16,70 ror, ron ... *weg;* æt 8,656; *me.* att 36,104; at 46,210 *in;* at 51, 26 *auf;* at 48,67 *gemäß;* at alle peryles 58,85 *mag daraus werden, was will; me.* atte 42,52; ate 50, 101 = at þe; *me. konj.* = *daß;* quhat at 60,63 *was;* how ... at ouer 62,15 *wie auch immer;* the wuknawlage, at thai havo 62,3 *die unkenntnis, die sie haben; vor inf.* 67,235 = to.
æt, *st. m. und f.,* 11,210; *me.* æte, ete *fraß.*
æt *s.* otau.
âtæ *s.* âte.
ætbrogdan, *st.v., prät.sg.* ætbrêd 21,61 *entfernen, wegnehmen.*
âte, *schw.f., Ep.* âtae 1,13; *me.* ote *hafer; ne. pl.* oats.
ætêowde *s.* ætýwan.
ætteð *s.* etan.
atoliche *s.* eatollic.
âtêon, *st.v., prät.sg. konj.* âtuge 16,81; *pl.* âtugon *abziehen, erziehen.*
ætforan, *adv. und präp.,* 22,82; 23,16; *me.* etforen 33,13 *vor.*
ætgadere, -gædere, -geadre *s.* geador.
ath *s.* âð.
athalden, *st. v.,* 34,13824A; æthrælde 34,13949; atholde 34, 13824B *bei sich behalten.*
athir *s.* æghwæðer.
æthrînan, *st.v.,* 21,33; *me.* atrine *anrühren.*
æththa *s.* oððe.
âtor, *st. n., me.* atter 32,144 *gift; ne. dial.* atter.
ætsamne, ætsomne *s.* somen.
att(e) *s.* æt.
atter *s.* âtor.
Atthenes, *stadtn.,* 59,67 *Athen.*
attonys *s.* æne.
ættren, *adj.,* ættryn 23,47 *giftig.*
âtuge *s.* âtêon.
atwo, *adv.,* 54,48 *entzwei.*
ætýwan, *schw. v.,* 11,174; *prät. me.* æteowde 28,37 *zeigen, offenbaren.*

ætýwnes, *st. f.,* 15,233, *das wirken, vollbringen.*
avale *s.* avaylle.
auance, *v.,* 48,4; auaunce 48,31 *befördern, fördern; ne.* advance.
avarð *s.* âweorðan.
avay *s.* weg.
avaylle, *v.,* 67,154; awaill 62,7; avale 67,296; vaile 46,188 *nutzen, förderlich sein; ne.* avail.
auctour, *sb.,* 65,63,1 *gewährsmann; ne.* author.
aveden *s.* habban.
Avene *s.* Afen.
aventure, *sb.,* 60,69; aunter 59,5 *ereignis, abenteuer;* aunture 41,7; auentur 60,27; aunter 59,67 *zufall, was einen trifft;* of av. 65, 63,7 *zufällig; ne.* adventure.
æueralch, auere *s.* ièfre.
auerill *s.* Aperill.
auʒt *s.* æht, âwiht.
aulcm, avleme *s.* âflýman.
aungel *s.* angel.
aunsetre, *sb., pl.* aunsetris 59,5 *vorfahr; ne.* ancestor.
aunter *s.* aventure.
avouh, *sb.,* 65,61 *gelübde.*
auouh *s.* âfôn.
avowe, *vb.,* 47,1052 *gestehen; ne.* avow.
austere, *adj.,* 48,112 *grimmig; ne.* austerè.
auter, *sb.,* 39,1297 *altar; ne.* altar.
auysyon, *v.,* 61,1155 *sich hüten; ne.* advise.
æwrc, ævreumwile, ævric(h) *s.* ièfre.
âwæcnan, *st.v., me.* awaken, *prät. me.* awok 61,1135; awoik 71,50 *erwachen, zu sich kommen; ne.* awake.
awreʒ *s.* weg.
âwîgan, *schw.v.,* 22,38 *unerfüllt lassen, anfheben.*
awai, awæi, away *s.* weg.
awaill *s.* avaylle.
âwœl- *s.* âwyl-.
awarien *schw. v.,* 46,332; *prät.* awariede 34,13946 *verfluchen; vgl.* âwirigan.
awe, *sb.,* 48,68 *schrecken; ne.* awe.
awe *s.* âgan.
âweccan, *schw. v., p. p.* âweaht 9,367; *kent.* âweht 20,11 *erwecken, wieder aufcrwecken; prät.* âwehte 16,82 *ermuntern.*

aweg, awei s. weg.
awelte s. âwyltan.
âwendan, schw. v., prät. âwende 14,73 übersetzen.
âweorpan, st. v., p. p. âworpen 15,16 wegwerfen.
âweorðan, st. v., p. p. âworden 19a,4 werden, geschehen.
awey s. weg.
êwielme, st. m., 17,6 quelle, ursprung.
âwiht, pron., me. ohht 36,15628; auȝt 47,1135; aht, oghte 49,40; ouht 48,182 etwas; adj. oht 34, 13952 etwas wert, tüchtig; ne. aught, ought.
âwirigan, schw. v., p. p. âwiriged 21,49; âwyrged 8,617 verfluchen; egl. awarien.
êwiscmôd, adj., 18,112 mit beschämtem sinne.
awkwart, adv., 66,407; verquer, von der seite; ne. awkward.
awne s. âgan.
awoik s. âwæcnan.
awondrien, schw. v., p.p.47,1137 awondred erstaunt sein.
aworden s. âweorðan.
âwreccan, schw. v., prät. âwrehte 22,66 wecken.
âwrîtan, st. v., p. p. âwriten 14,33; kent. âuuriten 12,45 (auf-) schreiben, zeichnen.
âwyltan, schw. v., nh. âwælte 19a,2; âwylte 19b,2; me. awelte 19c,2 wegwälzen.
âwylwan, schw.v., prät.mere.19d,2 âwælede wegwälzen.
âwyrdan, schw. v., 9,247 schädigen.
âwyrged -s. âwirigan.
awyten, v., prät. awyste 32,18 merken.
âwðor, pron., einer von zweien: konj. âþer ôððe 17,104; oþer 17, 101 entweder; me. oþer 46,133; oðer 32,94; ouþer 61,1158; other, outhire 49,20; owthyre 49,7; outhere, outhere, ore 62,31; or 48,75; oðer ðis eines von diesen zwei dingen, entweder ... oder; ne. or.
axe, axede s. âscian.
axing, sb., 63,3 frage.
ay s. ai. ege.
aye, ayene s. ongegn.
ayere, sb., 49,5 luft; ne. air.

Ayr, ortsname, 66,379 Ayr, stadt und grafschaft in Schottland.
ayse s. aise.
ayther s. æghwæðer.
aze s. ealswâ.
âð, st. m., me. oþ 42,55; oth 48,52; oht 56,18; pl. athes 27,11 eid; ne. oath; wiþouten o. 42,55 (formelh.) sicherlich.
æþele, adj., 9,2; æðel 24,10; nh. æþþile 4,3a; me. aðele 34,13850; haithill 59,38 edel.
æþeling, st.m., 4,3b; æðeling 10, 2847; me. aþeling; heþeling 35, 74B; eþelyng 35,74A vornehmer mann, adeliger, prinz.
æþelstenc, st.m., 9,195 edelduft, wohlgeruch.
âþiostrian, schw. v., p. p. mere. âþiostrad 13,34 verfinstern.
êðm, st. m., me. eþem 33,31 atem.
âþer, âðor s. æghwæðer.
æþþile s. æþele.

B.

bâ s. bêgen.
bæc, st. n., 6,3; mere. bec 13,34; me. bac 44,47; bak 67,264; back rücken; ne. back.
bæcbord, st. m., 17,55 backbord (linke schiffsseite vom steuer); ne. buckboard.
bad, bæd, bade s. biddan.
bædan, schw. v., p. p. gebêded 18,66 zwingen.
bædou s. biddan.
baft s. bæftan.
Bægware, collen., st. m. pl., 17,12; Begware 17,21 Bajuwaren.
baid, baide s. bidan.
baik, v., 70,35 backen; ne. bake.
bailie, sb., 48,236 amt.
bak s. bæc.
bakbitere, sb., 41,35 verleumder; ne. backbiter.
bæl, st. n., 9,216; me. bal; bayle 67,26 feuer, scheiterhaufen.
balde(like) s. beald(lice).
bale s. bealu.
bælfŷr, st. n., bælfir 8,579 scheiterhaufenfeuer.
ball, sb., 69,172 ball, kugel; ne.ball.
ballad, sb., ballet 72,II,5 ballade, gedicht.
Bæme, collen., st. m. pl., 17,14; Behemas 17,21 die Böhmen.

218   bân — bêahhroden.

bân, *st. n.*, 9,221; *me.* bon 54,1;
bone 67,220; boon, *pl.* bouys
67,253 *knochen, bein, gebein; ne.*
bone.
ban, *v.,* 67,94 *entbieten, verwünschen;*
ne. ban.
banasynge, *sb.,* 62,17 *verbannung;*
ne. banishing.
band, bandis *s.* bond.
bandoun, *sb.,* 48,83 *herrschaft.*
baner, *sb.,* 51,70; banere 48,103
banner; ne. banner.
bânfæt, *st. n.,* 9,229 *beinhaus,*
körper.
Bannokburn, *ortsn.,* 57,Motto;
Bannocburn 57,2 *Bannockburn in*
Schottland (bei Sterling), wo die
Schotten am 24. Juni 1314 über
Eduard II von England siegten.
baptim, *sb.,* 45,81 *taufe; ne.* bap-
tism.
baptise, *v.,* 19e,19 *(lesart);* baptize
taufen; rb.-sb. baptizing 45,65
taufe; ne. baptize.
bar, *v., p.p.* bard 67,328 *einsperren;*
ne. bar.
bar, bær *s.* beran.
bær, *adj., me.* bare *nackt, bloß,*
schmucklos; 32,344 *leer, brach;*
twa bare tide 32,207 *bloß zwei*
stunden; for ane bare sunne 32,
139 *bloß wegen einer sünde; ne.*
bare.
bære, *st. f., Ep.* beer 1,137; *me.* bere
bahre, sänfte; ne. bier.
bard *s.* bar.
bare *s.* bær.
barely *s.* bærlice.
barette, *sb.,* 48,87 *streit, zank.*
barg *s.* beorgan.
bargan, *sb.,* 67,94 *handel, hand-*
lung, tun; ne. bargain.
barge, *sb.,* 59,90 *barke; ne.* barge.
bark, *v.,* 72,1,6 *bellen; ne.* bark.
bærlice, *adv., me.* barely 59,68
lediglich, ohne weiteres; ne. barely.
barn *s.* bearn.
bærnan, *schw.v.,* 15,73; *me.* brenne
63,18; *prät.* brent 48,82; *pl.* bren-
don 27,39 *(vgl. altn.* brenna*) ver-*
brennen; ne. burn.
bëron *s.* beran.
baroun, *sb.,* 47,1072; barun 44,31;
baron 48,30 *baron; ne.* baron.
barrow-tram, *sb.,* 72,II,19 *trag-*
bahrenstange, frei übersetzt: besen-
stiel.

barun *s.* baroun.
bæsten, *adj.,* 22,19 *aus bast an-*
gefertigt; ne. basten.
bât, *st. m., me.* bot 42,10; bote
58,145 *boot, fahrzeug; ne.* boat.
bataile, *sb.,* 48,109; batail 48,125;
bataille 51,86; batayl 57,Motto;
batel(l) 59,56 *kampf, schlacht; ne.*
battle.
bataile, *v.,* 48,203 *kämpfen.*
bæatan, *schw.v.,* 10,2866 *aufzäumen.*
batell, batel *s.* bataile.
bathe *s.* baðe.
batter, *v.,* 72,II,19 *schlagen; wie ne.*
baundoun, *sb.,* 58,8 *gewalt, macht.*
bawolyne, *sb.,* 58,104 *die bugleine,*
buleine; ne. bowline.
bayle *s.* bealu.
baylle *s.* bealu.
bayn, *adj.,* 67,308 *bereit, gehorsam.*
bayþ *s.* baðe.
bæð, *st. n.,* 8,581; *me.* bæð 32,218
bad; ne. bath.
Bathe, *stadtname,* 63,29 *Bath.*
baðe, *zahlwort,* 32,62; bathe 27,17;
boþe 35,78; baþe 45,5; boþen
44,173; bothe 59,56; both 67,3;
bayth 71,6 *beide; ne.* both; b....
and 27,17, 44,173; boþe... an 46,
150 *sowohl ... als auch.*
baðian, *schw.v., me.* badie 32,245;
baden; ne. bathe.
baþiere, *sb.,* 41,15 *badewanne.*
be *s.* bêon, bî.
be sic sevon *s.* seofon.
bêacnian, *schw. v.,* 9,646; *me.*
beknen *ankündigen, veranschau-*
lichen; ne. beckon.
bêad(a) *s.* bêodan.
beado, *st. f., gen.* beaduwe 11,175;
beadowe 11,213 *kampf.*
Beadonescandûn, *eigenn.,* 15,
103 *Baddesdown, mons Badonici.*
beadowæpen, *st. n.,* 6,3 *kampf-*
waffe.
beaduweore, *st.n.,* 18,95 *kriegs-*
werk.
bcæftan, *adv., me.* biaften 39,1333;
baft 58,148 *hinten; präp., hinter;*
ne. veraltet baft.
beaz *s.* bûgan.
bêah, *st. m.,* 8,687; bêag 9,602;
me. pl. beics 87,34 *armring, spange.*
bêahgifa, *schw.m.,* 18,3 *spangen-*
spender.
bêahhroden, *adj.,* 11,138 *spangen-*
geschmückt.

238

beald, *adj.*, 6,9; *me.* bald 48,92;
bold 44,64; balde, make balde
überzeugen, mutig, kühn, zuversichtlich; ne. bold.
boaldlîce, *adv., me.* baldelike 44,
53 *dreist, unbesorgt; ne.* boldly.
bealu, *st. n., gen. pl.* bealwa 7,182
kränkung; bale 57,28 *unglück;*
bayllo 67,311 *unheil; ne.* bale.
bealuléas, *adj..* 26,15 *sehuldlos.*
bêam, *st. m.*, 9,202; *me.* beom 27,
31 *baum, balken; ne.* beam.
bearn, *st. n.*, 6,9; barn 2,5; *me.* barn
67,308 *kind, sohn; ne. dial.* barn,
bairn.
bearnen *s.* beornan.
bearu, bcaro, *st. m., gen. pl.* bearwa 9,80 *hain, wald.*
bêatan, *st. v., p. p. Ep.* gibêataen
1,6; *me.* ybeate 50,89; ybyate 50,
100; betin 57,8; betyn 67,381; bet
schlagen; ne. boat.
bebêodan, *st. v.*, 12,12; bebiodan
14,21; *prät. sg.* bebêad 10,2871;
bibêad 8,577; 2.*sg.* bebude 21,28;
pl. bebudon 16,56; *p. p.* beboden
16,25 *gebieten, auftragen;* bebêodan 10,2858 *darbringen.*
bebod, *st. n..* 15,39; *pl.* bebodu 15,
119; *me.* bibode 32,260; *pl.* bebodan 8,52 *gebot, befehl.*
bebr *s.* befor.
bebyrigean, *schw. v., p. p.* bebyriʒed 28,16; *pl.* bebyrigde *begraben.*
bebyrignys, *st. f.*, 15,83 *begräbuis.*
boc *s.* bæc.
bêc *s.* bóc.
becauss, *konj.*, 70,33 *weil; ne.* because.
bêce, *schw. f., Ep.* boecae 1,2; *me.* beeche *buche; ne.* beech.
becerran, *schw. v., me. p. p.* bicherd
32,318 *betrügen.*
becleopian, *schw. v., me.* biclupien 32,107 *anklagen.*
beclyppan, *schw. v., me.* 3.*sg. präs.* ind. becleþþ 50,41 *(frz.* embraser
mit embrasser *verwechselt); prät.* me. beclepte 50,107 *umarmen, umfassen.*
becuman, *st. v., me.* bicumen 38,
81; *become; prät. sg.* becôm 15,
164; *plur.* becômon 11,134; -an
18,140 *hinkommen, treffen;* 14,25,
33,81 *zukommen, geziemen; me.*
prät. bocom 50,112; *p. p.* bicome
61,1137 *werden: ne.* become.

bed, *st. n., me.* bed 32,218; *flekt.*
beddes, bedde 46,102 *bett; ne.* bed.
bed *s.* bêodan.
bedǽlan, *schw. v.*, 21,78; *p. p.*
bidǽled 8,681 *berauben.*
bedo(n) *s.* bêodan, biddan.
bedeyn (= bidono?), *adv.*, 67,442
zumal, zugleich, alsbald.
bedíolian, *schw. v., kent.*, 20,38
verbergen.
bedrîfan, *st. v., prät. pl.* bedrifan
15,7 *(ver)treiben, zwingen, verfolgen.*
bedu *st. f., me.* beode 33,87 *bitte;*
ne. bead.
bee *s.* bêo.
beed *s.* biddan.
beêodon, *def. v., prät. pl.* 15,223
bewohnten.
beer *s.* bǽr, sb.
bees = is *s.* bêon.
beost, *sb.*, 67,3 *tier; ne.* beast.
befæstan, *schw. v.*, 14,24 *mitteilen;*
prät. befæste 26,29 *anvertrauen.*
befealdan, *st. v., prät.* befêold
21,24 *umhüllen.*
befeallan, *st. v., me.* befalle 61.
1154; bifallo 43,101; 3. *sg. präs.*
kent. befolð 20,43; *prät. me.* befell
59,67; biful 34,14028 *fallen, geraten: sich ereignen, sich treffen;*
me. p. p. bifealle 32,196 *verfallen;*
ne. befall.
befêolan, *st. v.*, 14,58 *anordnen.*
befléon, *st. v., me.* bi fleon 32,152
entfliehen.
befoir *s.* beforan.
befôn, *st. v., me.* bifon; *p. p.* bifougen 9,259 *umgeben, umkleiden.*
befor, *st. m., Ep.* bebr 1,8; *me.* bouer
32,362 *biber(fell); ne.* beaver.
beforan, *adv., me.* before(n) 59,
31; bifore 47,1091 *vorne:* byvoren
40,8 *voraus; präp.* beforan 12,45;
biforan 13,33; *me.* biforen 38,44;
biforr 36,15616; biuoren 37,22;
bifore 47,1036; bifor 48,90; beuore 50,74; before 62,15; byfore
61,1147; befoir 71,1 *vor:* hin
biuore *vor ihm; konj.* byfore þat
51,17 *bevor;* þer before *vorher;*
ne. before.
befte, *v., prät.* 45,12 *schlagen.*
hefullan, *adv.*, 14,41 *völlig, vollständig.*
bêgen, *zahlw.*, bâ 1,4; bû, *verstärkt*
bûtû 4,2b *(vgl.* twêgen); *gen.*

bêgea 11,128; *kent.* bêga 12,13;
me. beien, bo 47,1057 *beide.*

begeondan, *präp.*, 17,25; begion-
dan 14,17; *me.* biʒende 46,105;
biʒond 48,10 *jenseits; ne.* beyond.

begêotan, *st. v.,* bi-, *p. p.* begoten,
bigoten 4,2a,b *begießen.*

begietan, *st. v.,* 9,669; begitan
21,3; begeotan 12,21; bigeotan
13,49; *prät. sg. Ep.* bigaet 1,15;
begeat22,56; *me.* hiʒat47,1053; *pl.*
begêaton 14,35; *p. p. me.* biʒeten
34,13958; biʒite 32,105 *erlangen,
bekommen, zeugen, erbeuten, er-
obern, verschaffen; ne.* beget.

beginnan, *st. v., me.* begynnen
62,9; biginnon 44,21; bigynne
begyn 67,253; *prät. sg.* begann
22,14; *me.* bigon 33,59; began
67,29; bigan 48,216; *konj.* bigunne
32,214; *pl. me.* bigunnenn36,15620;
bigunne 32,243; bygonne 61,62;
begouth 60,5; *p. p.* bigunne 46,
384 *beginnen, anfangen, sieh an
etwas machen, nach etwas streben;
me. mit inf. oft nur umschreibend*
40,16, 42,27 *(vgl. auch* cunnan);
ne. begin.

beginning, *vb.-sb.,* biginninge
32,119; biginning 44,13; begyn-
nyng 60,121 *beginn, anfang.*

begiondan *s.* begeondan.

begyle, *v.,* 71,45; *p.p.* begylit 73,2
betrügen, täuschen; ne. beguile.

begynnar, *sb.,* 67,406 *urheberin;
ne.* beginner.

bchald *s.* behealdan.

behâtan, *st. v., me.* bihaten 32,38;
bihete(n) 46,428; bcheten 32,242;
3. sg. präs. ind. me. bihat; *prät. sg.*
behêt; *pl.* behêton 22,52; *me.* be-
heten; *p. p.* behete 67,430 *ver-
heißen, geloben.*

behealdan, *st. v.,* bihealdan 9,87;
mere. bihaldan 13,26; *me.* bihealde
32,284; bihalden 33,19; biholde,
behold 67,523; behald 67,534;
prät. behêold 4,3b; *nh.* bihêald
4,3a; *me.* biheld 47,996; behelde
59,64 *(im auge) behalten, beob-
achten;* 32,388 *betrachten, achten
auf;* 13,26; 59,64 *ansehen, sehen,
erblicken;* 9,87 *halten, bewahren;
3. sg. präs. ind.* bihalt 32,308 *be-
ruhen auf (mit* bi)*; ne.* behold.

Behomas *s.* Bæme.

beheten *s.* behâtan.

behîdan, *schw. v., p. p.* behŷdde
15,94 *verbergen. vgl.* hŷdan.

behindan, *adv.,* 18,119; *me.* bi-
hinde 32,87; behynd 67,331 *hin-
ten, rückwärts; präp., hinter; ne.*
behind.

behionan, *präp.,* 14,15 *diesseits.*

behôfian, *schw. v., me.* bihove;
3. sg. präs. ind. behwys 62,26;
prät. me. bihoved *nötig haben,
müssen (mit akk. der pers.);* bi-
houit, bihoueþ 35,87 *geziemt; ne.*
behove.

behold *s.* behealdan.

behwys *s.* behôfian.

behynd *s.* behindan.

bêhô, *st. f.,* 11,174 *zeichen.*

beie(n) *s.* bîgan.

beies *s.* bêah.

beir *s.* beran.

bois *s.* bêon.

belêwan, *schw. v., prät.* belêwde
22,68 *verraten.*

beleif *s.* beleve.

beleve, *schw. v.,* bylove, bilefe;
34,13889; bilive 34,13966; bileve,
beleif 73,3; *imp.* bilef 46,217;
prät. belevede, byleuede 40,72;
p. p. bileued 55,16 *glauben; ne.*
believe.

beliaue, *sb.,* 41,28; bilefue 34,
13942; bileue40,52; bilove *glaube;
ne.* belief.

belifan, *st. v., me.* bilifen, bilive;
prät. sg. me. bilief 36,15550; bileaf
39,1332; bilof 39,1346 *bleiben; vgl.*
bilæuen.

belife *s.* lîf.

belimpan, *st. v.,* 17,154; *prät. pl.*
belumpon 16,4 *betreffen, gehören
zu (mit* tô).

bell, *sb.,* 70,31 *glocke; ne.* bell.

belle, *sb.,* 46,390 *leib; ne.* belly.

belongon, *v.,* 41,9 *angehen (mit*
tô); *ne.* belong.

belûcan, *st. v., me.* biluke; *prät. pl.*
belucon22,71; *p. p.* belocen 22,46;
me. biloken 32,81 *umschließen, ein-
schließen, verschließen.*

belzebud, *eigenn. (teufel),* 32,283.

bemurnan, *st. v.,* 7,176 *(be)trauern.*

ben *s.* bêon.

bên, *st. f., me.* bene 37,84; bon 46,
107 *bitte.*

bend, *st. m. f.,* 8,625; *me.* bend,
bende; *pl.* bendes 32,136; *dat. pl.*
bendo 32,188 *band, fessel.*

bendan, schw.r., prät. bende 25,9
fesseln, schnüren; me. bend (vp)
73,13 fest spannen; 67,253 beugen;
p. p. pl. 54,26 neigen; ne. bend.
bene, adj., 32,337 angenehm, be-
quem; ne. dial. (schott.) bene, bein,
been, bien.
bene s. bên.
benedicite! interj., 46,193 bei
Gott! beim Himmel! n. dgl.
beneoðan, präp., me. bi neoðen
32,87 unter; adv. beneyth unten;
ne. beneath.
beniman, st. v., 17,159 herleiten;
me. bi nimen 32,50; binimo 32,
44; prät. me. benam 32,259 (be-)
rauben; p. p. binomen 46,295 ent-
fernen.
bent, sb., 59,91 feld.
bêo s. bêon, bî.
bêo, schw. f., me. boo 49,1; pl. bees
49,16 biene; ne. bee.
bêod, st. m.; biod 13,33; me. beod
tisch.
bêodan, st. v., me. beden, bede;
me. 3. sg. prs. ind. beot 33,106;
prät. sg. bêad 21,19; me. bede
45,8; bed 51,54 gebieten, heißen;
nh. beada 19a,8; me. beden 46,40
entbieten, melden; me. bede 45,65;
prät. bede 48,136 (sich) anbieten;
bede 57,9; prät. bede 45,111 sich
zeigen; oft ist ein inf. zu ergänzen:
þe ic þê bêad (bringan) 21,19;
ðat he bed (prät.) him to (gon)
39,1292 befehlen.
bêode s. bedu.
bêofian, schw. v., 8,708; bifian
4,1b; byfian; me. bivien beben,
zittern.
bêom s. beam.
bêon, def. v., 17,111; bion 17,109;
me. beon 32,39; ben 32,2; beo
32,41; be 46,46; by 50,13; buen
51,24; (to)beonne 37,29; ne. be;
präs. sg. 1. bêo 19b,20; me. beo
32,4; 2. bist, me. bist, bost, bes
46,444; 3. bið 9,11; biþ, byþ
21,57; kent. bit 20,26; me. beoð
32,233; biþ, bið 32,77; buð 32,
120; beis 66,433; bees 67,373;
pl. bêoð 17,170; bêoþ 21,4; bioð
20,33; me. beoð 32,75; beoþ 32,
19; beod 32,377; bið 32,76; buþ
61,1129; byeþ 50,6; bueþ 51,70;
bied 41,40; boon 32,28; ben 32,
372; beo, be 48,242; präs. konj.

bêo; me. beo 32.26; be 35,92;
beon 31,13838; biþ 33,58; by
50,30; plur. buen 51,29; ne. be;
imp. sg. bêo 21,47; ne. be; p. p.
me. iboon 32,3; ben 46,68; beyn
67,445; bene 69,170; yby 50,77;
ne. been sein (oft futurisch); vgl.
eart, éom, wesan.
beora, boore s. beran.
beorg, st. m., 6.18; me. berz berg,
hügel; ne. barrow.
boorgan, st. v., me. bergen, berze.
berwen; prät. sg. bearh; me. barg
39,1330; p. p. me. iborexe 32,165
bergen, schützen, retten.
beorht, adj., 9,80; me. briht 32.
366; bricht, brizt 43,14; bright
67,9; bryht 52,26; brycht 60,10;
komp. brihtere 28,8; adv. bryghte
49,6 hell, leuchtend, strahlend,
rein; ne. bright.
Beormas, völksn., st. m. pl., 17,71
die bewohner von Perm.
beorn, st. m., 4,1b; me. buern 59,
90 held, mann.
beornan, st. v., me. beornen 37,
104; bearnen 34,14000B; bernen
34,14000A, burne(n)32,249; birne
69,168; brenne 63,18; 3. sg. präs.
ind. byrneð 9,214; birð 20,28;
p. präs. burnende 32,218; beor-
ninde 33,13; berninde33,17; byr-
nand 60,26; prät.sg. barn, born;
pl. burnon; p. p. burnen brennen;
ne. burn.
bêorsetl, st. n., 8,687 biersitz?
beot s. bêodan.
bêot, st.n., 28,27 (be)drohung; 23,
15 verheißung, gelübde.
bêotung, st. f., 15,73 drohung.
bepæcan, schw. v., me. bipeche
40,58; p. p. bepæht 22,51 betrügen,
verführen.
bera, schw.m., 17.100 bär; ne. bear.
beran, st. v., 6,3; baron 27,30;
flekt. berenne 11.131; me. beren
32,95; bere 45,63; beir 71,41;
präs. sg. 3. biereð 9,199; byrð 17,
188; me. bereð 34,13872; berð 28,
22; berþ 50,19; pl. me. bereð 32,
46; me. bæron, berenn 36,47; imp.
bereth 41,19; berepþ 36,15570;
prät.sg. bær 10,2886; me. bar 39,
1306; ber 51,16; bore 44,45; pl.
bæron 15,178; bêron 28,67; me.
beore34,13970; baren 42,60; bare
48,219; p. p. me. iboren 37,23

tragen, bringen; **34,**13872; beris 67,105; p. p. bore **47,**1092; ybore **47,**983; born 48,54; borne 68,5 *hervorbringen, gebären;* **67,**434 *ertrugen, leiden (unter), sich stürzen;* ne. bear; b. ȝewitnesse 28,22 *zeugnis ablegen;* b. to 58,148 *sieh pressen gegen.*

b e r ê a f i a n, *schw. v.,* 7,168; p. p. berêafod 26,16; me. bireved 46, 336 *berauben.*

b e r e b a g, *sb.,* **57,**20 *sackträger, spitzname der Schotten (nach ihrem hafersack mit mundvorrat).*

b e r e n, *adj.,* 17,100 *zum bären gehörig.*

bernen, bernin d e s. beornan.

berrhless, *sb.,* 36,103 *rettung, heil.*

b e r s t a n, *st. v.,* me. bersten 67,264; brast; *prät. sg.* bærst; me. braste; *pl.* burston; p. p. borsten *bersten, zerbrechen, zerreißen:* ne. burst.

Berwik, *ortsn.,* 57,1: *Berwick, ehemals schott. grenzstadt.*

b e s c ê a w i a n, *schw. v.,* 20,2 *beschauen, beobachten.*

b e s c i r a n, *st. v.,* 22,5; p. p. bescoren 22,63 *abscheren.*

bescunian?, *schw. v.,* me. biscunien 32,152 *vermeiden.*

b e s ê c a n, *schw. v.,* me. bisechen 33,38; besecbe 65,64,1; *prät.* besôhte *ersuchen, dringend bitten;* ne. beseech.

b e s e l y s. bysig.

b e s ê o n, *st. v.,* me. biscon(ne) 37, 137; bisen 39,1313; *prät. sg.* biseah 8,627 *sehen;* me. 3. sg. präs. bisihô (to) 37,81 *auf etwas sehen.*

b e s e t t a n, *schw. v.,* me. bisette; *prät.* besette 2,42 *umzingeln:* p. p. me. biset 37,55 *besetzen;* 46,274 *anwenden;* ne. beset.

b e s l ê a n, *st. v.,* p. p. beslagen 18, 83 *durch schlagen berauben.*

b e s p r e n g a n, *schw. v.,* me. bisprengen *besprengen* (ne. p. p. besprent).

b e s t s. gôd.

b e s t a n d a n, *st. v.,* *prät.* bestôdon 23,68 *umstehen (trans.).*

b e s t e l a n, *st. v.,* p. p. me. bistolen *sich heimlich heranmachen.*

b e s t ê m a n, *schw. v.,* p. p. bestêmed 4,2b; bistêmid 4,2a *beströmen, beflecken.*

b e s û ð a n, *präp.,* 14,19 *südlich von.*

b e s w î c a n, *st. v.,* 15,177; me. biswiken 32,14; *prät. sg.* beswâc 22,49 *betrügen, überlisten.*

b e s y *s.* bysig.

b e s y d e, *adv., präp.,* 60,45; bozide 50,108 *neben;* ne. beside.

b e s y n e s *s.* bisignis.

b e t *s.* bêatan, bêtan, gôd, wel.

b o t ê c a n, *schw. v.,* me. biteche, *prät.* me. bitauhte 42,45 *zuweisen, übergeben.*

b ê t a n, *schw. v.,* 14,*Schl.-Ged.,*28; me. pl. präs. betes 57,28 *(aus)bessern;* me. beteu 32,134; bete 32,238; 3. sg. präs. ind. me. bet 32,164; beat32,126; p. p. me. ibet 32,100 *büßen, sühnen.*

b e t e l d a n, *schw. v.,* 9,339, *umgeben.*

b e t e r a, bet(e)re, bet(e)st s. gôd, wel.

b e t i d *s.* bitiden.

b e t i n *s.* bêatan.

b e t o k e n *s.* bitacnenn.

b e t s t a, b e t t e r *s.* gôd.

b e t w ê o n u m, *adv.,* betwêonan, me. bitweonen 37,28 *dazwischen, zwischen;* *prän.* betwêonan 17,165; bitwenen 33,90; bitwenenn 36,61; bitwene 40,40; bituene 54,55; bytuene 53,1; bytwene 58,135; bitveu 47,1101; betwene 59,91; betuene 50,45 *zwischen;* ne. between.

b e t w u x, *präp.,* 22,80; betux 17, 128; betuh 17,136; betwih 15,17; betwyh 15,56; betweoh 15,231; bitwih 15,47; me. betwix, betwixt 67,185 *zwischen;* ne. betwixt.

b e t y n *s.* bêatan.

b e t ŷ n a n, *schw. v.,* *prät.* betŷndo 16,86 *beschließen.*

b e v e r *s.* befor.

b e w a y l e, *v.,* 63,16 *beklagen.*

b e w ê p a n, *st. v.,* me. biwepen 33, 62 *beweinen, beklagen;* ne. beweep.

b e w e r i a n, *schw. v.,* 15,195; me. biwerien 32,333 *hindern;* *prät.* bewerode 26,24 *verteidigen.*

b e w i t a n, *prät.-präs.,* me. biwiten, witen; *prät.* me. biwiste 33,22; 33,55 wiste *hüten, unter sich haben.*

b e w l i t a n, *st. v.,* *prät.* bewlât 10, 2925 *sich umsehen.*

b e w t y, *sb.,* 67,20 *schönheit;* ne. beauty.

b e w u n, *adj.,* 28,10 *gewohnt;* *vgl.* gewun, gewunian.

b e y e *s.* bycgan.

beyn *s.* bêon.

beytter, *sb.*, 67,811 *verbesserer, linderer, heiler.*

bezide *s.* besyde.

beþeccan. *schw. v.*, *me.* biþecchen, *p. p.* biþeaht 9,005; beðeaht 11, 213 *schützen.*

beþencan, *schw. v.*, *me.* biþenche 32,6; biðenche 32,325; *3. sg. präs. ind. me.* biþencð 32,33; *prät. me.* biþouhte, biþoute 46,13; *p. p. me.* biþoht 82,8 *(sich) bedenken, für jemand sorgen, an etwas* (on) *denken.*

beþenchinge, *vb.-sb.*, 50,43 *erwägung, (be)denken; vgl. ne.* bethink.

beþrungen *s.* biþringan.

bî, *adv.*, *me.* bi and bi 48,143 *der reihe nach;* big, bi, be, beo; *me.* bi, by, bie *dabei, danach, davon, ab; präp.* bî 13,6; be 17,123; *me.* bî 34,13829; by 51,20; bi 67,383 *bei, an;* beo 28,7 *um, über;* bie 41,18; be 50,12 *durch;* by 59,12; be 69,165 *von (beim pass.);* bo hearpan 16,20; be 17,123 *zu, nach; gemäß* (bî ðǣre bisene 14,94; bi one ʒihte 32,380; bî ungewyrhtum 13,6 *unverdientermaßen*, bi ðes ilke wihte 32,212 *gleich groß);* 46,1 *auf* (bi strete 46,395; *vgl.* be wege, bi wai 45,76 *unterwegs);* be nome 59,37 *mit, für* (word be worde); *ne.* by.

bi- *s.* be-.

bic(c)he, *sb.*, 46,354 *hündin; ne.* bitch.

biaften *s.* beæftan.

bicherd *s.* becerran.

bidǣlan *s.* bedǣlan.

bîdan, *st. v.*, 6,15; *mc.* bide 46,133; *prät.* bâd 13,29; *me.* baid 60,113; baide 62,35; *pl.* bidon; *p. p.* gebiden *(er)warten; me.* byde 60,2 *ertragen; me.* bide 46,26; biden 46,116 *erhoffen; ne.* bide.

biddan, *st. v.*, 8,666; *me.* bidde(n) 32,125; bid 67,418; *me. ind. präs. sg. 3.* biddeð 32,127; byd, biþ, bit 32,126; *imp.* bide 24,14; *prät. sg.* bæd 15,138; *me.* bad 46,399; bade; *pl.* bǣdon 22,78; *merc.* bêdun 19d,17; *me.* beden 40,74; *p. p.* gebeden; *me.* ibeden 83,77 *bitten, beten (mit dat. eth.* 40,42); *me.* bidde 50,13; *2. sg.* byst 40,19; *prät.* bad

42,29 *heißen; me.* bede 46,129; *prät.* beed 46,349; bed 46,367 *anbieten; ne.* bid.

bidelue, *st. v.*, 47,1026 *begraben.*

biden *s.* bîdan.

bies *s.* bî.

bied *s.* bêon.

biêode, *def. prät.*, 13,17 *ich übte mich.*

bieroþ *s.* beran.

bifalle *s.* befeallan.

bifangen *s.* befôn.

bifian *s.* beofian.

bifôn, bifongen *s.* befôn.

bifor(r), biforan *s.* beforan.

biful *s.* befeallan.

bîgan, *schw. v.*, *p. p.* gebîged 21,48; *merc.* gebêged 13,35; *me.* beien 37,18 *beugen.*

bigan *s.* beginnan.

biʒat, bigæt *s.* begietan.

bigge *s.* bycgan.

biʒende *s.* begiondan.

bîgenga, *schw. m.*, 15,92 *bewohner.*

biʒeten *s.* begietan.

bigge, *v.*, 58,124 *bauen, machen.*

bigge, biggen *s.* bycgan.

biging, *sb.*, 57,20 *wohnung, haus.*

biginnan, biginninge *s.* beginnan.

biʒite *s.* begietan.

biʒð *s.* bycgan.

bihald, biheld *s.* behealdan.

bigon *s.* beginnan.

bigond, biʒond *s.* begeondan.

bigoten *s.* begêotan.

bigunnen *s.* beginnan.

bihaldene, bihealdan, biheld *s.* behealdan.

bihaten, bibet *s.* behâtan.

bihlǣnan, *schw. v.*, 8,577 *umlehnen, umstellen.*

bihoue, bihove *s.* behôfian.

bihoue, *sb.*, 35,96a *nutzen, vorteil.*

bikêcchen, *v.*, *p. p.* bikehte, 32, 318 *fangen, überlisten.*

biknowe, *adj.*, 42,40 *geständig.*

bilæf *s.* belîfan.

bilæue(n), *schw. v.*, 34,13861; bilæfuen 34,13832A; bilefue 34, 13832B *bleiben, zurückbleiben; vgl.* belîfan.

bilefue, bileue, bileve *s.* beliave.

bileve *s.* beleve.

bilevynge, *sb.*, *unterhalt.*

bilgesleht, *st.n.*, 18,90 *schwerter-*
schlaeht.
bilif, *sb.*, 35,96 *lebensunterhalt.*
bilinnen *s.* blinnan.
biliue, bi live *s.* lif.
biliueð *s.* beleve.
bill, *st.n.*, *me.* 10,2931 *schwert; me.*
ne. bill.
bille, *sb.*, 67,508 *schnabel: ne.* bill.
bilyue *s.* lif.
bimeldon, *schw.r.*, 46,38 *verraten.*
bindan, *st.v., me.* binde 32,216;
bynde 44,41; *prät.sg.* band, bond;
pl. bundon, bonden; *p. p.* ge-
bunden 13,46; *me.* bondon 48,59;
ibounde 61,1147; ybounde 56,2;
ibonden 46,204; bonde 63,32;
bounde 63,12 *binden, fesseln, ein-*
kerkern; ne. bind.
binêotan, *st. r.,* 8,604 *berauben.*
binnan, *präp.,* 17,9 *in; me.* binnen
28,54 *innerhalb.*
binomen *s.* beniman.
bio, bioð *s.* bêon.
biod *s.* bêod.
bipeche *s.* bepæcan.
biqueþen, *v.*, 51,25 *vermachen;*
ne. bequeathe.
bireved *s.* berêafian.
biriols *s.* byrgels.
birig *s.* burh.
birinan, *v.*, 43,11 *(be)regnen.*
birne *s.* beornan.
birrþ, *einpers.v.*, 36,15572; burþ
46,82; *prät.* birde *es gebührt,*
ziemt sich (ae. gebyreð); burde
hym 58,117 *er sollte.*
birð *s.* beornan.
bischine, *st. r.*, 43,12 *scheinen,*
bescheinen.
biscop, *st. m.*, 15,81; biscep 14,1;
me. biscop 33,48; bissopp 50,74;
bischop 71,24; bischopp 71,22
bischof; ne. bishop.
biscop-, biscopstôl, *st.m.*, 14,
73 *bischofstuhl, -sitz.*
biscophâd, *st. m.*, 15,111 *episko-*
pat, bischofswürde.
bisoah *s.* bisêon.
bisecheð *s.* besêcan.
bisen, bisêon *s.* byseu.
bisencan, *schw.r.*, 13,22; *me.* bi-
senchen; *prät.* bisencte 13,3 *ver-*
senken.
bisêon, *st.v.*, *prät.sg.* biseah; *me.*
bisen *sehen.*
bisgu *s.* bysgu.

bisignis, *st. f., me.* besynes 49,
26 *beschäftigung, plage; ne.* bu-
siness.
bismerian, *schw. r., prät. pl.*
bysmeredon, 4,2b; *nh.* bismæ-
radu, 4,2a *verhöhnen.*
bisocnic. *sb.*, 33,87 *besuch.*
bisorgian, *schw.r.*, 9,368 *seheuen.*
bispoken, *st. r., prät.* bispak 47,
1039 *sprechen; vgl.* sprecan.
bîspel, *st. n.*, 13,17; *me.* bispel
sprichwort: ne. dial. byspel.
bissop *s.* biscop.
bistad *s.* bisteden.
bistoden, *v., p. p.* bistad 54,9 *in*
eine lage versetzen.
bit *s.* bêon, biddan.
bitacnenn, *r.*, 36,8 *bezeichnen:*
betoknen 41,40; bitocknen 41,31
bedeuten; ne. betoken.
bîtan, *st. r., me.* biten 36,15581;
byte 67,220 *beißen, verzehren.*
bitauhte *s.* betæcan.
bite, *st. m.*, 20,33; *me.* bite *biß,*
bissen; ne. bit.
biteldan *s.* beteldan.
bitide, *schw.r.*, 46,124; bityde 57,
12; *prät.* bitydde 58,61; *p. p.* betid
61,1131 *(sich) treffen, ereignen;*
ne. betide.
bitocknen *s.* bitacnenn.
bitter, *adj.*, 26,26; *me.* biter 82,
138; bitter 47,1019 *bitter, schnei-*
dend; ne. bitter.
bitterlîce, *adv., me.* bitterliche
38,18 *schmerzhaft; ne.* bitterly.
bitven *s.* betwêonum.
bitwih *s.* betwux.
biuoron *s.* beforan.
biwayle *s.* bewayle.
biwindan, *st. r., p. p.* biwunden
9,666 *umhüllen, umgeben.*
biwinnen, *st. r , prät.* biwon 33,7
erwirken; p.p. me. biwonne 46,381
erlangen.
biwiste *s.* bewitan.
biwrayen, *schw. r., p. p.* biwray
47,1154 *verraten.*
biwunden *s.* biwindan.
biwyrcan, *schw.r.*, 8,575 *machen,*
anfertigen.
biþ, bið *s.* bêon, biddan.
biþeaht, biþecchen *s.* biþeccan.
biþoht, bi-þohte *s.* beþencan.
biþouhte, biþoute *s.* beþencan.
biþrungen 9,341; *p. p. zu* biþrin-
gan, *st. r., umdrängen.*

blæc, adj., me. blac 44,48; blak
73,19; blako 53,14 schwarz; ne.
black.
blâchlēor, adj., 11,128 mit glän-
zenden wangen.
blǣd, st.m., 9,662; me. blead erfolg,
ruhm.
blǣddǣg. st.m., 9,674 glückstag.
blak, blake s. blæc.
blame, sb., 46,198 vorwurf; 44,84
tadel; wie ne.
blame, v., 46,56 tadeln; ne. blame.
blandenfeax, adj., 18,89 das haar
mit grau untermischt, ergraut.
Blasi, eigenn., 47,984 Blasius.
blǣst, st. m., 9,15; me. blast 60,2
brausen, sturm; 67,355 blasen; ne.
blast.
blaw, sb., 66,399 schlag; ne. blow.
blâwan. st. v., me. blawe 32,138;
blowe 58,138; prät. blêow; pl.
me. blewe 61,1116; p. p. blâwen;
me. blawen 49,12, blowen blasen,
wehen, aufblähen; ne. blow.
Blecinga-êg, ortsn., f., 17,150
landsch. Blekingen, Südschweden.
blōd, st. f., 9,207 blüte.
blêdan, schw.v., me. blede 44,103
bluten; ne. bleed.
blegen st.f., Ep. cas. obl. blegnæ
1,28; me. blaine blase; ne. blain.
blencan, schw. v., me. blenke,
prät. blenkid zurückweichen, sich
scheuen; ne. blench.
blendan, schw. v., prät. blende
25,9; p. p. me. blent 64,18 (ver)-
blenden.
blent s. blenden.
bleo, sb., 52,16 farbe, licht.
blêtsi(g)an, schw. v., 9,620; me.
bletsen; blesse(n) 46,201; blisse
32,233, blys; prät. blêtsode 21,38;
p. p. geblêtsod 21,57; me. blissid
67,256; blissed 50,14; blist 76,
514 segnen; ne. bless.
blêtsung, st.f., 21,60; me. bles-
cinge 37,162; blessynge 40,74;
blyssyng 67,178 segen; ne. bles-
sing.
blew, adj., blô 67,413 dunkel, blau
(vgl. ae. blâw); ne. blue; Stafford
blew 67,200 Stafforder blau, stock-
prügel (wortspiel mit staf und
Stafford).
blewe s. blâwan.
blepeli(che) s. blîðelice.
blîcan, st. v., 9,186 blinken.

blind, adj., 25,20; me. blind 45,34;
blinde 45,33; blynde 48,162 blind;
ne. blind.
blindfelde, p.p., 45,13 geblendet.
blinnan, st. v., prät. blonn, 15,4
aufhören, versagen; me. bilinnen,
blyne 66,422; blyn 67,110 auf-
hören, einhalten.
blis, blisce s. blîðs.
blisful, adj., 37,19 voll von freude,
segensreich; ne. blissful.
blisse s. blîðs, blêtsigan.
blissian s. blîðsian.
blist s. blêtsigan.
blive s. lif.
blîðe, adj., 9,599; sup. blîðust 22,
78; me. blîðe 32,172; bliþe 31,
13831; bliþ 46,259 froh, heiter;
11,159 gnädig; blyþe 58,107 kräf-
tig; adv. blîðe 25,14; blîðe 34,
14016; blyþe 54,14 heiter; ne.
blithe.
blîðelice, adv., me. blîðeliche 32,
254; blepeli 46,35; blepeliche 50,
68 willig, gern.
blîðmôd, adj., 24,23; blîðemôd
26,15 froh, gütig.
blîðs, st.f., bliss 9,592; me. blisse
32,39; blis 67,2; blisce 41,38;
blysse 50,29 (himmels-) wonne,
freude, vergnügen; ne. bliss.
blîðsian, schw. v., blîtsian, blis-
sian 13,45; blission 25,14; p. p.
geblissad 10,2924 (sich) (er) freuen.
blo s. blew.
blôd, st. n., 4,2a; me. blod 33,27
blut; ne. blood.
blôdig, adj., 11,126; me. blodi,
blody 55,15 blutig; ne. bloody.
blody s. blôdig.
blôma, schw. m., metallklumpen;
me. blome 44,63; pl. blwmys 60,
10 blume, blüte, bestes; ne. bloom.
blonn s. blinnan.
blostma, schw. m., 9,21; me. blostme
37,22; blosmo 52,2; pl. blosmes
55,1 blume, blüte, bestes; ne. blos-
som.
blôtan, st.v., 10,2856; prät. blêot
als opfer töten.
blôwan, st. v., 20,45; me. blowen
37,37 blühen; ne. blow.
blowe s. blâwan.
blundar, sb., 67,406 verwirrung,
unheil; ne. blunder.
blusche s. blyscan.
blwmys s. blôma.

blyn, blyne *s.* blinnan.
blynde *s.* blind.
blys *s.* blêtsigan.
blyscan, *schw. v., me.* blusche 58,117 *strahlen, blicken; ne.* blush.
blysse *s.* bliðs.
blyssyng *s.* blêtsiau.
blyþe *s.* bliðe.
bo *s.* begen.
bôc, *st. f. (nh. n.),* 14,30; *me.* boc 36,1; bok 40,2; book, boke 48,94; *dat. sg. merc.* boec 13,40; *m. akk. pl.* bêc 14,*schl.-ged.,*11; *me.* bokess 36,74; bokes; bokis 59,14 *buch, (heilige) schrift; ne.* book; a boke, on boke = *ae.* on bôcum; abóc 32,118.
bœ̂cɪe, boecae *s.* bêco.
bôcere *st. m.,* 16,5; *me.* bocere *gelehrter.*
bod, *st. n., me.* bode 39,1286 *befehl, gebot.*
boda, *schw. m.,* 23,49 *bote.*
bodian, *schw. v.,* 15,118 *verkünden, predigen.*
bodig, *st. n., Ep.* bodei 1,23; *me.* bodiɜ 35,15602; bodi 38,4; bodie 48,132; body 49,32; *dat.* bodye 50,5 *leib, körper; ne.* body.
bog, *sb.,* 72,L15 *sumpf; ne.* bog.
boga, *schw. m.,* 21,5; *mc.* boɜe, bowe *bogen; ne.* how.
boega *s.* bêgen.
bogh, *sb.,* 67,535 *ast, zweig; ne.* bough.
boght, boɜte, bohtes, bycgan.
boinard, *sb.,* 46,288 *narr, schuft.*
bold, *st. n.,* 6,9; *me.* bold *gebäude, haus.*
bold *s.* beald.
boldyng, *vb.-sb.,* 59,14 *stärkung.*
bolla, *schw. m., Ep.,* 1,7; *me.* bolle *becher, kanne; ne.* bowl.
bond, *sb., pl.* bondes 44,143; baudys 62,19; bandis 67,209 *band, fessel, leid; ne.* bond, band.
bonde *s.* bindan.
bondoman, *sb.,* 44,32 *bauer; ne.* bondman.
bonden *s.* bindan.
bone, *sb.,* 46,375 *bitte; ne.* boon.
bone *s.* bân, boune.
book *s.* bôc.
bord, *st. n.,* 11,192 *brett, schild; me.* bord 32,307; *pl.* bordess 36, 15567 *tisch;* 48,115 *bord; ne.* board.

bordweal, *st. m.,* 18,10 *schildmauer, schlachtreihe.*
bore, born(e) *s.* beran.
borow, *sb.,* 67,204 *bürge, schutz.*
bôsom, *st. m., dat. sg.* bôsme 18,53 *busen, schoß; me.* bosum 58,107 *bausch (des segels); ne.* bosom.
bost, *sb.,* 48,189 *lärm, prahlerei, rühmen, ruhm; ne.* boast.
bosting, *vb.-sb.,* 57,9 *prahlen, rühmen.*
bôt, *st. f., me.* bote *buße: ne.* boot; cume to bote of 82,314 *büßen.*
bot(e) *s.* bât, bûtan.
bothe *s.* baðe.
botm, *st. m., me.* bothem 58,144 *grund, boden; ne.* bottom.
Botolfston, *stadtn.,* 46,77 *heute Boston (Lincolns.).*
bounde, *sb., grenze, pl.* boundys 65,59,2 *gebiet; ne.* bound.
bounde *s.* bindan.
boune, *adj.,* 57,9; iboen 46,434; *adv.* bone 48,168 *bereitwillig.*
bounte, *sb.,* 58,27; bunte 45,116 *güte; ne.* bounty.
bountyng, *sb.,* 54,53 *amsel.*
bourde, *v.,* 72,II,5 *scherzen, spaß machen.*
boure *s.* bûr.
bove *s.* bufan.
bowand, bowe *s.* bûgan.
bower *s.* bûr.
boþe(n) *s.* baðe.
brack *s.* brecan.
bræcon, bræcon *s.* brecan.
brâd, *adj.,* 15,152; *sup.* brâdost 17,108; *me.* brad 32,337; brod *breit; ne.* broad.
brad *s.* braid.
brǽd, *st. m.,* 9,240 *fleisch.*
brâdo, *adv., me.* brode 58,117 *weit.*
brǽde, *schw. f.?, me.* brede 44, 98 *braten.*
brâdswurd, *st. n.,* 23,15 *breites schwert.*
braid, *sb.,* breid, brad (*vgl. ae.* bregdan) *hastige bewegung, stoß, angriff, augenblick;* in a brade 67,21 *im augenblick.*
brak *s.* brecan.
branch, *sb.,* 67,511 *zweig; wie ne.*
bras, *sb.,* 51,82 *erz; ne.* brass.
braste *s.* berstan.
brǽð, *st. m., me.* broð 33,45; breþ, breth 58,145; breþe 58,107 *geruch, hauch, wind, sturm; ne.* breath.

braþeli, *adv.*, 45,12 *plötzlich.*
brêac *s.* brûcan.
brêad, *st. n.*, *me.* brede 32,145;
bried(e) 32,189; bred 46,327
(stück) brot; ne. bread.
brêo, *f. pl., Ep.* broec 1,12; *me.*
breech *hoscu; ne.* breech(es).
brecan, *st. v., mc.* breken 33,33;
breke, brack 72,II,14; *3. sg. präs.*
brecð 32,180; *prät.* bræc, *me.* breo
32,183; brak 60,94; *pl.* brêcon;
me. brrecon 27,26; *p. p.* gebrocen
9,80; *me.* ibroken 37,151 *brechen,*
erbrechen, verbrechen, zerbrechen
(auch intr.), zerreißen; ne. break;
vb.-sb. brekinge 62,19.
bred, *st. n.*, 15,180 *brett, tafel.*
bredale *s.* brŷdealo.
brêdan,*schw. v.*, 9,592; *me.* breede
(aus)brüten, hervorbringen; ·ne.
breed.
brede, *sb.*, 67,126; breed 67,259
breite.
brede *s.* brâde.
bredgume *s.* brŷdguma.
breed *s.* brede, brêgan.
breff, *adj.*, 59,74 *kurz; ne.* brief.
brêgan, *schw. v., prät. konj. pl.*
brêgden 15,135 *fürchten; p. p.*
me. breed 58,143 *erschreckt.*
bregdan, *st. v.*, 15,135; *me.* brei-
den, *prät.* brægd, *pl.* brugdon
11,229 *schwingen; p. p.* brogden
9,602; *me.* ybrad 54,10 *(ver)-*
flechten(?); ne. braid.
brego, *st. m.*, 8,666; bregu 9,620
fürst, herrscher.
breke(n) *s.* brecan.
brêmber, *st. m.*, 10,2928; *me.*
brembre *dorn, pl.* gestrüpp.
brême, *adj., me.* breme 42,8; *adv.*,
52,27; *ae.* berühmt, *mc.* heftig,
herrlich, kräftig, laut.
brendon *s.* bærnan.
brengan, -en, -e *s.* bringan.
brent *s.* bærnan.
brêost, *st. n. (selten m.; auch f.?),*
10,2866; *me.* brest *brust; oft im*
pl. von einer person; ne. breast.
Breoton *s.* Bryten.
brêowan, *st. v., me.* brew 70,35;
*p. p.*gebrowen 17,165 *brauen; ne.*
brew.
Bretayn 48,16 *grafschaft in Frank-*
reich: ne. Bretagne.
breth *s.* brâð.
brether, brethir *s.* brôðor.

Brettania *s.* Bryttania.
breue, *sb.*, 45,4 *(vgl. nc.* brief*)*
schreiben, vollmacht.
breve, *v., p. p.* breuyt 59,14 *schrei-*
ben.
brew *s.* brêowan.
brede, breþ, brepe *s.* brâð.
brêþer, bredre, breþre, bre-
þeren *s.* brôðor.
bricht *s.* beorht.
brid, *st. m.*, 9,235; *gen.* briddes 9,
372; *me.* brid(d) 52,2; bryd 54,54;
bird, byrd 60,3 *junges eines vogels,*
vogel; ne. bird.
bried(e) *s.* brêad.
brigge *s.* brycg.
brightnes, *sb.*, 67,15 *helle, glanz.*
briht *s.* beorht.
brim, *st. n.*, 18,141; *me.* brim *meer,*
woge.
brimlîðend, *st. m.*, 23,27 *das meer*
befahrend, seefahrer.
brim-man, *st. m.*, 23,49 *seemann.*
bringan, *unreg. v.*, 9,660; brengan
14,94; *me.* bringen 38,4; bringe
32,349; brenge 50,15; brynge 52,3;
bring 42,11; bryng 54,21; *prät.*
brôhte 14,82; *me.* brohte 32,183;
brouhte 37,86; brouht (brouth)
44,84; broute 46,92; broȝte 43,42;
broȝt 61,1149; brouȝt 42,14; broght
37,36; brought 59,74; *p. p.* bröht;
me. ibrochte 41,23; ybroȝt 61,1124;
ibrouht 37,10; ibrocht, ybroht
54,14; ibrout 46,244; bröht 38,
21; brouht 44,57; broght 59,90;
brocht 60,38; brouht (brouth)
44,167 *bringen;* 10,2891 *darbrin-*
gen; 52,3 *hervorbringen; zu etwas*
bringen (to nouth 44,57); *zu grunde*
richten; to is lawe 61,1149 *be-*
kehren; bestimmen, zu stande brin-
gen, machen (br. breff 59,74 *kür-*
zen); forð br. 16,7 *vorbringen;*
vortragen, kommen lassen; ut br.
32,183 *befreien;* br. of 46,189 *ab-*
helfen; br. þer to 47,1050 *dazu-*
bringen; br. of lyves dawe 61,1159
uns leben bringen; ne. bring.
brink, *sb.*, 43,143 *rand, küste; ne.*
brink; se brink 43,143 *seeküste.*
britheren *s.* brôðor.
Brittas *s.* Bryttas.
broc, *st. m., mc.* brok 58,145 *strom,*
wasser; ne. brook.
brooc *s.* brêc.
brocen *s.* brecan.

15*

brocht *s.* bringan.

brode *s.* brâde.

brogden *s.* bregdan.

broght, bro3t, broht, brôhte *s.* bringan.

brok *s.* broc.

brond, *st. m.,* 8,581 *feuerbrand;* 9,216 *glut, feuer.*

brou3t, brought, brouht(e) *s.* bringan.

brouke *s.* brûcan.

brounc, *adj.,* 53,14 *braun; ne.* brown.

brouth *s.* bringan.

brow, *sb.,* 53,14; *pl.* browen 54,26 *augenbraue; ne.* brow.

browt, browth *s.* bringan.

brôðor, *unreg. m.,* 10,2928; brôður 21,14; *me.* broðer 32,150; broþer 50,60; broþir 60,65; brother 67,320; bruder 72,II,3; *dat.* brêþer 21,9; *pl. me.* breôre 33,80; breþre 36,15548; brether 67,318; breþeren 42,5; britheren 19e,10 *bruder;* brôðor 16,1; *pl. me.* brethir 71,26 *klosterbruder; ne.* brother, brethren.

brûcan, *st. v.,* 9,674; *me.* bruken, brouke; *prät.* brêac 15,175; *pl.* brucon, *p. p.* brocen *gebrauchen, genießen, sich freuen (mit gen.); ne.* brook.

bruder *s.* brôðor.

Brug, *ortsname,* 57,22; Burghes 57,25 *Brügge in Flandern (im XIV. jahrhundert aufenthalt vieler Schotten).*

brugdon *s.* bregdan.

brunanburh, *ortsn.,* 18,9 *(heute nicht lokalisierbar).*

brycg, *st. f., me.* brigge 47,1158 *brücke; ne.* bridge.

brycht *s.* beorht.

bryd, *sb., mädchen, jungfrau; ne.* bride.

bryd, *s.* brid.

brýdealo, *unreg. n., gen. dat.* -êaloð, *me.* bredale 41,3 *hochzeit; ne.* bridal.

brýdguma, *schw. m., me.* bredgume 41,23 *bräutigam; ne.* bridegroom.

bryghte, bryht *s.* beorht.

brymme, *st. m.,* 26,12 *meer, woge.*

bryne, *st. m.,* 9,229 *brand.*

brynegield, *st. n.,* 10,2891 *brandopfer.*

bryng(e) *s.* bringan.

brynige *s.* byrne.

Brytene, *st. f.,* 18,143; Breotone 15,37; *me.* Britene *Britannien; ne.* Britain.

brytnian, *schw. v.,* 12,27; *prät.* brytnode 26,7; *me.* britnen *verteilen.*

britta, *schw. m.,* brytta 10,2867 *verteiler, spender.*

Bryttania, *f.,* 17,5; Brettania 17,32 *Britannien; ne.* Britannia.

Bryttas, *sb., pl.* 15,99; Brittas 15,70; *dat.* Bryttum 26,10; *me.* Bruttes 84,13989 *die keltischen Britones, Briten.*

bryttian, *schw. v.,* 18,120 *zerteilen, zerreißen.*

bûan, *unreg. v., 1. sg.* bûge 6,8; *prät.* bûde 17,122; *p. p.* gebûn 17,67 *wohnen, bewohnen.*

buen *s.* bêon.

buern *s.* beorn.

bueþ *s.* bêon.

bufan, *präp.,* 17,170; bufen 28,45; *me.* buuen 32,87; bove 46,90 *über; vgl. ne.* above.

bûgan, *st. v.,* 4,1b; *me.* buwen 37,3; *konj.* bowe 58,75; *prät.* bêah; bêag 17,58; *me.* bea3 50,102; *pl.* bugon, *p. präs.* bowand 67,76; *p. p.* bogen *sich (ver)beugen* 67,76; *sich fügen, abbiegen; ne.* bow.

bûge *s.* bûan.

buggen *s.* byegan.

bunte *s.* bounte.

bur, *sb.,* 58,148 *wind, sturm, ungestüm;* with a byr 67,371 *eilig, schnell.*

bûr, *st. m., me.* bur 38,21; boure 72,1; bower 67,348 *wohnung, gemach, zimmer; ne.* bower.

burde *s.* birrþ.

burg, *unreg. f.,* 8,691; burh 17,161; *me.* burrh 36,41; bureh 40,6; bureuh 40,73; *pl.* burwes 44,55; *gen. dat. sg. ae.* byrg 12,34; byrig 8,665; birig 22,41 *(gen. auch* burge*), burg, stadt; ne.* borough, -burgh.

Burgendan, *völkern., pl. m.* 17, 148 *Burgunder (urspr. in Nordostdeutschland).*

burgeon, *sb.,* 60,10 *sprosse, knospe; ne.* burgeon.

burggeat, *st. n., pl.* burhgatu 22, 45; *me.* burh3at *stadttor.*

Burghes *s.* Brug.

burglêode, *st. m. pl.*, 11,187; burh-
lêode 11,175 *stadtbewohner.*
burhsittende, *st. m. pl.*, 11,159,
stadtbewohner.
burna, *schw. m.*, 14,*schl.-ged.*28
brunnen, quell; ne. bourn(e).
Burne, *ortsn.*, *st. f.*, 12,30 *me.*
Burne, Bourne?, *ne.* Bourn(e).
burþ *s.* birrþ.
burnen *s.* beornan.
burste *s.* berstan.
burwes *s.* burh.
buryel *s.* byrgels.
burþ *s.* gebyrian.
burðe *s.* byrthe.
busche, *v.*, 58,143; busk 57,22
*(sich) rüsten, sich wohin begeben,
eilen; ne.* busk.
bûtan, *präp.*, 17,70; bote 46,137
außer; 7,207; *me.* abuten 32,393;
but 60,30; bot 60,91 *ohne;* bûtan
9,358; bûton 17,49; bûto 20,12;
me. bute 29,3; bote 46,137; bot
48,134; but 64,9 *außer; konj.*
bûtan 15,71; bûton 15,159; *me.*
bute 32,26; (a)buten 32,371;
but, bot 62,16 *als;* bute 37,
116; bote 46,234; bote if 46,
181; bot if 47,1081; but if 64,
11 *wenn nicht, es sei denn daß;*
bote 46,130; bot 49,2 *sondern;*
bote 38,25; bot 45,18; but 59,21
nun; bûton 17,59; bote 38,14;
bot 47,1081; but 59,33 *aber; adv.*
(zuerst mit, dann ohne negation)
bote 43,35; but 65,62,1 *nur;* bot
47,1070 *erst;* bote þat 46,400
außer wenn; ne. but.
butre, *schw. f.*, 12,20; *me.* butere
27,41 *butter; ne.* butter.
bûtu *s.* bégen *und* twêgen.
buturfliogae, *schw. f., Ep.*, 1,18;
me. boterflie *schmetterling; ne.*
butterfly.
buuon *s.* bûfan.
buwen *s.* bûgan.
buxum, *adj.*, 39,1299 *biegsam, ge-
horsam; ne.* buxom.
buð, buþ *s.* bêon.
by *s.* bêon, bi.
bycgan, *schw. v.*, *me.* bigge 32,
65; biȝen 32,46; beye 44,53; bug-
gen 46,272; biggen 58,124; *prät.*
bohte; *me.* bohte 32,184; boȝte
61,1153; *p. p.* yboht 55,34; boght
67,373 *kaufen, erkaufen;* 56,4 *er-
lösen; ne.* buy.

byd *e.* biddan.
byde *s.* bidan.
bydene, *adv.*, 59,79 *zusammen,
durchaus.*
byding, *vb.-sb.*, bydying 67,76
gebot, geheiß, auftrag.
byfigynde *s.* beofian.
bygonne *s.* beginnan.
bylevo *s.* belove.
bylwytnes, *st. f.*, 15,220 *einfach-
heit.*
bylyve *s.* lif.
bynde *s.* bindan.
byne, *adj.*, 17,107 *bebaut, bewohnt.*
byr *s.* bur.
byrd *s.* bridd.
byrde, *adj.*, 17,99 *edel, reich.*
byrdinge *s.* byrðen.
byrd-scype, *st. m.*, 7,182 *(ge-
burtschaft), empfängnis (vgl. ge-
byrd).*
byre, *st. m.*, 26,10, *sohn.*
byrene, *schw. f.*, 20,40 *bärin.*
byrgels, *st. m.*, *me.* buryel 19e,8
grabstätte; ne. burial.
byrgen, *st. f. (nh. n.?),* 19b,1; byr-
genn 19a,1; byrigen 19c,1; *me.*
burien *grab.*
byrig *s.* burg.
byrigan, *schw. v.*, 25,22 *begraben;*
ne. bury.
byrne, *schw. f.*, *me.* brynige (=*altn.*
brynja) 27,22 *panzer.*
byrnen, byrneð *s.* beornan.
byrnhom, *st. m.*, 11,192 *panzer-
kleid.*
byrthe, *sb.*, 62,22; burðe 38,21
geburt; ne. birth.
byrð *s.* birð, beran.
byrðen, *st. f.*, *me.* birþene, byr-
dinge 62,18 *bürde, last; ne.* bur-
then, burden.
bysen, *st. f.*, bisen 14,94; *me.* bisne
vorschrift, muster, vorbild.
bysgu, *f.*, bisgu 8,625; *me.* bisie
beschäftigung, arbeit.
bysig, *adj.*, *ne.* bisi, busi, besy
62,30; besye 62,36; *adv.* besole
67,240 *geschäftig, rührig, beschäf-
tigt; ne.* busy.
byst *s.* biddan.
byte *s.* bîtan.
byting, *vb.-sb.*, 72,10 *beißen; s.*
bîtan.
bytuene, bytwene *s.* betwêo-
num.
byð *s.* bêon.

C.

cable, *sb.*, 58,102 *seil, tau; ne.* cable.

cachen, *v., fangen;* cachen up 58,102 *aufziehen; ne.* catch.

Cafarrnaum, *ortsn.*, 36,15545 *Kapernaum.*

cage, *sb.*, 48,138 *käfig, kerker; ne.* cage.

cald(e) *s.* ceallian.

caldron, *sb.*, 70,4 *kessel; ne.* ca(u)ldron.

cielf *s.* cealf.

calis, callis, calle(de) *s.* ceallian.

cam *s.* cuman.

Cam, *eigenn.*, Came 67,142 *Cham, Ham.*

camb *s.* comb.

camp, *st. m.?*, 11,200; *me.* camp, comp 34,14024 *kampf, schlacht; ne.* camp.

campian, *s.* compian.

campstede, *st. m.*, 18,57 *kampf-stätte, walstatt.*

can *s.* cunnan, ginnan.

canceler, *sb.*, 27,8 *kanzler; ne.* chancellor.

candel *s.* condel.

canon, *st. m.*, 16,74; *me.* canon *kanon; ne. canon.*

Cantwaraburg, *stadtn., st. f., dat.* Cantwarabyrg 12,2; Can-twara byrig 15,198; *me.* Can-tuarieburi 34,13814; Canterberry 71,38; *ne.* Canterbury.

Cantware, *st. pl.*, 15,51 *Kenter.*

captane, *sb.*, 66,379; *hauptmann, gaugraf; ne.* captain.

cardinal, *sb.*, 51,51 *kardinal; ne.* cardinal.

Cardoil, *ortsn.*, 47,1123.

care *s.* cearu.

Carendre, *ländern., schw. f.*, 17, 22 *Kärnten.*

carf *s.* ccorfan.

carful *s.* cearful.

carlman, *sb., pl.* carlmen 27,18 *mann.*

Carnaruan, *ortsn.*, 51,73 *Car-narvon.*

carp, *v.*, 67,360 *sprechen, reden.*

carpe, *sb.*, 58,118 *rede.*

cart *s.* cræt.

caryon, *sb.*, 67,502 *aas; ne.* car-rion.

case, *sb.*, 59,25 *fall; ne.* case.

cése, *st. m., k.* caeso 12,19; *me.* cæse 27,41; chese, *käse; ne.* cheese.

cásere, *st. m.*, 9,634 *kaiser; vgl.* kaiser.

cast *s.* casten.

cæste *s.* cest.

cæster *s.* ceaster.

castel, *st. n., später m., me.* castel 48,83; castelle 48,140; castell 60, 45; *pl.* castles 27,9 *feste, burg, schloß;* 67,349 *vorder- oder hinter-kastell; ne.* castle.

castel ʒate, *sb.*, 61,1116 *schloß-tor; ne.* castle-gate.

castell(e) *s.* castel.

castelweorc, *sb.*, 27,15 *arbeit beim schloßbau.*

casten, *v.*, cast 49,3; kesten 44, 81; kest 58,154; *prät.* kest 58,153; *p. p.* ycast 56,6 *werfen; ne.* cast.

castigacioun, *sb.*, 64,27 *züchti-gung, bestrafung; ne.* castigation.

castles *s.* castel.

cataylle, *sb.*, 67,156; catalle 67, 326; cattell 72,15 *vieh, haustiere; ne.* cattle.

cateract(e), *sb.*, 67,343 *wasser-sturz, flut; ne.* cataract.

cattele *s.* cataylle.

cause, *sb.*, 67,102 *grund; ne.* cause.

ceald, *adj.*, 26,12; *me.* chald 41,33; schald 41,32; chold 41,49; colde 58,152; cold 67,61 *kalt; ne.* cold.

cealf, *st. m. n., merc.* caelf 13,44 *kalb; ne.* calf.

ceallian, *schw. v., me.* calle 44,38; *präs. sg.* 3. calis 45,58; *prät. me.* caldo 58,131; callit 70,3; *p. p. me.* callede 49,43; cald 59,70; callit 62,1; callyt 62,4; ycallit 69,170 *nennen, rufen;* cal ou 45,58 *an-rufen;* calle agcyn 48,61 *wider-rufen; ne.* call.

céap, *st. m., me.* chep 54,34 *kauf, geschäft; vgl. ne.* cheap.

céapmon, *unreg. m., me.* chap-man; *pl.* céapmou; *me.* chapmen 44,51 *kaufmann; ne.* chapman.

cearful, *adj., me.* carful 61,1115 *bekümmert; ne.* careful.

ceargcaldor, *st. m.*, 8,618 *trauer-gesang, trauerrede.*

ceariau, *schw. v.*, 7,177; *me.* karien 37,43 *sorgen; ne.* care.

cearu, *st. f., me.* kare 32,45; care 34,14029 *sorge; ne.* care.

cëast, *st.f., me.* cheaste 50,97 *streit.*
ceaster, *st. f., merc.* cester 19b,
11; *pl.* cestre 13,48; ceastra 15,
78; *nh.* cæster 19d,11; *me.* che-
stre, chesstre 36,15547 *stadt; ne.*
-chester.
cempa, *schw.m.,* 14,84; kempa, *me.*
kempe 34,13794B *kämpe, kämpfer,
krieger, soldat.*
cëne, *adj.,* 11,200; *me.* kene 42,6
kühn; me. auch scharf; ne. keen.
connan, *schw. v., me.* kenne *be-
kannt machen, erklären; me.* ken
59,25 *erkennen: prät.* kend 70,3
kennen; ne. arch. ken.
cennan, *schw. v.,* 24,18 *gebären;
p. p.* cenned 9,639 *geboren.*
ceole, *schw. f., me.* cheole 32,362
kehle, kehlstück.
coorfan, *st. r., me.* kerve, *pl.* cur-
fon, *me.* coruen 58,153; *p.p.* cor-
fen *(zer)schneiden; prät.* carf 58,
131 *bilden, schaffen: ne.* carve.
cëosan, *st. v., me.* cheosen 55,33;
chese 48,123 *prüfen, wählen, er-
wählen; p. p.* gecoren 8,605; *me.*
icoren 32,104; ycore 51,24 *aus-
erwählt; vb.-sb. me.* chesing 45,62
wahl; ne. choose.
cëpan, *schw. v., me.* kepe 48,108;
kep 61,1111; keip 72,18; *prät.*
kept 48,148 *halten, hüten:* 48,19
beherrschen; kepe out of sorwe
61,1115 *vor kummer schützen; ne.*
keep.
certayn *s.* certeyn.
certes, *adv.,* 46,61 *sicherlich.*
certeyn, *adj.,* 48,158; certayn
67,176 *sicher, gewiß, bestimmt; ne.*
certain.
certeynly, *adv.,* 48,97, *sicherlich.*
cese, *v., prät.* cesit 60,115; *p. p.*
cest 67,451 *nachlassen, aufhören;
ne.* cease.
cest, *st. f.,* 27,26; cist, *me.* cheste,
chiste *kiste, schrank; ne.* chest.
cest *s.* cese.
cestre *s.* ceaster.
cete *s.* cite.
chainen, *schw.v., p. p.* ycheyned
63.14 *fesseln, anketten.*
chais, *v.,* chase, *p.präs.* chassand
72,15 *jagen, hetzen; ne.* chase.
chaise, *sb.,* 73,12 *verfolgung; ne.*
chace.
chald *s.* ceald.
chalmer, chambre *s.* chaumbre.

chance *s.* chaunce.
chape *s.* escapen.
chapele, *sb.,* 48,6 *kapelle; ne.*
chapel.
chapellet, *sb.,* 69,160 *kränzlein,
verziertes haarband; ne.* chaplet.
chapitre, *sb.,* 46,244 *geistlicher
gerichtshof:* chepture 62,9 *kapitel;
ne.* chapter.
chapmen *s.* cëapmon.
chapuare, *sb.,* 50,75; chaffare
handel, ware; ne. veraltet chaffer.
chapyt *s.* escapen.
chare, *sb.,* 48,105 *wagen; vgl. ne.*
chariot.
charge, *sb.,* 49,44 *last, schwere;
ne.* charge.
charge, *v.,* 49,46 *belasten;* charge
by 51,20 *verpflichten; ne.* charge.
charite, *sb.,* 67,165; charyte 49,14;
cherito 37,161 *menschen-, näch-
stenliebe, frieden; ne.* charity.
Charlemayn, *eigenn.,* 61,1129
Karl der Große.
chartre, *sb.,* 48,48 *brief, urkunde;
ne.* charter.
charyte *s.* charite.
chassand *s.* chais.
chaste, *adj.,* 41,45 *rein, keusch;
ne.* chaste.
chastise, *v.,* 48,166; chastice 67,
398; chastyse 67.403 *strafen,
züchtigen; ne.* chastise.
chaumbre, *sb.,* 38,22; chaumber
47,1097; chamber 67,129; *pl.*
chambres 67,281; chalmeris 72,
23 *kammer, zimmer; ne.* chamber.
chaunce, *sb.,* 47,1042; chance
48,66 *zufall, gelegenheit;* 59,16
ercignis; 61,1131 *unglück;* per-
chance 69,167 *vielleicht; ne.*
chance.
chaunge, *v.,* 47,1138 *wechseln,
verändern; vb.-sb.* chaungyng 59,
16; *ne.* change.
cheaste *s.* cëast.
cheik *s.* cheke.
cheir *s.* cher.
cheke, *sb.,* 46,358; cheik 66,403
wange; ne. cheek.
chele, *s.* cyle.
chelle *s.* cielle.
cheleched, *sb.,* 32,233 *kälte?*
cheole *s.* ceole.
cheorl, *sb.,* 35,92; cherril 35,B,92
bauer; ne. churl.
cheosen *s.* cëosan.

chep *s.* céap.
chepinngboþe, *sb.*, 36,15573 *krambude.*
chepture *s.* chapitre.
cher, *sb.*, 69,167 *antlitz;* 47,996; chere 53,15; chiere 69,161 *miene;* gud cheir 71,35 *gute verfassung, wohlsein; ne.* cheer.
cherche *s.* cirice.
chere *s.* cher.
cherish, *v.*, 64,24 *lieben; wie ne.*
cherite *s.* charite.
cherrið *s.* cierran.
cherubine, *pl.*, 37,25 *cherubim.*
ches, *sb.*, 67,281; chese 67,129 *stockwerk?*
chese *s.* cǽse, cēosan.
chesing *s.* cēosan.
chesstre *s.* ceaster.
cheven, *v., p.p.* cheuyt 59,16 *zum ziele bringen.*
cheyne, *sb.*, 63,9 *kette; ne.* chain.
chielde *s.* cild.
chiere *s.* cher.
chilce, *sb.*, 82,7 *kinderei.*
child, childer, children *s.* cild.
ching *s.* cyning.
chirche, chireche *s.* cirice.
chiualerie, *sb.*, 51,66; chyualarye 61,1107 *ritterschaft; ne.* chivalry.
chold *s.* ceald.
christ- *s.* crist-.
chule *s.* cyle.
churreþ *s.* cierran.
chylder *s.* cild.
chyualarye *s.* chiualerie.
ciclatun, *sb.*, 37,51 *scharlachtuch, dann: kostbares tuch.*
cielle, *schw.f., me.* chelle 37,45 *gefäß, rauchfaß.*
cierran, *schw. v.*, cyrran 9,352; *3. sg.* cyrð 20,43; cherrið 35,B,85; churreþ 35,85; *prät. pl.* cirdon 17,66; cyrdan 15,123 *kehren, sich wenden; ne.* char.
cild, *st. n.*, 9,639; *me.* child 32,8; chielde 68,7; *pl.* cildru, *me.* childer 67,527; chylder 67,327; children 42,42 *kind, jüngling; ne.* child, children.
cildhåd, *st. m.*, 22,5; *me.* childhad, childhod *kindheit; ne.* childhood.
cinbān, *st.n.*, 22,24; cimbān 22,30 *kinnbacken.*

cine- *s.* cyne.
cing, *s.* cyning.
cirice, *schw.f.*, 12,8; cyrice 15,111; *me.* chirche 33,87; chireche 35,91; churche 43,64; kirke 44,36; kyrk 62,24 *kirche; ne.* church.
cirr, *st. m.*, 17,52; cyrr *wendung, zeit, gelegenheit.*
cirran *s.* cierran.
cite, *sb.*, 41,4; cete 58,67; site 59,66; citie 59,85; cytee 19e,11 *stadt; ne.* city.
claithis *s.* clåð.
clǽne, *adj.*, 7,187; *me.* cleane 37, 42; clene 49,6 *rein, fein, herrlich;* clǽne *adv.*, 14,14 *gänzlich; ne.* clean.
clǽnlíce, *adv., me.* clanly 59,53 *fein, säuberlich; ne.* cleanly.
clǽnness, *st. f., me.* clenenesse 37,163; clennesse 50,35; clonesse 83,55 *reinheit; ne.* cleanness.
clǽnsian, *schw. v., me.* clenze 50,35 *reinigen; ne.* cleanse.
clark *s.* cleric.
claym, *v.*, 48,44 *beanspruchen; ne.* claim.
clåð, *st. m., me.* cloþ 42,31; cloth; *pl.* claithis 71,18 *kleid, tuch, decke;* 58,105 *segel; ne.* cloth.
claþen, *v.*, cleith 71,4; *p.p.*cloþed 46,6; icloþed 46,319; cled 67,200 *(be)kleiden, sich kleiden; ne.* clothe.
clêa, *st. f.*, 13,44; *me.* clee, clawe *klaue; ne.* claw.
cleane *s.* clǽne.
cled *s.* claþen.
cleir, *adj.*, 70,4 *hell, klar; ne.* clear.
cleith *s.* claþen.
clene, clen- *s.* clǽne, clǽn-.
clêofan, *st. v., me.* clouen 38,5; *prät. sg.* clêaf, *pl.* clufan 18,10; *p. p.* clofen *spalten; ne.* cleave.
cleopian, *schw.v.*, 8,618; clypian, *me.* clupien 32,107; clepe(n), 40, 30; *prät.* clypode 21,2; *me.* clepede 27,37; cleped 47,1145; clepit 69,166; clept 47,987; *p.p.me.* icluped 32,104; icleped 40,60; iclepeð 33,3; cleped 42,57 *rufen, nennen;* 7,177 *klagen; ne. veraltet* clepe, ycleped.
clêowen, *st.n.*, 9,226 *kugel, ball; ne.* clew, clue.
clepe(n), cleped(e), clepit, clept *s.* cleopian.
clerc *s.* cleric.

clere, adv., 48,33 klar, deutlich; ne. clear.
clerck s. cleric.
cleric, st. m., clerk, me. clerek 35,78; clerc 35,78B; clerk 42,58; clarc 46,348; clerke 48,26 kleriker, geistlicher; clerk 59,53 gelehrter; küster; ne. clerk.
clerliche, adv., clyerlyche 50,32 klar, deutlich; ne. clearly.
cleuen s. clêofan.
cleuer, v., p. präs. cleuering, 69, 159 sich anklammern.
clif, st. n., 15,89; me. dat. cliue 32, 347 klippe, anhöhe, berg; ne. cliff.
clippe s. clyppan.
clive, v., 50,48 klimmen.
clofen s. clêofan.
clog, sb., 72,11 klotz, hundeklöppel; ne. clog.
cloth s. clâð.
cloud, sb., 52,31 erdscholle.
clour, sb., 70,32 schwellung.
cloute, v., 67,353 ausbessern, flicken.
cloþ, cloðen s. clâð, claþen.
club, sb., 70,32 stab, stock; ne. club.
clûdig, adj., 17,105 felsig, steinig.
clufan s. clêofan.
clupien s. cleopian.
cluppen s. clyppan.
clûstorloc, st. n.; me. pl. cluster- lokan 33,44 verschluß, schranke.
clyerlyche s. clerliche.
clymben, v., 69,163 hinaufsteigen, klimmen; ne. climb.
clypian, clypode s. cleopian.
clyppan, schw.v.,16,61; me.cluppen 38,23; clippe, prät. clypte um- armen; 16,61 hochhalten; ne. ver- altet clip.
cnapa, schw. m., me. knape 42,40 knabe.
cnâwan, st. v., me. cnawe 38,8; knawe 44,92; cnowe 46,122; know(e) 51,9; prät. cnew 36, 15624; knew 48,64; knewe 48, 146; p. p. knowen 59,46; knawin 66,440 wissen, kennen; 45,63, 48,97 erkennen; cnouen 55,88 versehen; ne. know.
cnear, st. m., 18,69 schiff.
cneht s. cniht.
cnêo(w), st. n., me. kne 65,61,5; kneis 69,166; pl. me. kneon 37,3 knie; ne. knee.
cnêomæg, st. m., 18,15; ver- wandter.

cnêowung, st. f., me. kneou- wung(e) 37,136 das kniebeugen, flehen.
cnew s. cnâwan.
cniht, st. m., 10,2914; merc. cneht 13,25; me. cnicht 35,97; cniht 35, 87; cnict 35,78; knyht 35,78; knicht 44,32; knijt 43,51; knyght 48,13; knyjt 61,1130; pl. nom. cnihtes 34,13793B; cnites 30,3; cnihten 34,13793; knyhtes 51, 19; knightis 59,87 knabe, junger mann, knecht; me. ritter, soldat; ne. knight.
cnihten, cnihtene s. cniht.
cnites s. cniht.
cnoll, st. m., 22,47; me. knoll an- höhe, gipfel; ne. knoll.
cnotten, v., 27,23 mit knoten ver- sehen; ne. knot.
Cnût, eigenn., st. m., 26,18 me. Cnut 30,2 Canut (könig).
coate, sb., dat. cote 67,262 rock; ne. coat.
cocur, st. m., 21,4; me. coker köcher.
cog(g)e, sb., 58,152 fahrzeug, schiff; ne. cog.
col, sb., coylle 67,389 kohl, kohl- suppe, suppe.
colar-bane, sb., 66,414 schlüssel- bein; ne. collarbone.
cold s. ceald.
collenferhð, adj., 11,134 mutig.
collusioun, sb., 64,11 verschwö- rung, hinterlist; ne. collusion.
colur, sb., 43,16; coloure 48,214 farbe; ne. colour.
com, côm s. cuman.
comaunde, v., commaund 67,118; p. p. comaundid 19c,20 befehlen; ne. command.
comb, st. m., Ep. camb 1,20; me. comb, camb kamm; ne. comb.
come s. cyme, cuman.
comely, adj., 54,27 freundlich, anmutig; comly 67,71 gütig; ne. comely.
comen, comm s. cuman.
commandement, sb., 49,13; com- maundement 67,33 befehl, gebot; ne. commandment.
commaund s. comaunde.
commencement, sb., 41,26 an- fang; ne. commencement.
commendacioune, sb., 62,9 empfehlung; ne. commendation.

comon, *adj.*, 48,50 *allgemein;* 48, 73 *gemeinsam; ne.* common.

cômon *s.* cuman.

comp *s.* camp.

compass, *sb.*, 69,159 *umkreis, fläche; ne.* compass.

compian, *schw. v.*, 15,40; *prät. pl.* compodon 15,48; compedon 15,41 *fechten, kämpfen.*

compile, *v., p. p.* compilet 50,53 *zusammentragen, schreiben; ne.* compile.

comun, cômun, comyn *s.* cuman.

con *s.* cunnan, ginnan.

conclusioun, *sb., schlußfolgerung;* as in conclusioun 64,4 *schließlich, überhaupt; ne.* conclusion.

concyens, *sb.*, 49,14 *gewissen; ne.* conscience.

condel, *st. f.*, 18,30; *me.* candel(e) *licht: ne.* candle.

conferme, *v.*, 65,59 *versichern; ne.* confirm.

confessour, *sb.*, 71,20 *beichtvater; ne.* confessor.

conforme, *v.*, 62,26 *anpassen; ne.* conform.

confort, *sb.*, 69,170 *trost; ne.* comfort.

confortien, *v.*, 61,1154 *(pl.) stärken, ermutigen; ne.* comfort.

confunde, *v.*, 45,94 *aus der fassung bringen; ne.* confound.

confusioun, *sb.*, 66,431 *verwirrung, verderben; ne.* confusion.

conne *s.* cunnan, ginnan.

conquerour, *sb.*, 51,85 *eroberer; ne.* conqueror.

consaile, *sb.* 48,34 *rat; ne.* council.

consedere *s.* consider.

couseil *s.* counseil.

conscilere, *sb.*, 48,22 *ratgeber; ne.* counsellor.

conseyl *v.* counseil.

consider, *v.*, 67,291; *p. p.* consederit 62,5 *betrachten, überlegen; ne.* consider.

contemplacyone, *sb.*, 49,46 *betrachtung; ne.* contemplation.

contenance, *sb.*, 69,161 *miene, aussehen; ne.* countenance.

coutesse, *sb.*, 65,63,5; countas 48,230 *gräfin; ne.* countess.

contrarie, *sb.*, 41,25 *gegenteil; adj., gegenteilig; ne.* contrary.

coppe *s.* cuppe.

corage, *sb.*, 69,164 *mut;* 65,63,4 *sinn; ne.* courage.

corde, *sb.*, 59,153; cord 47,1141 *seil, strick; ne.* cord.

corn, *st. n.*, 9,252; *me.* corn 67,159 *korn, getreide; ne.* corn.

coroune, *sb.*, 50,108; krune 37,52 *krone;* crowne 57,10 *kopf, schädel;* croune 46,348 *tonsur: ne.* crown.

coroune, *v.*, 48,2; croune(n) 51,23; krune; *p. p.* ikruned 37,52 *krönen; ne.* crown.

cors *s.* course.

coruen *s.* ceorfan.

corðor, *st. n.*, 8,618 *schar.*

coste, *sb.*, 59,83 *gegend; ne.* coast.

costigau, *schw. v.*, 10,2846 *auf die probe stellen (mit gen.).*

Costontinus, *eigenn.*, 18,76 *Konstantin.*

cosyn, *sb.*, 50,58; cusyng 66,445 *vetter; ne.* cousin.

coth, *sb.*, 67,417 *übel, krankheit.*

cou *s.* cû.

couent, *sb.*, 42,7 *kloster; ne.* couvent.

couer, *v.*, 45,82 *sich erholen.*

couctous, *adj.*, 67,52 (für couetyse *habgier) habgierig; ne.* covetous.

couetyse, *sb.*, 64,18 *begehrlichkeit.*

couioun, *sb.*, 47,1071 *schuft, elender.*

counsail *s.* counseil.

counseil, *sb.*, 42,44; conseyl 47,1164; consail 48,67; couscile 48,75; counsail 51,34; counsaylle 67,157 *rat, beschluß, beratung, geheimnis: ne.* counsel.

counselle, *v.*, 67,472 *raten; ne.* counsel.

count, *v.*, 69,171 *zählen; ne.* count.

countas *s.* contesse.

countre, *sb.*, 67,487 *gegend, landstrich; ne.* country.

course, *sb.*, 59,73; cors 61,1108 *(verlauf;* by c. 59,73 *der reihe nach; ne.* course.

court, 66,425; courte 48,49 *hof, gefolge, begleitschar, eskorte; ne.* court.

couth, couthe, couþ, couþe *s.* cunnan, ginnan.

cowd, cowth *s.* cunnan, ginnan.

coylle *s.* col.

cradol, *st. m., me.* cradel 42,10 *wiege; ne.* cradle.

crafe s. crafian.
crafft s. cræft.
crafian, *schw. v., me.* crauen 39,
1320; cravo 46,352; crafe 67, 174
verlangen, begehren, bitten; ne.
crave.
cræft, *st. m.,* 9,344; *me.* crafte 58,
131 *kraft;* crafft 46,190; crafte
59,25 *kunst;* craft 62,4,35 *kunde;*
ne. craft.
cræftig, *adj.,*26,5 *geschickt, tüchtig;*
ne. crafty.
crage, *sb.,* 66,408 *nacken.*
crak. *r.,* 57,10 *zerspalten, brechen;*
ne. crack.
cræt, *st. n., me.* karrte 36,48; cart
67,534 *wagen; ne.* cart.
crauen, cravo *s.* crafian.
Créacas, *adj.?,* 14,48 *griechisch.*
créad *s.* crudan.
creature, *sb.,* 48,10; creatur 49,
29; creature 67,78; *pl.* creaturys
62,31 *geschöpf; ne.* creature.
Crêcas, *pl. m., gen.* Crêca 17,26
die Griechen.
crede, *sb.,* 46,209 *Credo; ne.* creed.
crêopan, *st. v., me.* crepen 44,68;
crepe 63,14 *kriechen; ne.* creep.
crepe(n) *s.* crêopan.
crie(n) *s.* cryen.
cringan, *st. v., prät. pl.* crungun
18,20 *fallen; vgl. ne.* cringe.
crismcclop, *sb.,* 42,54 *tauflkleid;*
ne. chrisom-cloth.
Crist, *eigenn.,* 9,590; *me.* crist 32,
313; Cryst 65,64,6; Krist 44,62
Christus.
cristen, *adj.,* 14,27; *me.* cristen
33,81; christen *christlich; ne. ver-*
altet christen; *mc.* christeneman
41,31; cristin man 45,7; christe-
man 41,33; cristin 45,2 *christ.*
cristen(e), *vb., s.* cristnian.
cristendôm, *st. m., me.* cristen-
dom 51,16 *christenheit;* cristennn-
dom 36,43 *christentum, christliche*
religion: ne. christendom.
cristenty, *sb.,* 61,1157 *christen-*
heit.
Cristescirice, *schw. f.,* 12,2
Christchurch (kathedrale zu Canter-
bury).
cristnian, *schw.v., mc.* cristnien,
cristen(c) 42,48; *prät.* cristned
47,986; *p. p.* ycristned 47,991
taufen; ne. christen.
croiz *s.* cros.

cronycle, *sb.,* 65,63,6 *chronik;*
ne. chronicle.
croos, *sb.,* 41,14 *krüge?*
cros, *sb.,* 65,59; croiz 51,31 *kreuz;*
ne. cross.
crossayl, *sb.,* 58,102 *kreuzsegel.*
croune(n), crowne *s.* coroune.
crucethus, *sb.,* 27,26 *marterhaus.*
crucifie, *r.,* 190,5 *kreuzigen; ne.*
crucify.
crûdan, *st. v., me.* cr(o)ude, *prät.*
crêad 18,69 *dringen, drängen.*
eilen; ne. crowd.
cruell, *adj.,*73,20 *grausam;*ne.crucl.
cruelly, *adv.,* 66,424 *grausam;*
ne. cruelly.
cruk, *sb.,* 70,4 *(kessel)kette, haken.*
cry, *sb.,* 58,152 *geschrei; ne.* cry.
cryen, *v.,* crien 56,14; crie 51,71;
cry 60,97; *prät.* cryit 66,423
schreien, bitten; ne. cry.
cû, *unreg.f., me.* cou 50,65; *pl.* ken
50,71 *kuh; ne.* cow.
cubite, *sb.,* 67,136; *pl.* cubettis
67,124 *elle; ne.* cubit.
cucu *s.* cwic.
cudde *s.* cŷðan.
culbod- *s.* cumbol-.
culpe, *schw. f.,* 7,177 *schuld.*
culufre, *schw. f., me. pl.* cullfress
36,15559 *taube; ne.* culver.
cum *s.* cuman.
cuma, *schw. m.,* 13,13; *me.* cume
ankömmling, fremder.
cuman, *st.v.,* 10,2881; *nh.* cymna
19a,6; *me.* cumen 39,1341; cu-
menn 36,15553; kumen 37,66;
comen44,18; cumme, cume32,26;
come 32,141; cum 42,10; *3. sg. präs.*
ind. cymeð 9,222; cymð 17,129;
me. cumeð 33,97; commys 67,507;
cummis 73,11; *konj.* cume 33,78;
imp. merc. cym; *prät.* cwôm 8,614;
cvom, cuom 19a,1; quom 19d,9;
côm 14,2; *merc.* cym 13,2; *me.* come
34,13798; comm 36,15546; com 42,
9; cam 48,71; kam 65,63; *pl.* cwô-
mun 19a,11; cwômon, cwôman
4,3b; cvômon, cuomun 19a,13;
cwômu4,3a;cômon 15,182;cômun
19b,11; côman 15,53; *me.* comon
40,61; comenn 36,15548; come43,
61; com 34,13785; camen 19e,9;
p. p. cumen 11,146; *me.* (i)cu-
me(n) 39,1315; icummen 34,13790;
ikumen 37,112: (y)come(n) 42,46;
icome 34,13787; icom 46,162;

come(n) 52,1; cumin 60,90; co-
myn 59,40; cummen *kommen;*
ne. come; *me. rb.-sb.* comyng 65,
63,2; cummyng 60,36; cumyne
62,35 *ankunft;* agan cumynge
62,20 *rückkehr.*
cumbolgehnåd (*hds.* culbod-),
st. n., 18,98 *helmzeichenzusammen-*
stoß, kampf.
cumbolhete, *st. m.,* 8,637 *kampf-*
haß.
cume(n) *s.* cuman(n), cyme.
cumpany, *sb.,* 60,44 *gesellschaft;*
ne. company.
cun *s.* cyn.
cunnan, *prät. präs., me.* cunne,
kunne(n); *präs. 1. 3. sg.* can, con
16,28; conn 7,198; *me.* can 27,33;
con 46,447; cone 46,168; kon,
kan 32,71; *2. sg.* kanestow 47,
1049; can 67,229; *pl.* cunnon 14,
37; *me.* kunnen, cunne 32,301;
conne 50,53; kane 49,19; *konj.*
cunne 32,213; kunne 37,134; *ne.*
can; *prät.* cûþe 8,606; *me.* cuþe
32,9; kuðe 37,118; couþe 44,93;
coude 67,286; cowd 70,19; couth
60,97; cowth 70,29; *pl.* cûðon
14,15; *me.* cuðen 34,13806; cou-
þen 51,52; *p. p.* cûð, cûþ, couþe
(*s. d.); ne.* could *wissen, ver-*
stehen, können.
cunne *s.* cyn.
cunnesmon, *unreg. m., pl.* cun-
nesmen 34,13979 *verwandter;*
kinsman.
cunnian, *schw. r., me.* cunne, *prät.*
cunnode 10,2846 *versuchen, prü-*
fen; ne. con.
cuôm, cvôm *s.* cuman.
cuppe, *schw. f., me.* cuppe 44,14;
coppe 46,329 *becher; ne.* cup.
cure, *v.,* 69,167 *heilen; ne.* cure.
currus, *lat. m.,* 36,34 *wagen.*
cursen, *v., verfluchen; ne.* curse.
curteis, *adj.,* 46,119 *gesittet, edel,*
freundlich; ne. courteous.
curtoisi, *sb.,* 46,110 *höfisches*
wesen, sitte; ne. courtesy.
curtel *s.* cyrtel.
cusse(n) *s.* cyssan.
custome, *sb.,* 41,16 *gewohnheit;*
ne. custom.
cusyng *s.* cosyn.
cûð, *adj. (p. p. zu* cunnan), 7,185;
me. cuð 32,159; cuþ 45,85; couþe
47,1078 *kund, bekannt.*

cûþe, cuþe, cuðe *s.* cunnan.
cûðon, cuðen *s.* cunnan, cŷ-
ðan.
cuðe *s.* cŷðð.
cwacian, *schw. v., me. auch st. v.,*
prät. cwacode, *me.* quaked 44,135;
quoke 45,23 *zittern; ne.* quake.
cwalu, *st. f.,* 8,613 *hinrichtung.*
cwartern *s.* cweartern.
cwealm, *st. m.,* 8,605 *ermordung,*
hinrichtung; 9,642 *pein.*
cweartern, *st. n.,* 22,71; *me.*
cwartern 28,15; quarterne 27,24
gefängnis.
cwellan, *schw. r.,* 8,637; *me.* quelle
43,63 *töten; ne.* quell.
cwêman, *schw. r., me.* cweman
32,95; queme 42,7; *prät.* cwemde
34,14062; *p. p. me.* icwemed 32,
172 *zufriedenstellen, gefallen.*
cwêmde *s.* cwêman.
cwên, *st. f., me.* kwene 37,57; queu
43,7; quene 44,183 *königin:* 47,
1075 *himmelskönigin; ne.* queen.
Cwênas, *volksn. (gen.* Cwena), 17,
117 *Lappen.*
cwencan, *schw. v., me.* cwenche
82,248 *löschen; ne.* quench.
Cwênland, *eigenn., f.,* 17,44 *Lapp-*
land, Nordschweden (= „terra fi-
minarum").
Cwênsæ, *st. m.,* 17,8 *weißes meer.*
cweðan, *st. v., merc.* cwæþan, *uh.*
cuoða 19a,7; *me.* queðen; quidden
40,55; *prät.* cwæð 14,*schl.-ged.*3;
cwæþ 19d,5; *nh.* cueð 19a,6; cuæð
19a,5; cuæð, *me.* cweð 33,48; queþ
35,73; quaþ 47,1048; quad 35,
73B; quat 39,1313; quod 65,59,6;
quoth 71,11; *ne.* quoth; *pl.* cwæ-
dun 19b,12; cwæðon 15,224;
cwæðen 14,34; *nh. me.* cwæðen
19c,12; *p. p.* cweden 7,211; *me.*
iqueden 32,9; *sagen, sprechen,*
nennen; cwist þû 21,36; *in fragen*
= *lat.* num, -ne.
cwic, *adj.,* 10,2914; cucu 22,86;
me. quik 32,79; quick 34,13834;
quic 43,88 *lebendig, lebend; ne.*
quick.
cwice, *schw. f., Ep.* quicae 1,26;
quiquae 1,9 *quecke; ne.* quitch-,
couch-(grass).
cwiddian, *schw. r., me.* quidde,
prät. cwiddode *sagen.*
cwide, *st. m., me.* quide 20,13 *wort,*
rede.

cwist, *v.* cweðan.
cwom, cwômu(n) *s.* cuman.
cuoða *s.* cweðan.
cwylman, *schw. v.*, 15,81 *töten.*
cŷdde *v.* cŷðan.
cŷgan, *schw. r.*, *prät.* cŷgde 10, 2909 *rufen.*
cyle, *st. m.*, 17,195; *me.* chule 32, 197; chele 32,232 *kälte, frost; ne.* chill.
cym, cym(m)a *s.* cuman.
cyme, *st. m.*, 15,105; *me.* kime, cume 34,14020A; cumen, come 34,14020B *ankunft.*
cymeð *s.* cuman.
cyn, *st. n.*, 9,330; cynn 9,335; kynn 26,18; *me.* cun 32,202; kun(n)e 37,9; ken(n)e 43,146; kyn 67,138; *nh. pl.* cynno 19a,19 *geschlecht, art, weise; ne.* kin.
cynd, *st. f. n.*, *me.* kinde 39,1339; kynd(e) 49,1; kende 47,1057 *natur, natürliche eigenschaft, art, geschlecht, abstammung; ne.* kind.
cynde, *adj.*, *me.* kynde 52,70 *angeboren, angestammt, freundlich; ne.* kind.
cynedôm, *st. m.*, *me.* kinedom 23,72 *reich, herrschaft.*
cynegold, *st. n.*, 9,605 *krone.*
cynelic, *adj.*, 15,76 *königlich.*
cynerîce, *st. n.*, kynerice 14,66; *me.* kineriche *reich.*
cynerôf, *adj.*, 11,200 *sehr berühmt.*
cynescrûd?, *st. n.*, *me.* kinescrud 37,34 *vornehme kleidung.*
cynesetl, *st. n.*, 20,23; *me.* kinesetle *thron.*
cynestôl, *st. m.*, *me.* kinestol 37, 25 *thron.*
cyneþrym, *st. m.*, 9,634; kyneþrym 26,5 *königlicher ruhm, königliche herrlichkeit.*
cyning, *st. m.*, 8,704; kyninc 4,2a; cyninc 15,197; cyninge 17,89; cynynge 17,162; kyning 14,1; cing 25,2; cyng. king 26,1; kyng 26, 15; *me.* ching 30,2; kyng 43,49; king 32,349 *könig; ne.* king.
cyningcynn, *st. n.*, 15,62 *königsgeschlecht.*
cynlic, *adj.*, 12,44 *passend.*
cyrdan *s.* cierran.
cyrice *s.* cirice.
cyrr *s.* cirr.
cyrran *s.* cierran.
cyrtel, *st. m. (nh. auch n.?)*, kyrtel

17,100; *me.* kirtel, curtel 51,55 *kurzer rock, hemd; ne.* kirtle.
cyrð *s.* cierran.
cyssan, *schw. r.*, 21,42; *me.* kissen 38,22; kysse, kesse; cusse 54,27; *prät.* cyste 21,43; *me.* keste 50, 107 *küssen; ne.* kiss; *me. vb.-sb.* kyssyng 65,60,5 *küssen.*
cyst, *st. m.*, 26,23 *vorzug, tugend.*
cytee *s.* cite.
cŷðan, *schw. r.*, 9,332; *me.* kýðan 19c,10; kiþen(n) 26,15555; cuðen 34,13844; cuðe 32,99; kude; *präs. 3.* cŷðð 28,32; cuðð 28,19; *konj. präs.* kuðe; *prät.* cŷðde 10, 2865; cŷdde 21,72; kydde 19c,8; *me.* cudde 32,191; kyd(de) 58, 118; kid 45,75 *künden, verkünden, zeigen, bekannt machen.*
cŷðð, *st. f.*, cyþþ 18,75; *me.* cuðõe 34,13980 *heimat, gegend.*

D.

ð *s.* þ-.
dæd, *st. f.*, 8,707; *me.* dede 39,1342; deed 64,4; *pl.* dede 32,10; dedes 48,166; dedis 59,38; dedys 59,50; *dat. pl.* deden 34,13976; dediu 35B,77 *tat, handlung; ne.* deed.
dæden *s.* dêad.
dæg *st. m.*, 9,334; doeg 19a,1; *me.* dæi 34,13927A; daʒʒ 36,15613; dai 46,145; day 39,1301; dayg 19c,15; dei 83,32; *gen.* dæies 27,18; dæiʒes 28,14; dæis 27,39; *pl.* dagas 21,4; *me.* dages 19c,20; daʒes 50,87; daʒhess 36,15599; daies 65,63; dayes 48,206; daiis 45,38; dais 45,39; daus 46,324; *dat. pl.* dagum 17,114; daʒen 28, 51; dæʒen 34,13922; *me.* dawe 61,1159 *tag; ne.* day; tô dæge 15,57; *me.* to dai 46,316; to day 41,3 *heute; ne.* to-day.
dæʒen, daʒhess *s.* dæʒ.
daeghwamlice, *adv.*, 15,234 *täglich.*
Dagon, *eigenn.*, 22,74.
dægred, *st. n.*, 11,204; *me.* daired *tagesanbruch.*
daies, daiis *s.* dæg.
dailiʒt, *sb.*, 43,126 *tageslicht; ne.* daylight.
dais *s.* dæg.
dait, *sb.*, 71,32 *datum; ne.* date.
dal *s.* dæl.

dǽl, *st. m.*, 9,261; *me.* del 32,338;
dele 67,450; dal 33,107; dol 37,
150 *teil, anteil, erdteil; ne.* deal,
dole; *me.* summ del 36,98 *sehr;*
neuer a dele 48,30 *nicht im ge-*
ringsten; ilk a dele 48,118 *in*
jeder hinsicht.

dǽl, *st. n., pl.* dalu 9,24; *me. pl.*
dales 52,4 *tal.; ne* dale.

Dalamentsan, *eigenn., schw. pl.*,
17,28 *die Dalaminzen (slawischer*
volksstamm um Meissen, zu beiden
seiten der Elbe).

dǽlan, *schw. v.*, 23,33; *me.* deale
37,154; *p. p.* delt 66, 386 *(ab)-*
teilen, scheiden, trennen; dele 48,
5 *beteilen, beschenken, zuteilen;*
ne. deal; *vb.-sb.* delyng 66,388
teilen.

Dalila, *eigenn.*, 22,49.

dalu *s.* dǽl.

dam, *sb.*, 72,II,15 *mühlteich, tiefste*
flußstelle bei einer mühle.

dame, *sb.*, 46,37; dam 67,324 *herrin,*
dame, frau, mutter; ne. dame; my
dame 67, 298 = madame.

dampne, *v.*, 59,50 *verurteilen; ne.*
damn.

Dan, *eigenn.*, 22,2.

Danais, *eigenn.*, 17,3 *der fluß Don.*

dange *s.* dingen.

dangere *s.* daunger.

dangerouss, *adj.*, 72,4 *gefähr-*
lich; ne. dangerous.

dænnede *s.* dennian.

dar *s.* durran.

darað, *st. m.*, 18,107 *wurfgeschoß.*

dære *s.* dêore.

Dares, *eigenn.*, 59,60.

darht *s.* durran.

dærne *s.* dyrne.

darrst, darst(e), darstœ *s.* dur-
ran.

dase, *v.*, 67,314 *staunen, bestürzt*
sein; ne. daze.

Datia, *eigenn., pl.*, 17,27 *die Daker.*

Dauid, *eigenn.*, 33,40 *David.*

daunger, *sb.*, 58,110; dangere 48,
140 *macht, gewalt; ne.* danger.

daunte, *v.*, 65,64 *bezähmen, ka-*
steien; ne. daunt.

daus *s.* dæg.

daw, *adj.*, 67,247 *faul, träge.*

dawe *s.* dæg.

dawing, *sb.*, 71,1 *tagesanbruch;*
vgl. ne. dawning.

day, dayes *s.* dæg.

dayes eʒe, *sb.*, 52,4 *gänseblume;*
ne. daisy.

dæð, dæþ *s.* dêað.

de *r.* deien.

dêad *adj.*, 17,167; *me.* dæd, dead
(*pl.* dæden 34,14004A: deade 34,
14004B); died 32,199; ded 47,
1066; deed 19e,4; dede 59,92;
tot: ne. dead.

dêad, dead *s.* dêað.

deade *s.* dêad.

dêag, dênh *s.* dugau.

deale *s.* dǽlan.

dear *s.* durran.

dearf, *adj., nh., me.* derff 59,84
kühn; adv. derfly 58,110.

dêaw, *st. m. n., me.* deaw 52,28;
dew, deu *tau; ne.* dew.

dêað, *st. m.*, 9,368; dêaþ; *merc.* dêad
19d,7; *me.* deað 32,322; deaþ 34,
13876B; dead 39,1330; dieð 32,
124; dîþ 43,60; deð 38,94; dæþ
36,9; dæð 34,13876A; deþ 40,5;
deth 59,9; deith 73,14; ded 62,10;
dede 62,2; deid 70,6 *tod; ne.* death.

dêaðdæg, *st. m., nh.* dêothdaeg
3,5; *me.* deethday, *todestag.*

deceiuable, *adj.*, 64,3 *trügerisch.*

dociple *s.* discipul.

declare, *v., prät.* declaret 59,77
auseinandersetzen, erklären; ne.
declare.

ded *s.* dêað.

dede *r.* dæd, dêad, dêað, dôn.

dedely, *adj.*, 69,169; *tödlich, toten-;*
ne. deadly.

deden, dedes *s.* dæd.

dedeyne, *v.*, 69,168 *geruhen, wollen;*
ne. deign.

dedin *s.* dæd.

dedir, *v.*, 67,314 *zittern, schauern.*

dedis, dedys *s.* dæd.

dee *s.* deien.

deed *s.* dêad.

defade, *v.*, 69,170 *verblühen machen,*
entmutigen.

defend, *v.*, 59,85 *abwehren; ne.*
defend.

defens, *sb.*, 60,96 *verteidigung; ne.*
defence.

defier, *afr. v.*, S. ieo vous defie
48,113 *S. ich verachte euch.*

defless *s.* dêofol.

deʒe *s.* deien.

dêgol, *adj.*, 6,21; dîgel (diglum)
15,94; *me.* diʒel *verborgen, heim-*
lich.

degoutit, *p. p. adj.*, 69,161 *ge-fleckt, gesprenkelt.*
degrade, *v., prät.* degrade 67,20 *erniedrigen; ne.* degrade.
degre, *sb.*, 67,21 *rang, stand; ne.* degree.
dei *s.* dæg.
deid *s.* dêað, deien.
deien, *v.,* deie 43,111; deȝe 51,22; die 48,212; deye 56,21; de 62,25; dee 62,24; *pl.* deis 62,23; *prät.* deid 70,5; deit 70,16; died 48,218 *sterben; vb.-sb.* deyng 62,4; *ne.* die.
deis, deit *s.* deien.
deith *s.* dêað.
del *s.* dǽl, deol.
delay, *v.,* 71,15 *verzögern; ne.* delay.
delay, *sb.*, 60,30 *verzögerung, aufschub; ne.* delay.
dele *s.* dǽl, dǽlan.
delite, *sb.*, 49,35 *entzücken, genuß; ne.* delight.
deliuerd, *prät.*, 48,210 *befreite.*
delt *s.* dǽlan.
deluc, *st. v.,* 47,1051; *p. p.* doluen 47,1022; ydoluen 47,1047 *graben, begraben.*
delyng *s.* dǽlan.
delytte, *v.,* 49,37 *ergötzen; ne.* delight.
delyverly, *adv.,* 71,9 *ohne zögern.*
dêma, *schw. m.,* 8,594; *me.* deme 32,96 *richter.*
dêman, *schw.v.,* 8,707; *me.* demen 32,107; demene 33,97; deme 52,30; *prät.* dêmde; *me.* demed 58,119; *p. p.* doemid 3,5; gedêmed 11,196; *me.* idemed 32,171; idemd 32,106 *richten, urteilen über (akk.), verurteilen, erklären, aussprechen; ne.* deem.
demembrid, *v., p. p.* 61,1159 *zerstückeln; vgl. ne.* dismember.
dêmend, *st. m.,* 8,725 *richter.*
den, *sb.*, 47,1001 *lärm, aufsehen.*
dene *s.* denu.
Dene, *volksn., pl.,* 17,18; Dena 26, *Dänen.*
Denemearc, *eigenn., st. f.,* 17,143; Denamearc 17,138 *Dänemark.*
dennian, *prät.* dænnede, dennade, dennode: *nur* 18,24 *„lubricum fieri"? (Ettmüller), „become slippery" (Plummer) oder =* dyman *versteeken?*
dent *s.* dynt.

dente, *v., p. p.* dent 42,36 *auszacken, eindrücken; ne.* dent.
denu, *st. f., pl.* dene 9,24 *tal; ne.* den.
dêofol, *st.m.n.,* 8,629; *me.* deofel 32,214; deouel 37,93; deuelle 49, 24; dyouel 50,80; deuel 61,1148; dewill, dewyll 66,432; *gen. me.* deofles 32,193; defless 36,64; *pl. me.* deofles 32,97; deoules 27,16; deuells 49,18; deoflen 33,47; *gen.* deoflene 37,15 *teufel; ne.* devil.
dêofulcrœft, *st.m.,* 15,177 *teuflische kunst, teufelswerk.*
deol, *sb.*, 51,55; diol47,1124; duel 51,3; doylle 67,390; del 46,344 *kummer, trauer, schmerz, wehklage.*
dêop, *adj.,* 10,2875; diop 14, *sehl.-g.* 17; *me.* deop 56,30; depe 69,162 *tief; ne.* deep.
dêope, *adv.,* 7,168 *tief.*
deor, *sb.*, 52,29 *liebhaber? (Morris).*
dêor, *st.n.,* 8,597; *mc.* deor 33,30; der *tier, rotwild; ne.* deer.
dêore, *adj.,* 26,19; diore(s) 20,47; dýre 17,187; *me.* deore 38,2; dære 27,41; dere 39,1305; deyr 66,445; *sup.* derrist 59,39 *teuer, wert, geschätzt; ne.* dear.
dêore, *adv., me.* dure 32,146; duere 55,34; *teuer; ne.* dear.
dêormôd, *adj.,* 9,88 *tapferen sinnes, tapfer, mutig.*
dêorwurð(e), *adj. (sup.* 21,22); *me.* deorewurðe 38,12 *teuer, kostbar.*
dêoth- *s.* dêað-.
deouel *s.* dêofol.
depart, *v., p. p.* departit 60,117; *verteilen; ne.* depart; *vb.-sb.* departyng 65,61 *scheiden.*
depe *s.* dêop.
depnes, *sb.*, 67,434 *tiefe; ne.* deepness.
depriue, *v.,* 48,234 *berauben; ne.* deprive.
der *s.* durran.
dere, *sb.*, 67,317 *harm, hindernis.*
dere *s.* dêore, derian.
dereinen, *v., prät. 2. sg.* dereinedes 38,20; *streitig machen, als eigentum behaupten; ne.* derai(g)n.
derf(f), *adj.,* derfly *s.* dearf.
derian, *schw.v.,* 23,70; *me.* dorien 32,334; dere 47,1006 *schaden.*
derne, dernelike, dernli *s.* dyrne.

derrist s. dëore.

dert, sb., 69,170 schmutz, gemein-
heit; ne. dirt.

des, sb., 58,119 hochsitz; ne. dais.

desceit, sb., 48,47; dissait 73,7
betrug, falschheit, hinterlist; ne.
deceit.

desert, sb., verdienst, verschuldung;
ne. desert; for d. of 58,84 zum
lohne für.

desort, sb., 73,10 wüste, sündhafte
welt; ne. desert.

desire, sb., 69,168; wunsch, ver-
langen; ne. desire.

dêst s. dôn.

desyre, v., 64,23 wünschen, wollen,
verlangen, ersehnen; ne. desire.

det, sb., 62,19 schuld; ne. debt.

deth s. dêað.

douel(le). douells s. dëofol.

devere, sb., 67,319 pflieht.

devocyoun, sb., 65,62 andacht,
hingebung; ne. devotion.

devoutly, adj., 65,59 ehrerbietig,
andächtig; ne. devoutly.

deuys, sb., 51,26 testament; ne.
devise.

dew 59,61 gebührender weise; ne.
due.

dewill, dewyll s. dëofol.

deye, deyng s. deien.

deyr s. dëore.

dêð, deþ s. dou, dêað.

deðe s. dêað.

diacon, st. m., 12,38; me. diakne,
dekne diakon; ne. deacon.

dîc, st. m., später f., me. pl. diche
32,41 graben; ne. dike, ditch.

dide s. dôn.

die s. deien.

died s. dêad.

dieð(e) s. dêað, dôn.

Difelin, ortsn., 18,110 Dublin.

dîgel s. dêgol.

digne, adj., 47,1121 würdig; comp.
digner 47,1066.

dignyte, sb., 67,166 würde, hoheit;
ne. dignity.

dihtan, schw. v., me. diȝte, dihte(n)
34,13918A; dyhte, diht 51,79;
prät. dihte 19b,c16; p. p. diht 51,
3; dyht, dyght 67,543 bestimmen,
anordnen, beherrschen, regieren,
leiten, behandeln, verursachen,
bringen, schicken, senden; ne. ver-
altet dight.

dihten s. dihtan.

---

dingen, v., prät. dange 66,411
schlagen, bedrängen; ne. ding.

dinges more? sb., 18,108; eigenn.
= „irische sce" (Grein), = noise,
dashing (Plummer)?

diol s. deol.

dîop s. dëop.

diores s. dëore.

disceyued, adj., (p. p.) 48,118
enttäuscht; ne. deceived.

disciplo s. discipul.

discipul, st. m., 19,d7; me. disciple
19,c7; deciple 41,6 jünger; ne.
disciple.

discomfyten, v., discumfiten;
prät. disconfited 48,116; p. p.
disconfite 48,122; discumfyst
66,429; discomfyt 61,1129 be-
siegen, vernichten; ne. discomfit.

discord, sb., 67,31 streit, zwist;
ne. discord.

discrecioun, sb., 64,18 bescheiden-
heit, manierlichkeit; ne. discretion.

discret, adj., komp. discreter 72,
II,10 verständig, besonnen; ne. dis-
creet.

discumfyst s. discomfyten.

diseß, sb., 60,73 unruhe, mühsal,
beschwerde; ne. disease.

disherite, v., prät. disherite 48,
98 enterben.

disheriteson, sb., 48,40 enter-
bung.

dishonoure, sb., 48,58 schmach,
schande; ne. dishonour.

dispise, v., 60,49; dispiß 60,50
verachten; ne. despise.

dispit, sb., 60,46 verachtung, trotz;
ne. despite.

dispitwisly, adj., adv., 60,98
in wut, wütend; ne. (veraltet)
despiteously.

displaie, v., prät. displaied 48,103
entfalten; ne. display.

displeasse, v., 67,85 mißfallen;
ne. displease.

dispoyle, v., 58,95 entkleiden;
ne. despoil.

dissait s. desceit.

dissensioun, sb., 64,9 streit; ne.
dissension.

disseuer, v., 68,15; dysseuer
67,27 scheiden, sich trennen, los-
kommen, aufhören, aufgeben; ne.
dissever.

dissolue, v., p. p. dissoluit 73,22
auflösen; ne. dissolve.

distance, *sb.*, 67,57; distaunce 48, 37 *entfernung, uneinigkeit, streit, zweifel; ne.* distance.

distroy, *r.*, 67,93 *zerstören; ne.* destroy.

disturbaunce, *sb.*, 48,32 *unruhe, aufstand; ne.* disturbance.

Dites, *eigenn.*, 59,61; Dytes 59,60.

diverss, *adj.*, diuerse 69,160 *verschieden; ne.* diverse.

diþ *s.* deað.

doande *s.* dôn.

Dofere, *ortsn., schw. f., me.* Douere 44,139 *Dover.*

doeg, *st. n.*, 19a,1; *nh.* == dôgor *tag.*

dog, *sb.*, 72,1,4 *hund; ne.* dog.

doht == doth == doþ *s.* dôn.

dohtor, *unreg. f.*, 7,191; *me.* douhter 42,47; douter 46,339 *tochter; ne.* daughter.

Doig (*gesprochen wie* dog), 72,1 *Titel, name eines hofbediensteten könig Jakobs IV. von Schottland.*

doin, *p. p.*, *s.* dôn.

dois *s.* dôn.

dol, *adj., me.* dull 59,50 *töricht; ne.* dull.

dol, *sb.*, 38,15 *schmerz; ne. veraltet* dole (*vgl.* doleful).

dol *s.* dǽl.

dollen, *r.*, *p. p.* dold 67,266 *stumpf, dumm ·machen.*

dolour, *sb.*, 72,II,23 *schmerz, kummer.*

doluen *s.* delue.

doema *s.* dêman.

dôm, *st. m.*, 7,168; *me.* dom 32,124 *urteil, gericht, ruhm, ehre, lob, würde; ne.* doom; dômes dæg, *me.* domes dei 32,136; d. dai 38, 17; domysday 67,25 *jüngster tag; ne.* doomsday; *me.* domes man, *pl.* men 32,256 *richter.*

doemid *s.* dêman.

dominacioun, *sb.*, 64,16 *herrschaft, gewalt, macht, einfluß; ne.* domination.

dôn, *unreg. v.*, 14,62; *me.* don 33, 51; doon 65,61; done 32.19; do 49,17; doo 49,23; *ne.* do; *präs. ind. sg. 2.* dêst, *me.* dest 37,149; dost 36,15587; dos 67,196; dois 69,166; *3.* doeð 12,10 (*merc.* doð 13,48 *schreibfehler*); dêð, *me.* deð 32,35; deþ 32,21; dieþ; dieð 32, 235; doð, doþ 36,15; doth 65, 63; doht 52,22; *konj. 2. 3.* dô

14,21,76; *imper. merc.* dôa 13,1; *p. präs.* doande 49,9; *prät.* dido; dyde 22,86; *pl.* dydun, 19b,15; dydon 15,183; dêdon 19a,15; *me.* dude 32,2; dide 36,15584; dyde, dede 39,1298; did 48,79; *pl.* dyden 19a,15; duden 34,13926; *p. p.* dôn, gedôn 25,11; *merc.* gedôn; 19d,11; *me.* idon, 32,15; ydon 32,7; don 46,226; done 59,79; doyne 67,139; doin 72,II,21; ido 32,10; ydo 50,87; do 55,47 *tun, lassen, sich befinden (p. p.: getan, fertig, vorüber, dahin); stellvertr. umschr.* deð ihealden 32,56; dôn from 45,100 *entfernen aus;* do to dede 45,100 *töten;* don to gode 32,23; (laðe) 32,61 *gutes (böses) tun;* don afurst 32,37 *aufschieben;* do for to se 45,76 *sehend machen;* do wai 45,59 *geh mir:* don milce 32,8 *gnädig sein;* don iustise 27, 10 *strafen;* do(o)n of *(von sich) fernhalten;* 65,61 *ablegen; adt.* mid ydone 47,1086 *sofort.*

Donde, *ortsn.*, 57,24 *Dundee.*

done == ðone *s.* sê.

donjoun, *sb.*, 48,128 *der höchste turm einer burg, turm, kerker, unterirdisches gefängnis; ne.* dungeon.

donken, *r.*, 52,28 *betauen, befeuchten.*

donne *s.* þonne.

Donua, *ortsn., f.*, 17,6 *die Donau.*

doore *s.* duru.

dorste *s.* durran.

dotage, *sb.*, 63,8 *torheit, dummheit.*

dote, *v.*, 67,367; *p. p.* doted 68,13 *faseln, unnütz herumreden, kindisch, schwachsinnig, töricht sein; ne.* dote.

dote, *sb.*, 67,265 *tor, narr.*

doted *s.* dote.

double, *adj.*, 69,173 *doppelt; ne.* double.

doublett, *sb.*, 72,2 *wams, kamisol; ne.* doublet.

Douere *s.* Dofere.

doufe, dowfe, *sb.*, 67,505; *pl.* dowfys 67,484 *taube; ne.* dove.

doughty *s.* dyhtig.

douhter *s.* dohtor.

doun, doune, dounes *s.* dûn.

doure 72,2, *adj., widerspenstig, unbiegsam; ne. schott.* dour.

doute, *sb.*, 48,184; dout 57,14 *zweifel, besorgnis, furcht, scheu; ne.* doubt.

doutable, *adj.*, 62,13 *furchtbar.*
doute, *r.*, *prät. pl.* doutiden 19e,
17 *zweifeln, fürchten; ne.* doubt.
douther *s.* dohtor.
dowellen *s.* dwellan.
dowfe *s.* doufe.
dowis 66,399; *wohl verschrieben*
für thowis *von* thowen, *jem.*
thow = *du nennen, oder von*
thowen *s.* þeowian.
downe *s.* dûn.
doylle *s.* deol.
doyne *s.* dôn.
doeð *s.* dôn.
doþþepers, *sb. pl.*, 61,1127 *(Karls*
des großen) zwölf pairs.
dradde *s.* ondrædan.
draf *s.* drîfan.
dragan, *st. r., me.* draȝan 32,47;
draȝen 32,49; drawe 48,74; draw
67,103; *prät.* drôg; *me.* drog 39,
. 1327; drouȝ 42,31; drouh 65,
64; drowȝ, drow; *pl.* droȝen 34,
13970; droghe 59,88; drowe 48,
232; *p. p.* dragen, *me.* ydraȝe 50,
89; drawe 61,1113 *ziehen (trs. u.*
intr.), erziehen, aufziehen, eilen,
sich begeben; ne. draw; drawe
fra 49,17 *entziehen, wegnehmen*
(euele ydraȝe 50,89; *frz.* mal-
mener).
dragon, *sb.*, 48,112; dragoun 48,
103; *drache, als feldzeichen; ne.*
dragon.
draȝt-brigge, *sb.*, 61,1113 *zug-*
brücke.
drake, *sb.*, 52,19 *enterich; ne.*
drake.
dram, *adj.*, 72,II,23 *traurig.*
dranke *s.* drincan.
drapen *s.* drepan.
draw, drawe *s.* dragan, drîfan.
drêag *s.* drêogan.
drêam, *st. m.*, 9,658 *jubel, freude,*
wonne.
dreamen *s.* drŷman.
dreauen *s.* drêfan.
dreccan, *schw. v., me.* drecchen
37,148; *prät.* drehte *quälen, pla-*
gen, anfechten.
dred, *sb.*, 47,1129; drede 48,184;
dreid 71,15 *furcht, zweifel, un-*
gewißheit, gefahr; vgl. zu 48,184
ofdrædd.
dred, drede, dreden, dreding
s. ofdrædd, ondrædan.
dreed *s.* drêogan, ondrædan.

drêfan, *schw. r., uh.* drêfa, *p. p.*
gedrêfed 4,3b; gidrêfid 4,3a;
me. idreaued 37,58 *betrüben, be-*
unruhigen, peinigen.
drege, *adj., kent.* 20,33 *trocken;*
ne. dry.
dreȝe *s.* drêogan. ·
dreid *s.* dred, ondrêdan.
dreidles, *adj.*, 70,7 *furchtlos; ne.*
dreadless.
drêman *s.* drŷman.
drencan, *schw. v., me.* drenche
42,18; *prät.* drencte *tränken, er-*
tränken; ne. drench.
dreng, *st. m., me.* dreng 44,31; *pl.*
dringches 34,13971 *(vgl. Logeman,*
Herrigs Archiv 117, 278 f.) mann,
vasall.
drêogan, *st. r., me. auch schw. r.*,
9,210; *me.* dreoȝen 32,288; driȝen
34,13833; dreȝe 55,25; *prät. sg.*
drêag 8,626; *pl.* drugon 11,158;
p. p. dreed 67,533 *ertragen, leiden,*
erfüllen, tun, vollenden; ne. (dial.)
dree.
drêor, *st. m. oder n.*, 10,2907 *blut.*
drêorig, *adj.*, 18,107; *me.* dreri
46,149 *traurig; ne.* dreary.
drêorlîc, *adj., komp.* drêorlîcor
25,11 *blutig.*
drêosan, *st r.*, 9,261 *fallen.*
drepan, *st. r., me. auch schw., prät.*
pl. me. drapen 27,25; *p. p.* drepen
und dropen; *me.* drepit 59,9
treffen, erschlagen, töten.
dreri *s.* drêorig.
dress, *r.*, 72,II,11; dres 67,238;
p. p. drest 69,173 *führen, lenken,*
herrichten, bereiten, bereit machen,
in ordnung halten, behandeln
(schlecht behandeln, quälen) 73,10;
sich richten, sich wenden, gehen.
drîfan, *st. r., me.* driuin 35B,95;
driue 32,116; dryve 60,68; dryfe
67,193; *prät. me.* draf 36,15361;
drof 42,4; drawe 66,408; *p. p.*
idryue 35,95; driven 46,247 *trei-*
ben, führen; ne. drive.
driȝen *s.* drêogan.
driȝtte *s.* dryhten.
drihtan, -(e)n, -on *s.* dryhten.
drinca, *schw. m.*, 22,29; *me.*
drynke 40,23; drink(e) 46,133
trunk; ne. drink.
drincan, *st. v.*, 14,*schl.-g.*22; *me.*
. drinken 38,88; drinche, drynke
40,24; *prät. sg.* dranc 22,31; *me.*

dranke 45,82; drank 70,17; *pl.*
druncun 13,18; *p. p.* gedruncen,
me. idrunke 32,144 *trinken; ne.*
drink.; *inf. bei me.* yeve 40,25
(*mit* to).
dringan, *v.*, 33,51 *bedrängen.*
dringches *s.* dreng.
drink *s.* drinca.
driue, driven, driuin *s.* drifan.
drof *s.* drifan.
dræfa *s.* drêfan.
drog, dro3en, drogh *s.*dragan.
drohtian, *schw. v.*, 9,88 *sich ir-
gendwo aufhalten, leben.*
drone, *schw. v.*, 67,372; droun,
drown, *p. p.* drownit 72,11,15 *er-
trinken, ertränken; ne.* drown.
drôs, *sb.*, 1,3; *geschl.?, (Ep.), me.*
dros *ohrenschmalz; ne.* dross.
drou3 *s.* dragan.
droun *s.* drone.
droup, *sb.*, 55,33, *adj., traut, lieb;
geliebter, freund; afrz.* drut, dru.
drow, drowe, drow3 *s.* dragan.
drown, drownit *s.* drone.
drugon *s.* drêogan.
druncen, *st. n., me.* drunke(n)
32,253 *trunk, trunkenheit.*
druncenness, *st. f.*, 15,14 *trun-
kenheit.*
druncun *s.* drincan.
drûsan, *st. v.*, 9,368 *langsam, er-
müdet, stumpf werden.*
dry *s.* drŷge.
drŷcræft, *st. m.*, 15,176 *zauber-
kunst, zauberei.*
dryctin *s.* dryhten.
dryfe *s.* drifan.
drŷge, *adj., kent.* drêge 20,33; *me.*
dry 67,370 *trocken; ne.* dry.
dry3tyn *s.* dryhten.
dryht, *st. f.*, 9,334 *schar, volk,
menge.*
dryhten, *st. m.*, 11,198; dryctin
2,4; drihten 10,2893; *me.* drihtan,
drihten, drihten 33,9; dri3tte 46,
408; dry3tyn 58,110; drihte 32,80;
dat. drihtne 15,182 *herr, gott.*
drŷman, *schw. v.*, 9,348; drêman,
me. dreamen 37,27 *jubeln, sich
freuen.*
drync, *st. m.*,14,*schl.-g.*30; *me.*drink
trank; ne. drink.
dryncan, *schw. v., prät.* dryncte
13,32 *tränken.*
drynk, drynke *s.* drinca, drin-
can.

dryre, *st. m.*, 9,16 *fall, niederschlag.*
dryve *s.* drifan.
dude, duden *s.* dôn.
duel *s.* deol.
duelle *s.* dwellan.
duere *s.* dêore *adv.*
duerg *s.* dweorg.
dugan, *prät.-präs., me.* du3en,
dowen, *präs.* dêag 7,189; dêah
23,48; *pl.* dugon *taugen, tüchtig
sein; p. präs. kent.* dugunde 12,18
ausgewachsen.
duguð, *st. f.*, 9,348 *schar; tugend,
ruhm, majestät.*
duk, *sb.*, 61,1126 *herzog;* duke 59,
92; *pl.* dukes 59,84; dukis 59,88;
ne. duke.
dull *s.* dol.
duly, *adc.*, 59,60 *gebührend, genau;
ne.* duly.
dûn, *st. f.*, 6,21; *me.* dune 39,1295;
doun 52,28 *anhöhe, berg, hügel; ne.*
down; *of* dûne, adûn, *me.* a dune,
adun 40,29; dune 45,51; doun
47,985; doune 57,8; adoun 61,
1122; downe 67,247; *ne.* down
*hinunter, herunter, nieder, hin;
me.* up end dun 32,240; up so
doun 64,5 *auf und ab;* doun-
ward 69,164 *hinunter; ne.* down-
ward.
dûnscræf, *st. n., pl.* dûnscrafu
9,24 *bergschlucht.*
dvnvilt = ðu ne wilt.
dure *s.* dêore, *adc.*, duru.
durling *s.* dyrling.
durne *s.* dyrne.
durran, *prät.-präs., me.* durren,
präs. ind. sg. 1. dear 6,15; *me.* der
37,158; dar 48,79; *2.* dearst, *me.*
darrst 36,15508; darst 47,1088;
3. darht 51,80; *plur.* durron, *prät.*
dorste 4,1b; *nh.* darste 4,2a;
darste, *me.* dorste 41,10; durste
44,65; durst 58,144 *wagen, me.
auch dürfen, brauchen; ne.* daro.
duru, *st. f.*, 9,12; *me.* dure 32,124;
dore 47,1127; doore 67,137 *tür;
ne.* door.
duryng, *präp.*, 65,61 *während; ne.*
during.
dwellan, *schw. v., me.* duelle 44,
4; dwellen 44,54; dowellen 58,
69; dwelle 67,43; dwell 70,6;
prät. dwealde, *me.* duelt 60,119;
dwelt 70,2 *sich aufhalten, ver-
weilen, bleiben, wohnen; ne.* dwell.

16*

d w e l l i n g, *sb.*, 57,24; dwellying 65,63 *wohnung; ne.* dwelling.

d w e l l i n g - p l a c e, *sb.*, 73,10 *aufenthaltsort, heimat; wie ne.*

d w e o l u h ð e, *sb.*, 37,93; dweolðe 37,148 *irrtum.*

d w e o r g, *st. m., Ep.* duerg 1,15; *me.* dwergh, dwerf *zwerg; ne.* dwarf.

d w o l i a n, *schw. v.*, 20,22 *irren.*

d w o l l i c, *adj.*, 22,36 *töricht, dumm.*

d y d e, d y d e n *s.* dôn.

d y e u e l *s.* deofol.

d y g h t *s.* dihtan.

d y h t i g, *adj., me.* doughty 59,84 *tüchtig, tapfer; ne.* doughty.

d y n g n e, *adj.*, 58,119 *würdig.*

d y n n a n, *schw. v., me.* dinien, *prät. pl.* dynnedau 11,204 *tönen, dröhnen; ne.* din.

d y n t, *st. m., me.* dynt 48,210; dent 43,154 *schlag, stoß; ne.* dint.

d y p p a n, *schw. v., me.* duppen, dippen *eintauchen; p. präs.* dyppend 19d,19 *taufen; ne.* dip.

d ŷ r e *s.* dêore.

d ŷ r l i n g, *st. m., me.* durling 32,385 *liebling; vgl. ne.* darling.

d y r n e, *adj. und adv.*, derne, *me.* durne 32,78; dærne 36,15629; derne 54,44 *heimlich, versteckt; me.* dernelike 46,86; dernli 45, 100 *adv.*

d y s - *s.* dis-.

E.

ê a, *interj.*, 7,164 *(nur mit* lâ) *o!*

ê a, *f.*, 17,3; *indekl. oder gen. dat. sg.* ie 17,7 *fluß.*

ê a c, *adv.*, 8,679; âc 12,10; aec 12,42; êo 25,3; *me.* och 32,3; eo 33,4; ek 37,87; eke 37,96; eik 71,38 *auch, ebenfalls; ne.* eke.

ê a c a, *schw. m., me.* eke *vermehrung.*

ê a c e n, *adj.*, 7,205 *groß, mächtig.*

ê a d, *st. n.*, 9,638 *(macht, reichtum) glückseligkeit.*

ê a d e n, *p. p.*, 7,200 *gewährt, verlichen.*

ê a d h r ê ð i g, *adj.*, 11,135 *glücklich.*

ê a d i g, *adj.*, flekt. êadge 8,627; êadega 10,2876; *me.* ʒedi 32,227 *reich, glücklich, selig.*

ê a d m ô d *s.* êaðmôd.

É a d w e a r d, *eigenn.*, 18,13; Êadward 26,1; Edward 48,114; Eduard 60, 64 *Eduard.*

ê a d w e l a, *schw. m.*, 9,251 *reichtum, herrlichkeit, seeligkeit.*

e a f o ð, *st. n.*, 8,601 *stärke, kraft.*

e a f o r a, *schw. m.*, 6,12; afara 18,13 *sprößling, kind.*

ê a g e, *schw. n., me.* heie 46,283; heʒe 54,25; yʒe 58,124; oye 69, 159; *pl.* êagum 6,5; *merc.* êgan 13,4; *me.* eʒen 32,75; eyʒen 42, 22; eien 45,35; heien 46,357; eʒe 58,14; een 59,57; ene 70,13 *auge; ne.* eye.

e a h t a, *zahlw.*, 26,20; *me.* eahte 28,14; eighte *acht; ne.* eight.

e a h t i a n, *schw. v.*, 8,609 *erörtern, besprechen.*

e a h t o ð a, *zahlw., me.* eahteðe 28, 30 *achter; ne.* eighth.

e a l *s.* eall.

ê a l a *s.* êa *und* lâ.

ê a l a n d *s.* êalond.

e a l c h *s.* êlc.

e a l d, *adj.*, 9,321; *kent. gen. pl.* eldra 20,35; *me.* eald 32,4; ald 33,46; old 39,1284; olde 44,30; hold 46. 303; eld 47,1002; *komp.* yldra 21,2; *merc. nh.* ældra *subst.* 19a,d,12; *me.* uldre 32,322; ældre; elder(e) 32,1; *sup.* aldeste 34,13842 *alt; ne.* old; yldran 15,167 *eltern;* füre ieldran 14,34; *me.* ure ældrene 32,192 *unsere vorfahren; sb.* Nelde 46,173 *Alte.*

e a l d c ŷ ð, -cŷððu, *st. f.*, 9,351 *alte oder frühere heimat.*

e a l d g e n î ð l a, *schw. m.*, 11,228 *alter feind.*

e a l d i g a n, *schw. v.*, 21,3; *me.* ealdien; *prät.* ealdode 21,1 *altern, alt werden.*

e a l d o r, *st. n.*, 8,646 *alter, leben;* to êaldre 9,594 *für alle zeit.*

e a l d o r, *st. m.*, 10,2878; aldor 19a, 11; *me.* alder *ältester, oberster, fürst, herr.*

e a l d o r b u r h, *st. f.*, 15,198; *dat.* aldorbyrig 15,246 *hauptstadt, königsstadt.*

e a l d o r l a n g, *adj.*, 18,6 *lebenslang.*

e a l d o r m o n, *st. m.*, 16,48; *nh.* aldormonn 19a,11; *me.* alderman *fürst, vorgesetzter; ne.* alderman.

e a l d o r s â c e r d, *st. m., merc. dat. pl.* aldursâcerdum 19d,11 *oberpriester.*

E a l d s e a x a n, *volksn., schw. m. pl.* 17,15 *Altsachsen.*

ealgian, schw. v., prät. ealgode
18,18 schützen.

eall, adj., 17,9; eal 16,45; all 12,
26; me. œll 27,8; eal 32,60; eall
32,79; æl 32,140; all 36,32; al 32,
120; alle 48,134; pl. me. eælle 32,
173; alle 33,18; gen. pl. ealra 9,628;
me. ealre 32,351; alre 35,96; alder
48,197; alþer; dat. eallen 28,40
all, ganz, vollständig; ne. all; alþat
man mai 32,383 mit aller macht.

eall, adv., eal 25,18; me. eal 32,60;
al, alle 32,376 all, ganz, durchaus;
ne. all; me. al one 40,12; allane
60,104 allein; ne. alone; alle if
67,231 obwohl.

ealles, adv. gen., 6,14 durchaus,
ganz und gar.

eallnîwe, adj., 22,60 ganz neu.

eallreord s. œlreord.

ealmeahtig, adj., allmehtig 12,3;
allmeetig 2,9; ælmihteg 14,20;
ælmihtig 9,356; ælmiehteg, al-
mehttig 4,1a; me. ealmihti; 32,333;
allmahhti; 36,57; almihti 37,164;
almichti 41,41; almiʒtten 46,25;
almihty allmächtig; ne. almighty.

ealneg = ealne weg, adv., 14,78;
me. alneway 50,57; alle way 67,
59; alway 67,120; alwayis 60,24
immer; ne. alway, always.

ealo, ealoð s. calu.

êalond, st. n., 15,38; êaland 15,150
eiland, insel.

ealswâ, adv., eallswâ 19b,15; me.
eal swa 32,211; alswa 33,9; also
40,11; al zuo 50,11; alsno 50,89;
alsua 60,10; ealse; aswa 32,78;
also 27,3; ase 40,10; aze; als 45,
13; alls 36,48; alss 59,31; as
46,1 konj., ganz so, eben so, so,
auch, ebenfalls, etwa; wie, als,
da, als ob; ne. also; ne. as; me.
ase to was betrifft; ne. as to;
azewel 50,51 ebenso; al ase 50,10
gerade so wie; also ... as 46,95;
as ... as 67,19 ebenso ... wie.

ealu, unreg. n., ealo 17,165; gen.
dat. ealoð 17,197; aloð 12,22; me.
ale 44,14; haill 70,30 bier; ne.
ale.

cam s. eom.

êam, st. m., me. eom 27,3; eyme
66,437; gen. emys 66,444 oheim.

eani s. ænig.

eard, st. m., 8,701; me. erd land,
aufenthaltsort, wohnort.

eardi(g)an, schw. v., 13,37; prät.
eardodon 17,141; me. erdien
wohnen.

oarding, st. f., 9,673; me. erding
wohnung, wohnsitz.

eardstede, st. m., 9,195 wohn-
stätte.

eardung, st. f., 13,36 wohnung.

eardungstôw, st. f., 15,38 wohn-
ort, wohnsitz.

êare, schw. n., 6,5; me. ere 58,64;
pl. eres 58,123 ohr; ne. ear.

earfoð, st. m., gen. pl. earfeða,
8,626 mühe, plage, drangsal.

êargeblond, st. n., ûragebland
18,52 meeresgemisch, wogendes
meer.

earh, adj., me. plur. ærwe 32,19
träge.

earm, adj., 8,616; me. earm 32,227;
erm 37,64 arm, elend.

earm, st. m., 17,5; me. arm 47,1126
arm; ne. arm.

earming s. ierming.

earmlice, adv., 25,15 arm, elend.

earn, st. m., 9,235; me. arn, ern
aar, adler; ne. erne.

earnung, st. f., me. earninge 32,64
verdienst; ne. earning.

eart, def. v., 2. sg. präs. ind., 21,27;
nh. arð; me. ert 37,5; ard 41,49;
art 69,173; mit pron. artu 40,19;
ertu 45,17; me. artow 69,173 bist;
ne. art; pl. präs. ind., nh. arun,
me. aren 44,161; arn; ere 48,206;
are 49,7; er 57,6; ar 60,90 sind,
seid; ne. are; s. bêon, êom, wesan.

earueðheald, adj., 32,311 schwer
zu halten.

ðast, adv., 17,7; me. in the eest
67,453; on est 58,133 im osten.

êastan, adv., 9,325 von osten;
be êastan 17,10 östlich von.

êastæð, st. n., 23,63 seegestade.

êastdæl, st. m., 9,2 östliche gegend.

êastordæg, st. m., me. esterdei
33,93 ostersonntag; ne. Easterday.

êasteweard, adj., 15,150 östlich.

Eastfrancan, volksn., schw. pl.,
17,11 Ostfranken.

êastnorþ, adv., 17,14 nordöstlich.

êastryhte, adv., 17,59 gen osten.

êastsæ, st. m. n. f., 15,74 östliches
meer.

Êastseaxan, volksn., schw. pl.,
23,69 bewohner von Essex.

êastsûþ, adv., 17,20 südöstlich.

eatas *s.* etan.

eatdêavde *s.* ætŷwan.

eatollic, *adj., me.* eatoliche 33,18; ateliche 32,281 *entsetzlich.*

eaxl, *st. f.,* exl 10,2926; *mc.* axle *achsel.*

êað, *adj., me.* eað 38,29 *leicht.*

êaþe, *adv.,* 6,19; *me.* eaðo 32,206; eþe 32,372; eðe 32,157; yþe 43, 59; eth 48,74 *leicht.*

êaðelic, *adj.,* 22,14 *leicht, unbedeutend.*

êaðmêdu, *f. sg., n. pl.?,* 11,170 *freude.*

êaðmôdlicc, *adv.,* 16,84; êadmôdlicc 15,128 *demütig.*

êaðmôdniss, *st. f.,* 12,6; *me.* edmodnesse 37,79 *demut.*

ebba, *schw. m.,* 23,65; *me.* eb 73,20 *ebbe; ne.* ebb.

ebriscgeðiode, *st. n.,* 14,47 *hebräische sprache.*

êbylgðu, *st. f.,* 13,95 *empörung.*

ec *s.* êac.

oce, *st. m., me.* eche 32,197 *schmerz; ne.* ache.

êce, *adj.,* 7,209; *nh.* êci 2,4; *k.* aece 12,4; *me.* eche 37,39 *ewig.*

eced, *st. n. m.,* 13,32 *essig.*

ecg, *st. f.,* 10,2857; *mc.* egge *schneide, schwert; ne.* edge.

ech *s.* êlc, êac.

oche *s.* ece, êce.

echto *s.* êht

edgeong, *adj.,* 9,373 *wieder verjüngt, wieder jung.*

edlêan, *st. n.,* 13,33; *kent.* aedlêan 12,4; *me.* edlen *vergeltung, lohn.*

edmodnesse *s.* êaðmôdniss.

edniwo, *adj.,* 9,241 *erneut, frisch.*

edwît, *st. n.,* 11,215; *me.* edwit *vorwurf, hohn.*

edwitan, *schw. st. v.,* 13,14; *me.* edwiten *schmähen.*

een *s.* êage.

eest *s.* êast.

efen *s.* êfen.

ofen, *adj., me.* euen 58,65 *eben, gleich, gerecht, richtig.*

efenblissian, *schw. v.,* 15,239 *sich gleicherweise freuen.*

efenceasterwaran, *schw. pl.,* 15,241 *mitbürger.*

efencristen, *sb.,* cmcristen 32, 306 *mitchrist, nächster.*

efenhlêoðor, *st. n.,* 9,621 *einklang, harmonischer gesang.*

êfern *s.* êfen.

efestan, *schw. v.,* 15,235; efstan 10,2872; *me.* eftin; *prät.* efste *eilen.*

efete, *schw. f., me.* euete 32,273; newte *eidechse; ne.* eft, newt.

effray *s.* afray.

offraytly, *adv.,* 60,110 *erschreckt, in schrecken.*

offter *s.* œftor.

efne, *adv.,* 19b,9; *me.* œfne 31, 13924; euene 43,96; enen 67,10; euyn 59,27 *eben, gerade, gleich; ne.* even.

efning, *sb.,* euening 32,162 *person gleichen ranges;* þin eming 37,24 *deinesgleichen.*

efre *s.* œfre.

efreni, *pron.,* 32,29 *irgend ein.*

efsian, *schw. v.,* 22,5; *me.* evesien; *p. p.* geefsod 22,63 *scheren, die haare schneiden.*

efstan *s.* efestan.

eft, *adv.,* 8,633; *me.* eft 32,234; efte *wiederum, zurück;* 48,192 *danach;* eft sôna, sôua eft 14,43; *me.* eftsone 69,159; eftsones 48, 184; efftsones 46,384; eftsonis 60,68 *sogleich, bald danach.*

efter, eftir *s.* œfter.

eftin *s.* efestan.

eftsones *s.* eft.

ege, *st. m.,* 15,21; ego 19a,4; *me.* eige 19c,8; œie 32,20; eie 32, 277; ay 48,176 *schrecken, furcht, scheu.*

êgan, eʒe *s.* êage.

ogesa, *schw. m.,* 10,2866; ogsa 19d, 8; *merc.* œgsa 19d,4; *me.* eʒese, eise *schrecken, furcht, ehrfurcht.*

egeslic, *adj., me.* eislich 32,281; egeslice, *adv., me.* eisliche 33,13; *schrecklich.*

egh-, êgh- *s.* êgh-.

eglan, *schw. v.,* 11,185; *me.* eilen, eille 46,337 *belästigen;* ale 67,294 *schmerzen; ne.* ail.

êgland *s.* îegland.

ego, *s.* ege.

egsa *s.* ogesa.

êhstrêam, *st. m.,* 8,673 *wasserstrom, meer.*

êhtan, *schw. v., merc.* ochtan 13,7 *verfolgen.*

ehte *s.* êht.

eie, eieu *s.* êage, ege.

eige *s.* ege.

êigland *s.* îegland.

eik *s.* êac.
eillen *s.* eglan.
eise *s.* egesa.
cisfull, *adj.,* 60,70 *erfreulich.*
eislich(e) *s.* egeslic.
eit *s.* etau.
eitte *s.* æht.
eiðer *s.* ûeghwæðer.
ek(e) *s.* êac.
elc, elcan, elch, elche *s.* ælc.
eld *s.* eald, ieldu.
elde *s.* ieldu.
elder(e) *s.* cald.
eldra *s.* eald.
Eli(g)byrig, *ortsn., st. f.,* 25,18:
  me. Ely 30,1 *Ely (Cambridgesh.).*
ellen, *st. n.,* 10,2847; *me.* elne *mut,
  tugend.*
ellenróf, *adj.,* 11,146 *stark, mutig.*
ellenwôdnis, *st. f.,* 16,85 *eifer.*
ellenþrist, *adj.,* 11,133 *kühn, mutig.*
elles, *adv., me.* elles 32,199; ellis
  62,16; ellys 62,33; els 67,299 *an-
  ders, sonst; ne.*-else.: elles hware
  32,327 *andersico.*
ellðêodig *s.* elðêodig.
elmes-, olmesse *s.* ælm-.
elu, *st. f.,* 17,85; *me.* elne, elle *elle;
  ne.* ell.
elne *s.* ellen.
elreord *s.* ælreord.
olrích, *adj.,* 70,8 *elfisch.*
els *s.* elles.
elðêodig, *adj.,* 11,215; ellðêodig
  15,190; *me.* elþeodi *einem andern
  volke angehörig, fremd.*
em *s.* ðom.
embe *s.* ymbe.
ombiht *s.* ombiht.
emcristen *s.* efn-.
eming *s.* efning.
emnlange, *adv.,* 17,106 *in gleicher
  länge mit.*
emong *s.* gemong.
emperour, *sb.,* 67,74 *kaiser; ne.*
  emperor.
emys *s.* êam.
en *s.* on.
enarme, *v.,* 59,87 *waffnen, rüsten.*
enbrace, *v.,* 65,60 *umarmen; ne.*
  embrace.
eucheysoun, *sb.,* 50,112 *grund,
  veranlassung.*
encombre, *v.,* 61,1139 *in bedräng-
  nis bringen; ne.* encumber.
encrese, *v.,* 65,64 *wachsen, zu-
  nehmen; ne.* increase.

end *s.* endian, ond.
ende, *st. m.,* 9,365; *me.* ende 32,
  393; ænde 34,14001; honde; end
  62,8 *ende; ne.* ond.
endebyrdnes(s), *st. f.,* 16,35
  reihenfolge, ordnung; þurh e. 16,
  20 *der reihe nach.*
endelêas, *adj., me.* endelies 32,
  143; endles 59,2 *endlos, ewig;
  ne.* endless.
enderdai, þise., *adv.,* 45,89 *neulich.*
endestæf, *st. m.,* 8,610 *ende.*
endian, *schw. v.,* 9,83; *me.* enden
  33,34; ende 59,4; *p. p.* ent 48,38
  (be)enden, vollenden, aufhören; ne.
  end; *vb.-sb.* endung, *st. f.,* 19a,20;
  me. ændeng(e) 19c,20; ondinge
  32,120; ending 47,998; ondyng
  48,221 *ende; ne.* ending.
ending *s.* endian.
ondlang, *adv.,* 69,167 *entlang, der
  länge nach.*
endleofta, *zahlw.,* ændleofta 28,
  34 *elfte.*
endles, endless *s.* endelêas.
ondlufun, *zahlw.,* 19b,16; *nh.*
  ællefne 19a,16; *merc.* enlefan
  19d,16; *me.* endlefan 19c,16; en-
  leuene 19e,16; ændleofon 28,35;
  ?allevin 71,21 *elf; ne.* cleven.
endung *s.* endian.
endure, *v.,* 63,27; induyr 67,148
  dauern, währen, ertragen; ne. en-
  dure.
ene, enes *s.* æfon, êne, êage.
engel, *st. m.,* 8,644; *me.* ængel
  19c,5; angel 39,1335; *pl.* engles
  33,5; *gen.* engle 32,376; englene
  37,16 *engel.*
Engle, *volksn., pl.,* 15,54 *Angeln.*
englisc, *adj.,* 14,16; *me.* englissc
  37,167; englissh 36,14; Inglis
  57,26 *englisch; ne.* English.
engliscgereorde, *st. n.,* 16,7
  englische sprache.
Englond, *eigenn.,* 51,9; Engla-
  land 27,6; Engelond 51,21; Engo-
  lond 51,38; Ingelond 48,11; Ing-
  lond 48,65; Yngland 71,34 *Eng-
  land.*
eni *s.* ænig.
enlefan, enlevene *s.* endlufun.
enmy, *sb.,* 58,82 *feind; ne.* onemy.
enoghe *s.* genôh.
ensample, *sb.,* 69,172 *beispiel;
  vgl. ne.* example.
ensele, *v.,* 48,48 *versiegeln.*

e n s p i r e, *v.,* 69,168 *einflößen, eingeben; ne.* inspire.

e n t = ended *s.* endian.

e n t e n t, *sb.,* 59,27 *absicht; sinn; ne.* intent.

e n t e r i n g, *vb.-sb.,* 62,20 *das eintreten, eingehen; ne.* entering.

e n t y s e, *v.,* 67,37 *versuchen, verführen; ne.* entice.

e n u y, *sb.,* 67,51 *neid; ne.* envy.

e n y *s.* ænig.

ê o d e, *def. v.,* 16,22; *fehlerh.* 19a,7; *pl.* êodon 11,132; êodun 13,1; êodan 15,3; *me.* eode 33,10; hede 46,380; *pl.* ooden 28,29 *ging.*

e o d o r c i a n, *schw. v., p. präs.* eodorcendo 16,68 *wiederkauen.*

o o m *s.* êam.

o o m, *def. v.,* 6,2; *mere.* cam 7,167; *nh.* am 19a,20; *me.* eom 32,4; æm 32,1; ham 34,13831; am 40,59; *ne.* am; *2. sg. s.* cart; *3. sg.* is 5,1; ys 21,15; *me.* is 32,17; ys 32,7; iss 36,1; his 32,68; es 45,21; *negiert* nis 32,239; *ne.* is; *plur.* sindun 13,5; sind 13,17; synd 17, 128; sint 17,27; siendon 14,78; syndon 15,186; siudon 17,9; *k.* siondon 12,46; siondan 12,7; *me.* sunden 32,286; seoð 34,13846; *kj. sg.* sie 3,2; si 21,48; sig 21,18; sŷ 17,101; *nh.* sê; *me.* si 32,118; *plur.* sîen 12,41; sîn 21,48; *me.* seon 34,13837 *sein; vgl.* bêon *und* wesan.

e o r c n a n s t â n, *st. m.,* 9,603 *edelstein.*

ê o r e d c i e s t *s.* êorodcist.

e o r l, *st. m.,* 9,251; *me.* eorl 35,74A; herl 35,74B; erl 44,31; erle 48,14; orld 61,1105; *mit. art.* þerl 44,178 *edler mann, graf; ne.* earl.

e o r n a n, *st. v.,* iornan 19a,8; yrnan 17,146; *mere.* cornan 19d,8; *me.* ornen, ærnen 34,13999; renne 46,281; ryn 67,101; rynne 69,171; *3. sg. präs.* irnð 17,4; *p. präs.* irnende 17,7; *prät.* arn 22,30; *me.* orn 40,65; ron 56,3; ran 61,1119; *plur.* urnon 11,164; *me.* urnen 19c,8; vrnen 40,73; *p. p.* urnen 9,364 *rinnen, fließen, rennen, laufen; 33,21 auswerfen; ne.* run.

c o r n o s t e, *adv.,* 11,231 *eifrig, heftig.*

ê o r o d c i s t, *st. f.,* 18,42; êoredciest 9,325 *schar, haufe.*

e o r r e *s.* yrre.

e o r þ b i f u n g, *st. f.,* 19b,2; *me.* oord-befiunge 19c,2 *erdbeben.*

e o r ð e, *schw. f.,* 7,200; eorþe 9,331; *dat.* eorðo 19a,18; *me.* eorðe 32,75; erþe 36,60; eorþe 40,1; erthe 49,4; erth 67,42 *erde; ne.* earth; *me.* erthe mouyng 19c,2 *erdbeben.*

e o r ð h r o e r n i s s e, *st. f., nh.,* 19a,2 *erdbeben.*

c o r ð l i c, *adj.,* 28,5; *me.* eordlich 32,153; erthely 49,11 *irdisch; ne.* earthly.

e o r þ s t y r e n n i s, *st. f., merc.,* 19d,2 *erdbeben.*

e o t e n *s.* etan.

c o u, c o u r e, c o u w e r, êow *s.* gê.

o o w d e, *st. n., (gen. -es)* 15,13 *herde.*

ê o w e r *s.* gê.

E o w l a n d, *st. n.,* 17,151 *die insel Oeland.*

e o ð r e *s.* ôðer.

e p i s t i l (l), *sb.,* 71,27 *brief; ne.* epistle.

e r *s.* hêr, ær, cart.

o r e *s.* ær, êare, eart.

e r o d e *s.* erian.

e r e s t *s.* ærest.

E r o w y n, *fluß- und ortsn.,* 66,369; *ne.* Irvine.

e r f e w o r ð n i s *s.* yrfeweardnes.

e r i a n, *schw. v.,* 17,104; *prät.* erede 17,95 *pflügen, bauen.*

e r l, o r l d *s.* eorl.

e r l i c h *s.* ŵrlice.

o r l y s *s.* eorl.

o r m *s.* earm.

e r m i n e, *sb.,* 32,361; ermyn 69,161 *hermelin; nc.* ermine.

e r m i n g *s.* ierming.

e r m i t a g e *s.* hermytage.

o r m y n *s.* ermine.

e r m ô u *s.* iermðu.

o r n d e n, *v., prät.* ernde 55.30 *verkündigen, verschaffen; vgl.* ærende.

e r n e n *s.* eornan.

o r n e s t, *sb.,* hernest 46,230 *ernst; ne.* earnest.

o r n o s t l y, *adv.,* 69,172 *ernstlich, eindringlich, fest; ne.* earnestly.

e r n i n g o *s.* earnung.

e r r o u r, *sb.,* 59,46; erroure 48,57 *irrtum; ne.* error.

e r s b i s s h o p *s.* ærcebiscep.

o r t, e r t u *s.* eart.

e r t h e, e r þ e *s.* eorðe.

e s *s.* êom, hê.

e s c a d e *v.* âscian.

escapen, *c.*, ascapen 58,110; *prät.* scaped 48.129; eschapit 60,105; *p. p.* scaped(oute) 48,155; chapyt 66,427 *entlaufen, entrinnen, entfliehen; ne.* escape.
escen *s.* âscian.
eschove, *c.*, eschewe 62,29 *vermeiden; nc.* eschew; *vb.-sb.* eschevyng 62,18.
ese *s.* aise.
esol, *st. m.*, 10,2866 *esel.*
espie, *r., p. p.* (a)spide 69,159 *erblicken, erspähen; ne.* espy.
êst, *st. m. f., me.* este 32,359 *gunst, leckerbissen.*
est(er) *s.* êast(er).
estajt *s.* estat.
Estas, *eigenn., pl., st. m.*, 17,154 *die Esthen.*
estat, *sb.*, 64,26 *besitz;* astate 59, 21 *hoher rang;* estait 73,2 *staat; ne.* estate.
Estland, *ländern.*, 17,158 *Esthland.*
Est-mere, *eigenn., st. m.*, 17,155 *frisches haff.*
êswîc *s.* æswîc.
et *s.* æt.
etan, *st. r.*, 21,6; ettan 17,104; *me.* æten, eeten 33,87; ete 44,146; eten 46,279; *3. sg.* ytt 21,13; *merc.* iteð 13,14; *prät.* æt 21,56; *me.* ete, eit 70,17; *p. p.* eten, *me.* yeten essen, verzehren, als weide benutzen, abweiden; *ne.* eat.
ete *s.* æt, etan.
etferen *s.* ætforan.
eth *s.* êaðc.
ettan *s.* etan.
Eue, *eigenn.*, 32,173 *Eva.*
evel(e) *s.* yfel(e).
euen, even *s.* æfen, efne, efen.
euening *s.* efning.
euenliche, euenlyche, *adv.*, 35, 79 *gleichmäßig, genau.*
euenly, *adv.*, 67,258; *genau.*
eventid *s.* æfentid.
evenyng *s.* æfnung.
euer(e), ever(c), euerech, evereich, everi, overuych, everych *s.* æfre.
Euesham, *ortsn.*, 48,194; *ne. Evesham.*
evete *s.* efete.
eure *s.* gê.
evre *s.* æfer.
euyn, evyn *s.* êfen, efne.

e uþer *s.* æghwæðer.
ewill *s.* yfel.
excusation, *sb.*, 71,30 *entschuldigung; ne.* excusation.
exile, *r., p. p.* exild 48,240; exyled 64,17 *verbannen; ne.* exile.
exl *s.* caxl.
experience, *sb.*, 68,22 *erfahrung; ne.* experience.
expownd, *r.*, 67,440 *erklären, sagen, meinen; ne.* expound.
expresse, *r.*, 63,5; expres 67,13 *ausdrücken, erzählen; ne.* express.
extorcioun, *sb.*, 64,24 *erpressung; ne.* extortion.
eyзen *s.* êage.
cyme *s.* êam.
eyr *s.* heyre.
eþe, eðc *s.* êaðc.
êðel, *st. m.*, 6,12; *dat.* êðle 15,40; *nh.* êðel; *me.* eþel *erbsitz, erbe, heimat.*
eþelyng *s.* æþeling.
eðélturf, *st. f., dat.* eþeltyrf 9,321 *erbsitz, heimat.*
eþem *s.* æðm.
êðlete, *adj.*, 32.74 *leicht zu lassen, wertlos.*

F.

fable, *sb.*, 64,15; *pl.* fablis 59,34 *fabel, erdichtung; ne.* fable.
fæc, *st. n.*, 15,23 *zeitraum, zeit.*
face, *sb.*, 47,996; fas 47,1138 *gesicht, antlitz; ne.* face.
fâcen, *st. n.*, 7,207 *inst.* fâcne *list, betrug, bosheit.*
fâcenlice, *adv.*, 21,35 *betrügerisch.*
fæder, *m.*, 7,211; *me.* feder 32, 150; fader 47,1063; fadere 48,29; uader 50,8; *gen.* fæder 19b,19; *nh.* fadores 19a,19; *me.* fæder 19c,19; faderr 36,15572; fader 43, 112; federes 32,195; *dat.* fæder 9,610; *me.* feder 33,107; fadir 19,e19 *vater; ne.* father.
fæderlêas, *adj., me.* faderles 44, 75 *vaterlos; nc.* fatherless.
fâg *s.* fâh.
fêge, *adj.*, 9,221; *me.* fege, fæie 34,14038; feye 53,20 *dem tode verfallen, tot.*
fægen, *adj., me.* fagen 39,1343; fain 46,309; fayn 58,155; fawen, fawe 37,142 *erfreut, willig, gern; adv. me.* fain 51,64 *gern; ne.* fain.

fǣger, *adj.*, 9,85; *sup.* fœgrest 9,8;
kent. fêgorest 20,15; *me.* feir 32,340;
feier 37,137; ueir 37,150; fair(e)
43,22; fayr 44,111; uayre 50,19;
komp. fairer 43,9; *sup.* fœrest, fai-
rest 34,13797; fœirest 34,13894;
feirest 34,13962; feyrest 53,29;
farest 67,79 *schön; ne.* fair; *sb. n.*
fœger, *me.* ueir 37,30 *schönheit.*
fǣgere, *adv.*, 23,22; fǣgre 9,328;
me. fæire, fnire 34,13820; ueire
37,152; fayre 67,255 feier *schön,*
freundlich, gehörig.
fǣgerhâd? *sb., me.* fairhede 43,
85; uayrhede 50,16 *schönheit.*
fægnian, *schw. r.*, fagnian, *me.*
fainen, fawnen, *prät. pl.* fægno-
don 22,21 *sich freuen; ne.* fawn.
fâh, *adj.*, 9,595 *feindlich; sb., me.*
fo 32,189; fa 60.86; *pl.* fan 38,19;
foos 44,67; fais 60,42; fon 61,
1141 *feind.*
fâh, *adj.*, 8,571; *instr. pl.* fâgum
11,194; *me.* foh, fow *bunt, befleckt;*
me. sb., fah 32,361 *buntes pelzwerk.*
faht *s.* feohtan.
fai, *sb., glauben;* par ma fai 46,
436; par ma fay 47,1024; by
my fay 61,1143 *meiner treu; vgl.*
faithe.
fæie *s.* fǣge.
fail *s.* failen.
faile, *sb.*, 44,179; faylle 67,149
fehl, irrtum; ne. fail.
failen, *r.*, 41,7; fail 51,80; faylle
67,274 *(ver)fehlen, mangeln, im*
stich lassen; ne. fail.
fain *s.* fœgen.
fair *s.* faran.
fair(e), fæir, fairer, fairest,
fæirest *s.* fœger.
fairhede *s.* fœgerhâd.
fairly, *adv.*, 71,36 *hübsch, tüchtig;*
ne. fairly.
fairnesse, *sb.*, 48,89 *schönheit;*
ne. fairness.
fais *s.* fâh.
faithe, *sb.*, 62,23; fath 60,88; feith
65,59; faith 66,399; fayth 67,228
glauben, treue; ne. faith; *vgl.* fai.
faithfull, *adj.*, 72,11,3; feithfull
65,60 *treu, aufrichtig, zuverlässig;*
ne. faithful.
faithfully, *adv.*, 59,78 *getreu-*
lich; ne. faithfully.
fal'd, *sb. geschl.?, Ep.* falaed, 1,5
hürde, stall; me. ne. fold.

fale *s.* fela.
fale, *adj., wohlfeil; me.* be fale of
58,92 *wenig wert beimessen.*
fall, *sb.*, 69.172 *fall; ne.* fall.
falle, falleð *s.* feallan.
fallow *s.* felawe.
fallyng *s.* feallan.
fals, *adj., me.* fals 57,21; falso
59,18 *falsch, unwahr; ne.* false;
st. n., 59,41 *unwahrheit.*
falsdom, *sb.*, 46.65 *falschheit, un-*
wahrheit.
falsete, *sb.*, 46,101 *falschheit; ne.*
falsity.
falshed, *sb.*, 59,34; falset 71,43
unwahrheit, falschheit; ne. false-
hood.
Falster, *ländern.*, 17,147 *eine*
dänische Insel.
falu *s.* fealo.
fame, *sb.*, 67,141 *ruf; ne.* fame.
fêmne, *schw. f.*, 7,175 *(junge) frau,*
jungfrau.
fan *s.* fâh.
fand *s.* findan.
fandigan, fandian *s.* fondian.
fang *s.* fôn.
fantasye, *sb.*, 66,370 *gedanke,*
einfall; ne. fancy.
far *s.* feorr.
faran, *st. r.*, 9,326; *me.* faren 32,176;
naren 34,13860; færen 34,13874;
farenn 36,40; fare 44,51; vare;
fayre 67,255; fair 70,19; *prät.*
fôr 11,202; *me.* for 36,15543; fore
59,44; *p. p.* faren 59,29; ifaren
34.13994 *fahren, gehen, ziehen,*
verfahren; 46,173 *sich befinden;*
59,29 *vergehen; ne.* fare; how
fayre ye 67,190 *wie geht's dir?;*
fare welle! 67,238 *lebe wohl!*
fêran, *schw. v., me. prät.* ferde,
ferd 67,102; *p.p.pl.* ferde 45,29 *er-*
schrecken, sich fürchten; ne. fear.
fare *s.* faru.
fare welle *s.* faran.
faren, færen *s.* faran.
farest, fæerest *s.* fœger.
færh *s.* fearh.
fêrlic, *adj., me.* ferli 46,277; ferly
47,1119 *gefährlich, entsetzlich,*
wunderbar; me. sb., 59,95 *wunder,*
heldentat.
farman, *eigenn.*, 19d,20 *Farman.*
faerscribaen *s.* forscrîfan.
faru, *st. f., me.* fare 27,39 *fahrt;*
59,44 *verfahren; ne.* fare.

f a s *s.* face.
f a s t *s.* fæste.
f æ s t, *adj.,* 8,625; *fest (festgehalten);*
me. fast 56,30 *heftig;* 57,27 *in-*
ständig; ne. fast; on-uast, *adv.,*
34,14047 *nahe.*
f æ s t a n, *schw.,* *me.* fasten 58,
102 *festbinden; p. p.* fest 44,144
fesseln.
f æ s t a n, *schw. v., me.* faste 46,324
fasten.
f æ s t e, *adj.,* 7,166; *me.* faste 44,82
stark, schnell; ne. fast; *adv.* fæste
16,46; *me.* faste 44.144; fast 42,
63 *sehr rasch.*
f i e s t e n, *st. n.,* 11,143; *me.* fcsten
44,82 *festc.*
f æ s t e n, *st. n., merc. dat.* festonne
13.15; *me.* festen 32,147 *fasten.*
f a s t e n u. fæstan.
f i e s t e n d æ g, *st. m., kent.* festen-
dæg 12,20; *mc.* vestendaɜ *fasttag.*
f æ s t e n g e a t, *st. n.,* 11,162 *festungs-*
tor.
f æ s t n i a n, *schw. v.,* 8,654; *me.*
fæstnien 27,30 *befestigen; ne.*
fasten.
f æ t, *st. n.,* 8,574; *pl.* fatu; *me.* fat
47,1054; *pl.* faten 41,14 *gefäß;*
ne. vat.
f æ t e l s, *st. m.,* 11,127; *me.* fetles;
fetless *gefäß, behälter, sack.*
f a t h *s.* faithe.
f a t h o m, *sb.,* 67,521 *faden; wie ne.*
f i e t n i s s, *st. f.,* 21,46; fæðnyss
21,69; *me.* fatnesse; *fettigkeit;*
nc. fatness.
f æ t t, *adj., kent.* fētt 20,11; *me.* fat;
fet *fett, gemästet; ne.* fat.
f a u ɜ t *s.* feohtan.
f a u t e, *sb.,* 48,161 *fehler; ne.* fault.
f a v o u r e, *sb.,* 67,79 *gunst; ne.* fa-
vour.
f a w e *s.* fægen.
f a y *s.* fai.
f a y l l e *s.* failen.
f a y n *s.* fægen.
f a y n e d *s.* feyne.
f a y r *s.* fæger.
f a y r e *s.* faran.
f a y t h *s.* faithe.
f e *s.* feoh.
f c a *s.* fēaw.
f e a l d, *adj., me.* fealde 32,247
-fältig; bi foldis seuen 67,13;
dat. beo seofen fealden 28,8
siebenfach.

f c a l d a n, *st. r., me.* falden, fold
42,63; *prät.* fēold *falten, fällen;*
ne. fold; uɣealdinde stol, *sb.,* 50,
80 *faltstuhl, fauteuil.*
f e a l e *s.* fela.
f e a l o n e *s.* fealo.
f e a l l a n, *st. v.,* 23,54; *me.* fealle,
falle 32,178; uallen 37,111; ualle
50,106; fallen 53,20; *p. präs.* fal-
lyng 69,164; *prät.* feol(l) 15,79;
me. ful 34,13873; felle 48.170; feol
55.38; fell 59,95; *pl.* feollan 15,
79; *p. p. me.* feole 34,13873; yfalle
56,17; fallen 59,93 *fallen, stürzen;*
34,14003 *treffen;* 48,96 *sich er-*
eignen; 59,76 *zufallen;* f. apon
60,20 *überraschen.*
f e a l o, *adj.,* 6,1; *Ep.* falu 1,10;
akk. fealene 18,71; *me.* falow
fahl; ne. fallow.
f e a l o w i a n, *schw. v., me.* valuwen
37,89 *fahl werden, verwelken; ne.*
(veraltet) fallow.
f e a r h, *st. m., Ep.* faerh 1,18; *me.*
pl. faren *schwein, ferkel; ne.* far-
row.
f e a r n, *st. n.,* 1,8; *me.* fern *farn;*
ne. fern.
f e a r r a n *s.* feorran.
f ē a s c e a f t, *adj.,* 7,175 *verlassen,*
vereinsamt, elend, arm.
f ē a w, *adj.,* 14,15; *me.* few 32,104;
feaw 32,350; fiew(e) 32,345; fnne
57,29; fon(e) 57,28 *wenig, gering;*
ne. (a) few.
f e a x, *st. n.,* 8,591 *(haupt)haar.*
f e b l e, *adj.,* 69,169 *schwach; ne.*
feeble.
f e c c a n, *schw. v.,* 21,72; *me.* fecche
32,222; fech(e) 46,386; *prät. und*
p. p. fct(t) 47,994 *holen, erlangen,*
treffen; 48,222 *finden; ne.* fetch,
fet.
f e c c h e *s.* feccan.
f e c h t i n g e *s.* feohtan.
f ē d a n, *schw. v., me.* fede 44,100;
prät. feddo 65,62; *p. p.* fēded,
fēd 20,8; *me.* iuæd(de), ived 34,
13984; fedd(e) 49,35 *nähren, spei-*
sen, weiden; ne. feed.
f e d d e, f e d e, f e d e d *s.* fēdan.
f e d e r *s.* fæder.
f e e *s.* feoh.
f e e r *s.* feorr.
f e e s t, *sb.,* 67,454 *fest, freuden-*
mahl; ne. feast.
f e e t *s.* fōt.

fegerest *s.* fæger.
feghtande, feghte *s.* feohtan.
feht *s.* feoht.
feier *s.* fæger.
feind *s.* fêond.
feir *s.* fæger.
feire, *sb.,* **46,77** *jahrmarkt; ne.* fair.
feirest *s.* fæger.
feit *s.* fôt.
feith *s.* faithe.
fel *s.* fell, feallan.
fel, *adj., (in* wælfel), *mc.* fel(l), felle **59,82** *grausam, kühn; nc.* fell.
fela, *sb., adj. u. adv.,* **7,172;** *kent.* feola **12,32;** *me.* fele **32,9;** fale **32,10;** feale **32,70;** uel(e) **32,97;** feole **33,20;** ucole **37,9;** vele **43,** 58 *viel.*
fêlan, *schw. v., me.* felen **38,15;** fele **67,121** *fühlen, empfinden;* **58,121** *einsehen; ne.* feel.
felau(s) *s.* felawe.
felawe, *sb.,* **61,1126;** *schott.* fallow **70,11;** *pl.* felaus **48,156** *genosse; ne.* fellow.
feld, *st. m.,* **9,26;** *me.* feld(e) **32,** 344; feyld **66,427;** fild **59,45;** fyld **59,93** *feld;* **48,86** *schlacht-feld; ne.* field.
fele *s.* fela, fêlan.
feledes *s.* fylgan.
fell, *st. n.,* **17,99;** fel **8,591** *fell; me. ne.* fell.
fell, *sb.,* **70,2** *felsiges bergland; ne.* fell.
fell *s.* feallan.
felle *s.* fel, feallan.
fellen *s.* fyllan.
felloun, *adj.,* **60,102;** fellown(e) **66,372** *unmenschlich, grausam, schrecklich; ne.* felon.
felonie, *sb.,* **48,102** *bosheit, arglist, schlechtigkeit; ne.* felony.
felowship, *sb.,* **67,363** *gesell-schaft; ne.* fellowship.
felð *s.* fyllan.
femaylle, *adj.,* **67,152** *weiblich; ne.* female.
fen, *st. n. m., dat.* fenne **14,***schl-ged.*21 *sumpf, moor; me. ne.* fen.
fend, *v.,* **48,86** *verteidigen; ne.* defend.
fend *s.* fêond.
feng, *st. m.,* **9,215** *umfangen.*
fêng *s.* fôn.

Fenix, *st. m.,* **9,86** *der vogel Phönix.*
fenne *s.* fen.
fenyl, *sb.,* **52,18** *fenchel; ne.* fennel.
fêo, *s.* feoh.
fêogan, *schw. v., merc. p. präs.* figende **13,21;** *prät. pl.* fiodun **13,6** *hassen.*
feoh, *st. n.,* **17,174;** *me.* feoh **19d,12;** fe **44,44;** *gen.* fêos **17,176;** *dat.* fêo **17,181** *vieh, habe, gut, besitz-tum, geld;* fee **67,490** *nahrung; ne.* fee.
feohgesteald, *st. n.,* **8,685** *geld-besitz, schätze.*
feoht, *st. n., me.* feoht **32,246;** feht **34,14023;** fiht **34,14036;** uiht **37,60;** figt **39,1317;** fight **48,213;** fiȝt **61,1140** *kampf; ne.* fight.
feohtan, *st. v.,* **15,40;** *me.* fiȝte **45,22;** fight **48,182;** feghte **49,16;** fechte, fyghte **49,24;** fyhte **51,30;** fyght **67,138;** viȝte; *prät.* feaht, *me.* faht **38,19;** fauȝt **61,1130;** *pl.* fuhton. *me.* fuhten **34,14037;** foȝte **61,1132;** foght **59,45;** *p. p.* gefohten **11,122;** *me.* foȝt **61,** 1127 *fechten, kämpfen; ne.* fight; *davon inc.* viȝtinge, *vb.-sb.,* **50,85;** fechtinge **62,6** *kampf; ne.* fighting.
fêol *s.* feallan.
feola *s.* fela.
fêolan, *st. v., me.* felen; *merc. präs. konj.* fele **13,21** *haften.*
feole *s.* fela, feallan.
fêoll, feollan, feollen *s.* feallan.
fêond, *st. m.,* **8,573;** *merc.* fiond **13,27;** *me.* feond **32,219;** fende **47,988;** feynd **67,35;** feind **71,47;** *pl.* fŷnd **15,5;** find **22,58;** *merc.* fêond **13,7;** *me.* fund **32,279;** fen-des **58,82** *feind, teufel; ne.* fiend.
feondliche, *adv.,* **34,14037** *feind-lich, heftig.*
feor *s.* feorr.
feorh, *st. n. m.,* **6,19;** feorg **9,192;** *gen.* fêores **8,679;** *me.* vor *leben, lebendes wesen, seele.*
feorhcwalu, *st. f., akk.* -cwale **8,573** *lebensvernichtung, tod.*
feorhhord, *st. n.,* **9,221** *lebens-schatz, leben.*
feorm, *st. f.,* fyrm **22,75;** *me.* veorme, ferme *gastmahl, genuß, nutzen, gebrauch;* lytle fiorme ðara bôca wiston **14,32** *wußten*

*mit den büchern wenig anzu-
fangen.*
feormian, schw. v., 9,218 ver-
zehren, fressen.
feorr, adj. und adv., feor 9,1;
me. ueor 37,91; feorr 40,47; fer
42,4; uer 50,49; ferr(e) 50,95;
feer 65,59; far 70,2; komp. me.
fyrre 58,116; sup. firrest 17,57;
fern, weit, schr; ne. far; o fere
59,18 = ne. afar, bei weitem.
feorran, adv., 4,3b; nh. fearran
4,3a; me. ferren von fern.
fêorwertig s. fêowertig.
fêorða, zahlw., 10,2869; me. feorðe
38,27 vierter; ne. fourth.
fêos s. feoh.
fêoung, st. f., 15,12 haß.
fêower. zahlw., 8,679; me. fowr
38,32; fowwr(e) 36,4; four(e) 48,
126 vier; ne. four.
fêowerteogeða, schw. zahlw.,
15,114 der vierzehnte.
fêowertig. zahlw., 15,33; me.
feowerti; 28,4; feorwerti; (fehler)
28,51; fowwerti; 36,15594; fourti
46,324; uourti 50,104; fourty 67,
148 vierzig; ne. forty.
fer, adj., 43,151 unversehrt.
fer s. feorr, for, fŷr.
fêran, schw. v., 10,2849; me. feren;
prät. fêrde 15.201; me. uerde(n)
34,13879; ferde 45,29 fahren,
gehen; 38,10 wie es dort zuginge.
fêrblêd, st. m., 8,649 windstoß.
ferd, sb., 67,315 furcht.
ferd(e) s. fêran.
ferde, sb., 34,13954 schar.
fere s. gefêra, feorr.
fere, sb., 69,162 furcht; ne. fear.
feredon s. fergan.
ferefull, adj., 69,162 furchtbar;
ne. fearful.
feren s. gefêra, feorr.
fergan, schw. v., 6,13; ferian; me.
ferien, fere; prät. pl. feredon 26,27
tragen, bringen, schaffen, führen;
ne. ferry.
fergrunden s. forgrindan.
ferli, ferly s. fêrlic.
ferme s. feorm.
ferre s. feorr.
ferry, sb., 71,39 fähre; ne. ferry.
fers, st. n., 16,34; me. uers vers.
fersc, adj., 17,119 frisch, süß; ne.
fresh.
ferst s. fyrst.

feruent, adj., 67,8; adv., 67,77
heiß, inbrünstig, eifrig; ne. fer-
vent.
fest- s. fæst-.
festen s. fæsten.
fet s. fôt, feccan.
feter, st. f., fetor, me. fetter 44,
82 fessel; ne. fetter.
fette s. fôt.
fetten s. feccan.
few s. fêaw.
feye s. fæge.
feyld s. feld.
feynd s. fêond.
feyne, v., prät. fayned 59,34;
feynet 59,41; p. p. feynit 59,44
erdichten; ne. feign.
feyrest s. fæger.
fêþe, st. n., 6,2 gang.
fêðelâst, st. m., 11,139 gang-
(spur).
fêþemund, st. f., 6,17 ganghand.
feðer, st. f., 9,86, pl. fiþru 9,652
feder, flügel.
feðerfotetd, adj., 33,30 vier-
füßig.
fier s. fŷr.
fierst, st. m. f., first 14,60 frist,
zeit, aufschub; me. don afurst 32,
37 verschieben, zögern.
fiew(e) s. fêaw.
fîf, zahlw., 17,135; fl. fife 18,56;
me. fif 37,102; five; fiue 34,13861;
uiue 34,13993; fiwe 39,1284; fyue
40,34; vyue 61,1147; fyve 66,382
fünf; ne. five.
fîfta, zahlw., 28,21; me. fifte 33,
27; fifþe 34,13907 fünfter; ne.
fifth.
fîftene, zahlw., 17,156; me. fiftene
34,13855; fifteyn 67,443 fünf-
zehn.
fîftig, zahlw., 12,40; fiftteg 14,74;
me. fifti; fyfty 67,126 fünfzig;
ne. fifty; 12,40 psalmenabschnitt.
fifþe s. fifta.
figende s. fêogan.
fight, figt s. feoht.
fiʒte s. feohtan.
figure, sb., 63,25 gestalt, redefigur,
gleichnis, methapher; ne. figure.
fiht s. feoht.
fikelnesse, sb., 64,20 unbestän-
digkeit; ne. fickleness.
fil s. fyllan.
fild s. feld.
fille s. fyllo.

fille, *sb.*, **52**,18 *thymian.*
fillen(n) *s.* fyllan.
fin, *sb.*, fyn **44**,22 *ende; ne.* fine.
find *s.* feond.
findan, *st. r.*, **7**,184; *me.* finden **27**,40; finde **32**,52; fynde **44**,42; fynd **67**,99; *prät. sg.* fand **36**, 15556; fond **42**,40; faunde **46**, 407; *konj.* funde **32**,68; *pl.* fundon; funden **44**,56; *p. p.* funden **14**,47; *me.* ifunde **32**,177; founde **42**,1; fondon **48**,108; fonden **48**, 117; yfounde **51**,72; founden **59**, 66; fon **67**,503; found **69**,159; fundin **69**,169 *finden, verschaffen, besorgen, erfinden, dichten;* wæs funden **14**,47 *existierte.*
Finnas, *volksn., pl. m.*, **17**,107 *die Finnen.*
finta, *schw. m.*, **8**,606 *folge, ausgang.*
fiodun *s.* feogan.
fiond *s.* feond.
fiorm *s.* feorm.
fir *s.* fyr.
firas, *st. m. pl., dat.* **2**,9 *menschen.*
firen, *st. f.*, **7**,181 *sünde, freveltat, plage.*
firenlust, *st. m.*, **15**,10 *sündige lust, üppigkeit.*
fires *s.* fyr.
firgengät, *st. f., pl. Ep.* firgingaett **1**,12 *gemse.*
firmament, *sb.*, **67**,7 *firmament, himmelsfeste, himmel; ne.* firmament.
firrest *s.* feorr.
first *s.* fierst, fyrst.
firum *s.* firas.
fisc, *st. m.*, **12**,20; *me.* fisc **32**,83; fisch, fisch(e) **42**,7; fysches **58**, 143; fysche **66**,369; fysh **67**,3 *fisch; koll. fische; ne.* fish.
fiscaþ, *st. m.*, **17**,51 *fischfang.*
fiscere, *st. m.*, **17**,70; *me.* fischer **42**,5; fisschere **42**,64 *fischer; ne.* fisher.
fiscian, *schw. r.*, *me.* fisschen, fysche **66**,395 *fischen; ne.* fish.
fiue, five, fiwe *s.* fif.
fiþru *s.* feðer.
flán, *st. m.f.*, **11**,221; *me.* flon *pfeil, geschoß.*
flæsc, *st. m.*, **9**,221; *me.* flec **27**,41; fles **46**,327; nless **50**,7; flesh **63**, 19; flessch, flessh **65**,64; flesch(e) **69**,173 *fleisch; ne.* flesh.

flæsclic, *adj., me.* ulesslich **50**, 10 *fleischlich, leiblich; ne.* fleshly.
flæsclice, *adv., me.* flesliche **41**,5 *dem fleische nach, als mensch.*
flatter, *v.*, **71**,43 *heucheln, schmeicheln; nc.* flatter.
flaw *s.* flēogan.
flay(en), *r.*, **67**,380; fleien *verscheuchen, (er)schrecken.*
fle *s.* flēon.
flēah, *st. m.?, Ep.* **1**,19; *me.* flee *floh; ne.* flea.
flēam, *st. m.*, **8**,630; *me.* flem, *flucht; instr.* flēame **6**,13: mid flēame **18**,74 *flüchtig, fliehend.*
flec *s.* flæsc.
fled, fledde *s.* flēon.
flee *s.* flēogan.
fleich, *v., prät.* fleichit **71**,36 *hintergehen.*
fleien *s.* flay(en).
flēma, *schw. m.*, **18**,45 *flüchtling; me.* fleme; *adj.*, **52**,36 *verbannt, vertrieben.*
flēman *s.* flyman.
fleme, *v.*, *p. p.* flemed **48**,229; flemit **71**,44 *verbannen, vertreiben.*
fleme *s.* flēma.
flen, *v.*, **43**,88 *schinden; ne.* flay.
flēogan, *st. r.*, **9**,322; *me.* flye **49**,4; flee **49**,27; flyghe **49**,36; *prät.* flēah **11**,209; *me.* flaw **66**,405; *pl.* flugon, *p. p.* flogen, flon(e) **67**,487 *fliegen; ne.* fly; *vb.-sb.* fly(e)ghyng(e) **49**,30,31*u*.34 *flug.*
flēon, *st. r.*, *me.* fle **47**,1158; *prät.* flēah **6**,29; *pl.* flugon, *me.* flugen **27**,43; flozen, floʒe **34**,14041; fluʒen **34**,14042; *p.p.* flogen *fliehen (mischt sich mit flēogan); schw. prät.* fled **48**,130; fledde **68**,37 *(nach Laiek); nc.* flec.
flēowen *s.* flōwan.
fles(s), fless(e)h *s.* flæsc.
flet *s.* flett.
fleten, *v.*, *p. p.* flett **67**,436 *schwimmen (vgl. ne.* float).
flett, *sb.*, **67**,223 *fußboden, platz;* flet **46**,273 *halle.*
flett *s.* fleten.
flicce, *st. m.*, *me.* flicche; *pl. kent.* flicca **12**,18 *schinken; ne.* flitch.
fligt *s.* flyht.
fliker, *v.*, *p. präs.* flikering **69**,173 *flattern; ne.* flicker.
flitt, flittenn, flittis *s.* flutten.
flo *s.* flōwan.

flôc, *st. f.?*, *Ep.* flooc 1,18; *me.* floke *butte*; *ne.* flook, fluke.
flocc, *st. m.*, *me.* flok 44,24 *schar*; *ne.* flock.
flöd, *st. m. n.*, 18,71; *me.* flod 34, 13792; flode 48,152; *(pl.)* flood(is) 67,101; flude 73,20 *flut*; *ne.* flood.
floʒe, floʒen *s.* flêon.
flok *s.* flocc.
flonc *s.* flêogan.
floo *s.* flôwan.
flooc *s.* flôc.
flood(is) *s.* flôd.
flôr, *st. m. f.*, *me.* flor 36,15567; flur(e) 71,9 *flur, boden*; *ne.* floor.
flot, *st. n.*, 18,69; *me.* flot *schwimmen, seefahrt (vgl. ne.* float).
flota, *schw. m.*, 18,63; *me.* flote *schiff*; 60,15 *flotte*; *pl.* flotan 23, 72 *seeräuber.*
flour, *sb.*, 51,48; floure 48,14 *blume, blüte*; flur 43,15 *feines (weißes) mehl*; *ne.* flower, flour.
flôwan, *st. r.*, *me.* flowe 43,119; flo 67,101; floo 67,115; *p. präs.* flôwende 23,65; flowinde 38,6; *prät. pl.* flêowen 14, *schl.-ged.*5 *fließen, fluten; ne.* flow; *me. vb.-sb.* flowing 67,540 *flut.*
flude *s.* flôd.
fluʒon, flugen *s.* flêon.
flur *s.* flour.
flure *s.* flôr.
flutten, *v.*, flyt 67,223 *bewegen, (sich) rühren*; flittenn 36,40 *ziehen, eilen*; flitt(is) 73,18 *schwanken*; *prät.* flyt 67,17 *fliehen*; *p. p.* flitt 67,540; flyt 67,454 *hinwegfegen*; *ne.* flit.
flyc, fly(e)ghyng(e) *s.* flêogan.
flyht, *st. m.*, 23,71; flight 67,474 *flug, fliegen*; *ne.* flight.
flyhthwœt, *adj., gen.* flyhthwates 9,335 *flugschnell.*
flŷman, *schw. r.*, flêman 18,45; *p. p.* geflômod 18,64; *me.* flemed 48,229 *verjagen, in die flucht schlagen.*
flyt *s.* flutten.
flyttyng, *vb.-sb., das fortschaffen*; sall in our flyttyng ga 66,396 *soll mit uns fort, in unsern besitz übergehen; vgl.* flutten.
fnæst, *st. m.*, 8,588 *hauch, blasen, schnauben.*
fo *s.* fâh.
fô, fôð *s.* fôn.

fôddor, *st. n.*, 9,259 *futter, nahrung; me. ne.* fodder.
fode, *sb.*, 47,1055 *kind.*
fôdorþegu, *st. f.*, 9,248 *nahrung.*
foʒeles *s.* fugel.
foght, foʒt *s.* fechtan.
fol *s.* full.
fol(e), *sb.*, 46,115; fool 63,13 *tor, narr; ne.* fool.
folc, *st. n.*, 7,195; *me.* follc 36,15616; volk(e) 40,40; folc 44,89; folk 48, 212; uolk 50,85 *volk; pl. völker, leute, menschen; ne.* folk.
folcâgende, *sb. part., gen. pl.* 9,5 *volkbesitzend, herrscher.*
folcking, *st. m.*, 84,13818 *volkkönig.*
folcstede, *st. m.*, 18,82 *volksstätte, kampfplatz.*
folctoga, *schw. m.*, 11,194 *volksführer, fürst.*
foldbûende, *p. präs., dat. pl.* 14, *schl.-ged.*2 *erdbewohner.*
folde, *schw. f., fl.* foldan 16,44; *nh.* foldun 2,9; *me.* folde *erde.*
foldwæstm, *st. m.*, 9,654 *erderzeugnis, erdgewächs.*
foldweg, *st. m.*, 10,2873 *erdweg.*
fole, *adj.*, 48,74 *dumm, töricht; 58: 122 pl.?* oder [in] f., *sb., torheit.*
fole, *sb.*, 48,74 *füllen.*
fole, *sb., pl.* folcz 58,121 *tor; ne.* fool.
folewe *s.* folgian.
folgian, *schw. r.*, 9,591; *me.* folʒon 32,14; folewe 46,350; follow 73,12 *folgen, verfolgen*; follʒhenn 36,71 *durchführen; ne.* follow.
folie, *sb.*, 41,45 *sünde, torheit*; 47, 1076 *unzucht*; 48,79 *tollkühnheit; ne.* folly.
folk, follc *s.* folc.
follʒhenn, follow *s.* folgian.
folm, *st. f.*, 10,2906; folme, *schw. f.*, 23,21 *hand.*
folvellet *s.* fullfyllan.
fôn, *st. v.*, *me.* fon(e) 85,88; fong 42,36; fang 67,245; *3. pl. präs.* fôð 17,92; *prät.* fêng 14,20; *me.* feng, venk 40,4; *p. p.* fon, fanggen 15,85; *nh.* gefoen 19a,15 *fangen, fassen, greifen, empfangen, anfangen*; tô rice f. 14,20 *die regierung antreten.*
fon *s.* fâh, fêaw, findan.
fond, fonden *s.* findan.
fonde *s.* fondian.

f o n d i a u, *schw. v.*, fandian 17,52; fandigan 21,33; *me.* fonde 46, 241 *versuchen, erproben;* 43,153 *erleiden, sich überzeugen; mc.* fonde after 61,1121 *fragen nach;* uondi of 50,104 *zu etwas zu verführen suchen.*

f o n e *s.* fâh, fêaw.

f o n g *s.* fôn.

f o o *s.* fâh.

f o o t o *s.* fôt.

f o r, *präp.*, 19d,4; fore 8,1; *me.* for 32,16; fore, fer *vor, wegen;* forr 36,15611; vor 37,89; uor 50,67; ffor 56,34 *um willen;* uor 87,18; for 46,35 *für, anstatt;* 46,112 *bei;* 55,5 *nach;* 9,344 *als; ne.* for; for dred 47,1129 *aus furcht;* for no þyng, for non auȝt 42,46 *um keinen preis; mit oder ohne* þe: forðǽm 14,32; for þâm 21,37; forþon 6,12; forðon 13,11; for þen 46,185; forðȳ 14,52; *me.* for þi 32,238; forði 33,5; forrþi 36, 17; forþy, for thy 49,24; forr þatt 36,31 *deshalb; me.* forrwhi 36,99; forquhy 73,11 *weshalb;* for ðǽm (þâm); *me.* vor þct, forðon 33,42 *denn; konj.* for 33,93; forr 36,7; vor 87,15; uor 50,27 *weil, denn;* 19c,13 *daß; präp.* forto 44,17; uor to 50,15; forr to 36, 15561; forte 42,44 *zu, um zu; konj.* vort 87,64 *bis; s.* tô.

f o r, *st. f.,* 10,2860 *fahrt; ne.* fore.

f o r a n, *adv., me.* foren; foran tô 12,31 *vor;* 12,34 *vorher.*

f o r b æ r n a n, *schw. v.,* 10,2858; *me.* forbernen, *p. p.* forbærned 17,193 *verbrennen.*

f o r b a r r e, *v., p. p.* forbarred 48,46 *versperren, ausschließen.*

f o r b ê o d a n, *st. v., 3. sg. präs., me.* forbut 32,303; *prät.* forbêad, *me.* forbod 39,1329 *verbieten; ne.* forbid.

f o r b e o r n a n, *st. v., prät.* forborn 8,587 *verbrannt werden.*

f o r b e r a n, *st. v., 2. sg. prät. me.* uorbere 37,106; *p. p.* forboren 37,109 *nachsicht haben mit jem.; ne.* forbear.

f o r b o d (e), *sb.,* 43,78 *verbot.*

f o r c e o r f a n, *st. v., me.* forkerven; *prät.* forcearf 22,65 *abschneiden.*

f o r d ê m a n, *schw. v., me. p. p. pl.* fordemde 32,270 *verurteilen.*

f o r d i l i g i a n, *schw. v., p. p. pl.* fordiligade 15,96 *vertilgen, ausrotten.*

f o r d ô n, *unreg. v., me. p. p.* fordon 32,270 *zugrunde richten; ne.* fordo.

f o r d r e n c a n, *schw. v., me.* fordrenche 32,330 *trunken machen.*

f o r e *s.* for.

f o r e b ȳ s n, *st. f., me.* uorbisne 50,15; uorbysne 50,56 *beispiel, muster.*

f o r e c w e ð a n, *st. v., p. p. pl. kent.* forecuaedenan 12,11 *vorher anführen, -bestimmen.*

f o r e g e n g a, *schw. m. f.,* 11,127 *diener(in).*

f o r o l i o r a, *nh., schw. r.,* 19a,7 *vorangehen.*

f o r e m ǽ r e, *adj.,* 11,122 *berühmt.*

f o r e s e c g a n, *schw. v., me. p. p. akk.* forsaide 45,72 *vorher erwähnen; vgl. ne.* foresaid.

f o r e s p r e c a n, *st. v., p. p. fl.* foresprecena 15,1 *vorher erwähnen.*

f o r e w a r d, *sb.,* 46,256 *vereinbarung.*

f o r g ân, *def. st. v., me.* forgaa 49, 28; forgon 52,35 *vorbeigehen, verzichten auf; ne.* forego.

f o r g e a f *s.* forgiefan.

f o r j e l d e n *s.* forgieldan.

f o r g i e f a n, *st. v.,* forgifan 8,729; *me.* forjiuen 32,213; *prät.* forgeaf 9,377; *p. p.* forgifen 10,2935 *vergeben;* 15,195 forgyfan; *prät. pl.* forgêafen 15,49 *verleihen, schenken; ne.* forgive.

f o r g i e f n e s s, *st. f., me.* forjiuenesse 32,298; uorjiuenesse 87, 110 *vergebung; ne.* forgiveness.

f o r g i e l d a n, *st. v.,* forgyldan 23, 32; *me.* forjelden 37,135; *p. p.* forgolden 11,217 *vergelten, bezahlen.*

f o r g i e t a n, *st. v.,* forgitan 21,76; *me.* forjute 32,25; forjite 32,34; *p. p.* forjyte 32,98 *vergessen; ne.* forget.

f o r g i f a n, *s.* forgiefan.

f o r g i t a n, *forjite s.* forgietan.

f o r g l o p n i d, *p. p.,* 45,24 *erschreckt.*

f o r g n a g a n, *st. v., me.* forgnaȝe 61,1148 *zernagen, zerreißen.*

f o r g o l d e n *s.* forgieldan.

f o r g o n *s.* forgân.

f o r g r i n d a n, *st. v., p. p.* forgrunden 9,227; fergrunden 18,86 *vernichten.*

forgrôwan, *st. r.*, *verwachsen;*
forgrowe *(p. p.)* in his vysage
65,63,2 *durch einen bart unkennt-*
lich geworden.
forgrunden *s.* forgrindan.
forgult *s.* forgyltan.
forȝute *s.* forgietan.
forgyldan *s.* forgieldan.
forgyltan, *schw. v., schuldig ma-*
chen; p.p.me. forgult 33,23 *schuldig.*
forȝyte *s.* forgietan.
forhâtan, *st. r., me. p. p.* forhaten
28,22 *verheißen, versprechen.*
forholan, *st. r., p. p. me.* forhole
32,77; forholen 46,237 *verhehlen,*
verheimlichen.
forhergian, *schw. v., p. präs.* for-
hergiende 15,79; *p. p.* forhergod
14.29 *verheeren.*
forhogde *s.* forhycgan.
forhogdniss, *st. f.*, 16,8 *verach-*
tung.
forhogedon *s.* forhycgan.
forhole(n) *s.* forhelan.
forhtigan, *schw. v.*, 15,121; *p.*
präs. pl. forhtiende 15,88; *prät.*
pl. forhtedon 28,21 *fürchten.*
forhtmôd, *adj.*, 6,13 *furchtsam.*
forhtniss, *st. f.*, 21,54 *furcht.*
for-hwaga, *adv.*, 17,176; for-
hwæga 17,181 *wenigstens.*
forhwierfan, *schw. v., kent. p. p.*
forhwerfed 20,29 *verkehren.*
forhycgan, *schw. r., prät.* for-
hôgde 8,620; *pl.* forhogedon 15,
213 *verachten.*
forlǽtan, *st. v.*, 7,208; *me.* for-
lǽte 32,341; forlete, *3. sg. präs.*
ind. kent. forlêt 20,41; *me.* forlet
32,354; *p. präs. dat. kent.* forlê-
tendum 20,5; *prät.* forlêt 16,23;
p. p. forlǽten 14,37 *verlassen,*
verlieren, zurücklassen, aufgeben,
unterlassen; in forlǽtan 11,150
hineinlassen.
forlêosan, *st. r., me.* forle(o)sen,
prät. sg. forlêas, *pl.* forluron, *p. p.*
forloren 14,*schl.-ged.*30; *me.* for-
loren(e) 32,106; uorloren 37,74;
forlore 47,11168 *verlieren, zu*
grunde richten; here treothes f.
27,13 *brechen.*
forlesc, *schw. v.*, 32,180 *erlösen.*
forlet, forlêt(endum) *s.* for-
lǽtan.
forma, *adj.*, 19b,1; *me.* formeste
28,1; *gen.* formes 32,195 *erster.*

forme, *sb.*, fourme 50,10 *gestalt;*
ne. form.
formen, *r., prät.* formed 58,92
bilden, schaffen; ne. form.
formest *s.* forma.
fornâman *s.* forniman.
fornicacion, *sb.*, 50,104 *un-*
keuschheit; ne. fornication.
forniman, *st. r., prät.* fornôm
8,675; *pl.* fornâman 15,76; *p. p. pl.*
fornumene 15,82 *hinraffen.*
fornôm, fornumen *s.* forniman.
forquhy *s.* for.
forrow, *präp.*, 60,18 *vor.*
fors, *sb.*, force *gewalt; ne.* force:
ma na fors 60,85 *sich nichts*
daraus machen.
forsacan, *st. r., me.* forsake 53,
19 *entsagen, aufgeben; prät.* for-
sook 65,61,1 *ausschlagen;* uorsoc
37,99 *im stiche lassen; p. p.* for-
sacan 28,27 *verleugnen; ne.* for-
sake.
forsacung, *st. f.*, 28,26 *verleug-*
nung.
forsaide *s.* foresecgan.
forsape, *v.*, 46,369 *verwandeln,*
verzaubern.
forsæt *s.* forsittan.
forsceâdan, *st. r.*, 14,*schl.-ged.*29)
verschütten.
forscrîfan, *st. v., Ep. p. p.* faer-
scribaen 1,4 *verurteilen.*
forsêon, *st. r., 3. sg. präs. ind.*
kent. forsiôð 20,12 *verachten.*
forsittan, *st. r., me.* forsitten;
prät. forsæt 10,2859 *unterlassen*
(mit instr.).
forsoth(e), for soðe(soþe) *s.*
sôð.
forspendan, *schw. ê.*, 17,190 *ver-*
ausgaben, verschwenden.
forst, *st. m.*, 9,15; *me.* uorst 37,38
frost; ne. frost.
forst *s.* fyrst.
forstelan, *st. v., me.* forstelen,
prät. forstæl 21,62; *pl.* forstælan
19b,13; *nh.* -stêlun 19a,13; *mere.*
-stælen 19d,13; *me.* -stælen 19c,13
wegstehlen.
forstondan, *st. r., me.* forstan-
den; *prät.* forstôd 14,71 *verstehen.*
forsuth *s.* sôð.
forswelgan, *st. r., konj. präs. sg.*
forswelge 13,22 *verschlingen.*
forswerian, *st. v., falsch schwö-*
ren; ne. forswear; *p. p. me.* for-

sworen 27,12; forsworn 57,21 meineidig.
fort, konj., vort 37,64 bis (vgl. for).
forte s. for, forð.
forth s. forð.
forto s. for und tô.
fortoun, sb., 71,31 schicksal; ne. fortune.
fortunate, adj., beglückt, glückbringend; goddesse fortunate 69,168 glücksgöttin.
forw s. furh.
forwaken, v., überwachen, p. p. forwake 53,31 überwacht, ermattet.
forweorðan, st. v., p. p. akk. m. forwordene 28,2 zu grunde gehen, verderben.
forwiþ þan, adv., 45,34 vorher.
forwordene s. forweorðan.
forworhtum s. forwyrcan.
forwrēgan, schw. v., me. forwreȝen 32,97 anklagen.
forwundian, schw. r., p. p. forwundod 4,4b verwunden.
forwyrcan, schw. v., p. p. dat. sg. forworhtum 8,632 verwirken, verlieren.
forwyrd, st. f., n., 15,96 vernichtung, untergang.
forwyrnan, schw. v., konj. präs. pl. forwyrnen 8,665 verwehren.
forð, adv., 11,191 vorwärts; 15, 100; me. forð 34,13862; uorð 34, 13866; vort; forþ 46,397; forth 48,102; furth 70,2 fort; 7,211; forð 34,14042 hinfort; 10,2873; 34,13812 (da)hin; 17,66 weiter; 16,7; 48,112; fourth 60,112; forth 64,27 hervor; forþe 45,80 fernerhin; ne. forth; forð mid 33,60 zugleich mit; komp. furður 14,61; furðor 14,62; forðere 39,1304 fürder, weiter; ne. further.
forðeode, def. prät., ging vor.
forðgangan, st. v., 26,3 fortgehen.
forþe s. forð.
forþi s. for.
forþinken, schw. v., 46,139 mißfallen.
forðon, forþon s. for, furðum.
forðrihtes, adr., 34,13997 geradenweys.
forðsið, st. m., me. norðsið(e) 37, 117 weggang, hingang, tod.
forðyrnan, st. r., p. präs. dat. sg. f. forðyrnendre 15,106 ablaufen.

fôt, m., me. fot 39,1303; pl. fêt 10, 2902; merc. nh. foet 19a,ð,9; me. fet 33,15; feit 66,404; fete 69, 159; dat. pl. fôtum 10,2855; me. fote, uot(e) 37,155; foote 42,44; fette 49,4 fuß; ne. foot.
foting, sb., 69,163 tritt, halt für den fuß; ne. footing.
fotte, v., 45,92 holen; rgl. feccan.
foul s. fugel, fûl.
foule s. fûl.
foulle s. fugel.
foundande s. fundian.
founde(n) s. findan.
four s. fêower.
fourme s. forme.
fourscore, zahlw., 51,28 achtzig; ne. fourscore.
fourtend, zahlw., 48,125 vierzehnter; vgl. fêower-teogeða.
fourth s. forð.
fourti s. fêowertig.
fous s. fûs.
fowhel, fowl, fowlle s. fugel.
fow(wer)r, fowwre s. fêower.
fra, präp., 36,37; fro 58,108 von; fra thine 66,380 von dort; konj. fra 60,56 seit.
Fræa s. Frea.
fræcne s. frêcne.
fracoð, adj., 7,195 verhaßt, verabscheut.
frairis s. freir.
fraisten, r., fraist 59,97; frast(en) 67,183 prüfen, erforschen, fragen.
fram s. from.
Francan, volksn., pl. gen. Francena 15,166 Franken.
Francland, ländern., 15,156 land der Franken.
frast s. fraisten.
frætewian, schw. r., me. fretien; p. p. gefrætwad 9,585 schmücken; ne. fret.
frætwe, pl. st. f., 9,257 zierde, schmuck; 9,200 schätze.
Fraunce, ländern., 51,33 Frankreich; ne. France.
fray, sb., 67,184 unruhe, zwist, zank; ne. verall. fray.
frayne s. frignan.
fro s. frêo.
Frea, eigenn., Fræa 34,13917; dat. Freon 34,13931 Freyja.
frêa, schw. m., 2,9; flekt. frêan 9, 675; me. fre 67,310 herr.
freamsum s. fremsum.

frêcne, *adj.*, 8,724; frǣcne 15, 120 *furchtbar, schrecklich.*
fredom *s.* frêodôm.
freend *s.* frêond.
frêfran, *schw. r., me.* frevren; *merc. p. präs.* froefrende 13,31 *trösten.*
froind *s.* frêond.
freindlyk *s.* frêondlîce.
freir, *sb.*, 71,5; *pl.* frairis 71,22 *mönch; ne.* friar.
frely *s.* frêolîc.
from(e)de *s.* fremôe.
fremman, *schw. v., 3. sg. präs.* fremet 20,39; *me.* fremmen *fördern, vollbringen.*
fremsum, *adj., merc.* freamsum 13,24 *gütig.*
fremsumlîce, *adv.*, 15,193 *gütig, freundlich.*
fremsumness, *st. f.*, 16,80; *me.* fremsomnes *wohltat.*
fremôe, *adj.*, 13,12; fremde 15, 213; *me.* fromde 32,34; fremede 49,20; *schw. pl.* fremdan 17,191 *fremd.*
frenchype *s.* frêondscipe.
frend(es), frendys *s.* frêond.
Frenschemen, *volksn., pl.*, 61, 1152 *Franzosen; ne.* Frenchmen.
frenship *s.* frêondscipe.
frêo, *adj.*, 6,19; frio 14,57; frî, *me.* fre 42,22; vri 50,8; freo 54, 31; *komp.* freour 46,312 *frei, edel, edelmütig;* 46,339 *schön, anmutig; freigebig;* 46,34 *bereit; ne.* free; *sb.?, gen. pl.* frêora 6,19 *kinder?*
frêod, *st. f., akk.* frêode 7,166 *friede, liebe, freundschaft.*
frêodôm, *st. m., me.* fredom(e) 33,2 *freiheit,vorrecht; ne.*freedom.
frêolîc, *adj., akk. f.* frêolîce 7,187; *adv.*frêolîce 24,28; *me.*frely 63,11 *frei, edel, schön, lieblich, herrlich.*
frêond, *m.*, 17,168; *me.* freond 32,30; frend 54,47; freend 67, 118; freind 72,II,3; *pl.* frŷnd, frêond 18,81; frêondas; *me.* frund 32,183; freond(e) 32,220; ureondes 37,33; frendes 48,54; frendis 48,65; frendys 49,20; freyndis 70,36 *freund, verwandter; pl., verwandtschaft,freundschaft; adj. freundlich; ne.* friond.
frêondlîce, *adv.*, 14,2; *me.* frendli, froindlyk 72,13 *freundschaftlich,freundlich; ne.*friendly.

freondman, *sb., pl.* ureondmen 37,166 *verwandter.*
frêondscipe, *st. m.*, 20,38; *me.* freond-scipe 34,13804; frendship 67,121; frenship 67,362 *freundschaft;* frenchype 49,27 *verwandtschaft; ne.* friendship.
freour *s.* frêo.
freoþu, *st. m. f.*, 9,597 *sicherheit, friede, gnade, schutz.*
frosche, *adj.*, 69,160; fresse 48, 74; *adv., frisch. schnell, rasch; ne.* fresh.
frese, *sb., furcht;* no frese 67, 391 *ohne furcht, ohne zweifel.*
fresse *s.* fresche.
fretan, *st. v., me.* freton *fressen; ne.* fret.
freynd *s.* frêond.
frî *s.* frêo.
fricgean, *st.v.*, 10,2887 *(er)fragen, erforschen.*
frichte, *v., p. p.,* fricht 69,162 *erschrecken, einschüchtern.*
fricolo, *adv.*, 24,21 *inbrünstig (vgl. Engl. stud. XXXIX, 337 f.).*
fridæiȝ, *sb.*, 28,23; fridæi 34,13932; friday 34,13930 *freitag; ne.* Friday.
frignan, *st. v., me.* frayne 59,97 *fragen.*
frigti fagen, 39,1331 *(hs.) fürchterlich (d. h. sehr) erfreut?*
frimô *s.* frymô.
frio *s.* frêo.
Frisan, *volksn., schw. m.pl.*, 17,15 *die Friesen.*
Frise, *ländern.,* Fryse 63,23 *Friesland.*
Frisland, *ländern.*, 17,16 *Friesland.*
friô, *st. m. n.*, 23,39; *me.* fryþ, frit 35,92; friþþ 36,69 *friede, ruhe, schutz.*
friôian, *schw. v., me.* friôie 38,4 *in ruhe lassen.*
fro *s.* fra.
frôd, *adj.*, 9,84; *schw. nom.* frôda 18,73 *klug, alt.*
frôfor, *st.f., gen.sg.*frôfre 7,207; *me.*frour(e) 40,28 *trost, hilfe.*
froefrende *s.* frêfran.
frog, *sb.*, 72,3 *weites obergewand; ne.* frock.
from, *präp.*, 9,353; fram 15,74; *me.* fram 32,232; urom 37,42; vrom 37,154; from 46,97; uram

17*

50,49 *von; 13,8 ror (bei åhŷdan)*;
ne. from.
f r o m e *s.* fruma.
f r o m l i c e, *adv.*, 6,17 *tüchtig,
mutig, rasch.*
f r o u r e *s.* fröfor.
f r o w a r d, *adj.*, 69,170 *verkehrt,
entgegenarbeitend; unsere über-
setzung der schwierigen stelle ist:
„obwohl dein anfang rückwärts
schreitend war (d. i. wegen der
gefangenschaft des königs), sei
dem widerstrebend entschlossen,
überdies (mit Wischmann:* thare
till*) klug* (aspert)*; nun sollen sie
(d. h. deine gegner) sich wenden
und auf den schmutz blicken (d. h.
in die grube fallen (anders Skeat,
2. aufl.)".*
f r u m a, *schw. m.*, 9,328 *anfang,
ursprung;* 15,51 *abstammung; me.*
atte frome 61,1104 *besonders.*
f r u m c e n n e d, *adj.*, 21,27; *me.*
frumkenned *erstgeboren;* mine
frumcennedan 21,61 *meine erst-
geburt.*
f r u m g â r, *st. m.*, 11,195 *vor-
kämpfer, fürst.*
f r u m s c e a f t, *st. f.*, 16,32; *me.*
frumschaft *schöpfung.*
f r u n d *s.* frêond.
f r u t e, *sb.*, 32,273 *kröte.*
f r y, *sb.*, 67,66 *same, nachkommen-
schaft; ne.* fry.
f r y ð *s.* frið.
f r y m þ, *st. f.*, 9,84 *anfang.*
f r y m þ e l i c, *adj.*, 15,210 *ursprüng-
lich.*
F r y s e *s.* Frise.
f u g e l, *st. m.*, 9,86; *me.* fugel 32,83;
foзel 43,131; fowhel 49,30; foul
52,6; fowle 67,3; foulle 67,156;
fowlle 67,472 *vogel; ne.* fowl.
f u g e l e r e, *st. m.*, 17,70 *vogel-
steller.*
f u g e l t i m b e r, *st. n.*, 9,236 *vöglein.*
f u g l a *s.* fugel.
f u g u l d a e g, *st. m.*, 12,19 *tag, an
dem man fleisch essen darf.*
f u h t e n, f u h t o n *s.* feohtan.
f û l, *adj.*, 22,6; *me.* ful 33,28; fule
37,94; foule 47,997 *faul, stinkend,
unrein; ne.* foul; *sb., unglück;* f.
mot зow fall 66,430 *u. möge euch
treffen.*
f u l *s.* full, feallan.
f u l e n d i e n *s.* fullendian.

f u l f r e m m a n, *schw. v., 3. sg. präs.
kent.* fulfremet 20,31 *vollbringen,
bewirken.*
f û l i a n, *schw. v.*, 17,196 *faulen.*
f u l l, *adj.*, 17,197; ful 8,612; *me.*
ful 32,251; full 36,10 *voll, voll-
ständig;* 32,219 *entschieden; adr.*,
full 25,23; *me.* full 36,8; ful 44,7;
fol 46,35; fulle 48,63 *sehr; ne.*
full.
f u l l e *s.* full, fyllan.
f u l l e n *s.* fyllan.
f u l l e n d i a n, *schw. v., me.* fulen-
dien 32,243 *vollenden.*
f u l l f o r þ e n n, *v., p. p.* fullforþedd
36,15597 *vollenden.*
f u l l f y l l a n, *schw. v., me.* fulfillen,
uoluele 50,34; fulfill 49,14 *voll-
füllen, erfüllen;* folvellen 41,13;
prät. uuluelden 41,17 *voll füllen;
ne.* fulfil.
f u l l i a n, *schw. v., 1. sg. präs. kent.*
fulliae 12,12 *erfüllen; ausführen.*
f u l l i a n, *schw. v.*, 15,227; fulli-
gean 19b,19; *me.* fullien 19c,19;
fulli,folwe; *nh.p.präs.*fulwvande
19a,19; *p. p.* gefullad *taufen.*
f u l l y, *adv.*, 67,131 *vollständig; ne.*
fully.
f u l n e *s.* full.
f u l p i n e t, *p. p. adj.*, 38,3 *genug
gemartert.*
f u l t u m, *st.m.*, 9,646; *me.* fultum;
dat. fultome 15,170 *hilfe.*
f u l t u m i a n, *schw. v., p. p.* geful-
tumod 16,13 *helfen, unterstützen.*
f u l w i h t, *st. n.*, 15,240 *taufe.*
f u l w v a n d e *s.* fullian.
f u l l w y r c a n, *schw. v., me. p. p.*
fullwrohht 36,15597 *fertig bauen.*
f u l ð *s.* fyllan.
f u l ð e *s.* fylð.
f u n d *s.* feond.
f u n d e *s.* fundian.
f u n d i a n, *schw. v., me.* funde 43,
105; *p. präs.* foundande 58,126
streben, eilen, sich wenden.
f u n e *s.* fêaw.
f u r b r e i d, *sb.*, 66,405 *breite einer
furche.*
f u r d e r *s.* forð.
f u r(e) *s.* fŷr.
f u r h, *f., dat. pl. Ep.* furhum 1,22,
me. furgh, forw *furche; ne.* fur-
row.
f u r l a n g, *st. n.*, 15,152 *achtelmeile;
ne.* furlong.

furren, v., p. p. furrit 69,161 ver-
bramen; ne. fur.
furth s. forð.
furð, furðor, furður s. forð.
furðum, adv., 14,16; furðon 15,
124; forþon 16,29 eben, gerade,
selbst, auch nur.
fûs, adj., nom. pl. fûse 4,3b; fûsæ
4,3a; me.fus, fous bereit zu gehen,
bereitwillig.
futtsyd, adj., 72,3 bis auf die
fäße reichend.
fyfti s. fiftig.
fyghte, fyhto s. feohtan.
fyl, st. m., 23,71 tod.
fyld s. feld.
fyl(i)gan, schw. v., 3. sg. präs. ind.
fylð 17,131; prät. me. felede 44,67
(ver)folgen.
fyllan, schw. v., 14,sehl.-ged.25; me.
fulle 32,348; fullen 46,239; fillo
67,180; 3. sg. präs. fulð 32,309;
imp. fil 44,14; prät. fylde 27,14;
me. fylde, p. p. gefylled 7,181;
gefyld, me. fillodd 86,15576 fül-
len, erfüllen; ne. fill.
fyllan, schw.v., 11,194; me.fellen,
felle 43,64; fulle; 3. sg. präs. kent.
felð 20,15; pl. iuæld für iuælð
34,14003; prät. fylde; yfelde,
p.p.gefylled fällen, niederwerfen,
töten; ne. fell.
fyllo, schw. f., flekt. fylle 9,371;
me. fulle fülle; fillo 67,207 „dein
reichlich teil"; ne. fill.
fýlð, st. f., me. fulðe 37,94; fylthe
49,15 unreinheit,schmutz; ne.filth.
fyn s. fin.
iýnd s. fêond.
fynde s. findan.
fýr, st. n., 8,591; fir 8,588; me.
fur(e) 82,43; fier 39,1307; for
41,36; fir 45,11; fyr(e) 60,25;
feuer; ne. fire.
fyrdwic, st. n., 11,220 lager.
fyrenfull, adj., 15,23 sündhaft;
vgl. firen(lust).
fyrhto, schw. f., fyrthu 16,78;
fyrihto 19a,4; me. frizt furcht,
schrecken; ne. fright.
fyrie, adj., 71,48; fyrrie feurig;
ne. fiery.
fyrm s. foorm.
fyrmest, adv., 17,3 am ersten, am
besten.
fyrngêar, st. n., 9,219 längstver-
flossenes jahr, vergangene zeit.

fyrngescoap, st. n., 9,360 alte
schickung, fügung.
fyrngosetu, st. n. pl., 9,263 alte
wohnung, früherer wohnsitz.
fyrngeweorc, st. n., 9,84 alt-
werk, früh vollendetes werk.
fyrro s. foor.
fyrrie s. fyrie.
fyrst, adj.u.adv., 17,92; me.forst
34,13835; forst 41,20; first 48,
207; uerst 50,90; furst 58,150;
fyrst 62,9 erster, zuerst; ne. first.
fyrstmearc, st. f., 9,223 festge-
setzte frist, bestimmte zeit.
fýsan, schw. v., 10,2860; me. fu-
son, prät. fýsde bereit machen,
(sich) rüsten.
fysch(e), fysh s. fisc, fiscian.
fyvo s. fif.

G.

gaað s. gân.
gabben, schw.v., 47,1071 betrügen,
lügen.
gad-, gæd- s. gead-.
gæde s. geéode.
gædrian, gadrod s. geadrian.
gaf, zœf s. giofan.
zæfenn s. giofan.
gafol, st. n., 17,95; gofol 23,61
tribut, abgabe.
gæfu s. giofu.
gaif(f) s. giofan.
gæild s. gield.
gain s. ongegn.
gaist s. gâst.
gait, sb., 70,29 straße, weg; ne.
gate.
gal- s. goal-.
galan, st. v., 8,629 singen.
gæliornise s. goltornis.
galwetre s. gealgtreow.
gam- s. gom-.
gam, gamen s. gomen.
gan s. ginnan.
gân, def. v., 11,149; me. gau 88,45;
gon 43,48; go 43,99; gaa 49,38;
ga 66,396; 1. sg. präs. ind. gâ,
2. gâst, 3. gêð, kent. gêð 20,6;
me.goþ 34,13872; gaþ 36,26; gaso
57,25; goth? 65,62; pl.gâð 13,40;
me. gaþ, gaa 49,38; konj. sg. gæ
19a,10; imp. sg. 2. gâ 21,32; me.
ga 45,60; go 47,1100; pl. 1. me.
ga we 32,339; 2. gâð, uh. gâað
19a,10; mere. gœþ 19d,10; me.

gaþ 36,15570; *p.p.* gegân 11,140; *me.* gon 46,76; ĵgon 46,80; gane 60,18; gone 67,181 *gehen;* 48,101 *gerichtet sein;* go forth 47,1100 *fortsetzen; ne.* go.

ganand, *adj.,* 66,382 *kleidsam.*

gane *s.* woua.

gang(e) *s.* gong, gongan.

ĵanne *s.* hwonne.

gar *s.* gearwian.

gâr, *st. m.,* 11,224; *me.* gar, gor *geer, speer, lanze; bildl.: kampf.*

gær *s.* gêar.

garen *s.* gearwian.

gârlêac, *st. n., Ep.* gârlêc 1,2; *me.* garlek *knoblauch; ne.* garlic.

gârmitting, *st. f.,* 18,99 *geerzusammentreffen, schlacht.*

garn, *sb.,* 67,298 *garn; ne.* yarn.

garnemont, *sb.,* 65,61,8 *kleidung; me.* garmont.

gârriês, *st.m.,* 23,32 *lanzenansturm, kampf.*

garris *s.* gearwian.

gârsecg, *st. m.,* 17,5 *ozean, weltmeer.*

gart *s.* gearwiau.

gârum *s.* gâr.

gase *s.* gân.

gæst, *st. m.,* 6,10; *me.* gest *fremdling, gast, feind: ne.* guost.

gâst, *st. m.,* 3,4; gæst 7,203; *me.* gast 33,95; gost 40,28; goste 69, 173; gaist 71,7 *geist, seele; ne.* ghost.

gâstcyning, *st.m.,* 10,2883 *seelenkönig; gott.*

gâstlic, *adj., me.* gastliĵ 36,82; gastli 38,23; gostlich 50,12 *geistlich, geistig; ue.* ghostly.

gâstlice, *adv., me.* gostliche 41, 43 *im geistigen sinne; ne.* ghostly.

gat *s.* gietau.

gæt *s.* giet.

gate *s.* geat, gietau.

gæten, *v.,* geten, get(e) 57,36 *sich hüten; p. p.* gett 45,105 *hüten, bewachen.*

gaude, *sb.,* 57,18 *list, sehlick.*

gave, ĵave(n), gawe *s.* giefan.

gay. *adj.,* 70,1 *munter; ne.* gay.

gaynlych, *adj.,* 58,83 *gnädig, gütig; vgl.* geyn.

gê, *konj.,* 11,166 *me.* ĵe, ĵa *und;* (ægðor, gehueder 12,44) gê...gê (...gê) 12,13 *sowohl ... als auch (...und).*

gê, *pers.-pron.,* 11,153; *uh.* giê 19a,5; *me.* ĵe 33,1; ĵeo 34,13837; ye 59, 42; ĵhe 66,385; yee 67,397 *ihr; gen.* êower 13,45; *me.* eouwer 34,13831; ĵure; *dat.* iow 14,*schl.-ged.*22; eow 11,152; gêow; *nh.* iuh 19a,7; *me.* eow 32,50; eou *(akk.)* 34,13835; ĵuw 36,51; yow 44,160; yu *(akk.)* 41,12; ĵou 19e,7; ĵu 45,83; ĵow 48,161; you *(akk.)* 63,26; *akk.* êowic, êow 11,188; ou 51,20; *uh.* iwih 19a,7; îuh 19a,20; *me. wie dat.; vom gen. poss.-pron.* êower 11,195; *flekt.* iowruun 14,*schl.-ged.*24; *me.* couwer 34,13831; æeourc, ĵoure 34, 13889; courc 34,13947; yure 44, 171; oure 51,20; ĵowre 57,8; *your* 63,31; youre 67,377; eure; ĵour 72,18 *euer, dein; ne.* ye, your.

ge-, *me.* ĵe- *beim p. p. s. einfaches verbum.*

gê, gêa *s.* iâ.

geador, *adv.,* 8,714 *zusammen;* æt gædere 4,2b; *uh.* æt gadre 4,2a; *me.* ætgadere; *ferner* tôgædre 9,225; tôgædere 15,45; *me.* togædere 28,31; togadere 34. 14021; togidere 41,19; togidre 48,181; togeder 67,292 *zusammen, beisammen; ue.* together.

geadrian, *schw. v.,* gædrian 9,193; *me.* gaderen, gederen (to) 58,105; gedren, gadere, gedre; *prät. me.* gadred 48,190; *p. p. me.* gadered 27,4; gedrid, gedret 59,86 *(ver)sammeln, zusammenkommen; ne.* gather; *me. vb.-sb.* gadering 27,6 *versammlung.*

gealga, *schw. m.,* 4,1b; *dat. uh.* galgu 4,1a; *me.* galwe 44,43 *galgen, kreuz; ne.* gallows.

gealgian *s.* geealgian.

gealgmôd, *adj.,* 8,598 *wütend, boshaft, zornig.*

gealgtrêo(w), *st. n., me.* galwetre 44,43 *galgen.*

gealla, *schw. m., mere.* galla 13, 32; *me.* galle 44,40 *galle; ne.* gall.

gæmetigian, *schw. v.,* 14,23 *frei machen von (mit gen.).*

ĵeanes *s.* ongegn.

gêar, *st.n.m.,* 9,258; *me.* gær 27,1; ĵer 32,142; ĵer(e) 43,98; yeir, ver(es) 59,12; yeer 65,64; ĵeir 71,32 *(pl.* ĵeiris) *jahr; ne.* year; gêara gongum 8,693 *im laufe der*

jahre; iû *(nicht* in!) gêara 15,222
voralters; thŷs gêri 1,10 *heuer.*
g e a r c i a n, *schw. v., me.* ʒeirken
37,49 *bereiten.*
g e a r d, *st. m.,* 9,355 *umfriedung,
gehege;* 7,201 *haus, gehäft, woh-
nung; ne.* yard.
g e œ r n a n, *schw. r.,* 17,185 *durch
laufen oder rennen erlangen.*
g e a r o. *adj.,* 15,141; *pl.* gearowe
23,72; *me.* ʒeruh 37,132 *bereit;
ne. (veraltet)* yare.
g e a r o. *adv.,* geara *ganz und gar,
genau.*
g e a r w e, *st. f. pl., me.* gere 67,245
gerät, werkzeug; 58,148 *takelage;*
ger 60,110 *rüstung; ne.* gear.
g e a r w i a n, *schw. v.,* 9,189; *me.*
ʒarwen, gar 46,281; gere, *prät.*
gearwode 21,21; *me.* gart 70,16;
p. p. gegearewod 11,199 *(zu)-
bereiten, rüsten, bauen;* 3. *sg. präs.*
garris 72,23 *machen, bewirken;*
garen 46,449 *zwingen.*
g e a t, *st. n.,* 11,151; *me.* ʒet(t) 70,20;
dat. merc. get 13,17; gete 28,31;
gate 42,52; ʒate 61,1116; *pl.* ʒettis
70,19; *tor, pforte; ne.* gate.
G ê a t a s, *volksn., pl. m.,* 15,51 *die
Jüten.*
g e a t w e, *pl. st. f.,* 26,22 *rüstung,
schmuck.*
g e œ þ e l e, *adj.,* 18,14 *angestammt.*
g e a x i a n, *schw. v.,* 3. *sg. präs.* ge-
axað 19b,14; *me.* geaxoð 19c,14
erfahren.
g e b æ r *s.* geberan.
g e b e d, *st. n.,* 13,18; *me.* ibede 32,
297; *pl.* gebedo 15,181 *gebet.*
g e b ê d e d *s.* bædan.
g e b ê g e d *s.* bigan.
g e b e l g a n, *st. v., p. p.* gebolgen
8,582 *schwellen, erzürnen.*
g e b ê o d a n, *st. v.,* 12,34 *melden.*
g e b e o r g, *st. n.,* 23,31 *schutz, ver-
teidigung;* wið gebeorge *um frie-
den zu erkaufen.*
g e b e o r g a n, *st. v., me. konj.* ibureʒe
33,39 *schützen.*
g e b ê o r s c i p e, *st. m.,* 16,19; *k.* ge-
biorscipe 20,9 *trinkgelage, gast-
mahl.*
g e b e r a n, *st. v., prät.* gebær 22,45
tragen; 7,205; *me. p. p.* ibor(e)n
37,23 *gebären.*
g e b ê t a n, *schw. v.,* 17,194 *büßen,
einen schaden gutmachen.*

g e b í d a n, *st. v., me.* ibide; *prät. pl.*
gebidan 15,88 *bleiben; prät.* ge-
bâd 10,2909 *abwarten (mit gen.
oder akk.).*
g e b i d d a n, *st. v.,* 15,224; *me.* ibidde,
prät. pl. merc. gebêdun 19d,9 *bitten,
beten.*
g e b î g e d *s.* bigan.
g e b i n d a n, *st. v., prät.* gebond
8,616; *pl.* gebundon 22,19 *binden.*
g e b i o r s c i p e *s.* gebêorscipe.
g e b l a n d. *st. n.,* 18,52 *gemisch.*
g e b l i s s a d, g e b l i t s a d e *s.* ge-
bliðsian.
g e b l i ð s i a n, *schw. r., prät.* geblit-
sade 12,41; *p. p.* geblissad 8,608;
me. iblissien 23,5 *(er)freuen, be-
glücken;* 9,7; *me. konj.* iblessi 46,
161 *segnen.*
g e b l ô w a n, *st. v., p. p.* goblôwen
9,21 *erblühen.*
g e b o d i a n, *schw. v., prät.* gebodade
7,202 *ankündigen.*
g e b o l g e n *s.* gebelgan.
g e b o n d *s.* gebindan.
g e b r e d a d e *s.* gebreadian.
g e b r e a d i a n, *schw. r., prät.* gebre-
dade 9,592; *p. p.* gebreadad 9,
372 *weben, verändern, verwandeln
(nach Brotanek; nicht -êa-!).*
g e b r i n g a n, *unreg. v., prät.* ge-
brôhte 11,125; *pl.* gebrôhton 8,
691 *bringen.*
g e b r ô þ e r, *m. pl.,* 18,113; gebrôþru
21,65; *flekt. me.* gebroðre 19c,10
gebrüder.
g e b û n, *p. p.,* 17,67; gebúd 17,72
bewohnt, bebaut.
g e b y r d, *st. f.,* 9,360 *geburt;* 17,98
natur, verhältnis.
g o b y r d b o d a, *schw. m.,* 24,17
bote, verkündiger der geburt.
g e b y r g a n, *schw. v., präs. konj.*
gebyrge 9,261 *kosten, genießen.*
g e b y r i a n, *schw. r., me. 3. präs.*
ibureþ 35,75; *prät.* gebyrede 25,22
gebühren; vgl. birrþ.
g e c ê o s a n, *st. v., prät. pl.* gecuron
15,125; *p. p.* gecoren 15,127 *(er)-
wählen.*
ʒ e c e r d e n *s.* gecyrran.
g e c i l a e *s.* gicel.
g e c l i n g a n, *st. v., p. p. pl.* geclungne
9,226 *sich zusammenziehen.*
g e c n â w a n, *st. v.,* 14,55; *me.* icna-
we(n) 32,161; iknowe 40,53; 3. *sg.*
gecnêwð 21,16; *prät.* gecnêow

21,37; *p. p.* gecnâwen *kennen, erkennen, verstehen.*

gecoren *s.* (ge-)cêosan.

gecost, *adj.,* 11,231 *erprobt.*

gecuman, *st. v., prät. me.* ycom 42,14 *hinkommen.*

gecuron *s.* gecêosan.

gecwôman, *schw. r., me.* iqueme 40,44; *prät.*iquemde 32,269; *p.p.* icwemed 32,172 *befriedigen, gefallen.*

gecwôme, *adj.,* 20,37; *me.* queme 44,130 *bequem, angenehm.*

gecweðan, *st. r., me.* iqvope *sprechen, sagen.*

gecȳgan, *schw. r., prät. pl.* gecȳgdon 15,30 *(auf)rufen.*

gecȳgd (= gecîd), *st. n.,* 15,14 *zänkerei, streitsucht.*

gecynd(e), *st. f.,* 9,356 *natur;* 9, 252 *(keim)kraft.*

gecyndness, *st. f., me.* kyndenesse 65,60 *freundlichkeit; ne.* kindness.

gecyrran, *schw.v., me.*icherran; *prät. pl.* 3ecerden 28,20 *zurückkehren; konj.präs. pl.* gecyrre 15, 197 *bekehren.*

gedæde *s.* gedôn.

gedafenian, *schw.v., prät.* gedafenade 16,16 *geziemen.*

godâl, *st. n.,* 15,70 *trennung, tod.*

gedælan, *schw. v.,* 8,697; *me.* idelon *teilen, trennen;* 7,166 *lösen; konj. präs. kent.* gedêle 12,32 *verteilen* (tô aelmessan *als almosen*).

3ede *s.* geêode.

gedere *s.* geador.

gederen *s.* geadrian.

3edi *s.* êadig.

gedihtan, *schw. v., prät.* gedihte 14,*titel(L.A.) verfassen.*

gedih(t)nian, *schw.v.,* 20,21 *anordnen, einrichten.*

gedôn, *unreg. v., me.*idon, *pl. präs. ind.* gedôð 17,197; *merc.* gedôaþ 19d,14; *nh.* gedôeð 19a,14; *präs. konj.* gedôe 12,29; *pl.* gedôn 12, 36; *prät. konj.* gedæde 10,2893; *p. p.* gedôn *(vgl.* dôn) *tun, machen.*

gedrêfan *s.* drêfan.

gedrêfednes, *st. f.,* 20,4 *verwirrung.*

gedrêfnes, *st. f., merc.* gedrocfniss 13,28 *verwirrung.*

gedren, gedret, gedrid *s.* geadrian.

gedrocfnisse *s.* gedrêfnes.

gedryht, *st.f.,* 9,348 *schar, menge, schwarm.*

gedryne, *st. n.,* 17,172 *trinkgelage.*

gedwimor, *st. n.,* 22,35; *me.*idwimor *phantasterei, einbildung.*

gee *s.* gô *und* iâ.

geealgian, *schw.r.,* gealgian 23, 52 *schützen, verteidigen.*

geeardian, *schw. v., prät.* geeardode 7,208 *wohnung nehmen.*

geêawan, *schw. v.,* 9,334 *zeigen, erscheinen.*

geêaðmêdan, *schw. r., konj.* geêadmêdun 21,47 *sich demütigen vor (mit dat.); prät.*geeaðmêddon (-un) 19b,9(17); *me.* geeadmêdedon (-medodon) 19c,9(17) *anbeten* (*mit* tô).

geêcan *s.* geîecan.

geedlæcan, *schw.r., kent. 3. sg. präs.*gehyôlçet 20,39 *wiederholen.*

geendian, *schw. v., prät.* geendode 21,50; geendade 16,86 *beenden; vb.-sb.* geendung 19b,20 *ende.*

geêode, *def. v., me.* gæde 27,24; iede(n) 27,42; 3ede(nn) 36,13594; 'yede 44,101; 3ed 48,200; 3eid 66, 436; yeid *ging; for* hem ne yede 44,44 *ihnen half nicht.*

3eep, *adj.,* 54,36 *klug, schlau.*

3of, gçf *s.* gief, giefan.

gefaran, *st. r., prät. konj.* gefôre 17,144 *fahren.*

gefæstni(ge)an, *schw. r.,* 8, 649; *p. p. merc.* gefestnad 13,2 *befestigen.*

3efe *s.* giefu.

gefôa, *schw. m.,* 9,607; *flekt.* gefêan 19h,18; *me.* gefean 19c,8 *freude.*

gefeallan, *st. v., me.* ifallen, ivalle; *prät. me.*iuel 41,7; *pl.* gefêollun 18,14 *fallen, sich treffen.*

gefêan *s.* gefêa, gefêon.

gefêlan, *schw.v., me. prät.* yfelde 43,56 *zu fühlen bekommen.*

3efen *s.* giefan.

gefeoht, *st. n.,* 15,69; *me.* ifiht *gefecht.*

gefeohtan, *st. v., prät.* gefeaht 22,25; *p.p.* gefohten 11,122 *kämpfen, erkämpfen.*

gefêon, *st.r.,* gefêan 15,160; *statt* gefêoð? 9,248; *prät.* gefeah 11, 205; gefêgon; *p.p.* gefegen; *me.* ifagen 39,1331 *sich freuen (mit*

gen.): p.prs. gefêonde 15,234 mit freuden.
geféra, schw. m., 15,155; me. iuere 32,102; ifere 32,229; ivere 40,14; pl. feren 43,19; ifere 43,104 gefährte, freund; fere 54,31 geliebter; ne. (veraltet) fere.
gefère, adj., 9,4 leicht zugänglich.
goferrædden, sb., 28,27 gesellschaft.
gefestnad s. gefæstnian.
gefeterian, schw. v., prät. gefeterode 10,2902 fesseln.
gefettan, schw. v., me. ifetten; prät. gefetto 22,79 holen.
geflêmed s. flŷman.
geflit, st. n., 15,15 streit, zwist.
gefôn s. fôn.
gofôn, st.v., me. ifon 32,282; prät. pl. gefêngon 22,67 fangen, fassen.
gefôre s. gefaran.
gefræge, adj., 9,3; sup. gefrûgost 14,90 berühmt.
gefrætwian, schw.v., p. p. gefrætwad 9,239; gefrætewod 11, 171 schmücken.
gefrêa s. gefrêogan.
gefremman, schw.v., 8,722; p.p. gefremed 7,207 vollbringen, tun; 8,696 gewähren.
gefrêogan, schw. v., merc. imp. gefrêa 13,21 befreien.
gefreoðian, schw. v., imp. gefreoþa 9,630 verteidigen, schützen.
gefrignan, st.v., p.p. gefrugnen 9,1 (er)fragen, erfahren.
zeftes s. gift.
zefue s. giefan.
gefulwian, schw. v., p. p. gefulwad(e) 15,219 taufen.
gefyldæ s. (ge)fyllan.
gefylgan, schw.v., 9,347 folgen.
gefyllan, schw.v., prät. gefylde 15,19 fällen, töten, vernichten; p.p. gefylled 18,81 berauben.
gefyllan, schw. v., me. pl. präs. zefylleð 28,52; p.p.gefylled 7,181 (er)füllen.
gefylled s. (ge)fyllan.
gogán s. gân.
gogangan, st.r., 28,59 erwerben, erhaschen.
gegearwian,schw.v., gegærwan 10,2855; konj. präs. pl. kent. gegeorwien 12,31 zurecht machen, (vor)bereiten.
gegiered s. giorwan.

gegladian, schw.v., 20,6 erheitern, besänftigen.
geglengan, schw. v., prät. geglengde 16,6; p. p. geglengede 20,27 schmücken, zieren.
gegnpæð, st. m., dat. gegnpaþe 6,26 feindespfad.
gegnum, adv., 11,132 entgegen, hin.
gegrâpian, schw. v., p. p. gegrâpod 21,35 angreifen.
gegrêtan, schw.v., me. prät. pl. igrætten 34,13820 grüßen.
gegrîpan, st. v., 13,36; prät. gegrâp 10,2904 ergreifen.
gehæftan, schw. v., 14,schl.-ged. 14 fangen, festhalten.
gehêlan, schw. v., 7,174 heilen.
gehât, st. n., 15,232 versprechen.
gehâtan, st.v., prät. gehêt 8,639; pl. gehêton 15,87 versprechen.
gehâtland, st. n., 16,73 das gelobte land.
gehealdan, st. v., me. ihealdon 32,56; prät.pl. gehioldon 14,8; nh. gehêald 19a,9 (er)halten, hüten, fassen; p. p. ihialde 41,25 aufbewahren.
gehende, adv., 25,24 zu handen, nahe, dicht daneben.
gehêr s. gehîeran.
gehiegan, gehiggan s. gehyogan.
gehîeran, schw.v., flekt. gehŷranne 15,235; merc. gehêran 13, 20; me. ihuren 32,262; yhere 44, 11; ihere(n) 46,368; 3. sg. präs. me. ihurð 32,89; prät. gehirde 21,7; gehŷrde 8,609; merc. gehêrde 13,46; me. yhyerde 50,65; p. p. gehŷred 7,171; nh. gehêred 19a,14; merc. gehoered 19d,14; me.iherð 33,80; iherd, ihord 34, 13883; yhyerd 50,110 erhören.
gehîerness, st. f., gehŷrness 16,66 gehör.
gehîhtan s. gehyhtan.
gehiltu?, st. n. pl., 10,2905 griff.
gehîrde s. gehîeran.
gehlêoþor, adj., instr. gehlêoðre 15,205 harmonisch.
gehogod s. gehyogan.
gehoored s. gehîeran.
gehradian, schw.v., prät. gehradodþ 15,11 eilen.
gebrêodan, st.v., p. p. gehroden 9,79 schmücken.

gehwâ. *indef. pron., gen.* gehwǽs
.9,598; *dat. m.* gehwâm 8,729;
f. gehwâre, gehwôre? 9,206,336;
akk. m. gehwone 8,718; gehwǽne
11,186; *nh.* gihuâ; *gen.* gihuaes
2,3 *jeder (mit gen.).*
gehwǽr, *adv.,* 15,80; *me.* ihwer,
uwer *überall.*
gehwâre *s.* gehwâ.
gehwǽs *s.* gehwâ.
gehwǽðer, *indef. pron.,* 9,374
jeder von beiden; kent. gehueder
gô … gô 12,44 *sowohl … als auch.*
gehwelc, *indef. pron.,* 14,92; ge-
hwilc, gehwylc 7,180; *me.* iwhillc
36,15630; uwilc 33,93; uwilch
33,81 *jeder; me.* uwilc an 33,18
ein jeder.
gehwerfde *s.* gehwyrfan.
gehwone, gehwôre *s.* gehwâ.
gehwylc *s.* gehwelc.
gehwyrfan, *schw. v.,* 7,188; *prät.*
gehwerfde 16,68 *umwenden, ver-
wandeln.*
gehwyrfednes, *st. f.,* 15,238
wandlung, bekehrung.
gehycgan, *schw. v.,* p.p. gehogod
10,2892 *gedenken, bedenken.*
gehygd, *st.f.n., dat. pl.* gehygdum
8,652 *gedanke, erwägung, plan.*
gehyhtan, *schw. v., 1. sg. präs.*
13,4 gehyhtu; gehihtan *hoffen.*
gehyldra, *komp. zu* gehield 15,122
sicherer; vgl. gehealdan.
gehŷnan, *schw.v.,* 8,639 *demütigen.*
gehŷr- *s.* gehier-.
gehyðlęct *s.* geedlǽcan.
ʒeid *s.* gcêode.
geîecan, *schw.v., 3.sg.kent.* geêcð
20,27 *vermehren.*
ʒeiʒen, *v.,* 33,38 *schreien.*
ʒeiris *s.* gêar.
ʒeirken *s.* gearcian.
gelǽccan, *schw. v., me.* ilacchen,
lache 42,7; *prät.* gelǽhte 22,12
ergreifen, fangen; ne. veraltet
latch.
gelǽdan, *schw.v.,* 6,20; *kent.* ge-
lêdan 20,45; *me.* ileden *gelciten,
führen.*
geladðian, *schw. v., prät. pl.* ge-
ladedon 15,30 *einladen.*
gelamp *s.* gelimpan.
gelǽran, *schw. v., prät.* gelǽrde
8,574 *lehren; adj. p. p.* gelǽred
16,51; *kent.* gelôred 20,14 *gelehrt;
me.* ylere 44,12 *(kennen) lernen.*

gelǽstan, *schw. v.,* 23,11; *me.*
ileste 32,242 *leisten, erfüllen; prät.*
gelǽste 23,15 *beistehen; me.* ilast
40,23 *dauern, währen.*
ʒeld *s.* gield.
ʒelde *s.* gieldan.
gelêafa, *schw.m.,* 8,653; *me.* ileave;
pl. ileuen 34,13889; ilǽfe, lǽfe
36,44 *glaube.*
gelêdan *s.* gelǽdan.
ʒelêfan *s.* geliefan.
gelêodan, *st.v., p. p. me.* ilodene
34,13857 *wachsen.*
geleornian, *schw.v.,* 16,67; *prät.*
geleornade 15,242; *pl.* geliornо-
don 14,48 *(kennen) lernen, stu-
dieren.*
gelettan, *schw. v., prät.* gelette
25,6 *zurückhalten, hindern.*
gelîc, *adj.,* 9,237; *me.* ylych 50.
11; ilich 50,14; ylich 59,28; lyk
64,5; like 67,83 *gleich, ähnlich;
schw. form* gelîca; *me.* þin iliche
37,68 *deinesgleichen;* iliche 32,378
gleichviel (of godes lihte).
gelîce, *adv.,* 16,11; *me.* iliche
32,66; ilyche 35,81; yliche 42,25
gleich; ne. alike.
gelîcian, *schw. v., me.* ilikien;
prät. gelicode 15,28; *merc. p. p.*
gelicad 13,19 *gefallen.*
gelîcnes, *st. f.,* 9,230 *bild.*
gelîefan, *schw. v.,* 14,22; *flekt.*
gelŷfenne 25,13; *me.* ʒelefan 28,5;
ileue(n) 32,49; ileouen 34,13944;
leue 43,46; *imper. me.* ilef 40,45;
prät. gelŷfde 15,191; *pl. konj.* ge-
lifden 14,schl.-ged.6 *glauben.*
gelîhtan, *schw.r., 3. sg. nh.* go-
lîhteð 19a,1 *dämmern.*
gelimpan, *st. v., prät.* gelamp
15,230; *me.* ilomp 34,14028 *sich
ereignen.*
gelimplîc, *adj.,* 16,25 *geeignet.*
geliornis, *st. f.,* 19a,16; *nh.* gǽ-
liornis 19a,10 *weggang; übers.*
Galilaea.
gelîðan, *st. v., p. p.* geliden 8,677
kommen, gelangen.
ʒellpenn *s.* gielpan.
gelôcian, *schw.v.,* 18,25 *ansehen;
me.* ilokien 33,105; iloken 33,92
beobachten, halten; p. p. yloked
50,73 *zusprechen.*
gelôme, *adv., me.* ʒelome 32,47;
ilome 32,91; lome 32,11 *häufig,
beständig.*

gelómlíc, *adj.*, 15,27 *wiederholt,
häufig.*

gelong, *adj.*, 8,645 *bereit; me.*ilong
37,96; ylong 55,10 *beruhend auf,
abhängig von (me. mit on, ne. of);
ne. veraltet* long.

gelpan, ʒelpo *s.* gielpan.

gelýfenne *s.* geliefan.

gelýfed, *p. p.* (= gelêfed) 16,18
geschwächt, vorgerückt (rom alter).

gemaca, *schw.m., me.*imake, make
46,107 *genosse;* na make 45,44
nicht seinesgleichen; ne. make.

gemæcscipe, *st. m.*, 7,199 *ge-
meinschaft, concubitus.*

gemæded, *adj. p. p.*, gemædd,
me. mad 45,24 *toll; ne.* mad.

gemáh, *adj.*, 9,595 *rücksichtslos,
schamlos.*

gemǽlan, *schw. v., me.* imelen
37,48 *sprechen, sagen.*

gemǽlan, *schw. v., p. p.* gemǽled
8,591 *beflecken.*

gêman *s.* gîeman.

gemâna, *schw.m.*, 12,7; *me.*imone
40,51; ymone 40,32 *gemeinschaft.*

gemǽne, *adj., kent.* gemęne 12,24;
me. ymene 40,30 *gemeinsam;* him
gemǽne 22,4 *miteinander.*

gemǽnelîce, *adv.*, 15,125 *ge-
meinschaftlich.*

gemang *s.* gemong.

gemǽnsumian, *schw. v.*, 15,192
mitteilen.

gemǽre, *st. n.*, 15,148 *grenze.*

gêmde *s.* gîeman.

ʒeme *s.* gîeme.

ʒeme(n) *s.* gîeman.

gemearc, *st. n.*, 10,2885 *gegend.*

gemecca, *schw. m.*, 12,2; -mecca,
*me.*macche *gatte, gattin; ne.* match.

gemêrsad *s.* mǽrsian.

gemot, *st. n.*, 16,47 *maß;* 15,15; *me.*
imet *angemessenheit, beschaffen-
heit; oft durch „angemessen" zu
übersetzen, so* 10,2895.

gemêtan, *schw. v.*, 8,731; *3. sg.
präs. ind.* gemêt 20,26; *me.* ime-
te(n) 32,133; ymete 40,67; *prät.
me.* imette 34,13819; *merc.* ge-
moette 13,31 *begegnen, treffen;
p. p.* gemêted 9,241; gemet 20,31
finden.

gemetegian, *schw.v.*, 20,46; *p.p.*
gemetgod 20,33 *mäßigen, mildern.*

gemetfǽst, *adj.*, 15,98 *gemäßigt,
bescheiden.*

ʒemoð *s.* gîeman.

gemiltsian, *schw. v.*, 24,1 *sich
erbarmen über.*

geminsian, *schw.v., prät.* gemin-
sade 8,621 *herabsetzen, verkleinern.*

gemon *s.* gemunan.

gemong, *st. n.*, 11,193; gemang
11,225; *me.* imong *menge, schar;*
on gemang 14,65; *me. präpos.
dafür später* gemong; *me.* imong
oder onmang, amang; among(e)
33,32 *unter; adv., me.* among 51,4;
amonge 58,82; amonges 59,37;
amang 60,118; emang 67,112;
emong 67,400 *dazwischen, darun-
ter; nc.* among(st).

gemôt, *st. n.*, 15,25; *me.* imot *zu-
sammenkunft, beratung;* 18,100
begegnung.

gemunan, *prät.-präs.*, 15,9; *me.*
imunon; *präs.* gemon 8,709; ge-
man; *pl.* gemunon; *kmj.* gemyne
8,721; *prät.* gemunde 14,28 *sich
erinnern, gedenken (mit akk. oder
gen.).*

gemynd, *st. f. n., me.* imunde,
munde, mynd(e) 59,10; mind
erinnerung, gedächtnis; ne. mind.

gemyndgian, *schw.v., me.* imu-
neʒen; *prät.* gemynegode 15,64;
gemyndgade 16,67 *sich erinnern,
im gedächtnis behalten: p. p.* ge-
mynged 15,119 *erwähnen.*

gemyndig, *adj.*, 8,601 *eingedenk.*

gên, *adv.*, 7,192; gîn 9,236 *noch,
wiederum;* 7,198 *noch nichts.*

genam(en), genâme, ʒename,
genâmon *s.* geninnan.

gend *s.* gentil.

genêalǽcan, *schw. v., prät.* ge-
nêalǽhto 19b,2; *nh.* genêolêcde
19a,2; *me.* geneahlacte 19c,2; ge-
neohlahte(n) 19c,9; geneohlacte
19c,18 *sich nähern.*

genêatscolu, *st. f.*, 8,684 *schar
der genossen.*

genêdedlíc, *adj.*, 15,244 *er-
zwungen.*

genêosian, *schw. v.*, 9,351 *auf-
suchen.*

genergan, *schw. v.*, 6,19; *imp.*
genere 13,20; *prät.* generede 18,72
retten.

genêt *s.* geniedan.

geniedan, *schw.v., 3. sg. prs. ind.
kent.* genêt 20,28; *me.* inede *nöti-
gen, zwingen.*

genihtsumian, *schw. v., prät. pl.*
genihtsumedon 15,20 *genügen.*
genihtsumnys, *st. f.*, 15,8 *über-
fluß.*
geniman, *st. v., me.* inimen; *prät.*
genam 10,2929; *konj.* genûme 23,
71; *pl.* genûmon 19b,9; genômen
19d,9; *me.* genamen 19c,9; *p. p.*
genumen 17,184; ynome 61,1105
*nehmen, fangen, ergreifen, erlan-
gen; prät.* 3enam 28,45 *annehmen.*
genîwian, *schw. v., p. p.* genîwad
8,607 *erneuern.*
genôh, *adj.*, 17,166; *me.* onoh 27,
30; inoh 32,235; inou 32,385;
ino3(e) 34,14052; inouh 37,62;
inowe 48,27; ynoh 53,13; ynewch
66,446; enogh 67,582; *adv.* anou3
42,30 *genug; ne.* enough.
gent *s.* gentil.
3ent *s.* geond.
gentil, *adj.*, 50,8; gentille 48,9;
gent 48,11; gentyl(e) 50,1; gen-
tile 50,53; ientyle 58,62; gend
70,1 *vornehm, fein, edel, gütig,
freundlich; ne.* gentle (genteel).
gentilesse, *sb.*, 50,5 *vornehmheit.*
gentylete *sb.*, 50,52 *adel; ne.*
gentility.
gentylnesse, *sb.*, 65,60 *freund-
lichkeit, gnade; ne.* gentleness.
genumen *s.* (ge)niman.
genyhtsum, *adj.*, 19d,12 *genü-
gend, reichlich.*
gêo, 3eo *s.* gê, hê, iû.
geoc, *st. n.*, 15,16 *joch; ne.* yoke.
gêocend, *st. m.*, 7,198 *helfer, er-
löser.*
geoguð, *st. f.*, gioguð 14,57; *me.*
3eo3eðe 32,373; 3outh 69,170 *ju-
gend; ne.* youth.
geoguðcnôsl, *st. n.*, 6,10 *jugend-
liche nachkommenschaft.*
geômor, *adj.*, 8,703; *me.* 3eomer
37,40; yemer 41,37 *beklagenswert,
traurig.*
geômormôd, *adj.*, 7,173 *traurig
gestimmt.*
geon, *pron.*, gion, *me.* gion 45,88
jener; ne. yon.
geond, *präpos.*, 9,82; giond 14,3;
me. 3ond, 3ent 51,12 *über, über
... hin;* 14,*schl.-ged.*12 *durch, hin-
durch; adv.* gonde 34,13854; yond
67,453 *dort; ne.* yond.
geondwlîtan, *st. v.*, 9,211 *über-
schauen.*

geong, *adj.*, 4,1b; giong 9,355;
giung 18,58; *me.* 3eong, 3yng
32,4; 3ung 32,10; yung 44,30;
3ing 48,16; 3ong 46,361; yong 67,
397 *jung, jugendlich; ne.* young;
kompar. 3eonger 32,322; *davon
schw. f.* gingre 11,132 *dienerin;
me. pl. m.* 3iungran 28,13 *jünger.*
geonga, geongan *s.* gongan.
georn, *adj.*, 11,210; *me.* 3eorn,
3ern *gierig (mit gen.);* giorn 14,10
eifrig.
georne, *adv.*, gerne; *me.* 3eorne
32,49; 3erne 46,13 *gierig, eifrig;*
37,80; yerne 44,153 *dringend, in-
ständig;* 10,2846 *genau.*
geornfulness, *st. f.*, 16,82; -nyss
15,135; *me.* 3eornfulnesse *eifer.*
geornlîce, *adv.*, 16,81; *me.* 3eorn-
liche *eifrig, sorgfältig.*
gêotan, *st. v.*, 7,173 *vergießen;
p. p. me.* y3ote 51,82 *gießen.*
3epined *s.* pinian.
ger, gêr, 3er *s.* gêar, gearwe.
geræcan, *schw. v.*, 6,27; *me.* ire-
chen *erreichen, gelangen.*
geræd an, *schw. v.*, 23,36; *prät.*
gerædde 25,17 *beschließen, ins
werk setzen.*
geræstan, *schw. v.*, *prät.* geræste
rasten, ruhen.
gere *s.* gearwe, gearwian.
geredœ *s.* gierwan.
gerêfa, *schw. m., merc.* gerêfa
19d,14; *nh.* groefa 19a,14; *me.*
ireue 32,50 *vorsteher, beamter;
ne.* reeve.
gereord, *st. n.*, 15,124 *sprache.*
gerest, *st. n. f., me.* irest 33,5;
ireste 33,85 *rast, ausruhen.*
gêri *s.* gêar.
geriht, *st. n.*, 11,202; *me.* irihte
gerade richtung.
gerîm, *st. m.*, 26,7 *zahl, berech-
nung.*
gerisen, *adj.*, 15,245 *geeignet,
passend, angemessen.*
gerisenlîc, *adj.*, 16,3 *passend.*
Germania, *st. f.*, 17,9 *Germanien.*
gerne *s.* georne.
gerêfa *s.* gerêfa.
3errsalæm *s.* Hierusalem.
gert *s.* gierwan.
gertest *s.* gyrdan.
3eruh *s.* gearo.
gerûma, *schw. m.*, 6,16 *geräumi-
ger ort.*

gerŷman, *schw. v.*, 14,8; *me.*
ʒerimen, irumen *erweitern, aus-*
dehnen.

gerŷno, *st. n., pl.* geryno 7,196
geheimnis.

gesald *s.* sellan.

geseélig, *adj.*, 9,350 *selig, glück-*
selig.

geseéliglīc, *adj.*, 14,4 *glücklich.*

geseélð, *st. f.*, 24,6: *me.* yselþ(e)
32,15 *glück.*

gesamnian *s.* gesomnian.

gesett *s.* gesittan.

gesœtte *s.* gesettan.

gesceaft, *st. f.*, 8,728; *me.* ʒe-
sceaft(e) 32,84; shafft(e) 36,58
schöpfung; 18,32 *geschöpf.*

gesceap, *st. n.*, 16,71 *schöpfung;*
pl. gesceapu 9,210 *schicksal, ge-*
schick.

gesceot, *st. n.*, 21,4 *geschoß.*

gescieppan, *st. v.*, -scyppan;
prät. gescôp 9,84; -sceôp *schaffen.*

gescomian, *schw. v.*, *prät.* gesco-
mede 8,713 *sich schämen.*

gescyldan, *schw. r.*, 15,139; *me.*
imp. ischild 37,120 *schützen.*

gese, *adv.*, gise; *me.* ʒus 46,294;
ʒise 58,117 *ja, fürwahr; ne.* yes.

geseah *s.* geseón.

geseald *s.* sellan.

gesécan, *schw. v.*, 9,264; *me.* ise-
chen; *prät. pl.* gesôhtun 18,54
(auf)suchen, folgen.

gesegen *s.* seón, geseón.

geseglian, *schw. r.*, 17,125 *segeln;*
vgl. gesiglian.

gesellan, *schw. v.*, 12,24; *me.*
isellen; *p. p.* geseald 19b,18; *nh.*
gesald 19d,18; *me.* geseald 19c,18
(über)geben.

geséman, *schw. v.*, 23,60 *zufrieden-*
stellen, versöhnen.

gesén *s.* geseón.

geseón, *st. v.*, 9,675; gesion 14,36;
nh. gesêa 19a,7: *flekt. nh.* ge-
séanne 19a,1; *me.* ʒe-seone 28,10;
gesyen 19c,1; iseon 32,18; iseo
37,165; ise 47,1089; ysen 47,1122:
gese, yzy 50,28; *2. sg. präs. ind.*
gesihst 21,3; *3. me.* yzyʒþ 50,22;
pl. präs. konj. mcre. geson 13,34;
p. präs. geseônde 19d,17; *me.*
seynge 19e,17; *prät.* geseah 10,
2877; *me.* isæh, iseh 33,52; 34,
14015; yseʒ 50,72; yzoʒ 50,80; *2.*
sg. me. iseie 37,105; *pl.* gesáwun

19b,17; *nh.* geségon 19a,17; ʒe-
seʒen 28,9: ʒeseʒan 28,49; *me.*
geseagon 19c,17: iseʒen 32,98;
konj. prät. gesâwe 15,164: ʒe-seʒe
28,24; *p. p.* gesawen 15,190; ge-
segen 16,54; *me.* yzoʒe 50,111
sehen, ansehen, erblicken.

geseôð = sôð 15,191 *wahr, treu;*
vgl. lesart von T.

gesetniss, *st. f.*, 22,36; gesett-
ness 12,44; *me.* isetnesse *fest-*
setzung, bestimmung, testament.

gesett *s.* gesittan.

gesettan, *schw. v.*, *me.* isetten;
prät. gesette 16,26 *hinlegen;* 9,10:
mere. gesætte 19d,16 *hinsetzen;*
bestimmen, einsetzen.

gesewon *s.* seón.

gesibb, *adj.*, 6,22: *me.* isib *ver-*
wandt.

gesibbian, *schw. v.*, *p. p. pl. kent.*
gesibbade 20,39 *versöhnen, ver-*
binden.

gesiglian, *schw. r.*, 17,58 *segeln:*
vgl. geseglian.

gesihst *s.* geseón.

gesihð, *st. f.*, 13,29; gesyhð 4,1b;
me. isihðe, sihte 34,13990; syhte,
sighte, syght 49,45: sight 59,24;
sycht *gesicht, augen, sehkraft;*
gesihþ(um) 22,48; *me.* sihte 32,
365; siʒt(e) 45,48; sight 48,160
(an)blick, vision; siʒt 61,1146;
sicht 66,420 *sieht;* sight 48,50
einsicht; ne. sight.

gesingan, *st. v.*, *konj. präs.* 12,37
singen, lesen (von der messe).

gesîon *s.* geseón.

gesittan, *st. v.*, 9,671; *prät. nh.*
gesætt 19a,2; *mcrc.* gesett 19d,2
sitzen; 13,49 *besitzen.*

gesîð, *st. m.*, 11,201 *genosse, ge-*
fährte.

geslêan, *st. v.*, *prät. pl.* geslôgan
15,42; geslêgon 18,7: *me. p. p.*
ys(s)laʒe 50,85 *erkämpfen.*

gesoden *s.* sêoðan.

gesomnian, *schw. v.*, *prät.* gesam-
node 17,180; *pl.* gesomnedon 15,
24; *me.* isomnie: *p. p.* isomned,
samned *versammeln, sich versam-*
meln.

gesomnung, *st. f.*, 16,65; gesomm-
nunce 12,4; *me.* isommunnge *ver-*
sammlung, vereinigung.

gespówan, *st. v.*, *prät.* gespêow
11,175 *von statten gehen, gelingen.*

289

gesse, *schw. v.*, 63,4 *glauben, ver-*
muten; ne. guess.
gestîgan, *st. v.*, 10,2853; *nh.* gi-
stîga 4,1a; *me.* istiȝen; *prät.* ge-
stâh 4,1b *(er)steigen.*
gestîhtian, *schw. v., p. p.* gestîh-
tad 15,31 *anordnen.*
gestlîônes, *st. f.*, 15,193 *gast-*
freundschaft.
gestondan, *st. v., me.* istonden,
prät. gestôd 10,2898; *pl.* gestôdon
4,4b; *nh.* gistôddun 4,4a *stehen,*
sich stellen.
gestrangod *s.* gestrongian.
gestrêon, *st. n.*, 17,188 *besitz.*
gestrîenan, *schw. v.*, 14,88; ge-
strŷnan; *me.* istreonen *gewinnen.*
gestrongian, *schw. v., p. p.* ge-
strongad 13,6; gestrangod 15,143
stärken.
gesufl, *adj., gen. pl.* gesuflra 12,
25 *zur zukost gehörig.*
geswencan, *schw. v.*, 13,26; *me.*
iswenchen *plagen, quälen.*
geswîcan, *st. v.*, 21,76; *me.* iswi-
ken *naehlassen, sich legen.*
geswinc, *st. n., me.* iswinch 32,57;
jswinch 32,36 *arbeit, erarbeitetes.*
gesyhð *s.* gesihð.
get(e), ȝet *s.* gæten, geat, gîet,
gietan.
getæcan, *schw. v.*, 10,2854; *me.*
itechen *zeigen.*
getæl, *st. n.*, 16,65; *me.* itel *er-*
zählung.
gete *s.* geat, gietan.
geteald *s.* tellan.
geteld, *st. n.*, 13,37 *zelt.*
getîdan, *schw. v., me. 3. sg. präs.*
ind. itit 32,125 *sich treffen, ge-*
schehen.
getimbro, *st. n. pl.*, 15,76 *gebäude.*
getimbran, *schw. v.*, 9,202; *p. p.*
me. ȝetimbrod 28,3 *bauen, zim-*
mern; vgl. timbran.
getrêowan, *schw. v., p. präs. kent.*
getrîowende 20,40; *prät. pl.* ge-
trêowodan 15,5 *vertrauen, glau-*
ben; nh. getrêwa 19a,14 *über-*
zeugen.
getrymman, *schw. v.*, 15,232 *be-*
festigen, bekräftigen; p. p. getrym-
med 28,22 *stärken, ermutigen.*
gott, ȝett, ȝette, ȝettis *s.* gnæ-
ten, geat, gîet, gietan.
getwêogan, *schw. v., prät. pl. nh.*
getwîodon 19a,17 *zweifeln.*

geue, gonon, ȝeven *s.* giefan.
ȝeve *s.* giefu.
geunnan, *prät.-präs., konj.* geunne
24,5 *gönnen.*
geunrôtsian, *schw. v., p. p.* geun-
rôtsad 13,30 *betrüben.*
gewær *adj., me.* iwer 32,330 *ge-*
wahr; vgl. ne. aware.
gewearnian, *schw. v., flekt. inf.*
15,26 *vermeiden, verhüten, vor-*
beugen.
gewolgian, *schw. v., p. p.* gewel-
gnd(e) 15,178 *begaben, ausstatten.*
gewelt *s.* gcwyldan.
geweorc, *st. n.*, 15,132 *ausführung.*
geweorðan, *st. v.*, gewurðan 22,
32; *me.* iworþe, iwurðe 34,13964;
prät. gewearð 7,210; *merc.* ge-
warð; *p. p.* geworden 19a,11; *me.*
geworðeno 19c,11 *werden, ge-*
schehen, eintreten; him gewearð
22,69 *sie kamen überein.*
geweorðian, *schw. v., me.* iwur-
ðien; *konj. präs. kent.* gouueorðiæ
12,9; *p. p.* geweorðad 16,2 *feiern.*
gewerian, *schw. v., prät. pl.* ge-
weredon 15,68 *sich verbünden.*
gewîcian, *schw. v.*, 9,203; *prät.*
gewîcodon 17,74 *wohnen.*
gewîdmærsod *s.* widmærsian.
gewiht, *st. n., me.* iwicht, wiht,
ȝiht 32,380 *gewicht; ne.* weight.
gewilde *s.* gewyldan.
gewill, *st. n., selten* will, *me.* ywil
32,14; iwil(l) 32,73; will(e) 32,82;
wil, wyll, wyl *wille, freude; ne.*
will.
ȝewilleliche, *adv.*, 33,1 *willig.*
gewin-dæg, *st. m.*, 9,612; *dat. pl.*
gewindagun 8,611 *tag des strei-*
tes, der arbeit, bedrängnis.
gewinfullic, *adj.*, 15,129 *mühsam.*
gewinn, *st. n.*, 15,49; *me.* iwinn,
iginn 32,246 *streit;* gewin 15,134
mühe; 17,165 *arbeit.*
gewinna, *schw. m.*, 15,41 *feind.*
gewislîce, *adv., me.* gewislice
19c,6; iwisliche *gewiß.*
gewiss, *adj., adv., me.* iwis 37,
142; wiss 36,59; ywis 43,52;
ywisse 54,25; iwysse 58,69; mid
(myd) iwisse 32,141; to wisse
43,123 *gewiß, fürwahr; ne.* I wis;
mid nane jwisse 32,236 *durch-*
aus nicht.
gewitan, *prät.-präs., me.* iwiten
32,382 *wissen, erfahren.*

g e w i t a n, *st.v.*, 9,320; *3. sg. präs. ind.* gewit 20,18; *me.* iwiten; *prät.* gewât 10,2869; *pl.* gewiton 15,57; gewitan 18,105 *gehen, sich begeben.*

g e w i t l o c a, *schw. m.*, 14,*schl.- ged.* 13 *geistesbehältnis, brust.*

ȝ e w i t n e s s, *sb.*, 28,22; iwitnesse, witnesse 32,108; wittnes 48,48 *zeugnis; ne.* witness; *davon me.v.* witnesse *zeuge sein, bezeugen; ne.* witness.

g e w i t t, *st.n.*, 9,191; *instr.* gewitte 8,597 *verstand, geist.*

g e w o r h t *s.* wyrcan *oder* gewyr- can.

g e w r i t, *st. n.*, 9,832; *me.* iwrit 32,101; *pl.* ȝewriten 28,16 *schrift, schriftstück, brief.*

ȝ e w r i t e n *s.* writan, gewrit.

g e w u n a, *schw. m., me.* iwune, wone 34,14017 *gewohnheit.*

g e w u n i a n, *schw. v., me.* iwunie, iwone, *prät.* gewunode — gewu- nade 15,224; *p.p.* gewunod, *me.* iwuned, iwoned, ywoned 50,71 *sich aufhalten, bleiben, pflegen; me.* is iwunod 22,57 *pflegt.*

g e w u r ð a n *s.* geweorðan.

g e w y l d a n, *schw. v., 3. sg. präs. ind. kent.* gewelt 20,48; *me.* iwel- den; *prät.* gewylde, ȝewilde 22, 75; *p.p.* gowyld 22,56 *bewältigen, beherrschen; ne.* wield.

g e w y r c a n, *schw. v.*, 17,195; ge- wyrcean 15,173; *me.* iwerche; *prät.* geworhte 8,711; *p. p.* ge- worht 7,179 *machen, ins werk setzen, verüben; prät. pl.* ge- worhton 22,75 *veranstalten;* 16,79 *dichten.*

g e w y r d a n, 9,19; *me.* iwreden 37,38 *vernichten.*

g e w y r h t, *st. n.*, 8,728 *werk, ver- dienst.*

g e w y r p a n, *st. v., (ver)ändern.*

g e y f f *s.* giefan.

g e y n, *adj., sup.* geynest 53,37 *schön, lieblich, zierlich.*

g e ð a f i a n, *schw. v.*, 20,17; *me.* iðauien 37,142; *prät.* geþafode 25,3 *gestatten, sich in etwas finden.*

g e ð a f u n g, *st. f.*, 15,95 *erlaubnis, übereinstimmung.*

g e þ æ h t u n g, *st. f.*, 19d,12 *be- ratung.*

g e ð *s.* gân.

g e þ a n c *s.* geþonc.

g e ð e n c a n, *schw.v.*, 14,24; geðen- cean 14,19; *me.* iðenche 32,118; iþenchen 37,100; *3.sg.me.*iðencð 32,201; *prät.* geþôhte; *me.* iþohte 34,14025; iþout 46,184 *gedenken, sich erinnern, erwägen.*

g e þ ê o d a n, *schw. v.*, geðêodan 15,196; *prät.* geþêodde 16,47; *pl.* geþ y ddan 15,236; *p. p.* geþêodde 15,46 *verbinden, zufügen, einfügen;* 16.64 *in die schar aufnehmen.*

g e þ ê o d e, *st. n.*, 17,78; geðiode 14,33; geðêode 14,46 *sprache;* 17,192 *stamm.*

g e þ ê o d n i s s, *st. f.*, 16,8 *verbin- dung, „appetitus".*

g e þ ê o n, *st.v., me.* iðeon, *prät.* ge- þêah, *me.* iþeȝ, *pl.* geþugon, *p. p.* geþogen, *me.* iþoȝen *gedeihen;* ich iðeo 37,121; wel iþeo 37,130 *es geht mir gut.*

g e þ i n g i a n, *schw. v., präs. konj.* geþingigo 8,717 *fürbitte einlegen.*

g e þ o l i a n, *schw. v.*, 23,6; *me.* iðo- lien 33,42 *dulden, ertragen.*

g e þ o n c, *st. m. n.*, geþanc 23,13; *me.* iðanc 32,108; iþank 32,69 *gedanke.*

g e þ r i n g, *st. n., me. dat.* þryngo 40,73 *gedränge.*

g e ð û h t *s.* þyncan.

g e þ u n g e n, *p. p.* 26,9 *erwachsen, vollendet;* 11,129 *vollkommen.*

g e þ y d d a n *s.* geþêodan.

ȝ h e *s.* gê, iâ.

g i- *s.* ge-.

g i b a e n *s.* giefan.

g i b ê a t a e n *s.* bêatan.

g i c e l, *st. m.?, Ep.* gecilae 1,24; *me.* ikil *eiszapfen; ne.* (ic)icle.

g i d e r e *s.* geador.

g i d r œ f i d *s.* drêfan.

g î e *s.* gê.

g i e d, *st. n.*, 8,719 *gesang, gedicht.*

g i e f, *konj., gif* 6,7; gyf 17,125; *merc.* gef 19d,14; *me.* ȝief, ȝif 32, 121; ȝef 38,1; yif 44,126; if 46, 32; ȝeif 46,443; yof, yf 49,23; gif 71,31; gife 70,37 *wenn, ob; ne.* if.

g i e f a n, *st. v.*, 8,657; *me.* gyuen 27,38; ȝieuen 32,64; ȝyue(n) 32, 395; ȝeuen 34,13959; ȝeve 46,191; geve 46,223; ȝiue(n) 47,1111; ȝeue 54,33; geue 69,172; geyff 66,447; giff 72,2; *3. sg. präs. ind.* ȝfuet 32,71; ȝifð 32,146; ȝeueð

33,101; yeþ 50,37; pl. ʒiueð 32, 189; ʒefue 34,13922; ʒifuen 34, 13928; konj.präs.ʒiue 32,56; ʒýue 32,122; ʒefe 33,66; youe 40,23; ʒeve 46,442; imp. sg. yef 40,17; ʒef 55,22; prät. sg. geaf 15,245; me.ʒaue 19e,12; ʒol 34,14050; ʒæf 34,14051; gaf 48,236; yeaf 50,68; gawe 66,407; konj. yeaue 50,67; pl. geafan 15,46; me. iafen 27,8; ʒæe- fenn 36,15585; gaf 48,193; gave 68,19; p. p. gibaen 1,11; gegyfen 15,166; me.gyuen 27,38; ʒiuen 38, 27; ʒouen 42,34; ʒouun 19e,19; igiven 46,246 geben, schenken; prät. ʒaff 36,62; ʒef 56,35 opfern, hingeben; pl. gouen hem ille 44, 164 benahmen sich untröstlich; gaif our 66,436 ließ liegen; mit inf. (32,395) lassen; ne. give.

g i e f e ð e, adj., gifeðe 11,157; me. ʒeveðe verliehen, bestimmt.

g i e f u, st. f., 9,327; gifu 15,139; gyfu 9,624; kent. gæfu 12,1; me. ʒiue 32,74; ʒefe gabe, geschenk, gnade.

g i e l d, st.n., gild, gyld; me. gæild 27,37; ʒeld bezahlung, abgabe.

g i e l d a n, st.v., gyldan 8,619; me. ʒelde 38,27; yelde 50,66; 3. sg. präs. gylt 17,98; p. p. golden; me. yyolde 50,73 bezahlen, vergelten; yeld 61,1139; p. p. ʒelde 61,1133 (über)geben, gewähren; ne. yield.

g i e l p a n, st. v., gelpan 18,88; me. ʒellpenn 36,15598; ʒelpe 46,227; yelpe 50,52 (sich) rühmen; ne. yelp.

g i e m a n, schw. v., me. ʒeme(n) 37, 42; yeme(n) 44,131 achtgeben, hüten, halten; 44,172 regieren; prät. gêmde 16,81 nach etwas streben.

g i o m e, schw.f., me. ʒeme 37,121 sorgfalt, obacht.

g i e r w a n, schw.v., me. gere, prät. pl. gierdon 14,schl.-ged.10; p. p. gegiered 14,schl.-ged.23 rüsten, bereiten, herrichten; me.prät. gert 60,117. veranlassen; nh. geredæ 4,1a (statt on-) entkleiden.

g i e t adv., 14,36; gŷt 11,182; git 21,67; gêt, gieta, gŷta, gîta; me. gæt 27,44; ʒyet 32,5; ʒut 32, 289; ʒette 33,20; ʒet 36,98; ʒute 43,72; ʒiot 45,113; ʒete 47,1074: ʒît 48,150; yet(e) 67,197 (immer)

noch; yit 63,17 gleich wohl, doch; 15,223; 51,68 schon; ne. yet.

g i e t a n, st. v., (nur in kompos.); me. gete 44,147; geten 46,447; gett 70,30; ʒet; prät. me. gat 45,3: p. p. me. get 27,3 bekommen, er- langen; prät. gate 59,76 ergreifen: p. p. ygete 42,50 besorgen, holen; ne. get.

g i f, ʒif s. gief, giefan.

g i f - s. gief-.

g i f e s. gief.

g i f ê n g u n s. gefôn.

g i f f s. giefan.

g î f r e, adj., me. ʒivre gefräßig, gierig.

g i f t, sb., 46,223; pl. ʒeftes 34,13960 geschenk, gabe; ne. gift.

g i f u s. giefu.

ʒ i f u e n, ʒi f ð s. giefan.

ʒ i h t s. gewiht.

ʒ i h u a e s s. gehwâ.

g i l e, sb., 57,6; gyle 67,214 trug, (hinter)list, tücke; ne. guile.

g i l e r i e, sb., 48,123; gilery 48,64 betrug, list.

G i l l e, eigenn. (abkürz. von Gillian = Juliana) 67,219, verächtlich: weibsbild.

g i m, st. m., 9,183; me. ʒimm edel- stein.

g i m s t â n, st. m., me. ʒimston 87,55 edelstein.

g i n, adj., gen. ginnan 11,149 weit, geräumig, groß.

g i n, sb., 46,289 list, erfindung; gyn 67,128 kunst, maschine; ne. gin.

g î n s. gên.

g i n d w a d a n, st.v., prät. gindwôd 14,86 durchschreiten, durchwan- dern.

g i n f æ s t, adj., 10,2919 groß.

ʒ i n g, ʒi n g e, ʒi n g r a n s. goong.

g i n n a n (inkomp.), st.v., me.ginne, prät.me.gon 33,71; gan 34,13968; con 51,12; conne 56,28; can 66, 400; gunne 39,1344; pl. gunnen 34,13811; gun 42,12; gan 48,109 anfangen, oft rein auxiliar; auch prät. couth 60,97; cowd 70,19 in demselben sinne.

g i o s. iû.

g i o - s. geo-.

g i r d e, g i r t e s. gyrdan.

g i r e n, st.n.f., merc. 13,33 schlinge.

g i r n e, v., 72,10 die zähne fletschen; ne. grin.

ȝirne s. ȝyrnen.
ȝise s. gese.
git, pers. pron., 2. pers. dual., me.
ȝit, gen. incer, dat. inc, akk. incit
10,2880; inc 19d,10 ihr beide.
ȝit, gît(a) s. ȝiet.
gîtsere, st. m., me. ȝyscere (ȝitce-
res — witceres — witteres) 32,
267 geizhals.
giû s. iû.
giuen s. giefan.
giung s. gong.
Gius s. Jûdêas.
ȝiv- s. gief-.
glæd, adj., dat. gladan 9,593; me.
gled 37,54; glad 46,328; glaid
66,406 heiter, froh; ne. glad.
glad, gladan, glade s. glæd,
gladian.
gladian, sehw. v., me. gladien 38,
17; glad 67,491; glade 69,170
sich freuen, erfreuen.
glædlice, adv., me. glaidly 62,25
gern; ne. gladly.
glædmôd, adj., 11,140 heiteren
sinnes.
glædnis, st. f., 19a,8 heiterkeit;
me. glednesse 37,169; gladnesse
65,60 freude; ne. gladness.
glædscipe, st. m., me. gledscipe
33,88; gledschipe 37,14; glad-
shipe 54,5 freude.
glaid s. gled, glidan.
glaidly s. glædlice.
glam, sb., 58,63 stimme, ruf.
glæm, st. m., 9,253 glanz, sehimmer,
schönheit.
glas, st. n., me. 43,14 glas; ne. glass.
Glaskow, ortsn., 66,380 Glasgow.
gle s. glêo.
glêaw, adj., 11,171; me. gleu klug.
glêawhŷdig, adj., 11,148 klug.
glêawmôd, adj., 14,86 klug.
glêd, st. f., me. glede 32,218; pl.
gleden 33,37 glühende kohle; ne.
veraltet gleed.
gled(-) s. glæd(-).
glengan, sehw. v., 9,606: 3. sg.
präs. glenget 20,36; p. p. pl. glen-
gede 20,36 zieren.
glêo, st. n., Ep. gliu 1,8; me. gle
67,529 freude; me. gleo 32,288
unterhaltung, musik; ne. glee.
glêobêam, st. m., me. gleobeam
37,62 musikholz, harfe.
glêsan, sehw. v., prät. mere. gleo-
sede 19d,20 glossieren.

glew, sb., pl. glewis 69,160 ge-
sehick, bestimmung.
glewe, v., 54,6 sich freuen, sieh
erlustigen, musizieren.
glidan, st. v., me. p. präs. glidende
33,37; prät. glâd 18,29; me. glod
58,63; glaid 66,414 gleiten, gehen,
kommen; ne. glide.
gliu s. glêo.
glod s. glîdan.
glôf, st. f., Ep. gloob 1,14 hand-
schuh; me. ne. glove.
glorius, adj., 67,166 rähmlich,
ruhmvoll; ne. glorious.
glorye, sb., 58,94 glorie: ne. glory.
glotony, sb., 67,37; glotyny 67,
52; schwelgerei, gefräßigkeit; ne.
gluttony.
gloumbe, v., 58,94 finster drein-
sehen, zornig sein.
glôwan, st. v., me. p. präs. glo-
wande 58,94 glühen, strahlen; ne.
glow.
gnagan, st. v., me. gnejen 33,36;
gnawen 63,10 nagen; ne. gnaw.
gnawen s. gnagan.
gnêað, adj., karg; me. gnede 44,97.
gnornung, st. f., 20,7 trauer.
go s. gân.
god, st. m., 9,355; nom. akk. plur.
godu 8,598; me. god 32,8; godd
34,13946; Good 46,210; gen. godis
67,227; pl. goddis 59,45; dat. pl.
goden 34,13919 gott; ne. god.
gôd, adj., 26,23; me. god 32,19;
good 29,1341; gode 42,33; goed
46,251; guod 50,39; goude, gude
57,14; gud 70,5; guid 72,11,1;
dat. fem. goder 46,261; akk. mask.
godne 35,75; pl. gode 44,1; gut,
tüchtig; ne. good; komp. bet(e)ra
18,96; me. betre, betere 32,28;
botter 57,32; bet 37,166; sup. be-
test 14,89; betst 21,12; me. betst
32,111; best 44,87; st. n., 9,615
gut, vermögen; 32,27 gutes.
godbearn, st. n., 9,647 gottessohn.
godeund, adj., 12,10; akk. mask.
godcundne 15,4; me. goddcund
36,15541 göttlich, geistlich.
godcundlice, adv., 16,13 von
gott.
godcundniss, st. f., me. god-
cunnesse 32,389 göttlichkeit, gott-
heit.
gôddæd, st. f., 9,669 gutes werk.
goddesse, sb., 69,159 göttin.

Zupitza-Schipper, Alt- u. mittelengl. Übungsb. 11. aufl. 18

goddis *s.* god.
goddot = god wot (*s.* witan).
goden *s.* god.
goder *s.* gôd.
godlêas, *adj., me.* godlies 32,344
　gottlos; ne. godless.
godlec, *sb.,* 46,227 *wohltat.*
godly, *adv.,* 54,2 *anmutig, reizend;*
　gudely 46,448 *geziemcna; vgl. ne.*
　goodly.
godne *s.* gôd.
gôdness, *st. f., me.* godnesse 37,
　109 *güte; ne.* goodness.
godspell, *st. n.,* 22,37; *me.* godspell
　50,73; goddspell 36,23; godspel
　41,3 *evangelium; ne.* gospel.
goddspellbok, *sb.,* 36,4 *evan-*
　gelienbuch.
godspellere, *st. m.,* 28,37 *evan-*
　gelist.
goddspellwrihhte, *sb.,* 36,28
　evangelist.
goed *s.* god.
Gogmagog, *eigenn.,* 72,19 *aus den*
　biblischen namen Gog *und* Magog
　zusammengezogen; nach Geoffrey
　von Monmouth ein keltischer riese.
ʒol, *sb.,* 46,116 *weihnachtsfest, freu-*
　denfest.
gold, *st. n.,* 10,2867; *me.* gold 82,
　70 *gold; ne.* gold.
goldhring?, *st. m., me.* goldring
　37,34 *goldring; ne.* goldring.
gôma, *schw. m.,* 13,4; *me.* gome
　gaumen; ne. gum.
gome *s.* guma.
gomel, *adj.,* 9,258 *alt, bejahrt.*
gomen, *st. n.,* gamen 22,79; *me.*
　gamen 32,288; gom(e) 37,62;
　game 47,1143; gam 67,214 *freude,*
　musik, spiel, unterhaltung; 69,166
　scherz; me. a game 47,1106 *beim*
　liebesspiel; ne. game.
gomolferhð, *adj.,* gamolferhð
　10,2867 *alt.*
gon *s.* gân, ginnan.
gonde *s.* geond, gân.
gone *s.* gân.
ʒong *s.* geong.
gong, *st. m.,* 8,693; *me.* gang 72,23
　gang, schritt, lauf.
gongan, *st. v.,* 8,703; gangan 23,
　40; *me.* gange 45,27; gang 70,
　29; *imp.* gang 21,5; *prät.* gêng,
　geong; *p. p.* gegangen *gehen.*
good *s.* gôd.
goon *s.* gân.

ʒore, *adv.,* 53,34 *ehemals, lange*
　her, seit lange; ne. yore.
gore, *sb.,* 46,5 *tuch, kutte;* 53,37
　weibliche kleidung.
gôs, *st. f., me.* goos, *pl. k.* goes 12,
　18 *gans; ne.* goose.
gost- *s.* gâst-.
Gotan, *eigenn., schw. m. pl.,* 17,27
　die Gotcn.
goth *s.* gân.
Gôtland, *st. n.,* 17,132 *Jütland*
　oder Gotland.
ʒou *s.* gê.
goude *s.* gôd.
gouen, ʒouen *s.* giefan.
goulen, *v., prät. pl.* gouleden 44,
　164 *heulen, wehklagen; ne. dial.*
　gowl.
ʒoure *s.* gê.
ʒouth *s.* geoguð.
ʒouun *s.* giefan.
gouþlich, *adj.,* 46,5 *schön, statt-*
　lich.
gowne, *sb.,* 67,262 *oberkleid, rock;*
　ne. gown.
ʒowre *s.* gê.
grace, *sb.,* 41,43; gras *gnade;* 65,
　64 *erlaubnis;* 59,76; gras 47,1043
　glück; ne. grace.
gracious, *adj.,* gracius 67,165;
　gracyous 67,28 *freundlich, gütig,*
　gnädig; ne. gracious.
graciously, *adv.,* 48,153 *günstig,*
　glücklich; wie ne.
gracius, gracyous *s.* gracious.
grêdan, *schw. v., me.* greden 87,
　155; *prät.* gradde 40,68; grede
　44,96 *rufen, schreien.*
grêdig, *adj.,* 18,127; *Ep.* grêdig
　1,11; *me.* gredi 32,264 *hungrig,*
　gierig; ne. greedy.
grêg, *adj.,* 10,2865; grêg; *me.*
　gray 42,32 *grau; ne.* gray, grey;
　me. grǣi, *sb.,* 32,361 *grauwerk.*
graidly, *adj.,* 59,54; graiþly *bereit-*
　willig, eifrig.
gram- *s.* grom-.
grânian, *schw. v., me.* granien,
　grone 67,409 *klagen, jammern;*
　ne. groan; *p. präs.* graninde 38,35
　jammervoll.
grant *s.* graunt.
grantise, *sb.,* 46,414 *gewähr.*
grâpian, *schw. v., me.* gropien; *prät.*
　grapode 28,32 *tasten, anfassen,*
　befühlen; ne. grope.
gras *s.* grace.

græs, *st. n.*, 6,6; *me.* gras 43,132; *pl.* gressis 60,13 *gras; ne.* grass.
græswong, *st. m.*, 9,78 *gras-gefilde.*
grat *s.* grêat.
grath, *sb.*, 67,482 *eile.*
grath, *v., p. präs.* grathing 73,4 *sich bereit machen.*
graunt, *v.*, 46,364; graunte 63,31; grant 48,168 *gewähren; ne.* grant.
gray *s.* grêg.
grêat, *adj., me.* gret 42,15; grete 48,40; grat 50,80; greet 65,62; grit 70,32; grytt 72,19; greit 73,2; *sup.* grattest(e) 50,47 *groß;* gret 51,44 *bekümmert; ne.* great.
grede *s.* grêdan.
grêdig *s.* grêdig.
greet *s.* grêat.
gref, *sb.*, 46,36 *gram; ne.* grief.
grein, *sb.*, 54,2 *perle; ne.* grain.
greit *s.* grêat.
Grekys, *volksn., pl.*, 59,40 *Griechen.*
grêne, *adj.*, 6,6; *me.* grone 32,339; greyne 66,382 *grün;* 56,28 *frisch; ne.* green; *sb.* greyn 67,534 *grün-bewachsener platz, feld.*
grennian, *schw. v., prät.* grennade 8,596 *grinsen, fletschen; vgl. ne.* grin.
Grese, *ländern.*, 59,90; Grice 59, 40 *Griechenland.*
gressis *s.* græs.
gret(e) *s.* grêat.
grêtan, *schw. v.*, 16,27; *me.* greten 37,152; grete 55,43; *prät.* grêtte 16,27: *me.* grette 46,160; *p. p. me.* igret 44,163 *(be)grüßen, anrufen; ne.* greet; *vb.-sb.* gretunge 37,85 *begrüßung, anrufung;* greting 54,50 *schutz.*
grêtan, *schw. v., me.* meist *st. v., me.* greten, graten, groten, *prät. me. pl.* groten 44,164 *weinen; davon vb.-sb.* greting 44,166.
greten *s.* grêtan.
gretinge, greting *s.* grêtan.
gretliche, *adv.*, 47,1137 *in hohem grade, sehr; ne.* greatly.
grette *s.* grêtan.
gretunge *s.* grêtan.
grevance, *sb.*, 67,58 *beschwerde, mühsal, kummer; ne.* grievance.
greve, *v.*, 46,59; greue 58,112 *beschweren, ein leid antun; ne.* grieve.
grew *s.* grôwan.

grewis, *sb. pl.*, 60,13 *(les.)* 'growing things', *Warton ed. Hazlitt* 2,288, *nach Skeat* = grevis *haine* (ae. grêf?).
greyn, greyne *s.* grêne.
greyþi, *v.*, 40,9 *vorbereiten.*
Grice *s.* Grese.
grim, *adj.*, 15,18; *me.* grim 44,155 *grimmig, schlimm; ne.* grim.
grimly, *adj.*, 56,6 *grimmig; adv.*, 56,28 *heftig.*
grin, *st. n.*, 27,29 *(lec.)* schlingenfalle.
grindan, *st. v.*, 22,72; *me.* grinden *zermalmen, mahlen; ne.* grind.
grip, *sb., pl.* grippis 69,171 *griff; ne.* grip.
gripe, *v.*, 43,53 *ergreifen; ne.* gripe.
gristbitian, *schw. v., prät. -ade* 8,596 *mit den zähnen knirschen.*
grit *s.* grêat.
grið, *st. n.*, 23,85; *me.* grið 33,88; gryþ, gryt 35,91; griþþ 56,60; grith 44,61; griþ 46,267 *friede, ruhe.*
groefa *s.* gerêfa.
grom, *adj.*, gram 8,628; *me.* gram *zornig.*
grom, *sb.*, 47,1150; grome 42,27 *knabe; ne.* groom.
groma, *schw. m., me.* gramo 32, 166; grome 34,13956 *gram, zorn.*
grome *s.* grom, groma.
gromian, *schw. v., me. 3. sg. präs.* gramet 32,165 *erzürnen, verdrießen.*
grone *s.* grânian.
ground *s.* grund.
grôwan, *st. v., me.* growe, *prät.* grêow, *me.* grew 59,80 *wachsen, entstehen; ne.* grow.
grownd *s.* grund.
grucchen, *vb.*, gruche 62,28 *murren, unzufrieden sein (mit* wyth); *ne.* grudge.
grufe 67,463 = grôwen (?), *v., wachsen, anbrechen (Mätzner).*
grund, *st. m.*, 13,2; *me.* grund(e) 32,178; ground(e) 42,2; grownd 67,462; *pl.* groundis 59,80 *grund, boden; ne.* ground.
grymetan, *schw. v., prät.* grymetade 8,598 *schnauben, brüllen.*
gryt *s.* grið.
grytt *s.* grêat.
gryð *s.* grið.
зu *s.* gê.
gud *s.* gôd.
guddame, *sb.*, 70,1 *großmutter.*

18*

gudely *s.* godly.
guid *s.* gôd.
gul- *s.* gyl.
guma, *schw. m.*, 4,2b; *me.* gome 43,
22; *pl.* gumen, gomes 34,13786
mensch, mann.
gun, gunne(n) *s.* ginnan.
ȝung *s.* geong.
guod *s.* gôd.
gurde *s.* gyrdan.
ȝursten-dai, *adv.*, 46,73 *gestern.*
ȝus *s.* gese.
ȝut *s.* giet.
ȝuw *s.* gê.
gûð, *st. f.*, 11,123 *kampf.*
gûðfana, *schw. m.*, 11,219 *kriegs-
fahne.*
gûðfreca, *schw. m.*, 9,353 *der
kampfkühne, der kampfheld.*
gûðgemôt, *st. n.*, 6,26 *zusammen-
treffen im kampf.*
gûðhafoc, *st. m.*, 18,127 *(kampf)-
habicht.*
gûðplega, *schw. m.*, 23,61 *kampf-
spiel.*
gyderope, *sb.*, 58,105 *anhalter;
ne.* guy-rope.
ȝyet *s.* giet.
gyf, gyff *s.* gief, giefan.
gyldan *s.* gieldan.
gylden, *adj., me.* gulden 37,45
golden.
gyle *s.* gile.
gylpan *s.* gielpan.
gylt, *st. m., me.* gult 32,164 *schuld,
sünde; ne.* guilt.
gylt *s.* gildan.
gyltan, *schw. v., me. pl. präs.* gul-
tet 32,91 *sündigen, fehlen.*
gŷman *s.* gieman.
gyn *s.* gin.
ȝyng *s.* geong.
gynnyng, *vb.-sb.*, 48,198 *anfang;
vgl.* ginnan.
gyrdan, *schw. v., me.* gurde, *prät.*
gyrde 10,2865 *(um)gürten; ne.*
gird.
gyrdels, *st. m., Ep.* gyrdils 1,12
gürtel, leibbinde.
gyrn, *st. m. n.*, 6,6 *leid, unglück.*
ȝyrnen, *v.*, ȝirne 46,45; *p. p.* yȝyr-
ned 53,34 *begehren, wünschen; ne.*
yearn.
ȝyscere *s.* gîtsere.
gŷt *s.* giet.
gyv-, ȝyv- *s.* gief-.
gyue *s.* giefan.

H.

ha *s.* habban, hê.
habban, *schw. v.*, 14,13; *me.* habbe
32,15; habben 37,65; hafen, hauen
89,1319; have 46,164; haf 48,63;
haue 48,183; han 51,64; ha 51,69;
hawe 66,883; haiff 66,395; hafe
67,175; haif 67,266; *1. sg. präs. ind.*
hæbbe 7,169; hafu, *me.* habbe 32,3;
habb 32,5; hafe 36,30; haue 44,119;
have 46,58; *kontrah.* ichaue 47,
1154; ichabbe 58,9; *2. haofst,* ha-
fast, *me.* hauest 33,77; hæfuest
34,13888; haues 38,21; havest
46,194; has 48,59; hest 50,88;
hast 51,62; hase 67,430; hes 71,
13; *3.* hæfð, hafað 9,667; *me.*
haued 32,40; haueð 32,65; hefð
32,66; hafð 32,117, hauet 32,171;
hafeþþ 36,22; hauis 45,11; haveð,
haveþ 46,112; has 48,227; haþ
51,3; hatz 58,114; hase 67,550;
hath 69,170; hes 72,11,21; *pl.* hab-
bað 10,2883; *vor pron.* habbe
(hæbbe) wê 17,1; *me.* habbeð 32,
36; habbe 32,100; habbet 32,101;
hafe 49,14; habbeþ 50,45; han
51,72; haueþ 54,25; hes 71,23;
heff 72,4; *konj.* hæbbe, *me.* haue
31,2; habbe 35,91; have 46,202;
havi (= have I) 46,267; *2. sg.* haue
67,151; *pl.* hæbben 14,58; *konj.*
hebben 12,30; *imper.* hafa, *nh.*
hæfe; *me.* haue 33,41; haf 48,149;
prät. hæfde 10,2892; *me.* hadde
27,3; hæfde 28,16; hedde 32,51;
hehde (?) 34,13921 *(verschrieben
für* hefde; *nach Logeman für*
hehte [*verhieß*]; *nach Brotanek s.*
heȝen); hafde 34,13994; haffde
36,15539; heuede(st) 37,107; he-
fede(st) 37,143; hefde(s) 38,16;
hauede 44,90; hauid 45,35; he-
vede 46,9; hede 46,347; hade 51,
86; *pl.* hæfdon 11,140; *me.* hei-
den 27,17; hadden 27,11; ha-
ueden 41,163; had 48,68; *p. p.*
me. ihoved; hadde 47,1055 *haben,
innehaben, behalten, erhalten;* 59,
55 *finden;* god haf 48,206 *gott
sei gnädig; ne.* have.
habeit, *sb.*, 71,35; abbeit, 71,3;
abyte 71,28 *kleid; ne.* habit.
haboundanie, *adv.*, 66,376 *in
großer menge; vgl. ne.* abundantly.
hac *s.* ac.

hâd, *st. m., me.* had, hod *person;*
14,4 *stand;* 9,372 *gestalt.*
hadde, hade s. habban.
hædno s. hæðen.
hâdor, *adj.,* 9,212 *heiter;* hædre,
adv., 9,619 *hell.*
hæfde s. hêafod.
hæfde, hafde, hafe, hæfe s.
habban.
Hæfeldan, *eigenn. pl. m.,* 17,40
*slawischer stamm der Wilzen an
der Havel.*
hæfen, -e, *st. schw. f., me.* havene,
hauen 58,108 *hafen; ne.* haven.
hafenian, *schw. v., prät.* hafenode
23,42 *festhalten.*
hafettan, *schw. v., 3. sg. präs.
kent.* hafet 20,42 *klatschen.*
haffde s. habban.
hafoc, *st. m.,* 23,8; heafoc 18,127
(les.) habicht.
hæft, *st. m.,* 25,6 *fessel, haft.*
hæfuest s. habban.
hæfð s. habban.
haga, *schw. m.,* 20,11; *me.* hawe
hecke, zaun; ne. haw.
hagesteald, -man, *st. m.,* 26,14
(unverehlichter) junger krieger.
hagol, *st. m.,* 20,24; hægel 9,16;
me. hawel, hail *hagel; ne.* hail.
hæh s. hêah.
hæhliche, *adv.,* 34,13816 *höchlich.*
hæhste s. hêah.
hæhte s. hâtan.
haif(f) s. habban.
haill s. ealu, hâl.
hailsen, *v., p. präs.* hailsing 69,
166 *grüßen.*
hairt s. heorte.
hairtfully, *adj., adv.,* 70,36 *herz-
haft, von herzen.*
haithill s. œðele.
hâl, *adj.,* 13,1; *me.* hál 32,114; hol
43,151; heil *(unter skand. einfluß),*
heil, gesund, wohl, froh; haill 60,
118; hoylle 67,388 *ganz;* hole 69,
171 *das ganze;* hâle wese gê
19b,9; *me.* hale wese ge 19c,9;
heil ʒe 19c,9; haill 70,11 *heil sei
euch; ne.* whole, hale, hail.
hælan, *schw. v., me.* hælen, healen,
37,124; helen *heilen; ne.* heal;
urspr. p. präs., st. m., hælend 9,
616; hælende 9,590; hælynd
19b,5; *me.* hælend 19c,5; hæ-
lennd 36,47; helend *heiland.*
halb s. healf.

hælda s. hyldan.
halda, halde(n), hælden, hal-
din, hældun s. healdan.
hale, *v.,* 69,169 *sich ziehen; ne.*
haul.
hâleg, haleʒen s. hâlig.
hælende s. hælan.
hâlettan, *schw. v., prät.* hâlette
16,27 *begrüßen.*
hæleð, *st. m.,* 4,1b; *nom. pl.* hælcð
8,586; *gen. pl.* hæleþa 18,50; *me.*
heleð *mann, held.*
half, hælf s. healf.
hâlgan, halʒen s. hâlig.
hâlgian, *schw. v., me.* halʒen 33,
82; *p. p.* gehâlgod 22,62 *heiligen,
weihen; ne.* hallow.
Hâlgoland, *eigenn.,* 17,122; *nörd-
lichster teil Norwegens.*
hâlgon s. hâlig.
hali s. hâlig.
hâlidæg, *st. m., me.* haliday 19c,1
feiertag; ne. holiday.
hâlig, *adj.,* 9,626; hâleg 2,6; *schw.*
hâlga(n) 9,339; hâlgon 12,3; *me.*
hali 32,384; haliʒ, holi 37,70;
holy 40,28; haly 49,45; hooly
19c,19; *schw.,* halie 33,40; hallʒhe
36,50 *heilig, geweiht; sb. me.* ha-
leʒ(en) 38,74; halʒe(n) 50,17 *hei-
liger; ne.* holy, *vgl.* Allhallows.
haliʒen s. hâlgian.
hâliguess, *st. f., me.* holinesse
37,168 *heiligkeit; ne.* holiness.
halle s. heall.
hallʒhe s. hâlig.
hælo, *schw. f.,* 7,202; *k.* hêla 12,5;
gen. hælo, haelu 13,20; *me.* heale
37,6; hele 40,54; hile 46,269 *heil,
seligkeit;* hele 34,14029 *sicherheit;*
hele 32,373 *gesundheit;* 26,8 *glück.*
hals s. heals.
halsion, *schw. v., 1. sg. präs.* hals
47,1007 *beschwören.*
haly, *adv.,* 60,57 *gänzlich, zur
gänze; ne.* wholly.
haly s. hâlig.
hælynd s. hælan.
ham s. eom, bê.
hâm, *st. m.,* 8,683; *me.* hom. 46,97
heimat, wohnung; aet hâm 12,24
daheim; ne. home; *adv.* hâm 9,
244; *me.* hom 42,49; home 48,71
nach hause.
hamelian, *schw. v., prät.* hame-
lode 25,10 *verstümmeln.*
hamora s. homor.

han s. habban.
hand- s. hond-.
hændeliche, adv., 34,13982; hendeliche 34,14061 schön, höflich, fein.
bændest, adv., 34,13974 zunächst.
handselen, st. f., me. hansell 60, 120 handgeld; ne. han(d)sel.
haugen s. hongian.
hap, sb., 53,9 schicksal, glück.
happe, v., 63,22; happyn 67,481 sich ereignen, geschehen; als hilfsverb: möglicherweise.
hâr, adj., 18,77; me. hor grau; ne. hoar.
hêr, st. n., hèr 6,4; me. har, her 53,13 haar (vgl. ne. hair).
hêr s. hèr.
harbry, sb., 70,14 wohnung.
hard s. heard, hieran.
harde s. hearde.
hardely, adv., 48,79 kühnlich, sicher; ne. hardily.
hardy, adj., 60,65; hardie 48,114 mutig; ne. hardy.
hare s. hë.
hêre, adj., merc. schw. hèran 13,16; me. here hären.
hæren s. hieran.
hærfest, st. m., 9,244; me. heruest 48,198 herbst.
hærзien s. hergian.
hæring, st. m., Ep. hering 1,23; me. hering hering; ne. herring.
harm, hærm s. hearm.
hærnes, sb, 27,24 gehirn; ne. dial. harns.
hærra. hærre s. hêarra.
hart s. heorte.
has s. habban.
hâs, adj., 13,3; me. hoos, hors heiser; ne. hoarse.
hæs, st. f., 10,2864; me. hése 32, 91; heste 40,10 geheiß, befehl; ne. (poet.) hest.
hase s. habban.
hâse s. hâs.
hæsel, st. m., Ep. haesil 1,7; me. hasel haselnußstrauch; ne. hazel.
hasopâd, adj., akk. hasewan pâdan 18,124 mit aschfarbenem kleid.
hêst, st. f., hêst 6,28 streit, heftigkeit.
hast, vb., 67,182 eilen; ne. haste.
hast s. habban.
haste, sb., 61.1117; hast 67,293 hast, eile; ne. haste.

hasteliche, adv., 41,17; hastely 67,89; hastly 67,109 rasch; ne. hastily.
hastif, adj., 48,81 eilig, schnell.
hât, adj., 9,613; me. hät 36,15580; hot 54,42; komp. hattro 32,247 heiß; ne. hot.
hat, sb., 66,408 hut; ne. hat.
hat s. hâtan.
hâta s. hât.
hâtan, st. v., 14,1; me. haten, hatten 31,1; heten, hote, hat 45, 18; hihte, highte, hight 67,46; 3. sg. präs. ind. hætt 17,6; hæt 17,8; me. hot 41,12; hiзte 45,48; heiззte 46,177; prät. heht 10,2867; hêt 10,2893; me. huchte 34,13901; hiзt 45,10; hiзte 45,46; highte 63,5; het 50,88; hete 47,1081; p. p. gehâten 22,2; hâten 9,86; pl. hâtene 17,150; me. ihate(n) 83,3; ihote 34.13852; зehatenn 36,82; hoten 44,106; altes medium hâtte 17,122; me. hatte 34.13847 im sinne des präs. und prät., heißen, nennen, befehlen, verheißen, geloben.
hâte, adv., 8,581 heiß.
hate s. hatian, hete.
hath s. habban.
hæth s. hæð.
hâtheortnisse, st. f., 13,13 eifer.
hatian, schw. v., me. hatien, hate 37,145; prät. hated 14,40 hassen; ne. hate.
hmtt, hâtte s. hâtan.
hættian, schw v., prät. hættode 25,10 skalpieren.
hattre s. hât.
hætu, schw. f., 9,17; me. hete 32, 138 hitze; ne. heat.
hatz, hauep s. habban.
hauteyn, adj., 48,157 hochmütig, übermütig.
have s. habban.
hæved s. hêafod.
hauen, havene s. hæfen.
havi = have I; s. habban.
huvid, havis, hawe s. habban.
hawye s. hefig.
hay, sb., 67,159 heu; ne. hay.
hayse s. aise.
hap s. habban.
hâð, st. m. n., Ep. haeth 1,25; me. heep heide(kraut); ne. heath.
hêðen, adj., 8,589; me. hethen 27, 44; heðou 32,291; hæðen(e) 31,

13799; *heidnisch; subst.* hæðene 23,55; *nh. pl.* hæðno 19a,19 *heide; nc.* heathen.

hæðennes, *st. f.*, 15,236 *heidentum.*

Hæþum, æt, *eigenn.*, 17,136 *Schleswig.*

hê, *pers. pron., (oft reflexiv)* 2,3; *me.* he 32,26; hi 41,34; ha 50,88; hee 61,1123; *f.* hêo 8,592; hîo 17,153; *me.* hi 41,10; hye 41,11; hoe 46,20; hy 59,52; hue 51,27; heo 51,7; ʒeo 34,13917; she 44, 122; sho 44,122 *les.;* sche 44,126; scho 49,1; *n.* hit 17,109; hyt 17, 178; *me.* hit 33,1; it 67,201; itt 36,2; *gen. (poss.) m. n.* his 4,4b; hys 21,20; is 20,32; *me.* his 32, 257; hiss 36,10; hijs 44,47 *(hs.);* hire (?) 50,21; hys 66,444; hise 55,39; is 51,12; ys 51,6; *f.* hyre 15,167; hire 17,159; *me.* here 41,8; hire 44,84; hore, hyr 49,4; hare 50,52; hyre 54,31; hir 70,14; *dat. m. n.* hiin 3,2; hym 17,142; *me.* him 28,6; himm 36,15547; hym 49,16; hem; *f., wie gen.* (hire 54,9); hare 50,71; *akk. m.* hine 4,1b; hiene 14,24; hyne 19b,7; *merc. nh.* hinœ 4,1a; *me.* hine 34, 13810; *dann wie dat.; f.* hie 24, 29; hî 11,150; hêo; *nh.* hîa 19a,2; *me. wie dat.* (hire 46,14) *und his* 50,68; hise 50,69; hes, es (þus = þu es 32,129; hes, his = he his, *var. zu* 32,40); *n., wie nom. — plural nom.* hie 11,134; hig 19h,8; hî 17,169; hŷ 8,599; hêo 16,55; *kent.* hio 20,53; *kent. merc.* hîœ 19d,10; *nh.* hîa 19a,10; hêa 19a,10; *me.* hyo 19c,1; hî 27,8; he 27,12; heo 28,10; hy 32,22; hii 34,13799; ha; *(vgl. altn.* þeir) þeʒʒ 36,47; teʒʒ 36,39; þei 48,59; thay 49,13; þay 49,20; þoy 49,23; þai 57,6; they 68,3; thei 19e,4; thai 67,353; þe 48,55; *gen. (u. poss.)* hira 17,72; hyra 17.171; heora 18,93; *kent.* hiora 12,8; *merc.* heara 13,34; *me.* her 27,22; here 27,23; heora 28, 36; heore 32,238; hare 33,34; hore 37,22; huere 52,8; hor 59,8; hur 61,1108; hure 61,1112; þeʒʒre 36,15601; teʒʒre 36,15608; þer 48, 60; thair(e) 49,13; (thairis = *ne.* theirs), þair(e) 49,20; þeire 49,25; theyre 49,37; þere 59,9; there; þar 60,11; thar 62,22; thare 62, 25; ther 65,62; theire 68,3; *dat.* him 17,196; hêom 19d,18; *me.* hym 19c,17; heom 27,18; hem 32,388; ham 33,5; him 34,13801; hemm 36,15551; hom 59,83; hymeu 61,1107; þaim 45,7; þaym 49,2; thaym 49,17; tham 49,18; þam 49,21; þame 60,20; thaim 62,5; thayme 67,143; theym; thame 69,165; *akk. ae. wie nom., me.* hi *und* wie *dat., und* hes, his, *es; er, sie, es; subst.* his 48,205 *die seinigen; ne.* he, she, it.

hêa *s.* hêah.

heafela, *schw. m.*, 9,604 *haupt.*

hêafod, *st. n.*, 11,126; *flekt.* hêafde(s) 9,604; *me.* hefed 27,22; hœued 27,23; heaued 38,2; heuid 45,51; heved 46,335; heued 50, 108; *pl.* hæfden 34,13958; hevede 60,11; hede 67,337; hed 69,160; heid 70,83 *haupt; ne.* head.

hêafodman, *m., pl.* hêafodmen 22,76; *me.* hevedman *hauptmann, vornehmer mann.*

heafun *s.* heofon.

hêagengel, *st. m.*, 7,202; *me.* hehangel 33,48; hehengel 33 59 *erzengel.*

hêah, *adj.*, 9 590; *me.* heʒ(e) 32,162; heaʒ(e) 32,347; heh 33,76; hæh 34,13912; heih 37,25; hei(e) 37, 66; hey(e) 46,50; heiʒ(e) 47,1072; hie 48,17; heyʒ, hiʒ, hyʒ(e) 58,93; hegh(e) 61.1118; hye 67,553; *gen.* hêas, *schw.* hêan 10,2854; *akk. sy. m.* hêaune 4.1b = hêahne; *pl.* hêa 10,2877; *komp.* hiera, hierra; higher 67,443; *sup.* hŷhsta 8,716; *me.* hœhste, hœhest 34,13908; heʒeste 50,48 *hoch; ne.* high; an heʒ 61,1118 (heyʒe 42,60); on hye 69, 163 *(nach) oben, in der höhe; adv.* hêah 9,641; hêage, *me.* heye 44,43; heyʒe 51,69; hyʒe 58,93; hiʒe 58, 142 *hoch, laut.*

hêahmœgen, *st. n.*, 8,645 *hohe macht.*

hêahness, *st. f.*, hêanness 9,681; hêanis 13,3 *höhe; me.* heʒnesse 50,49; hienes 72,11,9 *hoheit; ne.* highness.

hêahseld, *st. n.*, 9,619 *hochsitz, thron.*

hêahðungen, *adj.*, 17,169 *hochgestellt.*

h e a l d a n, *st. v.*, 15,169; *fl.* heal-
dene 19d,20; *uh.* balda 19a,20;
me. healden 32,55; healde, hæl-
den 34,13810; holde 40,59; hold
42,61; halden, holden 46,71; ol-
de(n) 46,115; halde 49,11; *präs.
konj. pl.* healdun 19b,20; *me.* heal-
den 19c,20; *p. präs. plur. nh.*
haldendo 19a,4; *imp.* held 47,
1077; *prät.* héold 15,112; *2. sg.*
héolde 21,63; *me.* heolde 32,170;
held 42,33; helde 59,21; hold,
hel; *pl.* héoldon 11,142; hioldon
14,34; *me.* heelden 19c,9; helden
44,69; held 48,83; holdyn 59,50;
p. p. me. ihealden 32,56; ihalden
34,13988; ihialde 41,25; halde,
holden 48,53; haldin 60,88; hold
61,10 *halten, erhalten, besitzen,
zurückbehalten, ansehen, wachen,
hüten, weiden*; uuele h. 32,170
schlecht behandeln; ne. hold.
h e a l e *s.* hǽlo.
h e a l e n *s.* hǽlan.
h e a l f, *adj.*, 17,21; *me.* healf, helue,
half 54,37 *halb; ne.* half.
h e a l f, *st. f.*, 9,206 *Ep.* halb(ae) 1,4;
me. half, hælf 34,14018; halue 34,
14042 *hälfte, seite; ne.* half.
h e a l l, *st. f.*, *me.* halle 42,41 *halle,
haus; ne.* hall.
h e a l s, *st. m.*, hals 6,1; *me.* hals
27,32 *hals.*
h e a l s u n g, *st. f.*, 15,176 *begrü-
ßung, zauberformel.*
h é a n, *adj.*, 8,615; *me.* heane, hehne
34,13988; hene *niedrig, verachtet,
elend.*
h é a n i s s e, h é a n n e s s e *s.* héah-
ness.
h é a n l í c, *adj.*, 23,55 *schimpflich,
schmachvoll.*
h é a n l í c e, *adv.*, *niedrig, schimpf-
lich, schmählich.*
h é a n n e *s.* héan, héah.
h é a p, *st. m.*, 9,336; *mc.* hep, hepe
58,149 *haufen; ne.* heap.
h é a p m ǽ l u m, *adv.*, 15,63 *in hellen
haufen.*
h e a r a *s.* hé.
h e a r d, *adj.*, 9,613; *me.* heard(e)
32,169; hard(e) 44,143; *akk. m.
sg. me.* herdne 32,169 *hart, mutig,
schwer; ne.* hard.
h e a r d e, *adv.*, 23,33; *me.* herde
32,157; hard 48 53; harde 61,
1106 *hart, schwer, schr; ne.* hard.

h e a r m, *st. m.*, 7,171; *me.* hearm(e)
32,196; hærm, harm 34,13800;
herm 37,86; *pl.* harmes 57,26
harm, leid, nachteil, schade; ne.
harm.
h e a r m l é o ð, *st. n.*, 8,615 *harmlied,
trauerlied, klagelied.*
h e a r p e, *schw. f.*, 16,20; *me.* harpe
harfe; ne. harp.
h é a r r a, *schw. m.*, hêrra, hérra
26,32; *me.* hærre 34,13810 *herr.*
h é a s *s.* hêah.
h e a u e d *s.* héafod.
h é a w a n. *st. v.*, *me.* hewen, *prät.
pl.* héowan 18,11 *hauen; ne.* hew.
h e a þ o l i n d, *st. f.*, 18,11 *kampf-
schild.*
h e a ð o r i n c, *st. m.*, 11,179 *kampf-
held.*
h e a þ o r ô f, *adj.*, 9,228 *(kampf)-
kühn.*
h e b b a n, *st. v.*, *p. p.* hafen 8,693
heben, erheben.
h e b e u *s.* heofon.
h e d d e *s.* habban.
h e d e, *sb.*, 56,27 *achtung, acht, ob-
acht, sorgfalt; ne.* heed.
h e d e *s.* éode, habban, héafod.
h e d e r, h e d i r *s.* hider.
h e o *s.* hê.
h e e l d *s.* healdan.
h e f u n *s.* heofon.
h e f d e *s.* habban.
h e f o d *s.* héafod.
h e f e l þ r ǽ d, *st. m.*, 22,58 *weber-
faden, faden.*
h e f e n, h e f f n e s *s.* heofon.
h e f f *s.* habban.
h e f i g, *adj.*, 15,193; *me.* heuy 49,27;
hevy 62,17; hawye 72,11 *schwer,
hinderlich; ne.* heavy.
h e f i g n e s s, *st. f.*, *me.* heuynes
49,31 *schwere; ne.* heaviness.
h e f ð *s.* habban.
h e ʒ (e) *s.* êage, héah.
h e ʒ e n, *schw. v.*, *prät.* hehde 34,
13921 *hochheben, stiften (nach Bro-
tanek).*
h e g h (e) *s.* héah.
h e g h t, *sb.*, 67,125; hight 67,136;
hicht 69,172 *höhe; ne.* height.
h e h *s.* héah.
h e h a n g e l, -e n g e l *s.* héagengel.
h e h d e *s.* habban *oder* heʒen.
h e h n e *s.* héan.
h o h t *s.* hâtan.
h e i *s.* bêah.

heid s. hêafod.
heie s. êage, hêah.
hoiʒ(e) s. hy.
hoiʒe s. hêah.
heiʒtte s. hâtan.
heih s. hêah.
heil s. hâl.
hoir s. hêr.
hel s. healdan.
hêla s. hŵlo.
helan, st. v., 7,193; prät. pl. merc.
hêlen; me. helen 32,160; p. p.
hele (verschrieben? oder jüngere
ncbenform für hole[n]) 34,14029;
helian, schw. v., me. helien, hele
61,1125 hehlen, verbergen; 46,241
schweigen; vb.-sb. me. heling 60,
11 bedeckung, bekleidung.
helch s. ŵlc.
held(e) s. healdan.
helde s. ieldu.
hele(n) s. hŵlo, helan.
helen(d) s. hŵlan.
holeð s. hŵleð.
Helfred s. Ælfred.
helian, helien s. helan.
Helianore, eigenn., 48,9 Eleanor.
Holias, eigenn., dat. Helian 28,6
Elias.
heling s. helan.
hell, st. f., 8,682; me. helle 32,229
hölle; ne. hell.
hellecyuing?, st. m., me. helle-
king 32,216 höllenfürst.
helleduru, st. f., me. helledure
32,180 höllentür.
hellefŷr, st. n., me. hellefur 32,
150 (lesarten) höllenfeuer.
hellegŵst, st. m., 8,615 höllen-
geist.
hellegeat, st. n., me. helleʒet 33,
13 höllentor.
hellegrund, st. m., me. helle-
grund 32,178 höllengrund.
hellepine, sb., 32,152 höllenpein.
helm, st. m., 11,198 helm; 8,722
schützer, behüter; me. ne. helm.
helma, schw. m., me. helme 67.272
steuerruder, steuergriff; ne. helm.
holp, st. f. n., 8.645: me. help(e) 37,
80; help 46,164 hilfe; ne. help.
helpan, st. v., me. helpen 34,
13990; helpe 38,16; imp. help 61,
1153; p. p. me. iholpen 37,9 helfen;
ne. help.
heluc s. heaif.
hem(m) s. hê.

hence s. heonan.
heude, adj., nahe; 46,154 geschickt,
hülfreich; 46,61 weise; 46,119
freundlich, gütig; sup. hendest
34,13938 tüchtig, edel.
hende s. ende, hond.
hendeliche s. hændeliche.
hendy, adj., 53,9; hendi 53,30 ge-
schickt, angenehm.
hengen, v., 28,2: prät. henged
27,20 hängen, hängen lassen.
hengen (prät.) s. hôn.
henne s. heonon.
hennfngol, st. m., 12.16 huhn.
Henry, eigenn., 48,2 Heinrich III.,
könig von England.
hens s. heonan.
hcut s. hentan.
hentan, schw. v., me. hente(n),
hent 67,420; prät. hent 48,146;
hynt 66,406; p. p. me. yhent 53,9
ergreifen, nehmen; ne. (Shakesp.)
hent.
henu s. heonu.
henwyfe, sb., 70,24 hühnerweib
(nebensinn: Venus' h. kupplerin).
hêo, heo s. hê.
heofon, st. m., 9,626; heofen 13,
47; gen. pl. heofona 4,2b; heo-
funa 9,631; nh. hchen 2,6: hea-
fun(ms) 4.2a; me. heofen 28,41;
hefen 33,90; heffen 36,46; heuin
45,11; heuen 67,11; heven 67,
843; hevin 71,25; daneben, schw.
f., heofone 19b,2; me. heofene
19c,2; heouene 82,81; heuene
44,62; hevene 46,31 himmel; ne.
heaven.
heofoncyning, st. m., 9,616; me.
heucking 32,63; heuenking 32,
350; heouenking 37,86; hevene-
king 46,89 himmelskönig.
heofonengel, st. m., gen. pl.
-engla 8,642 himmelsengel.
heofonlic, adj., 15,221; me. he-
uenlich(e) 32,96; heuenly 68,43
himmlisch; ne. heavenly.
heofonrice, st. n., 9,12; hefon-
rice 14,schl.-ged.8; nh. hefaenrici
2,1; me. heouene-32 42; heuo- 32,
65; heuen- 32,176; heofene- 33,
107; heoue- 37,24; heveriche;
heuenerike 44,133 himmelreich.
heold s. hold.
heold(on) s. healdan.
heolfrig, adj., 11,180 blutig.
heom s. hê.

heonan, *adv.*, 9,1; heonon 10, 2854; *me.* henne 32,396; hens 67,292 *von hinnen, von hier*; hence 67,25 *von jetzt an*; *ne.* hence.

heonu, *interj.*, *uh.* 19a,2; *merc.* henu 19d,2 *siehe!*

heora *s.* hê.

heorcnian, *schw. v.*, hercnian, *me.* herknen 44,1 *horchen, zuhören; ne.* hearken.

heord, *st. f.*, 16,24; *me.* herde *ob-hut, herde; ne.* herd.

heore *s.* hê.

heor(i)en *s.* herian.

heorodrêorig, *adj.*, heoredrêo-rig(es) 9,217 *zum tode traurig, lebensmüde.*

heorogîfre, *adj.*, 8,586 *gierig ver-derben zu bringen, vernichtungs-gierig.*

heorte, *schw. f.*, 7,174; *me.* heorte 32,74; herrte 36,15581; herte 38,5; hert 47,1124; huorte 51,1; hart 62,33; hairt 70,21: *pl. me.* (*dat.*) herten 50,38; hertis 59,14 *herz; ne.* heart.

heorteblod, *sb.*, 37,4 *herzblut.*

heorðwerod, *st. n.*, 23,24 *haus-gesinde, herdgenossen.*

heouen(e) *s.* heofon.

heouene kwene, *sb.*, 37,88 *himmelskönigin.*

hêow, *st. n.*, hîw 9,81; *me.* heow(e) 28,9; hew, heu 53,13 *aussehen, form, schönheit; pl.* hewis 69,160 *farbe; ne.* hue.

hêowan *s.* hêawan.

hepe *s.* hêap.

her *s.* êr, hê.

hêr, *adv.*, 9,638; *me.* here 32,230; her 32,241; er, hyer 59,80; heir 60,69 *hier*; 34,13798 *hierher; ne.* here; *me.* herefter 33,52 *hernach; ne.* hereafter; *kent.* haer beforan 12,45; *me.* her bifore, *vorher, oben*; her-of 34,14003 *davon.*

hêr *s.* hêr.

hêra *s.* hîeran.

herberwe, *sb.*, 34,14046 *herberge; ne.* harbour.

herbreit *s.* herebeorgian.

hercnian, hercnen *s.* heorcnian.

herd, hêrd, *s.* heard, hîeran.

herde, herdne *s.* heard(e).

hêrdon *s.* hîeran.

here, *st. m.*, 11,161; *me.* here 35B, 90; *gen.* herges 8,589; heriges

18,62; *dat.* herige 11,135 *heer, menge.*

here *s.* hê, hêr, hîeran.

hêre *s.* hîere.

herebeorgian, *schw. v.*, *me.* her-bor3en, herbre; *p. p. me.* herhreit 60,48 *beherbergen; ne.* harbour.

herede *s.* herigean.

hêredmen *s.* hîredman.

herefléma, *schw. m.*, 18,45 *der flüchtige, flüchtling.*

herefolc, *st. n.*, 11,234 *kriegsvolk.*

heregeatu, *st. f.*, 23,48 *kriegs-ausrüstung.*

heregong *s.* heriung.

herelâf, *st. f.*, 18,93 *heerüber-bleibsel.*

hereness, *st. f.*, 16,84 *lob, preis.*

heretoga, *schw. v.*, 15,97 *heer-führer.*

herewæða, *schw. m.*, 11,126 *heer-weidmann, feldherr.*

hergan *s.* herigean.

herge, herige *s.* here.

hergian, *schw. v.*, 15,72; *me.* hær-3ien 34,14000 *verheeren, plündern.*

hergung *s.* heriung.

herigean, *schw. v.*, 16,36; herigan, hergan 2,1; *me.* herien, heoren 34,13900; heorien, herie; *konj.* präs. *pl.* hergen 8,645; *prät. me.* herede 34,14062 *loben, preisen.*

herin, *adv.*, 46,321 *herein.*

hering *s.* hæring.

herinne, *adv.*, 46,25 *herinnen.*

heritage, *sb.*, 60,76 *erbteil; ne.* heritage.

heriung, *st. f.*, hergung 15,27; *me.* herivng, heregong 35,90 *ver-wüstung; ne.* harrying.

herknen *s.* heorcnian.

herm *s.* hearm.

hermytage, *sb.*, 65,63; ermitage 50,103 *einsiedelei; ne.* hermitage.

hermyte, *sb*, 65,64 *einsiedler; ne.* hermit.

hernde = ernde *s.* ærende.

herne, *sb.*, 47,1145 *ecke.*

hernest *s.* ernest.

herof *s.* here.

herrde *s.* hîeran.

hêrsumian *s.* hîersumian.

hert, her(r)te *s.* heorte.

herteli, *adv.*, 38,15: hertely 67, 388 *herzlich, innig; ne.* heartily.

heruest *s.* hærfest.

hes *s.* hê, habban.

hese s. hæs.
hespð s. hyspan.
hest s. habban.
hêst s. hûst.
heste s. hæs.
het, hêt s. hâtan.
hete, st. m., me. hete 42,49; hate
59,80 haß (vgl. ne. hate).
hete s. etan, hête.
hethen s. hêðen.
hettend, p. präs. sb., 8,663; he-
tend feind.
heu s. hêow.
heue, heve-, heuen s. heofon.
heved s. hêafod.
heuede, heved(e) s. habban.
heven, heuen(-) s. heofon(-).
hovero s. æfre.
houeriche s. heofenrîce.
hovid s. hêafod.
heuin, hevin s. heofon.
heuy, hevy s. hefig.
heuynes s. hefigness.
hewe, sb., 47,1165 knecht.
hewis s. hêow.
hey, heye, heyʒe s. hêah.
heyre, sb., 48,40; eyr 44,110 erbe;
ne. heir.
hepen, adv., 46,295; hepenn 36,
15570; heðen 39,1316 von hier.
hepene s. hêðen.
hepenn s. hepen.
hi, hia, hîæ s. hê.
hicgan, schw. v., 23,4 denken (an),
bedacht sein (auf).
hicht, sb., 69,172 höhe, erhebung;
vgl. heght.
hîd, st. f., 15,150 eine hufe landes;
ne. hide.
hidden s. hŷdan.
hider, adv., 15,1; hieder 14,12;
hider 17,141; me. hider 46,180;
heder 67,290; hedir 67,291 hieher;
ne. hither.
hidercyme, st. m., 15,107 hieher-
kunft, ankunft.
hiderward, adv., 46,255 hieher.
hidous, adj., 67,101; hidus 67,
417; hidwiss, hydwiß 69,2 gräß-
lich, schrecklich; ne. hideous.
hidwiss s. hidous.
hie s. hêah, hîgian.
hie, hiene s. hê.
hieder s. hider.
hienes s. hêahness.
hiera, hiorra s. hêah.
hiera s. hê.

hieran, schw. v., hŷran 17,143;
me. hæren 34,13920; heoren
(Mätzner) 34,13900; heren 34,
13809; here 44,4; imp. here we
30,4; 3. sg. präs. hŷrð 17,137;
prät.hŷrde 26,32; me. herde 45,30;
herd 60,108; pl. hêrdon 14.schl.-
ged.10; hŷrdon 26,14; me. herr-
denn 36,15583; herd 61,1152; p.p.
me. herd 47,1155; iherd 61,1134;
herde, hard 67,46 hören, gehor-
chen, gehören zu; ne. hear (vgl.
gehieran).
hierdebôc, st.f., 14,67 hirtenbuch.
hiersumian, schw. v., 14,6; hŷr-
15,118; kent. hêr- 20,31; me. her-
sumien gehorchen.
Hierusalem, stadtn., 15,75; Jerr-
salæm 36,15554; Iherusaleme 40,
43; Ierusaleme(s) 40,50; Iurselem
45,8 Jerusalem.
hiʒ(e) s. hêah, hy.
higa, schw. m., pl. kent. higen 12,
35,42; gen. higna 12,14; higum
12,27 (kloster)genosse.
hige s. hyge.
hîgian, schw. v., me. hie 48,6; hye
61,1106; hy 67,289 eilen; ne. hie.
higna, hîgon, hîgum s. higa.
hiʒt, hihte s. hâtan.
hii, hijs s. hê.
hil s. hyll.
hild, st. f., 23,8 kampf.
hildelêoð, st. n., 11,211 kriegslied.
hildesædre, schw. f., 11,222
kampfnatter, geschoß.
hildepil, st. m., 6,28 (kampf)-
geschoß.
hilderinc, st. m., hildering 18,77
kriegsheld.
hildewôma, schw. m., 8,663
kampfgetöse.
hile s. hêlo.
hill s. hyll.
him s. hê.
hin s. in, sb.
hinæ s. hê.
hindan, adv., 18,46 von hinten.
hindir, adj., 71,1 vergangen, letzter.
hine, sb., 37,112 diener (vgl. higa);
ne. hind.
hine s. hê.
hingong, st. m., nh. dat. hiniongae
3,3 hingang, tod.
hinne s. in, sb.
hîo s. hê.
hira s. Iras.

hird s. hîrcd.

hirde, st. m., hyrdo 15,14 hirte,
priester.

hire s. hê.

hîred, st. m., me. hircd(e) 34,
13815; hird 37,51 hausgenossen-
sehaft, klostergemeinschaft, gefolg-
schaft, hofleute, schar, hof.

hîredman, sb., dem hause ange-
höriger; pl. hircd-men 34,13916;
horedmen 34,13918 hausgenossen,
höflinge.

his s. êom, hê.

hisc, hit s. hê.

hitten, r., prät. hitt 66,415; hit
70,32 treffen, schlagen; ne. hit.

hîw s. hêow.

hladan, st. v., 10,2901; me. ladcn;
prät. pl. hlôdan 14schl.-ged.9;
laden, schichten; imp.14schl.-ged.22
schöpfen; ne. ladc.

hlâf, st. m. (nh. n. ?), 12,17: me.
lof laib, brot; ne. loaf.

hlǽfdigc, schw. f., me. læfdi 34,
13931; læuedi. leafdi 34,13913;
lcfdi 37.2; lauedi 38,11: lafdi 38,
14; louedi 41,5; levedi 47,1073;
leuedy 47,1107; lady 48,11; ladic
48,131; ledy 51,90; gen. sg. led-
deis 70,24; gen. hlǽfdigcan, -gan
herrin, frau, gebieterin; ne. lady.

hlâford, st. m., 4,2b; nh. hlâfard
4,2a; me. hlauord 32.80; hlauerd
32,187; laverd, lauerd 33,4; lau-
crð 33,62; louerd 33.65; lourd 34,
13883; laferrd 36,56; lord 41,18;
loverd 46.17; lorde 60,107; gen.
lordys 65,62 herr, gebieter; ne. lord.

hlâfording, st. m., me. lordyng
48,45 (kleiner) herr; ne. lording.

hlanc, adj., 11,205; me. lonc mager,
schlank; ne. lank.

hlǽw, st. m., pl. hlǽwas 9.25 höhe.

hlêapan, st. v., me. lepen 38,33;
prät. hlêop. me. lhip 50,107; lep
58.154; lap 71,10 laufen, springen;
ne. lcap.

hlchhan s. hliehhan.

hléo, st. m., 9,374 obdach, schirm.

hlêonian, schw. v., 9,25 gedeihen.

hlêor, st. n., 6,4; me. leor, ler
wange, backe; ne. leer.

hlêotan, st. v., 8,622 durchs los
erlangen, empfangen.

hlêoðcdon s. hlôðian.

hlêoþor, st. n., 9,656 rede; gen.pl.
hlêoþra 9,12 klang, gesang.

hlêoðrian, schw. v., sprcchen:
prät. hit hlêoðrode swiðc tôward
H. 25,4 H. wurde bevorzugt.

hlid, st. n., me. lid, pl. liddes 45,35
(les.) deckel, (augen)lid; ne. lid.

hliohhan, st. v., hlehhan 18,94;
me. lheʒʒe, laʒho, lagho, lawe 46,
401; prät. hlôh, me. louʒ 42,32;
loh 53,15; lewch 66,430; luch
70,21 lachen, lächeln, sich freuen:
ne. laugh.

hlîfian, schw.v., 6,4; hlifigan 10,.
2877 ragen.

hlimman, st. v., prät. pl. hlummon:
11,205 rauschen, tosen.

hlinc, st. m., 9,25 hügel.

hlîsa, schw. m., 15,165; me. hlise
ruf.

hlôð, st. f., akk. pl. hlôþe 8,676
schar, haufe, mengc.

hlôdan s. hladan.

hlôðian, schw.v., prät. hlêoðcdon
15,6 beute machen, plündern, rau-
ben.

hlûd, adj., 14,schl.-ged.20 laut; ne_
loud.

hlûde, adv., 10,2908; me. lude 33,
35; loude 61,1135; lowde 66,430
laut; ne. loud.

hlusten s. hlystan.

hlûttor, adj., 9,183; hlûtor 14,
schl.-ged.20 lauter, hell, heiter.

hlŷdan, schw.v., 22,21; prät. hlŷdde
laut sein, schreien, lärmen.

hlystan, schw. v., 21,11; me. hlu-
sten 32,226; lusten 33,1; lust 34,
13843; liste zuhören, hören auf
(mit gen. u. dat.); nc. list; gleich-
bedeutend ist me. (vgl. ae. hlysnan);
listene 42,2; lystne 54,39; prät.
listned 48,67; ne. listen; vb.-sb.
listoning 47,1111 gehör.

hnesce, adj., 20,1; me. nesche
weich, zart; ne. dial. nesh.

hnîgan, st. v., prät. hnâg 4,3a;
hnâh sich neigen.

hnitu, f., Ep. 1,13; me. nite niß,
lausei; ne. nit.

ho, interj., 67,229; ho!; verbal 67,
411 aufhören, einhalten.

hôd, st. m.?, Ep. hood 1,8; me.
hood kapuze; ne. hood.

hoe s. hê.

hof s. of.

hof, st. n., 9,228 hof, haus.

bog, sb., 72,7; pl. hogges 50,51
schwein; ne. hog.

hogian, *schw. v., me.* howe, *p. p.*
gehogod 10,2892 *denken (vgl.*
hiegan).

hol *s.* hål.

hold, *adj., me.* heold(e) 40,10;
hold 44,74; *sup.* holdost 23,24
hold, ergeben, treu.

hold, hold(e) *s.* eald, healdan.

holdlice, *adv.,* 26,14 *willig.*

holdyn *s.* healdan.

hole, *sb.,* 47,984 *loch, öffnung, fen-
ster; ne.* hole.

holegn, *st. m., Ep.,* 1,3; holen,
me. holin, holi *stechpalme; ne.*
holm, holly.

holi *s.* hålig.

holocaustum, *sb.,* 39,1319 *brand-
opfer; ne.* holocaust.

holt, *st. n.,* 8,577 *holz;* 23,8 *gehölz;
me. ne.* holt.

holy *s.* hålig.

hom *s.* hê, hâm, hwâ.

hom-come, *sb.,* 46,108 *heimkehr.*

home *s.* hâm.

homor, *st. m., me.* hamer; *gen. pl.*
hamora 18,12 *hammer; ne.* ham-
mer.

homward, *adv.,* 67,182 *nach hause,
heimwärts; ne.* homeward.

hôn, *st. v., me.* hon, hangen, *prät.*
hêng; *pl. me.* hengen 27,22; *p. p.*
hongen, hangen *hängen, kreu-
zigen; ne.* hang.

hon *s.* on.

hond, *st. f.,* 11,130; hand 10,2917;
me. hond 39,1287; haud 61,1127;
pl. honda 10,2902; handa 21,23;
dat. handon 23,7; *me.* honde 37,15;
ande 32,193; hond, hondes 44,
152; hende 45,73; handis 67,211;
hend 67,34; *dat. (akk.)* honden
33,15 *hand; ne.* hand; on hand
15,3 *in die hände;* neyh honde
40,46 *nahebei;* word ond honde
46,240 *handschlag;* on honde 63,30
vor uns; i habbe en hande 32,
192 *lastet auf mir.*

hondewyrn, *st. f.,* handewyrn
22,72 *handwühle.*

honddêd, *st. f., me. pl.* handdede
44,92 *werke seines armes.*

hondgeweore, *st. n., me. pl.*
handewerkis 62,32 *werk der hand;
ne.* handiwork.

hondlian, *schw. v., 3. sg. präs.*
handlaþ 21,15; *me.* handlen *be-
rühren; ne.* handle.

hondplega, *schw. m.,* 18,49 *spiel
der hand, d. i. kampf.*

hondred *s.* hundred.

hongian, *schw. v., me. 3. sg. präs.*
hanget 32,308; *konj. präs.* honge
47,1141; *prät.* hong 69,160; *p. p.*
hangid 61,1158 *hangen, hängen;
ne.* hang.

honour, *sb.,* 51,46 *ehre;* 48,226
würde; ne. honour.

honourable, *adj.,* 64,23 *ehren-
wert; ne.* honourable.

honoure(n), *v., p. p.* honoured
51,60 *ehren; ne.* honour.

hony *s.* hunig.

hood *s.* hôd.

hooly *s.* hålig.

hope, *sb.,* 34,13899 *hoffnung; ne.*
hope.

hopian, *schw. v., me.* hopie 82,24;
hopye 50,48; *prät.* hoped 48,154;
hope *hoffen (auf to); ne.* hope.

hor *s.* hê.

hêran *s.* hieran.

hord, *st. n., später m.,* 14,87; *me.*
hord *hort, schatz; ne.* hoard;
leggen an (en) horde 32,12 *auf-
sparen, zurücklegen.*

hordom, *sb.,* 32,253 *hurerei; ne.*
whoredom.

hore *s.* âr, hê.

hore, *sb.,* 46,99 *dirne; ne.* whore.

Horigti, Horoti, *völkern., pl.,*
17,29,30 *die Kroaten.*

horling, *sb.,* 32,103 *ehebrecher.*

horn, *st. m.,* 13,44; *me.* horn 61,
1116 *horn; ne.* horn.

hornboga, *schw. m.,* 11,222 *horn-
bogen.*

horrible, *adj.,* 61,1108; horreble
62,2 *entsetzlich, schrecklich; ne.*
horrible.

hors, *st. n.,* 17,180; *dat. pl.* horsan
17,95; *me.* hors 44,94; *pl.* hors
48,142 *roß, pferd; ne.* horse.

Hors, *eigenn.,* 34,13848 *Horsa.*

horschwæl, *st. m.,* 17,79 *walroß.*

horst, *p. p.,* 70,14 *auf dem pferde
getragen.*

hose, *sb.,* 67,225 *(strumpf-)hose.*

hosebounde *s.* hûsbunda.

hosp, *st. m.,* 7,171 *hohn, übermut.*

host, *sb.,* 61,1113; ost 48,190 *heer;
ne.* host.

hot *s.* hât.

hot, hoten *s.* hâtan.

hou *s.* hwâ.

hounbinden s. onbindan.
houncurteis s. uncurteis.
hounderstonde s. understondan.
houne s. âgan.
hounger s. hungor.
hounlaw s. unlaw.
hounsele s. unsele.
houre s. wê.
houre, sb., 69,171 stunde; ne. hour.
hous s. hûs, wê.
house-end, sb., 71,49 hausgiebel, hausdach.
houssebonde s. hûsbunda.
houssewif, sb., 46,361 hausfrau; ne. housewife.
houte s. ût.
how s. hwâ.
howe, sb., 47,1129 sorge, angst.
howe wiif, sb., 47,994 hebamme.
hoylle s. hâl.
hoyne, v., 67,319 lässig sein, zögern.
hrâ, hræ s. hrêw.
hræbn s. hræfn.
hrædlice, adv., 19b,8; merc. hreðlîce 13,26; me. rædlice 19c,7; redliche 33,70; radly 58,65 rasch, schnell.
hrædnes, st.f., 15,19 schnelligkeit.
hræfn, st. m., 18,122; hrefn 11, 206; me. raven, ravyn 67,497; reven rabe; ne. raven; hraebnęs foot Ep., 1,20; me. revenfoot hahnenfuß.
hrægl, st. n., 8,590; merc. hregl 13,16; merc. rægl 19d,3; me. rail kleid; ne. rail.
hrân, st. m., 17,90 rentier.
hrâw, st. n., hrêw, hrâ 9,228; hræ 18,120 leib, leiche.
hraþe, adv., 19d,7; nh. hraeðe 19a,7; raðe 28,30; me. raðe 32,133; raþe 46,236 schnell; komp. me. redþer 31,74 eher, lieber (ne. raþer).
hre- s. hræ-.
hreconlice s. recenlice.
hrêman s. hrîeman.
hrêmig, adj., 18,118; pl. hrêmge 9,592 sich rühmend, freuend.
hrêoh, adj., 8,595 rauh, wild, zornig.
hrêosan, st. v., prät. pl. hruran 15,79 zusammenfallen, -stürzen.
hrêowan, st. v., me. ruwen 32,21; reowe(n) 32,354; reowe 37,101; rewe 46,235; rew 73,5 leid tun; (on …) 46,114 mitleid haben (mit); 67,202 beklagen, (be)reuen; ne. rue.

hrêowful, adj., me. rewful(e) 38,3 kläglich, bejammernswert; ne. rueful.
hrêowlice, adv., 15,84; me. reowliche 38,36; reuliche 46,302; rwly 58,96 kläglich, jämmerlich.
hricg s. hrycg.
hrîeman, schw. v., hrêman (lesart: hrŷman) 18,78; me. remen 33,35 schreien.
hrîm, st. m., 9,16 reif; ne. rime.
hrînan, st. v., hrîno 6,28; me. rinen berühren, angreifen (mit akk., gen., dat.).
hrincg, st. m., hring 9,339; me. ring 37,34 ring, umringender haufe; ne. ring.
hrîno s. hrînan.
hrîðer, st.n., 12,18; hrŷðer 17,93; me. reoþer, reþer, ruþer rind; ne. veraltet rother.
hrôc, st. m.?, Ep. hrooc 1,9 saatkrähe; me. ne. rook.
hrôf, st.m., 2,6; me. rof dach; 6,27 spitze, gipfel; ne. roof.
hrooc s. hrôc.
hroernisse s. eorðhroernisse.
hrôðor, st. m., gen. pl. hrôþra 8,681 freude trost.
hruran s. hrêosan.
hrycg, st. m., hricg 10,2854; rig, rug rücken; ne. ridge.
hrŷman s. hrîeman.
hryre, st.m., 9,16 fall; 9,645 untergang.
hrŷðer s. hrîðer.
hu- s. hw-.
hu s. hwâ.
huaeg s. hwêg.
huaet s. hwâ.
huanne(s) s. hwonne, hwonon.
hud s. hŷdan.
hue s. hê.
huer s. hwûr.
huere s. hê.
huerte s. heorte.
hufe, v., 67,461; p. präs. hufing 69,159 (ver)weilen, zögern; vgl. ne. hover.
huge, adj., 61,1110 sehr groß; ne. huge.
hulde s. hyldo.
hull s. hyll.
Humber?, st.f., flußname, gen. Humbre 15,148; dat. Humbre 14,15; me. Humbre, Vmbre 34, 14018 Humber.

humble, *adj.*, 65,59; umble41,44
demütig, bescheiden; ne. humble.
hund, *zahlw., n.*, 17,133 *hundert;
me.* hund.
hundnigontig, *zahlw.*, 15,107
neunzig.
hundred, *zahlw. n., me.* hundred
32,54 hondred46,104; hundreth
48,126; hundrid, hundir 60,16
hundert; ne. hundred.
hundredfeuldo, *adj.*, 32,54; an-
hondreduald 50,66 *hundertfältig;
ne.* a hundred-fold.
hundseofontig, *zahlw.*, 8,588
siebzig.
hundteontig, *zahlw.*, 15,115 *hun-
dert.*
hundtwelftig, *zahlw.n., hundert
und zwanzig.*
hungor, *st. m.*, 9,613; hungur15,1;
me. hungær27,33; hunger32,147;
hounger 46,310; huugre 67,155;
dat. hungro 15,86 *hunger; ne.*
hunger.
hunig, *st. n.*, 12,22; *me.* hony 49,
18 *honig; ne.* honey.
hunta, *schw. m.*, 17,70 *jäger.*
huntoð, *st. m.*, 17,50; *me.* honteþ
jagd, jagdbeute.
huo *s.* hwâ.
hur, hure *s.* hê.
hurlen, *v., prät.* hurled 58,149
werfen, schleudern; ne. hurl.
hûru, *adv.*, 17,156; *me.* hwure 33,
66 *wenigstens.*
hûs, *st.n.*, 8,648; *me.* hus 36,15572;
hous 46,273 *haus; ne.* house; to
house 46,92 *nach hause.*
hus *s.* wê.
husband *s.* hûsbunda.
husberner, *sb.*, 41,35 *mordbrenner.*
hûsbunda, *schw. m., me.* hosse-
bonde 46,341; houssebondo 46,
137; hosebound(e) 50,98; hus-
band(is) 67,208 *hausherr, gatte;
ne.* husband.
hv- *s.* hw-.
hw *s.* hwâ.
hwâ, *frage- und später relativpron.*,
14,80; *me.* hwa 34,80; hwo 40,22;
wo 46,140; huo 50,59; who 59,
93; quha 66,432; quho 69,162;
ne. who; hwæt 7,176; *nh.* huaet
3,4; *me.* wet 32,23; hwet 32,79;
whet32,90; whæt34,13837; whatt
36,15583; wat 41,9; hwat44,117;
quat45,25; what48,96; quhat 60,

63; *gen.* hwæs, *me.* hwes, hwas,
whos 65,64; quhais 72,11,3; *dat.*
hwâm 22,54; hwêm; *me.* quam
45,47; wam 46,387; wham 48,
193; hwam51,6; quhwam66,399;
whom, hom; *urspr. instr. mit
präp.* hwan 32,95; hwon, whan,
wan 34,13859; *akk. m.* hwone,
hwane; *me. wie dat., n. wie nom.;
wer? was? instr. n.* hû 7,183; *me.*
hwu 28,13; hu 32,392; hou 42,1;
hw44,93 *(hs.);* w44,120 *(hs.);* how
48,188 *wie? ne.*how; hwȳ, hwi 21,
77; *me.*hwy28,1; hwi 33,53; wi46,
64; whi (þat) 48,96; quhy 60,52;
why67,14; *warum? ne.* why;hwæt
eart þû 21,26; *me.* hwat artu 40,
19; quat ertu 45,17 *wer bist du?*
huaet gôdæs 3,4 = quid boni;
auch indefinit.; akk. hwæne 28,2;
me. hwa 33,6; *mit präp.* wham
48,193 *irgend wer; ae.* swâ, hwâ,
swâ 16,4; *me.*mitever(e) *u.dgl.*33,
105; so 44,4; sa 70,3; sum 45,30;
þet 50,59; at *u.dgl.*; hwo-so 44,
83; whoso 54,38; woso (ever) =
hwo so (ever) 46,361 *wer immer,
jeder der; ae.* hwæt! 22,43; *me.*
wat 46,235 *fürwahr!; me.* whæt,
wat, *adj.*, 34,13837 *was für (ein)?;
me. präp.*, wat 41,26 *bis;* what . . .
and *teils* . . . *teils.*
hwǽg, *st. m. n.? Ep.* huaeg 1,24;
me. whei *molken; nc.* whey.
hwǽl, *st. m.*, 17,83; *gen.* hwales
17,97; hwǽles 17,98 *walfisch; nc.*
whalo.
hwǽlhunta, *schw.m.*, 17,56 *wal-
fischfänger.*
hwǽlhuntað, *st. m.*, 17,85 *wal-
fischjagd.*
hwan, hwǽne, hwænne *s.* hwâ,
hwonne.
hwǽr, *frageadv.*, 10,2890; hwâr;
me. hware 28,4; hwer 33,52;
hwar 37,106; quar 39,1311; huer
50,18; whare 57,7; quhar 60,22;
where 65,62; wher 67,22; quhare
69,159; wer *wo?* 39,1311, 42,23
*woher?; indefin. irgendwo, (nach
verben der wahrnehmung) wie da;*
wel hwǽr 14,78 *überall; me.relat.
zusammensetzungen:* huerby 50,15
wodurch; huerof 50,7; quorof 39,
1314 *wovon;* quor on 89,1310;
quhere as 69,165 *wie;* quaron,
wherfor48,174; wharefore 49,29;

quarfore 45,16; quarefore 45,99;
quhairfoir 71,24 *darum;* qharetill
(*st.* tharetill) 69,170 *dorthin;* noh-
were 40,44 *nirgends;* war-to 46,
313 *wozu;* wharþurch 47,1065
weshalb.
h w a t, h w æ t *s.* hwâ.
h w æ t, *adj., pl.* hwate 18,25 *kühn.*
h w æ t e, *st. m.,* 21,46; *me.* whete
weizen; ne. wheat.
h w æ t e n, *adj., kent. gen. pl.* huae-
tenra 12,17; *me.* hueten *von*
weizen; ne. wheaten.
h w æ t h w u g u, *pron. n.,* 16,28 *ir-
gend etwas.*
h w æ t l i c e, *adv., me.* whattlike 36,
15571 *rasch.*
h w æ ð e r, *fragepron.,* 17,59; hwæ-
þer 17,63; *me.* hweðer 32,236 *wer*
von beiden?, welcher von beiden?
ne. whether; *n. als fragepartikel*
(=*lat.* utrum,num) whar 34,13838
ob; hwæðer.. þe 21,33; *me.* quhe-
þir...or 60,70; *konj.* 17,53; *me.*
wheder ... or 67,363 *ob ... oder;*
indef. pron.kent. suç hwaeder suae
12,23 *wer von beiden immer.*
h w æ ð e r e, *adv.,* hwæþre 9,366 *wie*
auch immer; konj. hwæðere 4,3b;
hwæðre 4,1b; *nh.* hweþræ 4,3a;
me. þohh wheþþre 36,15623; þoh
wheðer 32,131 *doch, dennoch.*
h w e a l f, *adj.,* 11,214 *gewölbt.*
h w e a r f *s.* hweorfan.
h w e a r f i a n, *schw.v., ae. sich wenden,*
sich verwandeln; me. p. p. wharfcedd
36,15539 *verwandeln;* wharfenn
36,15567 (*les.) wechseln.*
h w e l c, *fragepron.,* 14,3; hwilc 10,
2847; hwylc 15,175; *nh.* huele
19a,20; *me.* hwylc(e) 28,7; hwilc 32,
138; whilch(e) 32,132; wulch(e),
woch(e) 34,13889; hwych 35,82;
wych(e) 41,35; wylk(e) 49,28;
which(e) 59,68; quhilk 62,4;
quhich(e) 69,168; *me. (selbständig
oder nach* þe, the) *auch relat.,*
welcher; hwych so 35,82; whilche
... se eure 32,132 *welcher auch*
immer.
h w e l p, *st. m., dat. pl.* whelpum
20,40; *me.* welp(e) 46,287 *tier-
junges; ne.* whelp.
h w ê n e *s.* hwôn.
h w e n n e *s.* hwonne.
h w ê o l, *st. n., me.* whel 36,22;
quhele 69,159 *rad; ne.* wheel.

h w e o r f a n, *st. v.,* 8,703; *prät.*
hwearf 15,145 *sich wenden; (um-
her)gehen.*
h w e r *s.* hwær.
h w e t *s.* hwâ.
h w e ð e r *s.* hwæðer.
h w e þ r æ *s.* hwæðere.
h w î *s.* hwâ.
h w i d e r, *adv.,* 8,700; *me.* whider
42,14; whedir 67,313 *wohin?; ne.*
whither.
h w î l, *st. f.,* 8,674; *me.* hwile 32,238;
wile 46,444; whyle 58,87; while
67,213 *zeit, stunde; me.* lifwile
46,103 *lebenszeit; konj.* þâ hwîle
ðe 14,59; *me.* (þa, ðe, þe) hwile
(þe, þet) 32,23, 83,64 &c.; þe hwule
ðet 37,12; þe wile 46,444; to whille
48,119; to whils 48,190; ðorquiles
39,1282; þer whiles 47,1028; hwil
54,6; qwiles 59,39; while 59,56;
whils, quhill 66,404; whyls 67,
397 *solange als, während, bis, als;*
ne. while; *adv.* hwŷlum 17,175; *me.*
hwylem 41,41; quhilum 69,160
bisweilen, einst; hwîlum ... hw.
14,67 *bald ... bald; ne. poet.*
whilom; *me.* oþer whyle 58,121;
other while 67,213 *mitunter, ein*
andermal.
h w i l c, h w i l c h *s.* hwelc.
h w i t, *adj.,* 6,1; *me.* hwit 19c,3;
hwit(e) 37,37; whit 43,15; whyt(e)
54,51; quhite 69,161; *komp.* whit-
tere 53,28 *weiß; ne.* white.
h w î t a s u n n a n d æ g, *st. m., me.*
witsunnedei 33,96 *pfingstsonntag;*
ne. Whitsunday.
h w o *s.* hwâ.
h w o n *s.* hwâ, hwonne.
h w ô n, *n., instr.* hwêne 17,109
kleinigkeit, ein wenig.
h w o n n e, *adv.,* 6,10; hwanne,
hwænne 21,3; *me.* whanne 19e,11;
hwenne 32,35; ʒanne 32,150 (*les.);*
wanne 32,396; hwon 37,119; quan
39,1322; hwan 44,67; quanne 44,
134; quen 45,73, wen 46,198;
wenne 46,284; whan 48,68; when
49,4; huanne 50,11; quhen 60,1;
when, wan 61,1121; whan 63,1;
konj., wann? wann, wenn, da, als;
ne. when.
h w o n o n, *adv.,* 16,53; *me.* huannes
50,83; whænnenen, wanene 34,
13838; whanene 34,13846 *woher?;*
vgl. ne. whence.

308

hwu *s.* hwâ.
hwule *s.* hwil.
hwure *s.* hûru.
hwych, hwyle *s.* hwele.
hwylem *s.* hwil.
hy. *sb., eile:* an heize *(hs.),* hize
47,1152; on hye 69,163; in hy
60,58 *in eile; vgl.* higian.
hy *s.* hê, higian.
hyd *s.* hŷdan.
hŷd, *st. f.,* 17,81 *haut, fell; ne.* hide.
hŷdan, *schw. r., me. prät.* hŷdde,
me. hiddo(n) 44,69: *p. p. me.* ihud
(ni húd = ne ihud) 32,77; hyd 54,
56 *verbergen, verstecken; ne.* hide.
hydwiß *s.* hidous.
hye *s.* hêah, hê, higian, hy.
hyer *s.* hêr.
hyze *s.* hêah.
hyge. *st. m.,* 8,604; hige 23,4 *seele,
geist, gemüt, sinn, gedanke.*
hygegrim. *adj.,* 8,595 *grimmig.*
hygesorh, *st. f., akk.* hygesorge
7,174 *(gemütsjsorge, kummer.*
hygeponcol, *adj.,* hige- 11,131
gedankenvoll, klug.
hŷhstan *s.* hêah.
hyht, *st. m.,* 8,607; *gen. pl.* hyhta
8,682; *me.* hiht *hoffnung.*
hyhtlice, *adv.,* 9,79 *angenehm,
lieblich, herrlich.*
hyldan, *schw. v.,* 4,2b; *uh.* hælda
4,2a; *me.* holden *(sich) neigen; ne.*
heel.
hyldo, *schw. f.,* 10,2921; *me.* hulde
32,343 *huld, gunst.*
hyll, *st. m., später f.,* 6,27: *me.*
hull(e) 32,347; hil 39,1290; hill
61,1108; *pl.* hillys 67,442: hyllys
67,466 *hügel, berg; ne.* hill.
hym, hymen, hyne *s.* hê.
hynt *s.* heutan.
hyo *s.* hê.
hyr, hyra *s.* hê.
hŷran, hŷrað *s.* hîeran.
hyrdas *s.* hirde.
hyre *s.* hê.
hyrnednebb, *adj.,* 11,212 *mit ge-
hörntem, d. h. gekrümmtem schnabel.*
hŷrsum, *adj.,* 15,159 *gehorsam.*
hŷrsumian *s.* hîersumian.
hŷrð *s.* hîeran.
hys *s.* hê.
hyspan, *schw. v., 3. sg. präs. kent.*
hespð 20,35 *höhnen, tadeln.*
hysse, *st. m.,* 28,2 *jüngling.*
hyt *s.* hê.

I, J.

i *s.* in, ic.
i- *s.* ge- *oder einf. vb. oder verb.*
iâ, *adv.,* 21,24; *mc.* ze 46,232; za,
yei 67,353 *ja: ne.* yea.
Jak, *eigenn., deminutic für John*
67,336 *Hans.*
iafen *s.* giefan.
iangle, *v., p. präs.* ianglande 58,90
schwatzen, schimpfen; ne. jangle.
Japh. *stadtn.,* 58,90 *Jaffa.*
ibede *s.* gebed.
ibeden *s.* biddan.
ibet *s.* bêtan.
i-blessi *s.* gebliðsian.
ihoen, *adj., s.* boune.
ihoreze *s.* beorgan.
ibonden, ibounde *s.* bindan.
iburezen *s.* geheorgan.
iburep *s.* gebyrian.
ic, *personalpron.,* 4,1b; *me.* ic 32,2;
ich 32,1; i 32,4; icc 36,30; ihc
43,3; y 44,15; I 46,1; hic 46,237
ich: ne. I; *gen. (possess.)* mîn 5,1;
me. mi 32,2; mine 34,13827; mîn
34,13950; my 48,94; myne 50,60:
myn 51,25; *gen. dat. sg. fem. des
poss. ae.* mînre 21,11; *me.* mire
37,5; *akk. f. des poss.* mine 13,15;
dat. mê 13,15; *me.* me 44,118; *akk.*
mec 19a,10; mê 12,42; *me.* me
32,227; ic ðe 12,44 *der ich; me.*
miselve 46,183; miself 46,184;
my self 51,32; mi selue 55,11
ich selbst; mi suluen 37,100 *mich
selbst.*
ich *s.* ælc, ic, ylca.
ichabbe 53,9 = ich habbe; *s.* ic.
ich-a-deylle, *adv.,* 67,299 *jeder
teil, ganz ausführlich, s.* ælc.
icham, 53,8 = ich am; *s.* eom.
ichil(l) 47,1052 = ich will; icholde
51,32 = ich wolde *s.* ic *und* willan.
iclopod *s.* clapen.
ichon *s.* ælc.
ichot 52,23 = ich wot; *s.* ic *und*
witan.
ichulle 53,19 = ich wulle; *s.* ic
und willan.
icleped, iclepeð *s.* cleopian.
icluped *s.* cleopian.
icoren(e) *s.* cêosan.
id *s.* hê.
îdel, *adj., gen.* îdles 16,15; *me.*
ydel 32,9; ydill 49,1; ydele 50,63
eitel, müßig; ne. idle.

idelness, *st.f.*, *me.*idelnesse 32,7; ydyllnes 49,7 *eitelkeit, müßiges wesen; ne.* idleness.
idemd, idemed *s.* dêman.
ides, *st. f.*, 11,128 *weib, frau.*
îdles *s.* îdel.
ido *s.* dôn.
idreaued *s.* drêfan.
îe *s.* êa.
iede(n) *s.* geeede.
îegbúend, *subst. p. präs. pl.*, 14,83 *inselbewohner.*
iegland, *st. n.*, îgland 17,35; îglond 9,9; oigland 18,131; *me.*îland *insel; rgl. ne.* island.
ielde, *st. pl., nh.gen.* ælda 2,5 *menschen.*
ieldra *s.* eald.
ieldu, *st. f.*, yldu 9,190; yldo 9, 614; yld; *kent.* held 20,45; *me.* ylde 32,17; uldo 32,373; eld(e) 32,16 *alter; ne. poet.* eld; *of* elde 44,174 *erwachsen.*
ientyle, *adj., heidnisch: ne.* gentile.
iermðu, *st.f.*, yrmðu 8,634; *mere.* ermðu 13,30; *me.* ermþe *elend, unglücksfall.*
ierming, *st. m., elender mensch; me.* erming, *adj.*, 33,6; earming 33,23 *elend.*
Jerusalem, Ierusalem *s.* Hierusalem.
Iesu, *eigenn.*, 38,7; Iesus, 51,91; Ihesu(s) 19e,9; *gen.* Iesusess 36, 25 *Jesus.*
if, iff *s.* gief.
ifagen *s.* gefêon.
iginne *s.* gowinn.
igland, îglond *s.* îegland.
igrætten *s.* gegrêtan.
ihate *s.* hâtan.
ihealden *s.* healdan.
iherd, ihere(n) *s.* gehieran.
Iherusalem *s.* Hierusalem.
iherð *s.* gehieran.
Ihesu(s) *s.* Iesu.
ihoved *s.* habban.
ihialde *s.* healdan.
iholpen *s.* helpan.
ihord *s.* gehieran.
ihud *s.* hŷdan.
ihuren, ihurð *s.* gehieran.
ikruned *s.* coroune.
ilca *s.* ylca.
ilch *s.* ŵlc.
ilce *s.* ylca.

Ildebrand, *eigenn.*, 29,3 *Hildebrand.*
iledene, *p. p.*, *s.* geléedan.
ilel *s.* gelîefan.
ileued *s.* libban.
ileuen *s.* geléafa.
ileue(n), ileouen *s.* gelîefan.
Ilfing, *flußname, f.*, 17,158 *Elbing.*
iliche, ilyche *s.* gelîc(e).
ilk *s.* ylca.
ilkane *s.* ŵlc.
ilke *s.* ylca.
ilkon, ilkone *s.* ŵlc.
ille, *adj.*, 32,74: ill 57,31 *böse, schlecht, schlimm, übel; ne.* ill; *als sb.* 48,55; 60,100 *übel, unglück.*
illko *s.* ylca.
ilome *s.* gelôme.
ilere *s.* léesan.
ilusd *s.* lêsan.
iluued *s.* libban.
image, *sb.*, ymage 50,16 *bild: ne.* image.
imelen *s.* gemŵlan.
imeng(d) *s.* mengan.
imone *s.* gemŵna.
in, *präp.*, 6,6; *me.* in 32,233; inn 36,95; i 34,13822; ine 37,137 *in, an, auf; adv.*, yn 54,11 *darin, ein;* inn 25,2 *herein: ne.* in; in to 61,1104 (in tour = in to our ; into 46,22; 59,14 *in (auch auf die frage „wo?");* 44,139 *bis; me.* in til. inntill 36,46; intil 44,128; in till 60,24 *in, bis; me.* in sa mekle as 62,11 *insofern als.*
in (*gen.* innes), *st. n., me.* in, inne 45,71; hin 34,14046; hinne; *pl.* innys 72,11,13; *dat. pl.* innen 34, 14007 *zimmer, wohnung; ne.* inn.
inbecuman, *st. v., prät. pl.* inbecômen 23,58 *hereinkommen.*
inbryrdniss *s.* onbryrdnyss.
ine *s.* git.
inca, *schw. m.*, 7,178 *zweifel, argwohn.*
inch, *sb.*, 70,12 *zoll; ne.* inch.
incit *s.* git.
inclyne, *v.*, 66,448 *sich verneigen.*
indryhto, *st. f.*, 9,198 *ruhm, wonne.*
induyr *s.* endure.
inêedan, *def. prät. pl.* 15,175 *gingen hinein; s.* êode.
infant, *sb.*, 68,21; *kleines kind.*
Ingelond *s.* England.
Inglis men, *s.* englisc.
Inglend *s.* England.

ingong, *st. m.*, 16,73; *me.* inʒoug
eingang.
inlîhtan, *schw. r.*, *merc.* 19d,1
dämmern.
inn *s.* in.
innan. *ade. und präp.*, 8,691; inne
17,167; *me.* innan 33,29; inne 82,
245 *innen*, *innerhalb, in; darinnen.*
innanbordes, *adc.*, 14,8 *im innern.*
inne *s.* in.
innen *s.* in, *sb.*
innoδ, *st. m. (f.?)*, 14,*schl.-ged.*1
das innere.
innys *s.* in, *sb.*
incʒ(e), inoh, inou, inouh,
inow(e) *s.* genôh.
interupcyoun, *sb.*, 65,62 *unter-*
brechung; *ne.* interruption.
intil(l) *s.* in.
intinga, *schw. m.*, 15,70 *ursache.*
into *s.* in.
inweardlîce, *adv.*, *komp.* inweard-
licor 15,241 *innerlich, innig.*
inwidda, *schw. m.*, 18,91 *feind,*
widersacher.
inwitrûn, *st. f.*, *akk.* inwitrûne
8,610 *boshafter beschluß.*
Johnes toune *s.* Saint.
ioie, *sb.*, 38,14; ioye 61,1137; ioy
62,21 *freude; ne.* joy.
Jon, *eigenn.*, 48,1 *Johann (ohne*
Land), *könig von England; ne.*
John.
iornan *s.* eornan.
Josep, *eigenn.*, 28,15 *Josef.*
iow *s.* gê.
ioye *s.* ioie.
ioyful, *adj.*, 58,109 *freudenvoll;*
ne. joyful.
ioyles, *adj.*, 58,146 *traurig, freud-*
los.
ioyne(n), *vb.*, 50,44 *(ver)binden;*
p. p. ioyned 58,62 *einsetzen.*
iqueden *s.* (ge)cweδan.
iquomde, iqueme *s.* gecwîman.
Îraland, *ländern.*, 17,128 *Irland*
(Shetlandsinseln? Island?).
Îras, *volksn.*, *gen. pl.* hîra 18,111
die Iren.
ire, *sb.*, 60,32 *zorn, haß; ne.* ire.
îron, *st. n.*, *me.* iren 27,31 *eisen;*
ne. iron.
ireue *s.* gerêfa.
irnende, irnδ *s.* eornan.
îs, *st. n.*, *me.* is 33,27 *eis; ne.* ice.
is *s.* eom, hê.
iswh *s.* gesêon.

ische, *c.*, *prät.* ischyt, 60,112
herausgehen, kommen; ne. issue.
isched *s.* sceâdan.
ischild *s.* gescyldan.
ischrud, iscrud, iscrudde
s. sorŷdan.
iso *s.* gesêon.
ised, iseid *s.* seogan.
iseʒen(n), iseh, iscie *s.* (ge)-
sêon.
iselþe *s.* gesælδ.
isene *s.* sêon.
iseo(u) *s.* (ge)sêon.
îsern, *st. n. (urspr. adj.)*, 15,82
eisen, stahl, waffe.
iset, iscyd *s.* seogan.
iseye *s.* (ge)sêon.
ishend *s.* scendan.
ishoed, *p. p. adj.*, 46,320 *beschuht.*
isomned *s.* (ge)somnian.
iss *s.* eom.
ist 67,517 = is hit; *s.* eom *und* hê.
iswinch, jswinch *s.* geswinc.
it *s.* hê.
iteδ *s.* etan.
itit *s.* getîdan.
itt *s.* hê.
iû, *adv.*, 14,3; giû 14,40; giô, geô
5,1 *schon einmal, einst;* iû gêara
15,222 *schon seit alter zeit.*
iuædde *s.* fêdan.
iuæld *für* iuælδ; *s.* fyllan.
iûdæd, *st. f.*, *inst. pl.* iûdædum
8,703 *einst vollführte tat.*
iudaysse, *adj.*, 40,54; *schw.* judiss-
konu 36,15552 *jüdisch.*
lûdéas, *volksn.*, *pl. m.*, *dat.* Jû-
dêum 19b,15; *me.* Iudeam 19c,15;
Juþewess 36,15592; Gius 41,15;
iuwis 45,94; Iewis 19e,15; *sg.*
Jude 58,61; lue 58,109 *die Juden.*
ludelond, *ländern.*, 40,19 *Judäa.*
ived *s.* fêdan.
iuel(e), ivel *s.* gefeallan, yfel.
iuore, ivore *s.* gefêra.
jugement, *sb.*, 46,246 *richter-*
spruch, urteil; *ne.* judgement.
iuh *s.* gê.
iung *s.* geong.
juperti, *sb.*, 46,276 *wagestück; ne.*
jeopardy.
jurne, *sb.*, *pl.* iurnees 39,1291
tagereise; ne. journey.
lurselem *s.* Hierusalem.
iustise, *sb.*, 27,10 *gerechtigkeit,*
recht; 47,1025 *richter; ne.* justice.
iwent *s.* wendan.

19*

iwer *s.* gewǽr.
iwhille *s.* gehwelc.
iwih *s.* gê.
iwill *s.* gewill.
iwis, iwisse, iwysse *s.* gewiss.
iwoned *s.* gowunian.
iworþe *s.* geweorðan.
iwrat *s.* wyrcan.
iwreden *s.* gewyrdan.
iwreken *s.* wrecan.
iwune, *sb.*, 34,14017 *gewohnheit;* vgl. gewunian.
iwuned *s.* gewunian.
iwurðe *s.* geweorðan.
iðanc, iþank *s.* geþonc.
iðeo *s.* geþêon.
iþinlic, *adj.,* 45,52 *eifrig.*
iþohte, iþouht *s.* geþencan.

K.

k- *s.* c-.
kaiser, *sb.,* 45,64 *kaiser.*
Kalice, *stadtn.,* 71,34 *Calais.*
kane *s.* cunnan.
kare *s.* cearu.
karien *s.* cearian.
karrte *s.* cræt.
kay, *sb.,* 57,36 *schlüssel; ne.* key.
keille, *v.,* 67,300; keyle 67,118 *kühlen, lindern, stillen, beruhigen.*
keip *s.* cêpan.
kell, *sb.,* 70,4 *haube oder* = kill, *sb., kamin, schornstein.*
kempa, kempe *s.* cempa.
ken *s.* cû, cennan.
ken- *s.* cyn-.
kende *s.* cynd.
kene *s.* cêne.
kenliche, *adv.,* 35,88 *kühnlich;* vgl. *ne.* keenly.
kenne *s.* cyn.
kenne *s.* cennan.
kenrede, *sb.,* 50,53 *geschlecht, verwandtschaft; ne.* kindred.
kep, *sb.,* kepo *acht, obacht;* kep nimen 39,1333 *achtgeben, hinblicken;* take kepe 63,26 *achtgeben.*
kepar *s.* kepere.
kepe *s.* kep, cêpan.
kepere, *sb.,* keper 45,102; kepar 72,11 *tit. hüter, wächter; ne.* keeper.
kepyng, *sb.,* 48,235 *gewahrsam; ne.* keeping.
kerve *s.* ceorfan.
kesse *s.* cyssan.
kest, kesten *s.* casten.

keste *e.* cyssan.
keyle *s.* keille.
kid *s.* cŷðan.
Killyngworth, *ortsn.,* 48,191 *Killingworth.*
kinde *s.* cynd.
kindel, *v.,* 57,10 *anzünden, entbrennen, erregen, bereiten, entstehen; ne.* kindle.
kine- *s.* cyne-.
kinelond, *st. n.,* 34,13895; *königreich.*
king *s.* cyning.
kingeriche, *sb.,* 43,17 *königreich.*
kirk, kirke *s.* cirice.
kissen *s.* cyssan.
kiþenn *s.* cŷðan.
knafe, *sb.,* 67,173; knavo 46,201; *kuecht, mann; ne.* knavo.
knape *s.* cnapa.
knaw(e), knawin *s.* cnâwan.
knc, kneis *s.* cnêow.
knelen, *v.,* knele, *präs. sg. 3.* knelith 65,59; *p. präs.* kneland 67, 488; knelyng 65,61 *knien; ne.* kneel.
kneon *s.* cnêow.
kniet, knieth *s.* cniht.
knif, *sb.,* *dat. sg.* kniue 43,110 *messer; ne.* kuife.
knight, knith *s.* cniht.
kniue *s.* knif.
knok, *sb.,* 67,342 *schlag; ne.* knock.
knoke, *v.,* 47,1127 *klopfen, pochen; ne.* knock.
knowen *s.* (ge)cnâwan.
knowlage, *sb.,* 59,73 *kenntuis; ne.* knowledge.
knyght, knyȝt, knyht *s.* cniht.
knyt, *v.,* *me.* *prät.* knitt 47,993; *p. p.* knyt 67,451 *knüpfen, binden, fesseln, abschließen; ne.* knit.
Krist *s.* Crist.
krune *s.* coroune.
kuckald, *sb.,* 72,11,17 *hahnrei; ne.* cuckold.
kun, kunne(s) *s.* cyn.
kuning, *sb.,* 32,361 *kaninchen, kaninchenfell; ne.* coney.
kurs, *sb.,* 31,2 *verwünschung, fluch; ne.* curse.
kuðe *s.* cunnau, cŷðan.
kyd, kydde *s.* cŷðan.
kylle, *st. f. m.,* 14, *schl.-ged.* 26 *krug.*
kyndenesse *s.* gecyndness.
kyng, kyning *s.* cyning.
kyrk *s.* cirice.

L.

ł 19a,1 = vel oder oððe.

lâ, interj., 21,67; me. la 33,66; loo 45,26; lo 67,288; lew 67,507 ol siehe!; ne. lo.

labour, sb., 66,381 arbeit; 65,64 mühsal; ne. labour.

lâc, st. n. f., 10,2858; me. lac 32, 73 geschenk, opfer.

lâcan, st. v., prät. leolc 8,674 springen, schwimmen, schiffen.

lœce, st. m., me. lcche 32,302 arzt; ne. leech.

lache s. gelœccan.

lack, sb., lak 64,7 mangel; ne. lack.

lâd, st. f., me. lode 58,156 weg, lebensweg, leben.

lædan, schw. v., 8,613; me. lede 32,5; læden 32,123; læde 32,272; leden 32,395; leide 66,371; 3.sg. präs. ind. læt; me. let 32,338; p. präs. merc. lędende 13,44; prät. lædde 11,129; me. ledde 32,93; ladde 42,52; pl. læddon 22,70; loyd 67,893; me. ledden 33,47; lad 48,193; led 60,27; p. p. me. ilæd 32,5; led 48,56 leiten, führen tragen, bringen, behandeln.

ladde, sb., 58,154 bursche; ne. lad.

ladde, lœdde s. lœdan.

ladde borde, sb., 58,106 backbord; vgl. ne. larboard?

lœddon, lœden s. lœdan.

lœden, st. n., 14,16; me. leden latein. sprache.

lædengeðîode, st. n., 14,61; lateinische sprache.

lœdensprœc, st. f., 14,96 lateinische sprache.

Lœdenware, pl. m., 14,49 Römer, Lateiner.

ladie s. hlœfdige.

lâdigan, schw. v., 7,183 sich reinigen von, sich schützen gegen etwas.

ladlich s. lâðlice.

lady s. hlœfdige.

lâf, st. f., 9,376; me. lave nachlaß, erbe, überbleibsel; layff 66,409 die übrigen; daraða lâf 18,107 was die wurfgeschosse übrig gelassen haben; hamora lâf 18,12 schwert; ne. dial. lave.

lœfan, schw. v., me. leve; leven 46, 153; imp. leiff 66,392; prät. lœfde 14,86; me. lefte, left 48,191; leuyt 59,74; p. p. me. left 48,128; lofte

59,26; lewyt 66,485 lassen, hinterlassen, bleiben; ne. leave.

lafdi, lœfdi s. hlœfdige.

lœfe s. gelêafa.

laferrd s. blâford.

lafian, schw.v., me. laue 58,154 ausgießen, waschen, wasser ausschöpfen; ne. veralt. lave (vgl. lavish).

laʒ, adj., louh 65,63; low 67,21; schw. pl. me. laʒen 32,162 niedrig, danieder, tief, bescheiden; ne. low.

laʒe s. lagu.

lœge s. licgan.

laʒelîes, adj., 32,291 ohne gesetz, ohne glauben; ne. lawless.

laʒen s. laʒ, lagu.

laʒhe s. lagu.

lagu, st. f., me. laʒe 35,97; lawe 35,97; lay 61.1142; law 64,28; pl. laʒhe 32,170; laʒe 32,309; laʒen 33, 49; lawes 44,28; lawis 71,13 gesetz, recht, glaube, religion; ne. law.

laguflôd, st. m., 8,674 sceflut, meer.

lœgun s. licgan.

lagustrêam, st. m., 23,66 wasserflut.

lai, sb., 37,167 lied, gedicht; ne.lay.

lai s. licgan.

Laicestre, stadtn., 48,14; Leicestre 48,290 Leicester.

laid(e), læiden s. lecgan.

lait s. late.

lak s. lack.

Lêland, ortsn., st. n., 17,147 die dänische insel Lîland.

lâm, st. n., 13,2; me. loom lehm, schlamm; ne. loam.

lam s. lomb.

lame, adj., 46,199 lahm; ne. lame.

lœmen, adj., 8,574 irden, tönern.

lâmfœt, st. n., 8,578 irdenes gefäß.

lammesse (ne. blâfmœsse), sb., brotmesse, erntedunkfest; ne. Lammas; Lammesse tide 48,195 erntefestzeit.

lœn, st. f., me. lene. lane, lone das leihen, lehen; ne. loan; tô lâne bêon 14,80 ausgeliehen sein.

lœnan, schw. v., me. lenenn 36, 15561; lenc; 3. sg. konj. lenne 32, 122; prät. lœnde; me. lende p. p. me. ylent 42,8; lent 42,34 leihen, verleihen, gewähren; ne. lend.

lance, sb., 48,86 lanze; ne. lance.

land s. lond.

landbigenga, schw. m., 15,66 einwohner, bewohner.

landbûende, *p. präs.*, 11,226 *landbewohnend*.
landscaru, *st. f., dat.* landscare 14,*schl.-ged.*18 *land, grundstück*.
lǣne, *adj.*, 9,220 *gelichen, vergänglich*.
laug *s.* long.
langage, *sb.*, 59,59 *sprache, das reden; ne.* language.
Laugaland, *ortsn., st. n.*, 17,147 *die dänische insel Langeland*.
langar *s.* long.
lange *s.* longe.
langett. *sb.*, 67,224 *lederner strang, peitschenriemen*.
lap *s.* hlêapan.
lâr, *st. f.*, 14,10; *me.* lar(e) 28,53; lore 32,1 *lehre, belehrung, gelehrsamkeit, kenntnis, einsicht, rat; nc.* lore.
lǣran, *schw.v.*, 8,638; *fl.* lêranne 15,115; *me.* lere 45,28; *3.sg.präs.* læreþþ 36,15634; *imp.pl. me.* lǣred 19c,19; *prät.* lêrde 15,131; *me.* lerde 32,306; lerd 45,42; *p. p.* gelǣred 16,12; *kent.* gelêred 20, 25; *pl.* gelǣrde 19b,15; *me.* gelǣrde 19c,15 *lehren, raten*; 16,62 *auffordern; me.* leir 62,32; lere 69,171 *lernen, erfahren*.
lârêow, *st. m., me.* larew, larþen; *pl.* lârêowas 16,70 *lehrer*.
large, *adj.*, 44,97 *freigebig; ne.* large.
lǣs, *adv., weniger; verbunden mit* þê, þŷ 8,649 *damit, daß nicht; me.* lest: *konj.* 63,8; leste 46,202 *damit nicht, aus furcht, daß*; drede lest 67,55 *fürchten, daß; ne.* lest; *vgl.* lŷtel.
lasse *s.* lŷtel.
last *s.* lǣstan, lǣt.
last, *sb.*, 37,69 *tadel, fehler*.
lâst, *st.m.*, 10,2850 *fußspur, schritt;* on läst 11,209 *hinter, nach*.
lǣstan, *schw. v., me.*(a)lesten 32, 118; leste 32,315; lasten, laste 43,6; last 59,2; *3. sg. präs.* lest 32,167; *p. präs.* lastand 48,213; *prät.* lǣste; *me.* lastede 27,85; laste 43,6; last 59,56; *p. p.* lestyt 66,412 *dauern, bleiben*; last 67,265 *leisten, aushalten; ne.* last.
lastand *s.* lǣstan.
laste *s.* last, lǣstan.
lǣste *s.* lŷtel.
lasten *s.* lǣstan *und* lǣt.

liot, *adj.*, 8,573; *schw.* lata; *me.* late *langsam, spät; ne.* late; *sup.* latest: *me.* latest, latst, last 48,146; at þo laste 46,141; ate lasten 50,101; at the last 69,159 *zuletzt; ne.* at last.
lǣtan, *st.v.*, 8,622; *me.* late 42,51; lete 55,45; *3. sg. präs. ind.* leteð 32,128: let 32,129; letes 58,88; *konj.* late 44,17; lete 51,75; *pl.* lete(we) 32,337; *imp.* latt 66,442: *prät.* leort, lêt 22,64: *pl.* lêton 11,221; lêtan 18,119; *me.* leten 32, 266: let 44,92; lete 61,1117; *p.p.* lattin 70,21 *lassen, unterlassen, aufgeben; ne.* let; lêt swâ 22,64 *ließ es dabei bewenden*; lute let of 32,260 *kehrte sich wenig an*; lete (and liste) 45,95 *still sein*; teres lete 47,1019 *weinte*.
late, *adv., me.* late 32,8; lait 73,5; *komp.* later 32,133 *langsam, spät*; 67,442 *letzthin, kürzlich*.
late *s.* latian.
lath *s.* lâþ.
latian, *schw. v., me.* late 42,51 *zögern*.
latin, *adj.*, 36.12 *lateinisch; sb.* latyn 59,82 *latein; ne.* Latin (*vgl.* leden).
latt *s.* lǣtan.
latte (n) *s.* lettan.
lattin *s.* lǣtan.
lâttêow (lâd-ðeow), *st. m.*, 15,58 *führer, feldherr*.
latyn *s.* latin.
læue *s.* lêaf.
lane *s.* lafian.
læuedi, lavedi *s.* hlæfdige.
lauerd, laverd, -ð *s.* blâford.
lauerok, lânuercae *s.* lâwerce.
lawe *s.* laʒ, lagu.
lawe, *adv.*, 69,164 *unten; vgl.* laʒ.
lawelich, *adj., dat. pl.* lawelyche 35,A77; lauelichi 35,B77 *gesetzmäßig, gerecht*.
lâwerce. *schw. f., Ep.* lânuercae 1,25; *me.* lauerok 54,53; larke lerehe; *ne.* lark.
lawis *s.* lagu.
lay *s.* lagu, lecgan, licgan.
layden, layid *s.* lecgan.
layff *s.* lâf.
lâþ, *adj.*, 7,194; lâð 11,226; *me.* lâð 32,841; (*schw.*) laðe 32,44; loð(e) 37,93; loþ 42,53; lath 44,76; loth 48,62; *komp.* lâðre 23,50; *sup.* lâðesta(n)11,178 *feindlich, verhaßt,*

leid; *sb. gen. pl.* láþra 18,17 *feind;
st. n., me.* loth 48,62 *leid, unrecht.*
laðedon s. laðian.
laðgewinna, *schw. m.,* 6,29 *ver-
haßter gegner, feind.*
laðian, *schw. v., prät. pl.* laðedon
15,66 *einladen.*
láðlíce, *adj., mc.*ladlich(e) 32,279;
loþlich 47,1000 *verhaßt, abscheu-
lich; ne.* loathly.
láþra, láðre *s.* láþ.
liéððu, *st. f.,* 11,158; *me.* leððe,
laþþe *leid, kränkung.*
léad, *st. n.,* 8,578; *me.* lead *blei;
ne.* lead.
léaf, *st. f., me.* leue 45,3; leve 46,
58; leiff 66,395 *erlaubnis;* leyff
66,448 *urlaub;* læue, leíue 31,
13967 *abschied; ne.* leave.
léaf, *st. n., me. pl.* lcues 52,14
blatt, laub; ne. leaf.
leafdi *s.* hléfdige.
léafnesse, *st. f.,* 15,168; léfnesse
15,228; léfnys 15,142; lýfnesse
15,200 *erlaubnis.*
léafsceadu, *st. m. f.,* 9,205 *laub-
schatten.*
leahtor, *st. m., gen. pl.* leahtra
8,583 *schimpf, frevel, verbrechen.*
léan, *st. n.,* 8,622; *me.* lión 32,64
lohn, wohltat.
léap, *st. m., me.* lepe 45,107 *korb.*
léas, *adj., mc.* leas 32,255 *unwahr,
verlogen.*
léas, *adj.,* 7,188 *mit gen., frei von
etwas: vgl. ne.* -less.
léasung, *st. f.,* 15,12; *me.* leasunge
37,75; leasinge; lesing 46,203 *lüge,
erdichtung, falschheit; ne. (veralt.)*
leasing.
léat *s.* lútan.
Leaus, *stadtn.,* 48,109 *Lewis.*
lecgan, *schw. v.,* 10,2850; *me.* leg-
gen 32,316; leye; lay 67,34; *prät.
pl.* legdon 18,43; *me.* læiden *(pl.)*
27,36; leide 32,259; leyde 40,64;
laid 45,51; laide 67,282; layid
71,8; *p. p. me.* yleid 32,12; leid
39,1325; laid 48,56 *legen, setzen;
ne.* lay; on lást l. 18,43; lástas l.
10,2850 *nachsetzen;* leggen fore
47,1167 *auslegen ?, urteil fällen;*
doun l. 48,56 *zu falle bringen; prät.*
layden in 58,106 *einholen.*
leche *s.* læce.
lecherie, *sb.,* 41,34; lechery 67,
58 *wollust; nc.* lechery.

lechur, *sb.,* 41,45 *wollüstling; ne.*
lecher.
led, ledc *s.* léod.
leden, leðende *s.* lúdan.
ledene *s.* léod.
leder *s.* lýðre.
ledy *s.* hléfdige.
leest *s.* lýtel.
lef *s.* léof.
léfan, *schw. v.,* lýfan, lífan; *me.*
lefenn 36,15621; leve 46,147;
leue 51,61; *prät. pl.* léfdon 14,26
erlauben, gestatten, lassen, glauben.
lefdi *s.* hléfdige.
lefe *s.* léof.
lefly *s.* leofliche.
lefmon *s.* léof.
léfnesse, léfnys *s.* léafnes.
left, lefte *s.* léfan.
lefue *s.* léaf.
lég, *st. m.,* líg 8,585; *me.* leie 32,
278; *pl.* leies 33,18 *lohe, flamme.*
legate, *sb.,* 48,237 *gesandter, legat;
ne.* legate.
legdun *s.* lecgan.
legen *s.* léogan.
legend, *sb., pl.* legendis 71,21 *le-
gende; ne.* legend.
léger, *st. n.,* 17,190 *das liegen, die
aufbahrung.*
léget *s.* ligit.
legeð *s.* léogan.
leggen, leggeð *s.* lecgan.
léht *s.* ligit.
Leicestre *s.* Laicestre.
leid(e) *s.* léodan, lecgan.
leie(s) *s.* lég.
leien *s.* licȝan.
leiff *s.* léfan, léaf.
leiȝe(þ) *s.* léogan.
leir *s.* léran.
leit *s.* ligit.
lele, *adj.,* 45,61 *treu; ne.* lcal, *vgl.*
loyal.
lelé, *adv.,* 67,446 *zuverlässig, wahr-
lich.*
lencg *s.* longe.
lencten, *st. m.,* 9,254; *me.* lenten
52,1 *lenz, frühling; ne.* lent.
lendan, *schw. v., me.* lenden, lende;
prät. lende 25,19; *p. p. me.* ylent
42,22 *landen, in den hafen brin-
gen, richten, gehen, abgehen, sich
abwenden.*
lende, lenenn *s.* lénan.
leng, lenger, lenght *s.* longe.
lengra *s.* long.

lengð *st. f.*, *me.*length(e) 61,1110;
lennth(e) 67,123; lenght 67,257
länge; ne. length.
lenne *s.* lênan.
lennthe *s.* lengð.
lenode *s.* hleoniau.
lent *s.* lênan.
lenten *s.* lencten.
Lenvoy, *sb.*, 63,*tit. geleit eines ge-
dichtes;* Envoy *vor* 63,25 *epilog
oder nachschrift; botschaft an den
leser.*
lêo, *schw. f.*, *akk.* lêon 22,12; *me.*
leo, le *löwe.*
lêod, *st. f., me.* leode 34,13863;
lede 36,42 *volk (aus* lêode *nach
analogie von* þeod).
lêode, *st. m., pl.* lêode 22,17; *me.*
leoden, leden, ledene; *dat. pl.*
lêodum 11,147; léodon 23,23; *pl.
leute; me. auch sg.* leod, led, lede
59,62; leyde 67,18 *mann.*
lêodfruma, *schw.*m., 9,345 *(leute-)
fürst.*
lêodon *s.* lêod.
lêof, *adj.*, 8,647; *me.* leof 32,73;
lief 32,257; lef 38,1; lof, loof,
*flektiert me.*leouc 32,44; loofue 34,
13891; lefe 46,30; love 46,167;
komp. lêofra; *me.* leoure 32,29;
levere 46,382; leuere 61,1143;
leuer 63,13; *sup.* lêofost 23,23;
me. leouest 37,76 *lieb, teuer; ne.*
lief; *sb.*, 21,89; *me.*48,62 *liebe(s),
liebste(r) = me.* leofmon 38,20;
leumon 46,127; lefmon 46,376;
levemon 46,418; *pl.* leofemen 33,1
*(anrede des predigers an die zu-
hörer); ne. veraltet* leman.
leofliche, *adv.*, 34,13809 *freund-
lich, gern;* lofly 54,19 *lieblich, an-
genehm.*
leoft *s.* lyft.
leofue *s.* lêof.
lêogan, *st. v., me.* leoȝen 32,287;
*me.*2.*sg.*präs. lext 47,1002; *3. sg.*
legeð 39,1281; leiȝeþ 47,1142;
*konj.*präs.*2.sg.*leiȝe47,1115; *imp.*
liȝ 46,229; *prät.* lêag, *pl.* lugon,
*me.*luȝen 32,159; *p. p.* logen, *me.*
ylowe 47,1108 *lügen; ne.* lie.
lêogere, *adj., me.* liȝere 33,57
lügnerisch.
leoht *s.* liht.
lêoht, *st. n.*, 26,28; *me.* liht(e) 82,76;
liȝt 39,1318,*les.;* liȝt 42,9; lyht
52,25; light 67,557 *licht; ne.* light.

lêoht, *adj.*, 8,653; *me.* liȝt 42.58;
lyht(e) 52,14; licht 60,114 *licht,
hell; ne.* light.
lêohte, *adv., me.* lihte, licht 60,26
hell.
leole *s.* lâcan.
lêoma, *schw. m.*, 7,204; *me.* leome
37,2; leme *licht, glanz, strahl.*
leomu *s.* lim.
leornere, *st. m.*, 16,51 *gelehrter.*
leornian, *schw.v., me.*lerne46,48;
*prät.*leornade16,12; *pl.*leornodon
16,70; *p.p.*geliornod 14,41*lernen,
erfahren, studieren; ne.* learn.
leorning, *st. f.*, liornung 14.11;
me. lernyng 59,32 *belehrung, stu-
dium; ne.* learning.
leorningcnyht, *st. m.*, 19b,7; *me.*
leorningcniht 19c,7; lerninng-
cnihlt(ess) 36,38 *schüler, jünger.*
lêosan, *st. v., in komp.; me.* looso
56,8; liese 41,33; lese(n) 48,124;
lose 67.363; *prät.* lêas; *me.* les
48,78; lese 48,131; leste; lost
48,214; *pl.* luron; *me.* les 48,208;
p. p. me. lor(e)n 48,215; ilore 51,
65; lost 61,1137; ylost 61.1141
verlieren, zugrunde richten; ne.
lose; *p. p.* lest 58,88 *verschollen.*
leose *s.* lêosan.
leouc, leovest, leoure *s.*lêof.
lêoð, *st. n.*, 16,3; *me.* leoð; leð;
lied.
lêoðcræft, *st. m.*, 16,12 *dichtkunst.*
lêoþsong, *st. m.*, 16,7 *gesang, lied.*
leoðu *s.* lið.
lep, lepen *s.* hlêapan.
lepe *s.* lêap.
lerd, lerde, lere *s.* lêran.
lerne *s.* leornian.
lerninng(-), lernyng *s.* leor-
ning(-).
les *s.* lêosan.
lêsan, *schw. v.*, lýsan 4,1b; *me.*
lese 32,180; lesenn 36,63; *p. p.
me.* ilusd 32,136 *lösen, befreien.*
lese, *sb. pl., lügen;* without lese
67,390 *in wahrheit.*
lese(n) *s.* lêosan.
lese, lesenn *s.* lêsan.
lesing *s.* lêasung.
lesse *s.* lýtel.
lest *s.* lês, lêosan, lýtel.
leste *s.* lês, lêstan, lêosan.
lesten *s.* lêstan, lystan.
lestyt *s.* lêstan.
let *s.* lêdan, lêtan, lettan.

letania, schw. m., 15,204 litanei.
lete s. lîtan.
lettan, schw. v., me. letten, latte 51.35; lette; let 67,341; 3. sg. präs. ind. let 37,56; prät. lette zurückhalten, hindern; ne. veraltet let.
lettre, sb.. 51,43; lettur 59,26 buchstabe, schrift; brief (auch pl.); ne. letter.
leue s. geliefan.
leue s. lêaf, lêfan.
leve s. lêaf, lêfan. lêof.
levedi s. hlæfdige.
levemon s. lêof.
leven s. lîfan.
levere, leuer(e) s. lêof.
leues s. lêaf.
leueþ s. geliefan.
levit s. libban.
leumon s. lêof..
leute, sb., 46,229 treue, aufrichtigkeit.
levyn, sb., pl. 67,346 blitz.
levyr s. lifer.
leuyt s. lîfan.
lew s. lâ.
lewch s. hliehhan.
lewyt s. lîfan.
lext s. lêogan.
leyd s. lêdan.
leyde s. lêd, lecgan.
leye s. lecgan.
leyt s. ligit.
lhip s. hlêapan.
libban, schw. v.. lifgan 7,194; me. libbe 32,33; libben 32,200; lyuen 51,22; lif 67,4; 1. sg. präs. ind. me. liuie 37,12; konj. live 46,386; 3. sg. merc. liofað 13,45; pl. lifgað 9,596; p. präs. lifgend 8,653; lifigende 15,21; liuiende 33,45; lyfande 49 29; lifyng 67,47; liffyng 67,48; liffand 67,73; prät. lifode; lyfode 25,16; me. liuede 43,76; liuid 45,38; levit 70,23; pl. lifdon 15,216; p. p. iluued, ileued 34, 13828; liffyd 67,58 leben; ne. live.
libr s. lifer.
lîc, st. n., 8,592; gen. nh. lîcæs 4,4n; me. lic, lik 38,20; lich leib, leiche.
lica, schw. m., in kompos., me. -liche gestalt.
licame s. lîchoma.
licgan, st. v., 17,106; me. lien 27, 32; liggen 37,155; lie, lye, ly 48, 106; liggo 51,8; 1. sg. me. lig 67,

400; 3. sg. präs. ligeð 9,182; lið 17,104; me. ligget 32,279; liþ 51, 11; lys 51,31; ligis 67,84; lyis 69,167; p. präs. me. liynge, liggand 45.50; prät. læg 17,65; me. lay 42,10; lai 45,18; konj. lêge 17,53; pl. lægun 18,56; p.p. leien 46,888 liegen; ne. lie.
liche s. lîca.
lîchoma, schw. m., 9,220; me. lichame 28,16; licame 37,163; liceme 33,83 leichnam, leib.
licht s. lêoht, lêohte.
lîcian, schw. v., 13,43; lŷcigan 21,6; me. lieon; like(n) 37,29; lyke; 3. sg. likith 69,172; prät. lîcode 21,21; me. licede 32,13 gefallen; ne. like; vb.-sb. me. likinge 38,23; likyng 67,75; lykyng 59,20 vergnügen, lust, verlangen; ne. liking.
licken, v., lecken; lik on 67,378 schmecken, zu schmecken bekommen; ne. lick.
licome s. lîchoma.
lid, st. n., 18,53 fahrzeug, schiff.
liddes s. hlid.
lief s. lêof.
lien s. lêan, licgan.
liese s. lêosan.
lif s. libban.
lîf, st. n., 7,204; me. lif 32,120: lyf 58,156; flekt. liue, lifuo 34,13827; liuen 34,13884; gen. me. liues 37,2; lyues 55,48 leben; ne. lifo; on life 24,5: me. en liue 33,69; on lyue 43,158; o life 48,8; alife 32,23; aliue 32,32; oliues 47,1004 am leben, lebend; ne. alive; to liue go 43,99 am leben bleiben; me. biliue 34.13994; bilyue 58,71; bylyue 58,78; blive; belife 67,192 lebhaft, rasch.
lîfan s. lêfan.
lifdaȝ, sb., 34,14060 lebenszeit, leben.
lifor, st. f., Ep. libr 1,26; me. livere. levyr 67,399 leber; ne. liver.
liffand, liffyng, lifgan, lifgend, lifian, lifigende s libban.
lift s. luften, lyft.
liften s. luften.
lifue s. lif.
lif-wile, sb., 46,103 lebenszeit.
lig s. licgan.
lîg s. lêg.
liȝ s. lêogan.

liȝen s. lêogan.
liges s. lyge.
liȝere s. lêogere.
liges, ligeð, ligge, liggen,
    ligget s. licgan.
light s. lêoht.
lightly s. lîhtlîce.
lightnes, sb., 67,16 helligkeit.
ligit, st. n. m., 19b,3; merc. lêget
    19d,3; nh. lôht 19a,3; me. leit
    38,32; leyt 19c,3 blitz.
ligt, liȝt s. lêoht.
ligþracu, st.f., 9,225 angriff, das
    wüten, lodern der flamme (lohe).
liht s. lêoht.
liht, adj., lcoht 15,17; me. liht 32,
    312 leicht; ne. light.
lîhtan, schw. v., me. liȝte; prät.
    lîhte 23,23; me. liȝte 61,1122;
    lycht, lyhte, lychtyt 66,390; p.p.
    lyht 53,12 (vom pferde) herab-
    steigen, sich zuwenden; ne. alight.
lîhtan, lihting s. lŷhtan.
lîhtlîce, adv., me. lihtliche 32,
    147; lightly 48,63; lyghtly 49,5;
    lyȝtly 58,88 leicht, vielleicht; ne.
    lightly.
lihtnesse, sb., lightnes 59,15
    leichtigkeit, freudigkeit; ne. light-
    ness.
lik s. licken.
like s. lîc, lîcian, gelîc.
liknen, v., 50,25 gleichen; ne. liken.
liknes, sb., 67,28 abbild, bildnis,
    ähnlichkeit, gestalt; ne. likeness.
likyng s. lîcian.
lilîe, schw. f., me. lilie 37,53 lilie;
    ne. lily.
lim, st. n., me. lim; pl. leomu 16,25;
    me. limes 27,28 glied; ne. limb.
lîm, st. m., me. lim 42,41 mörtel,
    leim; ne. lime.
Liminas?, ortsn., 12,16 = Le-
    mynge in Kent? oder Limen
    (Sweet)?
limpan, st. v., 12,16; me. limpen
    33,2 gehören, sich belaufen auf,
    betragen (mit tô).
limwêrig. adj., 4,4b; nh. lim-
    wœrig(næ) 4,4a mit müden glie-
    dern, tot.
Lincol s. Lindcyln.
Lincolneschire, ortsn., 46,78
    Lincolnshire.
lind, st.f., 11,191; me. linde linde,
    (linden-) schild; ne. lind, lime,
    veraltet linc.

Lindcyln, st.f., ortsn., me. Lincol
    27,7 Lincoln.
Lindesaȝe, ortsn., 34,14050 das
    nördliche Lincolnshire.
liofað s. libban.
liorn- s. leorn-.
liss, lisse s. liðs.
list s. lystan.
liste, listene s. hlystan.
listening s. hlystan.
lite, litel, litill, litille s. lŷtel.
liue s. lif.
live, lives, livien s. libban, lif.
lîxan, schw. v., 9,604 leuchten.
liynge s. licgan.
lið, st. n., pl. leoðu 8,592 glied.
lið, liþ s. licgan.
liðen, st. v., 34,13866; liðe 34,
    13862 gehen, ziehen, reisen.
liþen, v., liþe, lyþe 43,2 lauschen,
    hören.
liðs, st. f., liss 9,672; me. lisse 32,
    235 ruhe, linderung, freundlich-
    keit, gnade.
lo s. lâ.
loc, st. m., me. pl. loccas 13,5 locke,
    haar; ne. lock.
locan s. lôcian.
lochen s. lûcan.
lôcian, schw. v., me. lokien 33,10;
    locan 33,93; lokenn 36,15634;
    loki 50,55; loke 59,75; luke(n)
    69,170; imp. loke 46.898: look
    67,129; prät. me. lokede, lokyt 59,
    36; lukit 70,21 schauen, blicken,
    zuschauen, anschauen, achten auf,
    beobachten, bewahren, wahren, er-
    halten; ne. look; vb.-sb. me. lokyng
    48,88 das ansehen, entscheidung,
    schiedsgericht.
lode s. lâd.
lof, st. n. (selten m.), 8,638; me. lof
    lob.
lof s. lêof.
Lof, sb., 27,29 unbekanntes marter-
    werkzeug; zu lêof?
lofe. sb., 58,106 windseite; ne. loof,
    luff.
lofsong, st. m., 8,689; me. 37,8
    lobgesang.
loge, v., prät. logode 59,62 wohnen,
    sich aufhalten; ne. lodge.
loh s. hliehhan.
loke, lokien, lokyng s.lôcian.
lomb, st. n., me. lomb, lam 72,11,1
    lamm; ne. lamb.
lome s. gelôme.

lond, *st. n.*, 9,2; land 8,677; *me.*
land 32,82; lond 34,13850 *land,*
boden; ne. land.
londfolk, *sb*, 43,45 *volk, lands-*
leute.
londgemære, *st. n.*, 17,1 *grenze.*
londmearc, *st. f.*, 8,635 *landes-*
grenze.
Londreis, *sb. pl.*, 48,95 *Lon-*
doner.
long, *sb.*, 67,399 *lunge; ne.* lungs.
long, *adj.*, 8,674; lang 23,66; *me.*
long 42,35; lang; *komp.* lengra
11,184 *lang; ne.* long.
longe, *adv.*, lange 8,670; *me.* lauge
32,312; longe 33,50; launge 36,
15551; long 48,213; lang 67,244;
longly 48,233 *lange; ne.* long;
komp. ae. leng 11,153; leneg 17,
169; *me.* lenger 42,51; leng 46,
148; langar 66,441; longer 67,
531; langer 69,165 *länger, weiter.*
longian, *schw. v., me.* longen 37,
115; *p. präs.* longinge *verlaugen,*
sich sehnen (einpersönl.); ne. long.
longinge, *vb.-sb.*, 53,25 *verlangen,*
sehnsucht; ne. longing.
loo *s.* lâ.
lord, lorde *s.* hlâford.
lordschip, *sb.*, 48,56 *herrschaft;*
ne. lordship.
lordyng *s.* hlâfording.
lore *s.* lâr.
lorn *s.* lēosan.
lose *s.* lēosan.
losian, *schw. v., loben, preisen,*
feiern.
lossom, *adj.*, 52,17 *lieblich, an-*
genehm.
lot, *st. schw. n.*, 34,13859; *pl.* lotes
34,13857; loten 34,13858 *los.*
loth *s.* lâð.
loude *s.* hlûde.
loue, love, louede *s.* lufe, lufian.
louelonginge, *vb.-sb.*, 53,5; loue-
longynge 55,3 *liebessehnsucht.*
louerd, loverd *s.* hlâford.
louȝ *s.* hlichhan.
louh *s.* laȝ.
louie, lovie(n), lovye *s.* lufian.
loving, *sb.*, 71,16 *lob, preis.*
louren, *v., p. präs.* louring 69,161
mürrisch, trübe, finster blicken.
louye *s.* lufian.
low, lowe *s.* laȝ.
lowde *s.* hlûde.

lowe, *adv.*, 51,11 *darnieder.*
lowsien, *v., prät.* lowsyd 67,209
lösen, befreien.
loþ, loð, loðe *s.* lâð.
loþlich *s.* lâðlîce.
lûcan, *st. v.*, 9,225; *prät. pl.* lucou
23,66; *me. p. p.* lochen 28,31 *ver-*
sperren, (sich) schließen.
luch *s.* hliehhan.
lud, *sb.*, 53,4 *stimme, ton.*
lude *s.* hlûde.
luf *s.* lufe. lufian.
lufe, *schw. st. f.*, 7,167; lufu 8,669;
me. loue 32,333; lufe 36,15580;
love 46,69; luf 48,178 *liebe; ne.*
love; for ... lufon (luue 32,56)
um ... willen.
lufian, *schw.-v.*, 13,50; lufigean 16,
61; *me.* luuien, louien 34,13898;
lovien 46,7; love 46,87; lufe 49.
21; louye 50,3; loue 64,28; luf
67,47; *prät.* lufode, lufede; lufade
15,241; *pl.* lufodon 14,26; *me.*
luuede 32,253; louede 44,30; *p. p.*
iloved 46,178 *lieben: ne.* love.
luflice, *adv.*, 14,2; *me.* loveliche
in liebe; ne. lovely.
luft *s.* lyft.
luften, *v., prät.* lift 48,103 *er-*
heben, in die luft heben.
lufu *s.* lufe.
luȝen *s.* lēogan.
luitel *s.* lȳtel.
luke *s.* lôcian.
lune, *sb.*, 37,126 *ruhe; ne. dial.* luu,
loun.
lungre, *adv.*, 7,167; lunger 26,25
sofort, plötzlich.
lurken, *v.*, 44,68 *sich verstecken;*
ne. lurk.
lusd *s.* lēsan.
lust, *st. m.*, 11,161; *me.* lust 64,9
lust, freude; ne. lust.
lust, lusten *s.* hlystan.
lustfullian, *schw. v.*, 15,231 *sich*
erfreuen, vergnügen finden (an).
lusti, *adj.*, 59,15 *erfreulich;* lusty
71,33 *lustig, freundlich; ne.* lusty.
lustlíce, *adv.*, 21,13 *mit lust, ver-*
gnügen.
lusty *s.* lusti.
lûtan, *st. v., me.* luten 34,13892;
loute; *prät.* lêat; *me.* leat 50,82
sich beugen, verbeugen (vor to).
lute, lutel *s.* lȳtel.
luue *s.* lufe.
luuien, luvien *s.* lufian.

luþer, luðerc *s.* lýðre.
luðernesse, *sb.*, 37,107 *schlechtigkeit, elend.*
ly *s.* licgan.
Lycas, *eigenn.*, 28,25 *Lukas.*
lycht(yt) *s.* libtan.
lýcigan *s.* lician.
lye *s.* licgan.
lyf *s.* lif.
lyfe *s.* libban.
lýfnes *s.* leafnes.
lyft, *st. m. f. n.*, 9.340; leoft 28,12; *me.* luft(e) 32,83 *luft, himmel.*
lyge, *st. m., gen.* liges *(hds.)* 15,12 *lüge; ne.* lie.
lyge man, *sb.*, 65,59 *lehnsmann; ne.* liegeman.
lyghtly, lyʒtly *s.* lihtlice.
lyht *s.* leoht, lihtan.
lýhtan, *schw. v.*, 9.187; lihtan 9, 587; *me.* lihten *leuchten, dämmern; ne.* light; *vb.-sb., me.* lihting 33, 78 *dämmerung.*
lyhte *s.* lihtan.
lyk- *s.* lic-.
lyk, lyke *s.* gelic.
lympe, *v., hinken; prät.* lympit of 59,36 *abkommen von, verlassen; ne.* limp.
lyne, *sb.*, 67,461 *leine, scil; ne.* line.
lynis, *st. m., Ep. pl.* lynisas 1,1; *me.* lins *lünse, achsnagel; ne.* linch-(pin).
lys *s.* licgan.
lýsan *s.* lesan.
lystan, *schw. v., me.* liste, lesten 32,383; *3. sg. präs.* list 59,20 *gelüsten (me. einpers. mit to, after nach etwas).*
lystne *s.* hlystan.
lyte *s.* lýtel.
lýtel, *adj.*, 14,31; *Ep. pl.* lýtlae 1,7; *me.* litel 32,12; lite 32,46; lutel 32,137; lute 32,260; luitel 46,362; lyttill 49,21; lyttel 58,94; litle 59,36; litill 60,18; lytill 62,4; lytel 65,64; lyte 69,161; *fl.* lýtle 17,94; litle 18,68; litille 67,187 *klein, wenig; adv., durchaus nicht; ne.* little; *komp.* læssa 17,83; *me.* lesse 32,60; lasse 51,53; les 67,94; *ne.* less; *sup.* læst 14,96; *me.* lest 32,61; leest 67,452; *ne.* least.
lyuen *s.* libban.
lyve, lyves *s.* lif.
lyþe, *sb.*, 44,147 *linderung.*
lyþe *s.* liþe.

lýðre, *adj., me.* luðer(e) 37,123; luþer 58,156: leder 67,289 *liederlich, träge, schlecht, elend; ne.* lither.

M.

ma, mâ *s.* micel.
ma, maad *s.* macian.
maced *r.* macian.
mache(n), *v.*, 58,99 *gesellen zu* (with); *ne.* match.
maciau, *schw. v.*, 22,78: macigan 21,12; *me.* makien 37,91; maken 39,1312; make 42,50; mak 48,32; ma 60,9; *3. sg. präs.* maket 41,46; *prät.* macode; *me.* macod 27,6; makede 27,13; maked 41,44; made 44,38; mad 45,116; maad 65,61; maide 67,28; *2. pers.* maidest, maid 60,52; maide 67,3; *p. p.* macod; *me.* maad 19e,2; maked 27,11; maced 27,30; mad 39,1296; imaked 41,3; made 42,21; ymad 50,39; ymaked 56,5; maid 60,54; maide 67,73 *machen, bereiten, schaffen, verfertigen, bauen; 60,3 hervorbringen;* 41,27 *wirken;* 27,6 *abhalten;* 41,3 *feiern;* 27,11 *leisten;* 39,1312 *darbringen; makes her* paye 58,99 *befriedigt sie, bezahlt sie; mit inf. (mit oder ohne for to) lassen, bewirken daß;* m. on 48, 238 *versöhnen;* m. on 60,52 *anzünden; ne.* make.
macod(e) *r.* macian.
maceti *s.* meaht.
mad *s.* gemeded, macian.
made *s.* macian.
madmes *r.* máðum.
mæg *s.* magan.
mæg, *st. m.*, 7,165; *me.* mei 32,29; mei 32,185; *gen. pl.* mæga 18,80; *dat.* magum 17,167 *verwandter;* 10,2907 *sohn.*
magan, *prät. präs., präs. sg. 1., 3.* mæg 6,19; *me.* mai 27,34; mei 32,16; mei 34,13930; maʒʒ 36,7; may 40,2; *2. sg.* meaht 16,31; miht; *me.* miht 32,129; mihht 36,15598; myht; miʒʒt 46,34; maistow 69, 170; mait 46,49; miʒt 46,135; maiʒt 46,258; mai; may 48,63; myght 67,5; *pl.* magen 17,195; *me.* muʒe 32,23; muʒheun; maʒen 32,157; muʒen 32,206; muwen(n) 32,372; mowen 44,11; may 49,27; *konj.* mæge 17,132; *pl.* mægen 14,55;

me. maȝe, muȝe 32,125; muhe 38,
17; mowe 44,175; moue 46,370;
prät. meah 14,72; pl. meahtun
8,599; mihte(st)21,30; myhte27,
32; myȝte: me. mihte 34,13875;
mihhte 36,15596; miȝt 42,28; mauȝt
42,48; michte 44,42; mouhte 44,
145; mouchte 44,147; moȝte 45,
36; meute 46,14; mait; maut
46,221; miȝtte 46,83; myght 48,
118; moghte 49,28; micht; myht
51,83; myȝt 58,100; might 59,72;
mycht 60,16 können, imstande
sein: 14.60 geeignet sein.
mǽgburh, st. f., gen. mǽgburge
6,20 familie.
magdalenisc, adj., fem. -isce
19b,1; -esca 19a,1; me. -issca
19c,1 aus Magdala.
mǽgden, st. n., me. meiden 33,52;
mayden 44,111; maiden 46,92;
meide; dat. sg. maydne 44,83; pl.
maidenes 43,74; maydnes 44,2;
gen. meidene 37,21 mädchen, jung-
frau; ne. maiden, maid.
mǽge, schw. f., me. maȝe 32,29;
maȝhe 32,185 verwandte.
mǽge, maȝe s. magan.
mǽgen, st. n., 15,93; inst. mægne
8,599; pl. gen. mægna 8,729; merc.
megna 13,10; me. mayn 61,1145
kraft, macht; with alle oure mayn
67,310 soviel wir können; ne. main.
mǽgenþrym, st. m., 9,665 menge
der himmlischen heerscharen.
mageste, sb., 59,1 majestät; ne.
majesty.
mǽgester, st. m., mc. meister
33,22; maistir 45,67; maister 48,
149; mayster 50,86; maistur
59,1 (mischt sich mit dem aus dem
franz. entlehnten maistre), pl. mæ-
gestras; me. meistres 33,25 auf-
seher, meister, herr; m. of lare
45,67 lehrmeister; ne. master.
maȝȝ s. magan.
mago, st. m., 10,2916 sohn, mann.
magon s. magan.
maȝt s. meaht.
mǽgwlite, st. m., nh. mēgwlit
19a,3 aussehen.
mǽgð, f., 7,176; pl. mægð 11,135
magd, jungfrau.
mǽgð, st. f., 17,194 kraft, vermögen,
fertigkeit.
mǽgð, st. f., 15,62; me. maȝȝþe
verwandtschaft, geschlecht, stamm.

Maegþa land, eigenn., n., 17,30 Ost-
preußen? Mazocien? (Bosworth)
oder die aus dem namen der fin-
nischen Kwenen (Cwēnas) falsch
gedeutete fabelhafte 'terra femi-
narum' im hohen norden (Rieger).
mahht(e) s. meaht.
Mahoun, eigenn., 61,1123 Mahomet.
maht, mæht s. meaht.
mæhte s. magan.
mæhti s. meahtig.
mai s. magan.
mæi s. mæg, magan.
maid, maide(st) s. macian.
maiden(es) s. mægden.
mair, sb., 45,105 bürgermeister; ne.
mayor.
mair, maist s. micel.
maister, sb., mester, mister not-
wendigkeit, not; þan hom maister
were 59,35 als es für sie nötig
war.
maister, maistir, maistur
s. mægester.
maistow = maist thou; s. magan.
maistrie, sb., 48,122 herrschaft,
oberhand; 46,277 meisterstück.
mait s. magan.
mak, make s. macian.
make s. gemaca.
maked, maken, maket s. ma-
cian.
maker sb., 59,1 schöpfer; ne. maker.
mēl, st. n., 15,179 zeichen, kreuz.
mēlan, schw. v., me. mele; prät.
mælde 28,26 reden, sprechen.
male, sb., 44,48 mantelsack, fell-
eisen, sack; ne. mail.
malice, sb., 72,II,6; malys 58,70
bosheit, böse absicht.
malt s. mealt.
malys s. malice.
man s. mon.
mān, st. n., 9,633; dat. pl. mannum
15,15 unrecht, verbrechen, laster.
manace, sb., 48,61 drohung; ne.
menace.
mēnan, schw. v., 8,712; me. mene
32,168; mane, mone; prät. mende
40,27; ment 48,96 meinen, bedeu-
ten, mitteilen; erwähnen; 40,16
klagen; 3. sg. präs. menys 66,432
beklagen; ne. mean, moan.
mancessa s. moncus.
mancunn s. moncynn.
mándǽd, st. f., 16,82; me. mau-
dede übeltat.

321

manden, r., 52,16 entbieten, aus-
senden.

maneg s. monig.

maner, sb., 42,46 art, weise, grad;
in maner 65,60 gleichsam, gewisser-
maßen; ne. in a manner.

manfremmende. st. m., 9,6 böses,
übles tuend, übeltäter.

manig, mænig s. monig.

manke s. moncus.

mankinn, mankyn s. moncyn.

mannum 15,15 s. mân.

manred s. monrǽden.

mansed s. âmânsumian.

manslecht s. mouslyht.

mânswarn, schw. m., 7,193 eid-
brüchiger, meineidschwörer.

mantill, sb., 69,160 mantel; ne.
mantle.

Manue, eigenn., 22,1 Manuel.

many s. monig.

mar s. marren, micel.

mâra s. micel.

mêran, schw. r., 9,338; p. p.
gemêred 16,2 bekannt, berühmt
machen.

mêran s. mêre.

marc, st. f., me. mark, pl. marke
32,70; mark 42,37 mark; markis
72,5 marke, siegel; ne. mark.

marchaundise, sb., 46,18 han-
del; ne. merchandise.

mare, mâre, mœre s. micel.

mêre, adj., (schw. -an) 7,165; me.
mere 32,389 wovon gesprochen
wird, berühmt, herrlich, feierlich,
hehr.

Marje s. Maria.

Margeri, eigenn., 46,177 Mar-
garete.

Maria, eigenn., 19d.1; Marje 36,
15546; Marie 37,1; Marye 55,26;
Mary 67,209 Maria.

mariage, sb., 63,6 ehe; ne. mar-
riage.

mark, marke s. marc.

Maroara, volksn., m.gen.pl., 17,20
die Mährer.

marren, r., konj. präs. mar 67,
129 hindern; p.p. marrit 71,7 er-
schrecken; marred 54,20 verder-
ben; ne. mar.

marrie, r., p. p. married 48,15
verheiraten; ne. marry.

mêrsian, schw. r., 9,617; p.p. uh.
gemêrsad 19a,15 bekannt, berühmt
machen.

martird s. martyrian.

martre, sb., 32,362 marder; vgl.
ne. marten.

Martyn, eigenn., 66,383 Martin,
Martinsfest.

martyr, st. m., me. pl. martyrs
27,20 blutzenge; ne. martyr.

*martyrian, schw. v., me. mar-
tren; p.p. me. martird 38,12 mar-
tern; martyrit (doun) 66,423 ab-
schlachten; ne. martyr.

mary, interj., 67,220 wahrlich: ne.
marry.

Mary, Maryo s. Maria.

marynere, sb., 58,99 seemann:
ne. mariner.

mêrð, st.f., 14,90 ruhm, ruhmvolle
tat.

mâse, schw. f., Ep. mâsae 1,18;
me. mose meise; ne. (tit)mouse.

mæsse, schw. f., k. messe 12,37;
me. messe, masse 51,57 messe:
ne. mass.

mæsseprêost, st. m., 15,80;
mæsseprîost 14,70; k. messe-
prîost 12,37 priester.

mæssesong, st. m., meßgesang,
gottesdienst; m.dôn 15,226 messe
lesen.

mæst, st. m., me. mast 58,150 mast,
mastbaum; ne. mast.

mêst s. micel.

mastiv, sb., 72,17 kettenhund: ne.
mastiff.

mate, adj., 69,169 schachmatt; ne.
mate.

mate, v., 69,168 schachmatt sein,
verloren gehen; ne. mate.

matere, sb., 63,30; mater 59,35
sache, gegenstand; ne. matter.

Mathevs, eigenn., 19a,20; me.
Matheus 28,21 Matthäus.

maugre, präp., trotz; maugre his
48,199 trotz seiner, wider willen.

mauʒt, maut s. magan.

mâwan, st. v., me. mowen 32,22;
mowe, mouin 35,83 mähen; ne.
mow.

may s. magan.

may, sb., 47,1042 jungfrau, mäd-
chen, weib: ne. may.

mayden, maydnes s. mægden.

maylle, adj., 67,152 männlich:
ne. male.

mayn s. mægen.

mayne, sb., 50,81; meyne 48,
110; menʒe 60,15; menʒhe 60,57;

menye 67,22; menye 67.290 *haus-
dieuerschaft, hausgesinde, haushalt,
gefolge, gefolgschaft; ne. cerultet
meinie, meiuy.
maynten, v., 48,52 *halten, be-
halten, aufrecht halten; ne. main-
tain.
mayster s. mægester.
maðelian, schw. v., præt. maðe-
lode 10,2892; me. maþelien reden.
mâðum, st. m., gen. pl. mâðma
14,30; me. pl. madmes 34,14052
kleinod.
me, mê s. ie, mon.
mêagol, adj., 9,338 stark, mächtig.
meaht, st. f., 8,620; miht 15,31;
nh. maeeti 2,2; mere. mæht 19d,18;
me. miht(e) 32,175; mahht 36,71;
mahht(e) 36,15541; micht 44,35;
mizte 45,21; miztte 46,253; mizt
47,989; myght 48,49; myht 51,
76; mazt 58,112; mycht 60,19; pl.
nh. mæhto 19a,18 *macht, kraft,
eigenschaft; ne. might.
meaht, adj., schw. nom. m. meahta
9,377 *mächtig.
meahte s. magan.
meahtig, adj., mihtig 11,198; me.
mæhti, mihti 34,13914; mihty(e)
40,66; mighty; mizty 61,1145;
myghty 67,168 *mächtig; ne.
mighty.
meahtun s. magan.
mealt, st. n.?, Ep. malt 1,5; me.
malt *malz; ne. malt.
mearcian, schw. v., 9,333 *merken,
anmerken, bemerken.
mearmstân, st. m., 9,333 *marmor-
stein.
mearð, st. m., 17,99 *marder.
measse, sb., 67,389 *mahlzeit; ne.
mess.
mee s. ie.
mêge, st. m., instr. pl. mêcum 18,
47 schwert; me. mecho.
meekie. mecull s. micel.
mêd, st. f., 10,2916; me. mede 32,
217 belohnung, bestechung; ne.
meed.
mede, sb., pl. medes, medis 35,94
wiese, matte, mahd; ne. mead.
mede s. mêd.
mêder s. môdor.
med zeorn, adj., 32,256 bestechlich.
medilleerd s. middeleard.
meding, sb., 46,271 belohnung,
s. mêd.

medmicel, adj., 16,5 mittelgroß,
unbedeutend.
medo, st. m. n.(?), 17,164 met.
medoburh, f., dat. medobyrig
11,167 stadt, wo met getrunken
wird.
medowêrig, adj., 11,229 müde
von met, trunken.
meekly. adj., adv., 65,61; meklye
66,384 sanft; ne. meekly; vgl.
meoke.
megna s. mægen.
mêgwlit s. mægwlite.
mei s. mûg, magan.
meiden s. mægden.
meisterdeovel, sb., pl. meister-
deoflen 33,22 oberteufel.
meistres s. mægester.
meit s. mêtan, mete.
mekel, mekill, mekille s. micel.
mekle s. micel.
meklye s. meekly.
melda, schw. m., 8,621 erzähler,
verräter.
mele s. mêlan.
meledêaw, st. m., 9,260 mehltau;
ne. mildew.
melle, v., 67,44 dazwischenlegen,
eineetzen.
melody, sb., 60,8 melodie, lied;
ne. melody.
membre, sb., 48,219 glied; ne.
member.
meu s. mon.
mende s. mænan.
mene s. mænan, mon.
mene, sb., pl. menis 46,142 klage;
vgl. mænan.
meneye s. mayne.
mengan, schw. v., me. mengen,
menge, præt. me. mengit 45,98;
p. p. me. imeng 32,144 mengen,
mischen, verwirren.
menze, menzhe s. mayne.
mengu s. menigeo.
menig s. monig.
menigeo, schw. f., 14,31; menigo
15,19; mere. mengu 13,19; me.
menye 59,37 menge; vgl. ne. many.
menis s. mene.
menn s. mon.
mennisc, adj., 15,4 menschlich.
menniscnes, st. f., 16,75; men-
niscnys 15,34 menschwerdung.
mens s. mon.
menske, sb., 46,93 ehre, tugend,
freundlichkeit.

ment s. mænan.
menye s. mayne, menigeo.
menys s. mænan.
meoke, adj., 56,11 mild, sanft;
ne. meek.
meole, st.f., 17,163; meoluc milch;
ne. milk.
meord, st. f., pl. meorde 8,729
lohn, vergeltung.
Méore, volksn., pl.m., 17,151 ein-
wohner der landschaft Möre (Süd-
schweden).
meotod, meotud s. metod.
meraly s. murge.
merci, sb., 33,41; mercie 48,3 er-
barmen; mercy 48,183 schonung,
gnade; 50,75 mildtätigkeit; 46,127
als beteuerung; ne. mercy.
merciable, adj., 64,17 barmherzig.
mere, st. m., 17,157; me. mere 58,
112 meer; pl. meras 17,119 binnen-
see; ne. mere.
mere s. mære.
merie s. murge.
Merlin, eigenn., 47,987 Merlin.
mersh, sb., 53,1 März; ne. March.
meruail, sb., 47,1014 wunder, ver-
wunderung; ne. marvel.
meruayl, adj., 58,81 verwunder-
lich, seltsam; vgl. meruail.
mervelus, adj., 67,12 wunderbar;
ne. marvelous.
mery s. murge.
mesaventer, sb., 46,202 unglück,
mißgeschick; vgl. ne. misadventure.
message, sb., 48,71 botschaft; ne.
message.
messager, sb., 51,41; messengere
48,34 bote; ne. messenger.
messan, sb., 72,21 hündchen, schoß-
hund.
messe, -prêost s. mæsse, -prêost.
messengere s. messager.
Messyas, eigenn., 40,55 Messias.
mest s. micel.
mester s. maistor.
met, adj., komp. meter 72,II,9 ge-
eignet, passend; ne. meet.
métan, schw. r., 9,247; me. mete
46,394; meit 60,59; prät. mêtte
17,68; me. mette 46,157; met 60,
37 begegnen, treffen, zusammen-
treffen (me. mit akk. oder wiþ);
ne. meet.
mete, st. m., 9,260; me. mete(s) 28,
23; meit 70,17 (fleisch)speise, ge-
richt, essen, futter; me. meat.

metenið ing, sb., 32,230 wer mit
speise kargt.
metod, st. m., 10,2871; nh. me-
tud(æs) 2,2; meotud 7,197; meo-
tod 16,37 schöpfer, gott.
meven, r., meue 59,98: move 41,
19; prät. meuyt 59,30; p.p. mevid
67,542 (sich) bewegen, mischen,
sich begeben, entschwinden: vgl. ne.
move; rb.-sb. mouyng 19c,2 beben.
meyue s. mayne.
mi s. ic.
micel 9,625; mycel 15,18; nh.
micil 19a,2; f. micolu 19d,2; gen.
miceles, micles, miccles; dat. f.
micelre 16,85; dat. pl. myclum 15,
37; me. mycel(en) 28,38; muchel
32,12; michel 32,60; mikell 36,
102; (fl. miccle 36,15617): michil
39,1339; mikel 44,181; mikil
45,42: mykille 48,212; mekel,
mekill 49,21; mochel 50,10; me-
cull 59,10; meklo 62,7 (in sa m.
as s. in); mekill(e) 67,109; meckle
72,17; mychel 19c,2; adj. groß,
viel, wichtig, entscheidend, hochge-
stellt, angesehen; neutr. (adv.) viel,
sehr; verkürzte form me. moche
50,22; muche 51,52; myche 59,41;
much 58,70; instr. beim komparativ
micle 17,83; miccle 22,85; mi-
clum 8,608; me. muchele 32,386;
ebenso me. mucheles 33,82 um
vieles; komp. mâra 14,46; me.
mare 27,44; more 32,2; mære
34,13868; mor, mar, mair 70,17
größer, mehr; daneben als subst.
n. und adv. mâ 14,93; me. mo
48,225; ma 66,395 mehr, lieber,
eher: im frühesten ne. mo; þa
more, þe more 34,13806 desto
mehr; superl. mæst 8,579; me.
mest 32,7; most 48,186; meist
62,10; maist 72,II,3 meist, am
meisten: me. mest al 32,7 = ne.
almost all.
micelnyss, st. f., 21,46; micel-
niss 21,65 menge, fülle.
micht s. magan. meaht.
miclan, micles s. micel.
miclian, schw. r., 13,43; myclian
15,65; me. miklen, muchelen ver-
größern, verherrlichen, sich ver-
mehren.
mid, präp., 6,9; Ep. mere. nh. mið
1,17; nh. miþ 4,2a; me. mid 27,
16; myd 35,77: mit 46,289 mit,

bei; adv. 8,676 (mit) dabei; mid
þâm þe 22,43; mid þŷ 15,10; miδ
δŷ 19a,11 während, da, als; me.
mid þan δe 32,65 mit dem was;
mid þon 40,61 da, nun.

mid, adj., midd 9,340; mydd: ebenso
me. mittel-; wt middre nihte 9,
262; on midre nihte 22,44 um
mitternacht; subst. n., mitte; tö
middes 22,45; in myddis 69,159
inmitten.

middaneard, st. m., me. mid-
daneard 32,140; middeneard 28,2
erde.

middangeard, st.m., 9,4; nh. mid-
dungeard 2,7 erde.

middel, sb., 53,16 mittlerer teil des
körpers, taille, wuchs; ne. middle.

middeleard, sb., 32,193; mid-
dellærd 36,35; medille-erd 67,234
erde.

middeneard s. middaneard.

middeweard, adj., 17,109; me.
middewarδ in der mitte; inne
middewarδe helle 33,43 mitten
in der hölle.

midding, sb., 72,14; mydyng 67,
376 misthaufen, düngerhaufen;
ne. middin(g).

middingtyk, sb., 72,14 hund, der
auf dem misthaufen liegt.

middungeard s. middangeard.

midydone, adv., 47,1086 alsbald;
vgl. dön.

mighty, mizty s. meahtig.

mizt, mizte, migtt, mihht(e),
miht(e) s. magan, meaht.

Mihhal, eigenn., 33,7 erzengel
Michael.

mihtig, mihtye s. meahtig.

mikel(l) s. micel.

mil, st. f., 17,176; me. mile 46,104;
pl. gen. mila 17,109; dat. milum
17,181 meile; ne. mile.

milce s. milds.

mileien s. mildsian.

milde, adj., 8,731; me. milde 32,
26; myld 43,82; mylde 55,28;
mild; komp. milder(e) 33,76 mild,
freundlich, nachsichtig, gnädig;
ne. mild.

mildelice, adv., me. mildelice,
mildeliche 33,65; mildelike 39,
1321 mild; sanft; ne. mildly.

mildheortness, st. f., mildheort-
nis 13,19; me. mildheortnesse 37,
78 mildherzigkeit, barmherzigkeit.

milds, st.f., (gen.pl.)13,24; milts(e)
8,657; me. milce 32,8 gnade,
milde.

mildsian, schw. r., miltsian, me.
milcien 33,68; konj. präs. sg. mil-
cie 33,74 gnädig sein.

milc s. mil.

milcs, sb. pl., 52,20 tiere (Morris),
(weibliche tiere?).

miltse s. milds.

milum s. mil.

min, adj., geringer, minder, kleiner:
more and myn 67,112 groß und
klein; 67,278 dick und dünn.

min, minre s. ic.

mind s. gemynd.

minetere, sb., pl. mineteress 36,
15559 (lesart) geldwechsler.

miracle, sb., 41,22 wunder; ne.
miracle.

mire s. ic.

miri s. murge.

mirk s. myrce.

mis, sb., mys 67,551 unglück, miß-
geschick.

misbizeten, adj., 47,1107 un-
ehelich erzeugt.

mischef, sb., 61,1151 unheil, leid;
ne. mischief.

misdæd, st. f., me. misdede 32,
132; pl. misdeden 37,156 misse-
tat, sünde; ne. misdeed.

misdön, unregelm. v., me. misdon
32,206; prät. me. misdude 32,99
unrecht tun, fehlen, sündigen; ne.
misdo.

mislic, adj., 14,65; me. mislich
verschieden.

mislice, adv., 25,7 verschieden,
verschiedentlich.

mislician, schw. r., me. 3. sg. präs.
mislichet 32,13 mißfallen; ne.
mislike.

miss, st. f.?, me. misse mangel;
ne. miss; me. misse habben 32,
234 vermissen.

missan, schw. r., me. misse 43,124;
mis 46,144; mys 67,237; prät.
miste missen, (ver)fehlen, ver-
lieren, nicht da sein; ne. miss:
me. he ne mei missen of 37,80
es kann ihm nicht fehlen an.

missenlic, adj., 15,247 verschieden.

missenlice, adv., 14,sehl.-ged.12;
verschieden.

misseyen, r., 44,49 schlecht spre-
chen, schmähen; ne. missay.

missour, sb., 70,17 maß; ne. measure.

mist, st. m., me. mist 82,18 nebel, finsternis; ne. mist.

mister s. maister.

mit s. mid.

mitta, schw. m., 12,22 maß, scheffel.

mo, moche, mochel s. micel.

môd, st. n., 8,608; me. mode 34, 13898; mod 46,109 mut, sinn, herz; ne. mood.

moder, mooder s. môdor.

moderliche s. môdorlîc.

môdgoþane, st. m., 16,37; môdgidanc 2,2 (herzens)gedanke.

modi s. môdig.

môdig, adj., 4,1a mutig, großmütig; me. modi 33,57 übermütig; mody 52,22 schwermütig, traurig; ne. moody.

môdlufu, schw. f., 8,699 liebe, zuneigung.

môdor, st. f., 7,210; me. moderr 36,15546; moder 37,1; mother; gen. môdur 21,48; merc. moeder 13,13; dat. mêder 21,20 mutter; ne. mother.

môdorlîc, adj., me. moderlich(e) 38,13 mütterlich; ne. motherly.

môdweleg, adj., sup. -ost 14,90 sinn-, gedankenreich.

moghte, mozt(e) s. magan.

molde, schw. f., (fl.) 9,10; me. mold 67,62 erde.

moldgraf, st. n., dat. moldgræfe 8,690 erdgrab, begräbnis, grab.

momenotte, sb., 50,78 götze; ne. veraltet mawmet.

mon, m., 14,75; man 17,88; mann 22,34; me. man 32,20; mon 35,82; mann 36,68; gen. mannes 17,190; me. mannes 32,257; monnes 35, 84; dat. men 11,167; menn 26, 14; me. manne 32,20; pl. men 10, 2868; menn 12,7; me. men 82,227; menn 36,45; mene; gen. monna 8,718; manna 11,235; manne 32, 376; mens 49,45; dat. monnum 16,12; mannum 17,93; me. monne 33,34; monnen 34,14008 mensch, mann, diener; pl. leute; ne. man; indef. pron. mon 8,578; man 17, 112; me. me 27,20 (gewöhnl. mit sg.) man; cumen to manne 32, 117 erwachsen.

mon, v., 46,182; 2. sg. präs. mon 71,5 müssen; neuschott. maun.

môna, schw. m., me. mone 32,76; moyne 67,6; dat. monen 34,13935 mond, monat: ne. moon.

monad s. monian.

mônandæg, st. m., me. monedei(s) 33,78; monedæi 34,13935; moneday 34,13923 montag: ne. Monday.

monay s. monei.

monaþ s. monian.

mônað, st. m., 15,113; dat. mônðe 17,125 monat; ne. month.

moncun s. moncyn.

moncus, st. m., gen. pl. mancessa 14,74; me. manke 32,67 (les.) maneus, eine münze = ein achtel pfund.

moncyn, st.n., 2,7; maneyn 4,1b; me. maucunn(e) 32,336; moncun 33,97; maunkinn 36,63: mon kunn(e) 56,35; mankyn 67,71 menschengeschlecht.

mone s. mênan, môna, monian, munan.

mone, sb., 57,27 klage: cgl. mênan.

monedwei, moneday, monedei s. mônandæg.

monei, sb., money 19a,12; monay geld; ne. money.

monek s. munuc.

monen s. môna.

mones s. mone, munan.

moni s. monig.

monian, schw. v., 8,717; manian; me. monien, mone; prät. monade 16,62; p. p. monad 15,114; mahnen, ermahnen, auffordern.

monig, adj., 14,17; manig 4,1b; mænig 17,133: me. mani 27,28; manie(s) 32,36; mony(e) 40,72; moni 46,67; many 48,131; manye 50,84 manch, riel; ne. many; me. maniman 32,38 mancher.

monigfeald, adj., -fald 19a,12; manigfeald (les. -fald) 14,65; me. monifold(e) 83,62; -uold 87,61; manyfold 67,54 mannigfach; ne. manifold.

monigfealdian, schw. v., me. monivolden; p. p. pl. merc. gemonigfaldede 13,5 vervielfältigen.

monkes s. munuc.

monkunne s. moncyn.

monn- s. mon-.

monræden, st. f., me. manred 27,11 huldigung.

monslyht, st. m., me. manslecht 41,34 mord.

mónðe *s.* mónaþ.

mór, *st. m.*, 17,106; *ne.* mor; mure 66,421 *moor, moorland;* 19a,16 *berg; ne.* moor.

mor, more *s.* micel.

morgen, *st. m., flekt.* morgen 16, 59; morgenne 16,48; *me.* morʒen, morn 60,114; morwe 61,1114; morow 67,205; morne 70,18 *morgen; ne.* morrow.

morgentid, *st. f.*, 18,27; *me.*morezetid *morgenzeit.*

morn, morne *s.* morgen.

morning, *sb.*, 42,9; mornyng 67, 498 *morgen; ne.* morning.

morow, morwe *s.* morgen.

morþor, *st. n. m.*, 7,193; *gen. pl.* morðra 11,181 *mord, qual, verbrechen, todsünde; vgl. ne.* murder.

most *s.* micel.

mòste *s.* mótan.

mótan, *prät.-präs., me.* moten; *präs. sg.* mót 6,20; *me.* mot 34,13860; mote 37,165; *2.* mòst 23,30; *me.* most 46,437; mostu = most þu 40,20; mot 71,17; *pl.* mótun 9,668; móton; mótan 17,186; *kent.* móten 12,6; *me.* mote 32,319; moten 44, 18; *konj.* mòte 9,190; *me.* mote 32,33; mot 61,1146; *prät.* mòste 15,139; *me.* moste 43,65; *pl.* moste 34,13875; *konj. sg.* most 47,1093; moste 56,21; *prät. mit präs.-bedeutung* must 67,80&c. *dürfen, mögen, können, müssen; ne.* must.

mote *s.* mótan, mótian.

mother *s.* mòdor.

mòtian, *schw. v., me.* motien 33,50; mote *verhandeln, streiten, diskutieren; ne.* moot.

mouchte, moue *s.* magan.

move *s.* meven.

mouhte *s.* magan.

Mountfort, *eigenn.*, 48,70; Munfort 48,180 *Simon von Montfort.*

mournen *s.* murnan.

mournyng, *vb.-sb.*, 54,20 *klage, jammer, trauer; ne.* mourning.

moute *s.* magan.

mouth, mouþ(e) *s.* mûð.

mouyng *s.* meven.

mowe, mowen *s.* magan, mâwan.

moyne *s.* mòna.

much, muchel *s.* micel.

muʒe, muʒen *s.* magan.

muhe *s.* magan.

muk, *sb.*, 67,62 *mist, kot; ne.* muck.

multiplie, *v.*, 67,31; multiply 67,179; multyply *sich vermehren; ne.* multiply.

multitude. *sb.*, 69,159 *menge; ne.* multitude.

munan, *prät.-präs., gedenken; me.* mone 48,166 *sich erinnern.*

mund, *st. f.*, 9,333; *me.* mounde *hand.*

muneches, munccon *s.* munuc.

muneʒ(e)ing *s.* mynnen.

munne, munnen *s.* mynnen.

munt, *st. m.*, 9,21; *me.* munt(e) 28, 46; mount *berg; ne.* mount.

munuc, *st. m., me.* munuch 37, 169; monek 50,77; *pl. dat.* munecon 25,20; *akk.* munecas 15,117; *me.* muneches 30,1; monkes 42,7 *mönch; ne.* monk.

munuchâd, *st. m.*, 16,63 *mönchtum.*

murcðe *s.* myrhð.

mure *s.* mòr.

murge, *adv., me.* merie 30,1; murie 37,27; miri 42,12; mery *lustig; ne.* merry; *me.* meraly 60,5; *ne.* merrily.

murgen, *v.*, 52,20 *froh machen, erfreuen.*

murhðe *s.* myrhð.

murmwr, *sb.*, 62,34 *murren; ne.* murmur.

murnan, *st. n. schw. v.*, 11,154; *me.* murnen 37,44; mournen 53, 36; *prät.* mearn *u.* murnde *trauern, klagen; ne.* mourn.

muruhðe, murþe *s.* myrhð.

murþir *s.* myrðrian.

must *s.* mòtan.

mustart, *sb.*, 46,280; mustard 46, 287 *senf; ne.* mustard.

muwen *s.* magan.

mûð, *st. m.*, 73,23; *me.* muð 37, 48; muþ(e) 40,17; mudh 41,36; mouþ(e) 44,113; mouth 54,27 *mund; ne.* mouth.

mûþa, *schw. m.*, 17,16 *mündung.*

my *s.* ic.

myche, mychel *s.* micel.

mycht *s.* meaht, magan.

myelian *s.* miclian.

myd, mydd, mydde *s.* mid.

mydyng *s.* midding.

myght, myʒte *s.* magan, meaht.

myghtfulle, *adj.*, 67,1 *mächtig; ne.* mightful.

myghty *s.* meahtig.

20*

myʒte. myht, myhte *s.* magan.

mykille *s.* micel.

mylde *s.* milde.

mylenscearp, *adj.*, 18,47 *mühlsteinscharf, auf einem mühlstein (= wetzstein?) geschärft.*

myn *s.* ic, min, mynnen.

mynd, mynde *s.* gemynd.

myne *s.* ic.

myne, *st. m.*, 8,657 *geist, sinn, erwägung, absicht, neigung.*

mynnen, *v.*, munne(n) 56,31; myn 59,37 *eingedenk sein, beachten, gedenken, nennen, erzählen; vb.-sb.* *me.* muneʒing 33,94; muneʒeing 33,95 *erinnerung; vgl.* (ge)munan.

mynster, *st. n.*, 14,76; *me.* munster *münster, kloster; ne.* minster.

myran *s.* myre.

myrce, *adj.*, mirk 48,214; myrk 60,21 *finster; ne.* (veraltet) mirk, *vgl.* murky.

Myrce, *volksn.*, *pl.*, 15,55; myrce 18,48 *bewohner von Mercia.*

myre, *schw. f.*, *gen.* myran 17,163; mire *stute, mähre.*

myrhð, *st. f.*, *me.* murcð(e) 32, 154; murhðo 32,364; muruhðe 37,61; murþ(o) 54,28 *freude; ne.* mirth.

myrknes, *sb.*, 60,106 *dunkelheit.*

*myrðrian, *schw. v.*, (for-, of-), *me.* murþir 45,104 *morden; ne.* murder.

mys *s.* mis, missan.

N.

n- *s.* ne.

nâ, *adv.*, 21,17; nô 9,259; *me.* no 34, 13829; na 60,55 *niemals, nimmer, durchaus nicht, nicht; ne.* no; *me.* noch: na...na, na...no *weder...noch;* nâ þŷ læs, *me.* neoðeles 34,13949 *nichtsdestoweniger, indessen: vgl. ne. (dicht.)* nathless, nevertheless.

na *s.* nân.

nabae *s.* nafu.

nabban, *v.*, = ne habban; *1. sg. präs. me.* nabbe 40,31; *3. sg.* 32,134; *2. sg. präs.* nauest 37,103; *pl.* nabbeð 32,98; nabbet 32,235; nabbed 32,378; *prät.* næfde 17,93; *me.* nevede 46,11 *nicht haben.*

nabfogar *s.* nafogâr.

nacht *s.* nâwiht.

næcht, næcht- *s.* neaht, neaht-.

nacod, *adj.*, 21,24; *me.* naked 44,6 *nackt, bloß; ne.* naked.

nadder *s.* nædre.

nædl, *st. f.*, *Ep. dat.* naeðlae 1, 17; *me.* nedle *nadel;* nedill 60,23 *magnetnadel; ne.* needle.

nædre, *schw. f.*; *me. pl.* nadres 27, 24; nadderes 29,1; neddren 32, 273 *natter; ne.* adder.

nadrinke 43,144; *s.* ne *und* adrenche.

nafogâr, *st. m.*, *Ep.* nabfogâr 1,25; *me.* navegor, nauger *bohrer; ne.* auger.

næfre, *adv.*, 9,88; *me.* næure 27,20; neure 27,40; nefro 33,32; nauere 34,13830; nauer 34,13877; neuere 37,143; neauer 38,32; nevere 46, 100; newer 46,118; neuer 49,1; ner 51,75; neuir 60,54; nevir 70, 17; newir 72,11,6 *niemals, nimmer: ne.* never; never more 46,103: neuermore 37,68; neauer mare 38.32 *nimmermehr; ne.* nevermore: nevre so strong 44,80 *noch so stark; ne.* never so strong.

nafu, *st. f.*, *Ep. gen.* nabae 1.13; *me.* nave *nabe; ne.* nave.

nafð *s.* nabban.

nægel, *st. m.*, *me.* nayl(e) 55,11; naylle 67,273 *nagel; ne.* nail.

næglan, *schw. v.*, *me. p. p.* neiled 38,31 *nageln; ne.* nail.

nægledcnearr, *st. m.*, 18,106 *genageltes, beschlagenes schiff.*

naʒt, naht *s.* nâwiht.

nagulte 56,12; *s.* ne *und* âgyltan.

næht *s.* neaht.

nâhwær, *adv.*, *me.* nohwere 40,44 *nirgends; ne.* nowhere.

nâhwæðer, *pron.*, nâwþer 7,189; nâðor; *me.* naðer...nor 32,297 *keiner von beiden; ne.* nor; konj. nôhwæðer nê...nê 14,26; *me.* naðer 32,298; nouþer 40,49; nowder 67,534 (ne)...ne (na); n... then 67,535; noþer...nor 62,27 *weder...noch; me.* nor 67,138 *noch: nach komp., als.*

nai *s.* nay.

naked *s.* nacod.

nalden, nallas, nallað *s.* nyllan.

nalles, *adv.*, 10,2863; nales 18,22; nalæs 15,12; nalæes, næs 21,17 = ne (e)alles *durchaus nicht, keineswegs.*

nam, nama, name s. noma.
naman s. nân.
namare, adv., 32,353; nammore
27,38; namore 41,10 = na more
nicht mehr, nichts mehr.
namys s. noma.
nân, indef. pron., 14,32; me. nan(e)
32,235; no 32,388; na 34,13865;
non 39,1304; none 46,245: noon
65,61; akk. sg. m. nânne 11,233;
nǽnne 14,42(les.): me. nenne
29,3; namne 32,119 kein, keiner;
me. nanne man 32,119; naman
32,186; namme 32,168 niemand;
ne. no, none; adv. nânne dǽl 14,
42; nân wuht 14,32; nân þing
21,2; me. nanþing 28,39; naþing
32,98; no þing 37,56; noþing 42,
18; noþyng 58,91; no thing 64,
25; no thyng 67,289 nicht, gar
nicht, nichts; ne. nothing.
nǽnig, indef. pron., 17,165; nh.
naenig 3,1; nenig; neni kein, nie-
mand.
nanme, nânne, nénne, nanne,
nânum, nânre s. nân.
nar s. nêah.
nǽren s. nes.
nareu, narew, narew, nære-
wei s. nearo.
nǽron, nǽrun s. nas.
nas s. nǽs.
nǽs, st. v., 8,573; me. nes 33,56; nas
34,13991; nass 36,15626; = ne
wǽs, wes, was(s) war nicht; pl.
nǽrun, nǽron; me. neren 32,
379; nere 33,24; neoren 34,14060
waren nicht; kj. nǽre; me. nero
32,199 wäre nicht, pl. nǽren.
nǽs s. nalles, nes.
nat s. nâwiht.
nat, nât s. nytan.
nǽteness, st. f., kent. nêtenes(se)
20,44 schande.
nâthwyle, indef. pron., gen. -es 7,
189 ich weiß nicht wer.
nature, sb., 62,28 natur; ne. nature.
naturell, adj., 62,19 natürlich; ne.
natural.
naturelliche, adv., 41,39; natu-
reliche 41,32 natürlicherweise, von
natur; ne. naturally.
nanene 32,248; s. nê und Afen.
nauer, nauere s. nǽfre.
nauest s. nabban.
nauʒt s. neaht, nâwiht.
nꝑure s. nǽfre.

naut s. nâwiht.
naw s. nû.
nâwiht, indef. pron., adv.; nâuht,
nôht 14,17; nâht 16,30; me. naht
32,48; nawiht 32,167; nawhiht
32,212; nawhit 32,249; nouht 32,
378; nout 32,379; noht 34,13865;
nawihht 36,15551; nohht 36,15572;
nawt 38,3; nocht 41,22: nacht
41,28; nouʒt 42,2; nauʒt 42,47;
noʒt 43,108; nowicht 44,97; naut,
noʒte 45,32; nouiʒt 46,56; not 48,
64; noghte 49,2; naʒt 50,13; nat
63,3; noght 67,96; gen. nohtes 34,
13947 nichts, keineswegs, nicht; ne.
naught, nought, not; of me self
is me riht nowht 44,123 um
mich selbst handelt es sich mir
nicht.
nâwþer s. nâhwæðer.
nay, adv., 47,1023; nai 46,43; sb.,
67,2 nein; ne. nay.
nayl, nayle, naylle s. nægel.
naðer s. nâhwæðer.
naþing s. nân.
ne, adv., 4,2b; nh. ni 4,2a; me. ne
32,16 nicht; oft mit dem folgenden
worte kontrahiert; s. nahban, na-
drinke, nagulte, nalles, nân, næs,
nâwiht, nis, nyllan, nytan.
nê, konj., 22,35; me. ne 32,249 und
nicht, noch; nê ... nê 14,26; me.
ne ... ne 32,24 weder ... noch;
me. manchmal mit folgendem vo-
kalisch anlautenden wort zusam-
mengezogen; navene 32,248 = ne
Avene; ni hud 32,77 = ne ihud,
s. hýdan.
nêad, -beþearf s. nied, -beþearf.
nêah, adj., adv., 8,635; nêh 15,78;
me. nch 33,45; nei 46,310; neiʒe
47,1046; nyʒ 19e,18(les.); ne.
nigh; komp. nêar 21,33; me. noer
30,3; nerre 58,85; ner 66,378;
nar 71,10; me. oft (wie ne. near)
ohne komparative bedeutung: nere
45,27 u. dgl.; sup. nêxt; nest 11,
128; nỹhst 17,179; me. next 48,54;
nest 51,24 nahe, beinahe: me. neyh
honde 40,46 nahe bevorstehend:
adv. nêah 17,78; me. neir 60,44;
ner 66,436; nere 69,171 nahezu;
æt nêxtan 22,62 zuletzt.
nêahlǽcan, schw. v., nêalôcan
16,21: prät. nêaleahte 21,43; pl.
nêalécton 15,201; me. neyhleyhte
40,6; sich nahen, nahe kommen.

neaht, f., 16,25; niht 8,626; mere. nh. næcht 19a,d,13; me. nihte 32, 78; niht 83,32; nigt 39,1300; niʒt 43,125; nicht 44,143; nauʒt 42,47; nyght 48,214; nyʒt 50,106; nyht 56,7; nycht 60,20; gen. sg. auch nihtys 19b,13; me. nyhtas 19c,13; nihtes 53,22; be(bi)nihtes 27,17; bi niʒte 47,1125 nacht, nachts: ne. night; pl. niht; me. niʒte 45, 41; ne. (fort)night.

neahtegale, schw. f., nihtegale, Ep. nectaegalae 1,21; me. nyhtegale(s) 52,5; nychtingale 60,4 nachtigall; ne. nightingale.

neahthræfn. st. m., Ep. naechthraebn 1,14 nachtrabe; ne. nightraven.

neahtrest, st.f., nihtrest 10,2863 nachtruhe.

neal- h. neahl-.

nean, adv., 9,326 uns der nähe.

near s. neah.

nearo, adj., me.nareu 27,26; nerew 32,339; pl. nearwe 6,24 eng, schmal: ne. narrow; nærewei 32, 345 = nærewe wei.

neat, st. n., 16,24; me. net, rind; ne. neat.

neauer s. næfre.

neawist.st.f., 22,29; me.neweste nähe, nachbarschaft, gegend.

neb, st. n., nebb; me. nebbe 33,38 schnabel, gesicht; ne. neb, nib.

nect- s. neaht-.

neddre(n) s. nædre.

ned, ned-, nede s. nied, nied-.

nedili s. nædl.

Nedy s. niedig.

needþearllic, adj., 15,214 nötig: vgl. nydðcarf.

nefa, schw. m., me. neue(s) 27,8; neuou, neuow (afrz. neveu) 48, 137 neffe.

nefre s. næfre.

neh s. neah.

nei s. neah.

neid s. nied.

neide s. niedig.

neidfaerac s. niedfaru.

neiʒe s. neah.

neiʒe, v., prät., neiʒede 19e,2(les.) nahen, nahe kommen.

neighbour. sb., 64,12 nachbar; ne. neighbour.

noiled s. næglan.

noir s. neah.

neither, adv., auch nicht, nicht einmal; ne. neither; s. ne nud æghwæðer.

Nelde, adj.-sb. = (a)n oder (mi)n elde 46,173 alte.

nele, nelle, nolt s. nyllan.

nemnan, schw. v., 14,tit.(les.); prät. nemde, (les. nemnde) 16,27; p.p. genemned 14,66; nemned 15,56; me. nemmnedd 86,1 nennen.

nemne, konj., 9,260 mit ausnahme von.

nenne s. nân.

neod, ncod, neode s. nied.

neodful, adj., 8,720 eifrig, inständig.

neolan s. neowol.

neominde s. niman.

neeren = ne weeren; s. næs.

neorxna wang, st. m., me. dat. neorxenewange 28,5 paradies.

neosan, schw. v., 8,631 aufsuchen, ausfindig machen.

neotan, st. v., 9,361 genießen, sich freuen.

neowe, neowe s. niwe.

neowol, adj., neol 8,684 steil, tief.

neoðeles s. nâ.

ner s. neah, næfre.

nere(n) s. næs, neah.

nergan, schw. v., 6,13; prät. nerede retten; p. präs., dann sb., nergend 10,2863 heiland.

nerro s. neah.

nes 82,292 = næs 54,5 = ne is.

nest, st. n., 9,189; me. neste 49,32; nest 69,173 nest: ne. nest.

nest, st. n., 11.128 lebensunterhalt, mundvorrat.

nest s. neah.

net, st. n.; me. pl. nettes 42,6 netz: ne. net.

netan s. nytan.

neten, st. n., 16,67; me. neten tier, rind; ne. neat; vgl. neat.

netencsse s. nætencss.

neton s. nytan.

nettes s. net.

neue s. nofa.

nevede s. nabban.

neuon (altn. nefna), v., 67,12 nennen.

neuer, neuere, never, neuir, nevir, neuro, novro s. næfre.

neuou, neuow s. nefa.

newe, newenn s. niwe.

newir s. næfre.

newly *s.* nîwelíce.

next, nêxt, neyh *s.* néah.

neyhleyhte *s.* néahléecan.

ni *s.* ne, nê.

Nicholle, *eigenn., abkürzung von* Nicholas; Nedy *s. adj.* niedig; Nicholle Nedy, *schimpfname,* 67, 405 *etwa: armer tropf.*

nichte *s.* néaht.

nicnawað 32,110 *s.* geonáwan.

nied, *st.f.*, nêod 9,189; nêd(e), *(les.* nêade) 18,66; *me.* ned(e) 36,15611; neode 32,261; ned 46,142; neid 62,27 *not, bedürfnis; ne.* need; at nede 44,9 *in der not; adv.* neod34,13860; neid 71,12; oneid 62,27 *notwendigerweise; ne.*needs; *me.* hawis na nedo 45,66 *braucht nicht.*

niedbeþearf, *adj., sup.*14,54 *notwendig; vgl.* nýðéearf.

niedfaru, *st.f., nh. dat.* néidfacrae 3,1 *notwendige fahrt. twd.*

niedig, *adj., me.* nedi, nedy 67, 405; neide 62,21 *notleidend, arm; ne.* needy.

nigoða, *zahlw., me.*nizede(n)28,32 *der neunte; vgl. ne.* ninth.

nigt, nizt, niht *s.* neaht.

nihtegale *e.* neahtegale.

niker (*ae.* nicor), *pl.* nikeres 29,2 *uir, seeungeheuer.*

nilest *s.* geléestan.

niman, *st. v.*, 15,72; *me.* nimen: nyme 58,66; nim 42,16; *p. präs.* neominde 33,107; *prät. sg.* nôm, nam 21,60; *me.* nam 27,7; nom 34,13967; *pl.* nômau 15,155; nâmon 25,12; *me.* namen 27,16; nome 42,13; nemen 43,62; nam 48,72; *p. p. me.* inumen 37,107; numen 39,1316; nummen 58,76; vnome 61,1105; nome 61,1133 *annehmen, nehmen, gefangennehmen, erhalten; konj. präs. sg.* nime 9,380) *verzehren; me. (mit ellipse con* þe wai 42,16; 48,72 *und mit oder ohne eth. dat.) sich begeben, gehen;* jome n. to 37,121 *achtgeben auf.*

nis 9,3; *me.* 32,77 = ne is *ist nicht.*

niseзen 32,102; *s.* geséon.

nist, niste *s.* nytan.

nister 29,3 = ne is þer.

niwe, *adj., adv.*, 15,187; *merc.* niowe 13,14; néowe; *me.* niwe 32,309; neowe 34,13840; newe 39,1286; new 59,13 *neu; binnen kurzem,* bald; *ne.* new; *daron adv.* nîwan, néowan; *me.* newenn 36,15553 *neuerdings, wieder.*

nîwelíce, *adv., me.* newly 60,122 *neulich, binnen kurzem; ne.* newly.

nîð, *st. m.*, 8,623 *haß, feindschaft.*

niðer, *adv.*, 34,13948 *unten.*

niðfull, *adj.*, 32,274 *boshaft.*

niðhyegend, *p. präs. pl.* -e 11, 233 *feindlich gesinnt.*

nîðing, *st. m., me.* niþing 41,45 *geizhals.*

nîðsceaþa, *schw. m.*, 6,24 *feindlicher schädiger, feind.*

nô, no *s.* nâ, nân.

noble, *adj.*, 50,5; nobyll 59,5; nobill 59,49; nobulle 67,276 *edel, adlig.*

noblelich, *adv.*. 47,1067 *vornehm, vortrefflich; vgl. ne.* nobly.

noblesse, *sb.*, 50,1 *adel; ne. veraltet* noblesse.

nobulle, nobyll *s.* noble.

nocht *s.* nâwiht.

noen *s.* nôn.

noer *s.* néah.

noght, noзt, noзte, nohht, nôht, noht *s.* nâwiht.

nôhwæðor *s.* nâhwæðer.

nohwere *s.* nâhwér.

noise, *sb.*, noys 58,137; noyis 60, 108 *lärm; ne.* noise; noyßmaking. *vb.-sb.*, 60,91 *lärmen.*

nolde *s.* nyllan.

nôm, nom *s.* niman.

noma, *schw. m.*, 8,720; namo 12,45; nama 14,27; *me.* nome 37,126; name 42,57; nam 45,120; *pl.* namys 59,60 *name; ne.* name.

nôman, nome *s.* niman.

nomeliche, *adv.*, 37,118 *namentlich, besonders; ne.* namely.

nôn, *st. m., me.* non 33,78; noen 46, 433; nowne 66,372; none 67,317 *drei uhr nachmittags, nachmittag; ne.* noon.

non, none, noon *s.* nân.

nor *s.* nâhwæðer.

norture, *sb.*, 48,9 *erziehung.*

norysse, *v.*, 50,51 *nähren; ne.* nourish.

norð, *adv.*, 14,93; *komp.* norðor 17. 108; *me.* norþ 34,13951 *nach norden;* 17,160 *nördlich; me.* bi north 67,477 *von norden; ne.* north.

norþan, *adv.*, 9,324 *von norden;* wið norþan 17,7; be norþan 17,

41; *präp.* be nerþan 17,123 *nörd-lich (von)*.

norðanéast, *adv.*, bi n.-an 17,27 *nordöstlich*.

norðanwestan, *adv.*, be n., 17, 15 *nordwestlich von*.

Norðdene, *volksn., pl. m.,* 17,36 *die Norddänen*.

norðéast, *adv., me.*northest *nord-östlich; me.* nerþ est 58,137 *sb., nordosten; ne.* northeast.

norþerne, *adj., gen. pl.* 18,36; *me.* norþerne *nördlich; ne.* northern.

nerðeweard, *adj.,* 17,110; ner-ðeweardum,*präp.,* 17,117 *nördlich von, gegen norden*.

nerðfolc, *st. n.,* 15,149 *nordleute*.

Norðhymbre, *volksn., st. pl., gen.* Norðhembra 15,55 *Northumbrier*.

Norðman(n), *volksn.. pl.* Nerþmen(n) 17,45; *gen.* Norðmenna 17,47; nerðmauna 18,65 *Skandinavier*.

norþmest, *adv.,* 17,47 *am nördlichsten*.

norðer *s.* nerð.

norþryhte, *adv.,* 17,53 *in nördlicher richtung, nach norden*.

norþweardum, *adv.,* 17,48 *nördlich*.

Nerðweg, *et. m.,* 17,130 *Norwegen*.

norðþêode, *st. pl.,* 15,28 *nordleute*.

not (= ne wot) *s.* nytan, nåwiht.

note, *sb., pl.,* notes 52,5; notis 60,7 *note, ton;* 67,368 *bemerkung; ne.* note.

note, *v., p. p.* notyde 62,5 *bemerken, beachten; ne.* note.

note *s.* netu.

nothing *s.* nån.

nothire *s.* ôðer.

netis *s.* note.

notu, *st. f., flekt.* note 14,59; *me.* note 37,88 *nutzen, verwendung*.

nou *s.* nû.

novel, *sb.,* 67,508 *nachricht, neuigkeit; rgl. ne.* novel.

nouʒt, nouiʒt *s.* nåwiht.

neumbre *s.* numbre.

nout *s.* nåwiht.

neuþer *s.* nâhwæðer.

now, newe *s.* nû.

newder *s.* nâhwæðer.

nowhere *s.* nâhwær.

nowieht *s.* nåwiht.

nowiderwardes, *adv.,* 27,32 *nach keiner richtung hin*.

nowiht *s.* nåwiht.

nowmber *s.* numbre.

newno *s.* nôn.

nowt *s.* nâwiht.

nowwt, *sb.,* 36,15558 *rind: rgl.* nêat.

noyis, noys, noyß- *s.* noise.

noþer *s.* nåhwæðer.

noþing *s.* nån.

nû, *adv.,* 2,1; *me.* nu 32,227; nv 40. 46; now 42,2; neu 44,11; nowe 49,39; naw(?) *nun, jetzt; ne.* now; *konj.,* 21,61 *nun, da;* nû þå, *me.* nuþo 32,10; nuðe 32,244; nuþen 40,56 *jetzt; me.* nuge 39,1328 *schon* (= *ae.* nû gên 15,187? *oder Ormis* nuʒʒu = nû geô?).

nuge *s.* nû.

nul, nule, nulle, nulli = null I *s.* nyllau.

numbre, *sb.,* 48,133; newmber 59, 86; noumbre 65,63 *(an)zahl; ne.* number.

nummen *s.* niman.

nuste, nuten *s.* nytan.

nuþe, nuðe, nuþen *s.* nû.

nuðerhelde, *sb.,* 32,343 *(les.) neigung nach unten, senkung*.

nycht *s.* neaht.

nychte, *v., prät. 3. sg.* nychtit 70,15 *von der nacht überrascht werden*.

nychtingale *s.* neahtegale.

nŷdan, *schw. v., prät.* nydde 15, 239 *nötigen, zwingen*.

nŷdðearf, *st. f.,* 15,246 *notwendigkeit, bedürfnis*.

nye, *sb., pl.* nyes 58,76 *beschwerde, kummer*.

nyʒ *s.* nêah.

nygh, *v., 3. sg.* präs. nyghys 67,370 *sich nähern*.

nyght, nyʒt *s.* neaht.

nŷhst *s.* néah.

nyhtegale *s.* neahtegale.

nyllan = ne willan, *unregelm. vb.,* nellan, 15,192 *(les.); nh.* nalla; *1. sg. präs. ind.* nele 6,16; *me.* nelle (ich) 32,287; nulli 46,295; *3. sg. me.* nulle 33,92; nele 32,123; nule 40,58; nul 46,314; *pl. me.* nulen 38,4; nulle 56,27; *imp. pl. nh.* nallas 19a,5; nallað 19a,10; *me.* nyle ʒe 19c,5; *prät.* nolde 14, 38; *nh.* nalde; *me.* nalde(n) 33,34; nolde 32,140 *nicht wollen*.

nyme *s.* niman.

nys 19b,6; 54,36 = ne ys *er ist nicht.*

nysse, nyste s. nytan.

nytan, *prät. präs.,* = ne witan, netan; *1. 3. sg. präs.* nàt 8,700; *me.* nat 32,148; *pl.* neton 8,660; *me.* nuten 32,236; *prät.* nysse 17,59; nyste 17,76; *me.* nuste 40,27; nist(e) 42,28; *pl. me.* nusten 32, 225; nuste 32,102 *nicht wissen (bemerken).*

nytt, *adj., me.* nut (*vgl.* 32,5) *nützlich;* n. gedôn 12,29 *zum besten jemandes (dat.) verwenden.*

O.

o s. âu, of, on.
ò s. â.

obediand, *adj.,* 67,121 *gehorsam.*

obey, *v.,* 72,11,21 *gehorchen; ne.* obey.

obligacioun, *sb.,* 61,2 *verpflichtung, verbindlichkeit; ne.* obligation.

obout s. onbûtan.

oc, *konj., und, auch;* 27,33 *aber, sondern; vgl.* ac.

occupy, *v.,* 60,76 *in besitz nehmen; ne.* occupy.

od, *adj.,* 67,57 *überzählig, darüber; ne.* odd.

oder s. ôðer.

of, *adv.,* 8,701 *ab, weg; präp.* of 4,2b; *me.* ôf, of 32,20; off 36,3; 59,5; hof 46,2 *von, aus, vor* (cio of; of alle þinge), *mit* (21,69; merci of; fulfillit of), *in betreff, wegen* (preve of); *an* 36,15606); be of *gehören zu;* off þatt 36, 15610 *mit beziehung darauf, daß; abgekürzt zu* a, o: adun (s. dûn); o neide men 62,22; *ne.* of, off.

of s. oft.

ofdrædd, *p. p., me.* ofdred 32,43; drede, *pl.* ofdredde 32,94 *in angst, erschreckt; vgl.* ondrædan.

ofen, *st. m., me.* ouen 33,18 *ofen; vgl. ne.* oven.

ôfer, *st. m., dat.* ôfre 17,7 *ufer, gestade.*

ofer, *präp.,* 9,330; *mc.* over, ouer 33,87; ouir 45,21; oure 71,39; ower 72,18 *über;* 9,588 *über hin;* 11,161 *auf, an;* ofer eall 15,228; *me.* ouer al 34,13999 *überall, ganz durch;* 47,1000 *überaus; adv.*

ouere 48,153 *hinüber, drüben;* 48, 169 *vorüber; vor adj. und anderen adv.* 59,36; 72,21 *allzu; ne.* over.

ofercuman, *st. v.,* 11,235; *me.* ouercumen 34,14026; ourcum 60, 86; ouercome 61,1145; *prät. sg.* ofercôm 26,18; *me.* ouercom 61, 1149; *pl.* ofercôman 18,144; *p. p. me.* ouercome 61,1132 *überwinden, besiegen; p. p.* 50,106 *übertölpelt; ne.* overcome.

oferdrîfan, *st. v., p. p. me.* ourdriffin 60,3 *vertreiben, überstehen, besiegen.*

oferfêrau, *schw. v.,* 17,113 *überschreiten.*

oferfêrnes, *st. f.,* 15,153 *durchwatbarkeit.*

oferfroren, *p. p.* 17,198 *übereist, bis oben gefroren.*

ofergân, *def. v., me.* ouer go 48, 169 *vorübergehen.*

oferhîgian, *schw. v., me. p. p.* ouerheghed(e) 49,5 *zu hoch erheben.*

oferhygd, *st. f. n., instr.* oferhŷdo 15,14 *stolz.*

ofermægen, *st. n., dat.* ofermægne 9,219 *übermacht.*

oferreccan, *schw. v., überzeugen; mc. prät.* ouerraght 59,69 *übersetzen.*

ofersêon, *st. v.,* 17,132: *3. sg. präs. ind. me.* oue'r)sihð 32,75 *überschauen; ne.* oversee.

oferswîþan, *schw. v.,* 15,177 *überwältigen.*

oferweorpan, *st. v., me. prät.* oferwarrp 36,15567 *les.) umwerfen.*

oferwrêon, *st. v., me.* overwreou; *prät.* oferwrâh 13,11 *überdecken, verhüllen.*

ofeslîce s. ofostlîce.

ofest s. ofost.

off s. of.

offend, *v.,* 67,108 *beleidigen; ne.* offend.

offerenda, *schw. m., mc.* offrande 39,1298; offrende 39,1309; offrende 39,1314 *opfer.*

office, *sb.,* 48,50 *dienst;* houses of offyce 67,134 *nebengebäude, stallung.*

offputyng, *vb.-sb.,* 62,17 *das ablegen.*

offrande, offrende s. offerenda.

offrian, schw. v., me. offrien 37,4; offren 39,1289; prät. offred 42,60 opfern; ne. offer.
ofite s. oft.
offyee s. office.
ofgiefan, st. v., prät. ofgeaf 10, 2863 aufgeben.
ofheren, v., prät. ofherde 43,43 hören.
ofost, st f., me. oveste eile; dat. pl. ofstum 10,2911; ofestum 9,190 in eile.
ofostlice, adv., 11,150; ofestlice 10,2849; ofeslice 8,582 eilig, rasch.
ofrende s. offerenda.
ofserue, r., 41,36 verdienen.
ofslœ3en, ofsla3e s. ofslêan.
ofslêan, st. v., 22,33; flekt. inf. ofslêanne 21,71; prät. ofslôh 22, 15; konj. ofslôge 17,86; me. prät. pl. ofslo3en 34,14022; p. p. ofslæ3en, ofsla3e 34,14059,60 erschlagen, töten.
ofspring, st. m., me. of spring 32, 196 nachkommenschaft; ne. off-spring.
oft, adv., 14,2; me. oft 32,21; of, ofte 43,117; ofite 65,60 oft, häufig; komp. oftor; me. ofter 33,49; sup. oftost 14,23; ne. often, (poet.) oft.
ofte sythes, adv., 49,25 oftmals.
ofþyncan, schw. v., me. of ðinche 32,203; 3. sg. präs. ind. of þinchet 32,10; óf ðinchet 32,132; óf þincð 32,164; prät. me. óf ðufte (fehlerhaft) 32,271 bereuen, gereuen, mißfallen (urspr. einpers. mit dat. der pers. und gen. der sache; me. he ofþincheþ hit und hit ofþincheþ him).
ofþyrst, p. p. 22,27; me. ofþurst, aþirst verdürstet, durstig; ne. athirst.
ogain, o3ain s. ongegn.
oghe s. âgan.
oghte, ohht, oht s. âwiht.
oht s. âð.
oehtan, oehtende s. êhtan.
ohte s. âgan.
ôhwær, adv., 7,199; ôwer irgendwo.
ôlæcung, st. f., 22,54; me. olhnunge schmeichelei.
old s. eald.
olden s. healden
olif, sb., 67,510 olive; ne. olive.
oliues s. lif.
ombiht, st. m., 10,2879 diener.

ombor, st. m., gen. pl. ombra 12, 21 ein flüssigkeitsmaß = ½ mitta.
ou, adv. und präp., 4a,1; an; me. onne 27,80; on 27,37; o 27,42; a 32,1; en 32,192; an 34,13827; onn 36,14; hon 46,18 an, in, auf, über; oþe 56,3 = on þe; ne. on; on gesvhðe 4,1b vor den augen: bið on 14,74 ist wert; him vs on 51,45 ihm fehlt; on-to 66,447 an. zu; onuppan 19b,2; me. onuppon 19c,2; anuppon 33,50; anuppan. onuppe 37,25; anvppe 40,42 darauf, an der spitze, auf, über; annnder 37,32 unter, darunter; ae. on ân 10,2892 ein für allemal oder sogleich; me. anan 36,15620; anon 40,65; onon 44,136; onan(e) 47,1086; anoon 65,61; onone 67, 275; anone 67,490; annone 71. 29; in einem fort, beständig, sofort, sogleich; ne. anon.
on s. ân.
onælan, schw. v., 8,580; me. anelen: p. p. onæled 9,216 anzünden; vgl. ne. anneal.
onbœrnan, schw. v., 8,579; p. p. onbærned 16,85; pl. onbærnde 16,9 entzünden.
onbêodan, st. v., prät. onbêad 15, 158 entbieten, befehlen.
onbidan, st. v., gen. des part präs. kent. anbidineges?, 20,38 warten; ne. abide.
onbindan, st. v., miseht sich mit unbindan; 3. sg. präs. ind. me. vn bint 32,394; konj. hounbinde 46, 315; prät. me. unband 32,188 entbinden, aufbinden, befreien; imp. pl. unnbindeþþ 36,15590 zerstören; ne. unbind.
onblôtan, st. v., prät. onblêot 10, 2963 opfern.
onbryrdnyss, st. f., 15,113; inbryrdniss 16,6 andacht.
onbûtan, adv., abûtan; me. abuton, abuten 33,47; aboute 46,80; obout 57,15 umher, herum (sogho a. 58,67 sae aus); was aboute 48,119 war daran; präp. abute 32, 369 ohne; 50,81 um, um ... herum.
onenâwan, st. v., 23,9 erkennen.
onewedan, st. v., prät. onewað 10,2910 antworten.
ond, konj., 4,1b; and 15,3; nh. end 2,2; me. œnd 19c,14; and 32,1; end 32,3; anud 36,3; an 50,3; ant

51,4; ande 62,2 *und, auch;* and
67,502; 73,14 *falls, wenn, als ob;*
ne. and, an (if).
onda, *schw. m.,* *me.* ande 32,193
ärger, neid.
ondor- *s.* under-.
ondgiet, *st.n.,* *(les.*andgiet, and-
git) 14,68 *verstand, sinn.*
ondgietfullice, *adv., sup.* and-
gitfullicost 14,72 *verständlich.*
ondleofne *s.* andleofen.
oudlong, *adj., akk.* -ne 18,11 *der
ganzen länge nach, ganz.*
ondrædan, *urspr. st. v., p. präs.*
15,118; adrædan, *merc.* ondrêdan
19d,10; *nh.* ondrêdo 19a,5; on-
drêda 19a,10; *me.* ondræde 19c,5;
adrede(n) 32,6; dreden, dreed;
drede 48,66; dreid 62,24; drod
64,28; *prät.* ondræddon 15,121;
me. dradde *fürchten (mit oder
ohne refl. dat.); p. p.* adrad 42,28;
adred 67,201 *erschreckt;* be adr.
of 42,28 *sich fürchten (vgl.* of-
drædd); *me. vb.-sb.* dreding 60,81
furcht; ne. dread.
ondrysne, *adj.,* 10,2861 *furcht-
bar, ehrwürdig.*
ondswarian, *schw. v., p. präs.*
answeringe 19e,5; *prät.* and-
swarade 15,185; ondswarede 16,
28; andswarede 19b,5; *nh.* ond-
swarede 19a,5; *me.* audswerede
19c,5; onswerde 33,62; an-
swerede 34,13841; answærede
34,13885; andswarede 34,13898;
onswerede 40,18; answerde 41,9;
answerd 42,25; answarede 43,44;
ansuerede(n) 44,176; ansuerde
45,53; ansuerd 48,161 *antworten;
ne.* answer.
ondswaru, *st. f., akk.* ondsware
7,184; andsware 16,33; *k.* and-
swore 20,1; *me.* anudswere 36,
15589; answere 47,1005; ansuer
66,381 *antwort; ne.* answer.
ondweard, *adj.,* andwerd 19b,
15; *merc.* ondward 19d,15; *me.*
andweard 19c,15 *gegenwärtig;*
him andweardum 16,51 *in ihrer
gegenwart.*
ondwlita, *schw.m.,* 13,42 *antlitz.*
ondwyrdan, *schw. v., me.* and-
wurden; *prät.* andwyrde 14,48;
andwirde 21,53 *antworten.*
one, *v.,* 50,44 *einen, verbinden.*
one *s.* ân.

oneardian, *schw. v.,* 15,52 *be-
wohnen.*
onest, *adj.,* 59,48 *ehrlich; ne.* honest.
ônettan, *schw. v., prät.* ônette
10,2872; *pl.* ônettan 11,139 *eilen.*
oneþ *s.* one, *v.*
onfangene, -fêhð, -fêng(-) *s.*
onfôn.
onfindan, *st. v.,* 6,7; *me.* afinden
32,58; *prät. konj.* onfunde 7,178
auffinden.
onfôn, *st. v.,* 10,2918; *3. sg. präs.*
ind. onfêhð 20,26; *konj.* onfô 24,
28; *prät.* onfeong, onfêng 7,187;
pl. onfêngon 15,101; onfêngun
19b,15; *me.* onfengen 19c,15; *konj.*
onfênge 16,63; *p. p.* onfongen 7,
182; *fl.* onfongne 16,58; onfan-
gen(e) 15,127 *empfangen, erhalten,
aufnehmen, übernehmen;* 9,192 *an-
fangen (mit dat. oder akk.);* rice
o. 15,34 *zur herrschaft gelangen.*
ongan(n) *s.* onginnan.
ongegn, *adv., präp.,* 11,165; on-
gêan 8,628; *merc.* ongagn 19d,9;
me. ongean 19c,9; aʒean 32,317;
aʒen 34,14046; onnʒæn 36,15598;
agen 39,1843; ogain 45,22; gain
45,90; aʒein 46,296; oʒain 47,992;
ageyn 48,85; aye 50,74; aʒeyn
61,1144; agein 64,29; agayne 66,
386; agayn 67,548; ayene 68,27;
agane 69,162; again 72,6; ʒegane,
agaʒues 27,13; ʒcanes 32,347; aʒai-
nes 38,19; aʒenes 43,78; oʒaines
47,1113; agaynes 49,16; aganes;
aʒeus 19c,9 *entgegen, gegen, ver-
glichen mit, dawider, wieder(um),
zurück;* 17,132 *gegenüber; ne.*
again, against; calle aʒeyn 48,
61 *widerrufen;* agan cumynge,
vb.-sb., 62,90 *rückkehr.*
Ongelþeod, *st. f.,* 16,10 *stamm
der Angeln; England (vgl.* Angel-
cynn, -kynn).
ongemang *s.* gemong.
ongeslêan,*st.v.,* him wæl onges-
lôgan 15,7 *verübten an ihnen ein
gemetzel.*
onget *s.* ongietan.
ongierwan, ongyrwan, *schw.v.,*
prät. ongyrede 4,1b; *nh.* (on)ge-
redæ 4,1a *entkleiden.*
ongietan,*st.v.,* ongiotan 14,32; *me.*
onʒiten; *prät.* onget 21,43; *pl.* on-
gêatou 11,168 *wahrnehmen, fühlen,
bemerken, verstehen, erkennen.*

onginnan, st.v., 9,188; 3.sg.präs.
ind. onginð 22,7; prät. ongon 8,
595; ongan 10,2458; ongann 10,
2859; pl. ongunnan 15,5; ongun-
non 15,93 beginnen, anfangen.
Ongle s. Angle.
ongon, ongunnan, ongunnon
s. onginnan.
ongyn, st. n., 9,638 anfang.
ongyrede s. ongierwan.
onhŵle, adj., 6,7 verborgen.
onhalsien, v., 33,70 beschwören,
dringend bitten.
onhŵtan, schw. v., me. 3. sg. präs.
ind. anhet 41,39; p. p. anheet 41,
48 erhitzen.
onhergian, schw. v., prät. pl. on-
hergedon 15,6 verheeren, aus-
plündern.
onhlîdan, st. v., p. p. onhliden 9,
12 öffnen, erschließen.
onhrêodan, st. v., prät. onhrêad
10,2931 schmücken (oder lies on-
rêad, zu onrêodan röten?).
onhyrigean, schw. v., 15,210 nach-
ahmen, nacheifern.
onlêon, st. v., prät. onlêah 11,124
verleihen.
onlepi s. ânlêpe.
onlêsde s. onliesan.
onlîc, adj., 9,242 ähnlich.
onlicness, st. f., anlicness 15,
179; andlicness 15,203; me. an
lyeness(e) 50,9; anlikness(e) 50,
47 ähnlichkeit, ebenbild, bild.
onlîchtan, schw.v., prät. onlŷhte
19b,1; me. onlihte 19c,1 dämmern;
3. sg. präs. konj. onlŷhte 7,204 er-
leuchten, umleuchten.
onliesan, schw.v., merc. prät. on-
lêsde 13,8 lösen, bezahlen.
onlûcan, st. v., prät. Ep. andlêac
1,22 aufschließen.
onlûtan, st. v., 14,89 sich neigen.
onlŷhte s. onlichtan.
onn, onne s. ân, on.
onoh s. genôh.
onon s. on.
ourêad, onrêodan s. onhrêodan.
onsâwan, st. v., p. p. onsâwen
9,253 säen.
onscunian, schw. v., 13,10 ver-
abscheuen, sich scheuen.
onsêcan, schw. v., p.p.pl. onsôhte
8,679 suchen, abfordern, abver-
langen.
onsecgan, schw.v., 10,2852 opfern.

onsegednes, st. f., 20,34 opfer.
onsendan, schw.v., 14,74; p.p.on-
sended 24,15 entsenden, schicken.
onsîen, st. f., 13,12; onsŷn 8,730;
ansŷn 19b,3; merc. onsêone 19d,3;
me. ansiene 19c,3; ansine, on-
syne, onsene 37,27 anblick, an-
gesicht.
onsîen, st. f., me. ansine 46,306
not, mangel.
onsittan, st.v., 6,23 sich entsetzen
vor (mit oder ohne refl. pron.).
onslŵpan, schw. v., prät. on-
slêpte 16,26 einschlafen.
onsôhte s. onsêcan.
onstal, st. m., 14,20 einrichtung,
anfang.
onstellan, schw.v., prät. onstealde
einrichten; ôr o. 16,39 anfangen.
onsund, adj., 8,593 unversehrt,
heil, gesund.
onswerien s. ondswarian.
onsŷn(e) s. onsien.
ontîul, adj., 38,57 neidisch.
on-ta s. on.
on-uast, präp., 34,14047 nahe; vgl.
fæst.
onuppan, -e, -on s. on.
onwæcnan, schw. v., 9,648 er-
wachen.
onweald, st. m., 14,7; onwald 9,
663; anweald 19b,18; me. anweald
19c,18; anwald(e), onwold(e) 34,
13969 gewalt, macht.
onweg, adv., 15.16 fort, hin(weg).
onwendan, schw. v., p. p. on-
wended 9,82 wenden, sich ver-
wandeln.
onwis s. unwîse.
onwold, v., 46,311 beherrschen, in
der gewalt haben (anders Engl.
Stud., 31,268).
onwrêon, st. v., prät. onwrâh 7,
195 enthüllen; p. p. me. unwrizen
32,160; onwryȝe 50,80 unverhüllt.
onwrîðan, st.v., 11,173 aufdrehen,
enthüllen.
onwryȝe s. onwrêon.
ony s. ênig.
onys s. ân, êne.
oo s. â.
oon, oone s. ân.
oonly, adv., 67,288; oonely 67,307
allein, nur; me. only; vgl. ân.
oostre, sb., 67,329 haus; vgl. ne.
hostelry, veralt. hostry.
op, ope s. up.

open, *adj.*, 9,11; *me.* opin 45,35
offen; ne. open.
openian, *schw. v., me.* oppne(s)
38,7 *öffnen; ne.* open.
openlíce, *adv.*, 15,71; *me.* openn-
li; 36,55; openlich 38,9; open-
liche 50,24 *offen, öffentlich, deut-*
lich; ne. openly.
opon, oppon *s.* up.
oppnes *s.* openian.
opposyt, *adj., entgegengesetzt; sb.*,
69,170 *gegner; ne.* opposite; *s.* fro-
ward.
oppressen, *v.*, 69,170 *bedrängen,*
niederdrücken; ne. oppress.
oppressioun, *sb.*, 64,12 *be-*
drückung; ne. oppression.
or *s.* ér, âwðor.
ôr, *st. n.?*, 2,4 *anfang; vgl.* ord.
ord, *st. m. n.*, 10,2876; *me.* ord
32,85 *anfang, spitze;* 6,5 *fuß-*
spitze; 23,47 *pfeilspitze;* 38,13
speerspitze; 23,60 *vornehmster,*
anführer.
ordand, ordayn *s.* ordeyne.
ordeyne, *vb.*, 69,168; ordayn 67,
309; ordand 67,119; *prät. und*
p. p. ordanyt 62,28,29 *einrichten,*
anordnen; 67,468 *bestimmen; ne.*
ordain.
ordfruma, *schw. m., ursprung;*
15,243 *gewährsmann.*
ordinance, *sb.*, 48,89 *verordnung,*
satzung; ordinaunce 47,1090 *be-*
stimmung; ne. ordinance.
ordyre, *sb.*, 49,19 *befehl, gebot;*
pl. orders 67,10 *rangstufe, ord-*
nung; ne. order.
ore *s.* ân, âr, ér, âwðor.
ores *s.* âr.
ôretmæcg, *st. m.*, 11,232 *kämpfer.*
orgeilus, *adj.*, 41,44 *stolz; ne.*
(Shaksp.) orgulous.
origt *s.* rihc.
orisune *s.* ureisun.
ormæte, *adj.*, 8,627 *übermäßig,*
unendlich.
orn *s.* eornan.
orsorh, *adj.*, 22,47; *pl.* orsorge
19d,14 *sorglos, unbekümmert.*
ôsle, *schw. f., Ep.* ôslao, 1,14; *me.*
osel *amsel; ne.* ousel, ouzel.
ost *s.* host.
ostage, *sb.*, 48,137 *bürge, geisel;*
ne. hostage.
Osti, *volksn., pl. m.*, 17,38 *die*
Esthen.

Ost-sǽ, *ortsn., st. f.*, 17,83 *Ostsee.*
otêcan, *schw v., prät. pl. merc.*
otêctun 13,39 *hinzufügen.*
oth *s.* âð.
other, othir *s.* ôðer.
otr, *st. m., Ep.* 1,13; *me.* oter *otter;*
ne. otter.
otsperninc, *st. f., kent.*, 20,12
anstoß.
ou *s.* gê.
oven *s.* ofen.
over(-), ouer(-) *s.* ofer, ofer-.
ouercasten, *v., p. p.* ouercast
67,354 *bedecken, überschwemmen.*
ouercom(e), ouercumen *s.* ofer-
cuman.
ouergo *s.* ofergân.
ouergrete, *adj.*, 48,211 *übergroß.*
onerheghode *s.* oferhîgian.
ouerleggen, *v., p. p.* ouerlaid
67,306 *überdecken, überströmen.*
ouerraght *s.* oferreccan.
overtake, *v.*, ourtak 60,95; *p. p.*
ouertan 58,127; ourtane 70,11
einholen, erreichen, erhaschen; ne.
overtake.
ouerthrawe, *v., p. p* ouerthrawe
69,163 *um-, niederwerfen; ne.*
overthrow.
ouer-thwert, *adv.*, 69,167 *der*
breite nach.
ouesihô *s.* ofersêon.
ouh *s.* âgan.
ouht *s.* âwiht.
ovir *s.* ofer.
ounderfost *s.* underfôn.
oune *s.* âgan.
ounseli *s.* unsele.
ounwis *s.* unwise.
our, our(e) *s.* gê, ofer, wê.
ourcum *s.* ofercuman.
ourdriffin *s.* oferdrîfan.
ourestrecchen, *v., p. p.* oure-
straught 69,164 *darüberstrecken.*
oursmall, *adj.*, 66,389 *zu wenig;*
ne. oversmall.
ourtak, ourtane *s.* overtake.
ous *s.* wê.
out(e) *s.* ût.
outher, outhire *s.* âwðor.
outtak, *p. p. oder imperat. präs. als*
konj. 60,104 *ausgenommen.*
ouþer *s.* âwðor.
owe(n) *s.* âgan.
ower *s.* ofer.
ôwer *s.* ôhwǽr.
owere *s.* âgan.

owt, owte s. ût.

owthyre s. âwðor.

owun s. âgan.

Oxnaford, stadtn., st. m., me.
Oxeneford 27,6; Oxenford 48,85
Oxford.

oyle, sb., 67,46 öl; ne. oil.

oð, präp., 13,1; oþ 19d,15; nh. oðð
19a,15; me. oðð 28,44; oððe 19c,20
bis; konj., 11,140; oð tô 15,57;
oþþæt 9,263 ; oð þæt 10,2874; oð-
ðæt 15,103; me. a þet 33,66; a þa
33,78 bis.

oðbregdan, st.v., p.p.pl. dat. oð-
brodenum 20,40 entreißen.

oþe s. on.

oðêawan, schw.v., 9,322 sich zeigen.

ôðel s. êðel.

oðer, oþer s. âwðor.

ôðer, zahlw. und indef. pron., 14,26;
ôþer 9,348; nom.f. nh. ôðero 19a,1;
me. oðer 19c,1; other 27,22; fleki.
oðre 28,17; oþer 32,391; (oðres
32,257); eoðer 33,49; oþerr 36,
15544; oþir; oþur 42,45; othere
49,8; othir,o) 49,41; pl. othyre
49,14; oþren 50,69; vthire 62,6;
other 67,54; oder 67,160 der
zweite, der andere, ein anderer;
ne. other; ôþre sîþe 21,62 zum
zweiten male; me. anoþer 50,89;
a nothire 49,8 = an othire; þo
toþer 48,80; tho tother 59,63;
the tothir 66,417 = that other
der (die) andere; þe toþer 48,242
die übrigen; noon other 65,61
nicht anders.

oðercende 16,68 (les.) s. codor-
cian.

ôðerlîce, adv., me. komp. oþer-
luker 32,150 (lesarten) anders.

ôðerre s. ôðer.

oþerweics, adv., 34,14028 anders.

oðfæstan, schw. v., p. p. oðfæst
14,59 übergeben, widmen.

oðfeallan, st. v., 14,45; p. p. fem.
oðfeallenu 14,14 verfallen.

oðflêogan, st. v., 9,347 entfliegen.

ôðræ, ôðre, ôþre, oþren, oðres,
ôðrum, ôþrum s. ôðer.

oðð, oþþæt s. oð.

oþþe, konj., 17,53; oððe 14,16; nh.
aeththa 3,4; kent. oðða 12,23 oder;
oððe ... oððe 14,79 entweder ...
oder.

oðþringan, st. v., prät. oðþrong
11,185 entreißen.

P.

paciens, sb., 62,37 geduld; ne.
patience.

padde, sb., pl. pades 27,25 (vielleicht
auch 29,2) kröte; vgl. ne. paddock.

paen, adj., 43,149 heidnisch.

paie, v., bezahlen; p. p. paied welc
48,100 gut behandeln; 38,29: paide
67,283 befriedigen; ne. pay.

pain s. payne.

pains s. payen.

paire, r., 48,39 schaden leiden, ab-
nehmen, schlechter werden; vgl. ne.
impair.

pale, adj., 69,169 blaß; ne. pale.

paleys, sb., 65,60 palast; ne. pa-
lace.

palle, sb., 46,23 kostbares gewand.

pâpa, schw. m., 14,85; me. pape 48,
237; pope 51,41 papst; ne. pope.

paradis(e), sb., 37,10; paradys
50,29 paradies; ne. paradise.

paramoure 67,80 s. amour.

parlament, sb., 48,32; parlement
48,36 versammlung, parlament;
ne. parliament.

parlour, sb., 67,133 wohnzimmer;
ne. parlour.

part, r., teilen; p. with 59,96 (sich)
trennen von; ne. part.

part(e), sb., 45,69; part 60,47 teil,
abteilung; ne. part.

partie, sb., 48,80; party 67,49 teil,
partei, anhang; ne. party; in to
party 60,115 zum teil, teilweise.

pas s. passo.

pas, sb., 47,992 schritt, gang, passus;
48,126 verlauf; fortschreitender
bericht, erzählung 48,196; ne. pace.

passage, sb., 58,97 überfahrt; p. of
62,1 das weggehen von, verlassen;
ne. passage.

passe, r., 49,30; paß 60,35; pass
73,6; pas; prät. passed 48,152;
past 71,39; p. p. passed, paste
59,9; past 71,32 passieren, ziehen,
sich begeben; 59,96 weitergehen;
71,32 vergehen; is passed (ne. past)
65,64 hat überstanden; ne. pass;
rb.-sb. pasing 62,16 hinübergehen.

passion, st. f., pl. passione 12,38
passion, leidensgeschichte.

passkeda33, sb., 36,15552 oster-
tag.

patez, 29,2, vielleicht fehler für
padez; s. padde.

Paulus, *eigenn.*, 28,22; Paul 33,8
Paulus.
paye, *sb.*, *befriedigung;* 58,99 *bezahlung.*
payen, *sb.*, 50,78; payn 43,43; *pl.*
pains 43,61; paynes 43,78; payns
43,87 *heide; vgl.* paen.
payment, *sb.*, 62,19 *bezahlung;*
ne. payment.
payn *s.* payen.
payne, *sb.*, 50,20 *mühe, anstrengung;* pain 47,1170; peyne 55,17;
pl. paynes 67,40 *schmerz, qual;*
ne. pain.
payn(es) *s.* payen, payne.
Pehtas, *volksn.*, *pl.*, 15,68; *me.*
Peohtes, Peutes 34,13951 *die*
Pikten.
peler, *sb.*, 57,15 *plünderer, räuber.*
pelten, *schw. v.*, *p. p.* pelt 47,1044
hineinstecken; ne. pelt.
penaunce, *sb.*, 65,64 *buße; ne.*
penance.
pendiug, *st. m.*, pening, *me.* peni(e)
32,67; *pl.* penes 46,274 *pfennig;*
ne. penny; penny doylle 67,390
pfennigtrauer, trauerspende.
penes, penie *s.* pending.
penny- *s.* pending.
Peohtes *s.* Pehtas.
peopull, *sb.*, 59,16; pople 47,1036;
peple 71,40 *volk, leute; ne.* people.
pepir, *sb.*, 46,279 *pfeffer; ne.* pepper.
peralis *s.* peril.
peraventure, *adv.*, 67,503 *zufällig, gelegentlich; ne.* peradventure.
perce, *schw. v.*, 48,207 *durchdringen, eindringen in; ne.* pierce.
perceyue, *v.*, *prät.* perceyued 48,
47; persavit 60,92 *bemerken; ne.*
perceive.
perchance *s.* chaunce.
perde, *interj.*, 48,163 *bei gott!,*
wahrhaftig!
perell(ys) *s.* peril.
perelus, *adj.*, 62,2; perulus 62,13;
perlous 67,431 *gefährlich; ne.*
perilous.
perfyte, *adj.*, 62,8 *vollkommen;*
vgl. ne. perfect.
peril, *sb.* 58,114; perell 66,412;
pl. peryles 58,85; peralis 60,60;
perellys 62,18 *gefahr; ne.* peril.
perish, *v.*, 67,94 *umkommen, zugrunde gehen; ne.* perish.
perlous *s.* perelus.

permutacioun, *sb.*, 64,19 *vertauschung, veränderung; ne.* permutation.
perpetuall, *adj.*, 62,21 *beständig;*
ne. perpetual.
persavit *s.* perceyue.
person, *sb.*, *pl.* personis 62,17;
persons 67,2 *person; ne.* person;
persone 47,1104 *pfarrer; ne.* parson.
Persy, *eigenn.*, 60,43; Persye 66,
379 *Percy.*
perulus *s.* perelus.
peryles *s.* peril.
pes, *sb.*, 48,77 *friede; ne.* peace.
Peutes *s.* Pehtas.
peyne *s.* payne.
Peyters, *sb.* *(gen.)*, 51,57 *die*
St.-Peters-Kirche.
Phebus, *eigen.*, 34,13901 *gott Phöbus.*
Philistei, *volksn.*, *pl.* 22,16; *gen.*
Philistêa 22,8; *akk.* Philistêos
22,14 *die Philister.*
Philistêiscan, *schw. adj.*, *dann*
sb. pl., 22,20 *die Philister.*
pic, *st. n.*, *me.* pich 32,218; pik 67,
127; pyk 67,282 *pech; ne.* pitch.
pilche, *sb.*, 46,225 *pelz(werk).*
pilgrym, *sb.*, 65,59; pilgrame
73,9 *pilger; ne.* pilgrim.
pin, *st. f.*, *me.* pin(es) 27,34; pin(e) 32,286; pyne 55,25; *pl.* pine
33,29; pinen 33,42; pynes 58,91;
dat. pinan 33,39 *pein, leiden, leid;*
ne. (veraltet) pine.
pinian, *schw. v.*, *ne.* pinen 33,23;
pyne; *prät. me.* pined 27,18; *p. p.*
me. pined 27,20; 3epined 28,23;
ipined 32,187 *peinigen, martern;*
me. pinie 32,142 *pein dulden;*
ne. (veraltet) pine.
pinung, *st. f.*, *me.* pining 27,19
peinigung.
pit, *sb.*, 69,162 *grube; ne.* pit.
pitee, *sb.*, 64,17 *mitleid; ne.* pity.
pitous, *adj.*, 65,61 *mitleiderregend;*
ne. piteous.
pitscher, *sb.*, *pl.* pitscheris 70,34
krug; ne. pitcher.
pitwisly, *adv.*, 60,97 *mitleiderregend; ne.* piteously.
place, *sb.*, 58,68 *ort, stelle; ne.*
place.
plaie *s.* plegian.
planette, *sb.*, *pl.* planettis 67,345
planet; ne. planet.

plantian, *schw. r., prät. me.* planted 58,111 *pflanzen, schaffen; ne.* plant.

play *s.* plega, plegan.

playn, *sb.,* 48,218; playne 66,418 *plan, feld; ne.* pluin.

ploga, *schw, m.,* 17,172; *me.* pleie 37,62; play 48,160 *spiel, freude; ne.* play.

plegian, *schw. r., me.* pleie 37,28; plaie 46,438; play (him) 48,159; *prät.* plegode 22,82; *pl.* plegodan 18,104; *p. p. me.* ypleyd 47,1105 *spielen (mit gen.), unterhalten, sich vergnügen, ergötzen, tournieren (?); ne.* play; *vb.-sb.* pleing 43,32 *spiel, unterhaltung.*

pleinte, *sb.,* 44,134 *klage; ne.* plaint.

pleise *s.* plese.

plente, *sb., menge; ne.* plenty; *adv.,* 67,146 *in menge.*

plenteuous, *adj.,* 19e,12 *reichlich; ne.* plenteous.

plese, *r., p. p.* pleisit 72,II,*titel gefallen; ne.* please; *p. präs.* plesande 60,8 *angenehm, gefällig.*

pleyne, *r., p. p.* pleyned 48,224 *beklagen.*

plight, *r.,* pli3tte 46,252; *prät.* plight 48,181 *verpfänden, geloben.*

pliht, *st. m., me.* plyt 58,114 *zustand; ne.* plight.

plogh *s.* plouh.

plom, *sb., senkblei: ne.* plumb; *adj., adv.,* 67,520 *lotrecht, senkrecht.*

plouh, *sb.,* 35,95; plogh 67,534; *pl.* plouis 35,95 *pflug; ne.* plough.

plûme, *schw. f., Ep.* plûmae 1,19; *me.* ploume *pflaume; ne.* plum.

plyt *s.* pliht.

poore *s.* povere.

pope *s.* pâpa.

popig, *sb., geschl.?, Ep.* popaeg 1,20; *me.* popi *mohn; ne.* poppy.

pople *s.* peopull.

poremen 51,77 *s.* povere, mon.

port, *st. m. n.,* 17,123; *me.* port 58, 90 *hafen; ne.* port.

porter, *sb.,* 61,1117 *pförtner; ne.* porter.

posstless *s.* apostol.

post, *st. m.,* 22,46; *me.* post *pfosten; ne.* post.

postpone, *r.,* 71,28 *verschieben; ne.* postpone.

pouer *s.* povere.

povere, *adj.,* poure 35,80; pouer 42,42; pouere 44,58; povre 46, 306; pore(men) 51,77; pure 62,37; poore 65,62 *arm; sb.* 35,80; 44, 101 *die armen; ne.* poor.

poverte, *sb.,* 46,304 *armut; ne.* poverty.

pound *s.* pund.

pour, *v.,* 70,34 *hinuntergießen, einschenken; ne.* pour.

pouro *r.* povere, pure.

pouste, *sb.,* 45,57 *macht.*

poutstaff, *sb.,* 66,402 *stange zum ziehen des fischnetzes.*

powere, *sb.,* 48,21 *macht; ne.* power.

poyete, *sb., pl.* poyetes 59,33; poyetis 59,47 *dichter; ne.* poet.

poynt, *sb.,* 48,78 *punkt; ne.* point; at þe poynt 58,68 *im augenblick.*

praie *s.* preyen.

prass, *sb.,* 24,68 *stolze pracht.*

pray, *sb.,* 61,1107 *beute; ne.* prey.

pray(and), praye, prays *v.* preyen.

preche *s.* prechie.

prechement, *sb.,* 48,238 *predigen.*

prechie, *v.,* 40,4; preche 58,81; preiche 71,14; *p. p.* preichit 71,37 *predigen; ne.* preach; *vb.-sb.* preching(e) 50,65 *predigt.*

precious, *adj.,* 62,12; preciouxe 62,10*(les.) kostbar, wert; ne.* precious.

prede *r.* pryte.

prof, *sb., probe, beweis; vgl. ne.* proof; in prof 61,1150 *erprobt (?).*

preiche, preichit *s.* prechie.

preost, *st. m.,* 15,117; *me.* prest 42,58; *pl.* prestis 19e,11 *priester; ne.* priest.

pres, *sb.,* 48,207 *andrang, gedränge, haufe; ne.* press.

presedent, *sb.,* 19e,14 *landpfleger; ne.* president.

presence, *sb.,* 69,166 *gegenwart; ne.* presence.

present, *sb.,* 42,24; pressent 42, 35 *geschenk; ne.* present; to present 48,219 *als schaustück.*

presont, *sb., gegenwart; ne.* present; in pressent 42,35 *gegenwärtig, vor.*

pressent *s.* present.

prest *s.* preost.

preve, *r.*, prufe 67,460; *p. p.* pre-
uyt 59,47 *prüfen, untersuchen,
beweisen, erweisen; vgl. ne.* prove.
preue, *adj.*, 60,62 *geheim, vertraut;
ne.* privy.
preuely, prevoly s. priueliche.
preyen, *r.*, preve 44,169; pray
63,29; praie 65,62; *2. sg. präs.*
prays 67,242; *p. präs.* prayand
49,8; *prät.* preiede 56,21 *bitten,
beten; ne.* pray.
preyse, *r.*, 44,60 *preisen, loben;
ne.* praise.
prician, *schw. r., me. 3. pl. präs.*
prykyaþ 61,1106 *spornen, reiten;
ne.* prick; prikobout 57,15 *herum-
reiten, streifzüge machen.*
pride *s.* pryte.
prik *s.* prician.
prime, *sb.*, 69,171 *die erste tages-
stunde, 9 uhr morgens; ne.* prime.
prince, *sb.*, 48,7 *fürst; ne.* prince;
prince of prestis 19e,11 *hoher-
priester.*
princes, *sb.*, 72,II,1 *prinzessin;
ne.* princess.
priorie, *sb.*, 48,110 *abtei, priorei;
ue.* priory.
pris, *sb.*, 46,446; prise 59,47 *preis,
wert;* 51,86 *lob; ne.* price; of pris
46,120 *anerkannt.*
prise, *r., p. p.* prist 59,33 *preisen;
ne.* prize.
prisun, *sb.*, 27,8; prisoun 48,127;
prison 48,136; prisune, prysoun
58,79 *gefängnis; ne.* prison; 61,
1112 *gefangener.*
prisuning, *sb.*, 45,55 *einker-
kerung.*
priueliche, *adv.*, 50,79; preuely
60,91; prevely 70,20 *im geheimen;
ne.* privily.
privité, *sb., heimlichkeit; ne.* pri-
vity; in privité 46,84 *insgeheim.*
processe, *sb.*, 48,73 *hergang, vor-
gang;* process 71,29 *umschweif,
formalität; ne.* process.
proffer, *sb., pl.* proffres 65,60;
profres 65,61 *anerbieten; ne.*
profer.
profyt, *sb.*, 66,426 *vorteil, nutzen;
ne.* profit.
prologe, *sb.*, 59,96; prologue 59,
99 *vorrede; ne.* prologue.
promys, *r.*, 65,59 *versprechen; ne.*
promise.
proper, *adj.*, 69,173 *eigen, richtig.*

prophete, *sb.*, 40,68 *prophet; ne.*
prophet.
propreliche, *adv.*, 50,19 *eigent-
lich, genau; ne.* properly.
proud *s.* prût.
prouendis, *pl., sb.*, 48,5 *präben-
den, pfründen; vgl. ne.* prebend.
prouerbe, *sb.*, 63,25 *sprichwort;
ne.* proverb.
Prouince, *ländern.*, 48,8 *die Pro-
vence.*
provyd, *r..* 73,6 *versorgen (mit);
ne.* provide.
prowde *s.* prût.
prowdly, *ade.*, 67,17 *stolz; ne.*
proudly,
prowesse, *sb.*, 50,109 *heldentat;
ne.* prowess.
prud *s.* prut.
prude *s.* pryte.
prufe *s.* prefe.
prût, *adj., me.* prut; prud 33,56;
proud 46,3; proude 52,32; *sup.*
prowdist 67,543 *stolz, hochmütig;
ne.* proud.
prykyaþ *s.* prician.
prysoun *s.* prisun.
pryte, *schw. f.,* pryde; *me.* prude
46,125; pryde 49,12; prede 50,63;
pride 60,46 *stolz; ne.* pride.
psalme *s.* sealm.
Pulgara, *volksn., st. m. gen. pl.*
17,25 *die Bulgaren.*
pulle, *r., ziehen; ne.* pull; p. up
67,153 *aufziehen, entfalten.*
pulpet, *sb.*, 71,37 *kanzel; ne.* pul-
pit.
pund, *st. n.*, 12,19; *me.* pund(e)
32,67; pound 46,224 *pfund; ne.*
pound.
punderngeo(n)(d) *(oder besser
punderngeorn?), sb.p.präs. (adj.?),
kent.* 20,19 *abwägender.*
pupplisse, *r., p. p.* -id 19e,15 *ver-
kündigen; ne.* publish.
purchace, *r.*, 48,62; *prät.* pur-
chaisid 45,4 *sich verschaffen; ne.*
purchase.
pure, *adj.*, pourc 49,18 *rein; ne.*
pure.
pure *s.* povere.
purvaye, *vb.*, 67,553 *versorgen,
anweisen;* purvay 60,74 *bestim-
men; ne.* purvey.
purueiance, *sb., anschaffung;* 48,
85 *verfügung, vorkehrung; vorsicht,
vorsorge, vorrat; ne.* purveiance.

Zupitza-Schipper, Alt- u. mittelengl. übungsb. 11. aufl. 21

putte, *vb.*, **49,3**; *prät.* put 67,21;
p. p. put 67,39; putt 19o,6 *setzen,*
legen; 49,3 *bringen, schaffen; ne.*
put; to bo put 62,5 *sich befinden;*
refl. 60,58 *sich begeben;* p. þerto
59,33 *sich daran machen;* put
by 71,30 *beiseite lassen;* put fra
49,10 *ausstoßen aus;* put denn
64,15 *unterdrücken;* put vp 48,
111 *entfalten.*
p y k *s.* pic.
p y u, *sb., stecknadel; ne.* pin; set i
   not at a pyn 67,364 *halt ich nicht*
   eine stecknadel wert.
p y n, r., *3. pl. präs. ind.* pyncz 58,79;
   p. p. pynd 67,332 *einpferchen; ne.*
   pin.
p y n e, p y n c s *s.* pin, pinian.

Q.

qu- *s.* cw-, hw-.
q u a d *s.* cweðan.
q u a i r, *sb.,* 69*(titel) buch.*
q u a i r f o i r, *konj., s.* hwǽr.
q u a k e d *s.* cwacian.
q u a m *s.* hwâ.
q u a n, q u a n n e *s.* hwonne.
q u a r *s.* hwǽr.
q u a r(e)f o r e *s.* hwǽr.
q u a r t e r n e *s.* cweartern.
q u a s s e, *v., prät.* quassed 48,99
   unterdrücken, aufheben, verwerfen;
   ne. quash.
q u a t *s.* cweðan, hwâ.
q u a t s u m *s.* hwâ.
q u a y n t e, *adj.,* 50,50 *eingebildet,*
   kundig, wissend; (*original:* ... se
font si cointe de...); *ne.* quaint.
q u a ð, q u a þ *s.* cweðan.
q u a þ þ r i g a n, *sb.,* 86,3 *viergespann.*
q u e a d s c h i p e, *sb.,* 37,42 *schlech-*
   tigkeit.
q u e l l e *s.* cwellan.
q u e m e *s.* gecwême, cwêmau.
q u e u *s.* hwonne.
q u e n(e) *s.* cwên.
q u e r f a s t e, *adv.,* 38,31 '*transver-*
   sely' Morris.
q u e þ *s.* cweðan.
q u h a *s.* hwâ.
q u h a i r f o i r *s.* hwǽr.
q u h a i s, q u h a m *s.* hwâ.
q u h a r *s.* hwǽr.
q u h a t *s.* hwâ.
q u h e l e *s.* hwêol.
q u h e n *s.* hwonne.

q u h e t h i r, q u h e þ i r *s.* hwæðer.
q u h i c h, p u h i l k *s.* hwelc.
q u h i l l, q u h i l u m *s.* hwil.
q u h i r l e n, *r., drehen; ne.* whirl;
   vb.-sb. quhirlyng 69,165 *drehen.*
q u h o *s.* hwâ.
q u h y *s.* hwâ.
q u i c a e *s.* cwice.
q u i c k *s.* cwic.
q u i d d e n *s.* cweðau.
q u i e t, *sb.,* 69,173 *ruhe; ne.* quiet.
q u i k *s.* cwic.
q u i l e s *s.* hwil.
q u i q u a e *s.* cwice.
q u i t e, *adj.,* 47,1169 *los, frei; ne.*
   quit.
q u o d *s.* cweðan.
q u e k e *s.* cwacian.
q u o m *s.* cuman.
q u o r- *s.* hwǽr.
q u o t h *s.* cweðan.
q w i t e, *r.,* 67,216; qwyte 67,228
   vergelten; vgl. ne. requite.

R.

r a c, *sb., pl.* rakkes 58,139 *dunst,*
   wolke; ne. (veraltet) rack.
r a c e n t ĉ a h, *st. f.,* racetêag(um)
   22,70; *me.* rachentege(s) 27,29;
   raketeʒe 32,279 *kette, fessel.*
r a d, *adj.,* 45,23; red 72,10 *erschreckt,*
   besorgt, in furcht.
r â d *s.* rîdan.
r ǽ d, *st. m.,* 6,16; *me.* red(e) 32,4;
   red 46,328 *rat, weisheit, klugheit;*
   45,99; *pl.* redis 45,101 *beschluß;*
   48,135 *anerbieten; vorteil: ne. (ver-*
   altet) read; *me.* couþe red 44,148
   wußte rat; whet sceal us (wat
   shal me 44,118) to rede? 82,90
   was wird uns (mir) helfen?; kent.
   swâ mǽst rêd sie 12,27 *wie es*
   am vorteilhaftesten ist; tô rêde
   gecuren 15,125 *erkoren sich zum*
   ratschluß.
r ǽ d a n, *st. später schw. r., me.* ræden,
   reade 34,14003; redo 44,104; ree-
   de 67,341; *3. sg. präs. konj.* rede
   32,156; *prät.* rǽdde 23,18; *me.*
   radde 46,152; *pl.* rǽddon 15,25
   raten, rat erteilen, rat, hilfe schaffen;
   für jemanden sorgen, beherrschen:
   rede 32,224; reden 38,8; reid
   71,23; *3. sg. präs.* ræt 32,307;
   ret 50,76; *prät.* redde 51,45; *p. p.*
   red 67,46 *lesen;* rede 51,54; *p.*

präs. redande **49,8** *gebete lesen;*
ne. read.

radde, rædde, ръддоn *s.* rǽdan.

ræde, *adj., me.* redi **39,1321;** radi
42,30; redy **48,156;** reddy **62,34**
bereit; **45,26** *gern; ne.* ready.

ръden *s.* rǽdan.

rædlice, radly *s.* hrædlíce.

rǽdlíc, *adj.,* **14,**sehl.-*ged.*19 *ratsam.*

ръfnan, *schw. v.,* **9,643** *vollbringen,*
aushalten, erleiden.

ръfter, *st. m., Ep. pl.* reftras **1,1;**
me. rafter *balken; ne.* rafter.

ragge, *sb., pl.* raggis **68,9** *lumpen;*
ne. rag.

rægl *s.* hrægl.

raid *s.* ridau.

rair *s.* rårian.

raiss *s.* risan.

rakkes *s.* rac.

ram-skyt, *sb.,* **67,217** *bocksdreck;*
vgl. schott. skite; *ne.* shite.

ran *s.* cornan.

rand, *st. m.,* **23,20** *schild.*

rand- *s.* rond.-

randwiggend, *sb. p. präs., gen.pl.*
-ra **11,188** *schildkämpfer.*

rang *s.* ring.

råp, *st. m.* **22,20;** *me.* rope **47,985;**
rop **58,150** *strick, tau; ne.* rope.

rårian, *schw. v., me.* rair **60,97**
schreien, brüllen; ne. roar.

rás, ras *s.* risan.

rъs, *st. m.,* **8,587** *bedrängnis, gefahr;*
me. rase **67,429** *andrang, schwall.*

ръsta *s.* restan.

rъswa, *schw. m.,* **11,178** *herrscher.*

ræt *s.* rǽdan.

rath, *sb.,* **44,75** *berater (vgl.* ræd).

ръueden *s.* rêafian.

ръueres, *st. m. pl.,* **34,14059** *räuber.*

raunson, *sb.,* **48,184** *lösegeld; ne.*
ransom.

ravyn *s.* hræfn.

rayke, *v.,* **58,65** *sich trollen, begeben;*
ne. prov. reike, rake.

raylen, *v.,* **52,13** *schmücken.*

rayn, *v.,* **67,147;** *pl. präs.* renys
67,351 *regnen.*

rayn *s.* regn.

raþe, raðe *s.* hraðe.

rêad, *adj., me.* read **37,53;** red
44,47 *rot; ne.* red.

rêad *s.* rêodan.

reade *s.* rǽdan.

rêaf, *st. n.,* **19b,3;** *me.* reaf **19c,3**
kleid; reif **60,118** *beute.*

rêafian, *schw. v., me.* reuc **49,18;**
prät. mere. rêafade **13,7;** rъuede(n)
27,38; rofte **44,94;** *p. p. me.* revede
60,12 *rauben; ne.* (be)reave; *me.*
vb.-sb. reauing **32,253** *raub.*

*rêcan, *schw. v.,* reccan; *me.* recche
32,221; recke; *3. sq. präs. ind.*
recþ **32,135;** *prät.* rôhte; *me.* roh-
te(n) **34,13804** *sich kümmern; ne.*
reck; *prät. pl.* rouȝt **42,14** *es lag*
ihnen an etwas.

rêcan, *schw. v., me.* reken; *p. präs.*
ahk. m. reccendne **10,2932** *rauchen;*
ne. reek.

reccan, *schw. v., me.* rechon; *prät.*
reahte; *pl.* rehton **16,55** *in ord-*
nung bringen; erklären, übersetzen.

reccelêas, *adj.,* **14,44;** *me.* recheles
sorglos, nachlässig; ne. reckless.

recche, recchen *s.* rêcan, reccan.

recone, *adv.,* **11,188** *sogleich.*

recenlíce, *adv., nh.* hreconlíce
19a,8; *me.* rekenli *sogleich.*

recke *s.* rêcan.

recomaunde, *v.,* **65,61** *empfehlen;*
vgl. ne. recommend.

recouere, *sb.,* **48,154** *erholung,*
wiederherstellung; ne. recovery.

recþ *s.* rêcan.

red *s.* rêd, rad, rǽdan, rêad.

reddy *s.* rъde.

rede *s.* rîed, rǽdau.

redi *s.* rêdc.

redis *s.* rêd.

redliche *s.* hrædlíce.

redy *s.* rîede.

redynesse, *sb.,* **40,39** *bereitschaft;*
ne. readiness; *vgl.* rîede.

redþer *s.* hraðe.

reede *s.* rǽdan.

reffuss *s.* refuse.

refte *s.* rêafian.

reftrass *s.* ræfter.

refuse, *v.,* relfuss **71,5** *versagen,*
entsagen; ne. refuse; *vb.-sb.* refu-
syng **48,91** *weigerung.*

reȝȝsenn, *v.,* **36,70** *erheben, auf-*
richten; prät. reised **48,82** *stiften;*
ne. raise.

regioun, *sb.,* **64,26** *gegend, reich;*
ne. region.

regn, *st. m.,* rên **9,14;** *me.* reín(e)
37,58; rayn **67,445** *regen; ne* rain.

Regnesburg, *eigenu., f.,* **17,13**
Regensburg.

rególlíc, *adj.,* regollec **16,83** *von*
der regel vorgeschrieben.

21*

rehton *s.* reccan.

rehtw- *s.* rihtw-.

reid *s.* rädan.

reif *s.* rêaf.

rein(o) *s.* regn.

reised *s.* rezʒsenn.

reke, *r.*, 47,1027 *rergraben.*

relation, *sb.*, 71,27 *persönliche bitte, ersuchen; ne.* relation.

rele, *v., prät.* reled 58,147 *schwanken:* 69,165 *sich herumdrehen; ne.* reel.

relefe, *sb.*, 48,41 *taxe eines mündels bei seiner lehensergreifung; ne.* relief.

religiouss, *adj.*, 71,3 *religiös, kirchlich, geistlich; ne.* religious.

religiun, *sb.*, 41,16 *religion; ne.* religion.

remanant, *sb.*, 69,171 *das übrige, der übrige teil; ne.* remnant.

remeid, *r.*, 73,5 *abhelfen, sich bessern; ne. veralt.* remeid, remede.

remon *s.* hrieman.

rên *s.* regn.

rene, renne *s.* cornan.

renk *s.* rinc.

rent, *sb.*, 48,31 *rente, einkommen; ne.* rent.

renys *s.* rayn.

rêodan, *st. v., prät.* rêad 10,2931 *(les.)* röten.

reogolward, *st. m., kent.* 12,27; reogolweord 12,34 *regelwart (lat.* praepositus).

reord, *st. f.*, 9,338; *me.* rord 58,64; rerd 67,230 *rede, ton;* 67,101 *lärm.*

reordian, *schw. v.*, 9,632; *prät.* reordade 7,196 *reden, preisen.*

rêow, reow *s.* rôwan.

reowe(n) *s.* hrêowan.

reowliche *s.* hrêowlice.

repent, *v.*, 67,81; repente 67,91 *bereuen; ne.* repent.

repentans, *sb.*, 62,14; repentance 67,56 *reue; ne.* repentance.

repreif *s.* repreve.

reprevable, *adj.*, 64,25 *tadelnswert, schande machend; vgl. ne.* reprovable.

repreve, *v.*, repreif 60,84 *tadeln; ne.* reprieve, reprove.

reprufe, *sb.*, 67,84 *widerspruch, schmach; ne.* reproof.

rerd *s.* reord.

reren, *v., p. p.* rered vp 51,69 *aufrichten; ne.* rear.

resaue, *v.*, 62,27 *empfangen; ne.* receive.

resoun, *sb.*, 64,15; resene 66,385; reson 67,81 *rernunft, recht; ne.* reason; bi resoun 47,1052 *mit recht.*

rest, *st. f.*, 16,26; *me.* reste 32,360; rest 38,6; rist 42,15; ryst(e) 49,10 *rast, ruhe, ruhestätte; ne.* rest.

restan, *schw. v.*, 10,2880; *ne.* resten 37,41; ryste 49,37; *pl. präs. ind.* rested 33,103; *prät.* reste 40,12; restide *rasten, (aus-)ruhen; ne.* rest.

restedæg, *st. m.*, 19b,1; *me.* restesdaig 19c,1; restedayg 19c,1 *ruhetag, sabbath.*

restore, *r., p. p.* restord 67,29 *wiederherstellen, ersetzen; ne.* restore.

ret *s.* rädan.

retreie, *v., prät.* retreied 48,143 *wieder versuchen.*

retrograde *adj.*, 69,170 *rückwärts schreitend; ne.* retrograde; *s.* froward.

retwrnynge, *sb.*, 62,17 *rückkehr: ne.* returning.

reu *s.* rôwan.

reuc, revede *s.* rêafian.

reuliche *s.* hrêowlice.

reuþe, *sb.*, 46,318 *mitleid, erbarmen.*

rewe(n), rew *s.* hrêowan.

rewful(e) *s.* hrêowful.

rewle, *r.*, 67,429 *lenken, leiten;* rule 72,II,11 *verwalten; ne.* rule.

reylle, *sb.*, 67,298 *rolle, spindel, haspel (?); ne.* reel.

reyne, *v., p. präs.* reynand 67,111 *herrschen; ne.* reign.

rêþe, *adj.*, 6,16; *me.* reþe; *komp. fl.* rêðre 15,27 *wild, grausam.*

ribaudie, *sb.*, 48,193 *unzucht, liederlichkeit; ne.* ribaldry.

rice, *adj.*, 10,2845; *nh. akk. m.* riicnæ 4,2a; *me.* rice 27,13; riche 34,13865; *sup.* ricost(an) 17,163 *mächtig;* 27,43; rich(e) 32,41: ryche 35,80 *reich, prächtig; ne.* rich.

rice, *st. n.*, 9,664; *me.* riche 32, 355 *reich;* 14,19 *regierung; ne.* (bishop)ric.

rich, riche *s.* rice.

richelie, *adv.*, 48,4 *reichlich; ne.* richly.

richt *s.* riht.

rîdan, *st. v.*, 17,186; *ne.* riden 44,10; ride 43,34; ryde 58,62; *präs.* rydand 70,10; *prät.* râd 23,18; rod 43,32; rode 48,207; raid 66, 382; *pl. me.* riden 43,35 *reiten;* 43, 138 *fahren lassen: ne.* ride.

Riffen, *gebirgsn.,* 17,31 *montes Rhipaei (Ural?).*

rifil, *v., prät.* rifild 57,16; *p.p.* rifild 57,17 *rauben, plündern, wegneh-men; ne.* rifle.

right, rijt *s.* riht, rihtan.

rigour, *sb.,* 65,64 *strenge; ne.* rigour.

riht, *adj.,* 15,78; ryht 7,196; *me.* rihht(e) 36,44; rijt 42,12 *recht, richtig, gerade: subst. n.,* richt 44,36; right 64,20 *recht: ne.* right; on riht, on ryht 9,664; *me.* o rigt 39,1299; arijt 50,4; aryht 51.25; mid rihten, mid rihte 31,13824 *ordentlich, recht; me.* bi rijt 47,990 *rechtmäßig; me.* to richt 44,109; to ryht 51,77 *in ordnung: adv.,* rihte 28,20; ryhte 17,4; riht; *me.* rihte 32,109; riht. rict 35,79; rihht 36,8; rijt 42,3; right 48,163; rycht 60,5; richt 60,121 *richtig, recht, ganz, gerade;* 47,1036 *sehr; ne.* right.

rihtan, *schw. v., prät. me.* right 59,69 *richten, bearbeiten; prät.* rihte 15,112 *regieren; ne.* right.

rihte *s.* riht, rihtan.

rihtes *s.* riht.

rihtlécan, *schw.v., me.* ryhtlecho 40,57 *belehren.*

rihtspell, *st. n.,* ryhtspell 14,85 *rechte, wahre kunde.*

rihtwîs, *adj., merc.* rehtwis 13,41; *me.* ryghtwys(e) 49,6; richtwis 44,37 *gerecht, rechtschaffen; ne.* righteous.

rihtwîsnesse, *st. f., merc.* reht-wisnis 13,40; *me.* rihtwisnesse 32,72 *gerechtigkeit; ne.* righteous-ness.

rîm, *st. n.,* 8,587 *zahl, anzahl.*

rîman, *schw. v.,* 15,181; *prät.* rîmde *aufzählen, hersagen.*

Rin, *flußn., m.,* 17,3 *der Rhein.*

rinc, *st. m.,* 10,2845; *me.* rink. renk, *mann, diener.*

ring *s.* hrineg.

ring, *v., 3. sg. präs. ind.* ryngeþ 52,12; *prät.* rang 70,31 *erklingen, widerhallen; ne.* ring.

rink *s.* rinc.

riotorie, *sb.,* 48,192 *schwelgerei, prassen; ne.* riotry.

ripan, *st.v., me.* ripen 32,22 *ernten; vgl. ne.* ripe.

rîsan, *st. v., me.* risenn 36,15612; *imp.* rys 58,65; *prät.* râs; *me.* ras 45,33; ros; roos 19e,6; raiss 70,18; *pl.* rison; *me.* risen 42,15; ryse; ros 58,139; *p. p.* risen; *me.* risuu 19e,7; risenn 36,15605 *sich erheben (oft mit* up, upp), *auf(er)stehen; p. p.* rysen 67,142 *steigen; ne.* rise.

rist *s.* rest.

risun *s.* rîsan.

riue, *sb.,* ryue 43,134 *ufer.*

riueling, *sb.,* 57,19 *schottische fußbekleidung von rauhem fell; dann schimpfwort für die Schotten (etwa: bundschuh).*

rixlen, *v., 3. sg. präs. ind.* rixlet 32,393 *regieren.*

rîð, *st. ?m.,* 14,*schl.-ged.*19 *bach, wasserlauf.*

ro, *sb.,* 46,291 *ruhe.*

robb, *v., prät.* robbed 48,84 *rauben; ne.* rob.

robbere, *sb., pl.* (w)robberes 44, 39 *räuber; ne.* robber.

robe, *sb., pl.* robbis 72,II,11 *kleidungsstück; ne.* robe.

roberie, *sb.,* 41,34 *räuberei; ne.* robbery.

roche, *sb.,* 43,75 *felsen: vgl.ne.* rock.

rôd, *st. f.,* 4,2b; *me.* rod(e) 32,187; rod 42,60; roed 46,254; *dat. sg.* roden 19e,5 *stamm, kreuz; ne.* rod, rood.

rod, rode *s.* rîdan.

rode *s.* rudu.

rode, roden *s.* rôd.

rôdetrêo, *st. n., me.* rodetro 36,9 *kreuzesstamm.*

rodor, *st. m., gen. pl.* rodra 14,89; *dat. pl.* roderum 8,644 *himmel.*

roed *s.* rôd.

roj, rogh, rogh- *s.* rûh, rûhlîc.

rohten *s.* rêcan, reccan.

roiall, *adj.,* 65,59; royall 65,60 *königlich; ne.* royal.

rok, *sb.,* 67,338 *rocken; ne.* rock.

Rokesburw, *ortsn.,* 44,139 *Rox-burgh.*

rollen, *v., p. p.* rold 69,163; rollit 69,172 *rollen; ne.* roll.

rom(m), *st. m.,* 10,2926; *me.* ram 67, 217 *widder; ne.* ram.

Rôm, *ortsn.*, *st. f.*, *gen.* Rôme 14,
85; *me.* Rome 46,105 *Rom; ne.*
Rome.
Rômânc, *volksn.*, *pl.*, 15,223
Römer.
Rômânisc, *adj.*, 15,98 *römisch.*
Romayn, *volksn.*, 59,69 *Römer; ne.*
Roman.
romo, *v.*, 44,64 *durchstreifen, durch-*
reisen; ne. roam.
Rôme, Rome *s.* Rôm.
Rômware, *volksn.*, *pl.*, *gen. pl.*
Rômwara 14,89 *Römer.*
ron *s.* eornan.
roos *s.* risan.
rop(e) *s.* râp.
ros *s.* risan.
rose, *schw. f., me.* rose 37,53 *rose;*
ne. rose.
roscred, *adj.*, 43,16 *rosenrot; ne.*
roscred.
rôthor *s.* rôðor.
rouʒt *s.* rêcan.
roun *s.* round.
roun, roune *s.* rûn.
round *adj.*, 69,159 *rund; ne.* round;
on roun(d)58,147 *im kreise herum;*
ne. around.
rout, *sb.*, 57,16; route 48,115 *rotte,*
schar, haufe; ne. rout.
rôwan, *st. schw. v., me.* rowe 30,3;
prät. rêow; *me.* reow; rou 30,2;
rowit 60,19 *rudern, zu schiffe*
fahren; ne. row.
rowe *s.* rûh, *sb.*
rowned *s.* rûnian.
royall *s.* roiall.
rôðor, *st. n., Ep.* rôthor 1,24; *me.*
roþor *ruder; ne.* rudder.
ruchen *s.* *ryccan.
rudnyng, *sb.*, 58,139 *röte (blitz?).*
rudu, *st. f., me.* rode 52,13 *röte,*
rote farbe.
rughfuto, *adj.*, 57,19 *rauhfüßig.*
rûh, *adj.*, 21,15; *schw. flekt.* rûwan
21,37; *me.* roʒ(e) 58,139 *haarig,*
rauh; ne. rough; *me. sb.* roʒ 58,144
rauheit; rowe 48,66 *strenge.*
*rûhlîc, *adj.*, *adv.*, *me.* roghlych
58,64 *rauh; ne.* roughly.
rule *s.* rowle.
rûm, *adj.*, 9,14 *geräumig.*
run *s.* rûnian.
rûn, *st. f.*, 8,656; *me.* run(e) 32,89;
roun *geheimnis;* roun(e) 46,71
heimliches geplauder; rede; 52,2
gesang, lied.

rûnian, *schw. v., me.* run 45,101;
prät. rowned 58,64 *raunen, (zu)-*
flüstern; ne. veralt. roun, round.
rurd *s.* reord.
rûwan *s.* rûh.
ruwon *s.* hrêowan.
rwîy *s.* hrêowlice.
rybaud, *sb.*, 58,96 *schurke; ne.*
ribald; *vgl.* ribaudie.
*ryccan, *v., me.* ruchen 58,101
(seemännisch) überholen, einholen,
ordnen; vgl. an. rykkja, *ahd.*
rucchen.
ryche *s.* rîce.
rychesse, *sb.*, 65,60 *reichtum; ne.*
riches.
rycht *s.* riht.
rydand, rydc *s.* ridan.
ryfc, *r.*, *3. sg. präs.* ryfis 67,399
zerreißen, zerspringen; ne. rive.
ryge, *st. m., Ep.* rygi 1,23; *me.* rie
roggen; ne. rye.
ryght, ryht(e) *s.* riht.
ryhtfremmond, *p. präs.* 9,632
recht handelnd.
ryhtnorþanwind, *st. m.*, 17,62
ein genau nördlicher wind.
rym, *sb.*, 44,21 *reim, gedicht; ne.*
rhyme, rime.
rŷman, *schw. v., prät.* rŷmde 14,8
erweitern; vgl. gerŷman.
ryn *s.* eornan.
ryngeþ *s.* ring.
rynne(n) *s.* eornan.
ryp, *st. n.*, 9,246 *reife, ernte; vgl.*
ripan.
ryse *s.* risan.
ryste *s.* rest, restan.
ryue *s.* riue.

S.

sa *s.* swâ.
sæ, *st. m. f.*, sæe(s) 13,3; *me.* sæ 27,1;
se 32,83; sea 33,25; see 34,13787;
ze 50,91 *see, meer; ne.* sea.
saah *s.* sêon.
sabeline, *sb.*, 32,362 *zobel.*
sabill, *sb.*, 73,19 *zobel, schwarze*
farbe: als adj. schwarz; ne. sable.
saboth, *sb.*, 19c,1 *sabbath; ne.*
sabbath.
saca *s.* sacu.
sæcc, *st. f., gen. dat.* sæccc 18,7
streit; vgl. sacu.
sâcord, *st. m.*, 15,80; *gen. pl.* sâ-
cerda 19a,11 *priester.*

sæcgas, sæcgoað s. secgan.
sacléas, adj., (pl. -o) 19a,14; me.
  sakles 57,3 schuldlos; ne. dial.
  sackless.
sacrament, sb., 62,23 sakrament;
  ne. sacrament.
sacu, st. f., pl. saca 20,29; saku
  streit(sache); me. sake 58,84 schuld;
  38,7 sünde; me. for ... sake 42,38;
  for ... saik 70,39 um ... willen;
  ne. for ... sake; vgl. sæcc.
sæd, adj., 18,39; mr. sed 32,388;
  sead 37,30 satt; said 73,21 miß-
  gestimmt, traurig; ne. sad.
sǽd, st. n., 9,253; merc. sêd 13,49;
  me. pl. sedes, sedis 35,93 same,
  samenkorn; ne. sood.
sêd, sêde, sêdon s. secgan.
safe s. save, sauf.
sag, saȝ s. sêon.
saga, sægca, sægde, sægdon,
  sægdun s. secgan.
sæȝhenn s. sêon.
sagu, st. f., 22,36; me. sawe 46,57;
  saȝe(s) 58,67 ausspruch, erzählung,
  wort; 48,67 bericht; 22,36 sage;
  ne. saw.
sæȝð s. secgan.
sâh s. sigan.
siph, sahh s. sêon.
sahtnyss, st. f., me. akk. sahht-
  nesse 36,68 versöhnung.
sai, said, saide, sæide, sæi-
  den s. secgan.
said s. sæd.
saie, saien, sæigde, sæiȝð
  s. secgan.
saik s. sacu.
saill s. segl.
Saint Johnes toune, ortsn.,
  57,7 die stadt Perth, wo sich
  noch eine St. John's church be-
  findet.
sainte, adj., 50,31; seinte 28,17;
  seynte 37,1; seint 44,177; saynt;
  seyn 47,1103; saynd 50,26; saint
  50,37; seynt 61,1128 heilig; ne.
  saint (vgl. sanct).
sair s. sár, sâre.
sais, saith s. secgan.
sake s. sacu.
sakles s. sacléas.
sôl, st. m. f., me. sol, selc, seylle
  67,301 glück.
sal s. sculan.
sulch s. sealh.
saldae, saldon, -un s. sellan.

Salemann s. Salomon.
sælic, adj., 15,29 zur see gehörig,
  überseeisch.
sælida, seluc. m., 28,45 schiffer.
sall, salle s. sculan.
sallme-, salme- s. sealm-.
Salomon, eigenn., 36,34; Sale-
  mann 36,54 Salomon.
salowigpâd, adj., 11,211; salu-
  wigpâd 18,121 mit dunklem kleide.
salt s. sculan, sealt.
saltu s. sculan.
saluen, v., prät. saluede 61,1123
  grüßen; ne. dicht. salve.
salwe s. sealh.
sælð, st. f., 10,2934; me. sellþe 36,
  102; selðhe 39,1341 glück.
sam s. som, somen.
sam- s. som-.
sæman, st. m., 23,29 secmann.
same, pron., 14,50; me. same 65,
  64; sam 72,II,11 (der)selbe; ne.
  same; vgl. some.
same s. sceomu.
samen s. somen.
samenyng, sb., 48,222 versamm-
  lung, begegnung.
sammyn s. somen.
samned s. somnian.
samod s. somod.
sanct, adj., me. scē 28,22 = sancte
  33,8; sannte 36,15546; sanct 70,20
  heilig; sb. pl. santis 45,56; sanctis
  71,22 heilige(r); (vgl. sainte, ne.
  saint).
sand, sb., 67,75 sand, land; ne.
  sand.
sande s. sond.
sang s. singan.
sang, seng s. song.
sanke s. sincan.
sâr, adj., 7,209; gen. pl. sârra 11,
  182; me. sar(e) 32,36; sair 60,40
  schmerzlich, schwer; st. n., 8,709
  leid, gram; me. sor 32,374; sor(e)
  40,77 qual; ne. sore.
Sarazin, volksn., 48,40; Sarazyn
  61,1105 Sarazene.
sârewide, st. m., 7,170 verletzende
  rede.
sâre, adv., 4,3b; me. sare 32,124;
  sore 32,6 schmerzlich; sore 37,82;
  sare 45,98; sair 70,21 sehr; ne.
  sore.
sârgian, seluc. v., 13,41; me. sari-
  gen traurig sein.
særi s. sârig.

sârig, *adj.*, 21,58; *me.* særi, sori 34,13989; sory 55,20 *traurig, betrübt; ne.* sorry.

sârigness, *st. f., me.* sorinesse 37,36 *traurigkeit; ne.* sorriness.

sârlîce, *adv., superl.* sârlîcast 8, 571 *schmerzlich.*

Sarra, *eigenn.,* 39,1346 *Sarah.*

sârra *s.* sâr.

sarui *s.* serve.

sat, sæt, sæten, sætenn *s.* sittan.

sateresdai *s.* sæterndæg.

sæterndæg, *st. m.,* sæterdæg, *me.* saterdei 33,78; sateresdai 34, 13931; sætterdai 34,13933 *sonnabend; ne.* Saturday.

Sathanas, *eigenn.,* 32,283 *Satan.*

sæton *s.* sittan.

sætterdæi *s.* sæterndæg.

save, *r.,* saue 48,184; safe 67, 309; *p. p.* ysaued 42,20; sauyd 67,517 *retten; präp.* saue 48,241; sayf 67,106 *außer, ausgenommen; ne.* save.

sauely, *adv.,* 48,226 *unbehelligt, sicher; ne.* safely.

sauf, *adj.,* 69,165; save, safe *heil, wohlbehalten, sicher, frei; ne.* safe.

sauh *s.* sêon.

sâul, saule(n) *s.* sâwol.

saunfayl, *adv.,* 47,1013; saunfail 47,1163 *ohne irrtum, sicherlich.*

saut, *sb.,* 46,222 *versöhnung, oder p. p. versöhnt von* saute(n).

sauten, *r.,* sante 46,220 *versöhnen.*

sauter, *sb.,* 58,120 *psalter; vgl. ne.* psalter.

sauyd *s.* save.

saw *s.* sêon.

sâwan, *st. r., me.* sowen, souin 35,93; sogh(e) 58,67; *prät. pl.* seowen 32,22 *säen, ausstreuen; ne.* sow.

sawe *r.* sagu, sêon.

sâwol, *st. f.,* sâwul 8,669; sâul 25,25; *gen.* sâwle (= *dat. akk.)* 15,22; sâule 24,4; *pl.* sâwla 9,584; sâula 12,5; *dat.* sâwlum 9,589; *me.* saul(e) 27,5; *flekt.* sawle 32, 302; soule 32,394; zaule 50,9; saull 62,11; *pl.* saulen 38,6; saules 48,206 *seele; ne.* soul.

sawte, *sb.,* 59,57 *angriff; vgl. ne.* assault, *veraltet* sault.

Saxelond, *sb.,* 34,14032 *Sachsenland.*

sæxise, *adj.,* 34,13978; saxise 34, 14011 *sächsisch.*

sæxta *s.* sixta.

say *s.* secgan, sêon, swâ.

sayd(e) *s.* secgan.

sayf *s.* sauf.

sayl(l)e *s.* segl.

sayn *s.* secgan.

saynd, saynt *s.* sainte.

says, saith *s.* secgan.

sæþ *s.* sêað.

scaith *s.* scaþe.

scal, scæl *s.* sculan.

scale, *r., prät.* scalit 60,93 *sich zerstreuen; ne. dial.* scale.

scalu, *st. f., me. pl.* scalis 45,79 *schale, schuppe; ne.* scale.

scam-, scame, scamus, sceoum-.

scaped *s.* escapen.

scærp *s.* scearp.

scaet *s.* sceatt.

scateren, *r., prät.* scatered 27,4 *zerstreuen, verschwenden; ne.* scatter, shatter.

scawede *s.* scêawian.

scaþe, *sb.,* 46,235; scaith 66,440 *schaden, leid, schmerz.*

scaþe *s.* sceaða.

scaþel, *adj.,* 58,155 *schädlich, gefährlich.*

scêe 28,22 *s.* sancte.

sceabas *s.* scêaf.

sceacan, *st. r.,* 8,630; *me.* schake 48,120; *prät.* schok 48,84; schuk 66,404 *sich rasch bewegen, eilen, zittern, schütteln; ne.* shake; *me. vb.-sb.* 19e,2(les.) schakyng *beben.*

sceâdan, *st. r., prät.* scêd, *me.* shedde, *ac. scheiden; me. p. p.* isched 37,88; yssed 50,86 *vergießen (vgl. ae.* forsceâdan); *ne.* shed.

sceadu, *st. f.,* 9,210; *dat.* sceade 9,234 *schatten; ne.* shade.

scêaf, *st. m., Ep. pl.* scêabas 1.2; *me.* scheef *garbe; ne.* sheaf.

sceal *s.* sculan.

scealc, *st. m.,* 11,230; *me.* shalke 59,72; *pl.* shalkis 59,89 *knecht, mann, mensch.*

sceamu *s.* sceomu.

scean *s.* scînan.

scêap, *st. n.,* 17,94; *kent.* scêp 12, 18; *me.* shep 36,15558; sep 39,1334 *schaf; ne.* sheep.

sceard, *adj.,* 18,80 *beraubt (mit gen.).*

scoarp, *adj.*, *m.* scærp(e) 27,27; scharp(e) 38,5; sharp 67,350 *scharf, spitz; ne.* sharp.
scearplîce,*adv.*,*me.*48,212scharply; 62,5 *scharf, eindringlich; ne.* sharply.
scêat, *st. m.*, 9,3; *mc.* sciot 32,363 *schoß, decke.*
sceatt, *st.m.*, 22,52; *Ep.* scaet 1,6 *münze, geld (oftim plur.), schatz.*
sceaude *s.* scêawian.
scêawere, *st.m., späher; me.* ssewere 50,31 *spiegel; ne.* shower.
scêawian, *schw.v.*, 9,327; *fl. inf.* to sceawenne 19d,1; *me.* shæwenn 36,98; schewe (*hs.* schowe) 46,69; scheawe48,198; ssewe50, 74; schew 64,27; schawe72,5; *p. präs.* schewand 49,9; *prät.* scêawode; *me.* scheawe; scawede 33, 11; sceawede 33,12; sceaude 33, 17; schewed 48,112; *p. p. me.* shæwedd 36,30; shewed 67,82 *ae. schauen, mc. schauen lassen, zeigen; ne.* shew, show.
scêawung,*st.f.*, 15,82 *bezeigung;* 17,79 *besichtigung.*
scêað, *st. f.*, 11,230; *me.* sheþe *scheide; ne.* sheath.
sceaða, *schw.m., gen. pl.* sceaþena 8,672; *mc.* scaþe *schädiger, feind.*
scel *s.* scil, sculan.
scenc, *st. m.*, *me.* sconch(e) 32,331 *becher.*
scencan, *schw. v.*, *me.* schenchen 37,46 *einschenken.*
scendan, *schw. v.*, *me.* schenden' 37,92; *prät.* schent 48,192; *p. p.* ishend 46,213; shend 46,346; schent48,168 *schänden, beschimpfen, zugrunde richten; ne. (veraltet)* shend.
scene *s.* sciene.
scêohmôd, *adj.*, 8,672 *(scheumütig), furchtsam.*
sceolde *s.* sculan.
sceomian, *schw.* r., scomian 13,9; sceamian; *me.* scamian 32,163; *3. p.* scamet 32,165; *persönlich und einpersönlich sich schämen; ne.* shame.
sceomlîce, *adv., me.* schomely 58,128 *in beschämender weise.*
sceomu, *st. f., Ep.* scamu 1,16; scomu 13,12; *flekt.* scome 16,22; *me.* scamo 32,166; scome, same 34,13955; sham 44,56; shame 44,

83; scam 45,57; shome 46,196; schame 57,12 *scham, schande, schmach;* tô sceame22,15 *schmachvoll; ne.* shame.
sceôp *s.* scieppan.
sceort,*adj.*, *me.* scort 27,26; short 59,72; schort 60,28 *kurz; me.adc.* schorte 48,293; to schort he schote of his ame 58,128 *er verfehlte das ziel; ne.* short.
scêotan, *st. r., me.* shete; *prät. me.* schote 58,128; *p. p.* scoten 18,37 *schießen, sich stürzen; prät.* schote up 47,1130 *aufreißen?; ne.* shoot.
sceotta *s.* Scott.
scêp *r.* scêap.
sceppen *s.* scieppend.
sceþþan, *schw. v.*, 9,595; *3. sg.präs.* sceþeð 9,88 *schädigen, schaden zufügen.*
sch- *s.* sc-.
schake, schakyng *s.* sceacan.
schal *s.* sculan.
schald *s.* ceald.
schalt, schaltu, schaltow *s.* sculan.
schame *s.* sceomu.
schameful, *adj.*, 47,1157 *schmählich, schimpflich; ne.* shameful.
scharo *s.* scieran.
scharp *r.* scearp.
schawe *s.* scêawian.
sche *s.* hê.
scheawe *s.* scêawian.
scheld *r.* scild.
schenchen *r.* scencan.
schenden, schent *s.* scendan.
scherand *s.* scieran.
schet *s.* schutton.
schew(e)(d) *s.* scêawian.
schin, *sb., pl.* schinnis 72,11,14 *schienbein; ne.* shin.
schine *s.* scînan.
schir *s.* sîre.
schire *s.* scîro.
scho *s.* hê.
schog, r., 72,23 *zittern, beben; ne. prov.* shog; *verw. mit* sceacan.
schok *s.* sceacan.
schold(e), scholden, schule, schulen *s.* sculan.
schomely *s.* sceomlîce.
schort *r.* sceort.
schote, schotte *s.* scêotan.
schowe *s.* scêawian.
schrewe *r.* screâwa.
schrewyne *s.* scrîfan.

schrude s. scrŷdan.

schuk s. sceacan.

schulder, sb., pl. schuldris 69, 160 schulter; ne. shoulder.

schuld(est), schuldi, schule, schulon s. sculan.

schup(es) s. scip.

schust s. sculan.

schutten, r., prät. schet 47,1132 schließen; ne. shut.

schyneth s. spînan.

schyp s. scip.

Scî' 15,222 = lat. Sancti.

scîene, adj., scŷne 9,591; mc. scene 32,340; shene 59,89 schön; ne. sheen.

scîoppan, st.v., scyppan; me.scheppen, schapen; prät. scôp 16,40; nh. scôp 2,5; mc. scop 32,84; shop 46,354; ssop 50,9; shope 59,72; p. p. me. yssape (orig. reformé) 50, 15 schaffen, machen; ne. shape.

scîeppend, st. m., scyppend 9,327; scippend 16,41(les.); nh. scepen 2,6; me. shippend schöpfer.

scîeran, st.v., me.p. präs. scherand 66,414; prät. pl. schare 48,219 scheren, abhauen; ne. shear.

sciet s. scêat.

scil, st. m., me. scel(e) 28,39 geschicklichkeit, fertigkeit, kenntnis; skil 46,52 gebührliches; skille 67, 334 verstand; ne. skill.

scild, st. m., 11.204; scyld 8,584; sceld; me. sheld, schold 43,55 schild; ne. shield.

scildan, schw.v., me. sculden 32, 301; shilde(n) 44,16; sheld 67,301 schützen, schirmen (wið, ef, fro vor); ne. shield.

scînan, st. v., 9,183; me. scîne(n) 32,275; schine; schyne 19e,1; shyne 67,9; prät. scean 33,31; shen 54,2; shone 68,21 scheinen, leuchten; ne. shine.

scip, st. n., 8,672; scyp 15,38; nh. scipp; me. schup(o)(s) 43,105; schyp 58,98; schip 58,108; ship 67,119; shyp; pl. scypu 17,120; scypa 17,121; scipen, sipes 34, 13791; schipes 43,39; ssipes 50, 92; shippes 59,89 schiff; ne. ship.

scipen s. scip.

scipenmen, st. m., me. dat. pl. -nen 34,13795 schiffsleute.

scipflota, schw. m., 18,22 wiking, seefahrer.

sciphere, st. m., 15,44 seemacht, flotte.

scippe(n), schw.v., 47,1159 springen; ne. skip.

sciprâp, st. m., 17,82 schiffstau.

scîr, st. f., 17,122 grafschaft, gau; ne. -shire.

scîr, adj., 8,728; sup. scîrest 14, schl.-ged.29; me. shir glänzend, hell (vgl. ne. sheer).

scîre, adv., me. schire 60,26 hell.

Scîringes heal, st. m., 17,124; Scîrincges heal 17,129 königssitz, tempel und handelsplatz an der norwegischen südküste (Rieger).

scîrmæled, adj., 11,230 mit glänzender verzierung.

scittisc s. scyttisc.

scôfl, st. f.?, Ep. 1,26; me. schovele schaufel; vgl. ne. shovel.

scolde(n) s. sculan.

scom(-) s. sceom(-).

Scôneg, inseln., 17,147 Schonen.

scôp, scop s. scîoppan.

scopgereord, st. m., 16,5 dichterische sprache.

scopen, r., 58,155 schöpfen; vgl. ne. scoop.

scort s. sceort.

scortlice, adv., 17,1 in kürze; ne. shortly.

Scot, st.m., gen. plur. sceotta 18,21; dat. pl. Scottum 26,9; me.Skotte57, 25; Skot 57,33; Scot 66,383; pl. Scottis 48,15; Skottes 57,1 das kelt. volk der Scoti, Schotten; ne. Scot.

'Scotland, ländern., 48,128 Schottland; ne. Scotland.

Scottis, adj., 48,15 schottisch; ne. Scottish, Scots, Scotch (vgl. scyttisc).

scræf, st. n., 8,684 höhle (hölle).

scrêade, schw. f., me. shrede 44, 99 abgeschnittenes stück, bissen; ne. shred.

scrêawa, schw. m., me. schrewe 43,58 spitzmaus, schurke, schelm; ne. shrew (shrew-mouse).

screncan, schw. v., me. screnche 82,332 ein bein stellen, (mit akk.) betrügen.

scribun s. scrîfan.

scriche, r., 42,27 schreien, kreischen, weinen; vgl. shryke und ne. screech.

Scrîdefinnas, volksn., pl. m., 17,45 Schreitfinnen (so genannt

vom schreiten oder laufen auf
schneeschuhen).
scrífan, st.r., 8,728; me. shriven;
prät. pl. Ep. scribun 1,16; p. p.
scrifen bestimmen; p. p. pl. me.
schrewyno 62,23 beichte hören;
absolvieren; ne. shrive.
schrift, st. m. (auch f.?), me. scrift
33,34; schrift(e) 37,152 beichte;
ne. shrift.
scrûd, st. n., me. scrud 32,363;
sroud 46,6 kleid, decke; ne. shroud.
scrŷdan, schw.v., me. schrude 37,
139; prät. scrŷdde 21,22; p. p.
me. ӡescrydd 28,11; pl. iscrudde,
iscrud 34,13983; ischrud 37,51;
srud 46,23 bekleiden; vgl. scrûd
und ne. shroud.
Scs 15,130 = Sanctus.
scûfan, st.r., 8,584 schieben, sto-
ßen; ne. shove.
sculan, präteritopräs., 1.3.sg.präs.
sceal 6,12; sceall 17,99; scel; me.
schal 19e,7; sceal 28,54; scæl 32,
21; scal 32,171; sal 35,83; shal 44,
117; salle 48,150; ssel 50,29; sall
57,34; shall 59,78; schall 65,61,
shalle 67,100; 2. sg. sceall 7,166;
me. schalt 37,149; salt 39,1289;
schaltu 43,48; sal 45,28; saltu 45,
28; shalt 46,118; shaltow = schalt
þou 47,1050; salle 48,60; saltou =
salt þou 57,23; sall 66,395; shal
thou 67,121; shalle thou 67,461;
pl.sculan 16,36; sculon 16,36(les.);
sceolon 17,179; sceolan 17,194; nh.
scylun 2,1; me. sculen 28,53; scule
32,92; scullen 32,372; sculle 32,
384; solle 34,13832; schulle 35,
79; shulen 46,275; sullen; salle
48,66; ssolle 50,27; shule 55,49;
sull; sall 66,397; shalle 67,24;
shall 67,115; shal 67,145; schu-
len 19e,7; opt. scyle 7,193; prät.
sceolde 7,204; scolde 24,18; me.
sculde 27,2; scolde 32,37; shollde
36,15553; schuldi 38,10 = schul-
de i; schuld 42,20; schold 42,
61; scholde 43,102; suld 45,7;
shulde 46,59; should 67,76; 2.sg.
sculdest 27,40; schuldest (hs.
schust)47,1114; pl. scoldon 14,12;
sceoldou 14,13; sceoldan 15,40;
me. scolden 28,49; scolde 32,51;
solde 34,13874; sulden 89,1326;
shulden 44,140; sulde 49,17; ssol-
den 50,55; suld 62,24; shuld 67,

325 schuldig sein, sollen; auch zur
umschreibung des fut. und kondit.;
mit ellipse des inf. 8,699,701; ne.
shall, should.
sculden s. scildan.
scullen s. sculan.
scûr, st. m., 8,651; me. schowr,
shower 67,350 schauer, regen; ne.
shower.
scŷan, schw.v., merc. 19d,14 raten,
überreden.
scyld, st.f., 13,6; me. sculd schuld,
sünde.
scyld s. scild.
scyle s. sculan.
scyll, st. f., 9,234 schale.
scylun s. sculan.
scyndan, schw. r., 15,235 hasten,
eilen.
scŷne s. sciene.
scyp(a), scypu s. scip.
scypen, st. f., 16,24; me. shipne,
shipun schuppen, stall; ne. shippen,
shippon.
scyppend s. scieppend.
scyttisc, adj., scittisc 18,38 schot-
tisch; vgl. Scot.
sê, demonstr. pron., nom. m. 8,580;
me. ðe 32,112; þatt 36,15,21; þat
54,19; f. sêo 7,195; n. þæt 4,1b;
me. ð (= ðæt) 27,26; þat 47,983;
that 49,13; þet 50,4; gen. m. þæs
7,182; f. ðære 15,221; n. þæs 10,
2885; dat. m. þâm 8,723; þêm 16,
62; me. ðo 39,1303; f. nh. there 3,1;
me. þare 40,62; n. ðaem 12,16;
ðêm 14,22; þan 15,65; þo 41,3; akk.
m. þone 8,716; ðone 14,27; f. þâ
8,724; me. þo 50,7; n. þæt 8,631;
ðæt 11,204; me. þatt 36,45; tat
38,30; instr. þŷ 8,587 (þŷ beim
komp. 8,650 desto; ðŷ ... ðŷ 14,46
desto ... je; me. ði 32,126; þa, þe
34,13800; forþŷ 7,169; forðy 14,
52; me. for þi 32,130; for ði 33,57;
for thy 49,24 deshalb; þŷ læs
8,649; ðŷ læs 14,schl.-ged.29 damit
nicht); þon 8,677; me. (mid) þan
28,51, þon 40,61; pl. m. f. n. nom.
ðâ 11,208; me. þo 32,381; þeo 40,
41; gen. þâra 11,158; dat. þâm 11,
175; ðâm 11,220; kent. ðaom 12,27;
ðêm 14,58; me. thaym 49,2; akk.
þâ 7,179; ðâ 17,118; me. tho 67,
228 dieser, -e, -es; me. jener, -e,
-es; ne. the, that. — best. artikel,
nom. m. sê 4,1b; se 9,334; nh. þe

19a,5; *me.* the 27,3; þe, ðe 32,34;
te 36,15538; *f.* sîo 8,589; sêo 8,
600; *me.* syo 19c,1; þe 32,201;
sí 41,46; the 49,1; *n.* þæt 17,
107; *me.* þe 42,1; the 62,12; *gen.*
m. þæs 4,2b; ðæs 14,*schl.-ged.*7;
me. ðes 32,254; þe 50,70; *f.* þǽre
8,607; *n.* ðæs 8,588; *kent.* ðæs
12,4; ðaes 12,4; *me.* þas 19c,15;
dat. m. þâm 4,3b; ðan 25,13; *me.*
þan 28,17; þon 33,5; þa 33,2; *f.*
þǽre 8,636; ðǽre 11,167; *kent.*
ðere 12,3; ðaere 12,8; *me.* þere
34,13789; þare 40,3; *n. me.* þe 50,
73; *akk. m.* þone 8,606; ðone 14,5;
þæne 17,177; þane 18,124; *me.*
þanne 19c,2; þen 33,66; þene 37,
127; þane 50,98; *f.* þâ 17,3; ðâ
17,126; *me.* þa 19c,1; þo 22,15;
þe 32,27; te 38,7; þen *(he.* þem
*felderh.)*46,22; *n.* þæt 8,578; *kent.*
ðaet 12,28; *me.* tat 38,5; ðat 39,
1325; *pl. m. f. n.* ðâ 14,9; þâ 16,69;
me. ta 36,15592; þe 40,11; the
66,417; *gen.* ðâra 12,8; ðeara 12,
45; þâra 16,65; þǽra 21,23; *me.*
þare 19c,11; *dat.* þâm 9,611; ðâm
11,220; *kent.* ðaem 12,27; ðem 12,
41; ðǽm 14,*schl.-ged.*4; þǽm 16,79;
me. þam 19c,5; þan 28,45; þe 36,42;
tho 65,63; *akk.* þâ 8,572; ðâ 15,123;
me. þa 36,15619 *der, die, das; ne.*
the. — *relativpron.* (*ae. allein oder*
mit þe), *nom. m.* sê 9,10; se 17,
185: *me.* þe 32,25; ðe 32,30; þatt
36,15; þet 50,64; þat 54,19; *f. nh.*
ðin 19a,1; *me.* þat 55,6; *n.kent.* ðet
12,22; *me.* þet 32,13; ðe 32,68;
gen. m. þæs 8,599; *akk.m.* þone 15,
126; *n.* þæt 10,2890; *kent.* ðaet
12,21; *me.* þat 32,7; þet 32,51;
tatt 36,15578; ðat 39,1292; that
68,80; *pl. m. f. n.* ðâ 13,9; þâ
15,214; ?þǽ 18,51; *me.* þe 32,
10; þo 35,75; þat 34,13798; þet
50,16; that 62,22; *gen.* þâra 16,24;
þǽra 16,35; *dat.* þâm 15,212; *akk.*
me. þet 50,69 *welcher, -e, -es (vgl.*
þæt *konj.*; *me.* þe *verschmilzt oft*
mit folgendem vokalisch anlauten-
dem worte: þabot 42,29 = þe abot;
þerl 44,178 == þe erl.
se *s.* sǽ, sêon.
sè *s.* eom, swâ.
sea *s.* sǽ.
sead *s.* sœd.
scagen, seah *s.* sêon.

seald(e), sealdan, scaldon
s. sellan.
sealh, *st. m., Ep.* salch 1,23: *me.*
salwe *weide; ne.* sallow.
sealm, *st. m., me.* salm(es) 33,51;
sallm(e) 36,15579; psalme 58,120
(mit s-alliteration!) psalm; ne.
psalm.
sealmwyrhta,*schw.m.,* me.sallme-
wrihhte 36,15578; salmewrihte
38,25 *psalmist.*
sealt, *st. n., me.* salt 42,54 *salz;*
ne. salt.
sealt. *adj., akk. m.* sealtne 14,82:
me. salt 32,248 *salzig, gesalzen;*
salt flod 42,59 *taufwasser, bei dem*
salz in anwendung kommt; salt
weter 32,248 *meerwasser.*
searo. *st. n., list, trug.*
Searoburh, *stadtn., st. f., me.*
Sereberi 27,7 *Salisbury.*
searoðonc, *st. m.,* 14,87 *kluger*
gedanke, klugheit.
searoðoncol, *adj.,* 11,145 *klug.*
Seax, *volkn., st. schw. m., pl.* seaxe
18,139; Seaxan 15,42; *gen.* Seaxna
15,29: *dat.* Seaxum 15,50; Sexum
26,11 *Sachse.*
sêað, *st. m.,* 13,23: *me.* senþ, sæþ
brunnen, grube.
sêaþ *s.* sêoðan.
sêcan,*schw. v.,* 6,25; *flekt.* sêcanne
15,26; *me.* sechen 34,13881; sek
45,5; *me. 3. sg. präs.* sechð 32,
215; *pl. präs.* seceoð 19b,5; *merc.*
soecað 13,10; *nh.* soceas 19a,5;
me. seche 32,237; seken 19c,5; *p.*
präs. sêcende 15,69; *prät.* sôhte
8,571; *me.* soʒte 43,41; socht 60,
102; *pl.* sôhtan 18,142; *me.*sohten
34,13803; *p. p. me.* sout 46,423;
soʒt 58,116; soght 59,54 *suchen,*
aufsuchen; 17,90 *besuchen gehen;*
ne. seek.
s(ê)cet *s.* sýcan.
secg, *st. m.,* 4,3b; *pl.* sêcgas *(hs.)*
18,25; *me.* seg, segge *mann.*
seogan,*schw.v.,* 11,152; *nh.*seʒea
19a,8; *me.* seggen 32,92; segge
32,94; sugge(n)34,13888; seggenn
36,55; siggen 37,134; sigge41,10;
sai 45,14; saie 46,2; saien 46,49;
say 47,1153; zigge 50,65; seyn
63,9; *2. sg. präs. ind. me.* seyst
40,33; seist 46,61; seistow, seys-
tow 47,1135; *3. sg.* segeð 23,45;
me. sæʒð 28,18; sæiʒð 28,21; seið

32,112; seit 33,91: seʒʒþ 36,15542;
seid 41,37?; seiþ 46,179; seyt 47,
1140; sais 49,16; zavþ 50,26; says
58,65; sevþ 61,1128; soith 19c,10;
saith 63,4: *pl.* secgað 15,187; *me.*
siggeð 37,72; sais 45,42; znyþ
50,64; sayn 61,1128; say 67,382;
2. *sg. konj.* saie 46,55; *3. konj.*
secge 22,34; *me.* sogge 32,114;
imp. sg. saga 7,209; sege 23,50;
seie 43,149: sey 40,39; sai 45,15;
say 47,1087; *pl.* sæcgeað 19b,7;
secgeaþ 19b,13; *nh.* sæcgas 19a,10;
me. seggeð 19c,7; seie 19e,7; *p.präs.*
seyinge 19c,18; *prät. sg.* sægde
10,2878; sæde 17,103; *me.* sayde
19c,5; sæigde 19c,6; sede 32,131;
seide 33,64; saide 31,13885; seʒʒde
36,15568; seyde 40,31; seyd 42,
22; said 48,113; zede 50,58; znyde
50,94; sayde 51,19; sayd 67,302;
pl. sægdon 19a,11; *merc.* sægdun
19d,11; sædon 15,71; *me.* seiden
31,13807; seide 34,13821; sæiden
31,13995; seyde 40,63; seyden
44,176; said 48,55; *p. p.* sæd 15,
57; gesæd 17,1; *me.* seid 19e,7;
ised 32,141; iset 33,89; seʒʒd 36,
15608; iscyd 40,38; said 46,268
sagen, erzählen, nennen; ne. say.
s e c g e, *schw. f.,* 7,190 *rede (?).*
s e c h e *s.* sécan.
s e c u r l y, *adv.,* 67,38 *sicherlich; ne.*
securely *(vgl.* sicor).
s e d *s.* sæd.
s ê d *s.* sǽd.
s e d e *s.* secgan.
s e d e s, s e d i s *s.* sǽd.
S e d u l i e, *eigenn.,* 28,18 *Sedulius.*
s e e *s.* sǽ, sêon.
s e e t h *s.* sêon.
s e f a, *schw. m.,* 14,87 *sinn, geist.*
s e ʒ, s e ʒ e n *s.* sêon.
s e g e, *sb.,* 58,93 *sitz; vgl. ne.* siege.
s e g e, s e g e ð, s e ʒ ʒ d (e), s e g g e,
s e g g e n (n), s e ʒ ʒ þ *s.* secgan.
s e g h, s e g h e *s.* sêon.
s e g l, *st. m.,* 17,146; *me.* sayl 58,
151; saylle 67,153; saill 73,13
segel; ne. sail.
s e g l g y r d, *st. f., Ep.* segilgaerd
1,5; *me.* seilʒerd *segelstange; ne.*
sail-yard.
s e g l i a n, *schw. v.,* 17,127; *prät.*
sêglode *(hs.)* 17,135 *segeln; ne.*
sail.
s c h, s c i *s.* sêon.

s e i d. s e i d e (n), s e i e *s.* secgan.
s e i g n o r i e, *sb.,* 48,44 *feudales*
herrschaftsrecht; ne. seign(i)ory.
s e i l ʒ e r d *s.* seglgyrd.
s o i n t, s c i n t e *s.* sainte.
s e i s e, *vb., prät.* sesid 48,115:
p. p. seisid 48,194 *ergreifen, in*
besitz nehmen; ne. seize.
s e i s t, s c i s t o w, s c i t, s e i t h,
seið, seiþ *s.* secgan.
s e k, s e k e (n) *s.* sêoc, sêcan.
s e k i r l y *s.* sicor.
s e k n e s (se) *s.* sêocness.
s ê l, *komp. adj.,* sêlra; *sup.* sêlest(an)
9,620; *kent.* soelest 12,28; sêles(t)
20,14 *besser, beste.*
s ê l, *komp. adv.,* 15,22 *besser.*
s e l d a n, *adv., me.* selde 32,46 *selten,*
ne. seldom.
s e l d c û ð, *adj.,* selcûð, *me.* seolcuð
33,18; selcuð 34,13788; selkuð
89,1286 *seltsam, wunderbar; me.*
sb., selcouth 44,124 *wunder.*
s e l d l i c, *adj.,* sellic 9,606; *me.*
sellich 32,181; *komp.* sellicra(n)
9,329 *seltsam, wunderbar; me. sub-*
st. selly 58,140 *wunder.*
s e l d l i c e, *adv., me.* sellik 39,1315;
sellic 39,1316 *wunderbar.*
s ê l e s t, s ê l e s t a n *s.* sêl.
s e l f, s c l f e *s.* seolf.
s e l i, *adj.,* 46,315 *gut, unschuldig;*
sely 69,169 *arm; ne.* silly; *vgl.*
gesǽlig.
s e l k u ð *s.* seldcûð.
s e l l a n, *schw. v.,* 12,2; syllan 15,
194; *me.* sellen 44,53; *präs. konj.*
sylle 21,45; *prät.* sealde 14,24;
Ep. saldae 1,12; *pl.* sealdan 15,
46; sealdon 15,71; *kent. nh.* sal-
don 12,9; *merc.* saldun 13,31;
sealdun 19b,12; *me.* sealden 19c,
12; saldenn 36,15557; *p. p.* seald
15,142; geseald 19b,18; *merc.* ge-
sald 19d,18; *me.* geseald 19c,18
übergeben, schenken; 25,8 verkau-
fen; ne. sell.
s e l l e n d, *st. m.,* 8,668; syllend
8,705 *verleiher, spender.*
s e l l f e n n *s.* seolf.
s e l l i c, s e l l i c, s c l l i c h, s e l l y
s. seldlic, -lîce.
s e l l þ e *s.* sǽlð.
s ê l r a *s.* sêl.
s e l u e, s e l v e, s e l u e n, s e l u y n
s. seolf.
s e l y *s.* seli.

s e l ð h e *s.* sǽlð.

s e m e, *v.*, 52,33; *3. sg. präs.* semes 49,45; semys 62,2; *prät.* semyt 69,160 *scheinen; ne.* seem.

s e m l y, *adj.,*52,26; *superl.* semlokest 53,6 *anmutig, gefällig, schön; ne.* seemly.

s e m n i n g a, *adv.,* 8,614 *plötzlich.*

s e n *s.* sêon, siþþan.

s e n c a n, *schw. v.,* 10,2906; *me.* senchen *senken, versenken.*

s e n d a n, *schw. v.,* 14,93; *me.* sende 32,51; *3. sg. präs. ind. me.* sent 32,42; sendes 38,2; sendis 62,38; *pl. me.* sendet 32,46; *konj. me.* send 32,27; sende 67,207; *prät. sg.* sende 11,190; *me.* sende 33,95; sent 42,20; zente 50,14; *pl.* sendon 11,224; sendan 15,42; *me.* senden 34,13977; sent 48,34; send 48,69; *p. p. me.* isend 37,16; ysent 42,5; sende 45,74; send 46,214; sent 53,10 *schicken, senden;* 11,224 *schleudern, werfen;* sâwle s. 26,2; sawlo s. 88,2 *die seele empfehlen; ne.* send.

s e n e *s.* sêon, siþþan.

s e n n e *s.* syn.

s e n t *s.* sendan.

s ê o e, *adj., me.* sie 32,199; *see,* sek 46,199; seke 48,106; sike 55,20 *krank; ne.* sick.

s ê o c n e s s, *st. f., me.* seknesse 46, 200; seknes 62,18 *krankheit; ne.* sickness.

s c o f o n, *zahlw.,* 22,55; seofan 22, 66; syfan 17,84; *flckt.* seofone, seofene 18,60; *me.* soofen 28,7; seoue 32,142; seofe 38,18; seuo 43,98; seuen 67,13; seven 67,423; sevin 70,22; *fl.* seouene 32.28 *sieben; ne.* seven; seofon niht, *me.* seoueniht(es) 32,142 *woche; ne.* sennight; beo seofen fealden 28,7; bi foldis seuen 67,13 *siebenmal;* be sie sevin 71,22 *siebenmal so viele, bei weitem.*

s e o f o ð a, *zahladj.,* 28,28; seofeþe 33,28; seoueðe, soueþe 34,13911 *der siebente; vgl. ne.* seventh.

s c o l e, *st. n., me.* selk, silk 42,31 *seide; ne.* silk.

s e o l c u ð *s.* seldcûð.

s ê o l e s *s.* seolh.

s e o l f, *pron.,* 16,69; self 9,374; sylf 7,180; *gen. pl.* sylfra 15,182; *me.* sylf 28,29; sulf 32,46; self 22,114; seolf 33,83; selfe 59,63 *selber, selbst; ne.* self; *refl. pron. me.* mi suluen 37,100; i selue 45, 67; i niselve 46,183; miself 46,184; my self 51,32; mi selue 55,11 *ich, mich (mir) selbst; ne.* myself; ðe sulf 32,29 (suluen 37,64; seluen 39,1319) *du (dir, dich) selbst; ne.* thyself; him sulfno 32,14 (selue 32,25; self 32,114; seolue 34, 14008; sellfenn 36,15609; seolf 40,12; seluen 41,47); hym seluyn 59,69 *er u. s. w. selbst; ne.* himself; *pl.* ourself 62,31 *wir selbst; ne.* ourselves; þam selfe 49,11 *sich selbst; ne.* themselves; *dem.* the self 69,161 *derselbe.*

s e o l f o r, *st. n., me.* syluer 27,5; sylver 27,19; seoluer 32,264; siluer 42,39; syluir 66,447 *silber;* sillferr 36,15561 *geld; ne.* silver.

s e o l h, *st. m., gen.* sêoles 17,98; sîoles 17,102 *seehund, robbe; ne.* seal.

s e o l u e *s.* seolf.

s e o l u e r *s.* seolfor.

s e o m i a n, *schw. v., 3. pl. präs.* seomað 8,709 *weilen, (ver)harren, bleiben.*

s ô o n, *st. v., me. inf.* seon 32,158; *(fl.)* sene 32,388; seo 38,9; se 42,19; sen 46,278; seo 54,35; *1. sg. präs.* sen 61,1151; *3. sg. präs.* (oue)sihð 32,75; ses 48, 134; zyþ 50,30; *pl.* sen 44,168; se 48,55; *imp. pl.* seeth 19e,6; *p. präs.* seynge 19e,17; *prät.sg.* seah; *me.* saah; sæh, seh 34,13830; sahh 36,15631; sag 39,1301; seyʒe 42, 24; say 42,29; saʒ 43,127; sei 46, 16; sauh 48,202; seʒ 58,116; saw 61,1140; sye 69,159; sawe 69,162; *pl.* sêgon, sâwon; *me.* seʒen 32, 102; sæʒhenn 36,15584; seghe 41, 29; seye 42,10; saʒ 45,30; segh 59,22; seo 59,57; saw 60,20; *p. p.* gesawen (*les.* gesewen) 15,190; gesegen 16,54; *me.* iseʒe 40,68; isene 43,94; yzoʒe 50,111; sene 57,3; seyn 60,31; seyne 66,381 *sehen; schützen; ne.* see.

s e o n *s.* eom.

s c o r u w o *s.* sorh.

s c o u e, seouene, seouenihtes *s.* scofon.

s e o u e ð e *s.* seofoða.

s e o w e n *s.* sâwan.

seoð s. eom.
sêoðan, st. r., prät. sêaþ 21,25;
pl. sudon; p. p. gesodon 21,51
kochen, sieden; ne. seethe.
scoððan, scoðþan, seoððen
s. siþþan.
sep s. scêap.
sepulcre, sb., 19c,1 grab; ne.
sepulchre.
seraphine, sb., 37,26 seraphim.
serche, r., 59,24 suchen, unter-
suchen; ne. search.
sero, adj., 49,38; soyr 67,487 cer-
schieden.
Sereberi s. Searoburh.
serewe s. sorh.
serff s. serve.
sergant, sb., pl. serganz 41,11
diener; ne. sorjeant, sergeant.
Sermende, volksn., pl., 17,31 die
Sarmaten (in Lieland, Esthland,
Litauen).
sermon, sb., pl. sermonis 71,27
predigt; ne. sermon.
sorvand, sb., servant 67,65;
seruand 67,110; serwand 71,4
diener, untergebener; ne. servant.
serve, vb., 46,197; sarui 34,13822;
serui 50,3; serwi(s) 66,393; serff
66,397; prät. seruede(n) 32,319;
p. p. iserued 41,20 dienen, auf-
warten, bedienen, auftragen (mit
of); 66,399 verdienen; s. affter
46,197 streben; ne. serve.
seruise, sb., 37,50; seruys 49,33;
seruice 66,443; serwice dienst;
ne. service.
sorwand s. servand.
serwis s. serve.
serwice s. seruise.
sesid s. soise.
set s. sittan.
setl, st. n., 15,173; gen. setles 15,
112; me. setel sessel, sitz; ne.
settle; sigan tō setle 18,33 unter-
gehen.
settan, schw. v., 12,44; me. sette
65,59; set 67,340; imp. (tō)sete
13,39; me. sete 40,29; prät. sette
9,328; me. sette 28,30; zette 50,13;
set 58,120; pl. setten 43,136; p. p.
geseted 16,17; me. sett 36,27; set
44,162 setzen, stellen; p. präs.
settand 49,21 daransetzen; 48,36
festsetzen; 13,16 machen; 28,30
aufzeichnen; 9,328 bestimmen;
zette 50,99 sich vornehmen; zu-

erkennen; 67,364 schätzen; geben,
verleihen; wæs geseted in 16,17
gehörte an; gesettnesse settan
12,44 bestimmung treffen; weron
set 44,162 hatten sich gesetzt;
48,88 sich setzen; zette payne
(konj.) 50,13 sich mühe geben;
setten spel on ende s. spel.
sêtun s. sittan.
seue(n), seven, sevin s. seofon.
sex(o) s. six.
sexte s. sixta.
sexti s. syxtig.
Sexum s. Seax.
sey, soyd(e), seyden s. secgan.
soye, seyȝe s. sêon.
soyinge s. secgan.
seyllo s. sæl.
seymland, sb., 67,211 antlitz, aus-
sehen; ne. dieht. semblant.
seyn(e), seynge s. secgan,
sêon.
seyn, seynt, seynte s. sainte.
seyr s. sere.
soyst, seystow, seyt, seyþ
s. secgan.
sê-þèah, adv., 7,211 gleichwohl.
seþþen s. siþþan.
shaffte s. gesceaft.
shalke, shalkis s. scealc.
shal(l), shalle s. sculan.
sham, shame s. sceomu.
sharp s. scearp.
shæwedd, shæwenn, shæ-
wesst s. scêawian.
she s. hê.
sheld s. scildan.
shend s. scendan.
shene s. sciene.
shep s. scêap.
show(ed) s. scêawian.
shiling, sb., 46,270 schilling; ne.
shilling.
ship, shippes s. scip.
shlepe s. slêp.
sho, sb., pl. shon 46,225; shone
67,353 schuh; ne. shoe.
sho s. hê.
shog s. schog.
shollde s. sculan.
shome s. sceomu.
shon, shone s. scinan, sho.
shop, shope s. scieppan.
short s. sceort.
showed s. scêawian.
shower s. scûr.
shrede s. scrêade.

shryke, *v.*, 67,232 *kreischen*, *schreien;* ne. shriek; *vgl.* scriche.
shuld(e) s. sculan.
shyne s. scînan.
si *s.* sê, eom.
si s. eom.
sib, *st. f., fl.* sibbe 8,698 *rerwandt-schaft, freundschaft;* 8,652 *liebe:* 9,622; sibb 8,668; *me.* sib 37,60 *frieden.*
sib, *adj., me.* sibb(e) 32,34; sybbe 49,20 *verwandt; ne. rerall.* sib, sibbe.
sibgedryht, *st. f.,* 9,618 *be-freundete schar.*
sic *s.* swelc, sêoc.
sîcan, *st. v., me.* sike 33,35; syke 51,4 *seufzen; ne. dial.* sike.
sich *s.* swelc.
sicht s. ʒesihð.
sicor, *adj., me.* siker 32,39; *adv. me.* sicerlice 28,49; sikerliche; sicerlic; sikirlic 45,114; sckirly 60,66; sykerly 61,1156 *sicher; adj.* sikir 19e,14 *ungestraft (vgl.* securly).
sid, *adj., gen. pl.* sidra 7,170 *aus-gedehnt, zahlreich.*
sîde, *schw. f., fl.* sîdan 4,2b; *me.* side 34,14042; syde 44,127; zide 50,7; zyde 50,54; syd 72,11,18 *seite;* (se) side 43,33 *ufer;* 50,61 *art, wesen; ne.* side; on sidan, *me.* a syde 65,59; asyde 69,159 *beiseite; ne.* aside.
sîdfolc, *st. n.,* 8,692 *(ausgebreitetes) volk.*
sido, *st. m.,* siodo 14,7 *sitte (vgl. me.* sidefull).
sidra s. sîd.
sidweg, *st. m.,* 9,337 *weiter weg, ferne.*
sie, sien, siendon s. eom.
siftan, *schw. v., Ep.* siftit 1,7; *me.* siften *sieben; ne.* sift.
sig *s.* eom.
sîgan, *st. v., me.* siʒen; *prät.* sâh 18,33 *sinken;* 9,337 *sich bewegen.*
sige, *st. m.,* 15,7 *sieg.*
sigefolc, *st. n.,* 11,152 *siegreiches volk.*
sigeröf, *adj.,* 11,177 *siegberühmt.*
sigeþûf, *st. m.,* 11,201 *siegesfahne.*
siggen s. secgan.
sight *s.* gesihð.
siglan, *schw. v.,* 17,67; *prät.* siglde 17,60 *segeln (vgl.* seglian).

signefiance, *sb.,* 41,30 *bedeutung vgl. ne.* significance.
signifie, *v., 3. sg. präs.* signified 41,37 *bedeuten; ne.* signify.
sigor, *st. m.,* 8,668 *sieg.*
sigorlêan, *st. n.,* 10,2918 *sieges-lohn.*
siʒt, siʒte, sihte *s.* gesihð.
sihðinge, *vb.-sb. schauen:* sihðin-ges land 39,1288 „*terra cisionis*".
sike *s.* sêoc, sîcan.
siker, sikerliche, sikir, si-kirlic *s.* sicor.
silk *s.* seolc.
Sillende, *inseln.,* 17,17 *seeland.*
silfer, siluer *s.* seolfor.
simle, *adv.,* 12,31; symle 8,669 *immer.*
sîn, *poss. pron.,* 10,2862 *sein, ihr.*
sin *s.* eom.
sinagoge, *sb.,* 45,84 *synagoge: ne.* synagogue.
sinc, *st. n.,* 23,59 *schatz.*
sincaldu, *st. f.,* 9,17 *große kälte.*
sincan, *st. v., me.* sinke 48,106; *prät.* sanke 42,2 *sinken: ne.* sink.
sind, sindon, sindun *s.* eom.
singal, *adj.,* 15,210 *beständig.*
singan, *st. v.,* 9,617; *me.* singen 33,51; singe 37,8; sing 42,12; syng 48,6; synge 51,54; *3. pl. präs.* singð 32,307; singeð 37,28; *p. präs. pl.* singende 15,181; *imp.* sing 16,28; *prät.* sang 11,211; song 16,46; *pl.* sungun 13,18; sungan 15,205; *me.* sungen 30,1; *p. p. me.* isungen 37,167 *singen;* 16,33 *dichten; ne.* sing; *vb.-sb. me.* synging 60,6 *gesang.*
sinhîwan, *schw. pl.* 8,698 *haus-genossen für immer, gatten.*
sinke s. sincan.
sint *s.* eom.
sintostente 20,13 = sint tô-stencte; s. tôstencan.
sinu, *st. f.,* 22,55; *me.* sinewe *sehne; ne.* sinew.
siodo s. sido.
sioles s. seolh.
siondan, siondon s. eom.
sipes s. scip.
siquare, *sb.,* 45,113 *zeit? (vgl. anm.).*
sircumstance, *sb.,* 71,30 *um-schweif; ne.* circumstance.
sire, *sb.,* 46,75; Sir 48,55; schir 60,49; syr 67,294; syre 67,396

herr, hausherr; 58,93 gott; als
adelstitel Sir 48,69 Sir; ne. Sir.
siste s. sixta.
site s. cite.
sithen s. siþþan.
sittan st. v., 15,183; me. sitten
27,32; site 46,308; zitte 50,108;
sit 67,247; 3.präs.ind.siteð 9,208;
me. syttes 58,93; pl. sittes 58,133;
p. präs. sittondo 27,40; imp. site
21,28; me. site 46,28; prät. sæt
19b,2; me. sæt 19c,2; set 40,74;
zet 50,80; sat 19e,2; pl. sæton
11,141; merc. sêtun 13,17; me.
sæten 28,35; sætenn 36,15560;
sat 69,163 sitzen, sich setzen;
syttis me sor 66,439 sehmerzen
mich sehr; ne. sit.
six, zahlw., syx 15,113; me. sexe
36,15595; sex 48,20; gen. syxa
17,80 sechs; ne. six.
sixta, zahladj., syxta 15,35; me.
(dat.) sixten 28,25; siste 38,27;
sexte 34,13862; sæxte 34,13909
der sechste; ne. sixth.
siþ, st. m., 9,208; instr. sîðe 10,
2859 reise, weg; siþ(e) 21,62;
me. sið 28,14 mal, zeit; siþ 46,
258 geschick.
sîð, adv., 10,2934; me. sith später.
sîþedan s. sîðian.
sîðen s. siþþan.
sîðfæt, st. m., 8,700; sîðfætt 15,
129 reise.
sîðian, schw. v., 10,2868; prät. pl.
sîþedan 8,714 reisen, gehen.
siþin s. sîððan.
siþþan, adv., 6,22; sîððan 10,2853;
syðþan 17,112; sîoþan 18,26;
syþþan 21,77; syððan 25,22; me.
seoððan 33,16; seoðþan 33,43;
seoððen 34,13975; sîðen 39,1295;
seþþen 42,60; siþin 45,43; sithen
59,66; sythen 67,42 sodann, nach-
her; syððan 15,9 seither; konj.,
syððan 11,218 nachdem; sîððan
10,2882; syððan 11,189 sobald;
me. syððen 32,9; suððe 32,117;
syn 59,29 seit; syððan 11,160;
sîððan 14,50; me. sîððe 32,205;
sîðen (þat) 38,10; son 60,71; syn
67,73 da, da ja; or syne 67,228
bevor lange, bald; vgl. ne. since.
skant, adj., 67,198 spärlich, wenig;
ne. scant.
skarre, v., 71,11; prät. skarrit
71,6 erschrocken sein.

skelp, sb., 67,323 streich, schlag.
skete, adv., 47,1083; sket 47,986
sofort, alsbald.
skil, skille s. scil.
Skot(t) s. Scot.
slain s. slêan.
slake, v., 69,161 aufhören; slokin
69,168 dümpfen;ne.slake,slacken.
slêp, st. m., schlaf; 16,45; me.
shlep(e) 59,6 vergessenheit; ne.
sleep.
slêpan, st. schw. v., me. slepen 27,
32; p. präs. slêpendo 16,45; nh.
merc. slêpend 19a,d,13; me. sle-
pand 60,83; sleping 69,173; prät.
me. sleipit 70,18; pl. slêpun 19b,
13; me. slepen 19c,13 schlafen;
ne. sleep.
slauchtir, sb., 60,116 gemetzel:
ne. slaughter.
slâwian, schw. v., me. slawen 32,
37 langsam sein, zögern; ne. ver-
alt. slow.
slayn s. slêan.
sle s. sleie.
slêan, st. v., 20,46; me. slon 39,
1328; slen 43,87; slo 46,184; pl.
präs. me. sleaþ 34,14000; imp.
sleah 10,2913; prät. slôh 22,83;
me. slow 61.1140; 2. prät. sg.slôge
13,38; pl. slôgon 11,231; slôgan
15,74; me. slozen 34,14036; slogh
57,3; slew 60,83; p. p. slagen,
slægen (les. slegen) 15,81; slain
46,310; yslawe 47,1114; slayn
48,132; ysslaʒe 50,85; yslaʒe 50,
97; sleyn 61,1129 (er)schlagen,
töten; ne. slay.
sloge, st. m., 22,28; me. slojo 33,61
schlag.
sleie, adj., 46,159; sle 66,375;
adv. sleye 42,59 schlau, geschickt,
kundig; vgl. ne. sly.
sleipit s. slêpan.
slen s. slêan.
slepande, slepen, slêpende,
sleping, slêpun s. slêpan.
slew s. slêan.
sleye s. sleie.
sleyn s. slêan.
slic, pron., slyke 67,233 solcher (an.
slikr).
slicht, sb., 60,105; pl. slyʒtes 58,
130 list; slyght 67,137 geschick-
lichkeit; vgl. ne. sleight.
slîdan, st. v., me. p. p. slydyn 59,6
gleiten; ne. slide.

slíngan, *st. v., me. p, p.* slungin
69,165 *schleudern; ne.* sling.
slip, *v.,* 67,364 *durch die hand glei-
ten lassen, abspinnen; ne.* slip.
slîtan, *st. v., p. präs.* slîtende **20,**
30; *me.* slite *zerreißen; vgl. ne.* slit.
slo, slôgan, slôgo, slozen,
slogh, slôgon, slôh *s.* slêan.
slokin *s.* slake.
slomering *s.* slumerian.
slon *s.* slêan.
sloppare, *adj.,* 69,163 *schlüpfrig.*
sloth, *sb.,* 67,53 *trägheit; ne.* sloth.
slow *s.* slêan.
*slumerian, *schw. v.; ne.* slumber;
me. vb.-sb. 59,6 slomering *schlum-
mern.*
slungin *s.* slíngan.
slyc *s.* slîc.
slydyn *s.* slîdan.
slyght, slyztes *s.* slicht.
slyke *s.* slîc.
smæl, *adj.,* 17,104; *Ep.* smael 1,10;
me. smal 53,16; *pl.* smale 60,3;
smallo 67,90; *sup.* smalost 17,110
schmal, klein, dünn; ne. small.
smôc. *st. m., me.* smoche 32,18;
smech 32,277 *rauch; vgl.* smoca.
smelt, *st. m., Ep.* 1,24; *me.* smelt
stint; ne. smelt.
smelt *s.* smylte.
smeorte, *sb.,* 82,114; smert 69,167
schmerz; ne. smart.
smort *s.* smeorte.
smerte, *v.,* 55,19 *schmerzen; ne.*
smart.
smêþe, *adj.,* 21,15 *glatt; vgl. me.*
smoþe; *ne.* smooth.
smite, *v.,* 43,54; smyte 67,215; *2.
sg. präs. ind.* smytis 67,220; *konj.
präs. sg.* smite 46,335; smyte 67,
218; *prät.* smote 48,115; *pl.* smy-
ton 43,55; *p. p.* smyten 48,217
schlagen, treffen, werfen; ne. smite.
smitta, *schw. m., me.* smitte 45,36
fleck, kleinigkeit.
smoca, *schw. m., me.* smoke 27,21;
smowk 71,48 *rauch; ne.* smoke;
vgl. smêc.
smocian, *schw. v., me. prät.* smoked
27,21 *räuchern; ne.* smoke.
smok, *sb.,* 54,55; (in) smoke 47,1128
frauenhemd; ne. smock.
smoke *s.* smoca, smok.
smoked *s.* smocian.
smorðor, *sb.,* 33,28 *stickluft =
rauch; vgl. ne.* smother.

smote *s.* smite.
smowk *s.* smoca.
smyle, *v.,* 67,215; *p. präs.* smylyng
69,166 *lächeln: ne.* smile; *vb.-sb.*
smylyng 69,161 *lächeln.*
smylte, *adj., kent.* smolt 20,24
heiter.
smyte, smyten, smytis *s.*
smite.
snâ, *st. m.,* 19a,3; snâw 9,14; *merc.*
snâu 19d,3; *me.* snaw 19c,3; snou
37,38; snow 19c,3 *schnee; ne.*
snow.
snaca, *schw. m., me. pl.* snakes **27,**
25; snaken 32,273 *schlange; ne.*
snake.
snægl, *st. m., Ep.* snegl(as) 1,7;
me. snail 70,10 *schnecke; ne.* snail.
snaill *s.* snægl.
snâu, snâw, snaw *s.* snâ.
sneglas *s.* snægl.
snel, *adj.,* 9,347; *me.* snell *schnell:
pl.* snelle 23,29; *gen.* snelra 11,
199 *mutig.*
snotor, *adj., fl. fem.* snotere 11,
125 *klug.*
snou, snow *s.* snâ.
snûde, *adv.,* 11,125 *schleunig.*
snyttro, *schw. f.,* 14,87 *klugheit.*
snyttrucræft, *st. m.,* 9,622 *weis-
heitsfülle.*
so *s.* swâ.
soocas, soecað *s.* sêcan.
soch(e) *s.* swele.
socht *s.* sêcan.
socour, *sb.,* 67,157; socoure 67,254
hilfe, beistand; ne. succour.
sod, *sb.,* 67,58 sodo *cråklumpen.*
sodaynly, sodeynly *s.* su-
daynly.
sodein, soden, soding *s.* sudayn.
soferan, *sb.,* 67,92 *herrscher; ne.*
sovereign.
sôfte, *adj., me.* softe 27,10 *sanft,
freundlich; nc.* soft.
sôfte, *adv.,* 23,59 *sanft, leicht; nc.*
soft.
sogh, soghe *s.* sâwan.
soght, sozt, sozte *s.* sêcan.
soznyng *s.* swôgan.
sôhte, sohte(n) *s.* sêcan.
soiorne, *v.,* 48,169; *prät.* soiorned
48,192 *sich aufhalten, bleiben; ne.*
sojourn.
soiorne, *sb.,* 48,150 *wohnung; ne.*
sojourn; holde soiour 65,64 *sich
aufhalten.*

solas, *sb.*, 59,22 *trost, vergnügen;*
ne. solace.
solde *s.* sculan.
sole, *sb.*, 67,391 *boden, platz.*
solempnely, *adv.*, 48,1 *feierlich;*
ne. solemnly.
solempnete, *sb.*, 51,58 *feierlich-*
keit; ne. solemnity.
solen, *adj.*, 46,238 *(les., n. Mütz-*
ner = soleyn) *allein; ne.* solo.
soler, *st. m.*, 9,204 *söller; ne.* sollar.
soelest *s.* sêl.
solle *s.* sculan.
som *s.* sum.
some, *adv.*, 6,2; (swæ)same 14,50
ebenso; sam . . . sam 17,198 *ebenso*
wie; vgl. same.
somon, *adv.*, ætsamne 18,114; *me.*
samenn 36,15564; somyn 59,66;
sammyn 60,72; sam (togeder)
67,292 *zusammen.*
somer, *sb.*, 46,247 *(saum)esel;* to
ben somer driven *schandeselreiten.*
somer-blome, *sb.*, 46,294 *sommer-*
blume.
somnian, *schw. v.*, 9,193 *sammeln;*
9,324: *prät. me.* samned 48,102;
p. p. gesamnod(e) 17,180; *me.*
isomned 34,13856 *(sich) versam-*
meln.
somod, *adv.*, 9,584; samod 17,157;
mere. somud 13,30 *zusammen, zu-*
gleich; als konj. 11,163 *u. s. f. =*
und.
somony, *v.*, 50,13 *mahnen; ne.*
summon.
somud *s.* somod.
somyn *s.* somen.
son *s.* sôna, sunne.
sôna, *adv.*, 10,2859; þâ sona 15,44;
me. sone 32,34; son 48,71; soyne
60,38; soyn 60,90; soone 19e,8
bald, sogleich; ne. soon; *konj.* sôna
swâ 21,43; *me.* sone swa 28,47
sobald als.
sond, *st. f., me.* sonde 34,14005;
sond 48,69 *sendung, botschaft;*
42,34 *schickung, gnade;* sande 32,
262; sond 42,20; *pl.* zondes 50,
12 *sendbote.*
sondre *s.* sunder.
sone *s.* sôna, sunu.
sonedæi *s.* sunne.
song, *st. m.*, 9,337; *me.* sæng 30,4;
sang(e) 32,351; song 37,60 *gesang,*
lied; ne. song.
song *s.* singan.

songeræft, *st. m.*, 16,14 *dicht-*
kunst.
sonne *s.* sunne.
sonne(s), sonnys *s.* sunu.
soone *s.* sôna.
sor, sore *s.* sâr, sâre.
sorewe *s.* sorh, sorgian.
sorful *s.* sorhfull.
sorg, sorga, sorʒe(n), sorgum
s. sorh.
sorgcearig, *adj.*, 8,603 *kummer-*
voll, besorgt.
sorgcearu, *st. f., akk.* sorgcearo
7,209 *besorgnis, beunruhigung.*
sorgian, *schw. r., me.* sorewe 51,4
bekümmert sein; p. präs. sorgiende
15,88 *bekümmert, ängstlich; ne.*
sorrow.
sorgstæf, *st. m., pl. dat.* -stafum
8,660 *kummervoller zustand.*
sorh, *st. f.*, sorg 4,3a; *me.* sorʒe
32,194; sorewe 32,374; scoruwe
37,60; sorhe 38,12; sorwe 44,57;
serewe 46,182; sereve 46,186;
sorow 67,206; *pl. me.* sorʒo 32,
166; *gen.* sorga 7,170; *dat. me.*
sorʒen 32,204 *kummer, sorge; ne.*
sorrow.
sorhfull, *adj., me.* sorful 44,151
kummervoll; sorrowful.
sorhlêas, *adj.*, 19b,14; *me.* sohr-
leas(e) *(hs.!)* 19c,14 *sorgenfrei,*
unschuldig; ne. sorrowless.
sori *s.* sârig.
sorinesse *s.* sârigness.
sorow, sorwe *s.* sorh.
sory *s.* sârig.
sot, *adj.*, 32,30 *töricht; vgl. ne. sb.*
sot.
soth(li), sothle *s.* sôð, sôðlice.
sothroun, *adj., sb.* 66,388 *südlich,*
südländer (= engländer); ne. sou-
thron.
sotlice, *adv.*, 27,4 *töricht; vgl.* sot.
soueþe *s.* seofoða.
souʒed *s.* swôgan.
souin, souiþ *s.* sâwan.
soule *s.* sâwol.
sound, *sb., pl.* soundis 60,7 *ton,*
laut; ne. sound.
sound, *adj.*, 69,165; sounde 56,5
gesund; ne. sound; *vgl.* onsund.
sour, *adj.*, 70,30 *sauer; ne.* sour.
sout 46,423 = souht; *s.* sêcan.
southe *s.* sûþan.
Southland, *sb.*, 66,442 *südliches*
land; hier adj. = englisch.

22*

Sowdan, sb., 72,19 *sultan; vgl. ne.* sultan.

sowen, soweþ s. sâwan.

sowenyng s. swôgan.

sownd, v., 67,438 *sondieren; ne.* sound.

sowwþ, sb., 36,15565 *schaf.*

soyn(e) s. sôna.

sôð, adj., 8,669; me. soþ 36,37; gen. sôþes 17,77; (schw.) fl. sôðan 15, 161; me. soþe 40,68; zoþe 50,1; sothe 59,11; soth 67,512 *wahr, wahrhaft; ne.* sooth; st. n., sôð 7,190; me. soth 44,36 *wahrheit;* for sôðe 32,174; to soþe 33,7; þurh sôðen 34,13836; for soþe 47,1044; vorzoþe 50,1; forsuth 66,396; forsothe 19e,4 *wahrlich; ne.* forsooth.

sôð, adv. (nh.), 19a,15 *in der tat, aber.*

sôðcyning, st. m., 9,329 *wahrer könig.*

sôþfæst, adj., 9,587; schw.fl., sôðfæsta 24,8; me. sothfast *wahrhaftig, gerecht.*

sôðfæstnes, st. f., dat. (-se) 15, 218; gen. sôðfæstnysse 15,11; mere. dat. sôðfestnisse 13,20; me. sothfastnesse 63,2 *wahrhaftigkeit.*

sôðlîce, adv., 7,203; sôþlice 21,70; me. sodlice 19e,1; soþliche 46,391; sothli 19e,3; sothle 67,496 *in wahrheit, wahrlich; ne.* soothly.

sôðnes, st. f., me. zoþnesse 50,35 *wahrhaftigkeit.*

spac, space s. sprecan.

space, sb., 48,19 *raum, zeitraum; ne.* space.

spæche s. spræc.

spack s. sprecan.

spade, schw.f., pl. Ep. spadan 1, 27; me. spade *spaten; ne.* spade.

spak, adv., 58,104 *flink.*

spak s. sprecan.

spar, sb., 67,130 *sparren; ne.* spar.

spar s. sperren.

spare s. sparian.

spare, adj., 58,104 *reserve-, aushilfs-; ne.* spare (nach Gollanez = spar, sb., sparren, mast).

sparian, schw.v., me. spare 46,443; prät. pl. sparedon 11,233 *schonen; ne.* spare.

spearca, schw. m., me. sparke 44, 91 *funken; ne.* spark.

spêc, spêche s. spræc.

spec s. sprecan.

spêd, st. f., eile; pl. spêda 14,58; me. sped 46,141 *erfolg, glück;* 17, 88 *reichtum;* 9,640 *machtfülle; mere.* spoed 13,2 *macht, kraft; ne.* speed.

spêdan, schw. v., 23,34; imp. me. speid 73,11; prät. sped 60,28 *sich sputen;* spede 44,93 *erfolg haben: ne.* speed; god spede! 67,190 *gott sei mit dir, ne.* God speed (you)!

spêdig, adj., 9,10 *(erfolg)reich, mächtig; ne.* speedy.

spoid s. spêdan.

speik, spek(e) s. sprecan.

spek(e) s. spræc.

spoken, spokes, spekeð, spekis s. sprecan.

spel, sb., *holzstück oder stahlfeder zum emporschleudern des balles beim spiele* knur and spell; ne. spell, spill; sotten s. on ende 46, 62 *den ball richtig zu schleudern trachten, gerade auf sein ziel losgehen* (vgl. Oxf. N. E. D. s. v. knur).

spele, v., 48,230 *sehonen.*

spell, st. n., 16,56; instr. Ep. spelli 1,22 *kunde, erzählung; me.* spell(e) 50,66 *evangelium; ne.* spell.

spellian, schw. v., me. spelle 44,15 *reden, erzählen;* spellenn 36,42; spel 45,84 *predigen; ne.* spell; rb.-sb. spelling 45,43 *predigen.*

spendan, schw. v., me. spend 67, 130; p. p. ispend 32,12 *verwenden, ausgeben; ne.* spend.

spêow s. spówan.

spere, st. n., me. spere 38,5 *speer; ne.* spear.

sperit s. spyrian.

sperren, v., p.p. sperred 38,31 *auseinandersperren;* spar out 67,128 *aussperren, abhalten.*

spert s. sprêdan.

speryt s. spyrian.

spie, v., p. p. spyde 67,544 *erspähen, erblicken; ne.* spy.

spilen, v., prät. spilede 34,13816 *spielen, sich ergötzen.*

spillan, schw. v., 23,34; me. spille 46,233 *verschütten, vernichten, töten;* spill 57,33 *verschwenden; ne.* spill; s. of 44,86 *berauben.*

spitus, adj., 67,416; spytus 67,455 *feindselig, gehässig; vgl. ne. sb.* spite, adj. despiteous.

spoed *s.* spéd.

spon *s.* spyn.

spor, *st. n.,* 8,623; *me.* spor *spur.*

spot, *sb., pl.* spottis 69,161 *flecken; ne.* spot.

spouse, *sb.,* 46,91; spuse 38,21 *gemahl(in); ne.* spouse.

spôwan, *st. r., prät.* spêow 14,9 *glücken, gelingen.*

spréc, *st. f., fl.* spréce 7,183; sprêc(a) 21,57; *kent.* spéc 20,2; *me.* spæch(e) 36,12; speche 59,34; spek 60,61 *sprache, rede;* 10,2910 *ausprache;* 15,174; speche 40,50 *unterredung; ne.* speech.

sprédan, *schw. r., me.* sprede 44,95; sprude 58,104; *3. sg. präs. ind.* spert 37,140 *(sich) ausbreiten, erstrecken; ne.* spread.

spray, *sb.,* 53,2 *sproß, zweig; ne.* spray.

sprecan, *st. v.,* 7,171; *me.* speke 32,9; speken 32,147; speik 72,13; *2. sg. präs.* spricest 7,179; *me.* spekis 67,206; *3. sg. me.* speked 33,39; spekes 57,31; *p. präs.* sprecende 16,31; spreccende 19a, 18; *prät. sg.* spræc 10,2848; *me.* spacc 36,15602; spec 40,28; spac 41,11; spak 43,139; spek 51, 18; spack 72,116; *pl.* sprécon 17,78; *me.* speken 42,25; *p. p.* sprecen *sprechen, reden, sagen; ne.* speak.

sprede *s.* sprédan.

sprêot, *st. m., me.* sprete 58,104 *spriet; vgl. ne.* sprit.

springan, *st. v., me.* springe 48, 132; spryng 60,13; *prät.* sprang 43,126 *entspringen, entsprießen;* 51,12 *wachsen; p. p.* isprungen 32,173 *entstammen; prät.* sprong 8,585 *sich ergießen; prät.* sprong forth 44,91 *vorwärtsspringen; ne.* spring.

sprude *s.* sprédan.

spusbreche *sb.,* 41,34 *ehebruch; vgl.* spouse *und* brecan.

spuse *s.* spouse.

spyde, spye *s.* spie.

spyn, *v.,* 67,238; *p. p.* spon 67,337 *spinnen; ne.* spin.

spyndille, *sb.,* 67,364 *spindel; ne.* spindle.

spyrian, *schw. v., prät. me.* sperit (at) 60,39; speryt 66,428 *(auf) spüren, nachfragen.*

spytus *s.* spitus.

sroud *s.* scrûd.

srud *s.* scrýdan.

ssel *s.* sculan.

sseper(e), *sb.,* 50,38 *schöpfer; vgl.* scieppan.

ssewe *s.* scéawian.

ssewere *s.* scéawere.

ssipes *s.* scip.

ssolden, ssolle *s.* sculan.

ssop *s.* scieppan.

stable, *adj.,* 64,1; stabill 73,17 *standhaft, beständig; ne.* stable.

stabylnes, *sb.,* 49,42 *stätigkeit; ne.* stableness.

stæf, *st. m., me.* staf 67,381 *stab; ae.* stæf 22,37 *buchstabe; pl. dat.* stafum 16,4 *schrift; ne.* staff, stave.

Stafford, *ortsn.,* St. blew 67,200 *s.* blew.

stale, *sb.,* 69,169; stalle 67,345 *wohnung, platz, gefängnis; ne.* stall.

stale *s.* stalu.

stælhrân, *st. m.,* 17,91 *lockrenntier; vgl.* stalu.

stall *s.* stelan.

stalle *s.* stale.

stallen, *r., p. p.* stold 67,525; stallit 69,170 *stellen; ne.* stall.

stalu, *st. f., me.* stale 32,253 *diebstahl.*

stælwierõe, *adj., me.* stalworþi 44,24; *sup.* stalworþeste 44,25 *brauchbar, wertvoll, trefflich; ne.* stalworth, -wart.

stân, *st. m.,* 7,192; *me.* ston 42,41; stoue 48,144; stoon 19a,2; *pl.* stanes 27,27 *stein;* stane 60,23 *magnetstein; ne.* stone.

stæna, *schw. m., me.* stene 40,15 *steingefäß.*

stânclif, *st. n., pl.* stânclifu 9,22 *felsenklippe; ne.* stonecliff.

standan(d), stande(n), standis *s.* stondan.

stænen, *adj.,* 22,80; *me.* stonen *steinern.*

stane-still, *adj.,* 57,32 *stumm wie ein stein (vgl.* 42,44; 67,525).

Stânhâmstede, *ortsn.,* 12,3 *Stanstead in Kent.*

stant *s.* stondan.

stér, *st. n.,* 16,66 *erzählung; vgl.* storie.

starc *s.* stearc.

s t a r i a n, *schw. r.*, 11,179; *we. stare
starren, fest blicken; ne. stare.*
s t a r k *s.* stearc.
s t a r n o *s.* steorra.
state, *sb.*, 48,39 *stand, zustand;*
67,443 *lage; ne.* state; *vgl.* estat.
s t a t u t e, *sb.*, 48,77 *satzung; ne.*
statute.
s t æ þ, *st. n., dat. sg.* staðe 17,157;
stæðe 23,25 *gestade, ufer.*
s t a þ o l, *st. m.*, 8,654 *grundlage.*
s t e a h *s.* stigan.
s t ê a p, *adj.*, 6,18; *me.* stepe *steil,
hoch; ne.* steep.
s t e a r c, *adj., me.* stark 46,223
stark, viel; starc 67,268 *steif;
adv.* 58,122 *sehr, völlig; ne.* stark.
s t e a r c f e r h ð, *adj., pl.* stearcferþo
8,636 *starkgesinnt; vgl.* stercedferhð.
s t e c a n?, *st. r., (ein)stecken; me.
p. p.* stokon up 59,11 *verdrängen.*
s t e d *s.* steden.
s t ö d a, *schw. m., me.* stede 43,49
hengst, streitroß; ne. steed.
s t e d e, *st. m.*, 23,19; *me.* stede 32,
26; stude 33,43; sted 62,27 *stelle,
ort; ne.* stead; in stede of 69,165
anstatt; ne. instead of.
s t e d c h e a r d, *adj.*, 11,223 *standfest, festhaltend?*
s t e d e n, *v., stellen; p. p.* hard sted
with 67,199 *schwer betroffen von.*
s t e d f a s t, *adj.*, 64,1 *standhaft,
beständig; ne.* steadfast.
s t e d f a s t n e s s e, *sb.*, 64,7 *festigkeit, beständigkeit; ne.* steadfastness.
s t e f n, *st. f., (instr.* stefne) 10,2848;
stemn 21,35; *me.* steuen(e) 33,
76; steuen 42,27; steuin 45,14;
stevyn 67,72 *stimme.*
s t e f n, *st. m., dat.* stefne 18,67;
me. stom *steven, vorderschiff; ne.*
stem; *vgl.* stemme.
s t e k e d, s t e k e d, s t e k i t *s.* stician.
s t e l *s.* stolo.
s t e l a n, *st. r., p. präs.* stelende 19a,
13; *prät. we.* stall 70,20; *pl.* stolen
32,159; *p. p.* stolen 19e,13 *stehlen;
ne.* steal.
s t e l e, *sb.*, 67,120; stel 46,95 *stahl;
ne.* steel.
s t e m m e, *v., p. präs.* stemmand (on)
60,25 *mit dem steven lossegeln
auf . . ., richtung nehmen auf; ne.*
stem.

s t e m n *s.* stefn.
s t e n c, *st. m.*, 9,8 *duft, geruch; me.*
stunch 33,28; stench 87,44; stynk
71,48 *gestank; ne.* stench, stink.
s t e n e *s.* stæna.
s t o n t *s.* stondan.
s t ê o r, *st. f., me.* ster(e) 43,103
steuer, schiff.
s t ê o r b o r d, *st. n.*, 17,55 *steuerbord, rechte schiffsseite; ne.* starboard.
s t e o r o n *s.* stêran.
s t e o r f a n, *st. r., me. prät. pl.*
sturuen 27,42 *(hungers) sterben;
ne.* starve.
s t e o r r a, *schw. m., me.* steorre 32,
275; *pl.* sternes 67,8; starnes 67,
423 *stern; ne.* star.
s t e p p a n, *st. schw. r.*, 6,5; *prät.*
stóp 23,8; *me.* steppit 69,171; *pl.*
stôpon 11,200; *merc.* stôpen 19d,9
schreiten, gehen, treten; ne. step.
s t ê r a n, *schw. r., me.* steoren 37,45
räuchern.
s t e r c e d f e r h ð, *adj.*, 11,227 *starkgesinnt; vgl.* stearcferhð.
s t e r e, *c.*, 67,175 *steuern, leiten; ne.*
steor; *vgl.* stêor.
s t o r e *s.* stêor.
s t e r e - m a n, *sb.*, 67,427 *steuermann; ne.* steersman.
s t e r e n *s.* styrne.
s t e r e - t r e, *sb.*, 67,433 *steuerruder.*
s t e r n e, *sb.*, 58,149 *steuerruder,
schiffshinterteil; ne.* stern.
s t o r n e s *s.* steorra.
S t e u e n, *eigenn.*, 48,2; Steph. 27,1
Stephan; ne. Stephen.
s t e u e n(e), s t e u i n, s t e v y n *s.*
stefn.
s t i c c e(-), s t i c c h e *s.* stycce(-).
s t i c i a n, *schw. r., prät. me.* steked
38,22 *steeken;* sticode 15,85;
stekit 66,418 *stechen, töten; ne.*
stick.
s t î g, *st. f.*, 6,24; *me.* stíze, stie
steg, weg.
s t î g a n, *st. r., me.* stizen 28,51; *prät.*
steah 28,41 *steigen.*
s t i g u, *st. f., Ep.* 1,3; *me.* stie
schweinestall; ne. sty.
s t i l l a n, *schw. r., me.* stille 67,217
zur ruhe bringen; ne. still.
s t i l l e, *adj.*, 9,185; *me.* stille 32,
112; still 60,119 *still, ruhig; adv.*
stille 10,2909; *me.* stille 42,44
still; 46,86 *verschwiegen; ne.* still.

stilness, *st.f.*, 14,56; *me.* stilnesse
stille, ruhe; ne. stillness.
stime, *sb.*, 45,40 *kleinigkeit.*
stincan, *st. v., me.* stinken 87,44;
konj. präs. stynk 67,381 *stinken;*
ne. stink.
stingan, *st. v., me. prät.* stong
55,4 *stechen; ne.* sting.
stinken *s.* stincan.
stiorc *s.* styric.
stirten, *v., 2. sg. prät.* stirtest up
47,1128 *aufspringen; vgl.ne.* start.
stith(e) *s.* stið.
stið, *adj.,* 10,2848; *me.* stith(e)
59,7 *fest, mutig.*
stiðhýdig, *adj.,* 10,2896; *pl.* stið-
hygde 8,654 *starksinnig.*
stiðlice, *adv.,* 23,25 *fest, mutig.*
stiðmod, *adj.,* 4,1b *starksinnig.*
stoce, *st. m., me.* stokk(e) 40,52
stock; pl. stokkes 58,79 *fußblock;*
ne. stocks.
stód *s.* stondan.
stoken up *s.* stecan.
stól, *st. m., me.* stol(e) 50,81 *stuhl;*
ne. stool.
stold *s.* stallen.
stolen *s.* stelan.
stou *s.* stán.
stondan, *st. v.,* 9,22; standan 10,
2927; *me.* stand 48,89; stonde
55,11; *3. sg. präs. ind.* standeð
17,157; stent 17,136; stynt 23,51;
me. stent 32,20; standis 67,210;
stant 69,167; *p. präs. me.* stand-
and 48,144; standyng 67,416;
prät. stód 8,589; *me.* stod 34,
14056; stode 37,90; stood 65,59;
stude 69,160; *pl.* stódon 14,30;
me. stode 61,1152; stude 69,166;
p. p. stonden, standen *stehen,
treten; ne.* stand; *me.* st. *eie of*
32,20 *scheu haben vor.*
stone *s.* stán.
stoned, stonie *s.* stunian.
stong *s.* stingan.
stoon *s.* stán.
stóp, stópen, stópon *s.*steppan.
store, *st. m., me.* storke 49,43
storch; ne. stork.
store, *sb., vorrat, wert; ne.* store;
he settis no store 67,92 *er küm-
mert sich nicht um.*
storie(s) *s.* story.
storm, *st. m.,* 13,3; *me. gen.* stor-
mes 42,18; *pl.* stormes *sturm,
gewitter; ne.* storm.

story, *sb.,* 48,198; *pl.* stories 59,11
geschichte; ne. story; *vgl.* stǽr.
stounde *s.* stund.
stoure, *sb.,* 48,13 *kampf.*
stout, *adj.,* 57,13 *stolz, kühn;* stoute
48,156 *stark, gewaltig; ne.* stout.
stoutly, *adj.,* 48,213 *heftig.*
stów, *st. f.,* 8,636; *nh.* stóu 19a,6;
pl. stówa 14,34; *me.* stowe 19c,6
ort, stelle.
stowned *s.* stunian.
straie, *v., prät.* straied 48,152
schweifen, sich begeben; ne. stray.
strak *s.* striken.
strǽl, *st. m.f.,* 44b; *nh.* strêl 4,4a;
me. stral *pfeil.*
strang *s.* strong.
strange, *adj.,* 48,49 *fremd;* 69,
163 *seltsam; ne.* strange.
stranglaker *s.* stronglice.
strǽt, *st. f.,* 6,18; *me.* strat 32,
337; *pl.* stretes 57,25 *straße, weg;*
ne. street.
straught *s.* streccan.
strēam, *st. m.,* 14,*schl.-ged.*14; *me.*
striem 32,248; strem 52,21 *strom,
fluß; ne.* stream.
streccan, *schw. v., me.* strek 46,
441; strecho 69,169; *2. sg. präs.*
strecst *streeken, dehnen; p. p.*
straught out of mynde 59,11
aus der erinnerung geschwunden;
ne. stretch.
streght, *adv.,* streit 48,48 *gerade,
genau; ne.* straight; *vgl.* streccan.
strek *s.* streccan.
strēlum *s.* strǽl.
strem(es) *s.* strēam.
stren, *sb.,* 47,1021 *nachkomme,
sohn.*
strencðe *s.* strengðu.
streng, *st. m., me. pl.* strenges 27,
23 *strang, strick; ne.* string.
strenght *s.* strengðu.
strengre *s.* strong.
strengðu, *st. f.,* 9,625; strengð
22,51; *me.* strengðe 32,313;
streynþ(e) 55,22; strynth 60,87;
strenght 67,261; *dat.* strengðe
22,12; *me.* strencðe 32,168; *stärke,
kraft, gewalt;* strength(e) 61,1111
gewahrsam; ne. strength.
strengþen, *v.,* 46,170; *p. p.*
istrengþed 41,29 *stärken, kräfti-
gen; ne.* strengthen.
strot(es) *s.* strǽt.
streynþe *s.* strengðu.

strica, *schw. m.*, 22,38; *me.* strike, streke *strich, tüttelchen; ne.* streak.

strîdan, *st. v., me.* striden; *3. sg. präs. Ep.* stridit 1,27 *schreiten; ne.* stride.

striem *s.* strêam.

strif, *sb.*, 48,82; stryffe 59,28; *pl.* stryfis 67,400 *streit, zwist; ne.* strife.

Striflin, *ortsn.*, 57,13; Struelin 48,188 *Stirling (schottische stadt).*

striken, *v., konj. präs.* stryke 67, 231; *prät.* strak 66,413 *streichen, schlagen, treffen; 3. sg. präs.* strikeþ 52,21 *dahinfließen; ne.* strike.

stroke, *sb., pl.* strokis 67,382 *streich; ne.* stroke.

strond, *st. n., me.* strond 42,19 *strand, ufer; ne.* strand.

strong, *adj.*, 8,651; strang 4,1b; *schw. fl.* stranga 10,2899; *me.* strang 32,312; strong 31,13896; *komp.* strengra 15,44; *n.* strengre 7,192 *(oder zum ae. adj. strenge derselb. bed.?); me.* strengre 83, 19; *sup.* strangesta 15,50; *me.* strongest 59,7 *stark, kräftig;* 44, 114 *heftig; pl.* stronge 55,35 *schwer;* 7,192 *schlimm; ne.* strong; þi stranger 45,22 *stärker als du.*

stronglîce, *adv., me.* stronglike 44,135; *komp.* stranglaker 50,24 *stark, sehr; ne.* strongly.

strucyo, *sb.*, 49,43 = *lat.* struthio *strauß.*

stryf *s.* strif.

stryfe, *v.*, 67,107 *streiten; ne.* strife; *vgl.* strif.

stryffe, stryfis *s.* strif.

stryke *s.* striken.

strŷnd, *st. f.*, 15,61 *geschlecht.*

strynth *s.* strengðu.

Struelin *s.* Striflin.

stude *s.* stede, stondan.

study, *v.*, 62,36 (in) *studieren: ne.* study.

stuf, *v.*, 67,85 *stopfen, anfüllen; ne.* stuff.

stunch *s.* stenc.

stund, *st. f., me.* stund(e) 32,149; stounde 42,4 *zeit;* stunde 45,93; stounde 48,14 *kurze zeit; gehzeit;* vmbe st. 58,122 *manchmal.*

stund *s.* stunian.

stunian, *schw. v., me. prät.* stoned 48,144; stowned 58,73; *p. p.*

stund 45,11 *betäuben, in erstaunen setzen, müde machen; ne.* stound, stun.

stunt, *adj., me.* stunt; *kent. gen. pl.* stunra 20,2 *stumpf, dumm.*

Stûr, *flußn., st. f., me.* sture 32,248 *der Stour (in Hampshire).*

sturdely, *adv.*, 60,94 *stark, gewaltsam; ne.* sturdily.

sture *s.* Stûr.

sturien, *v.*, styr 67,366 *(sich) bewegen; prät.* styrd 67,37 *reizen; ne.* stir; *vgl.* eorþstyrennis.

sturne *s.* styrne.

sturuen *s.* steorfan.

stycce, *st. n., me.* sticche 32,189; stuche; *dat. pl.* sticcum 22,12 *stück.*

styccemûelum, *adv.*, 17,50; sticcemœlum 15,93 *stellenweise, hie und da.*

styd, *st. n., uh.* 19a,6 *ort.*

style, *sb.*, 71,41 *lebensweise; ne.* style.

stŷman, *schw. v.*, 9,213 *rauchen, dampfen; vgl. ne.* steam.

stynk *s.* stenc, stincan.

stynt *s.* stondan, -styntan.

-styntan, *schw. v., me.* stynt 48, 176 *hemmen, einhalt tun; to be stynt (p. p.)* 58,73 *aufhören; ne.* stint.

stŷpel, *st. m., dat.* stŷple 25,24 *(kirch)turm; ne.* steeple.

styr, styrd *s.* sturien.

styric, *st. n., me.* stirk; *kent. dat.* stiorce 20,11 *stierkalb; ne.* stirk.

styrman, *schw. v., me.* sturmen; *prät. pl.* styrmdon 11,223 *stürmen, lärmen; vgl. ne.* storm.

styrne, *adj., me.* sturne 31,14024: steren 57,13 *streng, trotzig, stark; ne.* stern.

styrnmôd, *adj.*, 11,227 *grimmen sinns.*

sû *s.* sugu.

suâ, sua, suâ, suae *s.* swâ.

suagat, *adv.*, 45,48 *so, so und so.*

sualuuae *s.* swealwe.

subbarh, *sb., pl.* subbarbys 65,59 *vorstadt; ne.* suburb.

successour, *sb.*, 65,64 *nachfolger; ne.* successor.

such *s.* swelc.

sudayn, *adj.*, 69,163; sodein, soden, soding 62,15 *plötzlich; ne.* sudden.

s u d a y n l y, *adv..* 69,165; sodeynly
69,161; sodaynly 69,166 *plötzlich;*
ne. suddenly.

S u d d e n e, *ländern.*, 43,140 *Horns*
heimat (Insel Man? n. Schofield).

s u e, r., *prät.* suet 59,24 *folgen; ne.*
sue.

s u ę *s.* swá.

s u e h o r a s *s.* swéor.

s u e l c e *s.* swelc.

s u e n c t e n *s.* swencan.

s u e r d *s.* sweord.

s u e r e *s.* swerian.

s u ę s e n d a *s.* swésenda.

s u e t *s.* sue.

s u e t e *s.* swéte.

s u e t i n g *s.* sweting.

s u e y n *s.* sweyn.

s u f f e r *s.* suffren.

s u f f i c e, *rb.*, suffyse 63,21 *genü-*
gen; ne. suffice.

s u f f i c i a n t, *adj.*, 62,14 *hinlänglich;*
ne. sufficient.

s u f f r e n, r., 48,29; suffer 58,113;
imp. suffre 64,25; *prät.* sufferyt
66,374 *dulden, zulassen; ne.* suffer.

s u f f y s e *s.* suffice.

s u f l, *st. n., kent. gen. pl.* sufla 12,
32; *me.* sufel *zukost (portion).*

s u g g e n *s.* secgan.

s u g u, *st. f.*, sû(e)6,4*(les.); me.* sowe
sau; ne. sow.

s u i c, s v i c h *s.* swelc.

s u i k e s *s.* swica.

s u i l c, s u i l k *s.* swelc.

s u l d, s u l d e *s.* sculan.

s u l f(n e), s u l u e n *s.* seolf.

s u m, *pron.*, 10,2908; *me.* sum 32,27;
som 67,157; *akk. m.* sumne 11,148;
f. sume 21,75; summ 36,15; *pl.*
nom. sume 19b,11; *nh.* summe
19a,11; *me.* sume 19c,17; summe
33,34; som 48,232; some 49,
30; sum 59,17; *dat.* sumum 17,
105; *akk.* sumne 33,14 *irgendein,*
manch; pl. einige; ne. some; *gen.*
sumes *(adv.)* 9,242 *in gewisser*
hinsicht; gen. f. sumre tide 16,
23; *me. (akk.)* sum wile 27,43;
sum tyme 57,32; som time 64,1
einst; sunne déèl 14,52; *me.* sum-
del 45,112 *riel, sehr;* summ del 36,
98 *einiges;* sumþing 40,7 *einiger-*
maßen; feowertiga sum 15,155
einer von vierzig; syxa sum 17,86
einer von (oder mit) sechsen; pl.
sume þá weardas 19b,11 *einige*

von den wächtern; sume ... sume
15,86f. *die einen ... die andern.*

s u m, *adv., me.* (swa) summ 36,30
wie; quat sum 45,30 *was auch*
immer.

s u m d e l *s.* sum, *pron.*

s u m e(s), s u m m(e) *s.* sum, *pron.*

s u m e r, *st. m.*, 17,198; *me.* sumer
37,39; *gen.* sumeres 9,209; *me.*
someres 43,29; *dat.* sumera 17,
51 *sommer; ne.* summer.

s u m r e, s u m u m, s u m þ i n g, *s.*
sum, *pron.*

s u n d e n *s.* com.

s u n d e r, *adj.*, *gesondert; adv.* in
sondre 66,408; in sunder 67,407
entzwei, mitten durch; vgl. ne.
asunder.

s u n e z e d e, -u d e *s.* syngian.

s u n e n(a) *s.* sunu.

s u n f u l l e *s.* synfull.

s u n g a n, s u n g e n, s u n g u n *s.*
singan.

s u n n e, *schw. f.*, 9,587; *me.* sunne
28,8; sonne 52,26; son 67,6; *fl.*
sunnan 9,17; *me.* sunne 34,13934;
sonne 47,1031 *sonne; ne.* sun;
sunnan dæg, *st. m., me.* sunedei
38,3; sunnedei 38,66; sonedæi
34,13934 *sonntag; ne.* Sunday.

s u n n e *s.* sunu, syn.

s u n u, *st. m.*, 10,2884; *me.* sune 32,
186; sone 46,167; sonne 48,227;
gen. sunu 19a,19; suna 19b,19;
me. sune 19c,19; *dat.* suna 21,8;
me. sunne 83,108; sune 37,76;
akk. sunu 7,197; *me.* sune 39,1287;
sone 43,9; sonne 48,2; zone 50,
14; *pl. nom.* suna 21,48; *me.* sones
43,21; sonnes 48,12; zones 50,26;
sonnys 66,444; *suness; gen.* su-
nena 21,78 *sohn; ne.* son.

s u o r e(n), s u o r n *s.* swerian.

s u p p e, r., *schlürfen, trinken; ne.* sip.

s u p p l i c a t i o n, *sb.*, *pl.* suppli-
cationis 71,26 *bitte; ne.* suppli-
cation.

s u p p o s e, r., 67,221 *annehmen,*
vermuten; konj. suppose 66,374
obgleich; ne. suppose.

s u r c o t e, *sb.*, 69,160 *oberkleid, über-*
wurf; ne. surcoat.

s u r e, *adj.*, 67,282; by sure 58,117
sicher; ne. sure.

S u r p e, *volksn., pl.* 17,29; Surfe
17,42 *die Sorben (Slawen in Nord-*
deutschland).

suspecyoun, *sb.*, **65,59** *verdacht; ne.* suspicion.

suster *s.* sweostor.

suteliche *a.* sweotollice.

sutelte, *sb.*, **60,87** *schlauheit, list; ne.* subtelty.

suyðe *s.* swiðe.

sûð, *adv.*, **14,93**; sûþ **17,6**; *me.* souþ; south *nach süden, im süden; ne.* south.

sûþan, *adv.*, **9,186**; sûðan **14,82**; *me.* bi southe **67,477** *von süden; präp.* be sûþan *(mit dat.)* **17,11**; wið sûðan *(mit akk.)* **17,130** *südlich von.*

Sûþdene, *volksn., st. m. pl.*, **17,31** *südliche Dänen.*

sûðeweardum, *adv.*, **17,115**; *präp.* on *s. (mit dat.)* **17,124** *südlich (von); ne.* southward(s).

sûðfolc, *st. n.*, **15,149** *südliches volk.*

sûðportic, *st. n.*, **25,25** *südtor.*

sûþryhte, *adv.*, **17,63** *nach süden.*

Sûðseaxan, *volksn., schw. m. pl.*, **15,53** *südliche Sachsen.*

suðþe *s.* siþþan.

swâ, *adv.*, **9,378**; swiê **14,14**; *me.* swa **27,20**; sua **27,30**; se **32,67**; swo **32,75**; sa **32,289**; so **32,389**; zuo **50,22** *so; kent.* swae **12,32**; *me.* swa **49,17**; al zuo **50,11** *ebenso; nh.* suâ **19a,3**; swylce swê **6,4**; swâ swâ **17,175**; swiê swê **14, 68**; swilc se **32,80** *so wie; al so* **40,18** *wie eben;* swâ þeah **22, 49** *dennoch (verstärkt); me.* so *mit attrib. adj.* **67,165** *so (steigernd);* swiê oftost **14,23** *so oft nur;* swâ hwæt swâ **16,4** *alles was; kent.* suê hwaeder suae **12,23** *was von beiden immer;* swâ sumin **36,30** *wie auch immer; ne.* so; *konj.* swâ **9,322**; swiê **14,56**; *kent.* suê **12,10**; *kent. nh.* suae **12,25**; *me.* se **32,240**; swa **34,13806** *wie;* swâ ... swâ **9,650**; swê ... swê swê **14,77**; *me.* swa ... swa **28,5**; (eal) se ... se **32,67**; so ... so **46, 156**; sa ... as **62,11** *so ... wie; me.* so **46,26**; sa **60,53** *so wahr als; me.* so ... so **46,156** *so ... als;* swâ ... swâ **17,108**; *me.* þe ... zuo **50,21** *je ... desto;* swâ ðætte **16,4**; *me.* swa þat **60,22** *so daß;* sôna swâ **21,43**; al so **40,11** *sobald als.*

swæcc, *st. m., instr. pl* swæccum **9,214** *geruch, duft.*

Swæfas, *volksn., st. m. pl.*, **17,11** *Sueven.*

swain *s.* sweyn.

swallt *s.* sweltan.

swanc *s.* swincan.

sware, *sb.*, **36,15585** *antwort;* **51, 20** *schwur.*

swarm, *sb.*, **69,165** *schwarm; ne.* swarm.

swiês, *adj.*, **9,375** *eigen, lieb, traut: pl.* swiêse ond gesibbe **6,22** *die lieben verwandten.*

swiêsenda, *st. n. pl., kent.* suêsenda **12,26** *speisen, mahl.*

swât, *st. m.*, **18,25**(les.); *me.* swot, swet *schweiß, blut; ne.* sweat.

swæð, *st. n.*, **14,36** *spur; ne.* swath.

swaðu, *st. f., dat.* swaþe **6,25** *spur; ne.* swath.

swê *s.* swâ.

swealwe, *schw. f., Kp.* sualuuae **1,10**; *me.* swalwe *schwalbe; ne.* swallow.

sweart, *adj., schw. akk.* sweartau **18,122**; *instr.* sweartan **10,2857**: *me.* swiert(e) **32,278** *schwarz, dunkel; ne.* swart.

sweem, *sb.*, **65,62** *sorge, trauer.*

swefn, *st. n.*, **16,26**; *me.* sweven *schlaf, traum.*

swefte *s.* swifte.

swêg, *st. m.*, **9,618** *ton, gesang.*

swêgan, *schw. v., me.* sweie(ð) **37,28**; *prät.* sweyed **58,151** *tönen, rauschen;* sweзe **58,72** *sich rasch bewegen, dahinrauschen.*

swegl, *st. n.*, **7,203** *himmel, äther.*

sweicð *s.* swêgan.

sweines *s.* sweyn.

sweit *s.* swête.

swelc, *pron.*, **14,93**; swylc **15,155**; *me.* swilc, swilch **32,80**; swich **32,120**; swulch(e), soch(e) **34, 13830**; swulchere *(dat. f.)* **34, 13990**; swuch, suyich **35,83**; swille **36,47**; swiche (a) **42,24**; suich (a) **44,60**; selc(a) **46,83**; selk **46,101**; silk **46,198**; sulk(e) (a) **46,264**: selke (a) **46,313**; suilk **48,10**; swylk(e) **49,23**; (a)such **51,72**; sic **60,113**; such(a) **61,1139**; sich(a) **67,78** *solcher, solch einer;* suilc(e) ... suile(e) **12,43**; *me.* swylc ... swylc **28,45**; swile ... swa **33,31**; swuch ... as **38,30** *solch ... welch oder wie*

(korrel.): *ne.* such; konj. swylce
(swê) 6,4 *ebenso*; swylce êac 15,
164; swelce êac 16,79; swilce
êac 18,38; êac swylce 15,191;
êac swelce 16,9 *ebenso auch*;
swelce 14,34 *me.* swilc 33,22 *als
ob*: *adr.* swylce 19b,3; *uh.* suelce
19a,4; swylce 19c,3 *gleichsam.*

s weltan, *st. v.*, 7,191; konj. präs.
sg. swelte 21,14; *prät.* swallt
36,31 *dahinsterben*; swelten 37,
104 *dahinschmachten*; *ne. veralt.*
swelt.

s wencan, *schw. r.*, *me.* swonche
32,250; *prät. pl.* suencten 27,14
quälen, peinigen.

s wengan, *schw. v.*, *mc.* swenge
58,108 *schlagen, schwingen, trei-
ben*; *ne.* swinge.

S wêoland, *ländern.*, *st. n.*, 17,116
Schweden.

S wêon, *volksn.*, *schw. pl. m.*, 17,41
die Schweden; 17,152 *für: Schwe-
den (land).*

swe opu, st. f., me. swope 36,15562
peitsche, geißcl.

s wêor, *st. m.*, *Ep. pl.* suehoras
1,26; *me.* swêor *schwiegervater.*

s wêora, *schw. m.*, *me.* sweore 32,
146; swyre 53,28; *akk.* swiran
15,16; swûran 21,24 *hals.*

s weord, *st. n.*, 10,2857; swyrd 11,
230; swurd 23,47; *me.* swerd 39,
1307; suerd 48,210; *gen. pl.* sweor-
da 18,8 *schwert*; *ne.* sword.

s weordbite, *st. m.*, 8,603 *schwert-
biß, schwertstreich.*

s weordslege, *st. m.*, 8,671 *schwert-
schlag.*

s weore *s.* swêora.

s weostor, *f.*, *me.* suster 32,150;
zoster 50,61 *schwester*; *vgl. ne.*
sister.

s weotole, *adv.*, 11,177 *klar, deut-
lich.*

s weotollice, *adv.*, 11,136; sweo-
tolice 15,32; *me.* suteliche 33,2
klar, deutlich.

s wepe *s.* *sweopu.

s wêr, *st. m.*, 22,80; *me.* sweor *säule*;
vgl. swêora.

s werian, *st. v.*, *me.* swere 47,1024;
suere 48,51; *prät.* swor 39,1338;
swore 47,1037; suore 48,76; *pl.*
suore 48,89; *p. p.* suoren 27,11;
yswore 47,1011; suorn 48,53
schwören; *ne.* swear.

s wête, *adj.*, 9,214; *fl.* swêtan 15,
17; *mc.* swete 32,145; suet(e) 46,
176; sweit 71,20; *sup. fl.* swête-
stan 9,193 *süß, angenehm, köst-
lich*: 55,41 *gütig*; *ne.* sweet.

s wete, *v.*, 67,195 *schwitzen*; *ne.*
sweat.

s weting, *sb.*, sueting 46,222 *lieb-
ling.*

s wêtlice, *adv.*, *me.* sweteli 38,22
süß, innig; *ne.* sweetly.

s wêtness, *st. f.*, 15,220; swêtniss
16,6; *me.* swettnes 49,40 *süßig-
keit, anmut*; *ne.* sweetnes.

s weyed *s.* swêgan.

s weyn, *sb.*, swain 44,32; sueyn
48,172; *pl.* swaines, sweines 34,
13985 *junger bursche, knappe,
knecht*: *ne.* swain.

s weþrian, *schw. r.*, 9,229 *auf-
hören.*

s wica, *schw. m.*, *me. pl.* suikes
27,9 *verräter.*

s wican, *st. v.*, *me.* swikon 33,22
nachlassen; *p. p. pl.* swikene 32,
103 (*fehlerhaft*, *f.* swikele *[les.]*;
vgl. swicol) *im stich lassen, ver-
raten.*

s wicdôm, *st. m.*, 22,50; *me.* swike-
dom *verrat, betrug.*

s wich(e) *s.* swelc.

s wicol, *adj.*, *me.* swikel 33,57;
fl. f. swicole 22,56; *me. pl.* swi-
kele 32,103 *(les.)*; swichele 32,
251 *betrügerisch, tückisch.*

s wierte *s.* sweart.

s wift, *adj.*, 6,2; *me.* suyft 48,145;
schw. pl. swiftan 17,187; *sup.*
swyftost(e) 17,180; swiftost(e)
17,183 *schnell, hurtig*; *ne.* swift.

s wifte?, *adv.*, *mc.* swefte 58,108
schnell.

s wiftenes *s.* swiftness.

s wiftlice, *adv.*, *mc.* swyftly 58,
72 *schnell*; *ne.* swiftly.

s wiftness, *st. f.*, *me.* swiftenes
59,12 *schnelligkeit, schneller ver-
lauf*; *ne.* swiftness.

s wîge, *schw. f.*, 7,190 *schweigen.*

s wikel(e) *s.* swicol.

s wikon(e) *s.* swîcan.

s wilc(e), swilch, swilk *s.* swelc.

s wima, *schw. m.*, *schwindelanfall*;
me. swym 59,12 *vergessenheit.*

s win, *st. n.*, *me.* swin 46,272; *gen.*
swunes 32,145; *gen. pl.* swŷna
17,93 *schwein*; *ne.* swine.

swinc, *st. m. n., me.* swinc 87,
136; *fl.* swinches 32,64; aswinche
(= on swinche) 32,204; swinke
46,134 *mühe, arbeit; vgl.* geswinc.
swincan, *st. v., me.* swinken 87,
43; swynk 67,195; *prät.* swanc
32,358; *pl.* swunche 32,254 *sich
mühen, arbeiten;* swynke 40,26
gehen.
swinche *s.* swinc.
swindan, *st. n., me.* swinden 32,
57 *hinschwinden.*
swingan, *st. v., prät.* swong 8,617
mit streichen strafen, geißeln.
swinke *s.* swinc.
swinkeþ *s.* swincan.
swinsian, *schw. v.,* 9,618 *jubeln.*
swinsung, *st. f.,* 16,57 *wohllaut.*
swiran *s.* swêora.
swiþast *s.* swiðe.
swiðe, *adv.,* 10,2872; swiþe 16,83;
swŷðe 17,88; swyþe 17,103; *me.*
suyðe 27,14; swyðe 28,38; swuðc
32,145; swiðe 32,178; swiþe 34,
13788; swuþe 37,123; swyþe 61,
1108; *komp.* swyðor 11,182 *sehr,
gar;* swiðe swiðe 14,40 *gar sehr;*
tô ðon swŷðe 15,2; tô þan swiðe
15,65 *so sehr;* swiþe 44,140; suiþe
46,156 *schnell; sup.* swiþost 17,78
sehr schnell; swiþast 8,620 *haupt-
sächlich.*
swiþeliche *s.* swiðlice.
swiðlic, *adj.,* 22,79 *stark, groß.*
swiðlice, *adv., me.* swiþeliche
33,98 *sehr.*
swiþost *s.* swiðe.
swo *s.* swâ.
swôgan, *st. v., me. prät.* souzeð 58,
140 *tönen, tosen, lärmend stürzen;
me. ohnmächtig werden; ne.* sough;
vb.-sb. sowenyng 61,1134; *so*-
nyng 61,1135 *ohnmacht.*
swol, *st. n., dat.* swole 9,214 *hitze,
glut.*
swolowe, *v., prät.* swolowet 59,
12 *verschlingen; ne.* swallow.
swon, *st. m., me.* swon 58,28 *schwan;
ne.* swan.
swong *s.* swingan.
swonrâd, *st. f.,* 8,675 *weg der
schwäne, meer.*
swor, sworc *s.* swerian.
swuch, swulch(ere) *s.* swelc.
swuluneg, *st. n., kent.* 12,3 *flächen-
maß = 120 englische morgen.*
swunche *s.* swincan.

swunes *s.* swîn.
swûran *s.* swêora.
swurd *s.* sweord.
swuðe. swuþe *s.* swiðe.
swyftly *s.* swiftlice.
swylc(e) *s.* swelc.
swylt, *st. m.,* 8,675 *tod.*
swylt *s.* sweltan.
swyltcwalu, *st. f., dat.* swylt-
cwale 9,369 *todesqual, tod.*
swylthwil, *st. f.,* 9,350 *todes-
stunde.*
swym *s.* swima.
swyna *s.* swîn.
swynk(e) *s.* swincan.
swyrd *s.* sweord.
swyre *s.* swêora.
swŷðe, swŷþe, swyðe, swyþe
s. swiðe.
sŷ *s.* eom.
sybbe *s.* sib.
sŷcan, *schw. v., 3. sg. präs. kent.*
s(ê)cet 20,30 *säugen; vgl. ne.* suck.
sycht *s.* gesihð.
syde *s.* side.
syo *s.* sêon.
syfan *s.* seofon.
syght, syhte *s.* gesihð.
syke, *sb.,* 54,49 *seufzer.*
syke *s.* sican.
sykerly *s.* sicor.
sylf, sylfra *s.* seolf.
sylfren, *adj.,* 15,179 *silbern.*
syllan, sylle *s.* sellan.
syluer, sylver, syluir *s.* seol-
for.
symbel, *st. n., dat.* symble 16,22
mahl, gelage.
symle *s.* simle.
Symonn, *eigenn.,* 47,1103; Symon
48,72 *Simon (von Montfort).*
symple, *adj.,* 67,173 *einfach: ne.*
simple.
syn, *st. f., me.* sunne 32,194; senne
46,194; syn 49,15; zenne 50,4;
sinne 51,33; *gen. me.* syn 67,88;
pl. gen. synna 7,180; *dat.* synnum
9,242; *akk. me.* sunne 32,238;
sunnes 55,45 *sünde, unrecht; ne.*
sin.
syn *s.* sippan, syngian.
synd *s.* eom.
synderlice, *adv.,* 16,1; *me.* sin-
derliche *besonders.*
syndon 13,187 *s.* eom.
syndrig, *adj., me.* syndry 60,7
verschieden; ne. sundry.

s y n e *s.* siþþan.
s y n f u l l, *adj., mc.* sunfull(e) 33,12;
  synfull 62,13 *sündig; ne.* sinful.
s y n g(e), s y n g i n g e *s.* singan.
s y n g i a u, *schw. v., me.* syn 67,37;
  prät. sg. suneʒude 32,258; *pl.* suneʒede 32,282 *sündigen; ne.* sin.
s y n n a, s y n n e, s y n n u m *s.* syn.
s y n s c a þ a, *schw. m.*, 8,671 *sünder, frevler.*
s y r, s y r e *s,* sire.
s y r w u n g, *st. f.*, 22,44 *hinterlist, nachstellung.*
S y s y l e, *volksn., m. pl.* 17,20 *Siusli, cin teil der slawischen Sorben?*
s y t h e n *s.* siþþan.
s y t t e, s y t t i s *s.* sittan.
s y x, s y x a *s.* six.
s y x t a *s.* sixta.
s y x t i g, *zahlw.*, 17,87; *me.* sexti 48,107 *sechzig: ne.* sixty.
s y þ þ a n, s y ð þ a n, s y ð ð a n, s y ð ð e n *s.* siþþan.

T.

t- *nach* t, d, s *s. auch* þ-.
t a *s.* taken, sê, þâ.
t a b l e, *sb., tafel, tisch; pl.* tables 42,35 *schreibtafel; ne.* table.
t a c *s.* taken.
t æ c a n, *schw. v., me.* teche 32,301;
  teich(e) 71,13; *prät.* tæhte 10, 2873; *me.* taute 46,219; teichit 71,40; *p. p. me.* tauʒt 19e,15 *zeigen, weisen;* teche 63,22; *prät.* tauchte 40,8 *lehren; mc.* techen (*hs.* tegen) 37,48 *mitteilen, sagen; ne.* teach.
t â c e n, *st. n.*, 9,254; *mc.* takenn 36,15586; tokyn 67,517; *pl.* tacness 36,15617 *zeichen, wunder; ne.* token.
t â c n i a n, *schw. v., p. p.* getâcnod 11,197 *bezeichnen, vorherverkündigen.*
t æ h t e *s.* tæcan.
t a i l e (*afrz.* taille), *sb.*, 48,33 *schnitt, kerbe, teil; ne.* tally.
t a i l l, *sb.*, 70,12 *schwanz; ne.* tail.
t a i n g, *sb., pl.* taingis 72,II,14 *(feuer)zange; ne.* tongs.
t a k e n, *v.*, 39,1348; take 42,37; tak 48,178; to; *imp.* tac 39,1287; tak 63,17; *prät.* toc 36,9; tok 39,1300; toke 42,43; took 65,61; tuk 66,403; towk 71,49; *p. p.*

taken 39.1311; tane 45,81; ytake 61,1112; takun 19e,12; takyne 62,37; take 63,23 *nchmen, ergreifen, fassen;* 48,127 *bringen; erhalten;* 42,57 *übernehmen;* 48,94; ta 60,72 *bestehen;* t. to honde 39. 1340 *verschaffen;* t. kepe 63,26 *achtgeben; treffen, schlagen;* 42.12 (*mit way*) *einschlagen;* 48,69 *sich aufmachen;* iuel tok him 44,114 *krankheit befiel ihn;* t. on honde 51,37 *unternehmen; ne.* take.
t æ l a n, *schw. v., prät.* tælde 8,598 *schmähen, lästern.*
t a l d, t a l d e *s.* tellan.
t æ l d e *s.* tælan.
t a l u, *st. f., me.* tale 44,3; taylle 67, 315 *erzählung, nachricht, geschichte, rechenschaft; ne.* tale; þei gaf no tale of wham 48,193 *sie nahmen keine rücksicht auf irgend wen.*
t a m, *adj., gen. pl.* tamra 17,90; *me.* tame 46,200 *zahm; ne.* tame.
t a n e *s.* taken.
t a p o r, *st. m., me.* taper 42,58 *kerze; ne.* taper.
t a r *s.* teru.
t æ r *s.* þær.
T a r c c, *ortsn.*, 58,87 *Tarshish.*
t æ r t e k e n n (= þær to cken, *ae. p. p.* êacen) 36,15595 *überdies, ferner; vgl.* tô-êacan.
t a r y, t a r y v n g *s.* tyrgan.
t a s t, *v.*, 67,448 *versuchen, prüfen; ne.* taste.
t a t(t) *s.* sê, þæt.
t a u ʒ t, t a u h t e *s.* tæcan.
t a u l d *s.* tellan.
t a u n e n, *v.*, 39,1290; *prät.* tawnede 39,1294 *zeigen.*
t a u t e *s.* tæcan.
t a y l l e *s.* talu.
t e *s.* sê, taken, tô.
t e a g o r, *st. m.*, têar 7,172, *me.* ter; *pl.* teres 33,37 *zähre, träne; ne.* tear.
t e a l a *s.* teale.
t e a l d e *s.* tellan.
t e a l e, *adv.*, 6,16; teala, tela *gut, recht.*
t ê a r a s *s.* teagor.
t e c h e(n) *s.* tæcan.
t e e, t e e n *s.* têon.
t e f o r *s.* tôforan.
t e g e n *s.* tæcan.
t e ʒ ʒ, t e ʒ ʒ r e *s.* hê.
t ê h *s.* têon.

tehte s. tôtǽcan.
teiche, teichit s. tǽcau.
tekeun s. êaca.
teld, telde s. tellan.
telga, schw. m., 9,188 zweig.
tellan, schw. v., me. tellen 27,34;
telle 32,228; tel 45,55; tell 57,
titel; 2. sg. präs. me. tellys 67,164
3. sg. telþ 41,3; prät. tealde; me.
tælde 28,36; talde 45,115; tolde
46,76; telde 47,1031; telt 47,
1091; tealde 50,76; teld 48,73;
told 48,78; tald 60,40; tauld 66,
437; p.p. teald, geteald 20,47;
me. told 39,1288 zählen, erzählen,
reden; 47,1110 für etwas halten;
ne. tell.
temen s. tîeman.
Temes, flußn., st. f., me. Temese
34,13789 Thames (danebenTemese,
schw. f.).
tempel, st. n., flekt. temple 7,186;
me. temple 39,1296; temmple 36,
15556 tempel; ne. temple.
tempeste, sb., 50,92 sturm; ne.
tempest.
tên, zahlw., týn 17,100; me. ten 28,
52 zehn; ne. ten.
tene s. têona, teonen.
Tenet, eigen., 15,150 Thanct (Insel).
tênhund, zahlw., 12,31 tausend.
tenserie, sb., 27,37 schutz(geld).
tent, sb., 48,167 acht, aufmerksam-
keit, sorgfalt.
tent, v., 67,421 achten auf, bedienen;
67,291 hingehen, eilen; ne. prov.
tent.
tent,zahlw.,67,478zehnte, ne.tenth.
têon, schw. v., prät. têode 16,43;
nh. tiadæ 2,8 schaffen.
têon, st. v., me. teen 39,1344; tee
58,87; prät. têah; p.p. togen (sich)
ziehen, begeben.
têona, schw. m., me. teone 37,61;
tene 46,158; teyn 67,533 anklage;
58,90 verdruß; sonst: kummer, leid;
ne. veraltet teen.
teonen, v., tene, teyn 67,210 plagen,
quälen.
têonrǽden, st.f., 22,22; akk. têon-
ræddenne 22,18 leid.
têoða, zahlw., 15,109; me. teoðe
28,33 der zehnte; vgl. tent.
teran, st. v., 8,595; me. präs. pl.
tereð 32,274 zerreißen; ne. tear.
teres s. teagor.
tereð s. teran.

Terfinna land, eigenn., st. n.,
17,73 das land der Waldfinnen
zwischen dem bottnischen golf und
dem Nordkap (vgl. trêo).
terme, sb., 62,18 grenze, ende; pl.
termes 58,61 gebiet; ne. term.
terreble, adj., 62,10 schrecklich;
ne. terrible.
teru st. n., Ep., 1,21; me. tere; tar
67,127 teer; ne. tar.
Teruagant, eigenn., 34,13912 er-
fabelter heidengott.
tethde, adj., 67,186 zänkisch.
text, sb., 59,51 text; ne. text.
teyn s. têona, teonen.
têð s. tôð.
thâ s. sê.
Thabor, bergn., 28,46 Tabor.
thai, thaim, thair s. hê.
thairfoir, thairfra s. þǽr.
thairis s. hê.
tham s. hê.
than s. þonne.
thanke s. þoncian.
thanne, thænne s. þonne.
thar(e) s. hê, þǽr.
tharf s. þearf.
tharfor(e) s. þǽr.
that s. sê, þæt.
thay, thaym s. hê.
the s. sê, þêon, þû.
thederward s. þiderweard.
thedir, thedur s. þider.
theo s. þû.
thei, theire s. hê.
then s. þonne.
thennes, thens s. þonan.
ther, there s. þǽr.
ther, thêre s. sê.
therfore s. þǽr.
ther(e)withall, adv., 69,171 da-
mit, zugleich; s. þǽr.
thes s. þêoh.
thes, these s. þes.
theues s. þêof.
they s. hê.
thi s. þû.
thilke s. ylca.
thin s. þû.
thinc s. þonan.
thing s. þing.
thinke s. þencan.
thir, this, thise s. þes.
thirte s. þrîtig.
tho s. sê, þêah, þâ.
thocht s. þêah, þencan, þôht,
þyncan.

thogh s. þêah.
thoght s. þencan, þyncan.
thoght(es) s. þôht.
thôhae s. þô.
throncsnotturra s. þoncsnoter.
thoner s. þunor.
theo s. þâ.
thoro s. þurh.
thou s. þû.
thoucht s. þyncau.
though s. þêah.
thought s. þyncan.
thousande s. þûseud.
thral s. þræl.
thre s. þrî.
threip, v., 70,5 versichern.
thretes, threting s. þrêatian.
thridde s. þridda.
thrife s. þrife.
thringen s. þringan.
thrist, v., prät. thrist 48,102 trei-
ben, stoßen, drängen; ne. thrust.
thrist s. þurst.
thristill s. *þrŷstle.
thristy, adj., 70,37 durstig; ue.
thirsty; vgl. þurst.
thrittene s. þrêotŷnc.
throu, throug(he), throw s.
þurh.
thryd s. þridda.
thryfe s. þrife.
thryft, sb., gedeihen; ne. thrift;
by my thryft 67,218 so wahr es
mir gut gehen möge, bei meinem
heil; vgl. þrife.
thûma s. þûma.
thus s. þus.
thy s. sê, þû.
thyn s. þû.
thyng s. þing, þyncan.
thynk, thynkande s. þencan,
þyncan.
thyrde s. þridda.
thyrty s. þrîtig.
thŷs s. þes.
tîadœ s. têon.
tîber, st. n., dat. tîbre 10,2852 opfer.
Tiberias, ortsn., gen. Tiberiadis
28,33 der see Tiberias.
tîbre s. tîber.
ticcen, st. n., 22,14; pl. tyccenu
21,12 me. ticchen zicklein.
tîd, st. f., 8,712; me. tide, tyde 60,1
zeit, stunde; 12,26 fest; ne. tide;
that tyde 69,160 zu jener zeit.
tid, adv., tîte 48,121; tyd 58,127
rasch, geschwind, bald; als tîte

48,210; as tyd 58,100; als tît
60,80; as tyte 67,219 so schnell,
sehr schnell.
tîdan, schw. v., me. tide; prät. me.
tidde, tide 59,81 sich ereignen,
geschehen.
Tidea s. Tydea.
tiding, vb.-sb., 39,1286; tydinge,
tiðende 34,13785; tiþinge 43,130;
tiþand 45.115; tydynge 61,1121;
tiþennde; pl. typynges 58,78; ty-
thingis 66,439; tythyngis 67,199;
tidingis 69,162 kunde, nachricht;
ne. tiding.
tieman, schw. v., tŷman; me. temen
32,108 zu gewähr ziehen, vorbringen;
ne teem.
tihte s. tyhtan.
til, adj., gut.
til, adv., mc. till 36,15570 hin;
präp., mh. 2,6; me. till 36,77; til
45,61; tille 48,45 zu, bis zu, bis,
nach, an, in; konj. til 27,8; tille
48,170; till 60,114; till þat 60,20
bis.
tilian, schw. v., me. tilien, tile, tille
48,178; prät. tilode; p. p. me. tiled
27,40 erzielen, erstreben, gewinnen;
11,208 verschaffen (mit gen.), ar-
beiten; 46,440 pflügen, acker be-
stellen; ne. till.
tille s. til, tilian..
tilwarde, präp., 45,10 auf ... zu.
tilð, st. f., me. tilðe 32,57 bearbei-
tung des bodens, saat; ne. tilth.
tîma, schw. m., 9,246; me. time 32,
132; tim 45,45; tyme 57,32; tym
60,28 zeit, mal; ne. time; þa III
dais time 45,39 während dieser
3 tage; any tyme 49,40 jemals.
timbran, schw. v., 9,188; fl. tim-
brianne 15,229; me. timbren; p. p.
pl. timbrede 13,48 zimmern, bauen,
erschaffen; nc. timber.
tîmlic, adj., me. timlich 50,75 zeit-
lich, irdisch; ne. timely.
tintreg, st. n., tintrega, schw. m.,
22,18; me. tintrehe qual, marter.
tintregiau, schw. v., 22,22; me.
tiutraȝen martern.
tintreglîc, adj., 16,78 qualvoll.
tîr, st. m., 11,157; tŷr, 18,6(les.); me.
tir ruhm, ehre.
tîrfruma, schw. m., 7,206 der erste
an ehren, ehrenfürst.
tirhð s. tyrgan.
tirpeile, sb., 48,76 streit, empörung.

tisdæi, sb., **34**, 13936; tisdei 34, 13924 dienstag; ne. Tuesday.

tit, tite s. tid.

tiþand, tiðende, tiþennde, tiþinge s. tiding.

to s. twêgen.

tô, adv., me. tu 32,4; to 32,11; te 32,350 allzu; präp. tô 6,11; me. to 32,2; te 32,261 zu, an, um zu (vor inf., vgl. for to), bis, bis zu, bis nach, im verhältnisse zu, für; 17,111 nach ... zu; 32,24 auf u. dgl.; ne. too, to; tô ðæm 14,22 zu dem zwecke; to fewe 43,36 zu wenige; to and fro 67,111 hin und her, überall; ase to 50,5 was ... anlangt; ne. as to.

tôberstan, st. v., me. toberste, prät. pl. tôburston 22,23 zerbersten, zerbrechen, zerreißen.

tôbrecan, st. v., me. tobreke; prät. tôbræc 22,58; p. p. me. tobroke 50,92 zerbrechen, zerreißen, zerschmettern.

tôbregdan, st. v., tôbrêdan; me. tobreiden; prät. tôbræd 22,22 auseinanderreißen; 22,13 zerreißen.

tobroke s. tôbrecan.

toc s. taken.

tôclêofan, st. v., me. tocleve, zerspalten.

tôdælan, schw. v., 17,174; me. todealen 37,95; prät. me. todeld 27,3 zerteilen, verteilen, trennen.

today s. dæg.

tôdrâf s. tôdrîfan.

tôdragan?, st. v., me. todrawe(n) 37,141; p. p. me. todrawe 61,1143 zerreißen, schleifen.

tôdrîfan, st. v., prät. tôdrâf 25,7 vertreiben.

tô-êacan, präp., 17,79 zu, nächst.

toemnes, präp., 17,115 längs, entlang.

tôflôwan, st. v., 14,schl.-ged.15 zerfließen, wegfließen.

tôforan, präp., me. touore 50,102; tefor 40,5 vor.

tofore, adv., 69,172 zuvor, zunächst.

tôgæd(e)re, togædere, to-gadere, togeder s. geador.

tôgegnes, adv. und präp., tôgêanes 9,11; nh. tôgægnes 19a,9; me. toȝeines 33,65; toȝenes 43, 58 (ent)gegen, zu; toȝeanes 32,76 im vergleich zu.

tôgeþêodan, schw. v., p. p. pl. tôgeþêoddan 15,152 verbinden, zusammenhängen.

togid(e)re s. geador.

tôhopa, schw. m., me. tohope 37,6 hoffnung.

tohte, schw. f., 11,179 (aus)zug, kampf.

tok, toke s. taken.

tokyn(s) s. tâcen.

tokynyng, sb., 67,476 zeichen.

told(en) s. tellan.

tôliegan, st. v., 3. sg. präs. tôlîð 17,153 (geographisch) trennen.

tolter, adv., 69,164 unbeständig.

tôlŷsan, schw. v., p. p. tôlŷsed 8, 585 auflösen, zerteilen.

tôm, adj., frei, leer; me. sb., tome 42,16; tom 58,135 muße, zeit.

tô middes s. mid.

tomurte s. tômyrtan.

*tômyrtan, schw. v., me. prät. tomurte 58,150 zerreißen, zerbrechen.

tong, tonge s. tunge.

tonn, tonne s. tunne.

too s. twêgen.

took s. taken.

top, sb., pl. topys 67,469 spitze; 67,271 topmast; ne. top.

tôrendan, schw. v., p. p. me. torent 58,96 zerreißen.

torfer, sb., 59,81 mühsal.

torht, adj., 7,186 glänzend, strahlend.

torhtlîc, adj., 11,157 glänzend, strahlend.

tôrinnan, st. v., 14,schl.-ged.19 wegrinnen.

torn(e) s. turnian.

tornword, st. n., 7,172 beleidigende rede.

tortle s. turtille.

tôsælan, schw. v., 6,25 entgehen (einpers. mit dat. der person und gen. der sache).

tôsâwan, st. v., 20,4 aussäen.

tôscâdan, st. v., tôsceâdan 15, 149; p. p. tôscâden 8,584 zerteilen, scheiden.

tôscerian, schw. v., 3. sg. präs. kent. tôscereð 20,29 trennen.

tôscylian, schw. v., p. p. me. toscyled 28,27 absondern, trennen.

tô sete s. settan.

tôslîtan, st. v., 8,698; me. toslyten zerschleißen, zerreißen.

töstencan, schw. v., p. p. pl. tô-
stencte 15,92; kent. töstente 20,13
zerstreuen, vereiteln.
tôtïëcan, schw. v., me. prät. to-
tehte 32,268 zeigen, lehren.
tôteran, st. v., me. totere; prät.
konj. sg. tôtære 22,13 zerreißen.
tother, tothir s. ôðer.
toun, toune s. tûn.
touore s. tôforan.
tour, sb., 61,1121; pl. towres 67,
349 turm; ne. tower.
tour = to our s. in.
tourne s. turnian.
towch, v., 67,462 berühren; ne.
touch.
towe, v., 58,100 ziehen, führen,
bringen; ne. tow.
tôweard, adj., 11,157; tôward 12,5
künftig, bestimmt; adv., präp., tô-
weard 17,182; tôweardes; me. to-
wardes; towarrd 36,15580; to-
ward 41,47 entgegen, gegen, auf ...
zu, auf, zu: nc. towards, toward.
tôwegan, st. v., p. p. tôwegen 9,
184 zerstreuen.
tôweorpan, st. v., 8,650 zerstören.
tôwiþere, präp., 7,185 gegen.
towk s. taken.
towres s. tour.
towrye, v., 69,164 herumdrehen.
tôwyrd, st. n., 15,70 gelegenheit.
tôð, m., 17,80; me. toþ; dat. sg. têð
22,30; n. pl. têþ 17,80 zahn; ne.
tooth.
traist, v., 59,17; trust 59,42; trist
67,515 trauen, glauben; ne. trust.
traitour, sb., traytour(es) 58,77;
tratour 60,52 verräter; ne. traitor.
tramme, sb., 58,101 gerät, tackel-
werk; ne. tram?
transitoric, adj., 73,23 vergäng-
lich; ne. transitory.
translate, v., 59,71 übersetzen;
ne. translate.
trappe, sb., 63,24 falle; ne. trap.
trastly, adv., 60,81 vertrauensvoll.
tratour s. traitour.
trauail(l)e s. trauayle.
trauayle, sb., 49,8; trauaille, tra-
velle 67,440 arbeit; ne. travail,
travel.
trauayle, v., 49,10 arbeiten; tra-
uaile 48,150 vergelten; ne. travail,
travel.
traw, trawe s. trêowian.
tray s. trega.

trayne, sb., 59,94 verrat; ne. train.
traytoures s. traitour.
tre, tree s. trêow.
trega, schw. m., me. treзo 32,371;
treie 37,61: tray 67,533 schmerz,
kummer, leid.
treie s. trega.
trêo(w), st. n., 9,200; me. tre 67,
34; tree 67,253; pl. treon 33,13:
treis 60,9 baum; 9,643; tre 42,17
holz; me. pl. tres 58,101 bretter,
deck?; ne. tree.
trêowe, adj., 8,655; me. treow(e)
34,18339; trowwe 36,69; trew(e)
38,8; tru 59,17; trowe 46,121;
trew 67,120 treu, wahr; ne. true.
trêowiau, schw. v., me. trowwenu
36,15621; trouue 46,369; (2. sg.
troustu 46,370); trow 58,127;
trawe 67,45; traw 67,244 ver-
trauen, glauben; ne. (Shakespeare)
trow.
trêowlîce, adv., me. trewly 65,
59 fürwahr; ne. truly.
trêowð, st. f., me. treuthe 27,12;
treuth 18,181; truthe 59,94; trouþe
46,252; truth 59,42; trouthe 63,2:
pl. treothes 27,12 treuersprechen,
treue, wahrheit; ne. truth, troth.
tres s. trêow.
treson, sb., 48,202; tresoun 48,64
verrat; ne. treason.
tresor, sb., 27,3; tresore 42,39;
tresour 65,60 schatz; ne. treasure.
tresorie, sb., 48,235 schatzmeister-
amt; nc. treasury.
tresoun s. treson.
trespas, sb., 73,14 übertretung,
sünde; ne. trespass.
trety, sb., 62,4 abhandlung; nc.
treaty.
treuth, treuthe(s) s. trêowð.
trew, trewe s. trêowe.
trewly s. trêowlîce.
trie, v., prät. triet 59,17 versuchen,
erproben; ne. try.
triful, sb., 59,43 kleinigkeit, posse;
ne. trifle.
trigg, adj., 36,69 treu (an. tryggr).
trine, v., prät. tron 58,101 treten,
gehen.
trinite, sb., 67,30; trynyte 67,83;
trynyty 67,169 dreieinigkeit; ne.
trinity.
trist s. traist.
trome s. truma.
tron s. trine.

t r o n e, *sb.,* **37**,22 *thron; ne.* throne.
t r o u b l e, *sb.,* **69**,173; trubbill **73**,7
  beschwerde, mühe, not, leiden; ne.
  treuble.
t r o u s t u, t r o u u e *s.* trêowian.
t r o u t h e, t r o u þ e *s.* trêowð.
t r o w *s.* trêowian.
t r o w e, t r o w w e *s.* trêowe.
t r o w w e n n *s.* trêowian.
t r u *s.* trêowe.
t r u b b i l l *s.* trouble.
t r u m, *adj., komp.* trumra **8**,650
  stark, kräftig.
t r u m a, *schw. m., me.* trome **44**,8
  schar.
t r u m l î c, *adj.,* **22**,36 *fest.*
t r u s, *v.,* **67**,316 *zusammenpacken;*
  ne. truss.
t r u s e, *sb.,* **59**,04 *waffenstillstand;*
  ne. truce.
T r û s ô, *ortsn.,* **17**,145 *ort am*
  Drausensee in der nähe von El-
  bing.
t r u s t, *sb.,* **37**,125 *vertrauen; ne.*
  trust.
t r u s t *s.* traist.
t r u t h, t r u t h e *s.* trêowð.
t r y m m a n, *schw. v., prät.* trymede
  15,131 *(be)stärken;* trymian **23**,
  17 *trösten;* **8**,638 *ermuntern.*
t r y m n y s, *st. f.,* **15**,143 *ermunte-*
  rung.
t r y n y t e, t r y n y t y *s.* trinite.
t u *s.* tô, twêgen, þû.
t u- *s.* tw-.
t u æ l f- *s.* twelf-.
t û c i a n, *schw. v., me.* tuken, touken;
  prät. tûcode **22**,15 *quälen.*
t u e n t y *s.* twêntig.
t u k *s.* take.
t u l k e, *sb.,* **59**,63 *mann.*
t û n, *st. m.,* **17**,177; *me.* tune(s) **27**,
  37; *toun*(e) **47**,1104 *umzäunung,*
  gehöft, ort, stadt; **54**,4 *vogelbauer?;*
  ne. town; *me.* to toun **42**,16 *nach*
  haus.
t u n g e, *schw. f.,* **15**,134; *me.* tunge
  32,285; tonge **51**,81; tong **67**,217
  zunge; ne. tongue.
t û n g e r ê f a, *schw. m.,* **16**,48 *guts-*
  verwalter.
t u n g o l, *st. n. m.,* **18**,28 *gestirn.*
t u n n e, *schw. f., me.* tonne **42**,13;
  tonn **42**,14 *tonne; ne.* tun.
t u o *s.* twêgen.
t u r f, *st. f., dat.* tyrf **9**,349 *erd-*
  schollen, boden; ne. turf.

t u r n i a n, *schw. v., me.* turnenn **36**,
  15573; turn **57**,*titel;* torn(e) **46**,
  109; *konj. präs.* turne **48**,66; *me.*
  prät. turned **47**,992: *p. p.* turud
  46,480 *wenden, verwandeln; p. p.*
  turued **47**,1056; turnd **61**,1142
  bekehren; prät turnet **59**,42 *ver-*
  drehen; turnide **19**e,2 *wälzen;*
  tourne **46**,147; turne **48**,121;
  torne **61**,1105 *sich wenden;* **48**,
  185 *werden;* t. vt of **44**,154 *be-*
  freien; ne. turn.
t u r t i l l e, *sb.,* **67**,506; tortle **54**.3
  (turtel)taube; ne. turtle.
t u s s *s.* þus.
t w ê g e n, *zahlw., me.* **10**,2867: *kent.*
  tuêgen **12**,23; *f.* twâ; *k.* tuâ **12**,
  18; *n.* tû **6**,4; twâ **21**,11; *me.* twa
  27,29; tweien **33**,9; two **39**,1291;
  to **42**,5; tweie **43**,24; tuo **48**,12;
  too **65**,64; *gen.* twêgra; twêgn
  10,2882; *dat.* twâm **15**,153; twæm;
  me. twam **28**,20 *zwei; ne.* twain,
  two.
t w e l f, *zahlw., fl.* twelfe, *me.* twelf
  28,13; twelve *zwölf; ne.* twelve.
t w e l f m ô n a ð, *m. pl., kent.* tuælf-
  mônað **12**,9, *me.* twelfmonþ *ein*
  jahr; ne. twelvemonth.
t w e l f t a; *zahlw., me.* twelfte **28**,
  34; twelfth *zwölfter; ne.* twelfth.
t w ê n t i g, *zahlw.,* **26**,6; *me.* twenti
  46,270; tuenty **48**,224 *zwanzig;*
  twenty **66**,363 *zwanzigster; ne.*
  twenty.
t w ê o, *schw. m.,* **14**,*schl.-ged.*6: *akk.*
  twêon **15**,159 *zweifel.*
t w ê o g a n, *schw. v., prät. pl. mere.*
  twêodun **19**d,17 *zweifeln.*
t w ê o n i a n, *schw. v., prät. pl.* twêo-
  nedon **19**b,17; *me.* tweonoden
  19c,17 *zweifeln.*
t w i n k l y n g, *sb., zwinkern;* tw. of
  an eye **69**,165 *augenblick; ne.*
  twinkling.
t w ô- *s.* twê-.
t w y n e, *v.,* **66**,421 *trennen, sich*
  trennen.
t w y y s, *adv., zweimal;* this twyys
  67,362 *zum zweitenmal; ne.* twice.
t y c c e n u *s.* ticcen.
t y d, t y d e *s.* tîd, tid.
T y d e a, *göttern.,* **34**,13924 *Tiw, Ziu.*
t y d e l y, *adv.,* **67**,291 *schnell, bei-*
  zeiten; vgl. tîd.
t y d i n g e, t y d i n g(g e) *s.* tiding.
t y e, *v.,* **67**,225 *binden; ne.* tie.

tyhtan, *schw. v., me. prät.* tihte
32,268 *anreizen.*
tyk *s.* midding tyk.
tym, tyme *s.* tîma.
tŷn *s.* tên.
tyne, *v., verlieren;* tyne a travelle
67,441 *eine arbeit vergebens machen;*
ne. prov. tine.
typped, *adj.,* 58,77 *erz-, haupt-.*
tŷr *s.* tîr.
tyrf *s.* turf.
tyrgan, *schw. v., 3. sg. präs. ind.*
kent. tirhð 20,3 *quälen, verhöhnen;*
me. tary 67,210 *aufhalten, ver-*
weilen; ne. tarry; *vb.-sb.,* taryyng
67,377 *zögern.*
tyte *s.* tid.
tythingis, tythyngis, typyn-
ges *s.* tiding.

U, V.

u- *s.* f-.
v- *s.* f-, w-.
uader *s.* fæder.
vaile *s.* avaylle.
vaill, *sb.,* 73,7 *tal; nc.* vale.
vair *s.* fæger.
valde *s.* willan.
vale, *v.,* 69,172 *herabsteigen, tal-*
wärts gehen, herabsinken.
ualuwen *s.* fealowian.
vancis, *v., prät.* vancist 71,48 *ver-*
schwinden; ne. vanish.
vanyte, *sb.,* 49,12; vanity *eitel-*
keit; ne. vanity.
uard *s.* weard.
uaren *s.* faran.
variable, *adj.,* 64,8 *veränderlich,*
wandelbar; ne. variable.
variance, *sb.,* 69,161 *veränderung,*
veränderüchkeit; ne. variance.
vatit *s.* waite.
vayne, *adj.,* 49,26 *eitel;* in vayn
67,360 *vergeblich, umsonst; ne.*
(in) vain.
uayre *s.* fæger.
uavrhode *s.* fægerhâd.
uch, vch, uche *s.* ælc.
ueir, veir *s.* fæger.
velany(e) *s.* vilanye.
uele, vele *s.* fela.
velthye *s.* welþi.
venge, *v.,* 58,71; wenge 60,79
rächen; ne. (a)venge.
vengeance, *sb.,* 48,168; vaniance
67,55 *rache; ne.* vengeance.

venk *s.* fôn.
venym, *sb.,* 58,71 *gift, giftigkeit,*
tücke; ne. venom.
ueole *s.* fela.
ver, *sb., fl.* were 60,1 *frühling.*
verament, *adv.,* 67,6 *wahrhaftig,*
in der tat.
veray, *adv.,* 67.1; verray 69,169;
verry 70,27 *wirklich, sehr; ne.* very.
uerc *s.* weorc.
uerden *s.* fêran.
veriour *s.* werriour.
vorre, *v., p. p.* verrit 59,49 *an-*
erkennen; vgl. nc. aver.
uers *s.* fers.
uerste *s.* fyrst.
vertu, *sb.,* 64,16; uertu 41,50;
pl. uertues 41,45; vertus 49,15
tugend; 50,34 *wunder; ne.* virtue.
vertuus, *adj.,* virtuus 59,49 *tugend-*
haft; ne. virtuous.
ves *s.* wesan.
uessele, *sb.,* 45,62 *gefäß;* vesselle
67,327 *schiff; nc.* vessel.
ufan, *adv.,* 10,2908 *von oben.*
ufel, vfel(e) *s.* yfel.
ufeweard, *adj.,* 22,47 *der obere.*
vgly, *adj.,* 69,162 *häßlich, garstig;*
ne. ugly.
viage, *sb.,* 65,63; vyage 65,62 *weg;*
vgl. ne. voyage.
vif *s.* wîf.
vizte, viztinge *s.* feohtan.
vikkit *s.* wicked.
vilanie, *sb.,* 48,94; vilani 46,128;
vyleynye 50,3; vilanye 58,71;
velanye; velany 67,67 *gemeinheit,*
niederträchtigkeit, schimpf; ne. vil-
lany.
vile, *adj.,* 49,11 *niedrig, gemein,*
schlecht; ne. vile.
vill *s.* willan.
vilté, *sb.,* 46,47 *gemeinheit.*
violently, *adv.,* wyolently 62,24
gewaltsam; nc. violently.
Virgille, *eigenn.,* 59,49 *Virgil.*
virtuus *s.* vertuus.
viß *s.* wise.
vitaylle, *sb.,* 67,155 *lebensmittel;*
ne. victual(s).
vith *s.* wið.
ulde *s.* ieldu.
uldre *s.* eald.
uless(lich) *s.* flæsc(lic).
um, vmbe *s.* ymb.
umble *s.* humble.
Vmbres *s.* Humber.

23*

unable, adj., 64,10; vnable 59,46 unfähig, untüchtig, schwach, ungeschickt, plump; ne. unable.

unaneomned, neg. p. p., 33,29 unbenannt, unbestimmbar.

unâsêðenlîc, adj., kent. 20,9 unersättlich.

unband s. onbindan.

unbeboht, adj., 17,90 ungekauft, eigener zucht; vgl. unboht.

unbefohten, neg. p. p., 23,57 unangefochten.

unbint s. onbindan.

unbisorȝeliche, adj., 33,53 rücksichtslos.

vnblendyde, neg. p. p., pl. 49,15 unvermischt, nicht vermischt; ne. unblended.

unblîðe, adj., me. vnbliþe, 44,141 unfroh, traurig.

unboht, neg. p. p., me. unboht 32,59; ungekauft, unbezahlt, ungebüßt; ne. unbought; vgl. unbeboht.

unbryce, adj., 9,642 unzerbrechlich, unvergänglich.

unc, unce, uncer(ra) s. wit.

vnceṡṡantle, adv., 67,147 unaufhörlich; ne. veratt. uncessantly.

unclǽne, adj., me. vnclene 49, 15 unrein; ne. unclean.

uncle, sb., wncle 66,441 oheim; ne. uncle.

uncurteis, adj., honncurteis, 46, 46 unhöflich, unartig; vgl. ne. uncourteous.

uncûð, adj., 15,129; me. uncnð(e) 34,13864; vnkuþ(e) 40,18 unbekannt, fremd; ne. uncouth; (ae. mit folgendem indirekten fragesatze absolut) 14,76 „da man nicht weiß".

uncýðþu, st. f., 8,701 unbekanntes land, unbekannte gegend.

undêop, adj., undîop 14,schl.-ged. 20; me. undep 27,27 nicht tief, niedrig, seicht.

under, präp., 9,874; me. vnder 35,75; vndur 42,44; under 43,75; anunder 37,32; anvnder 58,139 unter; vnder, adv. 59,18 darunter; vnder þan 34,13785 unterdessen; ne. under.

*underfindan, st. v., me. prät. underfond 44,115 herausfinden, merken; ne. veratt. underfind.

underfôn, st. v., me. vnderfo 40, 20; 2. sg. präs. me. ounderfost 46,

378; pl. unnderrfoþ 36,103; imp. me. vnderfong 55,50; prät. underfêng; p. p. me. underfangen 27,2 empfangen, aufnehmen, merken.

underfond s. *underfindan.

undergietan, st. v., me. undergeten; prät. undergeat 22,44: pl. merc. undergǽton; me. undergæton 27,9 merken.

underling, sb., 32,50 untergebener; ne. underling.

vnderneth, präp., 69,162 unter; ne. underneath.

understondan, st. v., 14,16; -standon 14,72(les.); me.-stande 32,191; -stonden 33,1; -stonde; vnderstonde 38,15; hounderstondo 46, 263; imp. undirstande 45,20; pl. vnderstondes 58,122; prät. -stôd; me. vnderstode 47,1095; pl. unnderrstodenn 36,15575; konj. vnderstode 40,21; p. p. -stonden; me. vnderstonde 40,48 verstehen, wissen, erfahren, einsehen, erkennen, hören (auf to), aufnehmen; me. beo vnderstonde 40,45 laß dir sagen; ne. understand; vb.-sb. me. vndirstandynge 49,44; onderstondinge 50,42 verständnis, verstand; ne. understanding.

vndertake, v., 67,274 unternehmen, auf sich nehmen, versichern; ne. undertake.

underþêodan, schw. v., p. präs. pl. underþêoddende 15,16 unterwerfen; p. p. underþêoded 16,84 ergeben.

undîop s. undêop.

undir-, vndir- s. under-.

undôn, unrglm. v., me. vndo 42,29 auftun, öffnen; 3. sg. präs. wndois 62,8 lösen, vernichten; ne. undo.

vndur s. under.

unêaþe, adv., 21,50; me. unieðe 32,181; unieðe 32,189; unneþe. vnneþ 48,164 unleicht, mit mühe, mit not, kaum; ne. veraltet uneath (Shakesp. H 6, B II, 4, 8).

unfêd, adj., 45,38 ohne nahrung; ne. unfed.

unfeor, adv., 10,2927 unfern.

unforbærned, neg. p. p., 17,167 nicht verbrannt.

unforcûð, adj., 23,51 nicht unrecht, nicht schlecht, redlich, tapfer.

unforȝolde, neg. p. p., 32,59 unvergolten.

unforht, adj., 8,601 furchtlos.
unfremu, st. f., me. unfreme 32, 226 schaden.
unfriþ, st.n., 17,67 unfriede, feindschligkeit.
ungefôge, adv., 17,187; me. unifoge; vnnifoʒe 34,14044 ungeheuer, ungewöhnlich, übermäßig, zahllos (?).
ungeleafsum, adj., 15,124 ungläubig.
unʒeleafsumnes, sb., 28,36 ungläubigkeit.
ungeleafnlîc, adj., 22,39 ungläubig.
ungelîc, adj., 15,75 me. unilich ungleich, unähnlich; ne. unlike.
ungelîce, adv., 8,688 ungleich, unähnlich.
ungemetegêd, neg. p. p., kent. 20,8 ungemäßigt.
ungemetlîce, adv., 21,55 über die maßen.
ungerýdelîce, adv., me. unuriddliʒ 36,15567 (les.) ungestüm.
ungesielð, st. f., me.uniselðe 32, 198; vnsealþe 32,374 unglück.
ungesêne, adj., me. unsene 45,17 unsichtbar; ne. unseen.
ungewemmed, neg. p. p., 15,169; instr. ungewemde 8,590 ungeschändet, unbeschädigt.
ungewyrht, st.n., fehlen von verdienst oder schuld; bi ungewyrhtum 13,6 grundlos.
unglæd, adj., me. vnglad 58,63 unfroh, traurig.
ungleâwnes, st. f., kent. ungleâunes(se) 20,8 unerfahrenheit.
unhælð, st.f., me. unhelþe 32,16; unhelðe 32,197; vnhelðe 32,373 krankheit.
unheld, adj., unhold; me. subst. unhold(e) 32,36 feindlich gesinnt.
uni- s. unge-.
unieðe s. unêaþe.
unifege s. ungefôge.
unket s. wit.
unknowlage, sb., vnknawlage 62,9 unkenntnis.
vnkuþ s. uncûð.
vnkyndnes, sb., 67,12 lieblosigkeit, ungehorsam; ne. unkindness.
unlæd, adj., 8,616 arm, elend, unselig.
unlaw, sb., heunlawe 46,60 unrecht, ungerechtigkeit.

unlifigende, neg. p. präs., unlyfigende(s) 11,180 nicht lebend, tot.
unmæte, adj., 9,625 ungemessen, sehr groß.
unmihtig, adj., 22,64; me. unmiʒti machtlos, kraftlos; ne. unmighty.
unn- s. un-.
unnan, prät.-präs., me. unnen 32, 314; vnnen 54,46; präs. sg. ann; an 10,2915; pl. unnen; prät. ûðe 11,123 gönnen, gewähren; 11,183 schenken (mit gen. der sache); lassen (mit inf.).
unnbindeþþ s. onbinden.
unne, vnne s. unnan.
vnneþ s. unêaþe.
vnnifoʒe s. ungefôge.
unnriddliʒ s. ungerýdelîce.
unnyt, adj., 14,schl.-ged.,15; me. vnnut 32,5 unnütz.
uneferswiþendlîc, adj., 15,45 unbesiegbar.
unrid, adj., 67,40 groß, heftig, hart, grausam; vgl. ungerýdelîce.
unriht, st. n., 25,5; me. unriht 32,93 unrecht, ungerechtigkeit.
unrihtwîslîc, adj., merc. unrehtwîslîc 13,7 ungerecht.
unrihtwîslîce, adv., me. vuryghtwysely 49,22 mit unrecht; vgl. ne. unrighteeusly.
unrihtwîsness, st.f., merc. unrehtwîsniss 13,39; me. unriʒtwisnesse ungerechtigkeit; vgl. ne. unrighteousness.
unrîm, st. n., 8,625 unzahl, große menge.
unrôt, adj., me. unrot 28,26 unfroh, traurig; vgl. geunrôtsian.
unsceððænde, neg. p. präs., adj., 15,220 harmlos, unschuldig.
unsceððig, adj., 25,1 unschuldig, schuldlos, harmlos.
vnsealþe s. ungesielð.
unsele, adj., 32,199; eunseli 46, 98 unselig, unglücklich; hounsele, sb., 46,175 unglück, trauer.
unsene s. ungesêne.
unslagen, neg. p. p., 39,1332 unerschlagen, am leben.
unsmêþ, adj., 9,26 uneben.
unsôfte, adv., 11,228 unsanft.
vnsoght, neg. p. p., 67,97 nicht gesucht, häufig, allgemein; vgl. sêcan.

unspêdig, *adj.*, 17,164 *unvermögend, arm.*
unstedefest, *adj.*, 32,241 *wankelmütig, vergänglich; ne.* unsteadfast.
untellendlic, *adj.*, 27,19 *unsäglich.*
vntew *s.* unto.
vntille, *präp.*, 67,218 = tille *zu; ne.* until, till.
unto, *präp.*, 48,121; vnto 59,95 *hin* ... *zu, zu, an, bis;* vn to 65, 61; vntew 67,505 *zur bezeichnung des dat. (auchnachgestellt); vgl.* tô.
untrêowe, *adj., me.* vntrew 59,47 *untreu, unwahr; ne.* uutrue.
untruwuesse, *sb.*, 32,265 *untrene, treulosigkeit.*
untŷmende, *neg. p. präs.*, 22,2; *me.* unteminde *unfruchtbar.*
unwier, *adj., me.* vnwar 58,115 *unvorsichtig, töricht; vgl. ne.* unwary.
unweaxen, *p. p.*, 10,2871 *unerwachsen.*
unwine, *st. m., me.* unwine 37,127 *feind.*
unwisdôm, *st. m.*, 13,8; *me.* unwisdom *unklugheit, torheit; nc.* unwisdom.
unwîse, *adj., me.* ounwis 46,117; onwis 46,218; vnwis(e) 48,165; vnwys 63,27 *unwcise, unklug, töricht; ne.* unwise.
vnwrast, *adj.*, 34,13943 *schwach, schlecht, gottlos.*
unwriȝen *s.* onwrêon.
unwuune, *sb.*, 32,208 *gegenteil von wonne, leid.*
vnwys *s.* unwîse.
unþêaw, *st. m., me.* unðeaw(e) 32,346 *unsitte, sünde.*
void, *adj.*, 69,164 *leer; ne.* void.
voide, *v., prät.* voided 48,38 *leeren, säubern; ne.* void.
uolk, volke *s.* folc.
uolueld, uoluelþ *s.* fullfyllan.
uondi *s.* fondian.
uor, vor *s.* for.
uorbisne, -bysne *s.* forebysn.
uorst *s.* forst.
vort *s.* fort.
Vortiger, *eigenn.*, 34,13786; Uortiger 84,13801; Uortigerne 34,13813; *ac.* Wyrtgeorn 15,29 *Vortigern.*
vorzoþe *s.* sôð.

vote *s.* fôt.
vourti *s.* fêowertig.
vowchsafe, *v.*, vowchsayf 67, 172 *sich herablassen, geruhen, gestatten; ne.* vouchsafe.
up, *adv.*, 10,2855; uppe 9,629; upp 15,154; *me.* upp 36,46; op 50,107; vp 51,69; up 67,153 *auf, hinauf, in die höhe, oben; ne.* up; *me.* up and dun; up eud dun 32,240 *auf und ab;* up ande dune 45,5; vp and doun 48,84 *überall; ne.* up and down; up se doun 64,5 *das oberste zu unterst, auf den kopf (gestellt); vgl. ne.* upside down: *adv.* up on 8,644 *oben in: präp.* upp on: *me.* uppou 33,13; uppou 34,13859; upponn 36,15579; upo 38,1; vpo 38,12; opon 42,19; oppon 46,204; ope 50,80; vppon 59,6; apon 60,20; vpon 61,1114; apone 66,413: upon 67,229 *oben auf, auf, an, in; ne.* upon.
upâhafenes, *st. f., kent.* 20,19 *überhebung.*
upâstîgnes, *st. f.*, 16,76 *himmelfahrt.*
vpbraid, *sb.*, 48,162 *vorwurf, beschimpfung.*
upbraide, *v.*, *vorwerfen, vorrücken, beschuldigen; ne.* upbraid.
vpbricht, *adj.*, 73,19 *vollständig hell.*
upflôr, *st. f.*, 22,76 *dat.* upflôra *oberer flur, söller.*
uplîc, *adj.*, 9,663 *oben befindlich, hoch erhaben.*
upo, vpo, upon, vpou, upp, uppe, uppon *s.* up.
vpward, *adv.*, 69,165 *aufwärts.*
uram *s.* from.
ûre, ure, vre *s.* wê.
vrechit *s.* wrecca.
ureisun, *sb.*, 37,*titel;* orisune 45, 52 *gebet; nc.* orison.
vri *s.* frêo.
ûrigfeðera, *schw. adj.*, 11,210 *mit feuchten federn.*
urnon, urnen *s.* eornan.
urom, vrom *s.* from.
urs, 31,1 *lat.* ursus *(William von Malmesbury: Vocaris Ursus, habeas Dei maledictionem).*
us, us, vs *s.* wê.
use, *v.*, 57,30 *anwenden, gebrauchen; ne.* use.
ûsic, uss, ûssa *s.* wê.

ût, *adv.*, 14,8; *me.* ut 36,15564;
owte 49,3; out 67,89 *hinaus, her-*
aus, nach außen hin: oute 45,21
ganz und gar; houte 46,79 *außer*
hause; ne. out; ût of *präp.*, 11,135;
me. ut of; ut off 36,64; out of 46,
347; owt of: out off 66,420 *aus,*
außerhalb; ne. out of.

ûtamæran, *schw. v., p. p.* ûta-
mærd(e) 15,92 *hinaustreiben, ver-*
treiben.

ûtan, *adv.,* 9,204; ûton 17,5; *me.*
uton *von außen.*

ûtanbordes, *adv.,* 14,12 *von*
außen her, von auswärts.

ûte, *adv.,* 15,173 *draußen;* 14,13
im auslande.

nte *s.* wîtan.

ûtgong, *st. m.,* 8,661 *auszug.*

uthire *s.* ôðer.

ûtlaga, *schw. m., me. pl.* utlaʒen
34,14059; vtlawes 44,41 *der ge-*
ächtete: ne. outlaw.

utlaʒen *s.* ûtlaga.

uton *s.* wîtan.

uu- *s.* w-.

uuæg *s.* wæg.

uuaren, uuæren, uuæs *s.*
wosan.

uueartae *s.* wearte.

uuęge *s.* wæg.

uuel, vuele *s.* yfel.

uuelesces *s.* welesc.

uuelespeke, *sb.,* 32,274 *ver-*
leumder.

nuenden *s.* wênan.

uneorthae *s.* weorþan.

uuerse *s.* yfel.

uuiurthit *s.* weorþan.

uuldur- *s.* wuldor-.

uuluellen *s.* fulfyllan.

uundra *s.* wundor.

uuord *s.* word.

uurecce *s.* wrecca.

uurythen *s.* wrîðan.

uut, vut *s.* witodlîce.

uwer *s.* gehwær.

uwilc(h) *s.* gehwelc.

vyage *s.* viage.

uyealdinde *s.* fealdan.

vyleynye *s.* vilanye.

vyn *s.* winnan.

vyntir(-) *s.* winter(-).

vysage, *sb.,* 65,68 *gesicht; ne.*
visage.

vyuc *s.* fîf.

uþe *s.* yð.

ûðe *s.* unnan.

ûðwita, *schw. m.,* 18,137; *me.*
upwite *weiser mann.*

W.

w *s.* hwâ.

wâ, *interj. und adv.,* 8,632; *me.*
auch *sb.,* wa 32,151; wo 43,52;
woo 52,8 *weh; ne.* wo, woe; *me.*
ich am wo 43,117 = me is wo.

wâc, *adj.,* 23,43; *me.* wac 38,29;
woc 37,40 *schwach, schwank, bieg-*
sam; vgl. ne. weak.

wacan, *st. v., me. prät.* woke 69,
172 *erwachen.*

wæcan, *schw. v., prät.* wæcte 15,2
schwächen, erschöpfen; ne. weaken.

wæcce, *schw. f.,* 15,211 *das wachen,*
die wache.

wæccende, *p. präs.,* 8,662; *me.*
wacchende *wachend; ne.* wat-
ching.

wacian, *schw. r., me.* wake(s) 49,45;
p. präs. walking = waking 69,
173 *wachen, bewachen;* 67,89 *er-*
wecken; ne. wake.

wâcian, *schw. v.,* 23,10 *weichen.*

wæcnian *schw. v., in* âwæcnian;
prät. me. wakened 58,132 *er-*
wachen, sich erheben; ne. waken.

wæcte *s.* wæcan.

wæd, *st. f.,* wæde, *st. n., nh.* wêde
19a,3; *me.* wede 44,94; weid 71,
11 *gewand, kleid; ne.* weed(s).

wadan, *st. v.,* 10,2886; *me.* wade
waten, gehen; ne. wade.

wâfian, *schw. v.,* 9,342 *staunen.*

wâfung, *st. f.,* 22,79 *schauspiel,*
schaugepränge.

wæg, *st. m., gen.* wæges 8,680;
pl. me. wawghes 67,426: wawes
58,142 *flut, welle, woge, meer.*

węg, *st. f., kent.* uuęg(e) 12,20; *me.*
weie *wage, gewicht; ne.* wey,
weigh; wey of cheese *gewöhn-*
lich = *zwei zentner.*

wægan, *schw. v., p. präs. kent.*
wægende 20,37 *betrügen.*

wagge, *schw. v.,* 44,89 *schwingen; ne.*
wag.

waʒʒnenn, *v.,* 36,37; waynye
50,21 (*hs.; vgl.* waiue) *in einem*
wagen führen, bringen (vgl. ae.
p. p. bewægned).

wægn, *st. m., me.* waʒʒn 36,21
wagen; ne. wain.

wâh, *st. m., me.* wah **38,32** *wand.*

wai *s.* weg.

wait *s.* witan.

waite, *v.,* wayte **58,130** *wachen, achtgeben;* wayte **58,86**; *prät.* vatit **60,36** *erwarten (mit akk. oder after);* **45,103** *abwarten; ne.* wait.

waith, *sb.,* **66,386**; waithyng **66,387**; wathe **67,486** *beute beim jagen, fischen etc., speise.*

waiue, *v.,* **42,10** *umherirren, treiben. schwanken;* wayuye **50,** 21 *entfernen; ne.* waive.

wake *s.* wacian.

wakened *s.* wæcnian.

wakes *s.* wacian.

wakese *s.* weaxan.

wæl, *st. n.,* **18,130**; wæll **15,104**; *pl.* walu *gesamtheit der gefallenen;* strages, clades; *der körper eines im kampfe gefallenen.*

wæl, *st. m. n.,* **14,***schl.-ged.*16; wéll *pfuhl, wasser(tiefe); ne. dial.*weel.

walcande *s.* wealcan.

wald *s.* weald, willan.

wald, *sb.,* **36,64** *gewalt, macht (vgl. ae.* geweald).

waldau *s.* wealdan.

wald(e) *s.* willan.

wælde(n), waldén(d) *s.* wealdan.

wale, *v., wählen, aussuchen;* wisost to wale **59,8** *die weisesten, die zu finden waren.*

wælfeld, *st. m.,* **18,**102 *walstatt.*

wælgîfre, *adj.,* **11,**207 *leichengierig.*

wælgrim(m), *adj.,* **6,8** *mordgrimmig.*

wælhwelp, *st. m.,* **6,23** *mörderischer hund.*

walkeð *s.* wealcan.

walking = waking; *s.* wacian.

wœll *s.* wœl.

wéll *s.* wœl.

wall(e) *s.* weall.

walle, *sb.,* **40,12** *brunnen.*

wællhrêownysse, *st. f.,* **15,**11 *blutgier, grausamkeit.*

wallit, *p. p.,* **69,159** *ummauert, befestigt.*

wælstôw, *st. f.,* **18,**85 *walstatt.*

waltere, *v., prät.* waltered **58,**142 *sich wälzen, rollen; vgl. ne.* welter.

waln *s.* wœl.

Walum *s.* Wealh.

wain *s.* hwâ.

wambe *s.* womb.

wau *s.* hwâ, hwonne.

wanand *s.* wanie.

wand *s.* windan.

wanderit *s.* wandrian.

wandreth,*sb.,***67,40***wirrsal, elend, unglück.*

wandrian, *schw. v., me.* wandre *wandern; prät.* wanderit **70,**8 *sich verirren; ne.* wander.

wane *s.* wene, wona.

wanene *s.* hwonon.

wânian, *schw. v., me.* wanen, wonen *weinen, klagen; me. vb.-sb.* wanunge **32,**231.

wanie, *v., 3. präs. ind.* wanys 67, 458; *p. präs.* wanand 67,493; *p. p.* wanyd 67,450 *schwinden, abnehmen, weniger werden; ne.* wane.

wann *s.* wonn.

wanne *s.* hwonne.

want, *sb.,* **67,**194 *mangel; ne.* want.

wantis *s.* wonten.

Wantsumo, *flußn.,* 15,151 *Wantsum.*

wanttis *s.* wonten.

wanys, wanyd *s.* wanie.

wêpen, *st. n., fl.* 8,623; *me.* wepen, *fl.* wepne **32,336**; *pl.* wappynis **66,**401 *waffe; ne.* weapon.

wêpengewrixle, *st. n.,* **18,**101 *waffenwechsel, kampf.*

wêpnedmon, *m.,* wêpmann: *me.* weppmann **36,**15; wepmon **40,**82; wepman; *pl.* wepmen **33,**101 *(bewaffneter) mann.*

wapolian, *schw. v.,* **20,2** *sprudeln.*

wappynis *s.* wêpen.

war *s.* wær, wesan.

wær, *adj., me.* war **31,13826**; ware **69,**164; whar:*komp.* wœrra, wœrra **20,3** *vorsichtig, klug, gewahr; ne. veralt. (Shakespeare)* ware.

wær, *st. f., gen. sg.* wêre; *nom. pl.* wæra **26,3** *bund, vertrag, verheißung.*

ward(es) *s.* weard.

wardraipair, *sb.,* **72,**II,2; wardraipper **72,**1 *garderobier, vorsteher der kleiderkammer; ne.* wardrober.

wardrop, *sb.,* **72,**I,*titel*; wardroippe **72,**18; wardrope 72,II,10 *kleidervorrat, garderobe; ne.* wardrobe.

ware *s.* wær, warian, waru.

ware, wêre, wiere, wæren(n) *s.* wesan.

Warenne, ortsn., 48,129 Varenne.
wĕrfæst, adj., 10,2900 wahrhaft, treu.
warian. schw. v., me. warie, war(e) 57,6 wahren, sich hüten, behaupten, innehaben: me.wary(s) 59,19 wahrnehmen, anwenden: vgl. ne. beware.
wârig. adj., me. wori 82,144 schmutzig.
wark, v., 67,269 schmerzen: neuschott. wark, werk; vgl. ae. wæro, sb., schmerz.
wark(e) s. weorc.
warld, warlde s. weorold.
wærlîc, adj., 8,662 vorsichtig.
warlok, sb., 58,80 fußfessel; ne. warlock.
warm s. wearm.
warn(e), warnian, warnie, warnode s. wearnian.
wĕron, wæron, wæruns. wesan.
warp, warrp s. weorpan.
wærra s. wær.
wars s. yfele.
war-to s. hwĕr.
waru, st. f., me. ware 32,68 ware; ne. ware.
waruð, st.m., worð; me. warþufer.
wary s. wirigan.
warys s. warian.
was, wæs s. wesan.
wascan, st. v., me. wassche 37, 199; prät. wôsc; me. wesch 38,7; pl. wôscon; me. wesse 41,16 waschen, baden, reinwaschen (mit ol); ne. wash.
wâse, schw. f., me. wose 50,7; woze 50,53 schlamm; vgl. ne. ooze.
wass s. wesan.
wassche s. wascan.
wâst s. witan.
wæstm, st. m. f. n., 9,243; pl. gen. wæstma 15.8; akk. wæstma 9,332 körperbeschaffenheit, wuchs, gestalt, gewächs, frucht.
wæstmbĕrness, st. f., wæstmbĕrnysse 15,43 fruchtbarkeit.
wat s. hwâ.
wât, wate s. witan.
Wat Wynk, schimpfn., 67,382; Wat = Walter, wink, v., schielen, blinzeln; etwa: Hans Narr.
wæter, st. n., 10,2875; me. wetere 32,82; waterr 36,15539; watere 41,14; watter 58,138; wattir 66, 360; gen. merc. wetres 13,22; pl.

wætru 14,schl.-ged.5; merc. weter 13,1; gen. wætra 9,184; merc. wetra 13,21 wasser; ne. water.
wæterscipe, st. m., 14,schl.-ged.1 wassermasse, wasser; 22,29 wasserstelle.
wathe s. waith.
watter, wattir s. wæter.
watz s. wesan.
wâwa, schw. m., me. wawe 32,151 weh, leid.
wawes, wawghes s. wêg.
wax, waxe(n) s. weaxan.
way, waye s. weg.
wayle, sb., 54,1 eine schönheit, eine schöne.
waynyc s. wajjnenn.
wayte s. waite.
wayuye s. waiue.
wê, personalpron., 9,668; me. we 32,19; ne. we; gen. (possess.) ûser, ûre 14,34; gen. pl. ûssa 8,619; me. ure 32,57; vre 32,57; our 42,26; ur 45,47; houre 46,31; oure 46, 75; ne. our; dat. ûs 9,23; me. dat. und akk. us 32,48; uss 36,15542; ous 46,90; hous 46,220; vs 49,18; hus 67,46; akk. ws, vs, ûsic 9,630; ûs 11,184 wir; ne. us; vs 67,292 (bei einpersönl. must); we ðe die wir.
we, interj., s. wêa.
wêa, interj., me. wo 46,115 wehe, was, nun.
wealcan, st. v., me. walken 32, 237 (sich) wälzen; p. präs. walcande 45,118 gehen, wandern; ne. walk.
weald, st. m., 9,13; wald 11,206; me. wald wald, bewaldetes land; ne. weald, wold.
wealdan, st.v., 25,4; waldan, me. wælden 32,2; wealden 32,55; welde 44,129; 3. sg. präs. wealded 32,387; p. präs. weldand 67,494; prät. wĕold 26,9 gewalt haben, stark sein, in der gewalt haben, (be)herrschen: 46,83 besitzen; sbst. p. präs. wealdend 26,6; waldend 8,723; me. waldend, walden 34, 13925 herrscher, herr, könig.
wealded, wealdend s. wealdan.
wealgate s. weallgeat.
Wealh, st. m., gen. Wêales; pl. dat. Walum 26,9; akk. weealles 18,144 der nichtgermane, fremde, wälsche.

wealhstod, *st. m.*, 14,51 *übersetzer, dolmetscher.*

weal(l), *st. m.*, 8,650; *me.* wall(e) **82,41** *wall, mauer; ne.* wall.

weallan, *st. v.*, wyllan; *me.* weallen 32,218; wellen **54,41**; *3. sg. präs. me.* wealð 32,245; *prät.* wêol 8,581 *wallen, kochen; 3. sg. präs.* wilð 17,4 *entspringen.*

weallgeat, *st. n., dat.* wealgate 11,141 *mauer-, stadttor.*

wealð *s.* weallan.

weard, *st. m.*, 10,2865; *nh.* nard 2,1; *me.* weard(es) 19c,4; ward *wart, hüter, herr.*

weard, *st. f.*, 8,664; *me. wache, rücksicht; pl.* wardes 48,41 *gerechtsame; ne.* ward.

weardian, *schw.v.*, 9,85 *bewachen.*

wearm, *adj.*, 9,18; *me.* warm(e) 46, 225 *warm; ne.* warm.

wearmian, *schw. v.*, 9,213 *sich erwärmen, warm werden; ne.*warm.

wearnian, *schw. v., me.* warnie 32,226; werni 32,300; wearnen 38,10; warne 68,25; warn 67,110 *warnen (vor* of, *wið), raten; versagen; prät.* warnode 15,174 *sich schützen; ne.* warn.

wearte, *schw. f., Ep.* uneartne 1,16; *me.* warte, werte *warze; ne.* wart.

wearð, wearþ *s.* weorþan.

weax, *st. n.*, 12,28; *me.* wax *wachs; ne.* wax.

weaxan, *st. v.*, 9,232; *me.* waxe 43,97; wakese 46,182; wexe 50, 75; waxen 52,15; wax 67,179; *me. 3. sg. präs. ind.* wext 50,62; *prät.* wêox(on) 22,72; wêoxs (*urspr.* wôx) 22,10; *me.* wex 45,85 *wachsen, erwachsen, zunehmen; 3. pl. präs.* waxeþ 52,32; *prät.*wox 60,21 *werden; ne.* wax.

weccan, *schw.v.*, 10,2901; wecan 9,255; *me.* wecchen, *prät.* we(a)hte *(er)wecken, erregen, aufregen, hervorrufen, hervorbringen, erzeugen; (feuer) anzünden.*

wed *s.* wedden.

wêdan, *schw. v., schott.* weide 66, 438; *prät.* wêdde 8,597 *wüten, toll werden.*

wedden, *v.*, wedde 63,18; *p. p.* wedded 46,8; wedde 46,137 *heiraten, vermählen;* wed 64,29 *verbinden; ne.* wed.

wedding, *vb.-sb.*, 63,21 *hochzeit, ehe; ne.* wedding; *s.* wedden.

wêde, wede *s.* wêd.

weder, *st. n.*, 9,18; *me.* weder 67, 417; wedir 67,470 *wetter, unwetter, sturm; ne.* weather.

wedercondel, *st.f.*, 9,187 *wetterleuchte, sonne.*

wedir *s.* weder.

wedmen, *sb. pl.*, 67,400 *eheleute.*

wedows *s.* widuwe.

wee(s) *s.* wiga.

weealles *s.* Wealh.

weg, *st. m.*, 6,21; *merc.* wæg; *me.* wei 32,72; wei(e) 39,1300; way 42, 12; wai(e) 46,1; way(e) 49,37 *weg, wandel; ne.* way; on weg, *adv.*, aweg 22,68; *merc.* awæg 19d,11; *me.* awæi 34,14041; awey 34, 14041; awei 37,94; away 46,17; awai 46,149; awaye 49,3; avay 69,33 *hinweg, weg;* do wai 45,59 *geh weg, hör auf; ne.* away.

wêg, *st. m.*, 10,2932; wêoh *heiligtum, altar.*

wegan, *st. v., me.* weʒen 32,63 *tragen, bewegen, wägen;* w.ankres 58,103 *die anker lichten; ne.* weigh.

weʒen *s.* wegan.

wêgende *s.* wêgan.

wegh(es) *s.* wiga.

wei *s.* weg.

weid *s.* wêd.

weide *s.* wêdan.

weie *s.* weg.

weill *s.* wel.

weir *s.* werian.

weir, *sb.*, 71,50 *furcht, zweifel.*

weiweri, *adj.*, 40,13 *vom wege müde.*

wel, *adv.*, 13,19; well; *me.* wel 32,3; well 36,15557; wele 42,13; weill 60,16; weyle 66,438; welle 67,13 *wohl, gut, leicht, füglich, sehr, weit; komp.* bet; *me.* bet 32, 15; beter 46,274; betere 46,389; *sup.* betst; wel hwær (gehwær) 14,77 *überall; ne.* well.

wel, wela(n) *s.* weola.

welcome(n), welcomore *s.* wilcuma.

weldand *s.* wealdan.

welde *s.* wealdan, gewyldan.

welder, *sb.*, 58,129 *walter, herr; vgl.* wealdan.

wele *s.* wel, weola.

weler, *st. m. f.,* 20,37; *dat. pl.*
welerum 14,*schl.-ged.*14 *lippe.*
welese, *adj.,* uuelesc(es) 12,22;
me. welsch *wälsch; ne.* Welsh;
vgl. Wealh.
welfare, *sb.,* 62,21 *wohlfahrt,*
wohlergehen; ne. welfare.
welig, *adj.,* 8,569; weoli 34,13904
reich, mächtig.
well, welle *s.* wel.'
welle, *st. m. und schw. f.,* 14,
*schl.-ged.*24; wielle, wylle; *me.*
welle 33,21; well 69,168 *quelle,*
brunnen.
wellen *s.* weallan.
wellspryng, *st. m.,* welsprynge
14,*schl.-ged.*7; *me.* welsprung37,72
(ur)quell, quellursprung; ne. well-
spring.
welm *s.* wylm.
welpe *s.* hwelp.
welsprung, welsprynge *s.*
wellspryng.
welt, *v., prät.* welt 58,115 *sich*
wälzen, bewegen.
weltering, *vb.-sb.,* 69,163 *das*
rollen, drehen; ne. weltering.
welþi, *adj.,* velthye 62,37 *reich:*
ne. wealthy.
wemme, *sb.,* 45,109 *flecken, schaden*
(vgl. ae. womm, wemman).
wên, *st. f.,* 7,212 *wahn, meinung,*
erwartung.
wênan, *schw. v.,* 14,17; *me.* wenen
32,41; weyn 67,444; *konj.* wêne
21,6; *prät.* wênde 14,43; *me.* uuen-
de(n)27,2; wende(n)27,17; wend
48,117 *wähnen, glauben, denken;*
8.686; *p. p. me.* wend 48,106 *halten*
für; 58,111 *hoffen, fürchten; vb.-sb.*
me. wenyng 58,115 *hoffnung; ne.*
(Shakespeare) ween.
wend(e) *s.* wênan, wendan.
wendan, *schw. v.,* 8,570; *me.* wen-
den; wend; *prät. pl.* wendon 14,
48; *me.* went (*mit reflexic.* him) 45,
110; *p. p.* ywent42,33 *wenden; p. p.*
iwent 41,18 *verwandeln;* 46,118
umstimmen; konj. präs. wende 46,
181 *ändern:* wende34,13968; *konj.*
präs. wende 32,86; *prät.* wente
42,43; wend 46,17; wende 51,49;
p. p. (out) went 46,345 *sich wen-*
den, gehen; vgl. ne. wond, went.
wênde *s.* wênan.
Wendelsǽ, *eigenn., st. m.,* 17,8
Mittelmeer (auch Schwarzes Meer).

wende(n) *s.* wênan, wendan.
wendesdǽi, *sb.,* wendesdei 34,
13928 *mittwoch; ne.* Wednesday.
wendon *s.* wendan.
wene, *sb.,* wane 32,151 *(lesarten)*
unglück, elend.
wene, weneð, weneþ *s.* wênan.
weng, *sb., pl.* wyngez 49,6; wen-
ges 49,43; wing *flügel; ne.* wing.
wenge *s.* venge.
wenges *s.* weng.
wenne *s.* hwonne, wunno.
went, wente *s.* wendan.
Wenus, *eigenn.,* 72,1 *Venus.*
wenyng *s.* wênan.
wêoh *s.* wêg.
weola, *schw. m.,* 26,7; wela(n) 14.
35; *me.* wele 32,153; weole 52,35;
wel *wohl, fülle, schätze, reichtum;*
freude, glück, gunst; ne. weal.
wêold *s.* wealdan.
weoli *s.* welig.
Weonoðland, *ländern., st. n.,* 17,
146; Weonodland 17,152; Winod-
land 17,158 *Wendenland.*
wêop, weop(en) *s.* wêpan.
weorc, *st. n.,* 8,569; *nh.* uerc 2,3;
me. weorc 32,108; weork(es) 32,
63; weorch(es) 32,11; werk(es)
41,33: werc 46,374; werke 59,4:
wark(e) 67,130 *werk, arbeit; ne.*
work.
weord(e) *s.* word.
weore(n) *s.* wesan.
weorod, *st. n.,* 9,187; weorud
8,647; werod 11,199 *schar, volk,*
menge: gen. pl. wereda 14,*schl.-*
*ged.*1 *engelschar.*
weorold, *st. f.,* woruld 8,711; *merc.*
weoruld 19d,20; worold; *kent.*
uueorold 12,40; *me.* woruld 32,
153: woreld 32,334;world(e) 38,7;
werd(e) 39,1315; werld(e) 39,
1318; warld(e) 62.1; wordl(o) 50,
20; *gen. nh.* woruldes 19a,20; *me.*
worulde 19c,20 *welt; ne.* world.
weoroldcund, *adj.,* 12,41; wo-
ruldcund 7,212 *weltlich.*
weoroldgestrêon, *n. pl.,* woruld-
gestrêon 9,255 *weltliche schätze.*
weoroldhâd, *st. m.,* 16,17; weo-
ruldhâd 16,62 *laienstand.*
weoroldwela, *schw. m., me.*
woruldwele 32,153 *irdischer reich-*
tum.
weoroldþearf, *st. f.,* woruldþearf
15,199 *weltliches bedürfnis.*

weoroldþing, *st. n.*, woruldðing 14,22 *weltliche angelegenheit.*
weorpan, *st. v.*, *me.* werpen 34, 13858; *prät.* wearp; *me.* warp 33,17; warrp 36,15566 *werfen; ne.* warp.
weorud *s.* weorod.
weoruld- *s.* weorold-.
weoruldmen, *st. m., pl.* 15,13 *laien.*
weorþan, *st. v.*, 9,378; weorðau 14,44; *me.* wurðen; wyrðen, wirðen; *3. sg. präs. ind.* weorþeð 9, 364; weorðeð 9,372; wyrðeð, wirðeð 3,1*(les.);* werð 14,*schl.-ged.*21; *nh.* uuiurthit 3,1; *me.* worþ 47,1156; wurð 37,122; wurþ: *konj.* weorðe 14,*schl.-ged.* 30; *nh.* uueorthae *(les.*wurðe*)* 3,5; *me.* wrþe 45,82 *(les.);* worþo 46, 213; wurth 57,5; worth 57,11; *prät.* wearð 11,155; wearþ 19b,2; *me.* warð 19c,2; wurð 39.1308; *schott. schw.* worthit 66,438; *pl.* wurdon 11,159; wurdun 18,96; *konj.* wurde 23,1?; *p.p* geworden 19b.2; *fl.* gewordne 13,4; *me.* geworðen 19c,2 *werden;* (þe king) þat wurþ 40,56 *der sein wird.*
weorþian, *schw. v.*, 9,343; *me.* wurðie(n) 33,82; wurþien 33,98; wurðen 37,21; *prät. nh.* worðadun 19a,9; *p. p.* geweorðad 16,2 *wert halten, verehren, auszeichnen.*
weorðlic, *adj.*, *me.* wurdlich(e) 33,99; worly 54,13 *wertvoll, ausgezeichnet, vortrefflich.*
weorðlice, *adv.*, wurðlîce 25,23 *würdig, ehrenvoll.*
weorðmynd, *st. f. n.*, 9,636 *ehre, würde, herrlichkeit.*
weorðscipe, *st. m.*, *me.* wurschipe 37,13; wurchipe 37,130; wurðscipe 37,141; wurðschipe 37,143; *akk. me.* wurðscipe. worsipe 34, 13886 *würdigkeit, ehre, verehrung; ne.* worship; *davon v. me.* worschipe, worship 68,11; -shyp 68,5; *prät. me.* worssipede 50,56; worschipide(n) 19c,17 *verehren; ne.* worship.
wêox(o n), wêoxs *s.* weaxan.
wêpan, *st. v.*, *me.* wepen 33,59; weopen 37,44; wepe 38,16; wepyn 65,60; *prät.* wêop 21,68; *me.* weop 33,60; *pl. me.* wepen 44,152 *weinen; vb.-sb.*, *me.* wepyng 65,61; *ne.* weop.

wepen, wopne *s.* wǽpen.
wep(p)man, wepmen, wepmon *s.* wǽpnedmon.
wepyn, wepyng *s.* wêpan.
wer, *st. m.*, 9,331; wêr *(hs.)* 15,110; *me.* wer 32,31; were 40,30; *pl. me.* were 37,21; *gen.* wera 22,26 *mann, jüngling, ehemann.*
wer *s.* werre.
wera *s.* wer.
werc *s.* weorc.
werche *s.* wyrcan.
worde *s.* weorold.
werdes *(ae.* wyrd), *sb., gen. pl.* werdis 69,169 *geschick.*
werdi *s.* wyrdig.
were *s.* ver, wer, werian, werre, wesan.
wêre *s.* wesan.
wereda *s.* weorod.
werede *s.* werian.
weren *s.* wesan.
weri *s.* wêrig.
werian, *schw. v.*, *schott.* weir 71, 12; *prät.* werit 69.160 *(ein kleid) tragen; p. p. pl.* weredo 9,596 *bekleiden, umgeben (got.* wasjan*); ne.* wear.
werian, *schw. v.*, *me.* werien 37, 147; werie 35,89; weriin 35,89; were 48,52 *wehren, verteidigen, schützen (mit* wið, *of*); 14,*schl.-ged.*13 *wahren, eindämmen (mit* on); *(got.* warjan).
wêrig, *adj.*, 18,39; *me.* weri 32, 240; wery 48,144 *müde, matt; ne.* weary.
werit *s.* werian.
work(e)(s) *s.* weorc.
world(o) *s.* weorold.
wermôd, *st. m.*, *Ep.* uuermôd 1,4; *me.* wermod *wermut; vgl. ne.* wormwood.
werni *s.* wearnian.
werod *s.* weorod.
wêron *s.* wesau.
werpen *s.* weorpan.
werra *s.* wœr.
werrai, *v.*, 45,16,19,90 *kämpfen (mit akk.*, gain, on*); vgl. ne.* war.
werre, *sb.*, 48,20; were 59,88; wer 59,8; *pl.* werren 50,84 *krieg, kampf; ne.* war.
werriour, *sb.*, veriour 60,85 *krieger; ne.* warrior.
werse, werste *s.* yfel.
wert *s.* wyrt.

wêrun s. wesan.
wory s. wêrig, warien.
werð s. weorþan.
werþĉod, st. f., volk, nation; pl. werþĉode 8,643 menschen
werônes s. *wierônes.
wes, wese, weseð s. wesan.
wesan, st. v., 9,373 2. pl. imp. wese gê 19b,9; nh. wosað giê 19a,9; me. wese ge 19c,9; prät. 1. 3. sg. wæs 4,1b; Ep. uuaes 1,11; merc. wes; me. wæs 19c,3; wes 27,2; was 27,9; wass 36,15544; ves 46,79; watz 58,62; 2. sg. me. wære, were, was 67,120; wes; pl. wĉron 11,225; wêrun 19b,11; merc. wêrun 13,4; nh. wêron 19a,4; me. wæron 19c,4; uuaren 27,15; uuæren 27,19; were 32, 100; weren 32,102; wære 32,291; weoron 34,13797; weore 34, 13799; war 45,112; wore 48,10; ware 48,116; wer 48,157; konj. wære 9,639; me. were 33,48; wære 36,79; ware 45,114; war 72,3; wer 63,23; pl. wæren 19c,4; wærenn 36,48; were 54,32; ware 61,1156 sein.
wesch, wesse s. wascan.
wesseaxe(na) s. Westseaxe.
west, adv., 17,3 westlich.
westan, adv., 9,325 von westen; hewestan, präp., 17,15; adv., me. hi weste 43,5 im westen.
westan s. witan.
westannorþan, adv., von nordwesten; be westannorþan, präp., 17,44 nordwestlich von.
weste s. westan, witan.
wêste, adj., 15,58; f. merc. woestu 13,36; me. weste wûst.
wêsten, st. n. 9,201; me. westen wûste.
west-ende, st. n., 25,24 westliches ende.
Westmynstere, eigenn., 48,1 Westminster, kathedrale in London.
westnorð, adv., 17,16 nordwestlich.
westsĉ, st. f., 15,74 westliches meer, Atlantischer Ozean.
Westseaxe, st. schw. m. pl., Westseaxan 15,54; wesseaxe 18,40; gen. wesseaxena 18,117 Westsachsen.

wet s. hwâ.
weter(e), wetra, wetres s. wæter.
wex(e), wext s. weaxan.
weyle s. wel.
weyn s. wênan.
wêþel, st. f., 9,612 dürftigkeit, mangel.
wh- s. hw-.
whal s. hwæl.
whalles bon, sb., 54,1 elfenbein; vgl. ne. whalebone.
whan s. hwonne.
whanene, whænnenen s. hwonon.
whanne s. hwonne.
whar s. wær, hwæðer.
whare, wharefore s. hwær.
wharrfedd, wharrfenn s. hwearfian.
wharþurch s. hwær.
what, whatt, whæt s. hwâ.
whattlike s. hwætlîce.
wheder s. hwæder.
whedir s. hwider.
whel s. hwêol.
when s. hwonne.
wher s. hwær, hwæðer.
where, wherfor s. hwær.
whet s. hwâ.
wheðer s. hwæðer, hwædere.
wheþþre s. hwædere.
whi s. hwâ.
which(e) s. hwelc.
whil s. hwîl.
whilch s. hwelc.
while(s), whille, whils s. hwîl.
whit, whittore s. hwît.
whom s. hwâ.
whon s. hwonne.
whos, whose = who so s. hwâ.
why s. hwâ.
whyle, whyl(e)s s. hwîl.
whyne, v., 67,229 weinen, jammern; (ae. hwînan) ne. whine.
whyp, sb., 67,378 peitsche, geißel; ne. whip.
whyt(e) s. hwît.
wi s. hwâ.
wi. interj., 82,104 wehe!
wibed (wîg-bedd), st. n., 15,81 altar; vgl. wêg.
wîc, st. n. f., 6,8; me. wik wohnstätte, ort (oft pl.).
wiche v., 46,358 hexen, verhexen, zaubern; ne. witch.

wicht *s.* wiht.

wician, *schw. v.*, 17,50; *prät. me.*
wicode 28,4 *wohnen, leben, sich
aufhalten;* 17,126 *anker werfen.*

wîcing, *st. m.*, 23,26 *wiking, see-*
räuber.

wicke, *adj.*, 44,66; wykke 58,69
ruchlos, schlimm; vgl. wicked.

wicked, *adj.*, wikked 68,31; vikkit
60,12 *ruchlos, schlimm; ne.* wicked.

wickednesse, *sb.*, wikkednesse
63,7 *schlechtigkeit, schlechtes; ne.*
wickedness.

wicode *s.* wician.

wictest *s.* wiht, *adj.*

wîd, *adj.*, *me.* wid *weit; ne.* wide.

widder. *v.*, 67,63 *dahinschwinden;*
ne. wither.

wîde, *adv.*, 7,185; *me.* wide 86,40
weit, weithin; ne. wide.

widmẅrsian, *schw. v.*, *p. p.* ge-
widmẅrsud 19b,15; *me.* gewid-
mæersod 19c,15 *verbreiten.*

wîdsẅ, *st. m. f.*, 17,55 *die weite
see, der ozean.*

widuwe, *schw. f.*, *me.* widewe;
widue; wedow(s) 67,389; *pl. me.*
wydues 44,80*(hs.);* *(dat.)* widuen
44,79 *witwe; ne.* widow.

wielle *s.* welle.

*wierðnes, *st. f.*, wurðnes; *kent.*
werðnes 20,31; *me.* worþnesse;
worthinesse 64,28 *würde; vgl. ne.*
worthiness.

wîf, *st. n.*, 11,148; *me.* wif 32,31;
vif 46,83; wife 48,23: wyf 54,12;
wyfe 70,1; wyff 72,11,13; *gen. me.*
wyues 40,36; wyfes 63,20; *dat.
me.* wife 32,24; wive; wyfe 32,
45; wyue 50,67; *pl.* wîf 11,163;
me. wif, wifues 34,13869; wiues
44,2; wyues 44,33; wives 46,303;
wyve; wifis 67,144; *dat.* wifum
19a,5; wifon 19b,5; *me.* wifon
19c,5 *weib, gattin; ne.* wife.

wife, *v.*, 48,7 *ehelichen; ne.* wive.

wîfhâd, *st. m.*, 9,357 *weibliches
geschlecht, weibliches wesen.*

wifis *s.* wif.

wîfmon, *st. m.*, wifman, wim-
man; *me.* wifman, wummon 37,
23; wymmon 40,14; wyman 41,
10; wiman 42,50; wuman *(les.*
wman) 44,174; wimmon 46,8;
wimon 46,205; womon 46,122;
woman 67,80; *pl.* wimmen 22,
77; *me.* wimmen 27,18; wifmen

33,101; wummen 37,19; women
49,33; wymmen 52,32; *dat.* wym-
manne 43,69 *weib; ne.* woman;
pl. women.

wîfon, wifon, wifues, wîfum
s. wîf.

wîg, *st. n.*, 6,23; wig(g) 18,39; *me.*
wiჳ, wi *kampf.*

wiga, *schw. m.*, 6,8; *pl. gen.* wigena
8,641; wihgena 15,45; *me.* wiჳe
kämpfer, held; me. wegh 59,19: *pl.*
wees 59,23; wy 71,50 *mann;* wyჳ
58,111 *wesen (von gott).*

Wigemore, *eigenn.*, 48,154 *ein
schloß in Nord-Herefordshire.*

wigena *s.* wiga.

wigond, *sb. p. präs.*, wiggend 11,
141 *kämpfer.*

wight *s.* wiht.

wiglung, *st. f.*, *kent.* wilung 20,
22; *me.* wiჳelunge *wahrsagung.*

wîgsmiþ, *st. m.*, 18,143 *kampf-
schmied, kämpfer.*

wiჳt *s.* wiht, *adj.*

wihgena *s.* wiga.

wiht, *f. n.*, 6,23; wuht; *me.* wiht
40,66; wyht; wight 67,47; wyght
67,544; wicht 71,43; *pl. me.* wihte
32,79 *wesen, mensch, ding, irgend
etwas; akk. adv., irgend;* nân wuht
14,32 *nichts; ne.* wight, whit.

wiht. *adj.*, wyht 52,36, wiჳt 61,
1138; wyჳt; *superl.* wichtest *(les.*
wictest) 44,9 *mutig; adv.* wiჳt 58,
103 *flink, schnell.*

wiht *s.* gewiht.

Wiht, *ortsn.*, 15,52 *insel Wight.*

Wihtsẅtan, *volksn.*, *schw. m. pl.*,
15,51 *bewohner der insel Wight.*

wik *s.* wîc.

wike *s.* wucu.

wikked *s.* wicked.

wikkednesse *s.* wickednesse.

wil *s.* hwil, gewill.

wilcuma, *schw. m.*, *me. adj.* wel-
come 44,159; welcomen 46,167;
welcom 48,242; *me. komp.* wel-
comore 46,426 *der willkommene;
ne.* welcome.

wild *s.* willian.

wilde, *adj.*, 8,597; *me.* wilde 84,
13870 *wild; ne.* wild.

wildor, *st. n.*, *dat. pl.* wildrum 17,
89 *wildes tier, wildes renntier.*

wile, *sb.*, 48,141; wyle 71,42 *list,
kunstgriff, niedrigkeit; ne.* wile.

wile *s.* willan, hwil.

Wilekin, *eigenn.*, 46,13 *Willy.*

wilful, *adj.*, 64,13 *vorsätzlich, eigenwillig; ne.* wilful.

wilfulncsse, *sb.*, 64,6 *eigensinn, hartnäckigkeit, willkür; ne.* wilfulness.

wilgedryht, *st. f.*, 9,342 *begleitende schar, williges geleit.*

will *s.* willa, gewill.

willa, *schw. m.*, 8,600; *me.* will 32,348; willo 33,65; wil 37,62; wyl 50,42; wyll 62,26 *wille, wunsch, absicht, wohlgefallen, freude, zuneigung; ne.* will; at wylle *nach wunsch; ne.* at will; wiþ wille 52,15 *mit gewalt, mächtig; ne.* with a will.

willadon *s.* willian.

willan, *unrglm. v., präs. sg. 1. 3.* wile 10,2919; wylle 11,187; wille 14,62; *me.* wule 32,39; wnlle 32,155; wolle 34,13885; wullen 34,13844; wile 36,97; wille 44, 169; will 49,2; wyle 50,45; wol 52,33; wole 52,35; wil; wyl 58, 86; *2. me.* wult; wolt 46,241; wille 48,166; wilt(ou) 57,21; vill 60,71; *konj.* wille 14.22; *me.* wule 33,6; wolle 34,19823; *pl.* wyllað 15,192; willað 15,193; *me.* willeð; wulleð 32,2; wulle 32,226; wuleð 33,1; wullen 34,13839; wileu; wille 67,45; will; wil; *prät.* wolde 4,1b; *nh.* walde 4,1a; *me.* wolde 34,13823; wulde; walde 33,50; wollde 36,15610; wald 42,11; valde 62,25; wold 67,47; *pl.* woldan 15,22; woldon 19b,1; *me.* wolden 19c,1; walden 34,13807; wald 62,32; wold 67,107 *wollen, wünschen; auch umschreibung des futurs und konditionals;* ichil 47.1052; ichulle 53,19 *ich will;* icholde 51,32 *ich wollte; p. präs. me.* weill willand 60,41 *wohlwollend.*

wille *s.* willa, willan.

willi 46,35 = will I; *s.* willan.

Willʒham. *eigenn.*, 66,401 *Wilhelm; ne.* William.

willian, *schw. v., me.* willien; *prät.* willadon 15,192 *(les.); me.* wild 48,4 *wollen, willens sein, begehren;* 48,5 *lassen;* 48,67 *sich entschließen.*

willsele, *st. m.*, 9,213 *wonnesaal (= nest).*

willwong, *st. m.*, 9,89 *wonneland.*

wilnian, *schw. v.*, 15,192 *(les.); me.* wilnien; wylny 50,45 *wünschen, begehren (mit akk. oder* efter).

wilnung, *st. f.*, 14,45; *me.* wylnynge 50,44 *wunsch, sehnsucht.*

wilsumlîc, *adj.*, 15,244 *freiwillig, angenehm.*

Wilte, *volksn., m. pl.*, 17,18 *die Wilzen (slawischer stamm).*

wiltou *s.* willan.

wilung *s.* wiglung.

wilð *s.* weallan.

wim(m)an, wimmen, wim(m)ou *s.* wifmou.

wîn, *st. n.*, 13,18; *kent.* uuîn 12,23; *me.* win(e) 32,144; wyn 41,7 *wein; ne.* wine.

win, *sb., vermögen, macht.*

Wincestre, Winchestre *s.* Wintanceaster.

wind, *st. m.*, 8,650; *me.* winde 42,4; wynde 49,5; wind 57,33; wynd 67,856 *wind; ne.* wind.

windan, *st. v., me.* winde *winden, umwinden; prät.* wand 23,43 *schwingen: p.p. me.* ywounde 42,3; wounde 68,9 *einwickeln; ne.* wind.

windas, *sb.*, wyndas 58,103 *winde; vgl. ue.* windlass.

windowe, *sb.*, 47,1130; wyndo 67,136: wyndow 67,280 *fenster; ne.* window.

wine, *st. m.*, 24,4; *me.* wine *freund.*

wine *s.* wîn.

Winedas, *eigenn., st. m.*, 17.39; *gen. pl.* Wineda 17,19; *dat.* Winedum 17,136 *die Wenden.*

wing *s.* weng.

winnan, *st. v., fl.* winnene 22,14; *prät.* won 13,3; *pl.* wunnon 15,48 *sich mühen, kämpfen; me.* winnen; wynne 51,31; wyn 48,118; vyn 60,11; win 69,168; *p. p.* wonne 46,58; ywonne 51,64 *gewinnen, bekommen, durch anstrengung erreichen;* wyn away 67,24 *sich wegbemühen, wegkommen.*

winnterr *s.* winter.

Winodland *s.* Weonoðland.

wînsele, *st. m.*, 8,686 *weinsaal.*

Wintanceaster, *stadtn., st. f., dat.* Wincestre 25,2; *me.* Winchestre 44,158; *ne.* Winchester.

winter, *st. m., (gen. -tres)* 9,245; *me.* wintre 27,35; winnterr 36, 15594; winter 39,1284; wynter

52,8; vyntir 60,12 *winter;* 15,33
jahr: ne. winter.
wintergewæde, *st. n.,* 9,250
wintergewand.
winterscûr, *st. m.,* 9,18 *winter-
schauer.*
wintertide, *sb.,* vyntirtyde 60,1
winterzeit.
Wiogoraceaster, *stadtn., st.f.,*
14,*til.; me.* Wirecestre *Worcester.*
wiotan, wiotona *s.* wita.
wiotonnc *s.* witan.
wirchen *s.* wyrcan.
wirigan, *schw. v..* 21,17; wergan;
me. werye 57,23; wary 67,208
fluchen, verfluchen.
wirignys, *st. f.,* 21,18 *fluch.*
wirk(e), wirkand *s.* wyrcan.
wirriaud *s.* wyrgan.
wirðau *s.* weorþan.
wîs, *adj.,* 14,50; *mc.* wis 32,33;
wys 48,80; wise 59,58 *weise; ne.*
wise.
wîsdôm, *st. m.,* 14,9; *me.* wis-
dom(e) 28,39 *weisheit; ne.* wisdom.
wîse, *schw.f.,* 9,359; *me.* wise 37,9;
wyse, viß 60,78 *weise, art;* 16,58
sache („suscepto negotio“): *ne.*
wise; *ac.* on nâne wîsan; *me.* o
nou wise 47,1026; no wyse 68,27
durchaus nicht; ne. nowise.
wisely *s.* wîslîce.
wish, *sb.,* 67,4 *belieben, wunsch,
gebot; ne.* wish.
Wisle, *eigenn., f.,* 17,153 *die
Weichsel.*
Wîslemûða, *ortsn., schw. m.,* 17,
153 *Weichselmündung.*
wislîce, *adv., komp.* wislicre 15,
122; *me.*wisliche 34,13805; wisely
48,155; wysoly *weise, klug, ver-
ständig; ue.* wisely.
wiss, *adj., adv.,* to wisse 43,123
gewiss; s. gewiss.
wisso *s.* wiss, wissian, witan.
wissian, *schw. v., me.* wisse 44,
104; wysse 51,88 *lenken, führen;*
wysshe 59,4 *mit inf. bewirken dass,
lassen; vb.-sb. me.* wyssynge 40,
71 *unterweisung.*
wisste, wisstenn, wiste,
wist *s.* witan, bewitan.
wist,*st.f.,* 9,245 *wohlstand, nahrung.*
wit, *pers. pron der 2. pers. dual.,* 10,
2881; *me.* wit; *gen.* uncer 10,2882;
dat. unc; *akk.* uncit; unc 4,2b;
nh. unket 4,2a; *poss. akk. sg. fem.*

unce 12,9; *gen. plur.* uncerra 12,5
wir beide.
wit, *st. n., me.* wit 32,2; witt 36.
82; wytt(e) 40,27; wyt 58,129:
pl. wittis 69,168 *witz, verstand,
sinn; ne.* wit.
wit *s.* witan, wið.
wita, *schw. m., pl.* wiotan 14,3;
gen. wiotona 14,40; *me.* wite
weiser.
wita *s.* wite.
witan, *präterito-präs., fl.* wiotonne
14,54; *me.* witen 28,49; wite 34,
13835; *präs. sg. 1. 3.* wât 9,355;
me. wat 19c,5: wot 40,37: goddot
= god wot 46,439): wote 48,96:
woot 19e,5; wate 67,444; wait
71,42; *2.* wâst 13,8; *pl.* witou
17,3: *me.* wyten 40,53; witen
48,218; witeð: *me. p. präs.* wit-
inge; *prät.* wisse 17,60; wiste
21,21; *me.* wyste 82,17; wist 42,
53; weste 46,79: *pl.* westan 11,
207: wiston 14,32: *me.* wiste 32,
141; wisstenn 36,15603; wist 48,
68; *p.p.me.* wist *wissen, erfahren,
kennen lernen, kennen; ne.* wit.
witan, *st. r., me.* witen 33,64; *3.
sg. präs. ind. me.* wit 32,84; *kj.*
wit 32,122 *(für* wite) *sehen, be-
obachten, behüten, sorgen;* 39,1302
weisen; wyte 54,11 *verweisen, vor-
werfen; 1. pl. präs. konj.* wuton,
uton; *me.* ute 32,333 *mit inf.
(vgl. frz.* allons) *wohlan, laßt uns.*
witchecrafft, *sb.,* 46,206 *zau-
berei, zauberkraft; ne.* witchcraft.
wîte, *st. n.,* 9,644; *pl.* witu 8,572:
gen. wîta 8,631: *me.* wite *strafe,
höllenstrafe.*
witedôm, *st. m.,* 7,212 *weissagung,
prophezeiung.*
witedra *s.* witian.
witega, *schw. m., me.* witeȝe 33,40
weissager, prophet.
witen *s.* witan, witan.
witor, *adj.,* wyter 53,26 *weise, ver-
ständig:* wittor 39,1308 *gewahr:
pl. (fehlerh. les.)* witteres 32,267
kundig, sicher.
witerliche, *adv.,* 38,8; witter-
like 39,1322; witerli 46,232 *kun-
dig, gewiß, genau.*
with *s.* wið, hwit.
within(ne) *s.* wið.
without(en), withoutin, with-
outten *s.* wið.

witian, schw. r., me. witien; p. p.
witod 6,6; gen. pl. witedra 8,686
bestimmen, anweisen, zuweisen.
Witland, eigenn., st. n., 17,153
deutsche bezeichnung der Bern-
steinküste.
witléas, adj., me. wytles 58,113
unverständig, töricht: ne. witless.
witness(e), witnessing s. ʒe-
witness.
witod s. witian.
witodlice, adv., konj., 19b,2;
witudlice 19b,17: abgekürzt uut.
19a,1: me. witodlice 19c,2 wahr-
haftig, fürwahr (für lat. autem,
enim u. s. w.).
witsunnedei s. hwîta.
witt s. wit.
witter, witteres s. witer.
witterlike s. witerliche.
wittnes s. ʒewitness.
wittyng, vb.-sb., 48,75 wissen; vgl.
witan.
witu s. wito.
witudlice s. witodlice.
wive, wiues, wives s. wîf.
wiz s. wið.
wið, präp., 8,608; wiþ 18,17; me.
wið 32,226; wiþ 35,90; wiz 46,
162 (hs.); with 48,72; wyth 58,
96; vith 60,2; wyþ 61,1127; wit
70,32 wider, gegen; gegenüber;
32,228 vor; wiþþ 36,10 mit (46,
162 nachgestellt); 59,40 bei, unter;
46,248 von (beim passiv.); ne.
with; with alle, adv., 61,1155
durchaus; ne. withal; wið þâm
þe, wiððon þe 15,87; me. wið ðan
þe; with (hs. wit) þat 44,19; wiþ
þat 46,192 wofern, damit; wiðin-
nan, adv. und präp., me. wiðin-
nen 33,20; wiðinna 33,46; wiðinne
37,24; wiþinne 40,43; wiþin 45,
41; within 59,89; withinne 65,60
drinnen, innerlich, innerhalb, in
(58,120; 67,70 nachgestellt), unter;
ne. within; wiðûtan, adv. und
präp., me. adv., wiðuten 37,91;
without 67,127 außen; präp.,
wiðuten 34,13795; wiðute 37.59;
wiðduten, wiþouten 42,29; with-
uten 44,179; wiþoutin; wiþhou-
ten 46,86; wiþhoute 46,392; with-
outen 48,75; withoute 48,91;
wiþoute 50,101, wythouten 58,
66; withoutten 67,2; without
67,31; withoutin 69,169 ohne (32,

368 nachgestellt); (außerhalb); ne.
without.
wiðcoren, adj., 15,32 nicht aus-
erwählt, böse.
wiðduten s. wið.
wiþere, adj., 34,13958 feindlich;
vgl. wyþerly.
wiþerfeohtend, st. m., 8,604
entgegenkämpfend, widersacher,
feind.
wiþerling, sb., 48,150 gegner.
wiðerweard, adj., 15,217 feind-
lich, widrig.
wiþhoute(n) s. wið.
wiðhycgau, schw. v., prät. wiðho-
gode 10,2864 verachten, vernach-
lässigen.
wiðinna, wiðinne(n), wiþin(ne)
s. wið.
wiþoute(n) s. wið.
wiðscûfan, schw. v., fl. 15,17
zurückschlagen, zurückweisen.
wiþstondan, st. v., 8,599; me.
wiþstande; prät. wiðstôd 15,74;
me. wiþstode 45,97 widerstehen,
gegenübertreten; ne. withstand.
wiðtaken, v., p. präs. withtakand
49,9 mitnehmen, tadeln.
wiðûtan, wiðute(n) s. wið.
wiðþe, schw. f., me. pl. wiþþess
36,15563 strick; ne. prov. with,
withe.
wiðdon s. wið.
wlanc s. wlonc.
wlîtan, st. v., 9,341; me. wlyten
52,11 schauen, sehen auf, entgegen-
sehen, zurückblicken auf.
wlîte, st. m., 9,332; me. wlite 28,7
gestalt, aussehen; 8,590 schöne
gestalt, schönheit; 9,609 wonne.
wlîteg, adj., 11,137; wlitig 9,7;
me. wliti schön, lieblich.
wlôh, st. n., 8,590 franse, zipfel.
wlonc, adj., wlanc 18,143; ebenso
me.; stattlich, stolz.
wlyten s. wlîtan.
wman s. wîfmon.
wn- s. un-.
wo s. hwâ, wâ.
woc s. wâc.
woche s. hwelc.
wôd, adj., me. wod 46,182; wode
47,1129 wütend, toll, verrückt; ne.
veraltet (Shakesp.) wood.
wod, wode s. wudu.
wode s. wôd.
Woden, eigenn., 34,13903 Wodan.

w o d e r o u e, *sb.*, 52,9 *waldmeister;*
  ne. woodruff.
w o f u l l, *adj.*, 69,167 *betrübt, kum-*
  mercoll; ne. woeful.
w o g h e *s.* wôh.
w ô g i a n, *schw. v., me.* wôhen;
  wowen 52,19 *werben; ne.* woo;
  me. vb.-sb., wohunge 38,*titel;*
  woning 46,125; wowyng 52,31
  *werben, liebessehnsucht; ne.*wooing.
w ô h, *st. n., me.* woh 33,50; won3
  42,29; wou 46,96; woghe *un-*
  recht, weh.
w o h u n g e *s.* wôgian.
w o k e *s.* wucu.
w o l *s.* willan.
w ô l, *st. m.*, 15,10 *seuche, pest.*
w o l c e n, *st. m. n., dat. pl.* wolcnum
  9.27; *me.* wolcnen 28,44 *wolke,*
  himmel; vgl. ne. welkin.
w o l d(e), w o l d o n, w o l e, w o l l e,
  w o l l d e, w o l t *s.* willan.
w o l d i 46,88 = wold l; *s.* willan.
w o m, *st. m. n.*, 7,179 *fehler, makel,*
  sünde.
w ô m a, *schw. m., dat. pl.* wômum
  8,576 *geräusch, getöse.*
w o m a n *s.* wifmon.
w o m b, *st. f.*, wamb; *me.* wambe
  32,147 *bauch; ne.* womb.
w o m e n, w o m o n *s.* wifmon.
w o m m a *s.* wom.
w o n *s.* winnan, wonn, wuna,
  wunian, wyn.
w o n, *sb.*, 46,132 *hoffnung, glück.*
w o n a, *schw. m., me.* wane 32,355;
  gane 32,369 *mangel;* ine is wane
  32,368 *mir fehlt; ne.* wane.
w o n d *s.* wondian.
w o n d e *s.* wund, wondian.
w o n d e r *s.* wundor.
w o n d e r- *s.* wundrian.
w o n d i a n, *schw. v.*, wandian; *me.*
  wond 42,18; wonde 46,138 *zögern.*
w o n d r y n g, *sb.*, 54,41 *verwunde-*
  rung, erregung, aufregung; ne.
  wondering; *vgl.* wundrian.
w o n e *s.* wuna, wunian.
w o n e d(e), *ne.* wont, *s.* wunian.
w o u e n *s.* wânian.
w o n g, *st. m.*, 9,7 *feld, gefilde, stätte.*
w o n g e, *sb., pl.* wonges 53,23 *wange.*
w o n i e *s.* wunian.
w o n n,· *adj.*, wann 11,206; *me.*
  wonne 58,141 *dunkel, trüb;* won
  53,23 *bleich; ne.* wan.
w o n n e *s.* winnan, wonn, wunne.

w o n t e(n), *v.*, 87,78 *fehlen;* 2. *sg.*
  wanttis 66,446: wantis 69,160
  bedürfen, wünschen, wollen; ne.
  want.
w o n y e *s.* wunian.
w o o *s.* wâ.
w o o r d *s.* word.
w o o s t, w o o t *s.* witan.
w ô p, *st. m., me.* wop 28,28 *weinen,*
  klagen.
w ô p i g, *adj.*, 8,711 *klagend, weh-*
  klagend.
w o r d, *st. n.*, 19a,15; *me.* word 19c,
  15; weord(e) 32,8; woord 72,II,6:
  pl. word 9,655; *kent.* uuord 12,12:
  me. word 32,9; wordes 57,33;
  wourdis 73,15 *wort, rede; pl.*
  wordes 59,31 *wovon geredet wird,*
  sache; ne. word.
w o r d l e *s.* weorold.
w o r e, *sb.*, 53,82 *wehr, mühlenwehr,*
  sumpf.
w o r e *s.* wesan.
w o r o l d *s.* weorold.
w o r h t e *s.* wyrcan.
w o r i *s.* wârig.
w o r k e, w o r k e þ *s.* wyrcan.
w o r l d, w o r l d e *s.* weorold.
w o r l y *s.* weorôlic.
w o r m *s.* wyrm.
w o r m e s *s.* wyrm (*oder* wyrms ?).
w o r n, *st. m.*, 7,169 *menge, haufe.*
w o r o l d *s.* weorold.
w o r s, w o r s e *s.* yfele.
w o r s c h i p e, -i d e n, w o r s h i p,
  w o r s h y p, w o r s i p e, w o r-
  s s i p e d e *s.* weorôscipe.
w o r t h(e), w o r t h i t *s.* weorþan.
w o r t h i n e s s e *s.* *wîorônes.
w o r t h i(est), w o r t h y *s.* wyrðig.
w o r u l d(-) *s.* weorold(-).
w o r ð *s.* waruð.
w o r þ(e) *s.* weorðan.
w o r ð a d u n *s.* weorðian.
w o r þ i e *s.* wyrðig.
w o r þ y n e s s e, *sb., würdigkeit, wert;*
  ne. worthiness.
w o s a ð *s.* wesan.
w o s e *s.* wâse.
w o s e e v e r *s.* hwâ.
w o e s t u *s.* wêsto.
w o t, w o t e *s.* witan.
w o t h, *sb* , 67,416 *gefahr.*
w o u, w o u 3 *s.* wôh.
w o n i n g *s.* wôgian.
w o u n d e *s.* windan, wund.
w o u n d e n *s.* wund, wundian.

wounder *s.* wundor.

woundes *s.* wund.

wourdis *s.* word.

wowe, *r., 3. pl. präs.* wowcþ 52,31 *nach Wülker =* ae. wagian, *sich bewegen; oder zu* wôgian.

wowen, wowes, wowcþ, wowyng *s.* wôgian.

wox *s.* weaxan.

woze *s.* wâse.

wrœc, *st. n.,* 15.23 *rache: vgl.*wracu, wrœce *s.* wracu, wrecan.

wrœclâst, *st. m.,* 26,17 *verbannung.*

wracu, *st. f.,* 15,75 *(les.);* wrœco 15,75 *(text; vgl. Sievers, Ags. gr.*3, § 253, a. 2); *me.* wreche 32,205; wrake 42,49; wreke *verfolgung, rache, elend; vgl.* wrœc *und ne. (Shakespeare)* wreak.

wræken *s.* wrecan.

wranewis *s.* wrongwis.

wrang, *st. n. (Wulfstan* 298, 20, 1), *me.* wrang(e)32,168; wrong 44,72 *unrecht; ne.* wrong.

wrœstan, *schw. v., me.* wrast 58, 80 *drehen, heraustreiben; ne.*wrest.

wrêstlian, *schw. v., (Wright-Wülker* 431, 25); *me.* wrastel 58, 141 *ringen, kämpfen; ne.* wrestle.

wrîetlice, *adv.,* 9,367 *wunderbar.*

wrâð, *adj.,* 7,185; *me.* wroþ 42,38; wroth 48,174; wroht 56,16 *zornig, böse; ne.* wroth.

wrêðan, *schw. v., in* gewrîêðan *zürnen: me.* wreþi 59,4; *prät. me.* wreðede 37,101 *erzürnen.*

wrâðian, *schw. v., in* gewrâðian; *me.* wraþþen 46,41 *erzürnen; me. prät.* wrathed 58,74 *zornig sein.*

wrâðlice, *adv., me.* wroþely 58,132; *komp.* wroþeloker 58,132 *zornig, heftig.*

wraðu, *st. f., akk.* wraðe 9,247; *me.* wraðe *hilfe.*

wraþþen *s.* wrâðian.

wrecan, *st. v.,* 8,623; *me.* wrœken; wreke 84,13957; *p. p.* iwreken 46,215; wroken 57,4; wrokin 57,5 *rächen; prät. konj.* wrœce 8,719 *vortragen; ne.* wreak.

wrecca, *schw. m., me.* wrecche(n) 37,63; wretche 57,21; wrecche 58,113; wrech 69,169; wrecho 73,1 *vertriebener, elender, wicht; me. adj.,* wrecce 27,85; nurecce 27,38; wrecche 32,250; wreche 33,11 *elend, unglücklich, arm; ne.*

wretch; *dasselbe me.* wrecched; vrechit 62,1; wrechit 69,167; *ne.* wretched.

wrecean, *schw. v., prät. pl.*wrehton 11,223 *wecken.*

wreccheman, *sb., pl.* -meu 32,170; nureccemen 27,15 *unglücklicher.*

wreccehed, *sb.,* 27,44 *elend.*

wreccho *s.* wrecca.

wrecchednesse *s.* wrechidnes.

wrechche *s.* wrecca.

wreche *s.* wracu.

wrechidnes, *sb.,* 49,26; wrecchednesse 64,13; *elend, schlechtigkeit; ne.* wretchedness.

wrechit *s.* wrecca.

wregere, *st. m. (Wright-Wülker,* 332, 1); *pl. me.* wreieres 44,39 *ankläger, angeber.*

wrehtou *s.* wreccan.

wreke *s.* wracu, wrecan.

wrenk, *st. m., me.* wrink 71,42 *list; dat. pl. me.* wrenche 32,251 *ränke; ne.* wrench.

wrêon, *st. v., me.* wrien; *prät. pl. me.* wrijen 32,160 *verhüllen, verdecken.*

wretche *s.* wrecca.

wreðful, *adj.,* 33,57 *jähzornig; vgl. ne.* wrathful; *vgl.* wrâð.

wreþi *s.* wrêðan.

wrîdan, *st. v., wachsen, gedeihen.*

wrîdian, *schw. v.,* 9,27 *wachsen.*

wrijen *s.* wrêon.

wrightry, *sb.,* 67,250 *arbeit, zimmermannshandwerk.*

wringan, *st. v., me.* wrynge51,15; *p. präs.* wryngand 67,241; *pl.* wringinde 43,114; *prät. konj.* 61,1136; *pl.* wrungen 44,152 *drehen, ringen: ne.* wring.

wrink *s.* wrenk.

writ, *st. n., me.* writ(es) 44,136; wryt 62,10 *schrift, brief, botschaft: ne.* writ.

wrîtan, *st. v.,* 14,80; *me.* writen 28,39; wryte 63,7; *prät.* wrât; *me.* wrat 28,25; wrot, wrote 48, 133; *pl.* writon 16.70; *me.* write 32,244; wrote 59,58; *p. p.* jewriten, writen; *me.* jewriten(e) 28,39; writen 42,96; write 51,26; jwriten 32,118; iwryten *schreiben; ne.* write; *rb.-sb. me.* wryting(es) 50,12; writyng 59,23 *das schreiben, die schrift; 72,9 schriftliche anweisung.*

24*

writere, *st. m.*, 14,92: *me.* writere *schreiber; ne.* writer.
writes *s.* writ.
writon, writyng *s.* writan.
wriðan, *st. v., me.* wryþe 58,80; *prät. pl.* wridon; *me.* uurythen 27, 23 *drehen, binden, zusammenschnüren; ne.* writhe.
wro, *sb.*, 44,68 *winkel, ecke.*
wrobbere *s.* robbere.
wrocht, wroght, wroȝte, wrohht, wrohhte *s.* wyrcan.
wroht, *s.* wråð, wyrcan.
wróht, *st. m. f.*, 9,612 *streit.*
wroken, wrokin *s.* wrecan.
wrong *s.* wrang, wringan.
wrongwis, *adj.*, wrancwis(e) 32, 48; *schottisch* wrongous *unrecht, ungerecht.*
wros *s.* wro.
wrot, wrote *s.* wrîtan.
wroth *s.* wråð.
wrotherhaile, *sb., unglück; adv.*, 48,216 *zu bösem heile, zum unheile; s.* wråð.
wrouȝt, wrout *s.* wyrcan.
wroþ *s.* wråð.
wroþeloker, wroþely *s.* wråðlíce.
wrungen *s.* wringan.
wrye, *v., drehen, wenden; ue.* wry.
wryngand, wrynge *s.* wringan.
wryt *s.* writ.
wryte *s.* wrîtan.
wrythen *s.* wriðan.
wryting, wrytinge *s.* writan.
wryþe *s.* wriðen.
wrþe *s.* weorðan.
ws *s.* wê.
wucu, *schw. f.*, 17,113; *me.* wuce (*gen.* wuca) 28,2; woke 19e,1; wike 34,13927 *woche; ne.* week.
wudu, *st. m.*, 9,85; *me.* wude 32, 344; wod 48,232; wode 52,12 *holz, gehölz, wald; ne.* wood.
wudubêam, *st. m.*, 8,576 *holzbalken.*
wudublêd, *st. f.*, 9,194 *blüte der bäume.*
wuduholt, *st. n.*, 9,362 *wald, gehölz, hain.*
wuht *s.* wiht.
wulche *s.* hwelc.
wulde *s.* willan.
wuldor, *st. n.*, 11,155; wuldur 15, 137; *gen.* wuldres 8,600 *glorie, ehre, herrlichkeit;* 11,155 *herrlichster.*

wuldorblêd, *st. m.*, 11,156 *herrlicher ruhm.*
wuldorcyning, *st. m.*, 9,196 *ruhmreicher könig.*
wuldorfæder, *st. m., gen.* 16,38; *nh. gen.* uuldurfadur 2,3 *ruhmreicher vater.*
wuldorgâst, *st. m.*, 10, 2912 *ruhmreicher geist.*
wuldortorht, *adj.*, 10,2871 *herrlich glänzend.*
wuldro(s), wuldur *s.* wuldor.
wule, wuleð *s.* willan.
wulf, *st. m.*, 11,206; *me.* wulf *wolf; ne.* wolf.
Wulfstân, *eigenn.*, 17,144, *Wulfstan.*
wulle, wullen, wulleð, wult *s.* willan.
wumman, wummen, wumon *s.* wifmon.
wuna, *schw. m., (Hälfr. Gramm. 252, 6 var.) für älteres* gewuna: *me.* wune, wone *gewohnheit, art: me.* won 46,21 *wohnung, ort;* in kindes wune 39,1315 *nach geschlechtes- (d. h. verwandten-) art: vgl. ne.* wont.
wund, *st. f.*, 8,710; *me.* wundo 38,6; wonde 45,109; wound(e) 55,39; *pl. gen.* wunda 13,38; *instr.* wundun 18,86; *me.* wounden 56,30; *me. dat.* wunden 37,102; *akk.* wunden 28, 33; woundes 55,35 *wunde; ne.* wound.
wunderearueðhealde, *adv.*, 32,311 *wunderbar (sehr) schwer zu halten.*
wunderlukeste *s.* wundorlíc.
wundernesse, *sb.*, 40,40 *wunderlichkeit.*
wundian, *schw. v., me.* wounden 54,25; wunde; *p. p. nh.* giwundad 4,4a *verwunden; ne.* wound.
wundor, *st. n., pl. gen.* wunder 15,233; *nh.* uundra 2,3; *me.* wundra 27,10; wonder 46,359 *wunder;* 47, 1016 *verwunderung;* 27,10 *wundertat, untat, böses; adverbial: pl. dat.* wundrum 9,85; *me.* wunder 40. 63; wounder 52,32; wonder 56,16 *wunderbar, sehr; ne.* wonder.
wundorcræft, *st. m.*, 8,575 *wunderkraft.*
wundorlíc, *adj.*, 9,359; *me. sup.* wunderlukest(e) 32,68 *wunderbar, seltsam.*

wundorlice, adv., me. wuuder-
liche 33,59 wunderbar, sehr.
wundra s. wundor.
wundrian, schw. v., 9,331 me.
wundren, wonder; konj. präs.
wundrie 22,32; p. präs. wundri-
ende 15,220; prät. wundrode
21,55; -ade 14,40; me. wundrede
40,62; wonderit 45,87 sich wun-
dern, bewundern (mit gen., me. 45,
87 on); ne. wonder.
wundun s. wund.
wunian, schw. v., 9,82; wunigan
15,58; me. wunien 29,2; wunyen
40,41; wone 44,105; wonye 50,
16; won 57,23; 3.pl.präs.wuneð
32,138; p. präs. wuniende 33,12;
prät. wunade 9,641; wunode 10,
2866; wunude 22,42; me.wunede
28,5; wonede 46,20; woned 43,34
wohnen, weilen; imp. wuna 21,75
bleiben; pl. wunedon 15,90 leben;
14,schl.-ged.16sein, existieren; p.p.
me. iwuned 32,57 gewöhnen, sich
gewöhnen; me.vb.-sb. wununge(s)
32,356 wohnung.
wunne s. wyn.
wunnen s. winnan.
wunode, wunude s. wunian.
wununes, st.f., 15,197 wohnplatz,
wohnort, wohnung.
wunyen s. wunian.
wure s. weore.
wurchipe s. weorðscipe.
wurde, wurdon, wurdun s.
weorþan.
wurdliche s. weorðlic.
wurs, wurse, wurst(e) s. yfel(e).
wurschipe s. weorðscipe.
wurth s. weorþan.
wurþ, sb., pl. wurþes 54,32 aus-
zeichnung, wert, vorzug.
wurþ, wurð(e) s. weorþan.
wurðe s. wyrðe.
wurðen. wurðie(n), wurþien
s. weorðian.
wurðlice s. weorðlice.
wurðse(h)ipe s. weorðscipe.
wut- s. wit-.
wuton s. witan.
wy s. wiga.
wych(e) s. hwelc.
wydue s, widuwe.
wyf, wyfe, wyff s. wif.
wyʒ s. wiga.
wyght, wyht s. wiht.
wykke s. wicke.

wyl s. gewill, willa, willan.
wyldirnisse, sb., 65,63 wildnis;
ne. wilderness.
wyl(e) s. willan, wile.
wylk(e) s. hwelc.
wyll s. gewill, willa.
wyllan s. weallan.
wyllað s. willan.
wylle s. welle, willa.
wyllostrêam, st. m., 9,362
wallender strom, quellflut; vgl.
weallan.
wylm, st. m., 8,583; me. welm
wallen, fluten, flut; welm 16,85;
flamme; 9,191 eifer; vgl.weallan.
wyln- s. wiln-.
wyman,wymmane,wym(m)on,
wym(m)en s. wifmon.
wyn, st.f., 8.641; me. wenne 46,
26; wynn(e)52,11; wunne52,35;
wyn 67,109; dat. pl. wynnum 9,7
wonne, freude, heil, glück.
wyn s. win, winnan.
wyndas s. windas.
wynde(s) s. wind.
wyndo(w) s. windowe.
wyngez s. weng.
wynlond, st. n., 9,82 wonneland.
wynn(e) s. wyn.
wynne, wynnes s winnan.
wynnum s. wyn.
wynsum, adj., 9,13; pl. n. win-
sumu 16,69; me. winsome wonne-
sam, lieblich; ne. winsom.
wynter s. winter.
wyolently s. violently.
wyrcan, unregelm. schw. v., 6,18;
me.wirchen47.1116: wirke48,18;
wyrke 49,2; worke 50,38; wyrk
58,136; wirk 67,116; werche;
wark 67,269; ne. work; p. präs.
wirkand 67,120; prät. worhte
19b,12; me. wrohte 28,17;
wrohhte 36,2; wroght 67,4: pl.
worhtun 19b,12; me. worhten
19c,12; p. p. geworht 15,222;
me. iwrat 33,87; wrohht 36,3;
wrouʒt 42,11; ywrouʒt 42,13;
wroʒte 45,56; wrout 46,112;
wroht 54,13; wroght 59,41;
vrocht 60,101; wrocht 62,8;
wroght 67,4 wirken, arbeiten,
verfertigen, machen, tun; 16,3
dichten; 46,112 erschaffen; 15,222
bauen.
wyrdig, adj. (in komp.); kent.
werdi 20,29 wortreich; ne. wordy.

w y r g a n, *schw. v., me. p. präs.*
wirriand 72,7 *würgen, zerzausen,*
hetzen; ne. worry.

wyrhta, *schw. m.,* 9,9 *urheber,*
schöpfer.

wyrigcwydol, *adj.*, 15,134 *übel-*
redend.

wyrk(e) *s.* wyrcan.

w yrm, *st.m.*, 9,232; *me.pl.*wormes
52,31 *wurm, schlange: ne.* worm.

wyrms, *st. m. (Ælfr. Hom.2,242)*
und n. (Ælfr. Gramm. 29,1); me.
wirrsenn, wursum, worsum,*nach*
Kluge auch wormes 49,24 *eiter,*
gift: ne. dial. wirsom.

wyrnan,*schw. v., me.* werne: *prät.*
pl. wyrndon 18,48 *verwehren, vor-*
enthalten.

wyrrestan *s.* yfel.

wyrt, *st.f.*, 9,194: *kent.* wert 20,10;
me. wirte, wurt *kraut, gemüse;*
ne. wort.

Wyrtgeorn *s.* Vertiger.

wyrðe, *adj.*, 8,643; *me.* wurðe 37,
138 *würdig.*

wyrðen, wyrðcþ *s.* weorðan.

wyrðig, *adj., (Oros. 256, II); me.*
worthy 49,9: worthi 67,19:
superl. me. worthiest 67,489 *wür-*
dig: worþi(c) 48,5; werthy 62,12
wertvoll; ne. worthy.

wys *s.* wîs.

wyse *s.* wîse.

wysely *s.* wislice.

wysse, wysshe, wyssynge *s.*
wissian.

wyste *s.* witan.

wyt *s.* wit.

wyte *s.* wîtan.

wyte(n) *s.* witan.

wyter *s.* wîter.

wyth, wythouten *s.* wið.

wytles *s.* witlêas.

wytt *s.* wit.

wyve, wyue(s) *s.* wîf.

wyþ *s.* wið.

wyþerly, *adj.*, 58,74 *zornig, feind-*
lich; vgl. wiþere.

Y.

y *s.* ic.

y- *s. auch ge- oder einfaches verb.*

yboht *s.* bycgan.

ybeunde *s.* bindan.

ybrad *s.* brogdan.

ybroʒt *s.* bringan.

yby *s.* bêou.

ybyate *s.* bêatan.

ÿean, *schw. v.*, 11,183, *me.* ekcn
vermehren; vgl. ne. eke.

ycast *s.* casten.

ych, yche *s.* îclc.

ycham 52,23 = ich am; *s.* ic, com.

ycheyned *s.* chainen.

ycholde 51,32 = ych wolde: *s.*
ic, willan.

ycore *s.* cêosan.

ydele, ydill *s.* îdel.

yde, ydone *s.* dôn.

ydraʒe *s.* dragan.

ydre, *sh.*, 41,13 *wasserkrug.*

ye *s.* gê.

yeaf, yoaue *s.* giefan.

yode *s.* geêode.

yeer *s.* gêar.

yef *s.* gief.

yef, yefþ *s.* giefan.

yei *s.* iä.

ycid *s.* gcêode.

ycir *s.* gêar.

yeld, yelde *s.* gicldan.

yelp, *sb.,* 67,321 *prahlerei; ne.* yelp;
vgl. giolpan.

yelpe *s.* gielpan.

yemen *s.* gieman.

ycmer *s.* geômor.

yer *s.* gêar(es).

yorne *s.* georne.

yet(e) *s.* gîet.

yeten *s.* ôtan.

yeue *s.* giofan.

yf *s.* gief.

yfel, *adj.*, 8,634; yfell 15,31; *me.*
yuol(e) 27,16; yfel(e) 32,19; uuel
32,93; ufel(e) 33,45; vfel; euel(e)
41,31; ivel; ewill 62,8; evill 70,
28 *übel, böse, schlimm; ne.* evil;
komp. wyrsa; *me.* werse, wurse
32,390; worse 46,378; *sup.* wyr-
resta(n) 8,572; wyrst; *me.* wûrst
32,217; werst 43,28; *ne.* worse,
worst; *st. n.*, yfel 25,16; *gen.nh.*
yflaes 3,4; *instr.* yfle 9,594: *akk.*
pl. yfel 8,627: *me.* uuel 32,355;
vuele 34,13826; vfele 34,13886;
vfel 34,13940; euel(e) 41,51;
iuel(e) 44,50; yuel 44,144 *übel,*
schlimmes, krankheit.

yfeldæd, *st. f.,* 8,713 *übeltat.*

yfelde *s.* gefêlan.

yfele, *adv., me.* yvele: uuele 32,
318; iuole; evele 46,319; cuele
50,89 *übel, schlimm; komp.* wyrs:

me. uuerse 27,36; werse 27,44; wurse 32,219; wurs 32,286; wors 61,1142; worse 63,17; wars 67, 191, *sup.* wyrst; *me.* wurst *(les.* werst) 43,70; iuele like 44,182 *mißfallen.*
yȝe s. čage.
ygete s. gietan.
yȝote s. gēotau.
yȝyrned s. ȝyrneu.
yhont s. hentau.
vif s. gief.
yit s. giet.
ylca, *pron.,* 15,114; ylka; ilca 12,16; *pl.* ilco 19a,11; *me.* ylca 28,3; ilke 32,212; ilca 33,33; illke 36,33; ich(e) 47,1030; ilk 48,215 *stets schwach mit artikel oder demoustr., derselbe, derjenige, dieser; ne. schott.* ilk; *me.* þilke 40,43; thilke 63,13 = þe, the ilke; þis ilk 48,57 *derselbe.*
ylda s. ielde.
ylde s. ieldu.
ylding, *st.f.,* 15,62 *aufschub, weile, verzögerung.*
vldo s. ieldu.
yldra, yldrau s. eald.
yldu s. ieldu.
yleid s. lecgan.
ylent s. lēuan, lendan.
ylero s. gelērau.
ylfe, *st.m.pl., me.* ylves 29,1 *elf, gespenst, dämon.*
vlich(e) s. gelic(e).
ylka s. ylca.
ylokod s. gelôcian.
ylost s. lêosan.
ylowe s. lēogan.
ylves s. ylfo.
ylych s. gelic(e).
ymage s. image.
ymad s. macian.
ymake, *adj.,* 53,16 *leicht, anmutig.*
ymaked s. macian.
ymb, *präp.,* 9,619; ymbe 17,1; embe 18,9 *(les.); me.* vmbe 34,13855; um *(vgl. altn.* um) *um, bei;* 9,360 *in betreff, nach:* (symle) ymb tuælfmônað 12,9 *jährlich;* vmbe stounde 58,122; *von zeit zu zeit, manchmal.*
ymbberan, *st.v., p.p.* 8,581 ymbboren *umgeben.*
ymbelyppan, *schw.v.,* 26,12; *me.* um(be)clippe; *prät.* ymbclypte 4, 1b *umarmen, umfassen.*

ymbhycgau, *schw.v., nh. flekt.* ymbhycggannae 3,3 *bedenken, überlegen.*
ymblicgan, *st.v., 3.sg. präs.* ymbliô 17,5 *liegen um etwas, umgeben.*
ymbset, *st.n.,* 15,103 *belagerung.*
ymbsettau, *schw.v.,* 9,204 *umgeben.*
ymbûtan, *adv.,* 17,32 *rund herum, außen herum.*
ymeno s. gemēne.
ymete s. gemētau.
ymono s. gemâna.
yneschc, *adj.,* 49,20 *(les.);* nesche *zart, zärtlich; vgl.* huesce.
ynewch s. genôh.
Yngland s. Englond.
ynoh s. genôh.
ynome s. geniman.
yond s. geond.
youg s. geong.
you, your(e), yow s. gê.
ypleyd s. plegan.
yrede, *adc., bereitwillig, oder* y rede *iek rate(?).*
yrfeweard, *st.m.,* 9,376 *erbwart.*
yrfeweardnes, *st.f., mere.* erfeworônis 13,49 *erbschaft.*
yrgðo, *st.f.,* 15,44; yrhðo 23,6 *feigheit.*
yrmþum s. iermðu.
yrre, *st.n.,* 8,583; ierro; *mere.* eorre 13,35; *me.* eorre 32,276 *zorn.*
yrrc, *adj.,* 11,225 *zornig.*
ys s. com, hê.
yseȝ s. gesēon.
yselþe s. gesælð.
ysen s. gesēon.
ysout s. sendan.
yslaȝc, yslawc s. (ge)slêan.
yslan s. yslo.
yslo, *schw.f., nom.pl.* yslau 9,224 *asche.*
yssape s. scioppan.
yssod s. sceâdan.
ysslaȝe s. (ge)slêan.
yteren, *adj.,* 17,100 *zur otter gehörig, von otterfell.*
ythand, *adj.,* 73,12 *eifrig, andauernd; vgl.* iþinlic.
ythrungin s. þringan.
ytt s. ctan.
vu s. gê.
yvel s. yfel.
yung s. geong.
yuori, *sb.,* 42,3 *elfenbein; ne.*ivory.

yure s. gê.
ywent s. weudan.
ywonod s. gewunian.
ywonne s. winnan.
ywounde s. windan.
ywrouȝt s. wyrcan.
yyolde s. gieldan.
yzeȝ s. geseôn.
yzoȝe s. (ge)sêon.
yzy, yzygþ s. geseôn.
ŷð, st. f., me. pl. uþe 33,26; yþes 58,147 wuge.
yþe s. ŷð, čaðe.

Z.

z- s. s-.
zaule s. sâwol.
zayde, zayþ s. secgan.
ze s. sæ̂.
zede s. secgan.
zenne s. syn.
zente s. sendan.
zet s. sittan.
zette s. settan.
zigge s. secgan.
zitte s. sittan.
zones s. sunu.
zoster s. sweostor.
zoþ(e) s. sôð.
zuo s. swâ.
zyþ s. sêon.

þ.

þ 19d,5; ð 27,2 = þæt, me. þat.
þâ, adv., 21,2; ðâ 8,589; nh. tha 2,7; me. þa 19c,5; þo 34,13841; ta 36,15550; tho 67,228 da; þo 47,1034 dann; konj., þâ 8,607; ðâ 17,137; me. þa; ða 19c,11; ta 36, 15607; þo 46,301; thoo 68,37 da, als.
þâ, þa, þæ s. sê.
þa s. þæt.
þabot 42,19 = þe abot.
þafian, schw. v., þafigean 15,188; me. þavien, þave; præt. þafode 16, 63 sieh zu etwas verstehen, auf etwas eingehen (mit akk.).
þaȝ s. þêah.
þngiet = þâ giet, adv., 17,57 da noch.
þah s. þêah.
ðæhtung s. þeahtung.
þai s. sê.
þai, þaim s. hê.

þair s. hê, þæ̂r.
þæ̂m, þâm s. sê.
þam(e) s. hê.
þan s. sê.
þau, þanne, þænne s. þoune.
þane, ðane s. þonc.
þancol- s. þoncol-.
þane, þanne s. sê.
ðanne, þanon s. þonan.
þar s. hê, þæ̂r.
þæ̂r, adv., 8,570; nh. þèr 4,3a; mere. ðêr 13,49; k. ðaer 12,7; me. ther 27,2; þar 27,7; þær 27,28; ðer 32, 43; þor; þære 32,99; þere 32,140; þer 33,35; tær 36,15550; ðor 39, 1282; ðere; þare 45,28; þore 48, 223; thare 49,35; þair 60,119; there 65,64; thar 66,401; ther 67, 12; thair 70,9 da, dort; 9,587 19a,6; me. 27,24; 44,158 wo, wohin; ne. there; þer is 50,2; prät. þer wes 50,64 es gibt; me. þær-affterr 36,15542; þer efter 88,12; þer after 88,15 danach; þer ato 61,1117 daran; ðorby dabei, rorbei, vorüber: þer fore 32,146: þerfor(e) 33,81; þarvore 34,13956; þereuore 37,63; þaruore 43,103; þarfor(e) 46,80; þarforne 46,346 (les.); þeruore 50,14; tharfor(e) 62,3; therfore 63,5; therfor 67, 20; therefore 69,171; thairfoir 71.29 deshalb; þer-fram 44,55 entfernt daron; thairfra 71,10 daron; þer inne 27.27: ðeriune 32,222; þærinne 36,15558; ðor inne 39, 1335; þarein 45,72; þer in 48,106; therein 69,162; thairin 71.12 darin, hinein; þar neh 33,45 dahin; þærof 21,12; me. thar of 27,5: þerof 46,9; thare of 62,3: thairof 71,32 davon; þer of 50,62 wowon: þarof 60,84 deshalb; þar-on 34, 13793; þareon 45,4; þeron 48,170; þerappon 59,75; ther(e)on 69,162 darüber, darauf: þer oute 58,153 heraus; þarout 60,48 außerhalb; þerto 44,4; þarto 60,64; therto 67,102: tærtekenn 36,15595 = þærtoeken (s. tô-êacan) dazu: þorwith 44,100; þerwith 59,96; tharwyth 62,29; therewith 69,166; ther(e)withall 69,171 zugleich, damit; þarþoru 46,346 dadurch.
þæ̂ra, þâra, þæ̂re s. sê.
þarein, þareon s. þæ̂r.
þærf s. þurfan.

þarfor(e), þarforn(e), þêrof,
þar-on, þarout, þarto, þar-
vore, þaruore *s.* þær.
þâs, ðâs, þas *s.* þes.
þæs *s.* sê.
þæt, *konj.,* 7,186; ðæt 17,103; *kent.*
ðaet 12,15; ðęt 12,32; *we.* þæt
19c,5; þęt 32,192; þat 34,13787;
þatt 26,90; tatt 36,15538; ðat 39,
1320; that 63,23; *oft* þætte 9,1;
kent. ðættæ 12,9; ðette 12,35; *nh.*
þto = þæt þe 19a,7 *daß, damit;*
ne. that; *ae.* and þæt, oð þæt 10,
2874; *me.* a þęt 33,66; a þa; þat 46,
299 *bis;* quan ðat 39,1322 *wann.*
þatt *s.* sê, þæt.
þau, þauh *s.* þêah.
þave, þavien *s.* þafian.
þay *s.* sê.
þayn *s.* ðegn.
þê, þe, *relat. partikel, nach demonstr.*
oder pers. pron. oder allein 6,29;
ðê 17,179; þæ 18,51; *me.* ðe 32,
112; þe 34,13796; tho *der, die,*
das; þêra þe *oft mit präd. im*
sing.; ðê ... hiora *deren;* þe ...
on *worin, wohin;* ic þe *der ich;*
þæs þe *nach dem was, wie.*
þê, *konj.,* 9,357 *oder;* hwæðer ... þê
21,33 *ob ... oder.*
þê, ðê, þe, ðe *s.* þû.
þêah, *adv.,* 17,105 *dennoch: konj.,*
7,211: ðêah 14,64; þeh 25,5; *me.*
þeh 32,4; ðeh 32,377; þah 33,24;
þauh 37,82; þoyh 40,63; þau 46,
45; þei 47,1011; þaʒ 58,92; *dann*
*aus an.*þoh, þó: þohh 36,15623:
þouh 44,124; þeʒ 45,36; þou; þof
59,29; þouch 60,83; thogh 63,5;
though 63,16; thocht 66,426; tho
68,25 *doch, obgleich;* 46,104 *wenn*
*auch; ne.*though; *vgl. unter* hwæ-
ðere, swä.
þêah *s.* þêon.
þeahtian, *schw. v., prät. pl.* þeah-
tedon 15,25 *beraten, überlegen.*
þeahtung, *st. f., uh.* ðæhtung
19a,12 *beratung.*
þearf. *st. f.,* 8,659; *uh.* tharf 3,2;
me. þerf, þarrfe *bedürfnis, not-*
wendigkeit; him is þarf 3,2 *er*
hat es nötig.
þearf *s.* þurfan.
ðearfa, *schw. adj., dann sb., m.,* 13,
41; *me.* þearfe *armer.*
þearfende *s.* þurfan.
þearle, *adv.,* 18,46 *heftig, ungestüm.*

þearlic, *adj.,* 8,678 *heftig, schwer;*
9,644 *schrecklich, schmerzlich.*
þêaw, *st. m.,* 15,168; ðêaw 11,129:
þêau 15,202 *gebrauch, gewohnheit,*
sitte; me. wiþ no þewe 46,72 *füg-*
lich nicht; ne. dicht. thew.
þec, ðec *s.* þû.
þeccan, *schw. r.,* 9,249; þecan 9,
216 *(be)decken.*
þede *s.* þêod.
þef *s.* þêof.
þeʒʒ(re) *s.* hê.
ðegn, *st. m.,* 10,2907 *diener;* þegn(as)
8,683; *gen. pl.* ðegna 14,*schl.-ged.*
27 *mann:* ðegn(um) 19a,7 *jünger:*
þegen(un) 19b,12; *me.* þeign(en)
19c,12; þein(es) 34,13986; þayn
44,31 *krieger, soldat; ne.* thane.
þegnung, *st.f.,* þêning(les.þênung)
14,15 *dienst, offizium, rituale.*
þêgon *s.* þicgan.
þeh, þêh, þei *s.* þêah.
þeignen, þeines *s.* ðegn.
þeire *s.* hê.
þen *s.* þêon, þonne.
ðen- = ðe en-.
þencan, *unreg. schw. r.,* 10,2891;
me. ðenche 32,252; þenchen 37,
47; þenchæ 32,150 *(les.);* [thinke
59,30; thynk(e) 67,196;] 3. *sy.*
þenþ 21.73; *me.* ðenchet 32,79;
p. präs. thynkande 49,8; *prät.*
þôhte 21,71; *me.* þoute 46,150;
þouʒte 47,1096; þouht 48,141;
þoʒt(e) 50,72; thocht 60,56; *pl.*
þôhtun 8,637; þôhton 11,208:
þôhtan 15,122: *me.* þohten 34,
14027; þohhtenn 36,15575; þouʒt
42,7 *(er)denken, gedenken;* 21,71
beabsichtigen; ne. think *(mischt*
sich mit þyncan).
þenden, *konj.,* 8,714 *so lange.*
þene, ðene *s.* sê, þonne.
þêning s. þegnung.
þenne 32,121 *(les.)* = þe ende.
þenne *s.* sê, þonne.
þênung s. þegnung.
þêo *s.* sê.
þêod, *st.f.,* 9,341; ðiod 14,52; ðêod
15,32; *me.* þed(e) 44,105; *pl.* þêode
15,29 *volk;* 22,1 *land.*
þêoden, *st. m., flekt.* þêodnes *&c.*
9,605 *herr, könig, gott.*
þêodguma, *schw. m.,* 11,208 *mann*
(aus dem rolke).
þêodkyning, *st. m.,* 26,34 *(volks)-*
könig.

þeodnes s. þeoden.
þeodscipo, st. m., 8,695 gesetz;
16,83 zucht, disziplin.
þeof, st. m., me. þeof, þef 61,1148;
dat. þeoue 32,43; pl. theoues 44,
41 dieb; ne. thiel.
þeo(h), st. m., me. þe, pl. þes 46,
441 hüfte, schenkel; ne. thigh.
þeon, st. r., me. þen 47,1048; the
67,328 gedeihen; prät. þeah 8,605
nützen.
þeonue s. þonne.
þeos, ðeos, þeos, ðeosse s. þes.
þeoue s. þeof.
þeow, st. m., 15,116; kent. merc.
ðiow 12,39, pl. ðiowas 12,7; me.
þew diener.
þeowa, schw. m., 17,164 diener.
þeowdom, st.m., 15,86; me. þeou-
dom(e) 37,98 dienst, knechtschaft;
21,65 herrschaft.
þeowian, schw. r., präs. konj. pl.
þeowion 21,46; me. þeowen, tho-
wen; prät. pl. þeoudon 15,211
dienen.
þeowot, st. n., dat. þeowte 22,8
dienst, knechtschaft.
þeowotdom, st. m., ðiowotdóm
14,11 dienst.
þer, ðer, þor(e), þer(e) s. þær.
þer after, þerappon, ðerby
s. þær.
þer(e), ððre s. hê, sê.
þer ofter, þer(e)uore, þer
fore s. þær.
ðerh s. þurh.
þerin, ðerinne, þerof, þeron,
þer oute, þerto, þerwith s.
þær.
þes, demonstr. pron., ðes; me. þes
61,1146; f. þêos; me. ðeos 32,330;
þes 40,77; þise 50,34; n. þis 17,
129; ðis 19a,14; me. þis 32,241;
þiss 36,1; this 67,274; gen. m. n.
ðisses 14,65; þysses 15,15; þyses
15,38; ðises 22,39; me. ðises; f.
þisse, ðysse (les. ðeosse) 16,1; me.
ðis 32,267; ðises 32,334; dat. m. n.
ðissum 14,63; þissum 17,128;
þyssum 15,8; þysum; þisan 25,11;
f. ðisse 14,25; þysse 15,225; me.
ðusse 32,342; þissen, þisse, þise
50,20; akk. m. þisne 19b,15; þysne
15,204; me. þisne 19c,15; ðesne
37,167; f. þâs 16,33; me. ðas; þas
31,14018; n., ðis 14,39; þis 14,81;
me. þis 46,217; þys 58,108; this

67,70; thiss 71,4; instr. m. n. ðýs
14,schl.-ged.28; þýs; Ep. thýs 1,10;
pl. nom. akk. þâs, ðâs 15,17; me.
þes 32,41; þas 32,230; þis 84,
13797; þos 41,14; þose 58,77;
þoos; þise 48,190; thes 59,50;
thise 67,277; this 67,445; thir
73,15; gen. ðissa 14,22; þyssa 11,
187; dat. þissum 18,134; me. ðisse
32,308 dieser; me. pl. auch: those
67,45; these 68,25 jene; ne. this,
these, those.
þos, ðos s. sê, þeoh.
þet s. þæt, sê.
þew(e) s. þeaw, þeow.
þeyh s. þeah.
ðeðon, adv., 39,1337 von da.
ðh- s. þ-.
þi s. þu; ði 32,238 fehler statt hi.
þi, ði, for þi darum, deshalb; s. sê.
þicgan, st. schw. v., prät. pl. þêgon
8,687; me. þygge annehmen, emp-
fangen; 3. sg. präs. ind. þigeð 9,
219; konj. ðicge 22,7 verzehren,
essen.
þider, adv., 15,163; þyder 11,129;
ðider 17,79; me. þuder 32,46; þider
32,47; ðuder 32,174; ðider 32,370;
thedur 59,88; þyder 61,1119;
thedir 67,312 dorthin, wohin; ne.
thither.
þiderweard, adv., 17,137; me.
þiderward 40,7; thederward 67,
245; thitherward dorthin zu; ne.
thitherward.
ðierf s. þurfan.
þigeð s. þicgan.
þilk(e) s. ylca.
ðin, þin s. þu.
þinceð, ðinche(n), þinchen,
þincð, ðincð s. þyncan.
þine s. þonan.
þinen st. f., akk. ðinenne 11,172
magd.
þing, st. n., 11,153; ðing 12,15;
me. þing 28,39; (dat. pl. þingan 28,
48) ðing 32,84; ðin; 32,316; (pl.
þinges 32,386); þingh(e) 44,66;
thing 60,50; þyng 61,1125; thyng
67,154; þink ding, sache, gegen-
stand; 51,13 wesen; ne. thing; no
þing 48,170 keineswegs; vgl. unter
nân.
ðingian, schw. r., 15,128 sich
wenden an, eintreten für; þingian
24,25; prät. pl. þingodon 15,182
(er)flehen.

ðiod- s. þéod.
ðiow(a)(s) s. þéow.
ðiowotdôm s. þéowotdóm.
ðirda s. þridda.
ðire s. þú.
ðis 32,154 = ð is, þet is.
þis-, ðis- s. þes.
ðiu s. sê.
þó, schw. f., Ep. thôhac 1,1 ton, lehm.
þo s. þâ, sê.
þof, þoȝ, þohh s. þêah.
þoȝt(e), þohhte s. þencan.
þohhwhoþþre s. hwæðore.
þôht, st.m., me. þohht 36,72; þouht-(es) 40,48; þouȝt 42,16; þoȝt(e) 45,34; þout 46,113; thoght(e) 49, 22; þoht(e) 54,15; thocht 62,33 gedanke, geist; ne. thought.
þôhte, þohton s. þencan.
þolian, schw. v., 8,569; me. þolìȝen 28,55; ðolie 32,182; þolien 33,19; þolenu 36,15610; þole 37,127; þolye 40,5; thole 45,68; 3. pl. präs. ðolieð 32,202; prät. þolode; me. þolede 32,184; pl. þoledon 11,215; p.p. me. tholyt 62,13 dulden, (er)leiden.
þon s. sê, þonne.
þonan, adv., 17,16; þanon 10,2927; þanonne 11,132; ðonan 14,schl.-ged.9; þonou, ðanon 15,57; me. ðanne, þanne, thennes; thens 67, 548; fra thine 66,380 von, da; ne. thence.
þonc, st.m., me. þonk, ðanc 32,90; ðank 32,241 gedanke, herz, sinn; þonc 7,209; þanc 10,2933; ðonc 14,20; me. þanc 32,71; þank 44, 160 dank; ne. thank.
þoncian, schw. r., þancian; me. þonkie 37,11; ðanke 39,1320; þank(e) 44,160; thank 67,172; p. präs. thankyng 65.63; prät. þancode 22.31; p. p. thankit 71, 17 (be)danken; ne. thank.
þoncolmôd, adj., þancolmôd 11, 173 denkend, klug.
þoncsnoter, adj., komp. uh. thoncsnotturra 3,2 klug.
þoncwyrde, adj., 11,153 dankens-wert, angenehm.
þone s. sê.
þoner, göttern., dat. þonre, þunre 34,13929 Donar; vgl. þunor.
þonne, adv., 9,320; ðonne 9,331; thænno 24,1; þanne, þænne; me.

þænne 32,22; þonne 32,56; ðenne 32,118; thanne; þeonne 37,118; þan 44,114; þanne 50,27; then 58,101; ðan, þon, þen 60,117 dann, da, ferner; than 66,379 damals: komp. konj., 10,2921; ðonne 17, 84; nh. than 3,2; me. þan 27,45; þanne 32.2; þene 32,29; ðenne 32,213; ðen 32,247; þenne 32,390; þen 46,123; than 62,12; then 67,13 denn, als; þenne 33,51 als daß: 67.535 noch; þone 15,126; þonne 17,166; me. þanne 44,156 sobald als; ðonne 9,182; me. þanc 32,6; ðenne 32,74; þenne 32,233 wenn: ðonne 13,4 währeud; ðonne 19a. 16; me. þanne 50,2 denn, nun, also; ne. than, then.
þor, ðor s. sê, þær.
ðorftan, þorfte s. þurfan.
þorgh, þorh s. þurh.
þorisdai s. þunres dæi.
þorn, st.m., me. pl. ðornes 39,1334 dorn, dornstrauch; ne. thorn.
þoru s. þurh.
þorwith s. þér.
þos(e) s. þes.
þou s. þú, þêah.
þouch s. þêah.
þouȝt s. þencan, þôht.
þouht s. þôht.
þourh(out) s. þurh.
þousand s. þûsend.
þout, þouth s. þôht.
þrâh, st. f., akk. þrâge 26,4; me. þrajhe, þrowe 4035 zeit, weile.
þrǽl, st. m., me. ðrel(es) 32,187; þrell(es) 33,101; þral; thral 63,20, knecht; ne. thrall.
þre s. þri.
þrêa, st. m. f. n., 8,678 übel, un-glück, grans, strafe.
þrêagan, schw. v., 3. sg. präs. ind. ðrêað 20,6; mere. konj. ðrêge 13, 23; me. þraghe drohen, schelten.
þrêat, st.m., 8,672; ðrêat 11,164; me. þræt, þret schar, gedränge.
þrêatian, schw. r., me. þrete(þ) 52,7; threte(s) 57,31; prät. me. þrette 45,1; p. p. me. þrett 45,106 drängen, (be)drohen; ne. dicht. threat, vgl. threaten; rb.-sb. me. threting 57.30 drohung.
ðrêað, ðrêge s. þrêagan.
þrelles s. þrǽl.
þrelwcork, sb., pl. -es 33,102 knechtarbeit.

þrengen, v., prät. þrengde 27,27
bedrängen, drücken, zwängen.
þrêo, þrêora s. þrí.
þrêotŷne, zahlw., ðrêottŷne 13,
112; me. thrittene 65,63 dreizehn;
vgl. ne. thirteen.
þresteloco, sb., 52,7; þrestelcok
54,52 drossel, drosselmännchen;
vgl. *þrŷstle.
þrett(e) s. þrêatian.
þrí, zahlw., ðríe 17,56; þrŷ 17,139;
n. þrêo 22,77; me. thre 27,29; þreo
33,99); þro 36,15591; þrí 50,36;
gen. þrêora 17,111; dat. þrim 15,
37; me. þrim 28,48 drei; ne. three.
þridda, zahlw., 9,644; me. ðridde
32,140; þridde 28,18: ðride 39,
1301; thyrde 49,5; thryd 67,460
der dritte; ne. third.
ðríe s. þrí.
þrífe, v., þryue 48,4; þryfe 67,191;
thrifo 67,243 gedeihen, wachsen;
ne. thrive; p. p. þryuen 54,16 schön
gewachsen, glücklich; so met y
þryue 61,1146 so wahr es mir gut
gehen möge.
þrim s. þrí.
þringan, st. v., 9,336; me. þringe;
prät. pl. þrungen 11,164; me. p. p.
ythrungin 69,165 (sich) drängen;
dringen, pressen, stoßen, schleudern.
þrísto, adj., me. þriste 32,19 dreist,
leichtsinnig.
þrístill s. *þrŷstle.
þrítig, zahlw., 17,110; þrittig; me.
þritti 50,87; thirte 67,125; thyrty
67,260 dreißig; ne. thirty.
þro, adj., 54,16 kühn, unbändig.
þróstle, schw. f., drossel; ne. throstle.
þrote, schw. f., me. þrote 27,31
kehle, vorderhals; ne. throat.
þrou, þrough(e) s. þurh.
þrowe s. þráh.
þrówian, schw. v., fl. þrówienne
15,217 dulden, erleiden.
þrówung, st. f., 16,75; me. þro-
wung(e) 28,44; ðhrowing 39,1317
leiden.
þrúh, st. f., me. dat. þruwe 28,21
korb, sarg, begräbnis.
þrungen s. þringan.
þrŷ s. þrí.
þryfe s. þrífe.
þrym(m), st. m., ðrym(mum) 11,
164; me. thrum schar, menge;
8,694 macht, kraft; 7,204; gen. pl.
þrymma 9,628 glorie, herrlichkeit.

þrymcyninge, st. m., 24,2 könig
der heerscharen, gott.
þrymsittend, p. präs. adj., 8,726
in herrlichkeit thronend.
þryng s. geþring.
þrŷnis, st. f., 8,726 dreieinigkeit.
*þrŷstle, schw. f., me. thristill
60,4 drossel; vgl. þresteloco.
þryue, þryuen s. þrífe.
þrŷð, st. f., instr. pl. þrŷþum 9,326
schar, menge, masse; pl. þrŷþo
9,184 flut.
þte s. þæt, konj.
þú, pron., 7,166; me. thu 27,40; þu
33,61; þeu 34,13883; tu 36,15586;
ðu 39,1289; thou 67,119; thow
71,5; gen. (als poss. flekt.) þin 10,
2851; ðin 13,24; me. þin 33,65;
thin; þine 37,31; þi 37,25; þin
48,61; þyn 56,14; thyn 64,26;
thi 67,65; thy 67,139; (poss. pron.
gen. m. u. ðínes 13,13; þines 21,
52; f. ðíure 13,20; þinre 21,48;
dat. m. þinum 21,9; me. þine 37,
155; f. me. ðire 37,154; þire 37,
169; akk. m. þinne 21,4; f. ðine
13,25; þine 21,60; pl. nom. þine
21,65; gen. ðínra 13,25; þinra 21,
47; dat. þe 9,622; ðe 13,14; me.
þe 31,13887; thee 67,118; akk.
ðec 13,9; þeo; þe 21,6; ðe 21,73;
me. þe 33,65; the 67,124; thee
67,191 du; ne. thou, thee, thine,
thy; thy-self 69,169 dich (refl.);
ne. thyself; vgl. seolf.
þuder, ðuder s. þider.
ðufte s. ofþyncan.
þúhte, þuhte s. þyncan.
þúma, schw. m., Ep. thúma 1,19;
me. pl. þumbes 27,22 daumen; ne.
thumb.
þunche(n), þunceð, þuncheþ
s. þyncan.
þunne, adj., 56,34 dünn, dürftig;
ne. thin.
þuner, st. m., me. thoner(s) 67,346;
gen. þunres 33,61; dat. þunro 23,
32 donner; ne. thunder; vgl. þoner.
þunres dæi, sb., þorisdäi 34,13919
(altnord. þórsdagr) donnerstag;
ne. Thursday; vgl. þoner, þunor.
þurch(-), ðurch(-) s. þurh.
þurfan, prät. präs. 1. 3. sg. präs.
þearf 6,22; me. ðierf 32,43; ðearf
32,163; þærf 32,45; pl. þurfon;
þurfe 23,34; konj. þurfe; pl. þyrfen
11,153; me. þurve 40,26; p. präs.

þearfeude 15,88; *prät.* þorfte 18, 78; *me.* þurtc 44,10; *pl.* þorftan 8,683; ðorfton 14,95; ðorftan 15, 128 *nötig haben, brauchen; me. auch mögen.*

þ u r h. *präp.,* 6,27; ðurh 14,35; *me.* þurch 32,41; ðurh 32,282; durh 32,344; þurh 34,13836; þurrh 36,7; þuruh 37,122; þureh 40,71; þoru 46,125; þorgh 48,39; þorh; throughe 59,16; throu 60,87; through 64,18; thoro 67,278; throw 71,40 *durch. infolge von, gemäß: ne.* through; þurh eall 15,216 *durchaus;* þurrh gastli; witt 36,82 *in geistigem sinne;* þurrh swille 36,47 *auf solche weise; konj.* þurrh þatt 36,39; þorgh þat 48,53 *dadurch daß, indem; me. adv. und präp.* þuruhut 37,54; þuruhtut 37,70; ðurchut 37,142; þurhut 44,52; þourh out 55,4 *durchaus, ganz durch; ne.* throughout.

þurhbindan?, *st.r., me.p.p.* þuruhbunden 37,123 *ganz und gar binden.*

þurhsêcau, *schw. r., me.* þurrhsekenn 36,15633 *genau untersuchen.*

þurhsêon, *st. r., 3. sg. präs. me.* ðurhsihð 32,90 *durchschauen.*

þurhut *s.* þurh.

þurhwunian, *schw.r., prät.* þurhwunede 28,28 *verweilen, verharren.*

þurlod, þurles *s.* þyrlian.

þurrh *s.* þurh.

þurst, *st. m.,* 9,613; ðurst(e) 13,32; *me.* þurst 32,197; ðurst 32,229; thrist 70,5 *durst; ne.* thirst.

þursto *s.* þyrstan.

þurte *s.* þurfan.

þuruh(-) *s.* þurh(-).

þus, *adv.,* 9,621; ðus 12,13; *me.* þus 33,40; þuss 36.73; tuss 36,81; thus 49,6 *so; ne.* thus.

þus 32,129 = þu his.

þúsend, *st. n.,* 9,364; *me.* þusen 27,33; þusend 32,352; thousande

44,127; þousand 48,107 *tausend: ne.* thousand.

þûsendmælum, *adv.,* 11,165 *tausendfältig, zu tausenden.*

ðusse *s.* þos.

þust-, ðust- *s.* þўst-.

þwoorh, *adj., kent. gen. sg. f.* ðwerre 20,42 *quer, verkehrt.*

þwerrt ut, *adv.,* 36,105 *durchaus.*

þwerten, *v., prät.* ðwerted 39,1324 *durchkreuzen, hindern; ne.* thwart.

þў, þў læs, 14,*schl.-ged.*28 *s.* sê.

þyder *s.* þider.

þyncan, *unreg. schw. r.,* þincan 8, 662: þyncan 12,44; *me.* ðinche 32,62; þincho(n)38,3; þunche 46, 238; *3. sg. präs.* mê þinceð 10, 2895; ðyncð 14,53; *me.* me þincð 32,5; ðincð 32,352; þunchoð 37, 63; þuncheþ 40,40; þinkeþ 46, 218; þingþ; thyng; thynkys 67. 511; think; *prät.* þûhte 17,78; *me.* þuhte 40,63; thoucht 60,63; thoght 67,19; thocht 71,2 (*berührung mit* þencan); *p. p.* geðûht 15,190 *dünken, scheinen; ne.* methinks.

þyng *s.* þing.

þynk(e) *s.* þencan, þyncan.

þyrel, *st. n.,* 6,21: *me.* þurl (*vgl. ne.* nostril) *loch, öffnung.*

þyrel, *adj.,* 14,*schl.-ged.*27 *durchlöchert.*

þyrfen *s.* þurfan.

þyringas, *volksn., st. m. pl.,* 17,11 *Thüringer.*

þyrlian, *schw. r., me.* þurle(s) 38,5: *p. p.* þurlod 55,13 *durchlöchern, durchbohren; ne.* thrill.

þyrstan, *schw. r., me.* þurste 40,24 *dürsten; ne.* thirst.

þys, þys-, ðys- *s.* þos.

þўsterness, *st. f., me.* ðusternesse 32,277 *finsternis.*

þўstre, *adj.,* 8,683; *me.* þustro 32,76 *düster, finster.*

þўstriau, *schw. r., me.* þustren *prät.* þўstrodon 21,1 *finster, trüb werden.*

Verlag von Wilhelm Braumüller, Wien und Leipzig

Wiener Beiträge zur englischen Philologie

Unter Mitwirkung von K. Luick, A. Pogatscher, R. Fischer,
L. Kellner, R. Brotanek und A. Eichler, herausgegeben
von J. Schipper.

I. Bd.: **Wurth, Leopold, Dr. phil.** (Wien). Das Wortspiel
bei Shakspere. Gr.-8°. [XIV u. 255 S.] 1895.
7 *K* 20 *h* = 6 Mk.

II. Bd.: **Schipper, J.** Grundriß der englischen Metrik.
Gr.-8°. [XXIV u. 404 S.] 1895. 14 *K* 40 *h* = 12 Mk.

III. Bd.: **Brotanek, Rudolf, Dr. phil.** (Wien). Untersuchun-
gen über das Leben und die Dichtungen
Alexander Montgomeries. Gr.-8°. [VIII u.160 S.]
1896. 4 *K* 80 *h* = 4 Mk.

IV. Bd.: **Gattinger E., Dr. phil.** (Wien). Die Lyrik Lyd-
gates. Gr.-8°. [VII u. 85 S.] 1896.
2 *K* 80 *h* = 2 Mk. 40 Pf.

V. Bd.: **Schwab, Hans, Dr. phil.** (Wien). Das Schauspiel
im Schauspiel zur Zeit Shaksperes. Gr.-8°.
[VIII u. 67 S.] 1896. 2 *K* 80 *h* = 2 Mk. 40 Pf.

VI. Bd.: **Schmid, D., Dr. phil.** (Wien). William Congreve,
sein Leben und seine Lustspiele. Gr.-8°.
[VIII u. 179 S.] 1897. 4 *K* 80 *h* = 4 Mk.

VII. Bd.: **Dametz, Max, Dr. phil.** (Wien). John Vanbrughs
Leben und Werke. Gr.-8°. [VI u. 199 S.] 1898.
6 *K* = 5 Mk.

VIII. Bd.: **Wollmann, Franz, Dr. phil.** (Wien). Über politisch-
satirische Gedichte aus der schottischen
Reformationszeit. Gr.-8°. [VI u. 96 S.] 1898.
2 *K* 80 *h* = 2 Mk. 40 Pf.

IX. Bd.: **Fischer, Rudolf, Prof.** an der Universität Innsbruck.
Zu den Kunstformen des mittelalterlichen
Epos Hartmanns „Iwein“, Das Nibelungen-
lied, Boccaccios „Filostrato“ und Chaucers
„Troylus and Cryseyde“. Gr.-8°. [XVIII u.370 S.]
1899. 9 *K* 60 *h* = 8 Mk.

X. Bd.: **Pesta, Hermann, Dr. phil.** (Wien). George Crabbe.
Eine Würdigung seiner Werke. Gr.-8°. [VI. u.
71 S.] 1899. 2 *K* 40 *h* = 2 Mk.

XI. Bd.: **Reitterer, Theodor, Dr. phil.** (Wien). Leben und
Werke Peter Pindars (Dr. John Wolcot).
Gr.-8. [VIII u. 150 S.] 1900. 4 *K* 80 *h* = 4 Mk.

XII. Bd.: **Richter, Helene** (Wien). Thomas Chatterton.
Gr.-8°. [X u. 258 S.] 1900. 7 *K* 20 *h* = 6 Mk.

XIII. Bd.: **Friedrich, Johann, Dr. phil.** (Wien). William Fal-
coner: „The Shipwrek.“ A poem by a sailor, 1762.
Gr.-8°. [VIII u. 79 S.] 1901. 2 *K* 40 *h* = 2 Mk.

XIV. Bd.: **Meindl, Vinzenz** (Wien). Sir George Ether-
edge, sein Leben, seine Zeit und seine
Dramen. Gr.-8°. [VIII u. 278 S.] 1901.
8 K 40 h = 7 Mk.

XV. Bd.: **Brotanek, Rudolf, Dr. phil.** (Wien). Die eng-
lischen Maskenspiele. Gr.-8°. [XV u. 371 S.]
1902. 14 K = 12 Mk.

XVI. Bd.: **Brandl, Leopold** (Wien). Erasmus Darwin's
Temple of Nature. Gr.-8°. [XII u. 203 S.] 1902.
5 K 40 h = 4 Mk. 50 Pf.

XVII. Bd.: **Luick, Karl.** Studien zur englischen Laut-
geschichte. Gr.-8°. [XI u. 217 S.] 1903.
8 K = 6 Mk. 80 Pf.

XVIII. Bd.: **Schmid, D., Dr.,** Professor an der Realschule in
Leipnik. George Farquhar, sein Leben
und seine Originaldramen. Gr.-8°. [VIII u.
372 S.] 1904. 9 K 60 h = 8 Mk.

XIX. Bd.: **Oswald, Emil, Dr.** (Wien). Thomas Hood und
die soziale Tendenzdichtung seiner Zeit.
Gr.-8°. [VII u. 120 S.] 1904. 4 K = 3 Mk. 40 Pf.

XX. Bd.: **Eichler, Albert, Dr. phil.** (Wien). John Hook-
ham Frere, sein Leben und seine Werke,
sein Einfluß auf Lord Byron. Gr.-8°. [VIII
u. 194 S.] 1905. 7 K 20 h = 6 Mk.

XXI. Bd.: **Rösler, Margarete, Dr. phil.** (Wien). Die Fas-
sungen der Alexius-Legende mit beson-
derer Berücksichtigung der mittleneng-
lischen Versionen. Gr.-8°. [X u. 197 S.] 1905.
7 K 20 h = 6 Mk.

XXII. Bd.: **Benndorf, Cornelie** (Wien). Die englische
Pädagogik im 16. Jahrhundert wie sie
dargestellt wird im Wirken und in den
Werken von Elyot, Ascham und Mulcaster.
Gr.-8°. [XII u. 84 S.] 1905. 3 K 60 h = 3 Mk.

XXIII. Bd.: **Siegert, Eduard, Dr. phil.** (Wien). Roger Boyle,
Earl of Orrery und seine Dramen. Zur
Geschichte des heroischen Dramas in
England. Gr.-8°. [VIII u. 75 S.] 1906.
3 K = 2 Mk. 50 Pf.

XXIV. Bd.: **Weissel, Josefine** (Wien). James Thomson der
Jüngere, sein Leben und seine Werke.
Gr.-8°. [VIII u. 159 S.] 1906. 4 K 80 h = 4 Mk.

XXV. Bd.: **Dyboski, Roman, Dr. phil.** Tennysons Sprache
und Stil. Gr.-8°. [XL u. 544 S.] 1907. 18 K = 15 Mk.

XXVI. Bd.: **Eichler, Albert.** Samuel Taylor Coleridge;
The ancient Mariner und Christabel.
Mit literarhistorischer Einleitung und Kommentar.
Gr.-8°. [XII u. 133 S.] 1907. 6 K = 5 Mk.

XXVII. Bd.: **Frisa, Heinrich, Dr.** (Wien). Deutsche Kultur-
verhältnisse in der Auffassung W. M.
Thackerays. Gr.-8°. [X u. 78 S.] 1908.
2 K 40 h = 2 Mk.

XXVIII. Bd.: **Poscher, Robert. Dr. phil.** (Wien). Andrew Marvells poetische Werke. Gr.-8°. [XII u. 157 S.] 1908. 6 K = 5 Mk.

XXIX. Bd.: **Koltas, Karl, Dr.** (Wien). Thomas Randolph, sein Leben und seine Werke. Gr.-8°. [VIII u. 105 S.] 1909. 3 K 60 h = 3 Mk.

XXX. Bd.: **Brandl. Leopold, Dr.,** (Professor an der k. k. Staats-Oberrealschule im I. Bezirk, Wien), Erasmus Darwins Botanic Garden. Gr.-8°. [XII u. 166 S.] 1909. 6 K = 5 Mk.

XXXI. Bd.: **Putschi, Ferdinand** (Wien). Charles Churchill, sein Leben und seine Werke. Gr.-8°. [VIII u. 98 S.) 1909. 4 K = 3 Mk. 40 Pf.

XXXII. Bd.: **Kraupa, Mathilde** (Wien). Winthrop Mackworth Praed, sein Leben und seine Werke. Gr.-8°. [VIII u. 125 S.] 1910. 4 K 80 h = 4 Mk.

XXXIII. Bd.: **Mařik, Josef, Dr.** w-Schwund im Mittel- und Frühneuenglischen. Gr.-8°. [X u. 111 S.] 1910. 4 K = 3 Mk. 40 Pf.

XXXIV. Bd.: **Badstuber, Alfred, Dr. phil.** (Wien). Joanna Baillies Plays on the Passions. Gr.-8°. [XII u. 119 S.] 1911. 4 K 80 = 4 Mk.

XXXV. Bd.: **Gajšek. Stephanie v., Dr. phil.** (Wien). Milton und Caedmon. Gr.-8°. [X u. 65 S.] 1911. 2 K 40 h = 2 Mk.

XXXVI. Bd.: **Schipper, J.** James Shirley, sein Leben und seine Werke nebst einer Übersetzung seines Dramas „The royal master". Mit einem Bilde des Dichters. Gr.-8°. [XIV u. 447 S.] 1911. 16 K 80 h = 14 Mk.

XXXVII. Bd.: **Becker, Franz, Dr. phil.** Bryan Waller Procter (Barry Cornwall.) Gr.-8°. [XII u. 126 S.] 1911. 5 K 40 h = 4 Mk. 50 Pf.

XXXVIII. Bd.: **Janku, Ferdinand. Dr. phil.** (Wien). Adelaide Anne Procter, ihr Leben und ihre Werke. Gr.-8°. [XII u. 111 S.] 1912. 3 K 60 h = 3 Mk.

XXXIX. Bd.: **Lutensky, Paula** (Wien). Arthur Hugh Clough. Gr.-8°. [VIII u. 58 S.] 1912. 2 K 40 h = 2 Mk.

XL. Bd.: **Wirl, Julius, Dr. phil.** (Wien). Orpheus in der englischen Literatur. Gr.-8°. [X u. 102 S.] 1913. 4 K 80 h = 4 Mk.

XLI. Bd.: **Seemann, Margarete** (Wien). Sir John Davies, sein Leben und seine Werke. Gr.-8°. [X u. 92 S.] 1913. 4 K 80 h = 4 Mk.

XLII. Bd.: **Brunner, Karl, Dr. phil.** (Innsbruck). Der mittelenglische Versroman über Richard Löwenherz. Kritische Ausgabe mit Einleitung, Anmerkungen und deutscher Übersetzung. Gr.-8°. [X u. 604 S.] 1913. 18 K = 15 Mk.

XLIII. Bd.: **Fuchs, Adele** (Wien). Henry Lawson, ein australischer Dichter. Gr.-8°. [XII u. 100 S.] 1914. 3 K 60 h = 3 Mk.

Druck:
Customized Business Services GmbH
im Auftrag der KNV-Gruppe
Ferdinand-Jühlke-Str. 7
99095 Erfurt